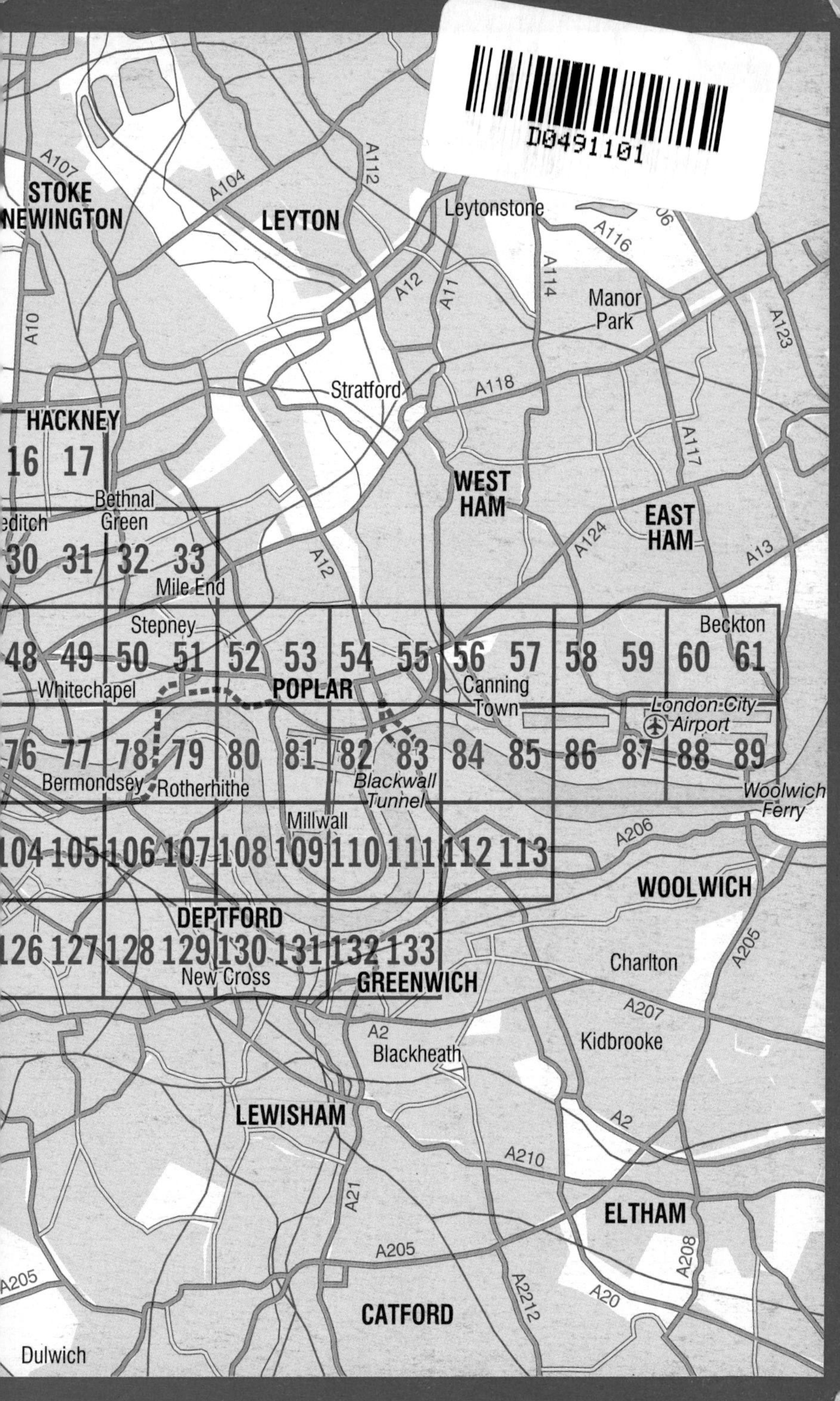

D0491101
STOKE NEWINGTON
LEYTON
Leytonstone
Manor Park
Stratford
HACKNEY
16
17
Bethnal Green
WEST HAM
EAST HAM
30
31
32
33
Mile End
Stepney
Beckton
48
49
50
51
52
53
54
55
56
57
58
59
60
61
Whitechapel
POPLAR
Canning Town
London City Airport
76
77
78
79
80
81
82
83
84
85
86
87
88
89
Bermondsey
Rotherhithe
Blackwall Tunnel
Woolwich Ferry
Millwall
104
105
106
107
108
109
110
111
112
113
WOOLWICH
DEPTFORD
126
127
128
129
130
131
132
133
Charlton
New Cross
GREENWICH
Blackheath
Kidbrooke
LEWISHAM
ELTHAM
CATFORD
Dulwich
A107
A104
A112
A116
A10
A12
A11
A114
A123
A118
A117
A124
A13
A206
A205
A207
A2
A210
A21
A208
A2212
A20

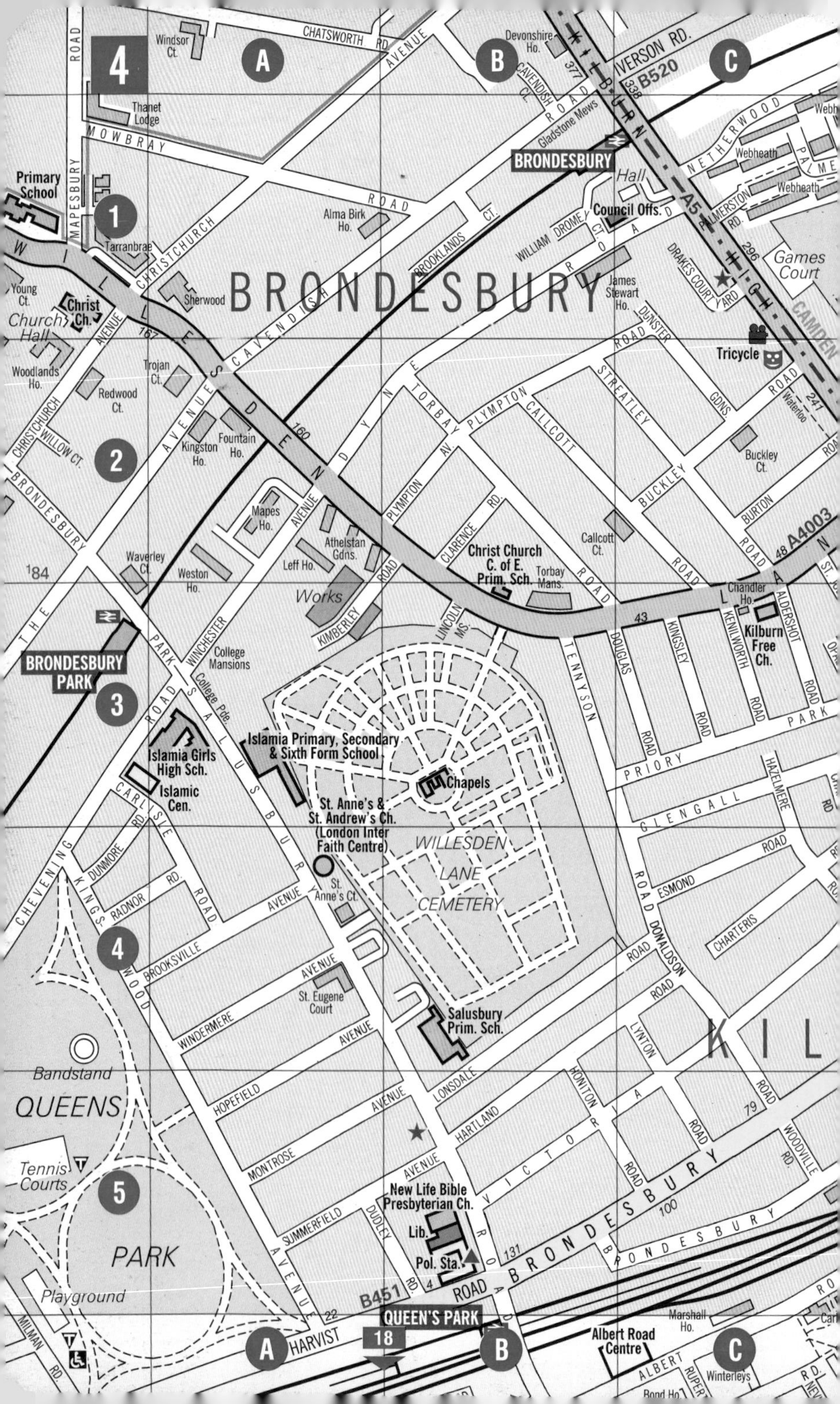

5
D
E
F
STREET
SHERRIFF ROAD
Ch.
WEST HAMPSTEAD MS.
EXETER MS.
Zoroastrian Ho.
COMPAYNE GARDENS
LINSTEAD ST.
LOWFIELD ROAD
KYLEMORE ROAD
GLADYS ROAD
HILLTOP ROAD
St. James' Mans.
B510
HEMSTAL ROAD
Embassy Ho.
1
Hall
CLEVE ROAD
CANFIELD GARDENS
DYNHAM ROAD
Kilburn Grange Park
Library
Cleve Ho.
Olive Waite Ho.
West End Ct.
Douglas Waite Ho.
COTLEIGH ROAD
Kingsgate Jun. & Inf. Schs.
KINGSGATE ROAD
Tennis Courts
WOODCHURCH ROAD
GREENCROFT GARDENS
AVENUE
MESSINA AVENUE
GRANGE WY.
WEST END LANE
Sidney Boyd Ct.
Cecil Ct.
GASCONY AVENUE
PRIORY ROAD
2
GOLDHURST TERRACE
Carlton Mans.
SMYRNA
MAZENOD AVENUE
New Priory Ct.
King's Gardens
ACOL ROAD
Acol Ct.
Parsons Lodge
ST. MARY'S MS.
St. Mary's Mews
Grange Place
Eresby Place
Queensgate Place
Kingswood Ct.
WAVEL MEWS
Douglas Ct.
B507
St. Eugene De Mazenod R.C. Prim. Sch.
ABBEY ROAD
St. Mary's Church
BRONDESBURY MEWS
BRENT
KINGSGATE PLACE
Sacred Heart Ch.
9
184
Snowman House
Casterbridge
P
THE TERRACE
Quex Rd. Methodist Ch.
St Mary's Kilburn C. of E. Prim. Sch.
WEST END LANE
ABBOT'S PL.
Glengall Road
Glengall Pas.
A5
QUEX ROAD
QUEX MS.
MUTRIX ROAD
BRANSDALE CL.
TERRACE
Emminster
Hinstock
3
129
Coll. of NW London
NW6
Sycamore Ct.
Birchington Ct.
Comm. Cen.
BIRCHINGTON RD.
COLAS MEWS
Holmesdale Ho.
Wharfedale Ho.
KILBURN VALE EST.
B509
Newton Ho.
VICTORIA MEWS
KILBURN SQ.
Bishopsdale Ho.
Ribblesdale Ho.
Farndale Ho.
HERMIT PL.
Marshwood Ho.
Lorton Ho.
Langtry Children's Cen.
Sandbourne
Wingreen
Mary Green
Marlbury
Tollard Ho.
Charteris Comm. Sports Cen.
Barret Ho.
Varley Ho.
Education & Social Services Centre
Sandby Ho.
KILBURN HIGH ROAD
Womens Missionary Fellowship
BELSIZE ROAD
LANGTRY RD
MORTIMER PL.
Lumsdon
ABBEY EST.
Gaymead
Silverthorn
Exonbury
Bulbarrow
Rathbone Ho.
Morland Ho.
ALGERNON ROAD
Hillsborough Ct.
Philip Ho.
4
Bramshurst
Kington Ho.
HAZELMERE ROAD
Bron Ct.
Eldon Ct.
VILLAS
Kilburn Bri.
SPRINGFIELD WLK
Goldsmith's Place
MORTIMER
Haliwell Ho.
Bradwell Ho.
MORTIMER ESTATE
Cheshunt Ho.
Hinchinbrook Ho.
Remsted Ho.
Broadoak Ho.
Marrick Ho.
B451
BURN
SPRINGFIELD LA.
MALLARD CLOSE
MORTIMER CRES.
GREVILLE ROAD
Ascot Lodge
GREVILLE MS.
COVENTRY CLOSE
Wells Ct.
MANOR MS.
Hall
Regents Plaza
Plaza Pde.
Kilburn Gate
Alpha Ho.
ALPHA PL.
Cambridge Ct.
Godwin Ho.
WESTMINSTER
TOLLGATE GDNS.
Tollgate Ho.
Islamic Centre England
5
St. Mary's R.C. Prim. Sch.
Gorefield Ho.
KILBURN PARK
CAMBRIDGE AVENUE
Wingfield Ho.
MAPLE MWS.
KILBURN PARK RD.
Dibdin Ho.
A5
MAIDA VALE
GREVILLE
Greville Hall
Carlton Ho.
Depot
GOREFIELD PL.
Canterbury Ct.
Ely Ct.
St. Augustine's C. of E. Prim. Sch.
B414
ANDOVER PL.
Synagogue
HILLSIDE CL.
Carlton Ct.
CANTERBURY TER.
CANTERBURY ROAD
CHICHESTER ROAD
Chichester Ho.
CAMBRIDGE GDNS.
BRIDGE
CAMBRIDGE RD.
OXFORD ROAD
St. Augustine's C. of E. Ch.
19
RUDOLPH
RANDOLPH GDNS.
CARLTON VALE

6
A
B
C
1
2
3
4
5
SOUTH HAMPSTEAD
NW6
COMPAYNE GS.
COMPAYNE
GARDENS
FAIRHAZEL
CANFIELD
CANFIELD GARDENS
GREENCROFT GARDENS
GREENCROFT
ROAD
PRIORY ROAD
Olive Waite Ho.
West End Ct.
Cecil Ct.
Parsons Lodge
MEWS
ST. MARY'S MS.
St. Mary's Mews
St. Mary's Church
ABERDARE GARDENS
GOLDHURST TERRACE
Fairhazel Mans.
FAIRHAZEL GARDENS
COLERIDGE GS.
GOLDHURST TERRACE
FAIRFAX
Rosslyn Mans.
Chalford
COLLEGE
FINCHLEY ROAD
Fairfax Mans.
NASEBY CL.
Glover Ho.
Jade Ter.
CL.
Elgar Ho.
HARBEN
MARSTON
Wolsey Ct.
PLACE
FAIRFAX
Byron Ct.
BELSIZE
Sheridan Ct.
HILGROVE
B509
SOUTH HAMPSTEAD
Hilltop Ct.
LOUDOUN
ALEXANDRA
Grace Chapel
ALEXANDRA PL.
Southbury
ROAD
184
ABBEY ROAD
B507
TERRACE
Snowman House
Casterbridge
170
BELSIZE ROAD
79
ROWLEY WAY
Walk
ROWLEY WY.
Jack Taylor School
Emminster
121
RD.
129
Comm. Centre
PRIORY
B509
BELSIZE
P
Langtry
Stevenson Ho.
Edgeworth Ho.
AINSWORTH
Greenaway Ho.
Waltham House
Besant Ho.
BOUNDARY
Dale Ho.
Newton Ho.
ABBEY
Wingreen
Sandbourne
Mary Green
Marlbury
Toneborough
Ainsworth Ho.
195
KILBURN
Langtry Children's Cen.
Lumsdon
ABBEY EST.
Gaymead
Havenpool
89
Whitby Ho.
Crowland Ho.
SPRINGFIELD
HILL
ROAD
LANGTRY RD
MORTIMER
Hillsborough Ct.
Silverthorn
Bulbarrow
Exonbury
Evesham Ho.
Philip Ho.
MORTIMER
Bramshurst
Kington Ho.
BOLTON
PL.
RUTLAND MEWS
67
CARLTON HILL
Bradwell Ho.
Haliwell Ho.
CRES.
Remsted Ho.
MORTIMER ESTATE
Cheshunt Ho.
Hinchinbrook Ho.
Broadoak Ho.
MORTIMER CRES.
Marrick Ho.
BOLTON RD.
BELGRAVE
GARDENS
56
CLIFTON
B507
LOUDOUN
GREVILLE
HILL
Ascot Lodge
Arncliffe
CARLTON
Kilburn Gate
PRIORY
Pde.
A5
Islamic Centre England
CLIFTON
ROAD
HILL
45
Blenheim Passage
TER.
BLENHEIM
ROAD
Old Manor Ct.
RD.
LOUDOUN
ROAD
MAIDA
239
Dibdin Ho.
Dibdin
ANDOVER
Synagogue
Torridon Ho.
GREVILLE
Greville Hall
HILLSIDE CL.
Carlton Ct.
CARLTON
HAMILTON TER.
Knoll Ho.
RYDER'S TER.
BLENHEIM PAS.
TERRACE
Abbey Ct.
Ellis Franklin Ct.
New London Synagogue
BLENHEIM
MARLBOROUGH
36
LANGFORD CL.
PLACE
Langford Ct.
REGENTS
19
GARDENS
ABBEY
20
526
THE LANE
112
VALE

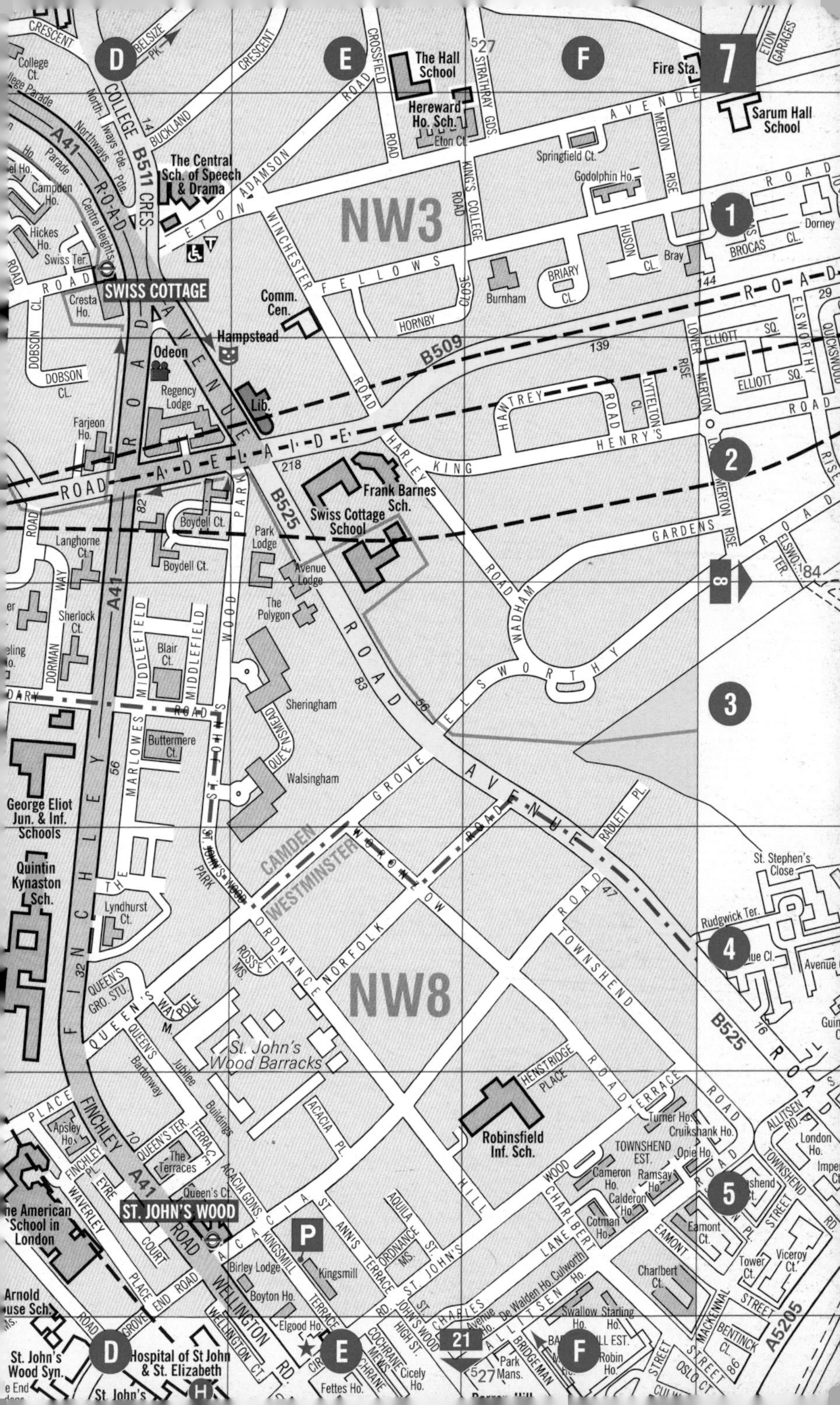

7
D
E
F
1
2
3
4
5
8
21
NW3
NW8
CRESCENT
College Ct.
College Parade
BELSIZE PK.
COLLEGE
BUCKLAND
CRESCENT
CROSSFIELD ROAD
The Hall School
Hereward Ho. Sch.
Eton Ct.
STRATHRAY GDS.
Fire Sta.
ETON GARAGES
Sarum Hall School
AVENUE
Springfield Ct.
MERTON RISE
Godolphin Ho.
ROAD
Dorney
BROCAS CL.
Bray
A41
North-ways Pde.
Northways Pde.
B511 CRES.
The Central Sch. of Speech & Drama
ETON
ADAMSON
WINCHESTER ROAD
KING'S COLLEGE ROAD
HUSON CL.
BRIARY CL.
Campden Ho.
Centre Heights
Hickes Ho.
Swiss Ter.
ROAD
SWISS COTTAGE
FELLOWS
Comm. Cen.
Burnham
HORNBY CLOSE
Cresta Ho.
DOBSON CL.
Hampstead
Odeon
B509
139
144
LOWER MERTON RISE
ELLIOTT SQ.
ELSWORTHY
QUICKSWOOD
29
Regency Lodge
Lib.
HAWTREY ROAD
LYTTELTON CL.
HENRY'S
KING
Farjeon Ho.
ADELAIDE ROAD
218
HARLEY ROAD
Frank Barnes Sch.
Swiss Cottage School
82
Boydell Ct.
PARK
B525
Park Lodge
GARDENS
ELSWO. TER.
184
Langhorne Ct.
WAY
Avenue Lodge
The Polygon
WADHAM
Sherlock Ct.
DORMAN
MIDDLEFIELD
Blair Ct.
WOOD
Sheringham
83
ELSWORTHY
56
Buttermere Ct.
MARLOWES
ST. JOHN'S
QUEENSMEAD
Walsingham
GROVE
AVENUE
RADLETT PL.
George Eliot Jun. & Inf. Schools
Quintin Kynaston Sch.
FINCHLEY
THE
CAMDEN
WESTMINSTER
WORONZOW ROAD
St. Stephen's Close
Lyndhurst Ct.
ST. JOHN'S WOOD PARK
ORDNANCE
NORFOLK
ROAD
47
TOWNSHEND
Rudgwick Ter.
Avenue
32
ROSSETTI MS.
QUEEN'S GRO. STU.
WALPOLE M.
QUEEN'S
Jubilee Buildings
Bartonway
St. John's Wood Barracks
B525
16
HENSTRIDGE PLACE
ROAD
TERRACE
ROAD
ALLITSEN RD.
London Ho.
PLACE
Apsley Ho.
ACACIA PL.
Robinsfield Inf. Sch.
Turner Ho.
Cruikshank Ho.
TOWNSHEND EST.
Opie Ho.
FINCHLEY PL.
EYRE
WAVERLEY
10
QUEEN'S TER.
TERRACE
The Terraces
ACACIA GDNS.
Queen's Ct.
WOOD
CHARLBERT
Cameron Ho.
Ramsay Ho.
Calderon Ho.
HILL
The American School in London
ST. JOHN'S WOOD
ACACIA
KINGSMILL
ST ANN'S TERRACE
AQUILA ST.
ORDNANCE MS.
Cotman Ho.
LANE
EAMONT
Eamont Ct.
Tower Ct.
Viceroy Ct.
COURT
ROAD
Birley Lodge
Kingsmill
ST. JOHN'S
De Walden Ho.
Culworth Ho.
Charlbert Ct.
Arnold House Sch.
Boyton Ho.
WELLINGTON
GROVE END ROAD
PLACE
Elgood Ho.
TERRACE
CHARLES
Avenue Ho.
ALLITSEN
Swallow Ho.
Starling Ho.
MACKENNAL
STREET
BENTINCK CL.
86
A5205
St. John's Wood Syn.
Hospital of St John & St. Elizabeth
WELLINGTON CT.
COCHRANE MEWS
JOHN'S WOOD HIGH ST.
527
Park Mans.
BRIDGEMAN
Robin Ho.
OSLO CT.
Fettes Ho.
Cicely Ho.
St. John's

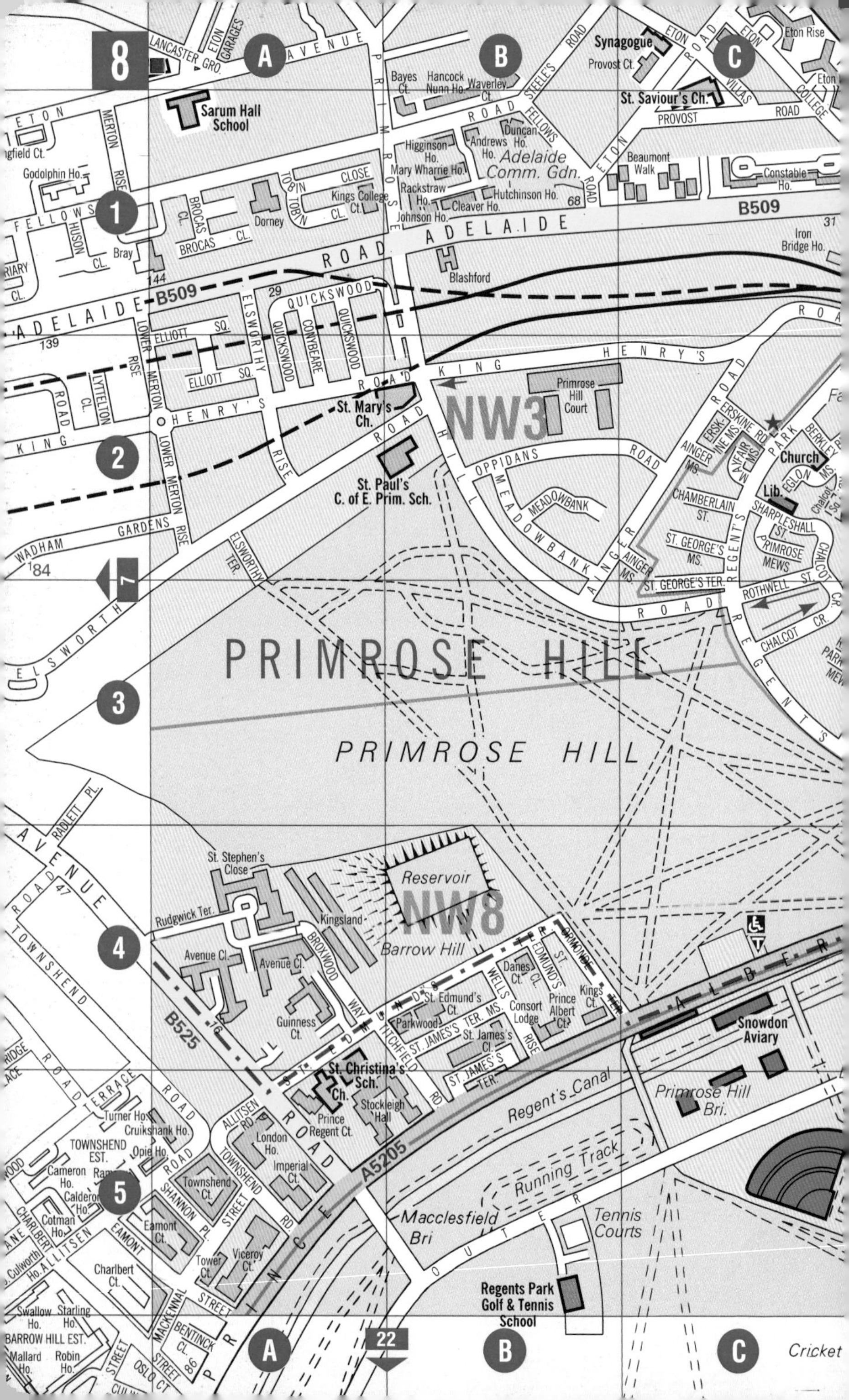
8
A
B
C
1
2
3
4
5
7
22
Sarum Hall School
Synagogue
Provost Ct.
St. Saviour's Ch.
Eton Rise
Eton
Eton Villas
Eton Garages
Lancaster Gro.
Avenue
Merton Rise
Godolphin Ho.
Fellows
Huson Cl.
Bray
Brocas Cl.
Dorney
Tobin Close
Kings College Ct.
Bayes Ct.
Hancock Nunn Ho.
Waverley Ct.
Higginson Ho.
Mary Wharrie Ho.
Rackstraw Ho.
Johnson Ho.
Cleaver Ho.
Andrews Ho.
Duncan Ho.
Hutchinson Ho.
Adelaide Comm. Gdn.
Steele's Road
Fellows Road
Provost Road
Eton Road
Beaumont Walk
Constable Ho.
B509
Adelaide Road
Iron Bridge Ho.
Blashford
Quickswood
Conybeare
Elsworthy Rise
Elliott Sq.
Lower Merton Rise
Lyttelton Cl.
King Henry's Road
St. Mary's Ch.
St. Paul's C. of E. Prim. Sch.
Primrose Hill Court
NW3
Oppidans Road
Meadowbank
Ainger Road
Ainger Ms.
Erskine Rd
Erskine Ms.
Mayfair Ms.
Chamberlain St.
St. George's Ms.
St. George's Ter.
Regent's Park Road
Church
Lib.
Berkley
Eglon Ms.
Sharpleshall St.
Primrose Mews
Chalcot Cr.
Chalcot Sq.
Rothwell St.
Wadham Gardens
Elsworthy Ter.
Elsworthy Road
PRIMROSE HILL
PRIMROSE HILL
Radlett Pl.
Avenue Road
Townshend Road
St. Stephen's Close
Reservoir
NW8
Rudgwick Ter.
Kingsland
Barrow Hill
Broxwood Way
Avenue Cl.
Guinness Ct.
St. Edmund's Ter.
St. Edmund's Ct.
Danes Ct.
St. Edmund's Cl.
Ormonde Ter.
Kings Ct.
Prince Albert Ct.
Consort Lodge
Wells Rise
Parkwood
St. James's Ter. Ms.
St. James's Cl.
St. James's Ter.
Ormonde
Albert Road
Snowdon Aviary
B525
St. Christina's Sch.
Ch.
Prince Regent Ct.
Stockleigh Hall
Allitsen Rd
London Ho.
Imperial Ct.
Prince Albert Road
A5205
Regent's Canal
Primrose Hill Bri.
Running Track
Macclesfield Bri
Outer Circle
Tennis Courts
Regents Park Golf & Tennis School
Terrace
Turner Ho.
Cruikshank Ho.
Townshend Est.
Opie Ho.
Cameron Ho.
Calderon Ho.
Cotman Ho.
Townshend Ct.
Shannon Pl.
Eamont Ct.
Eamont St.
Charlbert St.
Charlbert Ct.
Allitsen
Tower Ct.
Viceroy Ct.
Swallow Ho.
Starling Ho.
Barrow Hill Est.
Mallard Ho.
Robin Ho.
Mackennal Street
Bentinck Cl.
Oslo Ct.
Culworth Ho.
Cricket

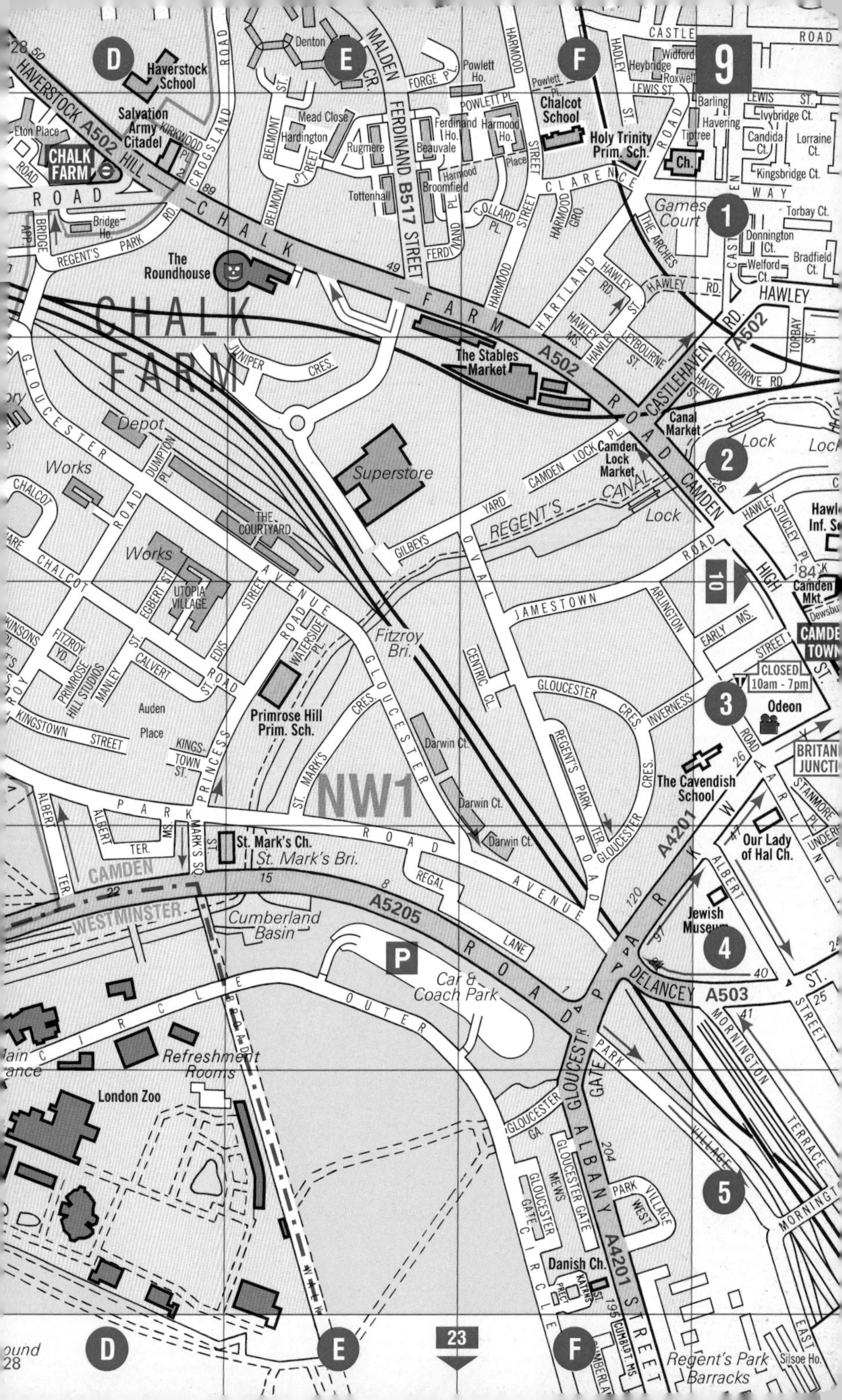

9
D
E
F
1
2
3
4
5
10
23
28
50
HAVERSTOCK HILL
A502
Haverstock School
Salvation Army Citadel
Eton Place
CHALK FARM
ROAD
KIRKWOOD PL.
CROSGLAND ROAD
Denton
MALDEN CR.
BELMONT ST.
Mead Close
Hardington
Rugmere
Tottenhall
FORGE PL.
Powlett Ho.
POWLETT PL.
Ferdinand Ho.
Harmood Ho.
Beauvale
Broomfield
Harmood Place
FERDINAND B517 STREET
FERDINAND PL.
HARMOOD STREET
Powlett Pl.
Chalcot School
Holy Trinity Prim. Sch.
HADLEY ST.
Heybridge
Widford
Roxwell
LEWIS ST.
CASTLE ROAD
Barling
Havering
Tiptree
Ch.
Ivybridge Ct.
Candida Ct.
Lorraine Ct.
Kingsbridge Ct.
WAY
Games Court
Torbay Ct.
Donnington Ct.
Welford Ct.
Bradfield Ct.
CASTLEHAVEN RD.
HAWLEY RD.
HAWLEY
CLARENCE
COLLARD PL.
HARMOOD GRO.
THE ARCHES
HARTLAND RD.
HAWLEY ST.
HAWLEY MS.
LEYBOURNE ST.
LEYBOURNE RD.
TORBAY ST.
BRIDGE APP.
Bridge Ho.
REGENT'S PARK RD.
89
49
CHALK FARM ROAD
The Roundhouse
CHALK FARM
JUNIPER CRES.
The Stables Market
A502
CASTLEHAVEN RD.
Canal Market
Lock
Camden Lock Market
CAMDEN LOCK PL.
CAMDEN ROAD
226
GLOUCESTER AVENUE
Depot
DUMPTON PL.
Works
Superstore
CHALCOT ROAD
CHALCOT SQUARE
CHALCOT CRES.
THE COURTYARD
UTOPIA VILLAGE
EGBERT ST.
GILBEYS YARD
REGENT'S CANAL
OVAL ROAD
JAMESTOWN ROAD
ARLINGTON ROAD
HAWLEY ST.
STUCLEY PL.
Hawley Inf. Sch.
HIGH ST.
184
Camden Mkt.
CAMDEN TOWN
Dewsbury
EARLY MS.
STREET
CLOSED 10am - 7pm
Odeon
Fitzroy Bri.
FITZROY YD.
PRIMROSE HILL STUDIOS
MANLEY ST.
CALVERT ST.
EDIS ST.
ROAD
WATERSIDE PL.
Primrose Hill Prim. Sch.
KINGSTOWN STREET
Auden Place
KINGSTOWN ST.
PRINCESS RD.
CENTRIC CL.
GLOUCESTER CRES.
INVERNESS ST.
REGENT'S PARK TER.
ROAD
The Cavendish School
26
BRITANNIA JUNCTION
ST. MARK'S CRES.
Darwin Ct.
NW1
PARK ROAD
ALBERT TER.
ALBERT TER. MS.
MARK'S SQ.
St. Mark's Ch.
St. Mark's Bri.
REGAL LANE
AVENUE
ARLINGTON ROAD
A4201
PARKWAY
STANMORE PL.
47
Our Lady of Hal Ch.
ALBERT ST.
CAMDEN
WESTMINSTER
22
15
8
A5205
ROAD
Cumberland Basin
120
97
Jewish Museum
40
DELANCEY A503 ST.
25
P
Car & Coach Park
OUTER CIRCLE
BROAD WALK
Refreshment Rooms
London Zoo
GLOUCESTER GATE
PARK VILLAGE EAST
MORNINGTON TERRACE
MORNINGTON CRES.
41
GLOUCESTER GA.
GLOUCESTER GATE MEWS
GLOUCESTER GATE
ALBANY A4201 STREET
204
PARK VILLAGE WEST
Danish Ch.
195
CUMBERLAND
Regent's Park Barracks
Silsoe Ho.
EAST

10
A
B
C
1
2
3
4
5
CASTLE ROAD
Holy Trinity Prim. Sch.
Ch.
CLARENCE WAY
Widford
Roxwell
Barling
Havering
Tiptree
LEWIS ST.
Ivybridge Ct.
Candida Ct.
Lorraine Ct.
Ellen Terry Ct.
Kingsbridge Ct.
CASTLEHAVEN ROAD
Torbay Ct.
Donnington Ct.
Bradfield Ct.
Welford Ct.
James Court
HAWLEY RD.
HAWLEY A502 RD.
Durdans Ho.
FARRIER STREET
ROCHESTER ROAD
ROCHESTER PLACE
ROCHESTER TER.
WHITCHER PL.
Cherry Tree Ct.
Camden Mews Day Hospital
Temple
Gov. Offs.
Works
ROYAL ST. PANCRAS
ROCHESTER SQUARE
Bessemer Ct.
Rochester Ct.
Hogarth Ct.
Soane Ct.
Inwood Ct.
Wollett Ct.
Bernard Shaw Ct.
Foster Ct.
A5202
A503
A5202 WAY
JEFFREY'S PL.
JEFFREY'S STREET
PROWSE
IVOR STREET
CAMDEN ROAD
Camden Ct.
ROUSDEN ST.
AGAR PL.
WROTHAM RD.
Manston
LEYBOURNE RD.
TORBAY ST.
CASTLEHAVEN RD.
Canal Market
WATER LA.
CAMDEN GDS.
BONNY ST.
Camden Lock Market
CAMDEN LOCK PL.
Lock
REGENT'S CANAL
RANDOLPH ST.
Bruges Pl.
BAYNES ST.
REACH VIEW CL.
Highstone Mans.
CRES.
Grand Union Walk
Hawley Inf. Sch.
HAWLEY
STUCLEY PL.
BUCK ST.
St. Michael's Church
LYME ST.
Lyme Ter.
BARKER
ROSSENDALE
Etcetera
9
JAMESTOWN
Camden Mkt.
Dewsbury T.
ARLINGTON
EARLY MS.
INVERNESS STREET
CAMDEN TOWN
CLOSED 10am - 7pm
KENTISH TOWN
CAMDEN STREET
COLLEGE
ST. PANCRAS WAY
ST. PANCRAS COMM. CEN.
GEORGIANA STREET
Our Lady's R.C. Prim. Sch.
Training Cen.
St. Michaels C. of E. Prim. Sch.
All Saints Greek Orthodox Cath.
CAROL STREET
BAYHAM
GREENLAND
Works
St. Martin's Gardens
Chapel
ST. MARTIN'S CL.
Carpenters Ct.
St. Martin's Almshouses
GLOUCESTER CRES.
Odeon
BRITANNIA JUNCTION
The Cavendish School
PARKWAY
A4201
STANMORE PL.
Underhill Pas.
UNDERHILL ST.
Pleasant Row
Our Lady of Hal Ch.
ALBERT ST.
ARLINGTON RD.
Jewish Museum
SIGNMAKERS YD.
PRATT ST.
PRATT MEWS
Warmsworth
Barnbrough
Billingley
Mexborough
Darfield
Goldthorpe
Hickleton
Thurnscoe
Conisbrough
Trimdon
Ravenscar
NW1
MANDELA
COLLEGE PLACE
Camelford
Dulverton
Lydford
Landrake
Branscombe
Camden Studios
Newlyn
Comm. Cen.
Dartington
Merrivale
Cranbrook
Stoneh
Theatre Technis
Helston
Richard Cobden Prim. Sch.
Working Men's Coll.
DELANCEY A503
DELANCEY PAS.
MARY TER.
Foxfield
Fairfield
Brierfield
Delancey Studios
KING'S TERRACE
PLENDER ST.
Meth. Ch.
Faversham Ho.
Rainham Ho.
Westerham
Brockham Ho.
BAYHAM PL.
CROWNDALE B512
St. Matthew's Lodge
OAKLEY SQUARE
Oakley Sq. Gardens
Godwin Ct.
Mayford
MILLER ST.
CARLOW ST.
SYMES MEWS
Cobden Ho.
BEATTY ST.
NELSONS YD.
MORNINGTON CRES.
Mornington Ct.
MORNINGTON STREET
MORNINGTON TERRACE
Library
HAMPSTEAD ROAD
EVERSHOLT STREET
A4200
HARRINGTON SQ.
Harrington Gardens
LIDLINGTON PLACE
Clarkson Row
MORNINGTON PL.
24
Regent's Park Barracks
PARK VILLAGE EAST
GLOUCESTER GATE MEWS
ALBANY STREET
PARK WEST
Danish Ch.
CUMBERLAND MS
CRANLEIGH
Holmbrook
Cranleigh Houses

11
D
E
F
Camden Sq. Gdns.
Football Ground
Warehouses
Robert Blair Prim. Sch.
Works
Hillier Ho.
Grangefield
ACORN PRODUCTION CENTRE
Works
Factory
Nettlecombe
Ashmore
Lulworth
Frampton
N7
Works
NORTH WESTERN COMM. CEN.
Community Centre
Allensbury Place
Warehouses
CEDAR WAY IND. EST.
Depots
CHANNEL TUNNEL RAIL LINK (Due to Start 2003)
Paget Christian Cen.
Warehouse
Jubilee Waterside Youth Cen.
N1
Driving Range
Sorting Office
Oblique Bridge
Goods Shed
Depot
Royal Veterinary College
St. Pancras Hospital
St. Pancras Basin
Lock
Coroners' Ct.
London Wildlife Trust
St. Pancras Gardens
St. Pancras Old Church
Camley St. Natural Pk.
Cecil Rhodes Ho.
The Chenies
Gasholders
Gasholders
South Camden Comm. Sch.
ST. PANCRAS Extension (Est. Comp.) 2003-2006
Clyde Ct.
Edith Neville Prim. Sch.
Culross Buildings
KING'S CROSS
25
12
A5200
A5202

12
A
B
C
1
2
3
4
5
11
26
N7
N1
KING'S CROSS
H.M.P. Pentonville
CALEDONIAN RD. & BARNSBURY
Robert Blair Prim. Sch.
ACORN PRODUCTION CENTRE
Warehouses
Warehouse
Works
Factory
BEMERTON ESTATE
Bingfield Park
Paget Christian Cen.
St. Andrew's Ch.
Liby.
Rec. Grnd.
Swimming Pool
St. Andrew's C. of E. Prim. School
Naish Court
Caithness Ho.
Dunoon Ho.
Orkney Ho.
Lib.
B154
A5203
A5200
Ch. of the Blessed Sacrament
Blessed Sacrament R.C. Prim. Sch.
Battlebridge Youth Cen.
Copenhagen Prim. Sch.
Sch.
Comm. Cen.
BARNSBURY EST.
PRIORY GREEN ESTATE
Elizabeth Garrett Anderson Sch.
London Canal Mus.
REGENTS CANAL
Thornhill Bridge
Driving Range
Depot
Culross Buildings
Stanley Bldgs.
CALEDONIAN ROAD
COPENHAGEN STREET
WHARFDALE ROAD
YORK WAY
BINGFIELD STREET
PEMBROKE STREET
HAVELOCK STREET
BEMERTON STREET
RICHMOND AVE
THORNHILL SQUARE
OFFORD ROAD
HUNTINGDON STREET
CARNEGIE ST
WYNFORD ROAD
ALL SAINTS ST.
ISLINGTON
CAMDEN

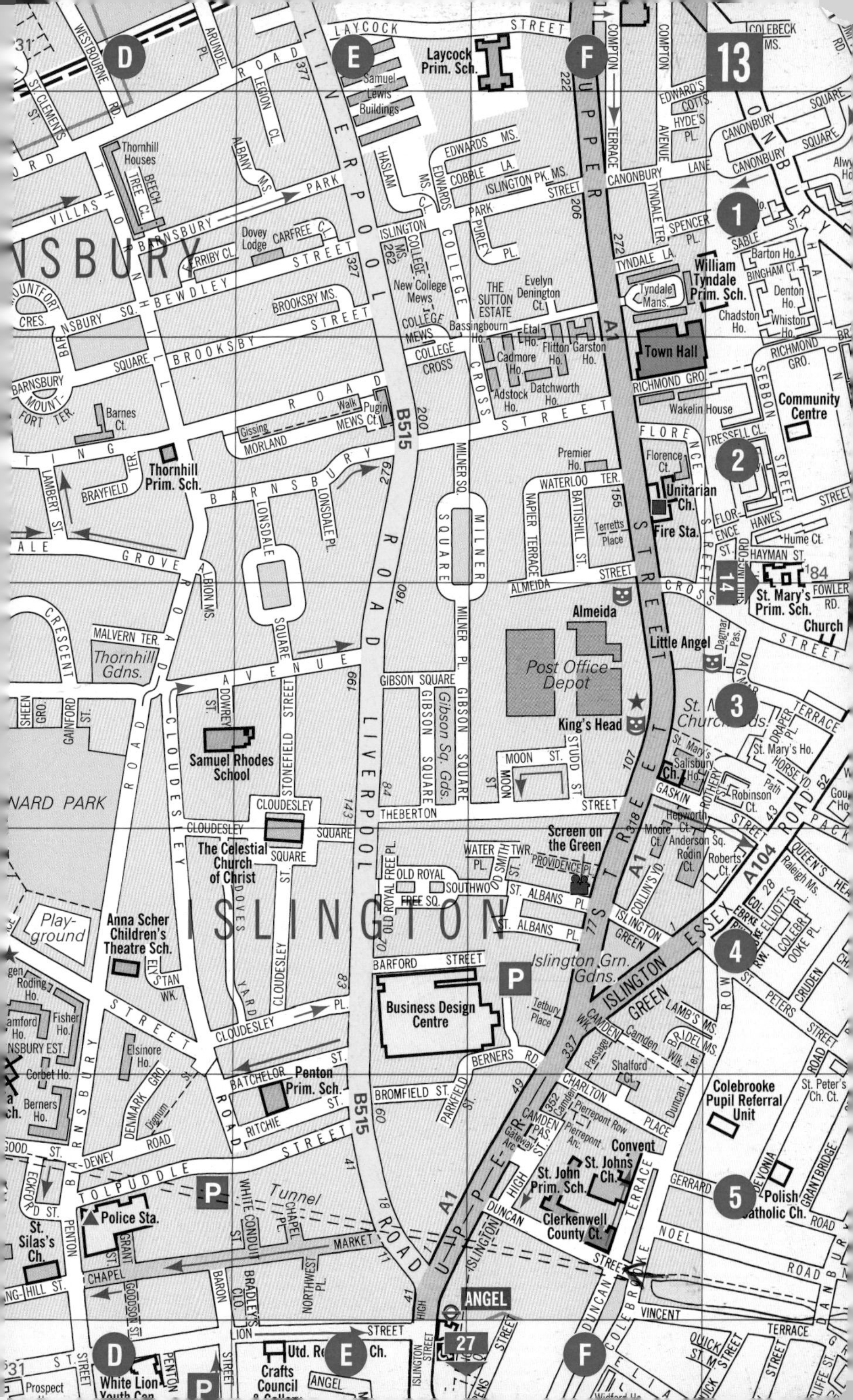
13
D
E
F
LAYCOCK STREET
Laycock Prim. Sch.
Samuel Lewis Buildings
COMPTON TERRACE
COMPTON AVENUE
COLEBECK MS.
WESTBOURNE RD.
ARUNDEL PL.
ST. CLEMENTS ST.
LEGION CL.
ALBANY MS.
HASLAM CL.
EDWARDS MS.
COBBLE LA.
ISLINGTON PK. MS.
ISLINGTON PARK STREET
CANONBURY LANE
EDWARD'S COTTS.
HYDE'S PL.
CANONBURY SQUARE
Thornhill Houses
BEECH TREE CL.
VILLAS
BARNSBURY PARK
BARNSBURY
Dovey Lodge
CARFREE CL.
FERRIBY CL.
BARNSBURY STREET
ISLINGTON MS
COLLEGE CROSS
PURLEY PL.
TYNDALE TER.
SPENCER PL.
SABLE ST.
1
TYNDALE LA.
Tyndale Mans.
William Tyndale Prim. Sch.
Barton Ho.
BINGHAM CT.
Denton Ho.
Whiston Ho.
Chadston Ho.
MOUNTFORT CRES.
BEWDLEY STREET
BROOKSBY MS.
New College Mews
COLLEGE MEWS
THE SUTTON ESTATE
Evelyn Denington Ct.
BARNSBURY SQ.
BROOKSBY STREET
Bassingbourn Ho.
Etal Ho.
Flitton Ho.
Garston Ho.
Cadmore Ho.
Town Hall
RICHMOND GRO.
SEBBON STREET
Community Centre
BARNSBURY MOUNTFORT TER.
Barnes Ct.
Walk
Pugin Ct.
Gissing
MORLAND MEWS
Adstock Ho.
Datchworth Ho.
Wakelin House
FLORENCE STREET
TRESSELL CL.
B515
LIVERPOOL ROAD
UPPER STREET
A1
Thornhill Prim. Sch.
BRAYFIELD TER.
LAMBERT ST.
BARNSBURY ROAD
LONSDALE SQUARE
LONSDALE PL.
MILNER SQUARE
Premier Ho.
WATERLOO TER.
Florence Ct.
Unitarian Ch.
2
Fire Sta.
NAPIER TERRACE
BATTISHILL ST.
Terretts Place
HAWES
Hume Ct.
HAYMAN ST.
CALEDONIAN ROAD
GROVE
ALBION MS.
ALMEIDA STREET
CROSS STREET
14
St. Mary's Prim. Sch.
FOWLER RD.
Church
Almeida
MALVERN TER.
CRESCENT
Thornhill Gdns.
Post Office Depot
Little Angel
Dagmar Pas.
DAGMAR TERRACE
AVENUE
DOWREY ST.
STONEFIELD STREET
GIBSON SQUARE
Gibson Sq. Gds.
MILNER PL.
St. Mary's Church Gds.
3
SHEEN GRO.
GAINFORD ST.
Samuel Rhodes School
King's Head
MOON ST.
STUDD ST.
DRAPER PL.
St. Mary's Ho.
HORSEYD.
Salisbury Ho.
Ch.
ROTHERY ST.
Robinson Ct.
Path
RONARD PARK
CLOUDESLEY ROAD
CLOUDESLEY SQUARE
THEBERTON STREET
GASKIN STREET
Hepworth Ct.
Moore Ct.
Anderson Sq.
Rodin Ct.
Roberts Ct.
A104
The Celestial Church of Christ
SCREEN on the Green
WATER PL.
SMITH TWR.
PROVIDENCE PL.
OLD ROYAL FREE PL.
OLD ROYAL FREE SQ.
SOUTHWOOD ST.
ST. ALBANS PL.
COLLIN'S YD.
ISLINGTON GREEN
ESSEX ROAD
Raleigh Ms.
QUEEN'S HEAD
COLEBROOKE ROW
ELLIOTT'S PL.
4
ISLINGTON
DOVES YARD
Play-ground
Anna Scher Children's Theatre Sch.
ELYSTAN WK.
Islington Grn. Gdns.
BARFORD STREET
P
Business Design Centre
Tetbury Place
CAMDEN WK.
Camden Passage
LAMB'S MS.
BRIDEL MS.
ST. PETERS STREET
CRUDEN
Roding Ho.
Fisher Ho.
Elsinore Ho.
BARNSBURY EST.
Corbet Ho.
Berners Ho.
DENMARK GRO.
Dignum
CLOUDESLEY PL.
Penton Prim. Sch.
BATCHELOR ST.
RITCHIE ST.
BROMFIELD ST.
PARKFIELD ST.
BERNERS RD.
Shalford Ct.
CHARLTON PLACE
Duncan Ter.
Pierrepont Row
Pierrepont Arc.
Camden Pas.
Gateway Arc.
Colebrooke Pupil Referral Unit
St. Peter's Ch. Ct.
DEWEY ST.
TOLPUDDLE STREET
Tunnel
Convent
St. Johns Ch.
St. John Prim. Sch.
HIGH STREET
GERRARD ROAD
5
DEVONIA
Polish Catholic Ch.
GRANTBRIDGE
ECKFORD ST.
St. Silas's Ch.
Police Sta.
GRANT ST.
WHITE CONDUIT ST.
CHAPEL PL.
MARKET
DUNCAN STREET
Clerkenwell County Ct.
NOEL ROAD
CHAPEL
GOODSON ST.
BARON CLO.
BRADLEY'S CLO.
NORTHWEST PL.
ANGEL
VINCENT TERRACE
QUICK ST. M.
WHITE LION STREET
PENTON ST.
ISLINGTON HIGH STREET
Utd. Ref. Ch.
Crafts Council
ANGEL
27
Prospect
White Lion Youth Cen.

14
A
B
C
1
2
3
4
5
13
28
UPPER STREET
COMPTON TERRACE
CANONBURY LANE
CANONBURY SQUARE
CANONBURY PL.
CANONBURY ROAD
ALWYNE PLACE
ALWYNE VILLAS
WILLOW BRIDGE ROAD
DOUGLAS ROAD
Abbotts Close
Alderney Ho.
MARQUESS RD. STH.
CHURCH RD.
ASHBY GROVE
Red Ho. Sq.
ARRAN WALK
New River Walk
Riverside Ho.
Comm. Cen.
Ashby Ho.
Eric Fletcher Ct.
A104
Cedar Ct.
Council Offs.
Lindsey Mews
A1200
Barratt Ho.
Sable St.
Barton Ho.
Bingham Ct.
Denton Ho.
Whiston Ho.
Chadston Ho.
William Tyndale Prim. Sch.
Tyndale Mans.
Tyndale La.
Town Hall
Garston Ho.
A1
RICHMOND GRO.
BRAES STREET
CANONBURY VILLAS
Halton Mansions
St. Stephen's Ch.
ESSEX RD.
Newbery Ho.
NORTHAMPTON STREET
THE IVORIES
Tower Ct.
Horsfield Ho.
ESSEX ROAD
NEW NORTH ROAD
ROTHERFIELD STREET
CLARE LANE
ECCLESBOURNE ROAD
ORCHARD CL.
Bentham Ct.
New Bentham Ct.
Wakelin House
Community Centre
Tressell Cl.
Canonbury Ct.
SEBBON STREET
Premier Ho.
Unitarian Ch.
Fire Sta.
Hume Ct.
HAWES STREET
Hayman St.
St. Mary's Prim. Sch.
Fowler Rd.
Church
HALTON ROAD
ASTEY'S ROW
RIVER PL.
Melville Pl.
GREENMAN STREET
Hedingham Cl.
Tibberton Sq.
Birdbrook Ho.
Maldon Cl.
QUEENSBURY ST.
MORTON RD.
Walkinshaw Ct.
James Ct.
RAYNOR PL.
Almeida
Little Angel
Halton Cross St.
Liby.
PEABODY ESTATE
Charles Lamb Prim. Sch.
Rotherfield Primary School
King's Head
St. Mary's Church Gdns.
DAGMAR TERRACE
CROSS STREET
DIBDEN STREET
PICKERING ST.
ELDER WK.
POPHAM ST.
BASIRE STREET
Rosemary Sch.
Isleden Ho.
COLEMAN FIELDS
THE MEWS
RYDON ST.
Salisbury Ho.
St. Mary's Ho.
Robinson Ct.
GASKIN STREET
Hepworth Ct.
Moore Ct.
Anderson Sq.
Rodin Ct.
Roberts Ct.
The Windsor Cen.
Inst.
Gough Ho.
BRITANNIA ROW
Finnemore Ho.
Turnbull Ho.
Strang Ho.
Price Ho.
Holden Ho.
St. James's Ch.
PACKINGTON STREET
QUEEN'S HEAD STREET
Raleigh Ms.
ELLIOTT'S PL.
Ada Ct.
Islington Green Sec. Sch.
ISLINGTON GREEN
CANON STREET
ST. PAUL STREET
SHRUBBERY CL.
HANBURY MEWS
LINTON ST.
ARLINGTON SQ.
Arbon Ct.
ST. PETERS STREET
CHANTRY STREET
CRUDEN STREET
RALEIGH STREET
PREBEND STREET
ST. PAUL ST.
The Precinct
Packington Sq.
BEVAN STREET
CLOCK TOWER MEWS
ARLINGTON AV.
UNION WHARF
ISLINGTON
HACKNEY
REGENT'S CANAL
LAMB'S MS.
BRIDEL MS.
Camden Passage
Shalford Ct.
CHARLTON PLACE
Pierrepont Row
Colebrooke Pupil Referral Unit
St. Peter's Ch. Ct.
RHEIDOL MEWS
ALLINGHAM STREET
GRAFTON ST.
DAME STREET
Packington St. Bri.
Convent
St. Johns Ch.
Clerkenwell County Ct.
GERRARD ROAD
DEVONIA
Polish Catholic Ch.
GRANTBRIDGE STREET
BURGH STREET
FROME STREET
Cluse Ct.
PROVENCE ST.
SHEPHERDESS WALK
EAGLE WHARF ROAD
BLETSOE WLK.
GODWIN CLOSE
NOEL ROAD
HANOVER YD.
BALDWIN TER.
Canal Building
Windsor Ho.
Hanover Prim. Sch.
VINCENT TERRACE
DANBURY STREET
WENLOCK ROAD
Comm. Cen.
Bridgeside Ho.
GRAND JUNCTION WHARF
City Road Lock
Royle Building
Shepherdess Walk
QUICK ST. M.
SHAFTESBURY

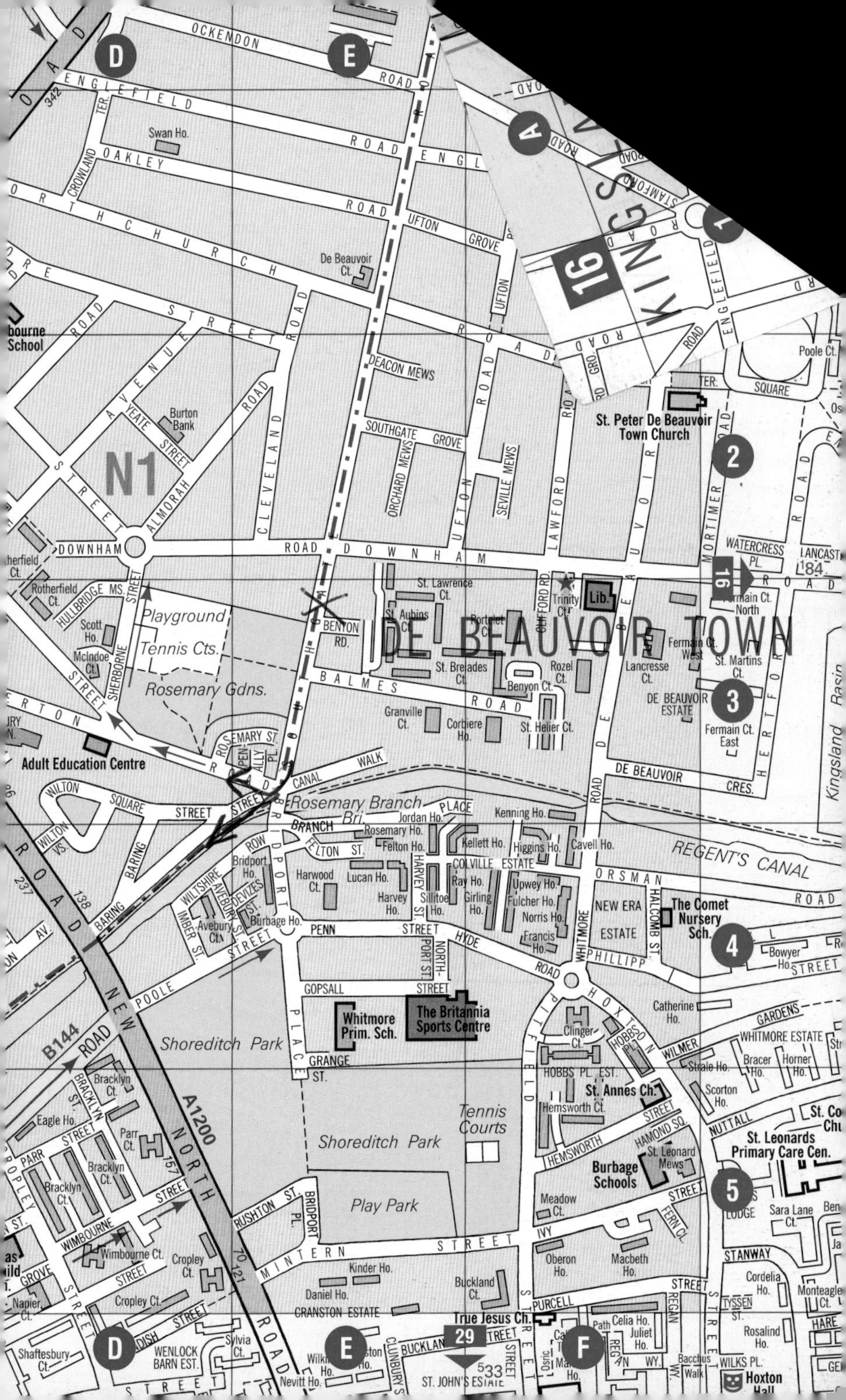

D
E
A
1
16
2
3
4
5
F
29
N1
DE BEAUVOIR TOWN
OCKENDON ROAD
ENGLEFIELD ROAD
OAKLEY ROAD
NORTHCHURCH ROAD
UFTON GROVE
UFTON ROAD
DOWNHAM ROAD
BALMES ROAD
DE BEAUVOIR ROAD
DE BEAUVOIR CRES.
MORTIMER ROAD
HERTFORD ROAD
KINGSLAND ROAD
STAMFORD ROAD
DE BEAUVOIR SQUARE
REGENT'S CANAL
ORSMAN ROAD
NEW NORTH ROAD
A1200
B144
Swan Ho.
De Beauvoir Ct.
Burton Bank
Deacon Mews
Southgate Grove
Orchard Mews
Seville Mews
Lawford Road
St. Peter De Beauvoir Town Church
Watercress Pl.
Lancaster Road
Fermain Ct. North
Fermain Ct. West
Fermain Ct. East
St. Martins Ct.
Lancresse Ct.
De Beauvoir Estate
Kingsland Basin
Poole Ct.
St. Lawrence Ct.
St. Aubins Ct.
Portelet Ct.
Trinity Ct.
Lib.
St. Brelades Ct.
Rozel Ct.
Benyon Ct.
Benyon Rd.
Granville Ct.
Corbiere Ho.
St. Helier Ct.
Playground
Tennis Cts.
Rosemary Gdns.
Rotherfield Ct.
Hullbridge Ms.
Sherborne Street
Scott Ho.
McIndoe Ct.
Adult Education Centre
Rosemary St.
Canal Walk
Rosemary Branch Bri.
Branch Place
Wilton Square
Wilton Vs.
Baring Street
Jordan Ho.
Rosemary Ho.
Felton Ho.
Felton St.
Kenning Ho.
Kellett Ho.
Higgins Ho.
Cavell Ho.
Colville Estate
Bridport Ho.
Harwood Ct.
Lucan Ho.
Harvey Ho.
Sillitoe Ho.
Ray Ho.
Girling Ho.
Upwey Ho.
Fulcher Ho.
Norris Ho.
Francis Ho.
New Era Estate
Halcomb St.
The Comet Nursery Sch.
Wiltshire Row
Avebury Ct.
Imber St.
Devizes St.
Burbage Ho.
Penn Street
Hyde Road
Northport St.
Whitmore Road
Phillipp Street
Bowyer Ho.
Poole Street
Gopsall Street
Whitmore Prim. Sch.
The Britannia Sports Centre
Hoxton Street
Catherine Ho.
Gardens
Whitmore Estate
Shoreditch Park
Grange St.
Bridport Place
Clinger Ct.
Hobbs Pl.
Hobbs Pl. Est.
St. Annes Ch.
Wilmer Place
Strale Ho.
Bracer Ho.
Horner Ho.
Scorton Ho.
Tennis Courts
Hemsworth Ct.
Hemsworth Street
Hamond Sq.
Nuttall Street
St. Leonards Primary Care Cen.
St. Leonard Mews
Burbage Schools
Pitfield Street
Play Park
Rushton St.
Mintern Street
Meadow Ct.
Fern Cl.
Ivy Street
Sara Lane Ct.
Stanway Street
Oberon Ho.
Macbeth Ho.
Cordelia Ho.
Monteagle Ct.
Tyssen St.
Rosalind Ho.
Hare Walk
Bracklyn Ct.
Bracklyn St.
Eagle Ho.
Parr Ct.
Parr Street
Cropley Street
Wimbourne Street
Wimbourne Ct.
Cropley Ct.
Grove
Napier Ct.
Kinder Ho.
Daniel Ho.
Cranston Estate
Buckland Ct.
Buckland Street
Purcell Street
True Jesus Ch.
Celia Ho.
Juliet Ho.
Regan Way
Bacchus Walk
Wilks Pl.
Hoxton Hall
Shaftesbury Ct.
Wenlock Barn Est.
Sylvia Ct.
Nevitt Ho.
Clunbury St.
St. John's Estate
Osric Path
Dish

B
C
A
5
4
3
2
FOREST ROAD
HOLLY STREET
FOREST GROVE
MAYFIELD CL.
MAYFIELD CLOSE
Dalston Methodist Ch.
RICHMOND ROAD
BEEHIVE CL.
BUXTED RD.
CELANDINE DRIVE
ROSE CT.
Queensbridge Sports & Comm. Centre
DALSTON
FRESHFIELD AV.
FRESHFIELD AVENUE
MAPLEDENE ROAD
B108
276
A10
512
481
KINGSLAND ROAD
GLEBE ROAD
MULBERRY
Mermaid Ct.
Wyndhams Ct.
Ch.
Albery Ct.
Adelphi Ct.
Ambassadors Ct.
JACARANDA GRO.
Festival Ct.
Criterion Ct.
Dominion Ct.
Aldwych Ct.
MIDDLETON ROAD
SQUARE
Queensbridge Infants Sch.
HAGGERSTON ROAD
MAYFIELD ROAD
ALBION
ALBION TER.
ALBION SQ.
ALBION DR.
ALBION
FREDERICK TERRACE
All Saints Church
Hilborough Ct.
Shoreditch Ct.
LIVERMERE ROAD
Livermere Ct.
Scriven Ct.
QUEENSBRIDGE ROAD
ROAD
Dorchester Ct.
Wareham Ct.
Dorset Ct.
Stratton Ct.
Swanage Ct.
Blandford Ct.
Poole Ct.
Lulworth Ct.
Portland Ct.
HERTFORD
MORTIMER
DE BEAUVOIR SQUARE
NORTHCHURCH TER.
ST. PETER'S WAY
Oscar Faber Place
METROPOLITAN BUS. CEN.
Vixen Mews
St. Peter De Beauvoir Town Church
MORTIMER ROAD
ENFIELD ROAD
WATERCRESS PL.
LANCASTER CL.
Fire Sta.
DOWNHAM ROAD
15
184
Trinity Ct.
Fermain Ct. North
DE BEAUVOIR TOWN
ARBUTUS ST.
LEE STREET
Fermain Ct. West
Lancresse Ct.
St. Martins Ct.
DE BEAUVOIR ESTATE
Fermain Ct. East
Kingsland Basin
N1
DE BEAUVOIR CRES.
DE BEAUVOIR ROAD
301
252
ACTON MEWS
STEAN STREET
Acton Ho.
LOANDA CL.
PHOENIX CL.
THRASHER CL.
CLARISSA STREET
Lowther Ho.
Lovelace Ho.
SCRIVEN STREET
Angrave Ct.
Angrave Passage
Harlowe Ho.
Pamela Ho.
Benfleet Ct.
RICHARDSON CL.
MARY SEACOLE CL.
Comm. Cen.
GARDEN PL.
Orme Ho.
Belford Ho.
Samuel Ho.
Longman Ho.
Clemson Ho.
DUNSTON ST.
DUNSTON ROAD
BALTIC PL.
Cavell Ho.
REGENT'S CANAL
ORSMAN ROAD
DENNE TER.
NEW ERA ESTATE
HALCOMB
The Comet Nursery Sch.
CANAL PATH
MILL ROW
WHITMORE
Bowyer Ho.
Rover Ho.
Library
PEAR TREE CL.
JEGER AV.
NURSERY LA.
Laburnum Prim. Sch.
PHILLIPP ST
LABURNUM STREET
Mansfield Ct.
Laburnum Ct.
HOXTON
Catherine Ho.
WILMER GDNS.
Nightingale Ho.
Hebden Court
Clinger Ct.
HOBBS PL.
WILMER GARDENS
WHITMORE ESTATE
Stringer Ho.
Whitmore Ho.
202
Strale Ho.
Bracer Ho.
Horner Ho.
WHISTON ROAD
Bryant Ct.
Charlton Ct.
THURTLE
Queensbridge Court
HOBBS PL. EST.
St. Annes Ch.
Scorton Ho.
STREET
Ainsworth Ct.
NUTTALL STREET
St. Columba Church
St. Leonards Primary Care Cen.
DA10
HAMMOND SQ.
St. Leonard Mews
Burbage Schools
HOW'S STREET
ORMSBY
TYLER CL.
APPLEBY
Fellows Court
KENT STREET
KENT ST.
Kent Ct.
Randal Cremer Prim. Sch.
SHAP ST.
Weymouth Ct.
Brunswick Ho.
B108
BROOKS LODGE
Sara Lane Ct.
Ben Jonson Ct.
James Anderson Ct.
140
GEFFRYE
STANWAY STREET
Cordelia Ho.
John Parry Ct.
Monteagle Ct.
197
PEARSON SOVEREIGN MS.
WEYMOUTH TERRACE
THURTLE RD.
Haggerston Sec. Sch.
Macbeth Ho.
PURCELL
REGAN
TYSSEN ST.
HARE WALK
Fellows Court
CRABTREE CL.
Celia Ho.
Juliet Ho.
Caliban Tower
Malcolm Ho.
Rosalind Ho.
REGAN WY.
Bacchus Walk
WILKS PL.
Hoxton Hall
GEFFRYE EST.
Geffrye Ct.
30
DUNLOE STREET
IVY

17
D
E
F
Collins Ct.
Marsh Ct.
PARKHOLME RD.
PHILIP'S ST.
LANSDOWNE DR.
BLANCHARD WY.
Beaumont Lodge
GREENWOOD RD.
NAVARINO RD.
Wayman Ct.
ELEANOR ROAD
RICHMOND ROAD
Tennis Cts.
MORLAND ESTATE
LONDON FIELDS WEST SIDE
Martello St.
Factories
ELLINGFORT ROAD
LONDON FIELDS
GAYHURST ROAD
APPLEBY ROAD
Gayhurst Prim. Sch.
MAPLEDENE ESTATE
HACKNEY
LONDON LANE
TERRACE
AVENUE
MAPLEDENE ROAD
MAPLEDENE RD.
WILMAN GROVE
Elmbridge Wk.
Harvington Walk
Hopwood Walk
Rochford Walk
BLACKSTONE EST.
MARTELLO STREET
LONDON FIELDS
MARTELLO TER.
FORTESCUE AV.
GRANSDEN
LANSDOWNE
MALVERN ROAD
GROVE
St. Michaels & All Angels Ch.
Aldington Ct.
Bayton Ct.
MIDDLETON ROAD
Ropewalk Mews
E8
FIELDS ESTATE
LONDON FIELDS
LAMB LANE
HELMSLEY
LONDON FIELDS EAST SIDE
BUSINESS CENTRE
ELIZABETH FRY MS.
BAYFORD ST.
BAYFORD MS.
SIDWORTH
HELMSLEY ST.
MENTMORE TER.
PL.
DRIVE
SHRUBLAND ROAD
CRESCENT RD.
GRAND UNION CRESCENT
EXMOUTH PL.
WARBURTON RD.
TUDOR RD
MARE STREET
120
184
SHRUBLAND
Lovell Ho.
Church
DUBLIN AV.
Darcy Ho.
Warburton Ho.
London Fields East Side
Hackney College
THE TRIANGLE
R.C. Ch.
KING EDWARD'S RD.
MARLBOROUGH AV.
BROUGHAM ROAD
HARLOWE CL.
DUBLIN AV.
ROAD
DRIVE
ST.
Comm. Cen.
TRIANGLE RD.
WARBURTON ST.
3
Hackney College
ALLOW
HARRIET CL.
BYRON CL.
JOHNSON CL.
Avenue
Prim. Sch.
TREDERWEN
WELSHPOOL ST.
Comm. Cen.
CROSTON
DERICOTE ST.
WESTGATE STREET
THE WESTGATE CEN.
BOCKING STREET
St. Josephs Hospice
Walk
Pamela
Walk
Rivington Walk
WELSHPOOL
WELSH POOL ST.
MARKET
London Fields Prim. Sch.
Welshpool Ho.
Closed SATURDAY 07.30 - 17.30
Alden Ho.
LANE
BECK ROAD
AITKEN CL.
LEITA CL.
Marlborough
OSBORN CL.
WILDE CL.
MAGWIN CL.
SOTHERAN CL.
STEPHAN CL.
Walk
BENJAMIN CL.
DUNCAN ROAD
BUSH ROAD
SHEEP
HAWNALL ROAD
ROAD
MARLBOROUGH AV.
Debenham Ct.
Laxfield Ct.
Orwell Ct.
BROADWAY MKT. MEWS
BROADWAY
JACKMAN STREET
Broadway Ho.
Factories
ASH GROVE
A107
BOOTH CL.
REGENT'S ROW
ADA STREET
Bus Garage
Works
VICTORIA PK. RD.
Acton's Lock
Cat & Mutton Br.
ANDREW'S
ADA WORKSHOPS
4
NORTHIAM ST.
GLOUCESTER SQ.
CESTER ST.
Marsworth Ho.
Cheddington Ho.
Linslade Ho.
Cosgrove Ho.
Blisworth Ho.
GOVAN ST.
Debdale Ho.
Regents Wharf
WHARF PLACE
London Wharf
Works
King Edward Mans.
Victoria Bldgs.
WHISTON ROAD
ST.
NICHOLL
HAY ST.
Ada Ho.
ADA PLACE
LANE
ASH GRO.
ROAD
DOVE ROW
CLOSE
Courtauld Ho.
Pritchard Ho.
Council Depot
HACKNEY
TOWER HAMLETS
VYNER ST.
Sebright Prim. Sch.
E2
MOYE
Atkinson Ho.
Drummond Ho.
MARIAN SQ.
Works
CORBRIDGE CR.
Works
WADESON ST.
Martha Ct.
Haggerston
Morrel Ct.
Gurney Ho.
Halley Ho.
GOLDSMITH'S SQ.
Shahjalal Ho.
Gas Holders
HARE RW.
AUDREY STREET
Rec. Grnd.
Ken Wilson Ho.
April Ct.
Crofts Ho.
MARIAN PL.
OVAL
5
Park
STREET
Besford Ho.
Gillman Ho.
Sorting Office
St. Casimir's R.C. Ch.
Grove Passage
481
254
11
BISHOP'S WAY
Football Pitch
Beechwood Ho.
DINMONT EST.
Sebright Ho.
Dinmont Ho.
Cheverell Ho.
EMMA STREET
MARIAN ST.
A1208
ROAD
CLARE
CAMBRIDGE HEATH RD.
City Farm
Ski Slope
YORKTON ST.
GOLDSMITH'S ROW
COATE STREET
Sebright Pas.
31
HACKNEY ROAD
MINERVA
CAMBRIDGE CRES.
PETERLEY BUS. CEN.
PEABODY EST.
CAMBRIDGE HEATH
Claredale
534

QUEEN'S PARK
HARVIST ROAD
B451
KILBURN LANE
B413
The International College of Islamic Science
Wilberforce Prim. Sch.
St. Luke's Ch. Centre
St. Luke's C. of E. Prim. Sch.
Albert Road Centre
W. Kilburn Baptist Ch.
CARLTON VALE
Kilburn Pk. Jun. Sch.
Carlton Vale Inf. Sch.
SALTRAM
WEST KILBURN
W10
Queen's Park Public Open Space
Jubilee Sports Cen. & Baths
Fernhead Rd. Meth. Ch.
Dorothy Gardner Nursery Sch.
Mary Patterson Nursery Sch.
Queen's Pk. Prim. Sch.
Utd. Reformed Church
HARROW ROAD
A404
Church of St. Thomas
Ch. of Our Lady of the Holy Souls
St. Mary Prim Sch.
Queen Elizabeth II Jubilee Sch.
Emmanuel Ch.
KENSINGTON and CHELSEA
St. Thomas C. of E. Prim. Sch.
Trellick Tower
The Kensington and Chelsea College
GRAND UNION CANAL
R.C. Ch.
Pol. Sta.
Lib.
4
36

19
5
20
37
KILBURN PARK
D
E
F
1
2
3
4
5
NW6
W9
PADDINGTON RECREATION GROUND
Cricket Ground
Tennis Courts
Paddington Bowling & Sports Club
Indoor Bowling Pavilion
B.B.C. Studios
St. Augustine's Ch.
St. Augustine's C. of E. Sec. Sch.
Synagogue
St. George's Catholic Sch.
North Paddington Boys' Club
Carlton Cen. Nursery Sch.
Community Centre
R.C. Ch.
Teachers' Training Cen.
Essendine Prim. Sch.
City of Westminster College
North Westminster Comm. Coll. (Paddington Lwr. Ho.)
St. Peter's Ch.
St. Peter's C. of E. Prim. School
The Amadeus Cen.
St. Saviour's C. of E. Prim. Sch.
Council Offs.
St. Mary Magdalene's Ch.
GRAND UNION CANAL
B413
B414
A92
A404
CARLTON VALE
MAIDA VALE
SHIRLAND ROAD
ELGIN AVENUE
KILBURN PARK ROAD
GRANTULLY ROAD
ASHWORTH ROAD
LAUDERDALE ROAD
CASTELLAIN ROAD
DELAWARE ROAD
MORSHEAD ROAD
WYMERING ROAD
WIDLEY ROAD
ESSENDINE ROAD
CHIPPENHAM ROAD
HARROW ROAD
SUTHERLAND AVENUE
MARYLANDS ROAD
GOLDNEY ROAD
EDBROOKE ROAD
OAKINGTON ROAD
THORNGATE ROAD
WARWICK AVENUE
FORMOSA STREET
BLOMFIELD ROAD
MAIDA HILL
ELGIN ESTATE
BRENT
WESTMINSTER

20
A
B
C
6
526
Greville Hall
Ellis Franklin Ct.
New London Synagogue
Synagogue
Dibdin Ho.
Carlton Ct.
Hillside Cl.
Carlton
Hamilton
The Lane
Blenheim
Abbey
Langford Ct.
Regents Mews
Marlborough
Gardens
St. Marks Ct.
B507
Place
Dibdin Ho.
House
Maida
Vale
St. George's Catholic Sch.
1
Thurso House
Gardens
Aubrey Pl.
Violet Hill Gdns.
Abbey
Eliot Ms.
Violet Hill
Violet Hill Ho.
Abercorn Mans.
Adelaide Ct.
Road
North Paddington Boys' Club
Carlton
Helmsdale Ho.
Randolph
Glasgow Ho.
St. Mark's Ch.
Violet Hill Ho.
Nugent Ter.
Mortimer Ct.
Recording Studio
83
Carlton
Falkirk Ho.
Warner Ho.
Abercorn
Abercorn Cl.
Hill
Alma Sq.
Alma Sq.
Hamilton
Gardens
Abbey H
Tennis Courts
Mansions
Edinburgh Ho.
72
Abercorn
2
Sports Ground
Cricket Ground
Elgin Ms. North
153
Hamilton Ct.
Wellesley Ct.
A5
145
Hendy Villas
Grove Hall Ct.
Avenue
Elgin Ms. South
Dundee Ho.
19
Road
Ashworth
Ashworth Mansions
Maida Vale
Vale Cl.
Denning Cl.
Mansions
Biddulph
Braemar Ho.
Maida Vale
30
Valect
Hall
3
Mansions
Elgin
Atholl Ho.
115
Cropthorne Ct.
Florence Ct.
Biddulph
Road
Lauderdale Rd. Syn.
Lanark Ms.
Avenue
P
Stuart Tower
Lauderdale
Mansions
Road
Lauderdale
Road
Sutherland
Ada Court
Lauderdale
Mansions
St. Joseph's R.C. Prim. Sch.
Sandringham Ct.
16
Castellain
Castellain
Avenue
Crescent
Leonora Ho.
W9
Clive Ct.
Rodney Ct.
Mansions
Alexandra Ct.
Paddington Bowling & Sports Club
Mansions
Crescent
Avenue
Lanark Mans.
Northwick Ho.
4
Indoor Bowling Pavilion
Road
47
B.B.C. Studios
Mansions
Warrington
16
Clifton
Road
Blomfield Ct.
34
Melbourne Ct.
Lanark
Clarendon Ter.
Road
Randolph
58
Gardens
Elizabeth Cl.
Browning Cl.
Shirland
65
Warwick
Pindock
Mews
St.
Randolph
24
B413
Gardens
Robert Cl.
Lib.
Sutherland
60
Jonathan
Avenue
Formosa
Warrington
23
Randolph
Clarendon
Mews
Avenue
The Amadeus Cen.
5
B413
Clearwell
Charfield Ct.
St. Saviour's C. of E. Prim. Sch.
Mews
38
Formosa
Warwick
Warrington Gds.
Cres.
2
Clifton
11
Randolph
Road
Ellwood Ct.
Road
12 St.
43
Manor Ho. Ct.
St. Saviour's Ch.
Road
Cl.
Barnwood
Drive
Bristol
Mews
33
Av.
Warwick
Warwick Avenue
Catholic Apostolic Ch.
Union Canal
82
Formosa St.
Bristol Gdns.
Villas
St. Mary Magdalene's C. of E. Prim. Sch.
St. Mary Magdalene's Ch.
38
526
A
B
C
Place
Avenue
Blomfield
Maida
Park
Place
Rownton Cl.

21
D
E
F
7
27
1
2
3
4
5
22
39
London
Arnold House Sch.
St. John's Wood Syn.
Hospital of St John & St. Elizabeth
St. John's Hospice
Convent of Mercy
Abbey Rd. Baptist Ch.
The Wellington Hosp.
Birley Lodge
Boyton Ho.
Elgood Ho.
Lib.
Fettes Ho.
Reynolds Ho.
Cicely Ho.
George Eyre Ho.
O'Neill Ho.
Lebus Ho.
Densham Ho.
Cavendish Ho.
The Wellington Hospital
Charlbert Ct.
Swallow Ho.
Starling Ho.
BARROW HILL EST.
Mallard Ho.
Robin Ho.
Park Mans.
Barrow Hill Jun. Sch.
Heron Ho.
Pol. Sta.
North Gate
Hanover Ho.
Viceroy Ct.
Bentinck Ct.
ST. JOHN'S WOOD
St. John's Wood Church Gardens
St. John the Baptist's Ch.
South Lodge
Circus Lodge
Grove Ct.
Addison Ho.
Elm Tree Ct.
Hamilton Ho.
NW8
Middlesex County Cricket Club & Marylebone C.C.
Lord's Cricket Ground
Media Cen.
M.C.C. Cricket Museum & Tours
Strathmore Ct.
Regent's Canal
London Central Mosq
Lords View
Pavilion
Liberal Jewish Synagogue
Blazer Ct.
Church of Our Lady
St. John's Wood Ct.
Regent Court
Tickford Ho.
Simpson Ho.
Lisson Green
LISSON GREEN ESTATE
Ascot Ct.
Grove End Ho.
Squire Gdns.
Storey Ct.
Templar Ct.
Winchilsea Ho.
Pennyford Ct.
Rothley Ct.
Pinner Ct.
Brackley Ct.
Castleford Ct.
Cheadle Ct.
Ashby Ct.
Helsby Ct.
Birch Vale Ct.
Hucknall Ct.
Elmton Ct.
Harrow Lodge
Kenneth Campbell Ho.
Bazalgette Ho.
Park Lorne
Regent's Park Ho.
Olney Ho.
Padbury Ho.
Linslade Ho.
Hughenden Ho.
Cottesloe Ho.
Missenden Ho.
Verney Ho.
Chetwode Ho.
Chequers Ho.
Turville Ho.
Wycombe Ho.
Fingest Ho.
Dinton Ho.
Horwood Ho.
Hardwick Ho.
Gateway Prim. Sch.
Tyburn R.C. Inf. Sch.
Stanfield Ho.
Lilestone Ho.
Capland Ho.
Poynter Ho.
Orchardson Ho.
Cooper Ho.
Dicksee Ho.
Landseer Ho.
Dickens Ho.
Selina Ho.
Jordans Ho.
Frith Ho.
Huxley Ho.
Gibbon Ho.
Frampton Ho.
Eastlake Ho.
Tadema Ho.
Bledlow Ho.
Swanbourne Ho.
Gayhurst Ho.
Risborough Ho.
Penn Ho.
Fulmer Ho.
Ch. Sylvia Young Theatre S
Cockpit
City of Westminster Coll.
LISSON GROVE
W2
Parsons Ho.
Hethpool Ho.
Crompton Ho.
Wyatt Ho.
Westmacott Ho.
Cherwell Ho.
CHURCH ST. EST.
Isis Ho.
CHURCH ST. EST.
Kennet Ho.
Eden Ho.
Lea Ho.
Medway Ho.
Wandle Ho.
Ravensbourne Ho.
Darent Ho.
Blackwater Ho.
Lambourne Ho.
Gilbert Sheldon Ho.
Cotes Ho.
Hubert Ho.
Lyon Ho.
Whitfield Ho.
Scott Ho.
Anthony Ho.
Earl Ho.
Alpha Ho.
Cuthbert Ho.
Philip Ct.
Westminster Children's Sports Cen.
Lisson
WELLINGTON ROAD
A41
A5205
PRINCE ALBERT ROAD
PARK ROAD
ST. JOHN'S WOOD ROAD
GROVE END ROAD
B507
LISSON GROVE
EDGWARE ROAD
A5
CIRCUS ROAD
ELM TREE RD.
CAVENDISH AVENUE
CAVENDISH CL.
WELLINGTON PLACE
LODGE ROAD
OAK TREE RD.
NORTH BANK
PAVELEY
HAMILTON CLOSE
CUNNINGHAM PL.
NORTHWICK TERRACE
ABERDEEN PLACE
FISHERTON ST.
ORCHARDSON ST.
PENFOLD ST.
CHURCH STREET
BELL ST.
SALISBURY ST.
HATTON ROW
BOSCOBEL ST.
CAPLAND STREET
LILESTONE
BERNHARDT CRES.
GRENDON ST.
JEROME CRES.
TRESHAM CRES.
SWAIN ST.
MALLORY ST.
ASHBRIDGE ST.
PLYMPTON ST.
MULREADY ST.
WHITEHAVEN ST.
GATEFORTH ST.
SAMFORD ST.
BROADLEY ST.
ASHMILL ST.
CROMPTON ST.
HALL PLACE
CUTHBERT ST.
ADPAR ST.
STREET
ALLITSEN RD.
BRIDGEMAN ST.
NEWCOURT ST.
CULWORTH ST.
OSLO CT.
COCHRANE ST.
KINGSMILL TERRACE
MELINA PLACE
SCOTT ELLIS GDS.
HALL GATE
BARBARA BROSNAN CT.
CLIFTON CT.
NORTHWICK CL.
LORNE CL.
183
137
42
28
14
19
25
32
31
16
4
126
120
217
506
433
405
420
351
173
116
82
86
76

A
B
C
8
Regent's Park Golf & Tennis School
Cricket
R E G
Refreshments
P
ALBERT A5205 ROAD
OUTER CIRCLE
Regent's Canal
Winfield House
Playground
Children's Boating Pond
Boating Lake
The Holme
Bandstand
Clarence Gate
PRINCE
PARK
21
London Central Mosque
NW8
Abbey Lodge
HANOVER GATE
HANOVER TERRACE
KENT TER.
MEWS
Passage
Royal Coll. of Obstetricians & Gynaecologists
London Business Sch.
SUSSEX PL.
A41
Rossmore Ct.
Prince Regents Gate
GLOUCESTER PL.
Francis Holland Sch.
St. Cyprian's Ch.
The Sherlock Holmes Mus.
BAKER STREET
Lost Property Off.
MARYLEBONE
St. Edward's R.C. Prim. Sch. & Convent
Sylvia Young Th. Theatre Sch.
City of Westminster Coll.
Florence Nightingale Day Hospital
40
DORSET SQ.
MELCOMBE STREET
Berkeley Court
Dorset Ho.
LISSON GREEN ESTATE
LISSON GROVE
PAVELEY STREET
Pol. Sta.
North Gate
Hanover Ho.
Strathmore Ct.
Regent Court
1
2
3
4
5
B507

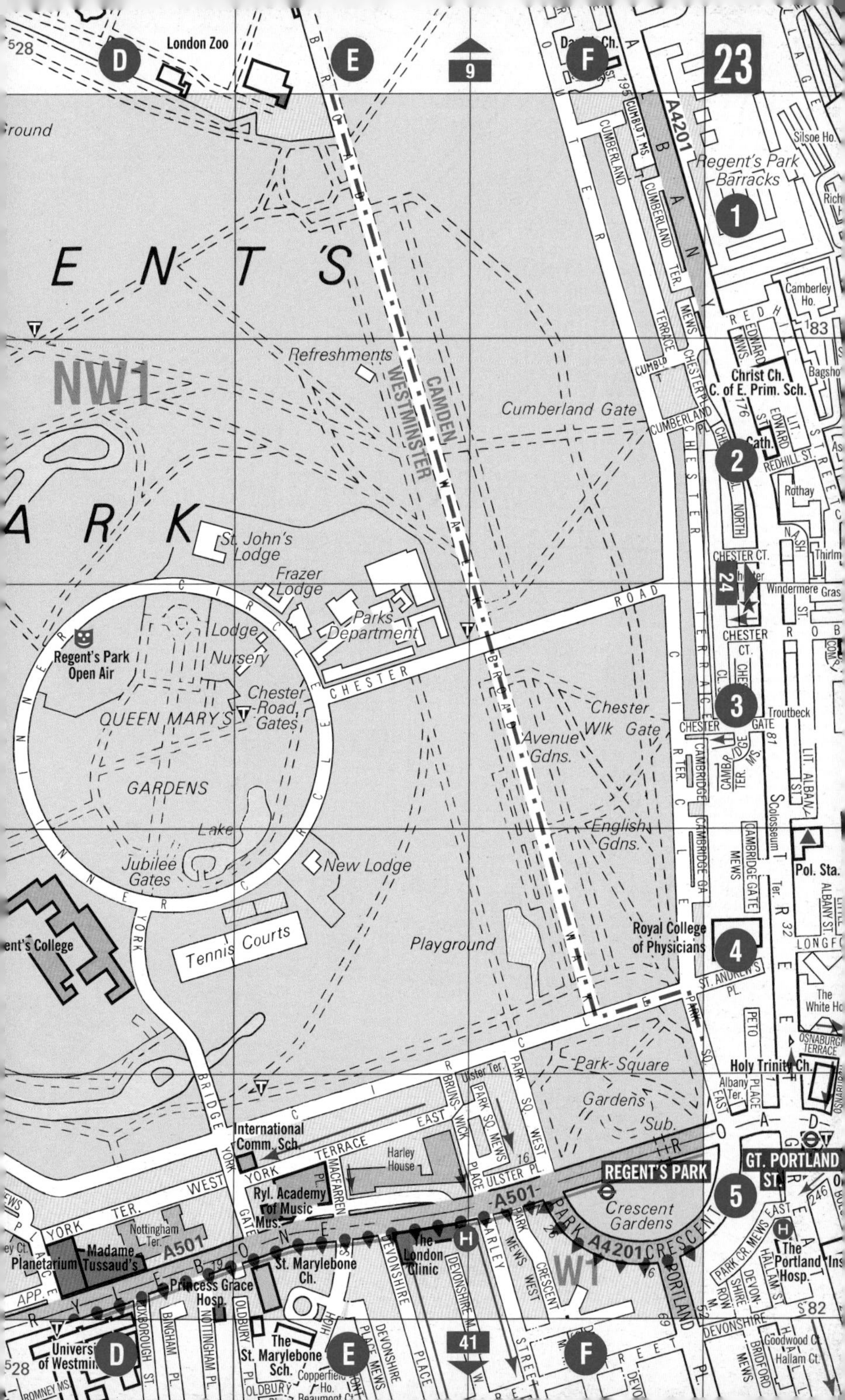
23
London Zoo
9
41
NW1
W1
Regent's Park Barracks
Cumberland Gate
Refreshments
CAMDEN
WESTMINSTER
St. John's Lodge
Frazer Lodge
Parks Department
Lodge
Nursery
Regent's Park Open Air
Chester Road Gates
QUEEN MARY'S GARDENS
Lake
Jubilee Gates
New Lodge
Tennis Courts
Playground
Chester Wlk Gate
Avenue Gdns.
English Gdns.
Royal College of Physicians
Park Square Gardens
International Comm. Sch.
Harley House
Ryl. Academy of Music Mus.
Madame Tussaud's
Planetarium
St. Marylebone Ch.
Princess Grace Hosp.
The London Clinic
REGENT'S PARK
Crescent Gardens
GT. PORTLAND ST.
The Portland Hosp.
Holy Trinity Ch.
Pol. Sta.
Christ Ch. C. of E. Prim. Sch.
Cath.
Camberley Ho.
Rothay
Troutbeck
Windermere
The White Ho
The St. Marylebone Sch.
Copperfield Ho.
Goodwood Ct.
Hallam Ct.
A4201
A501
CHESTER ROAD
INNER CIRCLE
YORK BRIDGE
YORK TERRACE EAST
YORK TER. WEST
YORK GATE
ULSTER PL.
Ulster Ter.
PARK SQ. MEWS
PARK SQ. WEST
PARK SQ. EAST
PARK CRESCENT
BRUNSWICK PLACE
MACFARREN PL.
Nottingham Ter.
DEVONSHIRE PLACE
DEVONSHIRE PLACE MEWS
DEVONSHIRE M. W.
HARLEY STREET
PARK CRESCENT MEWS WEST
PARK CR. MEWS EAST
DEVONSHIRE ROW
DEVONSHIRE MEWS
BRIDFORD MEWS
HALLAM ST.
PORTLAND PL.
ALBANY STREET
CUMBERLAND TER.
CUMBERLAND TERRACE MEWS
CUMBLD. MS.
CUMBLD. T.
CHESTER PL.
CHESTER TERRACE
CHESTER CL.
CHESTER CT.
CHESTER GATE
CUMBERLAND PL.
CAMBRIDGE TER.
CAMBRIDGE TER. MS.
CAMBRIDGE GATE
CAMBRIDGE GATE MEWS
ST. ANDREWS PL.
PETO PL.
Albany Ter.
Colosseum Ter.
REDHILL ST.
EDWARD MEWS
LIT. EDWARD ST.
NASH ST.
LIT. ALBANY ST.
OSNABURGH TERRACE
MARYLEBONE ROAD
OLDBURY PL.
NOTTINGHAM PL.
BINGHAM PL.
BOXBOROUGH ST.
ROMNEY MS
Univers of Westmin
ent's College
D
E
F
1
2
3
4
5
24

24
A
B
C
10
29
MORNINGTON CRES.
Danish Ch.
Regent's Park Barracks
Silsoe Ho.
Carriage Shed
Harrington Sq. Gardens
MORNINGTON TERRACE
Clarkson Row
HARRINGTON SQ.
LIDLINGTON PLACE
HARRINGTON SQUARE
CRESCENT
Oakley Sq. Gardens
Mayford
Cranleigh Houses
Brook Houses
Johnson Ho.
Gladwin Ho.
Clarendon Ho.
Morland Ho.
Wolcot Ho.
Aldenham Ho.
Holmbrook
Oxenholme
Dalehead
Calgarth
Gillfoot
AMPTHILL ESTATE
Glenridding
Mickledore
Brathay
Stockbeck
Beckfoot
BARNBY ST.
St. Mary's Ch.
A4200
EVERSHOLT
NW1
1
Richmond Ho.
VILLAGE EAST
Y.M.C.A.
Camberley Ho.
Tintern Ho.
Augustus Ho.
GRANBY TER.
Eskdale
Ainsdale
Langdale
Silverdale
Ambleside
Swinley Ho.
Bagshot Ho.
Kendal
Buttermere
Stanhope Pde.
MACKWORTH ST.
Coniston
Harrington Ho.
Cartmel
REDHILL STREET
Christ Ch. C. of E. Prim. Sch.
Cath.
Ascot Ho.
Datchet Ho.
Windsor Ho.
Rothay
Kirkstone
Mackworth Ho.
Newlands
Hawkshead
CUMBERLAND
VARNDELL STREET
Staveley
Ennerdale
Grisedale
Scafell
Waterhead
The Tarns
REGENTS PK. EST.
Thirlmere
MARKET
Windermere
Grasmere
Mosedale
Patterdale
Borrowdale
Derwent
Newby
Rydal Water
REGENT'S PARK
ROBERT STREET
Library
Woodhall
Comm. Cen.
EVERTON BLDGS.
PRINCE OF WALES PAS.
CLARENCE GARDENS
Englefield
Netley Prim. Sch.
NETLEY ST.
Troutbeck
WILLIAM RD.
Pangbourne
The Combe
Fouracres
MUNSTER
Bucklebury
Kingsway Coll.
Schafer Ho.
Pol. Sta.
SQUARE
St. Anne's Ch.
DRUMMOND
Univ. of Westminster
Beatty Ho.
St. Mary Magdalene's Ch.
LONGFORD
Euston Cen.
Euston Tower
The White Ho.
TRITON SQUARE
EUSTON UNDERPASS
Euston Cen.
Regency Ho.
Marlborough Ho.
Jellicoe Ho.
OSNABURGH TERRACE
Holy Trinity Ch.
WARREN STREET
Warren St.
A501
EUSTON ROAD
A400
HAMPSTEAD ROAD
Parcels Depot
CARDINGTON STREET
St. James's Gardens
Maria Fidelis Convent Sch.
Euston Mosque
COBOURG ST.
STARCROSS ST.
EXMOUTH MEWS
CHARLES PL.
GEORGE MS.
NORTH
DRUMMOND
GOWER
FOUNDRY M.
Camden
The Centre for the Magic Arts
Tolmers Square
STEPHENSON
REGNART BLDGS.
UNDERPASS
University College Hospital
BEAUMONT
TOTTENHAM COURT ROAD
University Coll. Hosp.
Univ. Coll. of Medicine
Paramount Ct.
The Obs. Hosp.
UNIVERSITY
Hosp.
MORTIMER MKT.
CAPPER
QUEEN'S YD.
HOWLAND
American
CUMBERLAND TERRACE
OUTER CIRCLE
CHESTER TERRACE
Cumberland Gate
CHESTER CL. NORTH
CHESTER CT.
Chester Ct.
CHESTER GATE
Chester Wlk Gate
23
2
3
A4201
ALBANY STREET
Colosseum Ter.
LIT. ALBANY ST.
CAMBRIDGE TER.
CAMBRIDGE GATE
CAMBRIDGE GATE MEWS
English Gdns.
Royal College of Physicians
ST. ANDREW'S PL.
PETO PL.
4
Park Square Gardens
Albany Ter.
MARYLEBONE ROAD
GT. PORTLAND ST.
Ryl. Nat. Orthopaedic Hosp.
Howard Ho.
REGENT'S PARK
5
PARK CRESCENT
The Portland Hosp.
Inst. for the Blind
B506
GREENWELL ST.
WARREN MEWS
CONWAY
FITZROY SQUARE
St. Luke's Hosp. for the Clergy
RICHARDSON'S M.
GRAFTON WAY
WHITFIELD
Fitzroy Court
Acad.
MIDFORD PL.
Y.M.C.A.
London Foot Hosp.
MAPLE PL.
CYPRESS
CLEVELAND STREET
DEVONSHIRE ST.
CARBURTON
Training Sch.
42
Holcroft
CLIPSTONE
BOLSOVER
GT. TITCHFIELD
PORTLAND PL.
Goodwood
Hallam
BRIDFORD MEWS
The London

25
D
E
F
South Camden Comm. Sch.
Gasholders
ST. PANCRAS Extension (Est. Completion 2003-2006)
11
530
WHARF
Clyde Ct.
Culross Buildings
Edith Neville Prim. Sch.
Somers Town Community Sports Cen.
Adventure Playground
KING'S CROSS
1
St. Francis' Ho.
St. George's Ho.
St. Anthony's Flats
St. Michael's Flats
Monica Shaw Ct.
Phoenix Ct.
Comm. Cen.
Stanley Bldgs.
CALEDONIA
Works
St. Mary & St. Pancras C. of E. Prim. Sch.
Walker House
SOMERS TOWN
St. Aloysius Jun. Sch.
Oakshott Ct.
Courtyard
ST. PANCRAS
Chamberlain Ho.
Hadstock Ho.
Chalton Ho.
Levita Ho.
KING'S CROSS ST. PANCRAS
KING'S CROSS
King's Cross Mission Ch.
Convent
Maria Fidelis Convent Sch.
St. Aloysius R.C. Inf. Sch.
St. Aloysius Ch.
Margaret White Ho.
British Library
2
St. Joseph's Flats
St. Mary's Flats
St. Anne's Flats
Edith Neville Cotts.
CLOSED FRIDAY 11am - 2.30pm
Winsham Ho.
Seymour Ho.
Town Hall
Lib.
Argyle Prim. Sch.
Argyle Sq. Gdns.
EUSTON
26
Queen Alexandra Mans.
Wellesley Ho.
United Elizabeth Garrett Anderson Hospital & Soho Hospital for Women
ST. PANCRAS
Hastings Ho.
Tonbridge Houses
Jessel Ho.
Sinclair Ho.
BUSES ONLY
Euston Sq. Gardens
Fire Sta.
London Contemporary Dance Sch.
Mabledon Ct.
Thanet Ho.
Sandwich Ho.
Comm. Cen.
3
Hughes Hall
Bentham Hall
St. Mary's German Ch.
Glynde Reach
Canterbury Hall
Common-wealth Hall
St. Pancras Ch.
The Place
Gdns.
Rashleigh Ho.
Clare Ct.
Friends Ho.
Inst. of Opthalmology
Knolly's Ho.
Utd. Ref. Ch.
Wellcome Cen. for Medical Science
Y.M.C.A.
Tavistock Ho.
Virginia Ct.
Winston Ho.
Tavistock Ct.
British Medical Association
Depot
Seymour Ho.
Hunter Ho.
Jenner Ho.
U.C.L. (Campbell Ho.)
U.C.L. (Chemistry Bldg.)
Leonard Ct.
T.A. Cen.
4
Handel Mans.
Sch. of Pharmacy
Bloomsbury
Inst.
Inst. of Latin Studies
Tavistock Sq. Gardens
Mary Ward Hall
Gov. Offs.
Aberdeen Mans.
Comm. Cen.
HERBRAND ESTATE
BRUNSWICK CENTRE
Strang Print Room
Connaught Hall
Thackeray Ho.
Dickens Ho.
Coram Ho.
Witley Ct.
Foundling Ct.
O'Donnell Ct.
Renoir
University College
Gordon Sq. Garden
Percival David Foundation
WC1
Petrie Mus.
Christ the King Gordon Sq. Ch.
Russell Ct.
Bernard Mans.
RUSSELL SQUARE
5
Chandler Ho.
Inst. of Education
Warburg Inst.
Inst. of Advanced Legal Studies
Gov. Offs.
Univ. of London Union
Sch. of Oriental & African Studies
The National Hospital Neurology & Neurosurgery
Gordon Mans.
College Hall
Birkbeck Coll.
Russell Sq. Gardens
R.A.D.A.
Brunei Gallery
Inst.
43
Pitmans Coll.
School of Hygiene & Tropical Medicine
University of
Homoeopathic Ho.

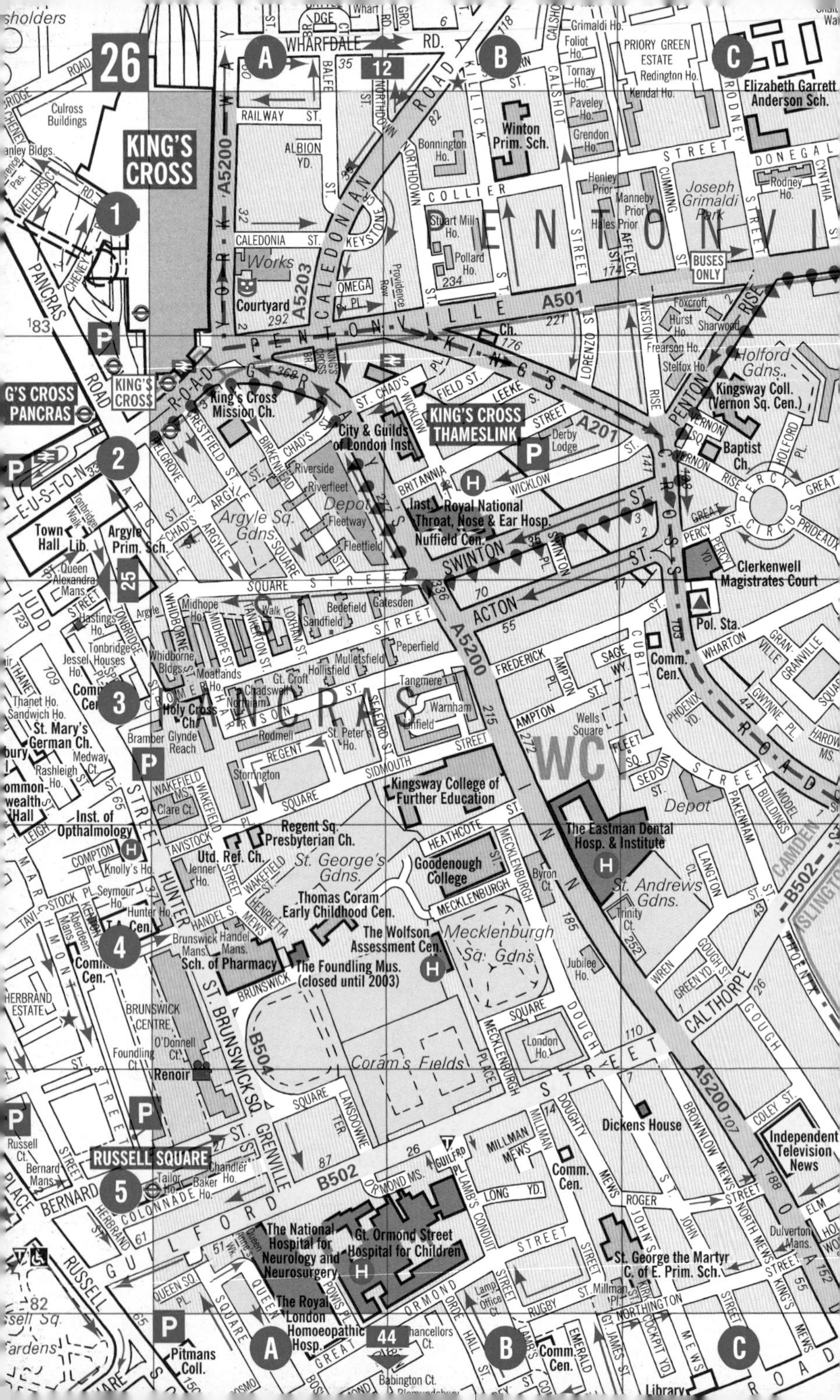

26
A
B
C
12
WHARFDALE RD.
RAILWAY ST.
ALBION YD.
CALEDONIA ST.
Culross Buildings
KING'S CROSS
YORK WAY A5200
CALEDONIAN ROAD A5203
NORTHDOWN ST.
KEYSTONE CR.
Works
Courtyard
OMEGA PL.
Providence Row
Bonnington Ho.
Winton Prim. Sch.
COLLIER ST.
Stuart Mill Ho.
Pollard Ho.
PENTONVILLE
PENTONVILLE ROAD A501
Grimaldi Ho.
Foliot Ho.
Tornay Ho.
Paveley Ho.
Grendon Ho.
PRIORY GREEN ESTATE
Redington Ho.
Kendal Ho.
Henley Prior
Manneby Prior
Hales Prior
CALSHOT ST.
CUMMING ST.
AFFLECK ST.
Joseph Grimaldi Park
BUSES ONLY
Elizabeth Garrett Anderson Sch.
RODNEY STREET
DONEGAL ST.
Rodney Ho.
CYNTHIA ST.
WELLERS CT.
CHENEY RD.
PANCRAS ROAD
KING'S CROSS
KING'S CROSS ST. PANCRAS
EUSTON ROAD
KING'S CROSS ROAD A201
King's Cross Mission Ch.
City & Guilds of London Inst.
ST. CHAD'S PL.
WICKLOW ST.
FIELD ST.
LEEKE ST.
KING'S CROSS THAMESLINK
Derby Lodge
Ch.
LORENZO ST.
WESTON RISE
Foxcroft
Hurst Ho.
Sharwood
Frearson Ho.
Stelfox Ho.
Holford Gdns.
Kingsway Coll. (Vernon Sq. Cen.)
PENTON RISE
VERNON SQ.
VERNON RISE
Baptist Ch.
HOLFORD PL.
PERCY CIRCUS
GREAT PERCY ST.
PRIDEAUX PL.
Clerkenwell Magistrates Court
Pol. Sta.
BRITANNIA ST.
Inst. Royal National Throat, Nose & Ear Hosp.
Nuffield Cen.
SWINTON ST.
SWINTON PL.
ACTON ST.
Riverside
Riverfleet
Depot
Fleetway
Fleetfield
Argyle Sq. Gdns.
ARGYLE SQUARE
ARGYLE ST.
CRESTFIELD ST.
BIRKENHEAD ST.
CHAD'S ST.
Town Hall
Lib.
Argyle Prim. Sch.
Tonbridge Walk
St. Queen Alexandra Mans.
25
JUDD ST.
SQUARE STREET
Midhope Ho.
WHIDBORNE ST.
MIDHOPE ST.
TANKERTON ST.
LOXHAM ST.
Bedefield
Gatesden
Sandfield
Peperfield
Mulletsfield
Hollisfield
Tangmere
Gt. Croft
Chadswell
Northiam
Warnham
Linfield
Moatlands
Whidborne Bldgs
CROMER ST.
Holy Cross Ch.
ST. PANCRAS
HARRISON ST.
SEAFORD ST.
Rodmell
St. Peter's Ho.
REGENT SQUARE
SIDMOUTH STREET
Stornington
Bramber
Glynde Reach
Hastings Ho.
Tonbridge Houses
Jessel Ho.
Thanet Ho.
Sandwich Ho.
St. Mary's German Ch.
Medway Ct.
Rashleigh Ho.
Commonwealth Hall
FREDERICK ST.
AMPTON PL.
AMPTON ST.
SAGE WY.
CUBITT ST.
Comm. Cen.
Wells Square
FLEET SQ.
SEDDON ST.
WHARTON ST.
GRANVILLE SQUARE
GWYNNE PL.
HARDWICK MS.
PHOENIX YD.
KING'S CROSS ROAD
WC1
GRAY'S INN ROAD A5200
Kingsway College of Further Education
Depot
MODEL BUILDINGS
PAKENHAM ST.
WAKEFIELD MS.
WAKEFIELD ST.
Clare Ct.
Regent Sq. Presbyterian Ch.
Inst. of Opthalmology
LEIGH ST.
COMPTON PL.
Knolly's Ho.
TAVISTOCK PL.
Utd. Ref. Ch.
Jenner Ho.
HEATHCOTE ST.
MECKLENBURGH ST.
St. George's Gdns.
Goodenough College
MECKLENBURGH PL.
Byron Ct.
The Eastman Dental Hosp. & Institute
St. Andrews Gdns.
LANGTON CL.
CAMDEN
B502
Seymour Ho.
Hunter Ho.
Aberdeen Mans.
HUNTER ST.
HANDEL ST.
HENRIETTA MEWS
Thomas Coram Early Childhood Cen.
The Wolfson Assessment Cen.
Mecklenburgh Sq. Gdns.
Trinity Ct.
WREN ST.
GREEN YD.
GOUGH ST.
CALTHORPE ST.
PHOENIX PL.
Brunswick Mans.
Handel Mans.
Sch. of Pharmacy
The Foundling Mus. (closed until 2003)
Jubilee Ho.
HERBRAND ESTATE
BRUNSWICK CENTRE
O'Donnell Ct.
Foundling Ct.
BRUNSWICK SQUARE
B504
Coram's Fields
MECKLENBURGH SQUARE
London Ho.
DOUGHTY STREET
Renoir
ST. BRUNSWICK SQ.
GRENVILLE ST.
LANSDOWNE TER.
Dickens House
BROWNLOW MEWS
COLEY ST.
Independent Television News
Russell Ct.
Bernard Mans.
BERNARD ST.
RUSSELL SQUARE
Tailor Ho.
Chandler Ho.
Baker Ho.
COLONNADE
GUILFORD STREET
ORMOND MS.
GUILFORD PL.
MILLMAN MEWS
MILLMAN ST.
LONG YD.
Comm. Cen.
ROGER ST.
JOHN ST.
NORTH MEWS
Dulverton Mans.
ELM ST.
HERBRAND ST.
The National Hospital for Neurology and Neurosurgery
Gt. Ormond Street Hospital for Children
LAMB'S CONDUIT ST.
St. George the Martyr C. of E. Prim. Sch.
KING'S MEWS
RUSSELL SQ.
QUEEN SQ. PL.
QUEEN SQUARE
The Royal London Homoeopathic Hosp.
POWIS PL.
GREAT ORMOND ST.
Lamp Office Ct.
ORDE HALL ST.
RUGBY ST.
St. Millman Pl.
NORTHINGTON ST.
KIRK ST.
COCKPIT YD.
GT. JAMES ST.
EMERALD ST.
Comm. Cen.
44
Chancellors Ct.
Babington Ct.
Pitmans Coll.
Library
THEOBALDS ROAD

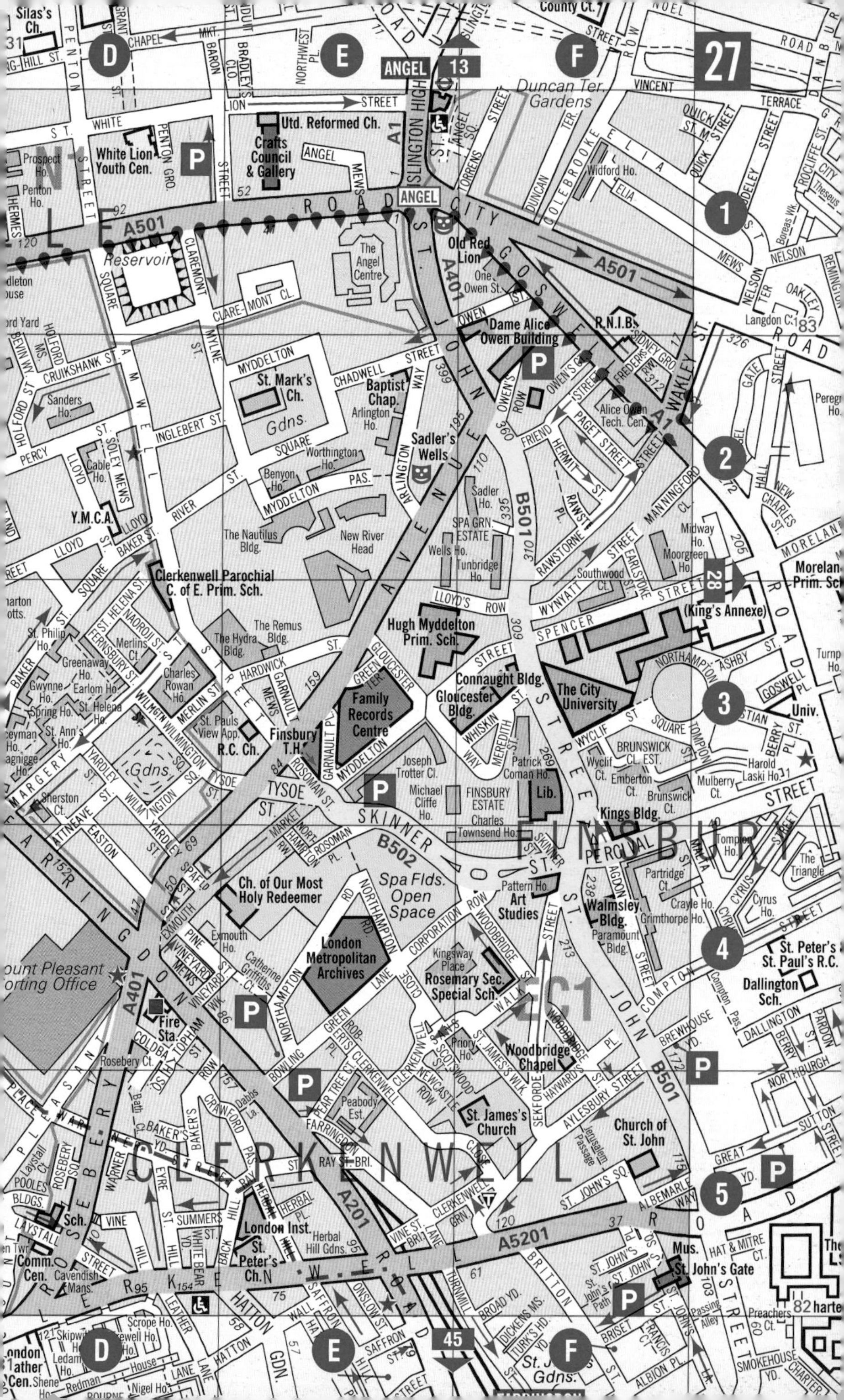

27
D
E
F
1
2
3
4
5
ANGEL
13
45
28
ISLINGTON HIGH ST.
Duncan Ter. Gardens
Utd. Reformed Ch.
Crafts Council & Gallery
White Lion Youth Cen.
Prospect Ho.
Penton Ho.
PENTONVILLE ROAD
CITY ROAD
A501
A401
A1
B501
B502
A201
A5201
Reservoir
The Angel Centre
Old Red Lion
One Owen St.
Dame Alice Owen Building
R.N.I.B.
Widford Ho.
COLEBROOKE ROW
VINCENT TERRACE
DUNCAN TER.
TORRENS ST.
GOSWELL ROAD
ST. JOHN STREET
WAKLEY ST.
NELSON TER.
OAKLEY
Langdon Ct.
Alice Owen Tech. Cen.
MYDDELTON SQUARE
St. Mark's Ch.
Gdns.
CHADWELL STREET
Baptist Chap.
Arlington Ho.
Sadler's Wells
ARLINGTON WAY
Worthington Ho.
Benyon Ho.
MYDDELTON PAS.
The Nautilus Bldg.
New River Head
ROSEBERY AVENUE
Sadler Ho.
SPA GRN. ESTATE
Wells Ho.
Tunbridge Ho.
LLOYD'S ROW
RAWSTORNE ST.
MANNINGFORD CL.
Midway Ho.
Moorgreen Ho.
Southwood Ct.
WYNYATT STREET
SPENCER ST.
(King's Annexe)
Moreland Prim. Sch.
Hugh Myddelton Prim. Sch.
Connaught Bldg.
Gloucester Bldg.
The City University
NORTHAMPTON SQUARE
Univ.
Family Records Centre
Finsbury T.H.
Joseph Trotter Cl.
Michael Cliffe Ho.
FINSBURY ESTATE
Charles Townsend Ho.
Patrick Coman Ho.
Lib.
Kings Bldg.
FINSBURY
PERCIVAL ST.
Tompion Ho.
The Triangle
Partridge Ct.
Crayle Ho.
Grimthorpe Ho.
Cyrus Ho.
Walmsley Bldg.
Paramount Bldg.
St. Peter's St. Paul's R.C.
Dallington Sch.
Clerkenwell Parochial C. of E. Prim. Sch.
Y.M.C.A.
Cable Ho.
Sanders Ho.
The Hydra Bldg.
The Remus Bldg.
Charles Rowan Ho.
St. Pauls View App.
R.C. Ch.
Greenaway Ho.
Gwynne Ho.
Earlom Ho.
Spring Ho.
St. Helena Ho.
St. Ann's Ho.
Merlins Ct.
St. Philip Ho.
Sherston Ct.
Gdns.
FARRINGDON ROAD
Mount Pleasant Sorting Office
Ch. of Our Most Holy Redeemer
Exmouth Ho.
Catherine Griffiths Ct.
Spa Flds. Open Space
Pattern Ho.
Art Studies
London Metropolitan Archives
Kingsway Place
Rosemary Sec. Special Sch.
Woodbridge Chapel
Priory Ho.
St. James's Church
Church of St. John
EC1
Fire Sta.
Rosebery Ct.
Peabody Est.
CLERKENWELL
CLERKENWELL ROAD
London Inst.
St. Peter's Ch.
Herbal Hill Gdns.
Sch.
Comm. Cen.
Cavendish Mans.
St. John's Gate
Mus.
Jerusalem Passage
ST. JOHN'S SQ.
Harold Laski Ho.
Mulberry Ct.
Brunswick Ct.
Emberton Ct.
Wyclif Ct.
BRUNSWICK CL. EST.
Scrope Ho.
Preachers Ct.
SMOKEHOUSE YD.
St. John's Gdns.

28
A
B
C
14
27
46
1
2
3
4
5
City Road Lock
City Road Basin
Wenlock Basin
Shepherdess Walk
HACKNEY
ISLINGTON
Mail Sorting Office
THE BREWERY IND. EST.
Holy Trinity Ch.
Comm. Cen.
Windsor Ho.
Royle Building
Bridgeside Ho.
GRAND JUNCTION WHARF
PICKFORDS WHARF
Jessop Ct.
Widford Ho.
R.N.I.B.
Alice Owen Tech. Cen.
Langdon Ct.
Peregrine Ho.
Kestrel Ho.
Haverstock Pl.
Falcon Ct.
Buxton Ct.
Micawber Ct.
Alford Ct.
Gambier Ho.
Midway Ho.
Moorgreen Ho.
Southwood Ct.
(King's Annexe)
The City University
Moreland Prim. Sch.
St. Clement with St. Barnabas & St. Matthew Ch.
Rohere Ho.
President Ho.
Turnpike Ho.
King's Square Gardens
Macclesfield Ho.
Seraph Ct.
Univ.
Harold Laski Ho.
Mulberry Ct.
Brunswick Ct.
Emberton Ct.
Wyclif Ct.
BRUNSWICK CL. EST.
Kings Bldg.
FINSBURY
EC1
Tompion Ho.
The Triangle
Partridge Ct.
Crayle Ho.
Grimthorpe Ho.
Cyrus Ho.
Walmsley Bldg.
Paramount Bldg.
Telfer Ho.
CITY CENTRAL EST.
Chadworth Ho.
Swimming Baths
Finsbury Leisure Cen.
Gastigny Ho.
Lib.
PLEYDELL EST.
Galway Ho.
Grayson Ho.
Vickery Ct.
Bartholomew Ct.
St. Lukes Ch. (Ruins)
Silverdale Ct.
Finsbury & Heyworth Halls
Sports Cen.
St. Peter's & St. Paul's R.C. Sch.
Dallington Sch.
Roby Ho.
Priestley Ho.
Wenlake Ho.
Amias Ho.
Anchor Ho.
Cotswold Ct.
Sapperton Ct.
Parmoor Ct.
London Coll. of Fashion
Richard Cloudesley Sch.
Peabody Est.
Peabody Tower
ROSCOE ST. EST.
St. Mary's Tower
Fortune Ho.
Shrewsbury Ct.
Prior Weston Prim. Sch.
Coroner's Ct.
Barbican
Jewin Ch.
Hatfield Ho.
Crescent Ho.
Basterfield Ho.
Tennis Cts.
GOLDEN LA. EST.
Bayer Ho.
Stanley Cohen Ho.
Bowater Ho.
Gt. Arthur Ho.
Cuthbert Harrowing Ho.
Cullum Welch Ho.
The Italia Conti
Gulliver's Ho.
The Medical College of St. Bartholomews Hospital
Charterhouse
Church of St. John
Mus. St. John's Gate
Cathedral Lodge
St. John's Gdns.
A501
A1
B502
A5201
B501
B144
CITY ROAD
GOSWELL ROAD
OLD STREET
ST. JOHN STREET
CLERKENWELL ROAD
ALDERSGATE ST.
WHITECROSS STREET
GOLDEN LANE
CENTRAL STREET
LEVER STREET
SEWARD STREET
MORELAND STREET
SPENCER STREET
P

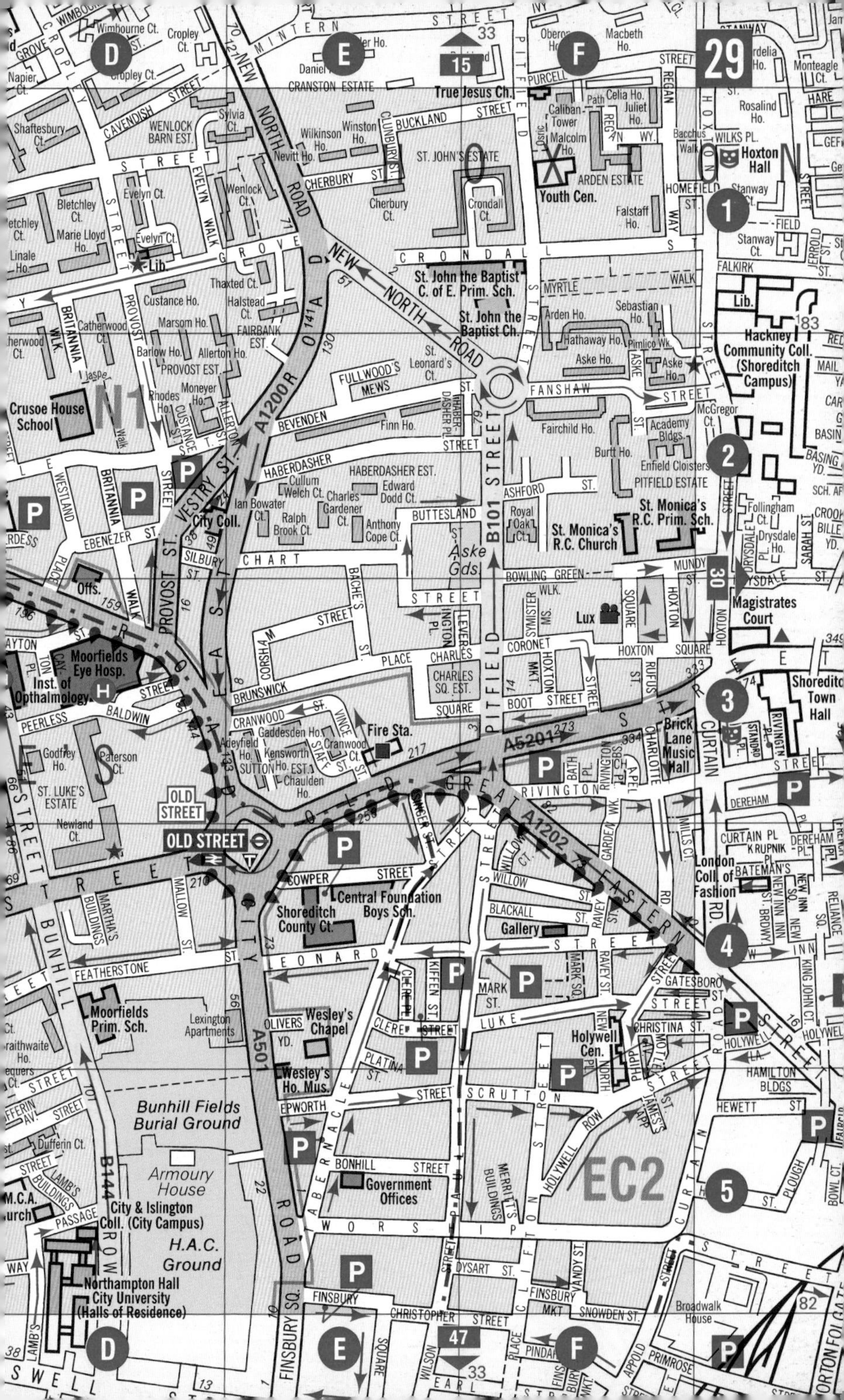
29
D
E
F
15
33
1
2
3
4
5
30
47
N1
EC2
HOXTON
Wimbourne Ct.
Cropley Ct.
Cropley Ct.
Napier Ct.
Shaftesbury Ct.
Cavendish Street
Wenlock Barn Est.
Sylvia Ct.
Mintern Street
Daniel Ho.
Cranston Estate
True Jesus Ch.
Oberon Ho.
Macbeth Ho.
Purcell Street
Caliban Tower
Celia Ho.
Juliet Ho.
Regan Way
Osric Ho.
Malcolm Ho.
Arden Estate
Youth Cen.
Falstaff Ho.
Hoxton Street
Bacchus Walk
Wilks Pl.
Hoxton Hall
Rosalind Ho.
Monteagle Ct.
Ardelia Ho.
Stanway Street
Homefield St.
Stanway Ct.
Field
Jerrold St.
Falkirk St.
Wilkinson Ho.
Winston Ho.
Nevitt Ho.
Buckland Street
Clunbury St.
St. John's Estate
Cherbury St.
Cherbury Ct.
Crondall Ct.
Crondall Street
Bletchley Ct.
Marie Lloyd Ho.
Evelyn Ct.
Evelyn Walk
Wenlock Ct.
Linale Ho.
Grove
Lib.
Thaxted Ct.
Halstead Ct.
Fairbank Est.
Custance Ho.
Marsom Ho.
Catherwood Ct.
Britannia Walk
Provost Street
Barlow Ho.
Allerton Ho.
Provost Est.
Rhodes Ho.
Moneyer Ho.
Crusoe House School
Custance St.
Allerton St.
New North Road
A1200
St. John the Baptist C. of E. Prim. Sch.
St. John the Baptist Ch.
Myrtle Walk
Arden Ho.
Sebastian Ho.
Hathaway Ho.
Pimlico Wk.
Aske Ho.
Aske St.
Lib.
Hackney Community Coll. (Shoreditch Campus)
St. Leonard's Ct.
Fullwood's Mews
Bevenden Street
Finn Ho.
Haberdasher Pl.
Fanshaw Street
Fairchild Ho.
Academy Bldgs.
McGregor Ct.
Burtt Ho.
Enfield Cloisters
Pitfield Estate
Haberdasher Street
Haberdasher Est.
Cullum Welch Ct.
Charles Gardener Ct.
Edward Dodd Ct.
Ian Bowater Ct.
Ralph Brook Ct.
Anthony Cope Ct.
Vestry St.
City Coll.
Westland Place
Britannia
Ebenezer St.
Silbury St.
Chart Street
Buttesland Street
Aske Gds.
Ashford St.
Royal Oak Ct.
St. Monica's R.C. Prim. Sch.
St. Monica's R.C. Church
Follingham Ct.
Drysdale Ho.
Drysdale St.
Sarah St.
Mundy St.
B101 Pitfield Street
Bowling Green Wlk.
Lux
Hoxton Square
Magistrates Court
Bache's St.
Corsham Street
Ivington Pl.
Lever St.
Charles Sq.
Charles Sq. Est.
Coronet St.
Hoxton Mkt.
Boot Street
Rufus St.
Shoreditch Town Hall
Rivington Pl.
Standard Pl.
Offs.
Moorfields Eye Hosp.
Inst. of Opthalmology
Peerless St.
Baldwin St.
Godfrey Ho.
Paterson Ct.
St. Luke's Estate
Newland Ct.
Brunswick Place
Cranwood St.
Gaddesden Ho.
Vince St.
Fire Sta.
Adeyfield Ho.
Kensworth Ho.
Sutton Est.
Chaulden Ho.
Cranwood Ct.
Great Eastern Street
A5201
A1202
Old Street
Bath Pl.
Rivington Street
Brick Lane Music Hall
Charlotte Rd.
Curtain Road
Dereham Pl.
Curtain Pl
Krupnik Pl.
London Coll. of Fashion
Bateman's Row
New Inn Sq.
New Inn Broadway
New Inn Yd.
King John Ct.
Reliance Sq.
Old Street
Sowper Street
Shoreditch County Ct.
Central Foundation Boys Sch.
Singer St.
Willow Ct.
Willow St.
Blackall St.
Gallery
Ravey St.
Garden Wk.
Mark St.
Mark Sq.
Martha's Buildings
Mallow St.
City Road
A501
Featherstone Street
Bunhill Row
Leonard Street
Clere Pl.
Kiffen St.
Clere Street
Luke Street
Gatesboro Street
Christina St.
Holywell Cen.
New North Pl.
Motley St.
Holywell La.
Hamilton Bldgs.
Moorfields Prim. Sch.
Lexington Apartments
Olivers Yd.
Wesley's Chapel
Wesley's Ho. Mus.
Platina St.
Epworth Street
Scrutton Street
Holywell Row
James's St.
Hewett St.
Plough
Tabernacle Street
Paul Street
Clifton Street
Merritt's Buildings
Bunhill Fields Burial Ground
Armoury House
H.A.C. Ground
Bonhill Street
Government Offices
Dufferin Ct.
Dufferin Av.
Lamb's Buildings
B144
City & Islington Coll. (City Campus)
Northampton Hall City University (Halls of Residence)
Worship Street
Dysart St.
Vandy St.
Finsbury Mkt.
Snowden St.
Christopher Street
Finsbury Sq.
Finsbury Square
Wilson St.
Pindar
Earl St.
Appold St.
Primrose St.
Broadwalk House
Norton Folgate
Sun Street
Lamb's Pass.
Chiswell St.

30
HOXTON
HAGGERSTON
SHOREDITCH
EC2
N1
Geffrye Mus.
Hoxton Hall
Hackney Community Coll. (Shoreditch Campus)
Magistrates Court
Shoreditch Town Hall
St. Leonard's Ch.
Mildmay Mission Hosp.
Baptist Ch.
Virginia Prim. Sch.
Arnold Circus
Boundary Gds.
Ravenscroft Park
Columbia Mkt. Nursy. Sch.
Haggerston Sec. Sch.
St. Monica's R.C. Prim. Sch.
St. Monica's R.C. Church
London Coll. of Fashion
Holywell Cen.
St. Matthias C.E. Prim. Sch.
Bethnal Technology
Brick Lane Music Hall
16
29
48

31
D
E
F
17
Football Pitch
Ski Slope
City Farm
Beechwood
Gillman Ho.
DINMONT EST.
Cheverell Ho.
Sebright Ho.
Office
R.C. Ch.
EMMA STREET
HACKNEY ROAD
A1208
BUS. CEN.
CAMBRIDGE HEATH
CAMBRIDGE CRES.
PEABODY EST.
CENTRE ST.
MINERVA ST.
TREADWAY ST.
TEMPLE STREET
430
YORKTON STREET
COATE STREET
GARNER ST.
Sebright Pas.
DINMONT ST.
TEESDALE CL.
Claredale Ho.
Lion Mills
MANSFORD STREET
Lysander Ho.
Nestor Ho.
Priam Ho.
WEST ST.
1
Ajax
Wyndham Deedes Ho.
HADRIAN ESTATE
Blythendale Ho.
CLAREDALE STREET
Bradley Ho.
Keeling Ho.
Antenor Ho.
Paris Ho.
Hector Ho.
Helen Ho.
Argos Ho.
ION SQ.
Ion Square Gdns.
Ion Court
Sheppard Ho.
ST. PETER'S SQ.
ST. PETER'S AV.
St. Peter with St. Thomas Ch.
ROPLEY ST.
Grove
Maude Ho.
Jellicoe Ho.
Haig Ho.
Bath Ter.
William Fenn Ho.
PROVIDENCE YD.
BAXENDALE STREET
WIMBOLT STREET
DURANT STREET
WARNER PLACE
B108
MULLET GDNS.
ZANDER CT.
Elver Gardens
Connett Ho.
Oaklands Secondary Sch.
Peachey Edwards Ho.
TEESDALE ST.
TEESDALE YD.
CANROBERT ST.
WINKLEY ST.
DURHAM ROW
Temple Dwellings
BETHNAL GREEN ROAD
B118
Raine's Foundation School
CLARKSON ST.
ST. JUDE'S RD.
Apollo Ho.
POYSER ST.
83
Beatrice Tate Sch.
Queen Margaret Flats
Hollybush House
HOLLYBUSH GARDENS
KEDLESTON WALK
PUNDERSON'S GDNS.
James Middleton Ho.
2
MIDDLETON ST.
William Channing Ho.
John Cartwright Ho.
CANROBERT ST.
Grayling Sq.
NELSON GDNS.
NELSON GARDENS
LAMPERN SQ.
Kite Pl.
Cobden Ho.
BLYTHE ST.
Ch.
Jesus Green
ELWIN ST.
BARNET GROVE
FILTER STREET
ROW
TILLET WAY
OLD BETHNAL GREEN ROAD
GOSSET STREET
Elizabeth Selby Inf. Sch.
Lawdale Jun. Sch.
Thomas Burt Ho.
Adrian Boult Ho.
John Fielden Ho.
Stockton Ho.
ELLSWORTH ST.
Thornaby Ho.
Stapleton Ho.
Factory
Barnard Ho.
Gainford Ho.
32
Delta Estate
DELTA ST.
Brabner Ho.
STREET
ROBERTA STREET
SQUIRRIES STREET
Silk Ct.
POLLARD ROW
IVIMEY ST.
POLLARD ST.
Charles Dickens Ho.
William Rathbone Ho.
Jeremy Bentham Ho.
Southwood Smith Ho.
Gwilym Maries Ho.
WOLVERLEY ST.
JERSEY ST.
Yates Ho.
E2
Eversley Ho.
Lorden Walk
Rapley Ho.
TURIN STREET
Firth House
GROVE
Johnson Ho.
FLORIDA STREET
St. James Ct.
RUSHMEAD
WEAR PL.
SEABRIGHT ST.
A1209
456
PROVIDENCE ROW CL.
POTT ST.
Horwood Ho.
Norden Ho.
Tower Hamlets Coll. (Bethnal Green Centre)
Dence Ho.
SATCHWELL ST.
WEST ST.
A1209 ROAD
BETHNAL GREEN
MAPE ST.
HAGUE ST.
VIADUCT ST.
VIADUCT PL.
3
Newcourt Ho.
VOSS STREET
VALLANCE ROAD
Redgrave Ter.
DERBYSHIRE STREET
Ayshford Ho.
BUCKFAST STREET
DERBYSHIRE ST.
BETHNAL GREEN
Westhope Ho.
Sunlight Square
Hague Prim. Sch.
WILMOT STREET
FINNIS ST.
GREENHEATH BUS. CEN.
VIOLET ST.
Bentworth Court
St. Matthews's Church
ST. MATTHEW'S ROW
SALE ST.
Kinsham Ho.
B108
Weavers Fields
KELSEY STREET
Rochester Ct.
LANE
GOLDMAN CL.
HEREFORD ST.
RAMSEY STREET
Bath Ho.
CHESTER ST.
MENOTTI ST.
Barwell Ho.
MAPE ST.
THREE COLTS
4
William Davies Prim. Sch.
WOOD CL.
Fuller Close
KERBELA ST.
Hawksmoor Pl.
DUNBRIDGE STREET
B135
STREET
BETHNAL GREEN
HARE MARSH
BRADY ST.
CUDWORTH ST.
COLLINGWOOD
BARNSLEY
Stewart Headlam Prim. Sch.
BLACKMANS YD.
Three Colt Corner
TENT STREET
Northesk Ho.
Ashington Ho.
Dinnington Ho.
SCOTT ST.
Codrington Ct.
SOMERFORD ST.
Orion Ho.
FAKRUDDIN STREET
Fremantle Ho.
Pellew Ho.
St. Bartholomew's
FLEET ST. HL.
BRAITHWAITE ST.
WEAVER
City Farm
HEMMING ST.
SURMA CL.
GRANARY ROAD
Heathpool Ct.
Rutherford Ho.
Bullen Ho.
FELLBRIGG ST.
Allen Gardens
SHUTTLE ST.
Thomas Buxton Jun. & Inf. Schools
SELBY STREET
Burial Ground
Harvey Ho.
5
HEADLAM
Redmill Ho.
Grindall Ho.
McGlashon Ho.
HUNTON ST.
St. Annes R.C. Prim. Sch.
St. Anne's R.C Ch.
John Pritchard Ho.
UNDERWOOD ROAD
Hughes Mansions
Mocatta Ho.
MERCERON ST.
DARLING ROW
82
Swanlea Secondary School
Superstore
Treves Ho.
Welfare Cen.
Osmani Prim. Sch.
Arthur Deakin Ho.
HUNTON
Hall
DEAL ST.
Victoria Cotts.
Albert Cotts.
WOODSEER ST.
Boden Ho.
49
Lister Ho.
LOMAS ST.
Vallance Rd.
Sports
Kempton Ct.

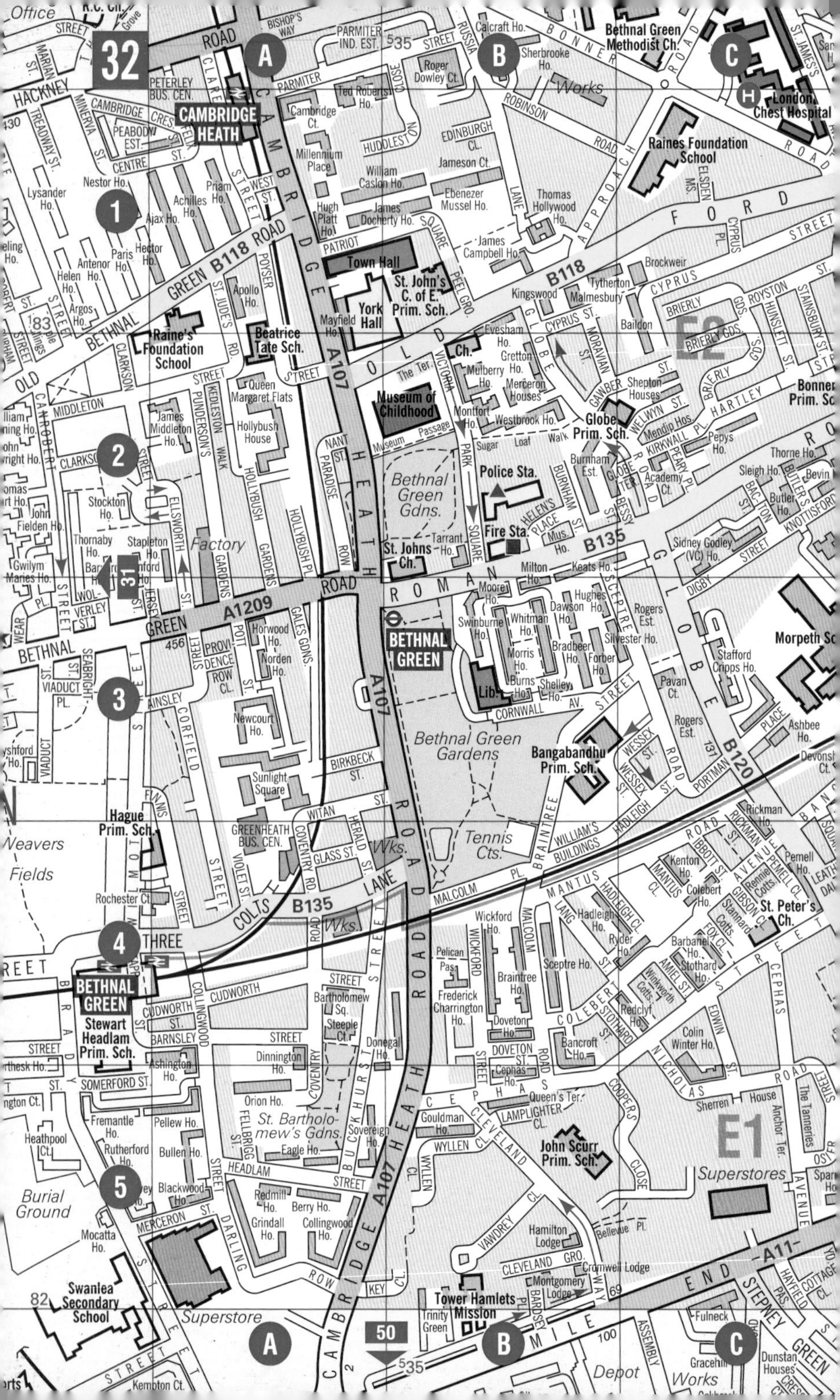
32
A
B
C
CAMBRIDGE HEATH
Office
HACKNEY ROAD
BISHOP'S WAY
PARMITER IND. EST.
535
PETERLEY BUS. CEN.
CAMBRIDGE CRES.
PEABODY EST.
CENTRE ST.
MINERVA ST.
TREADWAY ST.
MARIAN ST.
430
Lysander Ho.
Nestor Ho.
Achilles Ho.
Priam Ho.
Ajax Ho.
Hector Ho.
Paris Ho.
Antenor Ho.
Helen Ho.
Argos Ho.
1
PARMITER STREET
Ted Roberts Ho.
Roger Dowley Ct.
Cambridge Ct.
Millennium Place
HUDDLESTON CL.
EDINBURGH CL.
Jameson Ct.
William Caslon Ho.
Ebenezer Mussel Ho.
Hugh Platt Ho.
James Docherty Ho.
James Campbell Ho.
PATRIOT SQUARE
Town Hall
St. John's C. of E. Prim. Sch.
York Hall
Mayfield Ho.
Calcraft Ho.
Sherbrooke Ho.
Works
BONNER ROAD
Bethnal Green Methodist Ch.
London Chest Hospital
ST. JAMES'S
Raines Foundation School
ELSDEN MS.
ROBINSON ROAD
APPROACH
Thomas Hollywood Ho.
FORD ROAD
CYPRUS PL.
CYPRUS STREET
Brockweir
Tytherton
Malmesbury
Kingswood
Baildon
BRIERLY GDS.
ROYSTON GDS.
HUNSLETT ST.
STAINSBURY ST.
E2
B118
BETHNAL GREEN B118 ROAD
WEST ST.
POYSER ST.
ST. JUDE'S RD.
Apollo Ho.
Raine's Foundation School
Beatrice Tate Sch.
OLD FORD ROAD
CLARKSON ST.
MIDDLETON STREET
James Middleton Ho.
KEDLESTON WALK
PUNDERSON'S GARDENS
Queen Margaret Flats
Hollybush House
HOLLYBUSH GARDENS
HOLLYBUSH PL.
2
Stockton Ho.
Thornaby Ho.
Stapleton Ho.
ELLSWORTH ST.
Factory
John Fielden Ho.
Gwilym Maries Ho.
31
WOLVERLEY ST.
JERSEY ST.
A1209
BETHNAL GREEN ROAD
456
The Ter.
Museum of Childhood
Museum Passage
NANT ST.
PARADISE ROW
Bethnal Green Gdns.
St. Johns Ch.
Tarrant Ho.
PEEL GRO.
VICTORIA PARK SQUARE
Ch.
Evesham Ho.
Mulberry Ho.
Gretton Ho.
Merceron Houses
Montfort Ho.
Westbrook Ho.
Sugar Loaf Walk
Police Sta.
Fire Sta.
HELEN'S PLACE
Mus.
BURNHAM ST.
Burnham Est.
GLOBE ROAD
MORAVIAN ST.
CYPRUS ST.
GAWBER ST.
Shepton Houses
WELWYN ST.
Globe Prim. Sch.
Mendip Hos.
KIRKWALL PL.
PEARY PL.
Academy Ct.
HARTLEY ST.
Pepys Ho.
Bonner Prim. Sch.
Thorne Ho.
Sleigh Ho.
Bevin Ho.
BACTON ST.
Butler Ho.
BUTLER'S
KNOTTISFORD
Sidney Godley (VC) Ho.
DIGBY STREET
B135
ROMAN ROAD
Milton Ho.
Keats Ho.
Moore Ho.
Swinburne Ho.
Whitman Ho.
Dawson Ho.
Hughes Ho.
Rogers Est.
Silvester Ho.
SCEPTRE
Morris Ho.
Bradbeer Ho.
Forber Ho.
Burns Ho.
Shelley Ho.
Lib.
CORNWALL AV.
BETHNAL GREEN
Bethnal Green Gardens
Tennis Cts.
Bangabandhu Prim. Sch.
WESSEX ST.
Pavan Ct.
Rogers Est.
Stafford Cripps Ho.
Morpeth Sch.
Ashbee Ho.
PLACE
Devonshire Ct.
PORTMAN PL.
137
B120
GLOBE ROAD
BRAINTREE ST.
WILLIAM'S BUILDINGS
HADLEIGH ST.
Rickman Ho.
RICKMAN ST.
IBBOTT ST.
ROAD
Kenton Ho.
MANTUS CL.
Colebert Ho.
AVENUE
Pemell Ho.
PEMELL CL.
Rennie Cotts.
GIBSON CL.
Stannard Cotts.
St. Peter's Ch.
LEATHERDALE
VIADUCT PL.
VIADUCT ST.
SEABRIGHT ST.
3
AINSLEY ST.
CORFIELD ST.
POTT ST.
PROVIDENCE ROW CL.
Horwood Ho.
Norden Ho.
GALES GDNS.
Newcourt Ho.
Sunlight Square
BIRKBECK ST.
A107
CAMBRIDGE HEATH ROAD
WITAN ST.
HERALD ST.
GREENHEATH BUS. CEN.
COVENTRY RD.
GLASS ST.
Wks.
FINNIS ST.
Hague Prim. Sch.
Weavers Fields
WILMOT ST.
Rochester Ct.
VIOLET ST.
COLTS LANE
B135
4
THREE COLTS
BETHNAL GREEN
MALCOLM PL.
MANTUS RD.
LANG ST.
Wickford Ho.
WICKFORD ST.
MALCOLM RD.
Hadleigh Ho.
HADLEIGH CL.
Ryder Ho.
Sceptre Ho.
Barbanel Ho.
FOX CL.
Stothard Ho.
AMIEL ST.
Winkworth Cotts.
Redclyf Ho.
STOTHARD
COLEBERT AV.
Braintree Ho.
Pelican Pas.
Frederick Charrington Ho.
Doveton Ho.
DOVETON ST.
Cephas Ho.
Bancroft Ho.
CEPHAS STREET
EDWIN ST.
Colin Winter Ho.
NICHOLAS ROAD
STREET
BRADY STREET
Stewart Headlam Prim. Sch.
CUDWORTH STREET
COLLINGWOOD ST.
BARNSLEY ST.
Ashington Ho.
SOMERFORD ST.
Bartholomew Sq.
Steeple Ct.
Dinnington Ho.
Donegal Ho.
BUCKHURST STREET
Orion Ho.
St. Bartholomew's Gdns.
Sovereign Ho.
Fremantle Ho.
Heathpool Ct.
Pellew Ho.
Bullen Ho.
Rutherford Ho.
FELLBRIGG ST.
Eagle Ho.
HEADLAM STREET
5
Blackwood Ho.
Burial Ground
MERCERON ST.
Mocatta Ho.
Redmill Ho.
Berry Ho.
Grindall Ho.
Collingwood Ho.
DARLING ROW
KEY CL.
Swanlea Secondary School
82
Superstore
Kempton Ct.
Gouldman Ho.
WYLLEN CL.
CLEVELAND WAY
Queen's Ter.
LAMPLIGHTER CL.
John Scurr Prim. Sch.
COOPERS CLOSE
Sherren House
E1
Superstores
The Tamarie
Anchor Ter.
AVENUE
VAWDREY CL.
Hamilton Lodge
Bellevue Pl.
CLEVELAND GRO.
Cromwell Lodge
Montgomery Lodge
BARDSEY PL.
Tower Hamlets Mission
Trinity Green
69
A11
MILE END
STEPNEY GREEN
HAYFIELD PAS.
COTTAGE CL.
Fulneck
Gracehill
Dunstan Houses
Depot
Works
100
ASSEMBLY
50
2

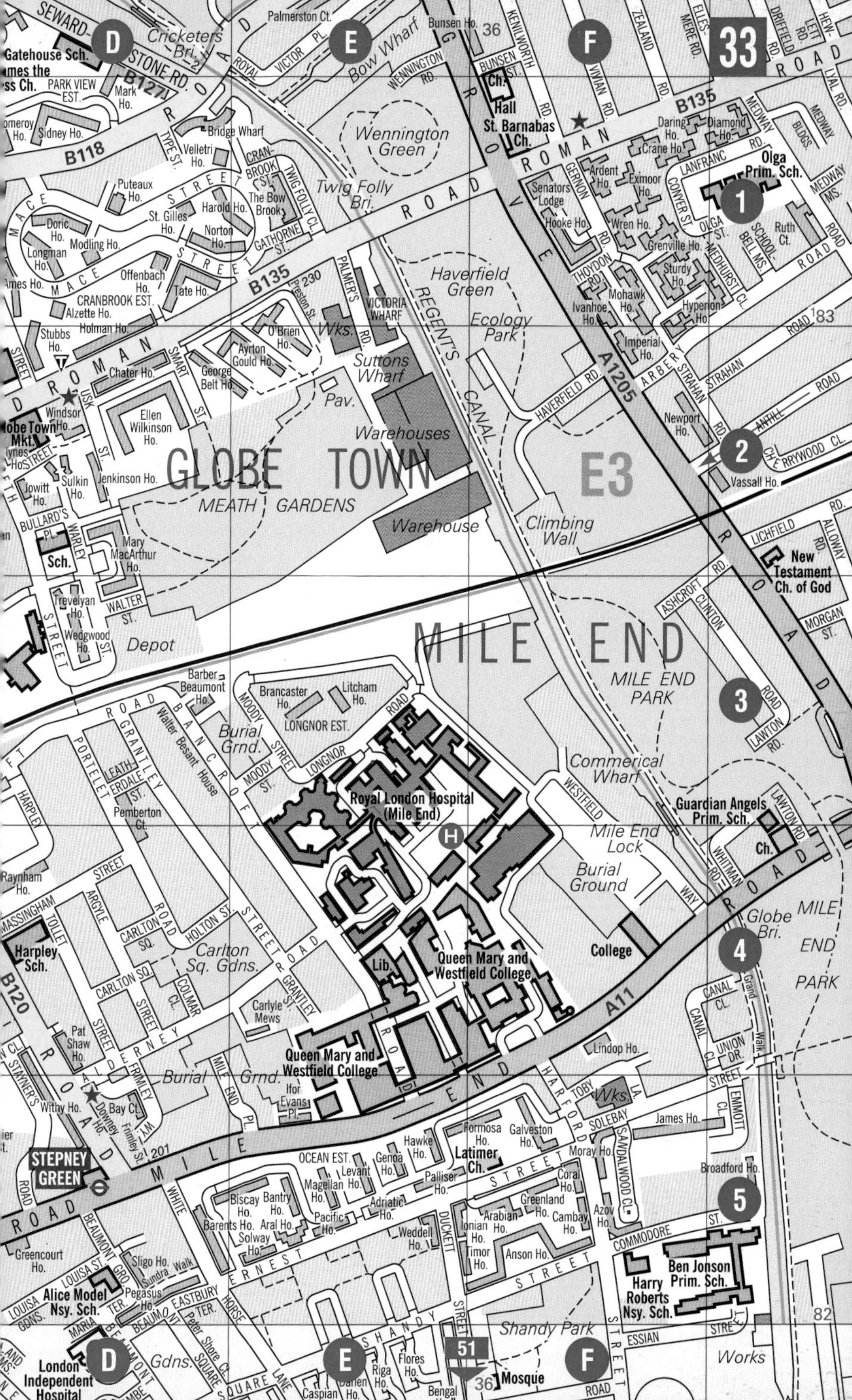
33
D
E
F
GLOBE TOWN
MEATH GARDENS
MILE END
MILE END PARK
E3
Royal London Hospital (Mile End)
Queen Mary and Westfield College
Regent's Canal
Wennington Green
Haverfield Green
Ecology Park
Twig Folly Bri.
Bow Wharf
Suttons Wharf
Warehouses
Warehouse
Climbing Wall
Commerical Wharf
Mile End Lock
Burial Ground
Globe Bri.
Shandy Park
Carlton Sq. Gdns.
Burial Grnd.
Depot
Works
Wks.
College
Lib.
Olga Prim. Sch.
St. Barnabas Ch.
New Testament Ch. of God
Guardian Angels Prim. Sch.
Ben Jonson Prim. Sch.
Harry Roberts Nsy. Sch.
Alice Model Nsy. Sch.
London Independent Hospital
Harpley Sch.
Gatehouse Sch.
Latimer Ch.
Mosque
STEPNEY GREEN
ROMAN ROAD
GROVE ROAD
MILE END ROAD
BANCROFT ROAD
GRANTLEY STREET
MACE STREET
A1205
A11
B135
B118
B127
B120
1
2
3
4
5
51
36
82
83
201
230

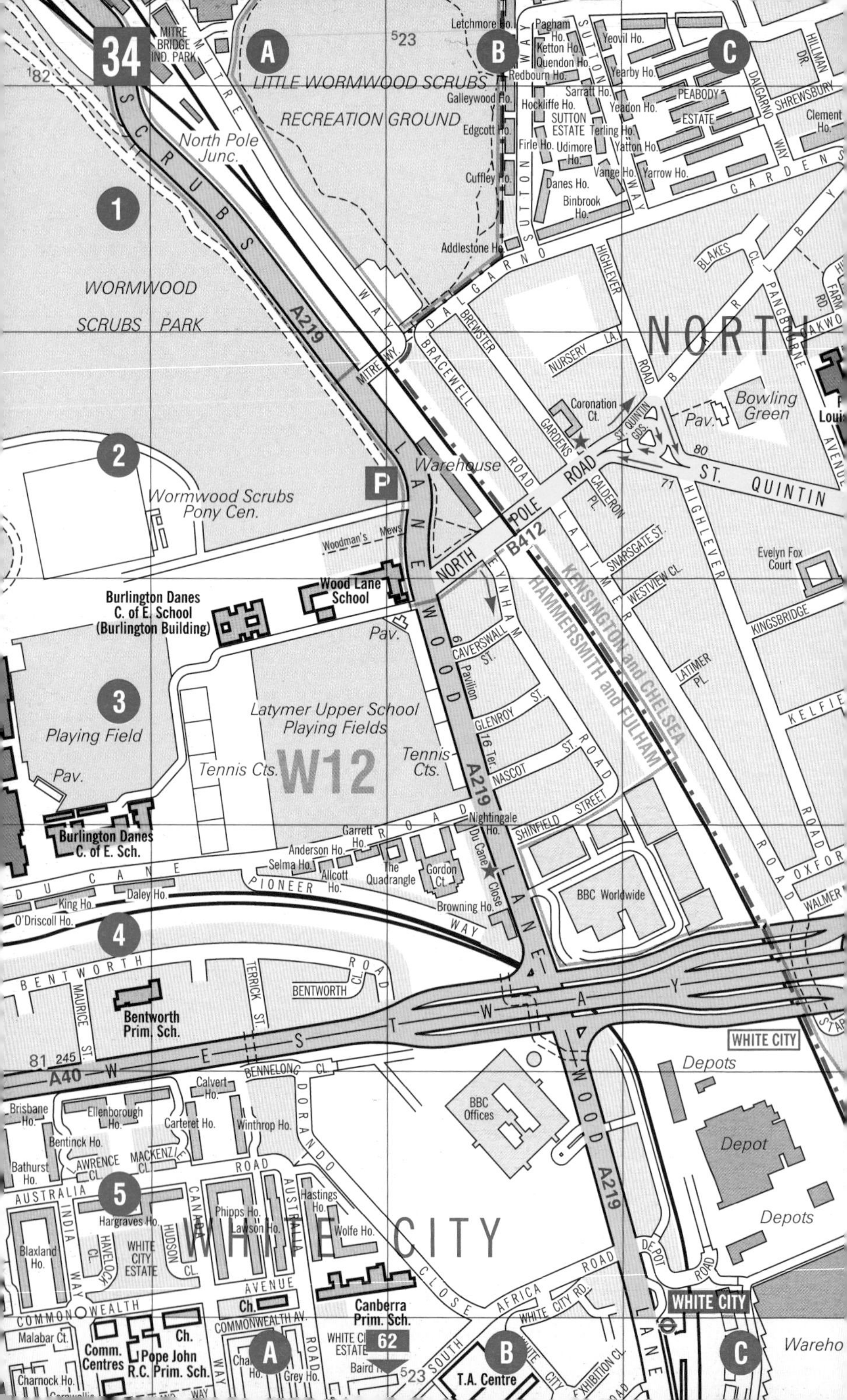

34
62
A
B
C
1
2
3
4
5
LITTLE WORMWOOD SCRUBS
RECREATION GROUND
WORMWOOD
SCRUBS PARK
North Pole Junc.
MITRE BRIDGE IND. PARK
SCRUBS
A219
MITRE WAY
Letchmore Ho.
Pagham Ho.
Ketton Ho.
Quendon Ho.
Redbourn Ho.
Galleywood Ho.
Edgcott Ho.
Cuffley Ho.
Addlestone Ho.
Sarratt Ho.
Hockliffe Ho.
SUTTON ESTATE
Firle Ho.
Udimore Ho.
Danes Ho.
Binbrook Ho.
Yeovil Ho.
Yearby Ho.
Yeadon Ho.
Terling Ho.
Yatton Ho.
Vange Ho.
Yarrow Ho.
PEABODY ESTATE
SUTTON WAY
DALGARNO WAY
DALGARNO GARDENS
HILLMAN DR.
SHREWSBURY
Clement Ho.
BLAKES CL.
PANGBOURNE
NORTH
BREWSTER
BRACEWELL ROAD
NURSERY LA.
HIGHLEVER ROAD
Coronation Ct.
ST. QUINTIN GDS.
ST. QUINTIN GARDENS
Pav.
Bowling Green
Warehouse
Wormwood Scrubs Pony Cen.
Woodman's Mews
NORTH POLE ROAD
B412
CALDERON PL.
LATIMER ROAD
SNARSGATE ST.
WESTVIEW CL.
Evelyn Fox Court
KINGSBRIDGE
LATIMER PL.
KELFIE
OXFOR
WALMER
KENSINGTON and CHELSEA
HAMMERSMITH and FULHAM
Wood Lane School
Burlington Danes C. of E. School (Burlington Building)
WOOD LANE
EYNHAM ROAD
CAVERSWALL ST.
Pavilion
GLENROY ST.
16 Ter.
NASCOT ST.
SHINFIELD STREET
Latymer Upper School Playing Fields
Tennis Cts.
W12
Playing Field
Nightingale Ho.
Du Cane Close
BBC Worldwide
Burlington Danes C. of E. Sch.
DU CANE ROAD
Garrett Ho.
Anderson Ho.
Selma Ho.
Allcott Ho.
The Quadrangle
Gordon Ct.
PIONEER WAY
Browning Ho.
Daley Ho.
King Ho.
O'Driscoll Ho.
BENTWORTH ROAD
BENTWORTH CL.
MAURICE ST.
TERRICK ST.
Bentworth Prim. Sch.
WESTWAY
A40
81
245
BENNELONG CL.
DORANDO CLOSE
BBC Offices
WHITE CITY
Depots
Depot
Calvert Ho.
Brisbane Ho.
Ellenborough Ho.
Carteret Ho.
Winthrop Ho.
Bentinck Ho.
Bathurst Ho.
LAWRENCE CL.
MACKENZIE CL.
AUSTRALIA ROAD
CANADA WAY
Hastings Ho.
Phipps Ho.
Lawson Ho.
Wolfe Ho.
Hargraves Ho.
INDIA WAY
HAVELOCK CL.
WHITE CITY ESTATE
HUDSON CL.
Blaxland Ho.
AVENUE
COMMONWEALTH
COMMONWEALTH AV.
Ch.
Canberra Prim. Sch.
SOUTH AFRICA ROAD
WHITE CITY RD.
DEPOT ROAD
EXHIBITION CL.
Malabar Ct.
Comm. Centres
Pope John R.C. Prim. Sch.
Charnock Ho.
Grey Ho.
Baird
T.A. Centre
Wareho

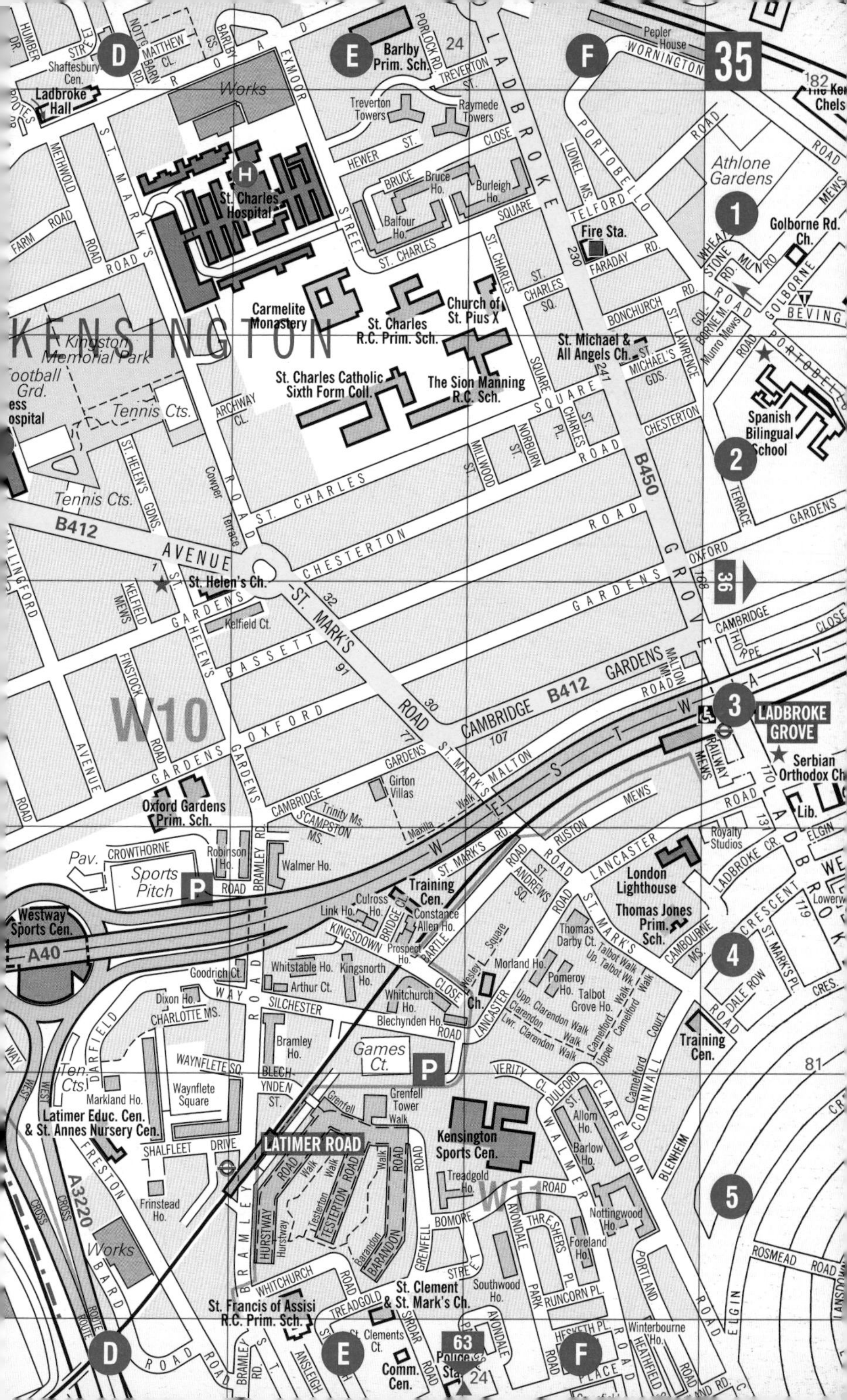

36
A
B
C
18
St. Thomas C. of E.
Trellick Tower
Meanwhile
The Kensington and Chelsea College
WORNINGTON ROAD
ELKSTONE ROAD
EDENHAM WAY
Gardens
GRAND UNION
GREAT WESTERN ROAD
A4207
WOODFIELD
WOODFIELD PL.
R.C. Ch.
GRAND UNION CL.
PORTOBELLO ROAD
LIONEL MS.
TELFORD
Athlone Gardens
MEWS
GOLBORNE ROAD
Golborne Rd. Ch.
ST. ERVAN'S ROAD
BARLEY SHOTTS BUS. PK.
Fire Sta.
FARADAY RD.
WHEATSTONE RD.
MUNRO
SWINBROOK RD.
ORCHARD CL.
MORGAN RD.
Bevington Prim. Sch.
BEVINGTON ROAD
LADBROKE GROVE
BONCHURCH RD.
ST. LAWRENCE
Church
ST. MICHAEL'S GDS.
GOLBORNE M.
Munro Mews
W10
Ainsworth Nursery School
MALVERN CL.
A40
WESTBOURNE PARK
Harford Ho.
TAVISTOCK CR.
Tavistock Cr.
Chap.
ST. CHARLES SQUARE
B450
CHESTERTON ROAD
Spanish Bilingual School
ST. JOSEPH'S CL.
BLAGROVE ROAD
BEVINGTON RD.
ACKLAM ROAD
WESTWAY
Fallodon Ho.
ST. LUKES ROAD
TAVISTOCK CRES.
TAVISTOCK ROAD
LEAMINGTON ROAD
ALDRIDGE ROAD VILLAS
Westbourne Youth Activity Cen.
RADDINGTON RD.
NORFOLK M.
ACKLAM RD.
TERRACE
GARDENS
OXFORD GARDENS
35
168
ALL SAINTS ROAD
All Saints Ho.
Mc GREGOR RD.
CAMBRIDGE GARDENS
THORPE CLOSE
B412
CAMBRIDGE GS.
MALTON M.
Silvester House
GOLDEN CROSS M.
BASING
MEWS
190
WESTBOURNE PARK ROAD
LADBROKE GROVE
LANCASTER ROAD
ST. LUKES
262
ALBA PL.
TAVISTOCK MEWS
HAYDEN'S PL.
STREET
235
POWIS TER.
Hedgegate Ct.
Talbot Tabernacle
Powis Ct.
Serbian Orthodox Ch.
Lancaster Lodge
Comm. Cen.
Lib.
RAILWAY MEWS
110
CLYDESDALE RD.
Clydesdale Ho.
COLVILLE HOUSES
All Saints Ch.
POWIS GDNS.
POWIS SQUARE
FOLLY MS.
DUNWORTH MS.
306
318
ELGIN
B412
WESTBOURNE PARK ROAD
Royalty Studios
LANCASTER
RUSTON MEWS
137
LADBROKE CR.
351
KENSINGTON PARK ROAD
Syn.
Salv. Army Hall
TALBOT ROAD
COLVILLE GDNS.
Pinehurst Ct.
COLVILLE TERRACE
London Lighthouse
Thomas Jones Prim. Sch.
ST. MARK'S ROAD
Lowerwood Ct.
Clare Gdns.
CONVENT GDNS.
W11
CRES.
COLVILLE SQ.
COLVILLE MEWS
LONSDALE
Thomas Darby Ct.
Talbot Walk
Up. Talbot Wk.
119
ST. MARK'S PL.
BLENHEIM CRESCENT
Peniel Chap.
KENSINGTON PK. MWS.
16
Colville Prim. Sch.
DALE ROW
CODRINGTON MS.
94
36
ELGIN CRES.
194
Talbot Grove Ho.
Camelford Walk
Training Cen.
Galsworthy Ho.
ELGIN CRESCENT
45 B415
LONSDALE ROAD
Lonsdale Ho.
Ledbury Ho.
LEDBURY RD.
PORTOBELLO CT. EST.
Comm. Cen.
Denbigh Ho.
Archer Ho.
Aston Ho.
Adelaide Ho.
VERNON YD.
WESTBOURNE GROVE
CORNWALL CRESCENT
CLARENDON ROAD
Allom Ho.
Barlow Ho.
81
87
B450
83
ARUNDEL GARDENS
DENBIGH ROAD
DENBIGH TER.
DENBIGH CL.
LONGLANDS CT.
PENCOMBE MS.
5
Nottingwood Ho.
Foreland Ho.
BLENHEIM CRESCENT
STANLEY GS. MS.
Waterford Ho.
St. Peter's Ch.
LADBROKE GARDENS
STANLEY GARDENS
STANLEY CRESCENT
ROSMEAD ROAD
LANSDOWNE ROAD
LANSDOWNE CRES.
89
GROVE
KENSINGTON PARK ROAD
STANLEY GDNS.
12
CHEPSTOW VILLAS
72
PORTLAND ROAD
NOTTING HILL
HESKETH PL.
Elgood Close
Winterbourne Ho.
HEATHFIELD ST.
64
Ladbroke Grove Ho.
Latimer Ho.
PARK GARDENS
1
2
3
4

37
19
38
65
D
E
F
1
2
3
4
5
W9
W2
WESTBOURNE GREEN
BAYSWATER
HARROW ROAD
GRAND UNION CANAL
CANAL
WESTWAY
A40
A404
A4207
A4206
B411
ROYAL OAK
BAYSWATER
Council Offs.
Rodborough Ct.
CHIPPENHAM MEWS
Ascot Ho.
ELMFIELD WAY
Swift Lodge
Swallow Ct.
Penfield Lodge
Gate Lodge
Hunter Lodge
Harvey Lodge
Falcon Lodge
Finch Lodge
Fleming Lodge
Nuffield Lodge
Livingstone Lodge
Lister Lodge
Johnson Lodge
Foscote Ct.
AMBERLEY ROAD
Worcester Ct.
Union Ct.
Beech Ct.
Elm Ct.
Leicester Ct.
Larch Ct.
Avon Ct.
Kennet Ct.
Welford Ct.
Willow Ct.
Fazeley Ct.
Oxford Ct.
Ashgrove Ct.
Lockbridge Ct.
Comm. Cen.
Polesworth Ho.
Oversley Ho.
ALFRED ROAD
Westbourne Park Pas.
Westbourne Green Sports Complex
Brinklow Ho.
TORQUAY STREET
DOWNFIELD CL.
ALDSWORTH CL.
BARNWOOD CL.
Ellwood Ct.
St. Mary Magdalene's C. of E. Prim. Sch.
St. Mary Magdalene's Ch.
Princethorpe Ho.
Wilmcote Ho.
WOODCHESTER SQUARE
ROWINGTON CL.
Dartington House
CIRENCESTER ST.
Ch. of Our Lady of Sorrows
Edward Wilson Prim.Sch.
Our Lady of Dolours R.C. Prim. Sch.
George Lowe Court
SENIOR ST.
BOURNE TERRACE
Atherstone Ct.
Gaydon Ho.
WARWICK ESTATE
DELAMERE
DESBOROUGH CL.
BRUNEL ESTATE
WESTBOURNE PARK VILLAS
WESTBOURNE PARK ROAD
Sch.
ST. STEPHENS MS.
SHREWSBURY MEWS
SHREWSBURY RD.
ST. STEPHEN'S GDS.
ST. STEPHEN'S GARDENS
Westbourne Passage
Elsie Lane Ct.
Clifford Ct.
Westbourne Park Baptist Ch.
LORD HILLS BRI.
PORCHESTER ROAD
CELBRIDGE MS.
GLOUCESTER
Porchester Square Gdns.
St. Stephen's Ch.
ST. STEPHEN'S CR.
PARK CLOSE
Sandbourne
Anglebury
Weatherbury
St. Mary of the Angels R.C. Prim. Sch.
CARADOC CL.
CHEPSTOW ROAD
TALBOT ROAD
COURTNELL STREET
MOORHOUSE RD.
SUTHERLAND PLACE
NORTHUMBERLAND PLACE
BRIDSTOW PLACE
HEREFORD ROAD
KILDARE TERRACE
KILDARE GARDENS
ALEXANDER STREET
DURHAM TER.
WESTBOURNE GS.
WESTBOURNE GARDENS
ALEXANDER MEWS
SUNDERLAND TER.
Liby.
Porchester Leisure Cen.
Porchester Hall
QUEENSWAY
Peters Ct.
Ralph Ct.
PORCHESTER MEWS
BURDETT MS.
HATHERLEY GRO.
Arthur Ct.
Hatherley Ct.
PICKERING MEWS
BISHOP'S BRIDGE ROAD
Ch.
NEWTON ROAD
NEWTON RD.
WESTBOURNE TER.
WESTBOURNE GR.
MONMOUTH RD.
MONMOUTH PL.
HEREFORD MS.
Coll.
BOTTS MS.
ARTESIAN ROAD
HEAD'S MEWS
NEEDHAM RD.
WELLINGTON CL.
ST. JOHN'S MEWS
Baptist Ch.
WESTBOURNE GROVE
ROSEHART MS.
WESTBOURNE GRO. MS.
LEDBURY MS NORTH
LEDBURY MS. WEST
CHEPSTOW VILLAS
CHEPSTOW CR.
Chepstow Ct.
Rodney Ho.
PEMBRIDGE MS.
PEMBRIDGE CRESCENT
PORTOBELLO MS.
PEMBRIDGE ROAD
PEMBRIDGE VILLAS
St. James Senior Girls Sch.
Chepstow Cnr.
Viscount Ct.
The New Church Cen.
CHEPSTOW PLACE
REDE PLACE
PEMBRIDGE PLACE
DAWSON PLACE
PEMBRIDGE SQUARE
Pembridge Hall Sch.
Lib.
Davies, Laing
KENSINGTON & CHELSEA
WESTMINSTER
GARWAY ROAD
KENSINGTON GARDENS SQUARE
College Park School
Redan Place
UCI
Whiteleys Cen. (Shop. Cen.)
Porchester Ct.
PORCHESTER GS.
Riven Ct.
INVERNESS TERRACE
INVERNESS TER.
CERVANTES CT.
LEINSTER SQUARE
PRINCE'S SQUARE
PRINCE'S SQ.
ILCHESTER GDS.
PRINCE'S MEWS
Palace Ct.
Greek Orthodox Cathedral
Prince Edward Mans.
MOSCOW ROAD
MOSCOW PL.
QUEEN'S MEWS
QUEEN'S MS.
Burnham Ct.
Windsor Ct.
Alexandra Ct.
BARK PL.
ST. PETERSBURGH PL.
POPLAR PL.
CAROLINE PL.
LOMBARDY PL.
Princess Ct.
INVERNESS MS.
St. Matthew's
New West End Syn.
CHAPEL SIDE
PALACE CT.
First Bowl
Hall

38
A
B
C
20
St. Saviour's Ch.
WARWICK AVENUE
Catholic Apostolic Ch.
W9
WESTBOURNE
GREEN
St. Mary Magdalene's C. of E. Prim. Sch.
St. Mary Magdalene's Ch.
Dartington House
Edward Wilson Prim.Sch.
Our Lady of Sorrows
George Lowe Court
Lapworth Court
Warwick Gds.
Little Venice
BLOMFIELD ROAD
MAIDA AVENUE
WARWICK CRESCENT
Gaydon Ho.
WARWICK ESTATE
Fire Sta.
HARROW ROAD
A404
A40
WESTWAY
ROYAL OAK
37
Westbourne Park Baptist Ch.
LORD HILLS BRI.
RANELAGH BRI.
WESTBOURNE BRIDGE
BISHOP'S BRIDGE ROAD
A4206
GLOUCESTER TERRACE
Porchester Square Gdns.
PORCHESTER SQUARE
ORSETT TERRACE
Trinity Ct.
Liby.
Porchester Leisure Cen.
Porchester Hall
B411
QUEENSWAY
Peters Ct.
Ralph Ct.
Arthur Ct.
Hatherley Ct.
Ch.
The Colonnades
Bishops Ct.
Caernarvon Ho.
Clovelly Ho.
Bridgwater Ho.
HALLFIELD ESTATE
Exeter Ho.
Lynton Ho.
Brecon Ho.
Worcester Ho.
Tenby Ho.
Marlow Ct.
Newbury Ho.
Pickering Ho.
Winchester Ho.
Pembroke Ho.
Reading Ho.
Taunton Ho.
Hallfield Jun. & Inf. Schools
W2
WESTBOURNE GROVE
Riven Ct.
REDAN PL.
UCI
Whiteleys Cen. (Shop. Cen.)
Porchester Ct.
CLEVELAND SQUARE
LEINSTER GARDENS
LEINSTER PL.
PORCHESTER GARDENS
BAYSWATER
The Hampshire Sch.
QUEEN'S GARDENS
CRAVEN HILL GDNS.
B410
CRAVEN HILL
Prim. Sch.
Ch. of the Annunciation of the Virgin Mary
Craven Lodge
Spire Ho.
Burnham Ct.
Alexandra Ct.
MOSCOW ROAD
Princess Ct.
INVERNESS TERRACE
Our Lady Queen of Heaven Ch.
QUEENSBOROUGH TERRACE
QUEENS-BORO' STUDIOS
CRAVEN HILL GS.
New West End Syn.
First Bowl
66
Hyde Park Towers
LANCASTER GATE
Barrie Ho.
Porchester

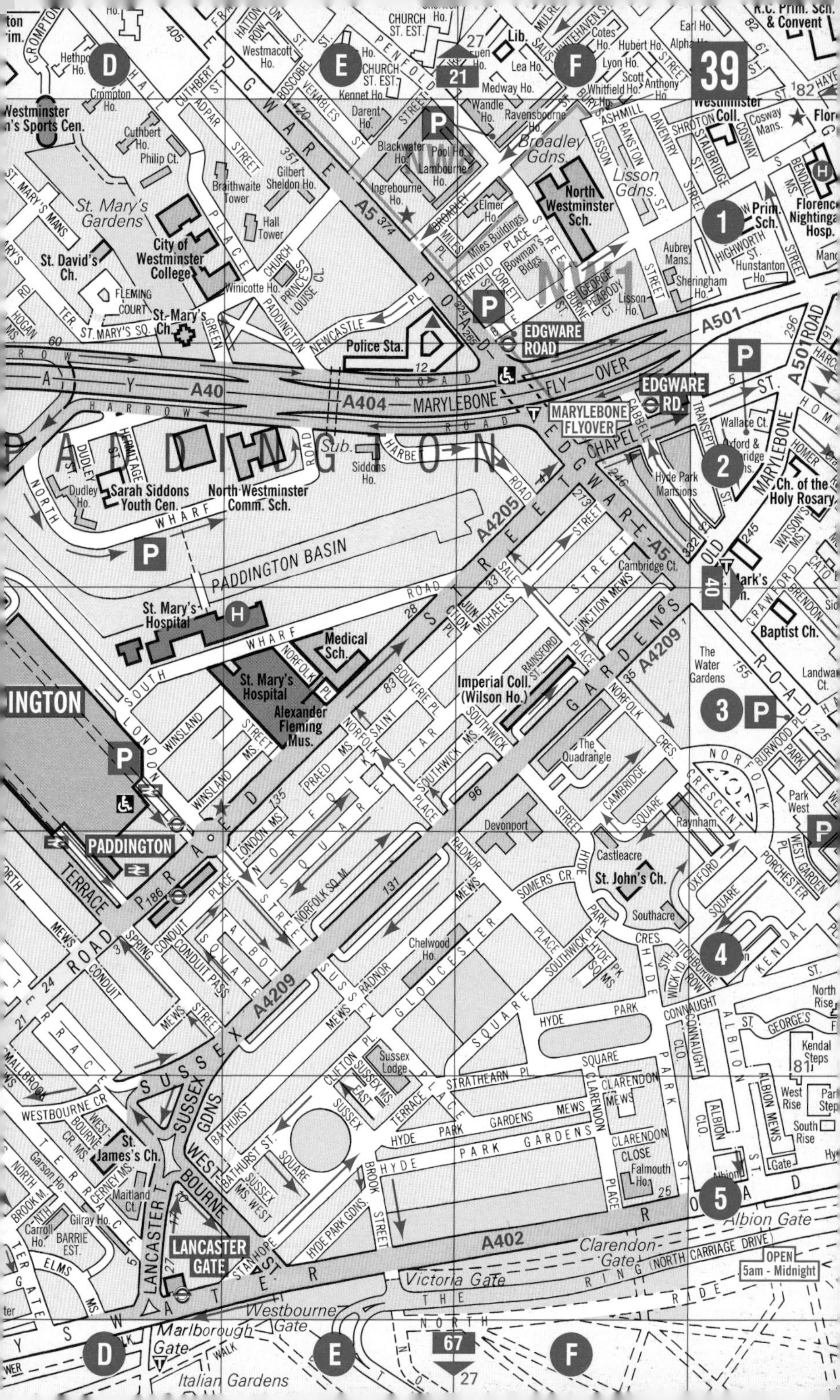
39
D
E
F
21
27
Westminster Coll.
Cosway Mans.
Florence Nightingale Hosp.
R.C. Prim. Sch. & Convent
Earl Ho.
Alpha Ho.
Cotes Ho.
Hubert Ho.
Lyon Ho.
Scott Ho.
Anthony Ho.
Whitfield Ho.
Lea Ho.
Medway Ho.
Wandle Ho.
Ravensbourne Ho.
Lib.
Church St. Est.
Westmacott Ho.
Kennet Ho.
Darent Ho.
Blackwater Ho.
Pool Ho.
Lambourne Ho.
Ingrebourne Ho.
Gilbert Sheldon Ho.
Braithwaite Tower
Hall Tower
Hethpool Ho.
Crompton Ho.
Cuthbert Ho.
Philip Ct.
Westminster Sports Cen.
St. Mary's Gardens
City of Westminster College
St. David's Ch.
Fleming Court
St. Mary's Ch.
Winicotte Ho.
Broadley Gdns.
Lisson Gdns.
North Westminster Sch.
Elmer Ho.
Miles Buildings
Bowman's Bldgs.
Lisson Ho.
Aubrey Mans.
Sheringham Ho.
Hunstanton Ho.
Prim. Sch.
Police Sta.
Edgware Road
Edgware Rd.
Marylebone Flyover
A5
A40
A404
A501
A4205
A4209
A402
Westway
Marylebone Road
Harrow Road
Paddington
Sarah Siddons Youth Cen.
North Westminster Comm. Sch.
Dudley Ho.
Siddons Ho.
Paddington Basin
Wallace Ct.
Oxford & Cambridge Mans.
Hyde Park Mansions
Ch. of the Holy Rosary
Cambridge Ct.
St. Mark's Ch.
Baptist Ch.
The Water Gardens
Landward Ct.
St. Mary's Hospital
Medical Sch.
Alexander Fleming Mus.
Imperial Coll. (Wilson Ho.)
The Quadrangle
Devonport
Raynham
Castleacre
St. John's Ch.
Southacre
Chelwood Ho.
Sussex Lodge
Falmouth Ho.
Albion Gate
North Rise
Kendal Steps
West Rise
South Rise
St. James's Ch.
Maitland Ct.
Gilray Ho.
Carroll Ho.
Barrie Est.
Garson Ho.
Lancaster Gate
Victoria Gate
Clarendon Gate
Westbourne Gate
Marlborough Gate
Italian Gardens
The Ring (North Carriage Drive)
The Ride
North Ride
Open 5am - Midnight
Praed Street
Sussex Gardens
London Street
Norfolk Square
Norfolk Crescent
Hyde Park Square
Hyde Park Gardens
Hyde Park Crescent
Connaught Street
Bayswater Road
Westbourne Terrace
Gloucester Square
Southwick Street
Star Street
Old Marylebone Road
Crawford Place
Seymour Place
67
1
2
3
4
5

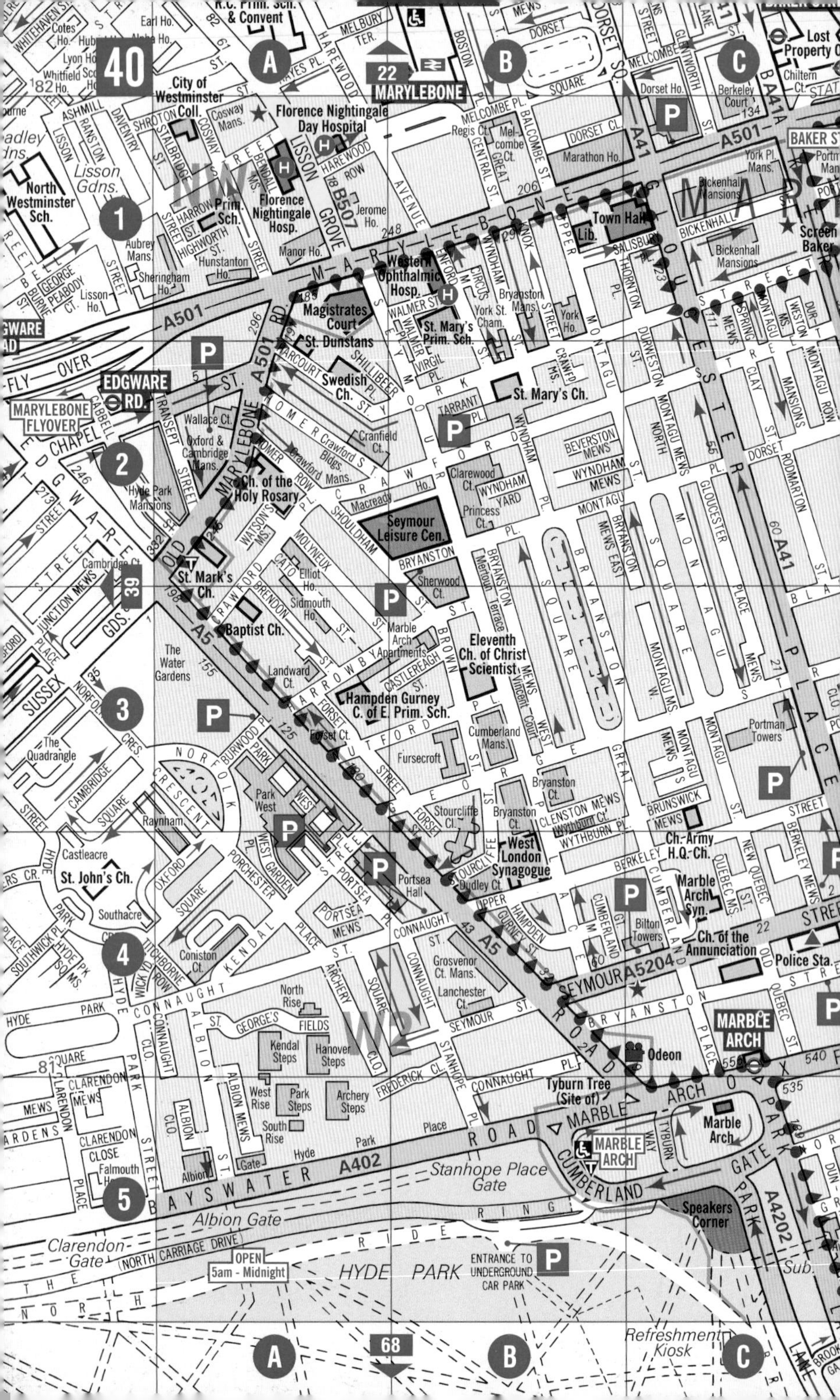

40
A
B
C
1
2
3
4
5
22
MARYLEBONE
68
39
R.C. Prim. Sch. & Convent
Earl Ho.
Alpha Ho.
Cotes Ho.
Hubert Ho.
Lyon Ho.
Whitfield Sch.
Ashmill
Lisson Gdns.
North Westminster Sch.
City of Westminster Coll.
Cosway Mans.
Florence Nightingale Day Hospital
Florence Nightingale Hosp.
Prim. Sch.
Aubrey Mans.
Sheringham Ho.
Hunstanton Ho.
Lisson Ho.
Manor Ho.
Jerome Ho.
Melbury Ter.
Harewood Row
Hayes Pl.
Lisson Grove
B507
Magistrates Court
St. Dunstans
Swedish Ch.
Western Ophthalmic Hosp.
St. Mary's Prim. Sch.
St. Mary's Ch.
York St. Cham.
Bryanston Mans.
York Ho.
Dorset Square
Melcombe Regis Ct.
Melcombe Ct.
Dorset Cl.
Marathon Ho.
Town Hall
Lib.
Dorset Ho.
Berkeley Court
Lost Property Office
Chiltern Ct.
Baker St.
York Pl. Mans.
Bickenhall Mansions
Screen on Baker St.
Marylebone Road
A501
A41
Edgware Rd.
Marylebone Flyover
Fly-Over
Wallace Ct.
Oxford & Cambridge Mans.
Hyde Park Mansions
Ch. of the Holy Rosary
Crawford Bldgs.
Crawford Mans.
Cranfield Ct.
Macready Ho.
Seymour Leisure Cen.
Clarewood Ct.
Princess Ct.
Wyndham Yard
Beverston Mews
Wyndham Mews
Montagu Square
Bryanston Square
Cambridge Ct.
Junction Mews
Sussex Gdns.
St. Mark's Ch.
Baptist Ch.
Elliot Ho.
Sidmouth Ho.
Sherwood Ct.
Marble Arch Apartments
Eleventh Ch. of Christ Scientist
Merton Terrace
Vincent Court
Landward Ct.
Hampden Gurney C. of E. Prim. Sch.
Forset Ct.
Fursecroft
Cumberland Mans.
Bryanston Ct.
Portman Towers
The Water Gardens
The Quadrangle
Norfolk Crescent
Raynham
Castleacre
St. John's Ch.
Southacre
Park West
Portsea Hall
Portsea Mews
Stourcliffe Cl.
West London Synagogue
Dudley Ct.
Clenston Mews
Wythburn Ct.
Brunswick Mews
Ch. Army H.Q. Ch.
Marble Arch Syn.
Bilton Towers
Ch. of the Annunciation
Police Sta.
Coniston Ct.
Grosvenor Ct. Mans.
Lanchester Ct.
Seymour A5204
A5
Edgware Road
Odeon
Marble Arch
North Rise
St. George's Fields
Kendal Steps
Hanover Steps
West Rise
Park Steps
Archery Steps
South Rise
Albion Gate
Tyburn Tree (Site of)
Marble Arch
Speakers Corner
Park Lane
A4202
Bayswater Road A402
Stanhope Place Gate
Albion Gate
Clarendon Gate
The Ring
North Carriage Drive
The Ride
OPEN 5am - Midnight
Hyde Park
ENTRANCE TO UNDERGROUND CAR PARK
Refreshment Kiosk
Hyde Park Square
Clarendon Mews
Clarendon Close
Falmouth Ho.
Oxford Square
Cambridge Square
Connaught Square
Albion Cl.
W2
NW1

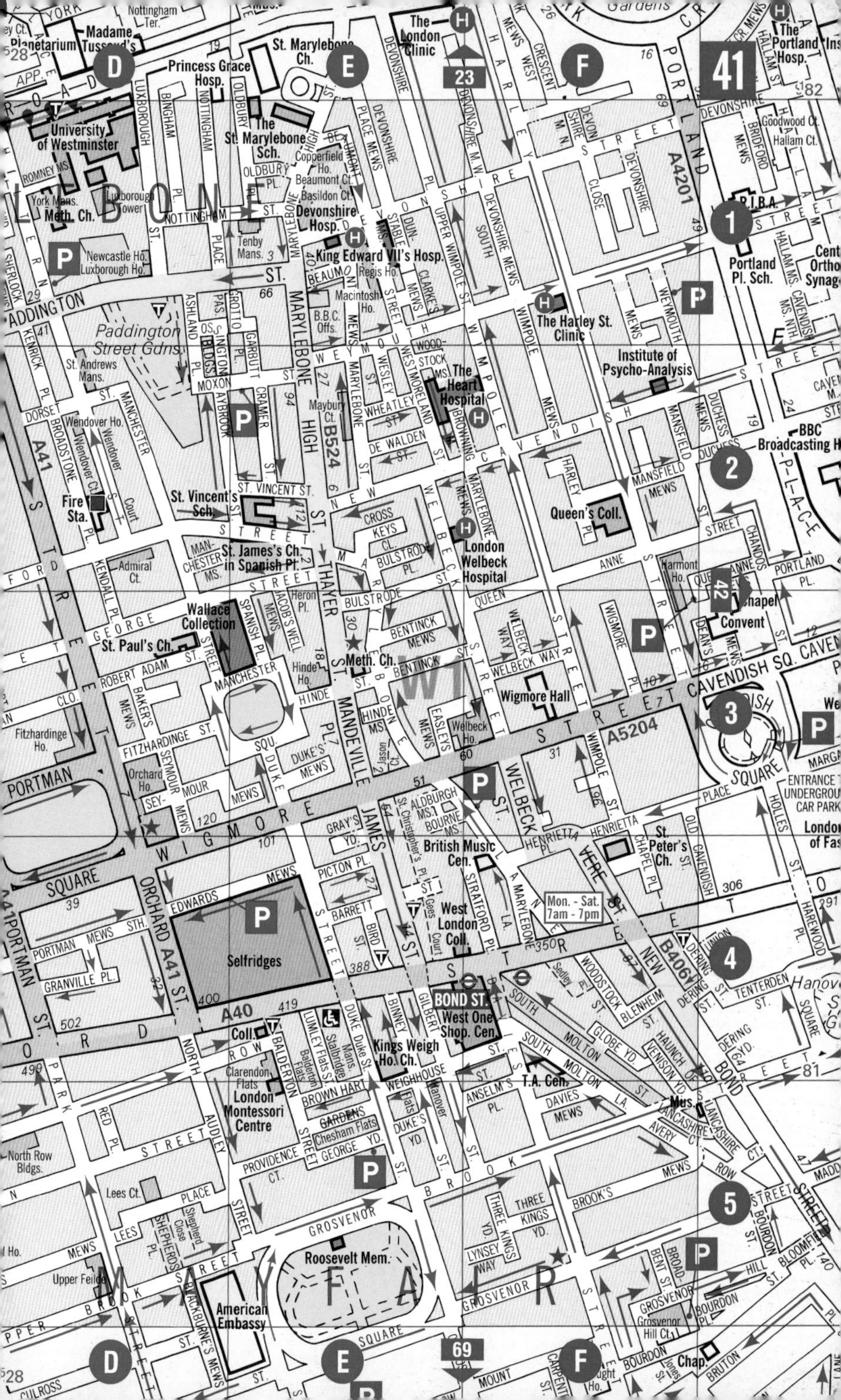
41
D
E
F
23
Madame Tussaud's
Planetarium
Nottingham Ter.
St. Marylebone Ch.
The London Clinic
The Portland Hosp.
Princess Grace Hosp.
University of Westminster
The St. Marylebone Sch.
Copperfield Ho.
Beaumont Ct.
Basildon Ct.
Devonshire Hosp.
King Edward VII's Hosp.
Regis Ho.
Macintosh Ho.
B.B.C. Offs.
York Mans.
Meth. Ch.
Luxborough Tower
Newcastle Ho.
Luxborough Ho.
Tenby Mans.
ROMNEY MS.
LUXBOROUGH
BINGHAM
NOTTINGHAM
OLDBURY
OLDBURY PL.
NOTTINGHAM PL.
MARYLEBONE
DEVONSHIRE PLACE MEWS
DEVONSHIRE
HARLEY
MEWS WEST
CRESCENT
PORTLAND
DEVONSHIRE M.W.
DEVONSHIRE M.N.
DEVON SHIRE
DEVONSHIRE CLOSE
DEVONSHIRE STREET
A4201
R.I.B.A.
Portland Pl. Sch.
Cent Ortho Synag
HALLAM ST.
HALLAM MS.
BRIDFORD MEWS
Goodwood Ct.
Hallam Ct.
UPPER WIMPOLE ST.
DEVONSHIRE MEWS SOUTH
The Harley St. Clinic
WEYMOUTH MEWS
WEYMOUTH
WEYMOUTH ST.
Institute of Psycho-Analysis
Paddington Street Gdns.
PADDINGTON
KENRICK PL.
St. Andrews Mans.
DORSET
BROADSTONE
Wendover Ho.
Wendover Ct.
Wendover Court
MANCHESTER ST.
A41
Fire Sta.
ASHLAND PL.
GROTTO PAS.
OSSINGTON BLDGS.
GARBUTT PL.
MOXON ST.
AYBROOK
CRAMER
MARYLEBONE HIGH ST.
B524
Maybury Ct.
MARYLEBONE ST.
WESLEY ST.
WHEATLEY ST.
WESTMORELAND
WOODSTOCK MS.
The Heart Hospital
BROWNING MS.
DE WALDEN ST.
WIMPOLE ST.
WIMPOLE MEWS
CAVENDISH
HARLEY PL.
Queen's Coll.
MANSFIELD MEWS
MANSFIELD
DUCHESS MEWS
DUCHESS
BBC Broadcasting H
St. Vincent's Sch.
ST. VINCENT ST.
NEW CAVENDISH ST.
CROSS KEYS CL.
BULSTRODE PL.
WELBECK ST.
MARYLEBONE MEWS
London Welbeck Hospital
QUEEN ANNE ST.
CHANDOS ST.
Harmont Ho.
PORTLAND PL.
42
Chapel Convent
DEAN'S MEWS
St. James's Ch. in Spanish Pl.
MANCHESTER MS.
Admiral Ct.
KENDALL PL.
GEORGE ST.
SPANISH PL.
JACOB'S WELL MEWS
Heron Pl.
THAYER ST.
BULSTRODE
BENTINCK MEWS
WELBECK WAY
WIGMORE PL.
Wallace Collection
St. Paul's Ch.
ROBERT ADAM ST.
BAKER'S MEWS
MANCHESTER SQU.
Hinde Ho.
HINDE ST.
Meth. Ch.
BENTINCK ST.
W1
MANDEVILLE PL.
HINDE MS.
EASLEY'S MEWS
Welbeck Ho.
Wigmore Hall
WIGMORE STREET
A5204
CAVENDISH SQ.
CAVENDISH SQUARE
FITZHARDINGE ST.
Fitzhardinge Ho.
CLO.
Orchard Ho.
SEYMOUR MEWS
DUKE ST.
DUKE'S MEWS
Jason Ct.
St. Christopher's Pl.
ALDBURGH MS.
BOURNE MS.
HENRIETTA PL.
St. Peter's Ch.
CHAPEL PL.
OLD CAVENDISH ST.
HOLLES ST.
ENTRANCE UNDERGROUND CAR PARK
London of Fas
MARGA
PORTMAN SQUARE
WIGMORE
GRAY'S YD.
JAMES ST.
British Music Cen.
PICTON PL.
BARRETT ST.
West London Coll.
STRATFORD PL.
MARYLEBONE LA.
Mon. - Sat. 7am - 7pm
VERE ST.
EDWARDS MEWS
Selfridges
ORCHARD ST.
A41
PORTMAN MEWS STH.
GRANVILLE PL.
BIRD ST.
Gees Court
OXFORD STREET
A40
BOND ST.
West One Shop. Cen.
DAVIES ST.
SOUTH MOLTON ST.
SOUTH MOLTON LA.
Sedley Pl.
WOODSTOCK ST.
BLENHEIM ST.
NEW BOND ST.
B406
DERING ST.
UNION
TENTERDEN ST.
HAREWOOD PL.
Hanover Square
DERING YD.
GLOBE YD.
HAUNCH OF VENISON YD.
Coll.
NORTH ROW
BALDERTON
LUMLEY Flats
Balderton Flats
DUKE
Duke St. Mans.
Stalbridge Flats
BINNEY ST.
GILBERT ST.
Kings Weigh Ho. Ch.
WEIGHHOUSE ST.
Hanover Flats
T.A. Cen.
ANSELM'S PL.
DAVIES MEWS
Mus.
LANCASHIRE CT.
AVERY ROW
Clarendon Flats
London Montessori Centre
BROWN HART GARDENS
Chesham Flats
DUKE'S YD.
GEORGE YD.
PROVIDENCE CT.
RED PL.
North Row Bldgs.
NORTH AUDLEY STREET
PARK STREET
Lees Ct.
LEES PLACE
SHEPHERDS PL.
Shepherd Close
BROOK'S MEWS
BROOK STREET
GROSVENOR
Roosevelt Mem.
THREE KINGS YD.
LYNSEY WAY
BROOK'S MEWS
BOURDON ST.
BROADBENT ST.
MAYFAIR
Upper Feilde
UPPER BROOK STREET
BLACKBURNE'S MEWS
American Embassy
GROSVENOR SQUARE
GROSVENOR ST.
Grosvenor Hill Ct.
GROSVENOR HILL
BOURDON PL.
BLOOMFIELD PL.
Chap.
BRUTON
CULROSS
MOUNT
CARPENTER
Jones St.
69

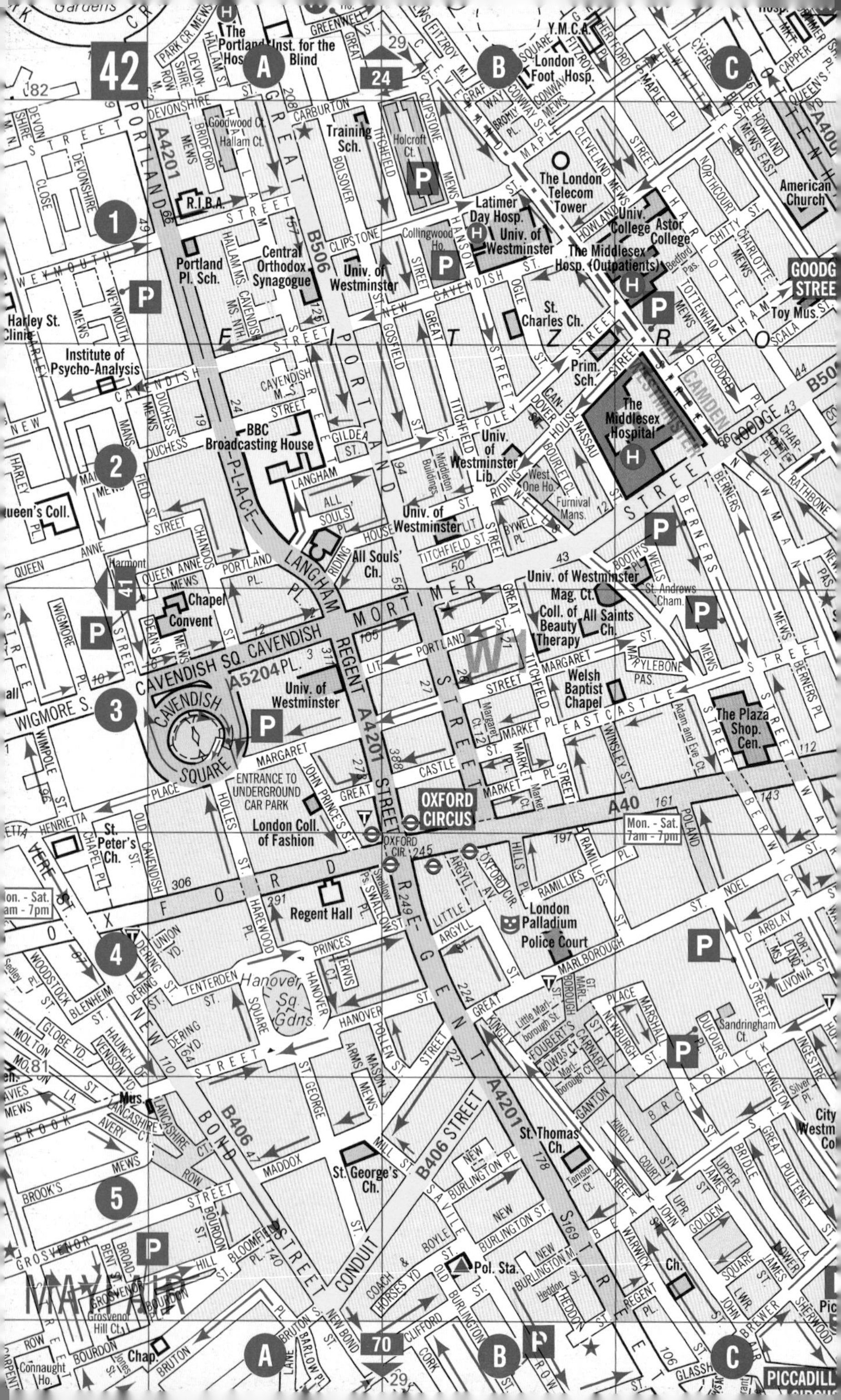
42
A
B
C
1
2
3
4
5
24
70
41
The Portland Hosp.
Inst. for the Blind
Y.M.C.A.
London Foot Hosp.
DEVONSHIRE STREET
PORTLAND PLACE
A4201
Goodwood Ct.
Hallam Ct.
R.I.B.A.
GREAT PORTLAND STREET
B506
Training Sch.
Holcroft Ct.
The London Telecom Tower
American Church
Latimer Day Hosp.
Univ. of Westminster
Univ. College
Astor College
The Middlesex Hosp. (Outpatients)
Portland Pl. Sch.
Central Orthodox Synagogue
Collingwood Ho.
CAVENDISH ST.
NEW CAVENDISH STREET
St. Charles Ch.
GOODGE STREET
Toy Mus.
Harley St. Clinic
Institute of Psycho-Analysis
FITZROVIA
Prim. Sch.
The Middlesex Hospital
CAMDEN
WESTMINSTER
GOODGE STREET
B506
BBC Broadcasting House
Univ. of Westminster Lib.
Middleton Buildings
West One Ho.
Furnival Mans.
Queen's Coll.
ALL SOULS
All Souls' Ch.
LANGHAM PLACE
MORTIMER STREET
Univ. of Westminster
Mag. Ct.
Coll. of Beauty Therapy
All Saints Ch.
St. Andrews Cham.
Chapel
Convent
CAVENDISH SQ.
A5204
W1
Welsh Baptist Chapel
The Plaza Shop. Cen.
WIGMORE ST.
CAVENDISH SQUARE
Univ. of Westminster
REGENT STREET
ENTRANCE TO UNDERGROUND CAR PARK
London Coll. of Fashion
OXFORD CIRCUS
A40
Mon. - Sat. 7am - 7pm
St. Peter's Ch.
OXFORD STREET
Regent Hall
London Palladium
Police Court
Hanover Sq. Gdns
HANOVER SQUARE
St. George's Ch.
St. Thomas' Ch.
Sandringham Ct.
City of Westminster Co
NEW BOND STREET
B406
BROOK STREET
CONDUIT STREET
B406 STREET
Pol. Sta.
MAYFAIR
Chap.
Connaught Ho.
Grosvenor Hill Ct.
PICCADILLY CIRCUS

43
44
25
71
D
E
F
1
2
3
4
5
BLOOMSBURY
WC1
WC2
SOHO
COVENT GARDEN
Univ. of London Union
Sch. of Oriental & African Studies
College Hall
Birkbeck Coll.
Brunei Gallery
Inst.
R.A.D.A.
School of Hygiene & Tropical Medicine
University of London (Senate House)
Russell Sq. Gardens
Pitmans Coll.
Cranfield Ho.
St. George the Martyr Ch.
Jeff Wooller Coll.
Drill Hall Arts
Ch. of Scientology
Coll. of Law
Cavendish Coll.
Gower Ms. Mans.
BOC Mus.
British Museum
Great Court
Bloomsbury Sq. Gdns.
Odeon
Sch. of Architecture
London Hotel Sch.
Bedford Ct. Mans.
Y.M.C.A. (H.Q.)
Y.W.C.A. Central Club
Parnell Ho.
Museum Cham.
St. George's Ch.
Sorting Office
Dominion
TOTTENHAM COURT ROAD
Centrepoint
Centre Point Ho.
Bloomsbury Cen. Baptist Ch.
St. Giles Ct.
Shaftesbury
Town Hall
City Lit. Inst.
French Protestant Ch.
The Astoria
St. Giles Sch.
Oasis Sports Centre
Dudley Ct.
St. Patrick's Ch.
St. Giles-in-the-Fields Ch.
Pendrell Ho.
Swiss Ch.
New London
Soho
Clarion Ho.
Phoenix
Central St. Martins Sch. of Art
Caxton Walk
Chapel
Odeon
Nottingham Ho.
Donmar
Thomas Neal's
Comm. Cen.
Cambridge
Betterton Ho.
Prince Edward
Cambridge Circus
Palace
Ambassadors
COVENT GARDEN
Royal Opera House
Curzon
Fire Sta.
St. Anne's Ch.
St. Martin's
Arts
Raymond Revuebar
St. James Residences
Queen's
Gielgud
Prince Charles
China Town
Albery
LEICESTER SQ.
Apollo
Lyric
Metro
Warner
Empire
Wyndham's
Trocadero Cen.
UGC
Odeon
Swiss Cen.
Duke of York's
Coliseum
The Market
St. Paul's Ch.
Sussex Mans.
A400
A40
A401
A4200
B506
B402
B404
RUSSELL SQUARE
BLOOMSBURY WAY
NEW OXFORD ST.
HIGH HOLBORN
OXFORD STREET
CHARING CROSS RD.
SHAFTESBURY AVENUE
TOTTENHAM COURT ROAD
GOWER STREET
BEDFORD SQUARE
MONTAGUE PL.
GREAT RUSSELL ST.
DRURY LANE
LONG ACRE
ENDELL ST.
NEAL ST.
MONMOUTH ST.
ST. MARTIN'S LANE
SOHO SQUARE
GREEK ST.
FRITH ST.
DEAN ST.
OLD COMPTON ST.
GERRARD ST.
WARDOUR ST.
LEICESTER SQ.
GARRICK ST.
FLORAL ST.

44
A
B
C
26
The National Hospital for Neurology and Neurosurgery
Gt. Ormond Street Hospital for Children
St. George the Martyr C. of E. Prim. Sch.
The Royal London Homoeopathic Hosp.
Chancellors Ct.
Pitmans Coll.
Babington Ct.
Blemundsbury
St. George the Martyr Ch.
Mary Ward Cen.
Jeff Wooller Coll.
Cranfield Ho.
Comm. Cen.
Library
Lacon Ho.
Windmill
Adastral Ho.
Pol. Sta.
Boswell Ho.
Springwater
Falcon
BLOOMSBURY
WC1
Gray's Inn Gdns
Gray's Inn
Conway Hall
Culverhouse
Brampton
Bloomsbury Sq. Gdns.
Cochrane
Cen. St. Martin's Coll. of Art & Design
Vernon Ho.
Museum Cham.
St. George's Ch.
HOLBORN
Univ.
Min. Offs.
Inns of Court & City Yeomanry Mus.
Sir John Soane's Museum
Lincoln's Inn
Library
Lincoln's Inn Hall
Lincoln's Inn Fields
CAMDEN
Land Registry Office
Royal Coll. of Surgeons
Old Curiosity Shop
The Hunterian Mus.
Town Hall
Holy Trinity with St. John Ch.
Thurstan Dwellings
Goldsmith Ct.
City Lit. Inst.
St. Joseph's R.C. Prim. Sch.
Shaftesbury
Oasis Sports Centre
Dudley Ct.
New London
Connaught Rooms
Freemasons' Hall
City Lit. Cen.
Swiss Ch.
WESTMINSTER
Peacock
WC2
Sheridan Bldgs.
Beaumont Bldgs.
Fletcher Bldgs.
Charter Ho.
Mag. Ct.
Crown Ct. Ch.
St. Clement Danes Prim. Sch.
London School of Economics
Donmar
Thomas Neal's Comm. Cen.
Cambridge
COVENT GARDEN
Royal Opera House
Fortune
Drury Lane
Aldwych
Theatre Mus.
Bush Ho.
India Ho.
Inland Revenue
Australia Ho.
St. Clement Danes Ch.
Strand
Duchess
St. Mary-le-Strand Ch.
London Transport Mus.
The Market
COVENT GARDEN
Courtauld Galleries
Lyceum
King's Coll. (Strand Campus)
St. Paul's Ch.
Somerset House
Hermitage Rooms
Gilbert Collection
TEMPLE
Corpus Christie Ch.
Savoy Chapel
72
Vaudeville
Coliseum
Friends Meet. Ho.
Davey's Ct.
Temple Pier
St. Kath
1
2
3
4
5
43
A4200
A40
A401
A4
B402

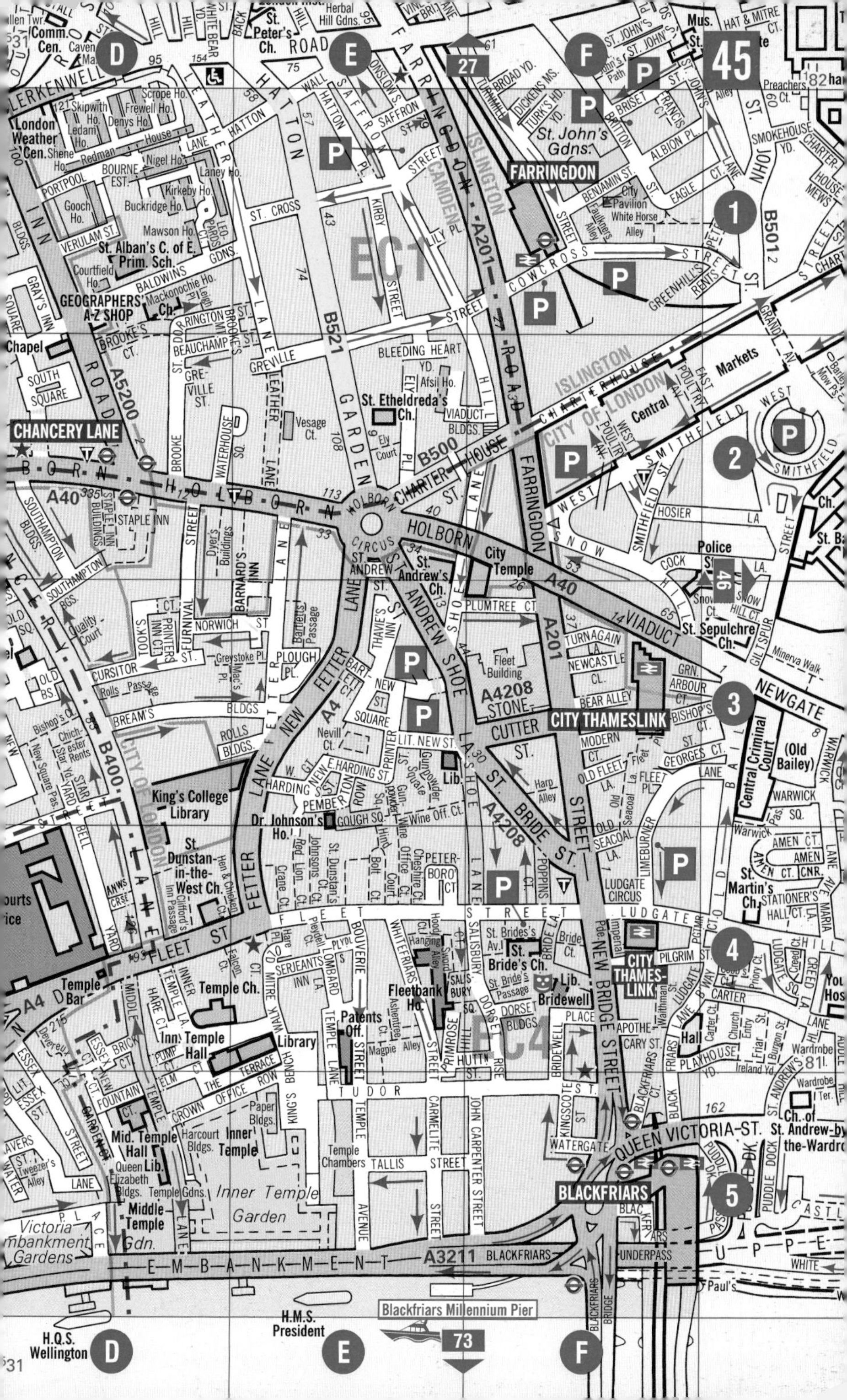
45
D
E
F
27
Comm. Cen.
St. Peter's Ch.
ROAD
Herbal Hill Gdns.
Mus.
HAT & MITRE CT.
ST. JOHN'S
Preachers Ct.
CLERKENWELL
Skipwith Ho.
Scrope Ho.
Frewell Ho.
Denys Ho.
Ledam Ho.
London Weather Cen.
Shene Ho.
Redman
House
Nigel Ho.
BOURNE EST.
PORTPOOL
Laney Ho.
Gooch Ho.
Kirkeby Ho.
Buckridge Ho.
Mawson Ho.
VERULAM ST.
St. Alban's C. of E. Prim. Sch.
Courtfield Ho.
BALDWINS GDNS.
Mackonochie Ho.
GEOGRAPHERS' A-Z SHOP
GRAY'S INN SQUARE
BROOKE'S CT.
BEAUCHAMP
GREVILLE
GRE-VILLE ST.
Chapel
SOUTH SQUARE
A5200
ROAD
CHANCERY LANE
HOLBORN
A40
STAPLE INN
SOUTHAMPTON BLDGS.
SOUTHAMPTON BGS.
Quality Court
CURSITOR
Rolls Passage
BREAM'S
BLDGS
ROLLS BLDGS.
Bishop's Ct.
Chichester Rents
New Square Pas.
Star Yd.
STAR YARD
BELL YARD
B400
CITY OF LONDON
King's College Library
St. Dunstan-in-the-West Ch.
Clifford's Inn Passage
FLEET ST
Temple Bar
A4
Devereux Ct.
ESSEX ST.
Temple Ch.
Inner Temple Hall
Library
Mid. Temple Hall
Lib.
Queen Elizabeth Bldgs.
Temple Gdns.
Middle Temple Gdn.
Inner Temple Garden
Harcourt Bldgs.
Paper Bldgs.
KING'S BENCH WALK
CROWN OFFICE ROW
THE TERRACE
Victoria Embankment Gardens
EMBANKMENT
A3211
BLACKFRIARS
UNDERPASS
Blackfriars Millennium Pier
H.Q.S. Wellington
H.M.S. President
73
HATTON GARDEN
LEATHER LANE
HATTON WALL
SAFFRON HILL
SAFFRON ST.
ST. CROSS
KIRBY STREET
B521
EC1
LILY PL.
CAMDEN
ISLINGTON
FARRINGDON ROAD
A201
FARRINGDON
COWCROSS STREET
CHARTERHOUSE STREET
BLEEDING HEART YD.
Afsil Ho.
ELY PL.
St. Etheldreda's Ch.
Vesage Ct.
Ely Court
VIADUCT BLDGS.
B500
HOLBORN CIRCUS
HOLBORN VIADUCT
City Temple
PLUMTREE CT.
St. Andrew's Ch.
ST. ANDREW ST.
NEW FETTER LANE
FETTER LANE
A4
SHOE LANE
Dyer's Buildings
BARNARD'S INN
Bartlett's Passage
NORWICH ST
PLOUGH PL.
Greystoke Pl.
FURNIVAL ST.
THAVIE'S INN
NEW ST. SQUARE
Nevill Ct.
LIT. NEW ST.
E. HARDING ST.
PEMBERTON ROW
GOUGH SQ.
Dr. Johnson's Ho.
Wine Off. Ct.
Gunpowder Square
Lib.
Fleet Building
A4208
STONECUTTER ST.
ST. BRIDE ST.
Harp Alley
CITY THAMESLINK
TURNAGAIN LA.
NEWCASTLE CL.
BEAR ALLEY
OLD FLEET LA.
OLD SEACOAL LA.
LIMEBURNER LANE
LUDGATE CIRCUS
FLEET STREET
St. Bride's Ch.
St. Bride's Passage
Bridewell
Lib.
DORSET BLDGS.
SALISBURY SQ.
Fleetbank Ho.
Hanging Sword Alley
WHITEFRIARS STREET
Patents Off.
Magpie Alley
Ashentree Ct.
BOUVERIE STREET
LOMBARD LA.
SERJEANTS INN
MITRE CT.
TUDOR
TEMPLE AVENUE
Temple Chambers
TALLIS STREET
CARMELITE STREET
JOHN CARPENTER STREET
EC4
PRIMROSE HILL
HUTTON ST.
BRIDEWELL PLACE
KINGSCOTE ST.
WATERGATE
NEW BRIDGE STREET
BLACKFRIARS
QUEEN VICTORIA ST.
BLACKFRIARS CT.
Central Markets
CITY OF LONDON
ISLINGTON
WEST SMITHFIELD
SMITHFIELD
EAST POULTRY AV.
GRAND AV.
HOSIER LA
COCK LA.
Police Sta.
46
SNOW HILL
St. Sepulchre Ch.
GILTSPUR
Minerva Walk
NEWGATE
Central Criminal Court (Old Bailey)
OLD BAILEY
WARWICK SQ.
AMEN CT.
AMEN CNR.
AVE MARIA LANE
St. Martin's Ch.
STATIONER'S HALL CT.
LUDGATE HILL
PILGRIM ST.
CARTER LANE
PLAYHOUSE YD.
Ireland Yd.
Wardrobe Ter.
Ch. of St. Andrew-by-the-Wardrobe
PUDDLE DOCK
ST. JOHN'S GDNS.
FARRINGDON
BENJAMIN ST.
City Pavilion
White Horse Alley
EAGLE CT.
ALBION PL.
BRISET
SMOKEHOUSE YD.
B501
CHARTERHOUSE MEWS
1
2
3
4
5

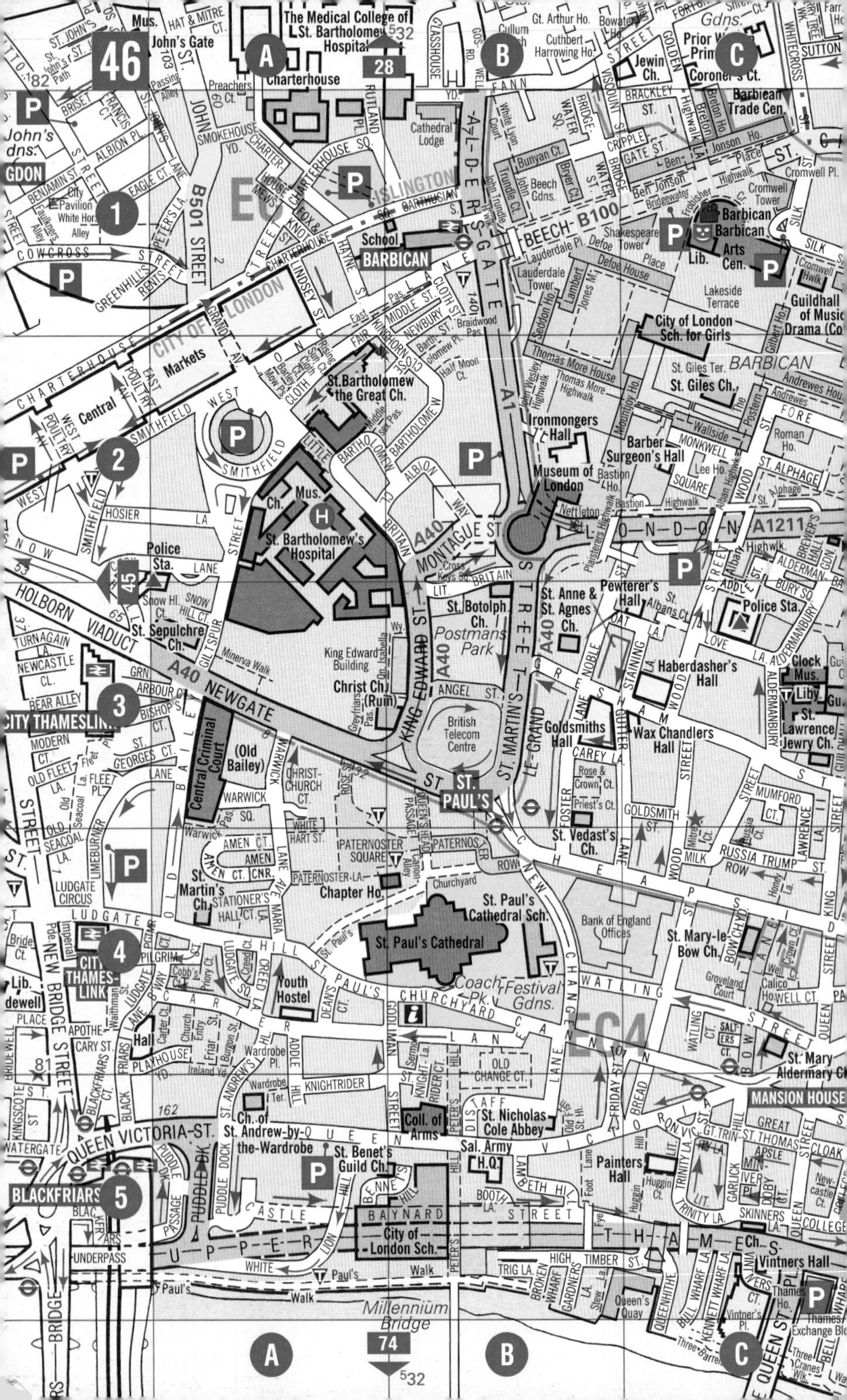

46
28
74
A
B
C
1
2
3
4
5
The Medical College of St. Bartholomew's Hospital
Charterhouse
John's Gate
Mus.
HAT & MITRE CT.
ST. JOHN'S
JOHN ST.
Preachers Ct.
SMOKEHOUSE YD.
CHARTERHOUSE SQ.
RUTLAND PL.
GLASSHOUSE YD.
Cathedral Lodge
ISLINGTON
EC
CARTHUSIAN ST.
School
BARBICAN
CHARTERHOUSE ST.
LINDSEY ST.
HAYNE ST.
FOX & KNOT ST.
BRISET ST.
FRANCIS CT.
ALBION PL.
BENJAMIN ST.
EAGLE CT.
City Pavilion
White Horse Alley
Faulkners Alley
COWCROSS ST.
GREENHILL'S RENTS
PETER'S LA.
B501 ST. JOHN STREET
CITY OF LONDON
Central Markets
GRAND AV.
EAST POULTRY AV.
WEST POULTRY AV.
WEST SMITHFIELD
SMITHFIELD
HOSIER LA.
SNOW HILL
Police Sta.
Snow Hl. Ct.
HOLBORN VIADUCT
St. Sepulchre Ch.
GILTSPUR ST.
Minerva Walk
TURNAGAIN LA.
NEWCASTLE CL.
BEAR ALLEY
CITY THAMESLINK
A40 NEWGATE ST.
Central Criminal Court
(Old Bailey)
OLD BAILEY
WARWICK LA.
WARWICK SQ.
CHRIST-CHURCH CT.
Warwick Pas.
AMEN CT.
AMEN CNR.
St. Martin's Ch.
STATIONER'S HALL CT.
AVE MARIA LA.
PATERNOSTER SQUARE
PATERNOSTER ROW
Chapter Ho.
Churchyard
St. Paul's Cathedral
St. Paul's Cathedral Sch.
ST. PAUL'S CHURCHYARD
Coach Pk.
Festival Gdns.
Youth Hostel
DEAN'S CT.
CREED LA.
LUDGATE HILL
LUDGATE SQ.
LUDGATE CIRCUS
PILGRIM ST.
CARTER LA.
Hall
PLAYHOUSE YD.
Wardrobe Pl.
Wardrobe Ter.
KNIGHTRIDER ST.
ADDLE HILL
GODLIMAN ST.
Coll. of Arms
Ch. of St. Andrew-by-the-Wardrobe
St. Benet's Guild Ch.
QUEEN VICTORIA ST.
PUDDLE DK.
CASTLE BAYNARD ST.
City of London Sch.
UPPER THAMES ST.
WHITE LION HILL
Paul's Walk
Millennium Bridge
BLACKFRIARS
BLACKFRIARS UNDERPASS
BLACKFRIARS BRIDGE
NEW BRIDGE STREET
CITY THAMES-LINK
Bride Ct.
WATERGATE
KINGSCOTE ST.
APOTHECARY ST.
CARY ST.
Lib.
FLEET ST.
OLD FLEET LA.
OLD SEACOAL LA.
LIMEBURNER LA.
FARRINGDON ST.
Christ Ch. (Ruin)
King Edward Building
Greyfriars Pas.
KING EDWARD ST.
A40
Postmans Park
St. Botolph Ch.
LIT. BRITAIN
Cross Keys Sq.
MONTAGUE ST.
ANGEL ST.
British Telecom Centre
ST. PAUL'S
ST. MARTIN'S LE-GRAND
St. Bartholomew's Hospital
St. Bartholomew the Great Ch.
Ch.
Mus.
H
BARTHOLOMEW CL.
LITTLE BRITAIN
ALBION WAY
A40
Rising Sun Ct.
Cloth Ct.
LONG LANE
CLOTH FAIR
MIDDLE ST.
NEWBURY ST.
KINGHORN ST.
CLOTH ST.
Braidwood Pas.
Half Moon Ct.
A1 ALDERSGATE ST.
John Trundle Ct.
White Lyon Court
Bunyan Ct.
Bryer Ct.
Beech Gdns.
BEECH ST.
B100
Lauderdale Tower
Lauderdale Pl.
Defoe Pl.
Defoe House
Shakespeare Tower
Seddon Ho.
Lambert Jones M.
Thomas More House
Thomas More Highwalk
John Wesley Highwalk
City of London Sch. for Girls
Ironmongers Hall
Museum of London
Nettleton Ct.
LONDON WALL
A1211
Barber Surgeon's Hall
Bastion Ho.
Bastion Highwalk
Mountjoy Ho.
Wallside
MONKWELL SQUARE
Lee Ho.
St. Giles Ter.
St. Giles Ch.
BARBICAN
The Postern
FORE ST.
Andrewes Ho.
Roman Ho.
ST. ALPHAGE
WOOD ST.
Alban Highwalk
Plaisterers Highwalk
Pewterer's Hall
NOBLE ST.
St. Albans Ct.
OAT LA.
STAINING LA.
ADDLE ST.
St. Anne & St. Agnes Ch.
GRESHAM ST.
Haberdasher's Hall
Goldsmiths Hall
Wax Chandlers Hall
GUTTER LA.
CAREY LA.
Rose & Crown Ct.
Priest's Ct.
FOSTER LA.
GOLDSMITH ST.
St. Vedast's Ch.
CHEAPSIDE
Bank of England Offices
NEW CHANGE
WATLING ST.
EC4
OLD CHANGE CT.
DISTAFF LA.
St. Nicholas Cole Abbey
Old Fish St. Hl.
FRIDAY ST.
BREAD ST.
Sal. Army H.Q.
LAMBETH HILL
BOOTH LA.
PETER'S HILL
HIGH TIMBER ST.
TRIG LA.
BROKEN WHARF
GARDNERS LA.
Stew La.
Queen's Quay
QUEENHITHE
BULL WHARF LA.
KENNET WHARF LA.
Painters Hall
Huggin Ct.
Huggin Hill
Fye Foot Lane
TRINITY LA.
LIT. TRINITY LA.
GT. TRIN. LA.
GARLICK HILL
Vintners Hall
Vintner's Pl.
Three Barrels Wlk.
Thames Ho.
Thames Exchange Bldg.
Three Cranes Wlk.
QUEEN ST. PL.
SKINNERS LA.
COLLEGE
Ch.
St. Mary Aldermary Ch.
MANSION HOUSE
GREAT ST. THOMAS APOSTLE
CLOAK LA.
DOWGATE
MILK ST.
WOOD ST.
Mitre Ct.
Russia Ct.
RUSSIA ROW
TRUMP ST.
MUMFORD CT.
LAWRENCE LA.
KING ST.
Honey La.
BOW LA.
St. Mary-le-Bow Ch.
BOW CHYD.
Crown Ct.
Groveland Court
Well Ct.
Calico Ho.
BOW ST.
SALTERS CT.
WATLING CT.
QUEEN ST.
ALDERMANBURY
ALDERMANBURY SQ.
LOVE LA.
Police Sta.
Clock Mus.
Liby.
St. Lawrence Jewry Ch.
Gu.
BREWER'S HALL GDN.
BURY SQ.
Albany Highwlk.
Gt. Arthur Ho.
Bowater Ho.
Cullum Welch
Cuthbert Harrowing Ho.
FANN ST.
GOSWELL RD.
WATER ST.
BRIDGEWATER SQ.
VISCOUNT ST.
Jewin Ch.
GOLDEN LA.
Prior Weston Prim.
Coroner's Ct.
BRACKLEY ST.
CRIPPLEGATE ST.
Breton Ho.
Ben Jonson Pl.
Jonson Ho.
Bridgewater Highwalk
Frobisher Cres.
Barbican Trade Cen.
Cromwell Pl.
Cromwell Tower
WHITECROSS ST.
SUTTON
SILK ST.
Barbican
Barbican Arts Cen.
Lib.
Lakeside Terrace
Cromwell Hwlk
Gilbert Ho.
Guildhall of Music Drama

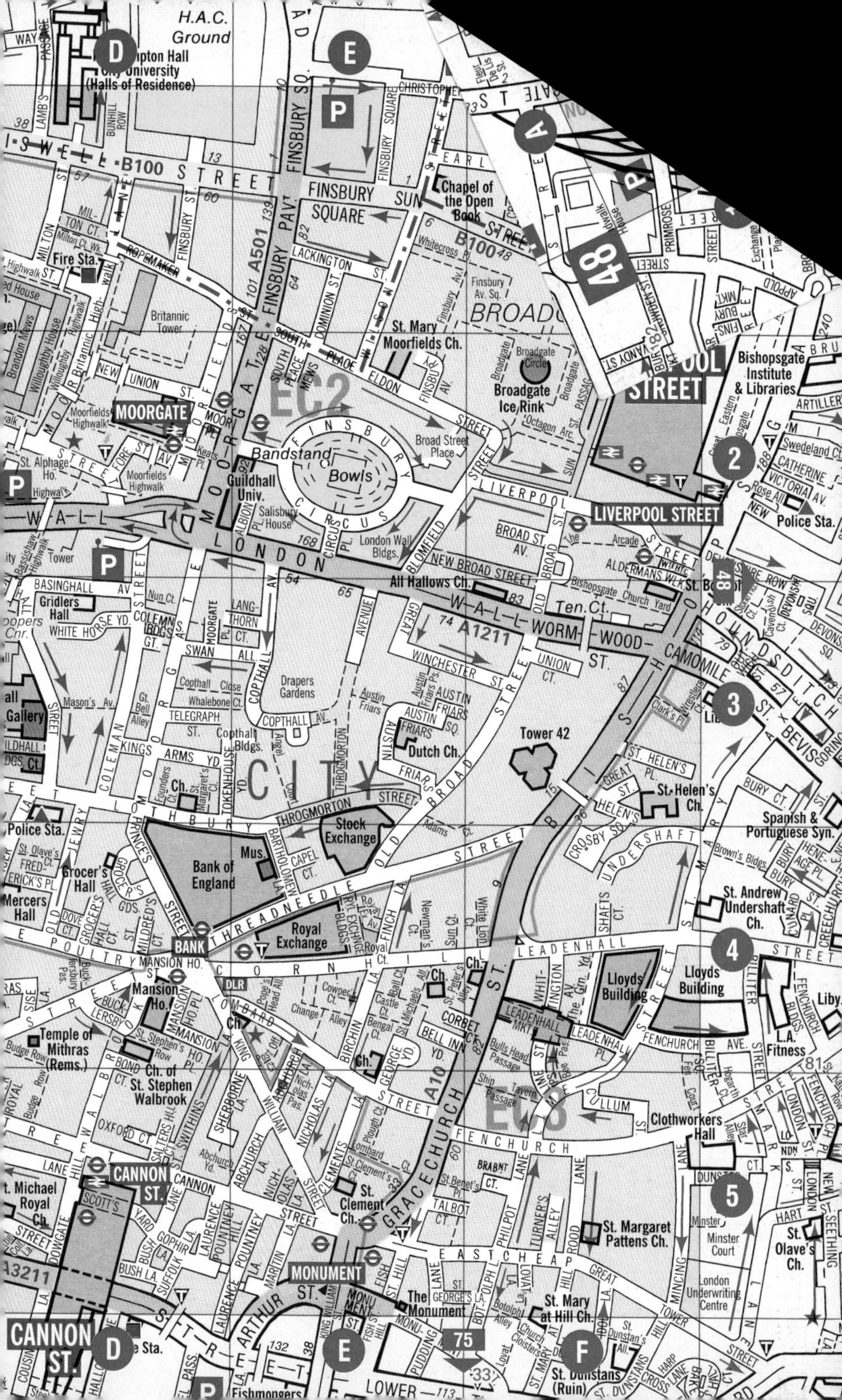

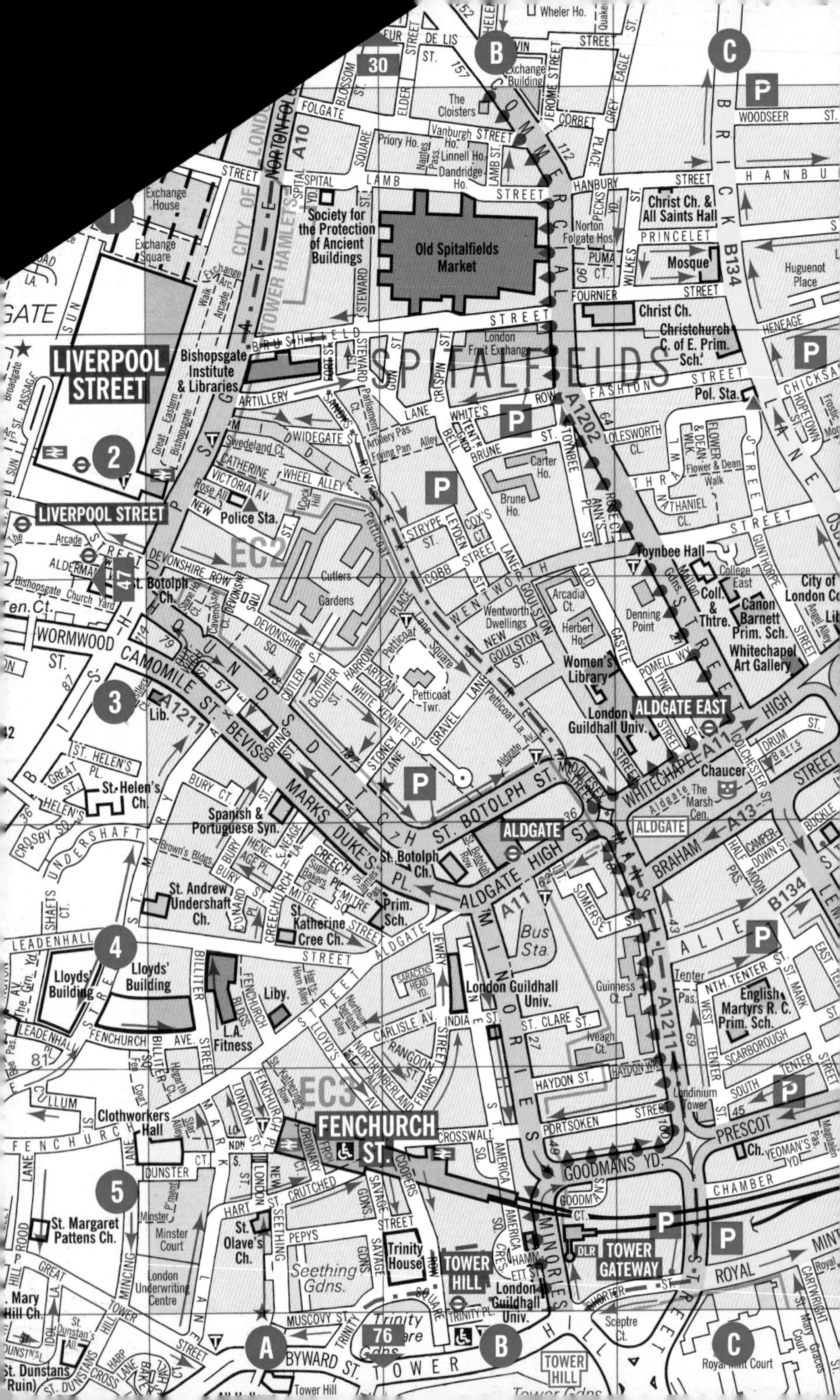

LIVERPOOL STREET
SPITALFIELDS
Old Spitalfields Market
Society for the Protection of Ancient Buildings
Bishopsgate Institute & Libraries
EC2
Cutlers Gardens
Petticoat Twr.
ALDGATE
ALDGATE EAST
Toynbee Hall
Whitechapel Art Gallery
Women's Library
London Guildhall Univ.
St. Botolph Ch.
St. Helen's Ch.
Spanish & Portuguese Syn.
St. Andrew Undershaft Ch.
St. Katherine Cree Ch.
Lloyds' Building
Clothworkers Hall
EC3
FENCHURCH ST.
Trinity House
TOWER HILL
TOWER GATEWAY
St. Olave's Ch.
Seething Gdns.
Christ Ch.
Mosque
Police Sta.
Bus Sta.
Royal Mint Court

49
D
E
F
31
77
St. Annes
St. Anne's R.C. Ch.
Hall
Glashon Ho.
Hunton Ho.
Underwood
John Pritchard Ho.
Welfare Cen.
Osmani Prim. Sch.
Vallance
Mansions
Road
Mocatta Ho.
Swanlea Secondary School
182
Superstore
Arthur Deakin Ho.
Hunton St.
Woodseer
Boden Ho.
Vollasky Ho.
Daplyn St.
Hobson's Pl.
Albert Cotts.
Victoria Cotts.
Deal St.
Hanbury Ho.
Street
Lister Ho.
Lomas St.
Vallance Rd. Rec. Grd.
Sports Centre
Brady Street
Kempton Ct.
Winthrop St.
Whitechapel
Wood's Buildings
1
Spelman
Ramar Ho.
Casson Ho.
Greatorex Ho.
Chicksand Ho.
Greatorex
Coverley Cl.
Kingward House
Spring Walk
Pauline Ho.
Regal Cl.
B108
Durward
Fulbourne St.
Court St.
A11
Road
Cavell
Maples Pl.
East Mount
Raven
Milward
Bloomfield Ho.
Moss Cl.
Davenant St.
Tailworth St.
Casson St.
Spelman Ho.
Luntley Place
Monthope Rd.
Montague
Whitechapel
The Royal London Hospital
195
Mount Ter.
Turner St.
Way
Kings Arms Ct.
Green Dragon Yard
East London Mosque
Vine Ct.
Tower House
Gt. Eastern Bldgs.
Fieldgate St. Gt. Synagogue
Stepney
Gwynne Ho.
Philpot St.
2
97
34
Fieldgate
Newark
Elan Ct.
Ashfield
Princess Alexandra Sch. of Nursing
Wilton Ct.
50
B134
P
E1
St. Mary's Gdns.
Adler
Plumber's Row
Greenfield
Kobi Nazrul Prim. Sch.
Settles
Parfett St.
Myrdle
Romford
Fieldgate Mansions
B108
Walden St.
Porchester Ho.
Mulberry St.
Mountford St.
Unit Workshops
St. Bonniface's R.C. Church
Cornell Bldg.
Fordham
Varden
Silvester Ho.
Joscoyne Ho.
Bridgen Ho.
Tylney Ho.
Mellish Ho.
Dickson Ho.
White Church Pas.
White Church La.
London Guildhall Univ.
Manningtree St.
Assam St.
Morrison Bldgs Nth.
Coke
Aldgate Triangle
Weyhill Rd.
London Guildhall University
Grenfell Sch.
Nelson St.
Peter Best Ho.
East London Cen. Syn.
Sarah Ho.
Cheviot Ho.
3
Cameron
75
153
235
Commercial
Road
A13
52
98
Goodman's Stile
Gower's
Morrison Buildings South
Skyline Plaza Building
Henriques
Batty
Christian
Rope Wlk. Gs.
Golding T.
Umberston St.
162
Barnett St.
Richard St.
Jane St.
Anthony St.
Fenton St.
Buross St.
Hungerford St.
Close
Lutheran Ch.
Church Lane
Harry Gosling Prim. Sch.
Mitali Pas.
Hogarth Ct.
Delafield Ho.
Amazon St.
Sly
Rampart St.
Kinder St.
Mulberry Sch. for Girls
Whitechapel
Back Church
Fairclough
Victoria Yd.
Batson Ho.
Harkness Ho.
Drewett Ho.
Dowler Ho.
Hessel
Kinder St.
Chandlery Ho.
Berner Ter.
Danvers Ho.
Christian
Burslem St.
Bigland Green Prim. Sch.
Chapman Ho.
4
Burwell Cl.
Hainton
Timberland
Leman Pas.
A1202
Boyd
Everard Ho.
Bicknell Ho.
Pl.
Harris Bldgs.
Rope Wk. Gs.
Wicker St.
Langdale St.
Bigland Street
Walk
Ellen
Forbes
Philchurch Pl.
Hadfield Ho.
Kindersley Ho.
Langmore Ho.
Stutfield St.
Golding Street
Ponler St.
Walburgh St.
Luke Ho.
Turnour Ho.
Tillman St.
Hooper Street
Bowman's Mews
Hooper Square
Walford Ho.
Welstead Ho.
Norton Ho.
Miles Ct.
81
Street
Pinchin
Chapman
Shad
Link Rd.
Mill Yard
Conant Ms.
Newton Ho.
Richard Neale Ho.
Maddo Ho.
B126
Cable
Fletcher St.
Noble Ct.
Crowder
Hawksmoor Ms.
Library
Angel
5
Dock Street
Sapphire Ct.
Well-close Sq.
Wellclose Sq.
Graces Alley
Marsh
Swedenborg Gdns.
Brockmer Ho.
St. George's Gdns.
St. Paul Ch.
John Fisher St.
Flank St.
Shapla Prim. Sch.
St. Paul's C. of E. Prim. Sch.
Stockholm Ho.
Betts Ho.
St. George in the East Ch.
St. George's Pools
Blue Anchor Yd.
Peabody Buildings
Ensign St.
Ensign Ind. Cen.
Harad's Place
Wellclose Sq.
Well. Close
Betts St.
Highway
Queen Anne Ter.
The
A1203
Breezers Ct.
Telfords
Chigwell Hill
Artichoke Hill
Sovereign

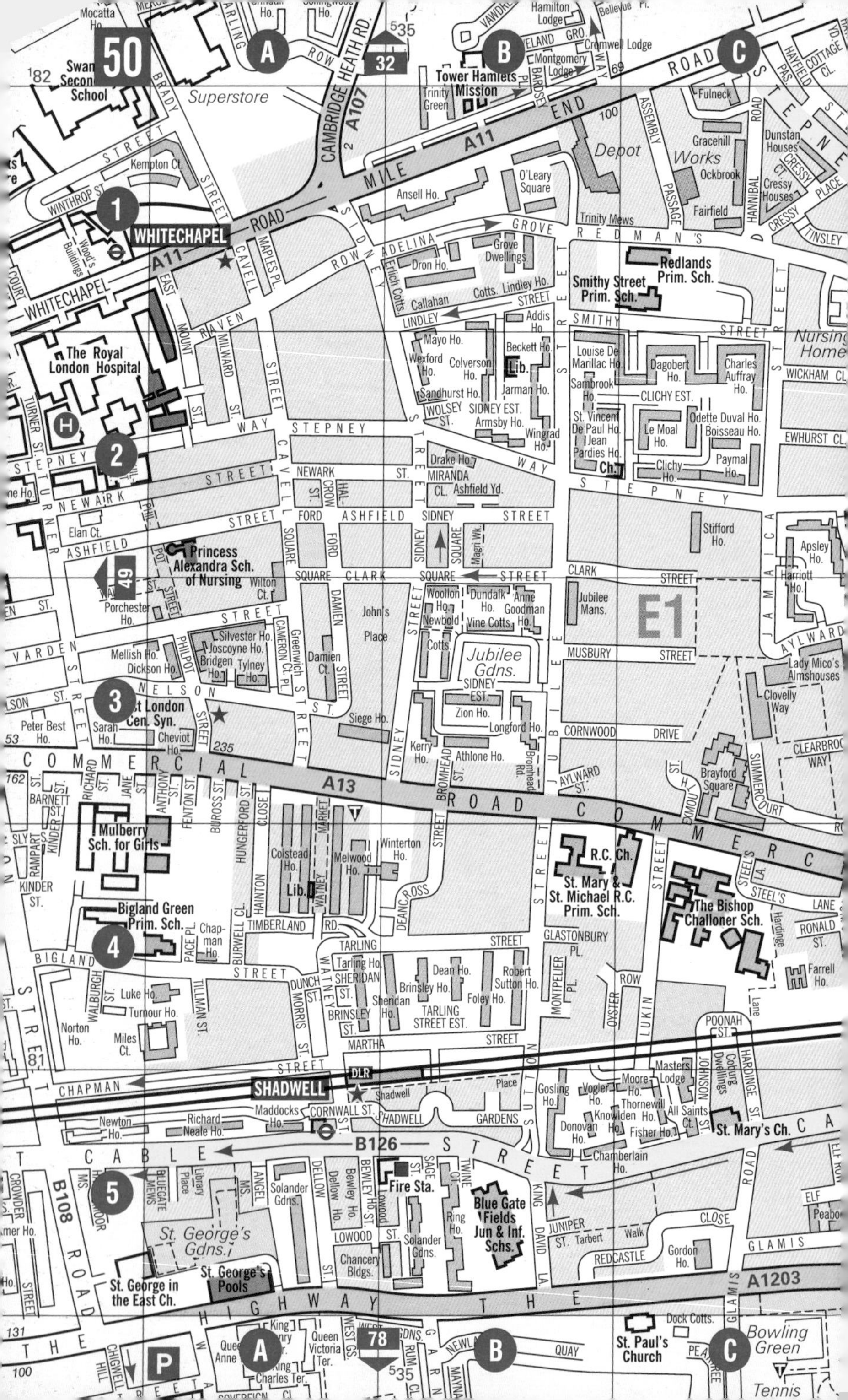
50
A
B
C
32
78
49
535
Swan Secondary School
Superstore
Tower Hamlets Mission
Trinity Green
Hamilton Lodge
Bellevue Pl.
Cromwell Lodge
Montgomery Lodge
BARDSEY PL.
CAMBRIDGE HEATH RD.
A107
BRADY STREET
Kempton Ct.
WINTHROP ST.
Wood's Buildings
WHITECHAPEL
WHITECHAPEL ROAD
A11
MILE END ROAD
Ansell Ho.
O'Leary Square
Depot
ASSEMBLY PASSAGE
Works
Gracehill
Ockbrook
Fairfield
Fulneck
HANNIBAL ROAD
Dunstan Houses
Cressy Houses
CRESSY PL.
CRESSY PLACE
STEPNEY GREEN
HAYFIELD PAS.
COTTAGE CL.
TINSLEY
Trinity Mews
REDMAN'S ROAD
ADELINA GROVE
Grove Dwellings
Dron Ho.
Errol Cotts.
Callahan Cotts.
Lindley Ho.
LINDLEY STREET
Addis Ho.
SMITHY STREET
Redlands Prim. Sch.
Smithy Street Prim. Sch.
Nursing Home
WICKHAM CL.
EWHURST CL.
Louise De Marillac Ho.
Dagobert Ho.
Charles Auffray Ho.
Sambrook Ho.
CLICHY EST.
St. Vincent De Paul Ho.
Jean Pardies Ho.
Le Moal Ho.
Odette Duval Ho.
Boisseau Ho.
Paymal Ho.
Clichy Ho.
Ch.
Mayo Ho.
Wexford Ho.
Colverson Ho.
Beckett Ho.
Lib.
Jarman Ho.
Sandhurst Ho.
WOLSEY ST.
SIDNEY EST.
Armsby Ho.
Wingrad Ho.
STEPNEY WAY
Drake Ho.
MIRANDA CL.
Ashfield Yd.
CAVELL ST.
EAST MOUNT STREET
MAPLES PL.
RAVEN ROW
MILWARD ST.
SIDNEY STREET
The Royal London Hospital
TURNER ST.
STEPNEY WAY
NEWARK STREET
NEWARK ST.
CROWHAL ST.
ASHFIELD STREET
FORD SQUARE
SIDNEY SQUARE
Magri Wk.
CLARK STREET
Elan Ct.
Princess Alexandra Sch. of Nursing
Wilton Ct.
Porchester Ho.
PHILPOT STREET
John's Place
Damien Ct.
DAMIEN STREET
Greenwich St.
CAMERON Ct. PL.
Woollon Ho.
Newbold Cotts.
Dundalk Ho.
Vine Cotts.
Anne Goodman Ho.
Jubilee Gdns.
JUBILEE STREET
Jubilee Mans.
E1
MUSBURY STREET
JAMAICA STREET
Apsley Ho.
Harriott Ho.
AYLWARD ST.
Lady Mico's Almshouses
Clovelly Way
Stifford Ho.
VARDEN ST.
Mellish Ho.
Dickson Ho.
Silvester Ho.
Joscoyne Ho.
Bridgen Ho.
Tylney Ho.
NELSON ST.
East London Cen. Syn.
Peter Best Ho.
Sarah Ho.
Cheviot Ho.
Siege Ho.
SIDNEY EST.
Zion Ho.
Longford Ho.
Kerry Ho.
Athlone Ho.
BROMHEAD ST.
Bromhead Rd.
CORNWOOD DRIVE
CLEARBROOK WAY
SUMMERCOURT RD.
Brayford Square
EXMOUTH ST.
COMMERCIAL ROAD
A13
RICHARD ST.
JANE ST.
ANTHONY ST.
FENTON ST.
BUROSS ST.
HUNGERFORD ST.
CLOSE
BARNETT ST.
KINDER ST.
RAMPART ST.
Mulberry Sch. for Girls
Colstead Ho.
Lib.
Melwood Ho.
Winterton Ho.
MARKET
WATNEY
TIMBERLAND RD.
HAINTON CL.
BURWELL CL.
DEANCROSS STREET
R.C. Ch.
St. Mary & St. Michael R.C. Prim. Sch.
The Bishop Challoner Sch.
STEEL'S LANE
RONALD ST.
Hardinge St.
Farrell Ho.
Bigland Green Prim. Sch.
Chapman Ho.
PACE PL.
BIGLAND STREET
TARLING STREET
Tarling Ho.
SHERIDAN ST.
Sheridan Ho.
Brinsley Ho.
Dean Ho.
Foley Ho.
Robert Sutton Ho.
TARLING STREET EST.
BRINSLEY ST.
DUNCH ST.
GLASTONBURY PL.
MONTPELIER PL.
OYSTER ROW
LUKIN STREET
WALBURGH ST.
Luke Ho.
Turnour Ho.
TILLMAN ST.
Norton Ho.
Miles Ct.
MORRIS ST.
MARTHA STREET
SHADWELL
DLR
Shadwell Place
SUTTON ST.
Gosling Ho.
Vogler Ho.
Moore Ho.
Masters Lodge
Thornewill Ho.
Knowlden Ho.
Donovan Ho.
Fisher Ho.
All Saints Ct.
Cotton Dwellings
JOHNSON ST.
HARDINGE ST.
POONAH ST.
St. Mary's Ch.
CHAPMAN STREET
Newton Ho.
Richard Neale Ho.
Maddocks Ho.
CORNWALL ST.
SHADWELL GARDENS
B126
CABLE STREET
Chamberlain Ho.
CRESCENT
B108
CROWDER ST.
BLUEGATE MEWS
Library Place
ANGEL MS.
Solander Gdns.
DELLOW ST.
Dellow Ho.
Bewley Ho.
BEWLEY ST.
SAGE ST.
Lowood Ho.
Fire Sta.
TWINE CT.
Ring Ho.
Blue Gate Fields Jun & Inf. Schs.
KING DAVID LA.
JUNIPER ST.
Tarbert Walk
CLOSE
REDCASTLE
Gordon Ho.
GLAMIS RD.
GLAMIS PL.
ELF ROW
Peabody
St. George's Gdns.
LOWOOD ST.
Chancery Bldgs.
Solander Gdns.
St. George in the East Ch.
St. George's Pools
THE HIGHWAY
A1203
Dock Cotts.
St. Paul's Church
Bowling Green
Tennis
King Henry Ter.
Queen Anne Ter.
King Charles Ter.
Queen Victoria Ter.
WEST GDNS.
NEWLANDS QUAY
GARNET ST.
PEARTREE LA.
CHIGWELL HILL
P
131
100
162
182
235
53
81
69

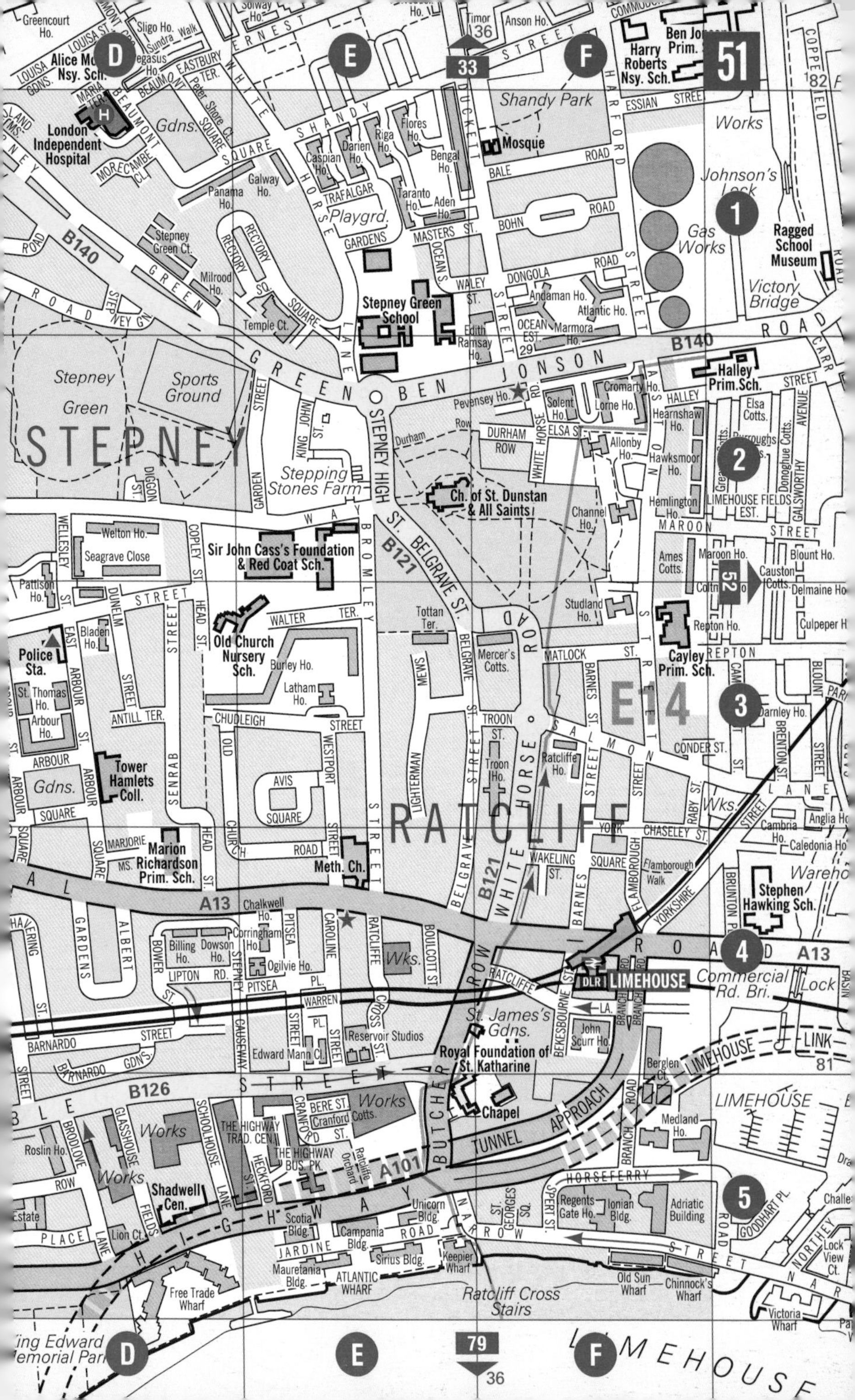

51
D
E
F
33
36
Greencourt Ho.
Sligo Ho.
Sundra Walk
Pegasus Ho.
EASTBURY TER.
Solway Ho.
ERNEST
Timor
Anson Ho.
STREET
COMMODORE
Harry Roberts Nsy. Sch.
Ben Jonson Prim.
COPPERFIELD
82
Alice Model Nsy. Sch.
LOUISA ST.
LOUISA GDNS.
MARIA TER.
BEAUMONT
Peter Shore Ct.
London Independent Hospital
Gdns.
SQUARE
MORECAMBE CL.
WHITE
HORSE
SHANDY
Caspian Ho.
Darien Ho.
Riga Ho.
Flores Ho.
Bengal Ho.
DUCKETT
Shandy Park
ESSIAN STREET
Mosque
BALE
ROAD
HARFORD
Works
Johnson's Lock
1
Panama Ho.
Galway Ho.
TRAFALGAR
Taranto Ho.
Aden Ho.
Playgrd.
GARDENS
MASTERS ST.
OCEAN S.
BOHN
ROAD
Gas Works
Ragged School Museum
Stepney Green Ct.
B140
GREEN
ROAD
RECTORY SQ.
Milrood Ho.
STEPNEY GN.
Temple Ct.
Stepney Green School
WALEY ST.
DONGOLA ROAD
Andaman Ho.
Atlantic Ho.
OCEAN EST.
Marmora Ho.
29
Edith Ramsay Ho.
STREET
Victory Bridge
ROAD
B140
CARR
Halley Prim.Sch.
Stepney Green
Sports Ground
STEPNEY
GREEN
BEN JONSON
LANE
Pevensey Ho.
Cromarty Ho.
Lorne Ho.
Solent Ho.
HALLEY STREET
Hearnshaw Ho.
Elsa Cotts.
AVENUE
Burroughs Cotts.
2
Durham Row
DURHAM ROW
ELSA ST.
WHITE HORSE RD.
Allonby Ho.
Hawksmoor Ho.
Donoghue Cotts.
GALSWORTHY
KING JOHN ST.
Stepping Stones Farm
STEPNEY HIGH ST.
Ch. of St. Dunstan & All Saints
Channel Ho.
Hemlington Ho.
LIMEHOUSE FIELDS EST.
MAROON STREET
DIGGON ST.
GARDEN STREET
WAY
BELGRAVE ST.
B121
Welton Ho.
Seagrave Close
WELLESLEY
COPLEY ST.
Sir John Cass's Foundation & Red Coat Sch.
BROMLEY
Ames Cotts.
Maroon Ho.
Blount Ho.
52
Causton Cotts.
Delmaine Ho.
Pattison Ho.
DUNELM STREET
HEAD ST.
WALTER TER.
Tottan Ter.
ROAD
Studland Ho.
Repton Ho.
Culpeper Ho.
Police Sta.
EAST ARBOUR
Bladen Ho.
Old Church Nursery Sch.
Burley Ho.
MEWS
BELGRAVE
Mercer's Cotts.
MATLOCK ST.
Cayley Prim. Sch.
REPTON
BLOUNT
St. Thomas Ho.
Arbour Ho.
STREET
ANTILL TER.
Latham Ho.
CHUDLEIGH STREET
BARNES ST.
E14
3
Darnley Ho.
CAMDEN
TROON ST.
SALMON
CONDER ST.
BRENTON ST.
Troon Ho.
Ratcliffe Ho.
ARBOUR SQUARE
Tower Hamlets Coll.
Gdns.
ARBOUR SQUARE
SENRAB
OLD CHURCH
AVIS SQUARE
WESTPORT STREET
LIGHTERMAN
STREET
RATCLIFF
STREET
RABY ST.
Wks.
LANE
Anglia Ho.
Cambria Ho.
Caledonia Ho.
MARJORIE MS.
Marion Richardson Prim. Sch.
ROAD
Meth. Ch.
YORK SQUARE
CHASELEY ST.
WAKELING ST.
FLAMBOROUGH
Flamborough Walk
Warehouse
Stephen Hawking Sch.
BRUNTON PL.
A13
Chalkwell Ho.
B121
WHITE HORSE
BARNES
YORKSHIRE
HAVERING
GARDENS
ALBERT
Corringham Ho.
Billing Ho.
Dowson Ho.
PITSEA
CAROLINE
RATCLIFFE
BOULCOTT ST.
Wks.
ROW
ROAD
4
A13
BOWER ST.
Ogilvie Ho.
LIPTON RD.
PITSEA PL.
RATCLIFFE
DLR LIMEHOUSE
Commercial Rd. Bri.
Lock
BASIN
STEPNEY CAUSEWAY
WARREN
CROSS ST.
St. James's Gdns.
BEKESBOURNE ST.
LA.
BRANCH RD.
BARNARDO STREET
PL.
Reservoir Studios
John Scurr Ho.
LINK
LIMEHOUSE
81
BARNARDO GDNS.
Edward Mann Cl.
Royal Foundation of St. Katharine
Berglen Ct.
STREET
B126
CABLE STREET
BERE ST.
Works
Cranford Cotts.
BRODLOVE
GLASSHOUSE
SCHOOLHOUSE
THE HIGHWAY TRAD. CEN.
CRANFORD ST.
Chapel
BUTCHER
TUNNEL APPROACH
LIMEHOUSE
Roslin Ho.
Works
LANE
THE HIGHWAY BUS. PK.
HECKFORD
Ratcliffe Orchard
A101
BRANCH ROAD
Medland Ho.
ROW
Works
Shadwell Cen.
FIELDS
HORSEFERRY
5
Estate
PLACE
LANE
Lion Ct.
HIGHWAY
Scotia Bldg.
Unicorn Bldg.
NARROW
ST. GEORGES SQ.
SPERT ST.
Regents Gate Ho.
Ionian Bldg.
Adriatic Building
ROAD
GOODHART PL.
Campania Bldg.
ROAD
JARDINE
Sirius Bldg.
Keepier Wharf
STREET
NORTHEY
Lock View Ct.
Mauretania Bldg.
ATLANTIC WHARF
Free Trade Wharf
Ratcliff Cross Stairs
Old Sun Wharf
Chinnock's Wharf
NARROW
Victoria Wharf
King Edward Memorial Park
79
36
LIMEHOUSE

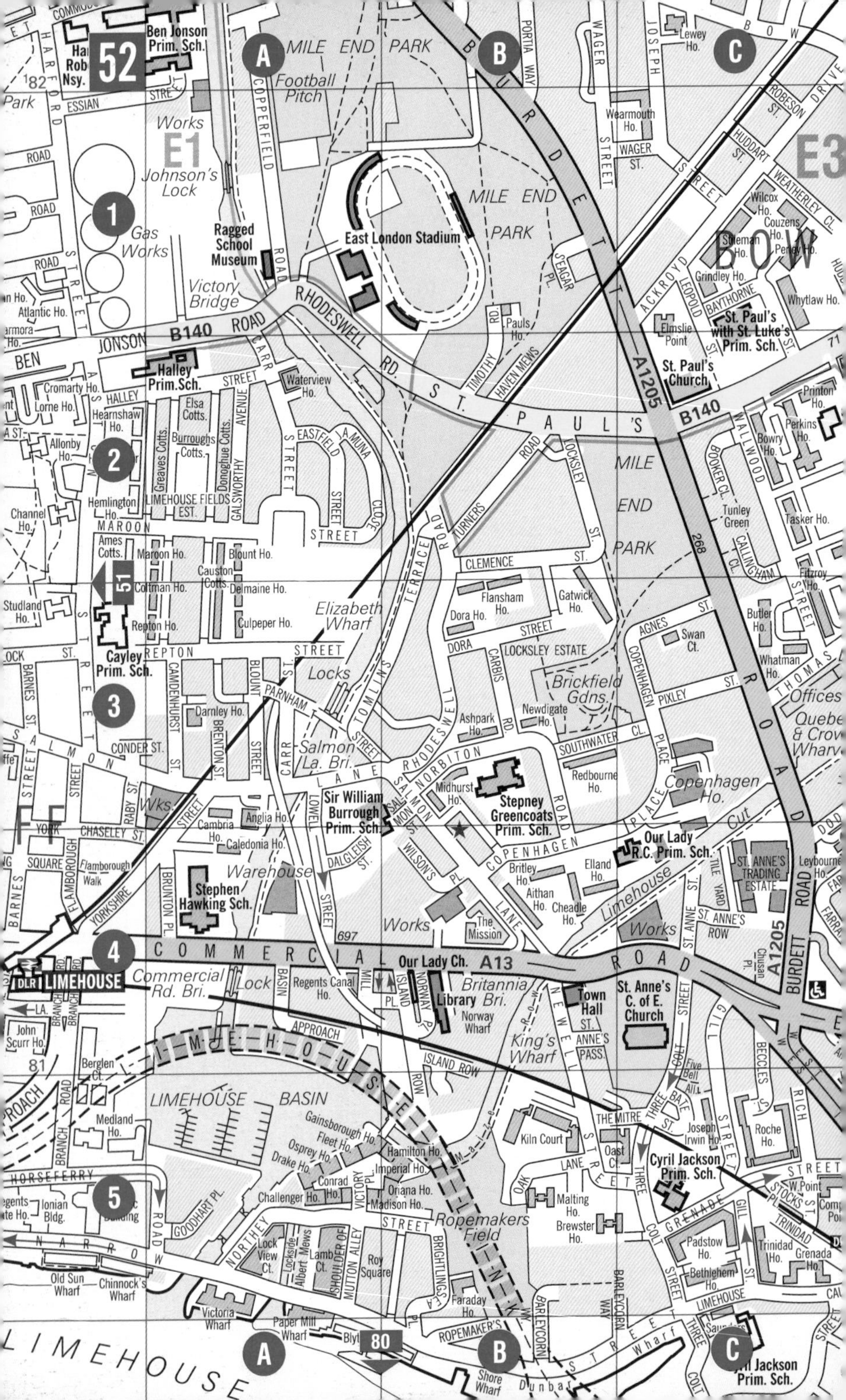

52
Ben Jonson Prim. Sch.
A
MILE END PARK
B
C
Football Pitch
Lewey Ho.
BOW
PORTIA WAY
WAGER
JOSEPH
HARFORD
ESSIAN STREET
Works
E1
Johnson's Lock
COPPERFIELD ROAD
Wearmouth Ho.
WAGER ST.
ROBESON ST.
DRIVE
HUDDART ST.
E3
WEATHERLEY CL.
Wilcox Ho.
Couzens Ho.
1
Gas Works
Ragged School Museum
East London Stadium
MILE END PARK
SEAGAR PL.
Stileman Ho.
Penny Ho.
BOW
Grindley Ho.
ACKROYD
LEOPOLD
BAYTHORNE
Whytlaw Ho.
Victory Bridge
RHODESWELL RD.
TIMOTHY RD.
Pauls Ho.
HAVEN MEWS
Elmslie Point
St. Paul's with St. Luke's Prim. Sch.
Atlantic Ho.
B140 ROAD
BEN JONSON
CARR
St. Paul's Church
A1205
Halley Prim.Sch.
Waterview Ho.
ST. PAUL'S
B140
Printon Ho.
Cromarty Ho.
Lorne Ho.
HALLEY STREET
Elsa Cotts.
Hearnshaw Ho.
Burroughs Cotts.
AVENUE
EASTFIELD
JAMUNA CLOSE
Perkins Ho.
Bowry Ho.
WALLWOOD
BOOKER CL.
Allonby Ho.
2
Greaves Cotts.
Donoghue Cotts.
GALSWORTHY
STREET
ROAD
LOCKSLEY
MILE END PARK
Tunley Green
Tasker Ho.
Channel Ho.
Hemlington Ho.
LIMEHOUSE FIELDS EST.
TURNERS
CLEMENCE ST.
268
CALLINGHAM CL.
MAROON
Ames Cotts.
Maroon Ho.
Blount Ho.
Causton Cotts.
TERRACE
Fitzroy Ho.
51
Coltman Ho.
Delmaine Ho.
Flansham Ho.
Gatwick Ho.
Studland Ho.
Elizabeth Wharf
Dora Ho.
STREET
AGNES ST.
Swan Ct.
Butler Ho.
Repton Ho.
Culpeper Ho.
DORA
LOCKSLEY ESTATE
CARBIS RD.
COPENHAGEN
Cayley Prim. Sch.
REPTON STREET
TOMLINS
Brickfield Gdns.
Whatman Ho.
THOMAS
LOCK ST.
BARNES ST.
CAMDENHURST ST.
BLOUNT ST.
Locks
PIXLEY ST.
Offices
3
Darnley Ho.
PARNHAM
Ashpark Ho.
Newdigate Ho.
Quebec & Crown Wharves
SALMON
CONDER ST.
BRENTON ST.
CARR STREET
Salmon La. Bri.
RHODESWELL
SOUTHWATER CL.
PLACE
NORBITON
Redbourne Ho.
Copenhagen Ho.
LANE
Midhurst Ho.
Stepney Greencoats Prim. Sch.
RABY ST.
Wks.
STREET
Cambria Ho.
Anglia Ho.
LOWELL
Sir William Burrough Prim. Sch.
SALMON ST.
ROAD
PLACE
YORK SQUARE
CHASELEY ST.
Caledonia Ho.
COPENHAGEN
Our Lady R.C. Prim. Sch.
Cut
Flamborough Walk
FLAMBOROUGH
BRUNTON PL.
Warehouse
DALGLEISH ST.
WILSON'S PL.
Britley Ho.
Elland Ho.
ST. ANNE'S TRADING ESTATE
TILE YARD
Leybourne Ho.
Stephen Hawking Sch.
Aithan Ho.
Cheadle Ho.
Limehouse
BARNES
YORKSHIRE
STREET
Works
The Mission
LANE
Works
ST. ANNE ST.
ST. ANNE'S ROW
BURDETT ROAD
A1205
697
4
COMMERCIAL ROAD
Our Lady Ch.
A13
Chusan Pl.
DLR LIMEHOUSE
Commercial Rd. Bri.
Lock
BASIN
Regents Canal Ho.
MILL PL.
ISLAND
NORWAY PL.
Library
Britannia Bri.
NEWELL
Town Hall
St. Anne's C. of E. Church
STREET
GILL
LA.
BRANCH RD.
Norway Wharf
King's Wharf
ST. ANNE'S PASS.
John Scurr Ho.
APPROACH
81
Berglen Ct.
LIMEHOUSE LINK
ISLAND ROW
Five Bell All.
COLT
BECCLES
RICH
WEST
ROAD
BRANCH
LIMEHOUSE BASIN
Gainsborough Ho.
Fleet Ho.
Osprey Ho.
Drake Ho.
THE MITRE
THREE
BATE ST.
Kiln Court
Joseph Irwin Ho.
Roche Ho.
Medland Ho.
Hamilton Ho.
Imperial Ho.
LANE
Oast Ct.
Cyril Jackson Prim. Sch.
STREET
W. Point
STOCKS PL.
HORSEFERRY
Conrad Ho.
Oriana Ho.
VICTORY PL.
OAK
Malting Ho.
Brewster Ho.
5
Ionian Bldg.
ROAD
GOODHART PL.
Challenger Ho.
Madison Ho.
STREET
Ropemakers Field
GRENADE
TRINIDAD
Trinidad Ho.
Grenada Ho.
NARROW
NORTHEY
Lock View Ct.
Lockside
Albert Mews
Lamb Ct.
SHOULDER OF MUTTON ALLEY
Roy Square
BRIGHTLINGSEA PL.
Padstow Ho.
Bethlehem Ho.
Old Sun Wharf
Chinnock's Wharf
Faraday Ho.
BARLEYCORN WAY
LIMEHOUSE
Victoria Wharf
Paper Mill Wharf
80
ROPEMAKER'S
STREET
Wharf
THREE COLT
Saunders
LIMEHOUSE
A
B
C
Cyril Jackson Prim. Sch.
Shore Wharf
Dunbar

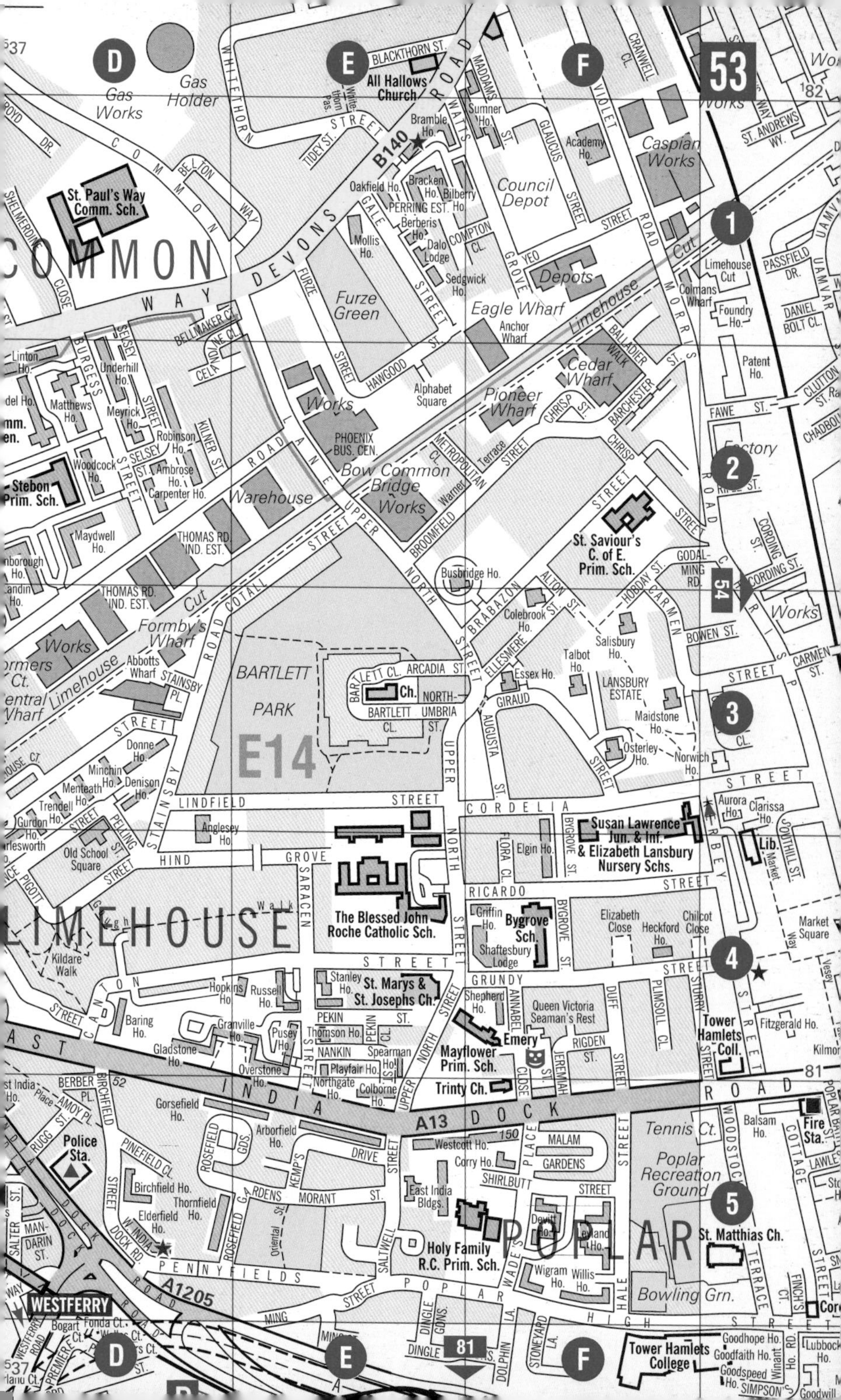

53
D
E
F
537
Gas Works
Gas Holder
BLACKTHORN ST.
All Hallows Church
Whitethorn Pas.
WHITETHORN STREET
TIDEY ST.
DEVONS ROAD
B140
MADDAMS ST.
WATTS ST.
Sumner Ho.
Bramble Ho.
CRANWELL CL.
VIOLET ROAD
GLAUCUS STREET
Academy Ho.
Caspian Works
Council Depot
Oakfield Ho.
Bracken Ho.
Bilberry Ho.
PERRING EST.
Berberis Ho.
Dalo Lodge
COMPTON CL.
Mollis Ho.
GALE STREET
Sedgwick Ho.
YEO STREET
Depots
COMMON
BELTON WAY
ROYD DR.
St. Paul's Way Comm. Sch.
SHELMERDINE CLOSE
WAY
FURZE STREET
Furze Green
Eagle Wharf
Anchor Wharf
Limehouse Cut
Colmans Wharf
Limehouse Cut
Foundry Ho.
MORRIS ROAD
Works
ST. ANDREWS WY.
PASSFIELD DR.
DANIEL BOLT CL.
UAMVAR ST.
182
1
BELLMAKER CT.
CELANDINE CL.
SELSEY ST.
BURGESS ST.
Linton Ho.
Underhill Ho.
Matthews Ho.
Meyrick Ho.
HAWGOOD ST.
Alphabet Square
Cedar Wharf
BALLADIER WALK
BARCHESTER ST.
Pioneer Wharf
CHRISP ST.
Patent Ho.
FAWE ST.
CLUTTON ST.
CHADBOURN
Works
PHOENIX BUS. CEN.
Robinson Ho.
KILNER ST.
St. Ambrose Ho.
Carpenter Ho.
Woodcock Ho.
Stebon Prim. Sch.
METROPOLITAN CL.
Terrace
Bow Common Bridge Works
Warner
Warehouse
THOMAS RD. IND. EST.
Maydwell Ho.
UPPER NORTH STREET
BROOMFIELD STREET
CHRISP STREET
St. Saviour's C. of E. Prim. Sch.
Factory
2
RIFLE ST.
CORDING ST.
GODALMING RD.
54
Busbridge Ho.
BRABAZON STREET
ALTON ST.
HOBDAY ST.
CARMEN ST.
BOWEN ST.
Works
Colebrook Ho.
Salisbury Ho.
Talbot Ho.
LANSBURY ESTATE
Cut
COTALL ROAD
Formby's Wharf
Works
Limehouse
Abbotts Wharf
STAINSBY PL.
Formers Ct.
Central Wharf
BARTLETT PARK
E14
BARTLETT CL.
ARCADIA ST.
Ch.
NORTH-UMBRIA ST.
ELLESMERE ST.
Essex Ho.
GIRAUD
AUGUSTA ST.
Maidstone Ho.
Osterley Ho.
Norwich Ho.
3
CARMEN ST.
STREET
Donne Ho.
Minchin Ho.
Menteath Ho.
Denison Ho.
Trendell Ho.
Gurdon Ho.
STAINSBY ROAD
LINDFIELD STREET
CORDELIA STREET
Anglesey Ho.
Old School Square
PELLING ST.
HIND GROVE
SARACEN STREET
FLORA CL.
Elgin Ho.
BYGROVE ST.
Susan Lawrence Jun. & Inf. & Elizabeth Lansbury Nursery Schs.
Aurora Ho.
Clarissa Ho.
Lib.
Market
SOUTHILL ST.
KERBEY STREET
PIGOTT STREET
LIMEHOUSE
Walk
Kildare Walk
The Blessed John Roche Catholic Sch.
RICARDO STREET
Griffin Ho.
Bygrove Sch.
Shaftesbury Lodge
Elizabeth Close
Heckford Ho.
Chilcot Close
Market Square
4
CANTON STREET
Hopkins Ho.
Russell Ho.
Stanley Ho.
St. Marys & St. Josephs Ch.
GRUNDY STREET
Shepherd Ho.
Queen Victoria Seaman's Rest
DUFF STREET
PLIMSOLL CL.
STURRY STREET
Tower Hamlets Coll.
Fitzgerald Ho.
Baring Ho.
Granville Ho.
Pusey Ho.
PEKIN ST.
Thomson Ho.
PEKIN CL.
NANKIN ST.
Spearman Ho.
Playfair Ho.
Gladstone Ho.
Overstone Ho.
Northgate Ho.
Colborne Ho.
Mayflower Prim. Sch.
Emery
ANNABEL CLOSE
RIGDEN ST.
JEREMIAH ST.
Trinty Ch.
81
EAST INDIA DOCK ROAD
A13
BERBER PL.
East India Ho.
Place
AMOY PL.
BIRCHFIELD STREET
52
Gorsefield Ho.
Arborfield Ho.
ROSEFIELD GDS.
KEMP'S DRIVE
Westcott Ho.
150
MALAM GARDENS
Corry Ho.
SHIRLBUTT STREET
Tennis Ct.
Balsam Ho.
Fire Sta.
WOODSTOCK TERRACE
COTTAGE STREET
LAWLESS
Poplar Recreation Ground
5
Police Sta.
RUGG ST.
PINEFIELD CL.
Birchfield Ho.
Thornfield Ho.
Elderfield Ho.
MORANT ST.
ROSEFIELD GARDENS
Oriental St.
East India Bldgs.
Holy Family R.C. Prim. Sch.
SALTWELL ST.
Devitt Ho.
Leyland Ho.
POPLAR
St. Matthias Ch.
SALTER ST.
MANDARIN ST.
W. INDIA DOCK RD.
WEST INDIA DOCK ROAD
PENNYFIELDS
A1205
POPLAR HIGH STREET
WADE'S PL.
Wigram Ho.
Willis Ho.
HALE ST.
Bowling Grn.
FINCH'S CT.
WESTFERRY
Bogart Ct.
Fonda Ct.
WESTFERRY ROAD
PREMIERE PL.
MING ST.
DINGLE GDNS.
DINGLE
DOLPHIN LA.
STONEYARD LA.
Tower Hamlets College
Goodhope Ho.
Goodfaith Ho.
Goodspeed Ho.
Winant Ho.
SIMPSON'S RD.
Lubbock Ho.
Goodwill

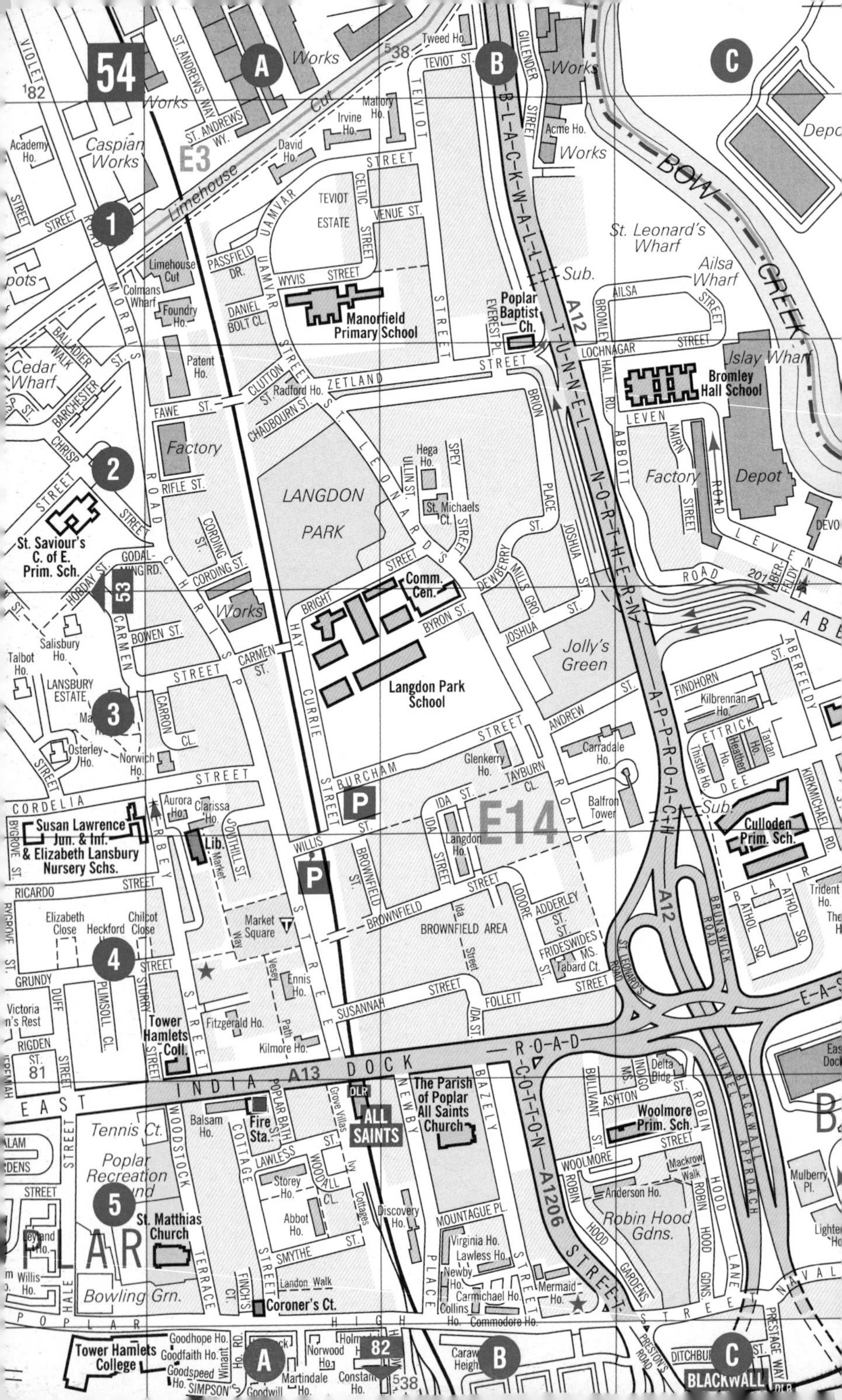
54
A
B
C
Works
Tweed Ho.
TEVIOT ST.
GILLENDER STREET
Acme Ho.
Works
BOW CREEK
Depot
St. Leonard's Wharf
Ailsa Wharf
VIOLET
Academy Ho.
Caspian Works
E3
Limehouse Cut
ST. ANDREWS WAY
ST. ANDREWS WY.
Irvine Ho.
Mallory Ho.
David Ho.
TEVIOT STREET
TEVIOT ESTATE
CELTIC STREET
VENUE ST.
UAMVAR STREET
PASSFIELD DR.
WYVIS STREET
Manorfield Primary School
BLACKWALL TUNNEL NORTHERN APPROACH
A12
Sub.
Poplar Baptist Ch.
EVEREST PL.
AILSA STREET
BROMLEY HALL RD.
LOCHNAGAR STREET
Islay Wharf
Bromley Hall School
LEVEN ROAD
NAIRN STREET
ABBOTT ROAD
Factory
Depot
Limehouse Cut
Colmans Wharf
Foundry Ho.
DANIEL BOLT CL.
MORRIS ROAD
BALLADIER WALK
Cedar Wharf
BARCHESTER ST.
Patent Ho.
CLUTTON ST.
Radford Ho.
ZETLAND STREET
CHADBOURN ST.
FAWE ST.
BRION PLACE
CHRISP STREET
Factory
RIFLE ST.
LANGDON PARK
ST. LEONARD'S STREET
Hega Ho.
ULLIN ST.
SPEY STREET
St. Michaels Ct.
DEWBERRY ST.
MILLS GRO.
JOSHUA ST.
St. Saviour's C. of E. Prim. Sch.
GODALMING RD.
CORDING ST.
HOBDAY ST.
53
Works
BRIGHT STREET
Comm. Cen.
BYRON ST.
JOSHUA ST.
Jolly's Green
ABERFELDY
201
Salisbury Ho.
Talbot Ho.
LANSBURY ESTATE
CARMEN ST.
BOWEN ST.
CARRON CL.
HAY CURRIE STREET
Langdon Park School
ANDREW ST.
FINDHORN ST.
Kilbrennan Ho.
ETTRICK
Heather Ho.
Tartan Ho.
Thistle Ho.
DEE ST.
KIRKMICHAEL RD.
Osterley Ho.
Norwich Ho.
Glenkerry Ho.
Carradale Ho.
Balfron Tower
TAYBURN CL.
BURCHAM ST.
IDA ST.
E14
Culloden Prim. Sch.
CORDELIA STREET
Aurora Ho.
Clarissa Ho.
Susan Lawrence Jun. & Inf. & Elizabeth Lansbury Nursery Schs.
Lib.
SOUTHILL ST.
Market Way
WILLIS ST.
BROWNFIELD ST.
Langdon Ho.
RICARDO STREET
Elizabeth Close
Heckford Close
Chilcot Close
Market Square
BROWNFIELD STREET
BROWNFIELD AREA
Ida Street
LODORE STREET
ADDERLEY ST.
FRIDESWIDES ST.
Tabard Ct.
ST. LEONARD'S ROAD
BRUNSWICK ROAD
BLAIR ST.
ATHOL SQ.
Trident Ho.
GRUNDY ST.
DUFF ST.
PLIMSOLL CL.
STURRY STREET
Vesey Path
Ennis Ho.
SUSANNAH STREET
FOLLETT STREET
IDA ST.
Victoria Rest
Tower Hamlets Coll.
Fitzgerald Ho.
Kilmore Ho.
RIGDEN ST.
EAST INDIA DOCK ROAD A13
DLR
ALL SAINTS
NEWBY PLACE
The Parish of Poplar All Saints Church
BAZELY STREET
COTTON STREET A1206
BULLIVANT ST.
INDIGO MS.
Delta Bldg.
ASHTON ST.
Woolmore Prim. Sch.
ROBIN HOOD LANE
BLACKWALL TUNNEL APPROACH
Tennis Ct.
Balsam Ho.
Fire Sta.
POPLAR BATH ST.
Grove Villas
WOODSTOCK TERRACE
COTTAGE STREET
LAWLESS ST.
Storey Ho.
WOODALL CL.
Ivy Cottages
Poplar Recreation Ground
Abbot Ho.
SMYTHE ST.
Discovery Ho.
MOUNTAGUE PL.
WOOLMORE STREET
Mackrow Walk
Anderson Ho.
ROBIN HOOD GARDENS
Robin Hood Gdns.
Mulberry Pl.
5
St. Matthias Church
Virginia Ho.
Lawless Ho.
Newby Ho.
Carmichael Ho.
Collins Ho.
Commodore Ho.
Mermaid Ho.
HALE STREET
Bowling Grn.
FINCH'S CT.
Landon Walk
Coroner's Ct.
POPLAR HIGH STREET
NAVAL
PRESTON'S ROAD
PRESTAGE WAY
Tower Hamlets College
Goodhope Ho.
Goodfaith Ho.
Goodspeed Ho.
Winant Ho.
SIMPSON'S RD.
Goodwill Ho.
Norwood Ho.
Martindale Ho.
82
Constant Ho.
538
DITCHBURN ST.
BLACKWALL
DLR
1
2
3
4

55
D
E
F
Depots
Warehouse
GEMINI BUS. CEN.
Sub Station
PYLON TRAD. EST.
39
SOUTH CRES.
SOUTH CRESCENT
BIDDER ST.
MANOR
STEPHENSON
SYCAMORE CL.
LAWRENCE RD.
82
STAR PARK
Dock (Disused)
Depot
Electricity Generating Station (Closed)
Depot
Works
STREET
BIDDER
AVONDALE
PERCY
LIVERPOOL
BIRCH CL.
1
E16
Depot
A1011
B164
Works
IVES RD.
ROAD
MALMESB
RIVER LEA
NEWHAM
TOWER HAMLETS
Warehouses
Superstores
Worlands Wharf
WHARF ST.
2
Works
STREET
CANNING T
BLACKWALL TRADING ESTATE
Gas Works
Gas Holders
Gas Holder
Warehouses
Creek Wharf
WHARFSIDE RD.
56
WAY
BARKING ROAD
Bus S
Oban Ho.
OBAN STREET
LANRICK RD.
Moody Wharf
NEWHAM
Essex Wharf
ROAD
Lanrick Ho.
LANRICK ROAD
B125
Nicholas Church
STREET
BENLEDI
ADA
GOODWAY
WOOSTER GDNS.
GARDENS
GDNS.
Edith Brinson Ho.
Depot
PORTREE STREET
OBAN
Braithwaite Ho.
Iron Bridge Wharf
3
CANNING TO
Cooperage Wharf
Old School Wharf
ROAD
Comm. Cen.
Currie Ho.
Dunkeld Ho.
DOCK
Helen Mackay Ho.
Arapiles Ho.
Sam March Ho.
Gaze Ho.
Ritchie Ho.
Jervis Bay Ho.
Athenia Ho.
Jones Ho.
Adams Ho.
A13
LEAMOUTH
ASPEN LINK
A1261
WAY
BOW CREEK
Davies Wharf
Upper Wharf
Glasshouse Wharf
PLACE
Bow Creek Mills
INDIA
Works
Transport Depot
Nature Reserve
4
Hotel
AVENUE
OREGANO
SORREL LA.
SILVOCEA WAY
ROAD
Orchard Wharf
Works
Jubilee Wharf
SOUTH
NUTMEG
CORIANDER
ROSEMARY DR.
Works
DRIVE
PROPOSED
Crown Wharf
ORCHARD
BOW
81
Offices
AVENUE
Silvocea Wharf
Bridge Wharf
LEA
BROMLEY
SAFFRON
ASPEN WAY
LOWER
A1020
LEA
CROSSING
ORCHARD PL.
CLOVE CRES.
LANE
Anchorage Ho.
NEWPORT AV.
ORCHARD PL.
CRES.
CLOVE
Capstan Ho.
EAST INDIA
DLR
WAY
PILGRIMS MEWS
NEWPORT AV.
EAST INDIA DOCK BASIN
5
RIV
ROW
BLACKWALL
HERCULES WHA
Naval Ho.
QUIXLEY ST.
COULER ST.
A1261
ASPEN WAY
NEWPORT
AVENUE
Susan Constant Ct.
JAMES TOWN WY.
Nature Reserve
Lock
PLACE
ORCHARD WHARF
Adventurers Court
83
39
Studley
D
E
F

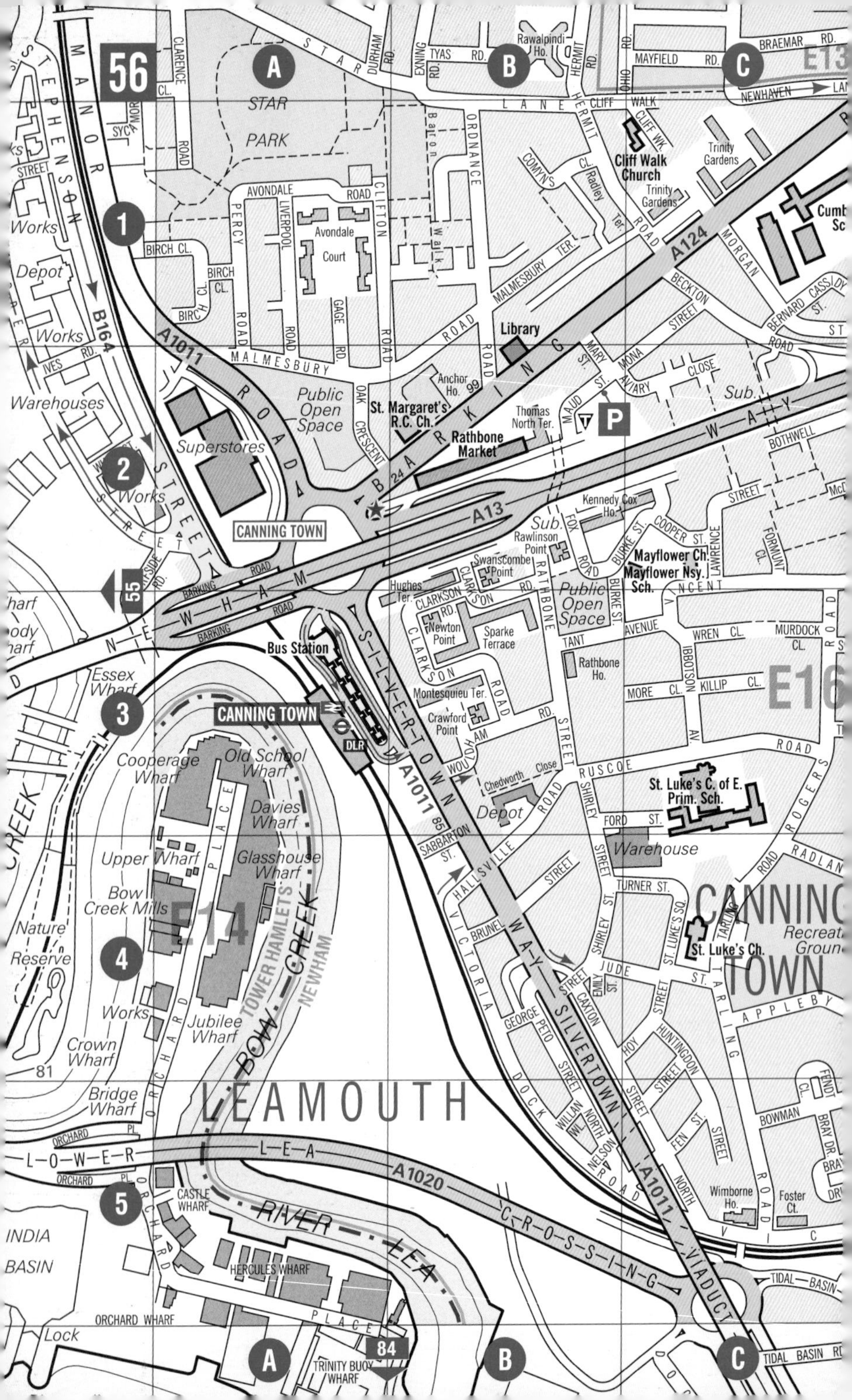
56
55
84
A
B
C
1
2
3
4
5
STAR PARK
CANNING TOWN
LEAMOUTH
E14
E16
E13
Avondale Court
Library
St. Margaret's R.C. Ch.
Rathbone Market
Cliff Walk Church
Trinity Gardens
Superstores
Public Open Space
Bus Station
Mayflower Ch.
Mayflower Nsy. Sch.
St. Luke's C. of E. Prim. Sch.
St. Luke's Ch.
Warehouse
Depot
Works
Warehouses
Nature Reserve
Cooperage Wharf
Old School Wharf
Davies Wharf
Upper Wharf
Glasshouse Wharf
Bow Creek Mills
Jubilee Wharf
Crown Wharf
Bridge Wharf
Castle Wharf
Hercules Wharf
Orchard Wharf
Trinity Buoy Wharf
Essex Wharf
INDIA BASIN
Lock
RIVER LEA
BOW CREEK
TOWER HAMLETS
NEWHAM
A13
A124
A1011
A1020
B164
LOWER LEA CROSSING
SILVERTOWN WAY
SILVERTOWN VIADUCT
BARKING ROAD
NEWHAM WAY
MANOR ROAD
STEPHENSON STREET
ORCHARD PLACE
VICTORIA DOCK ROAD
TIDAL BASIN RD.

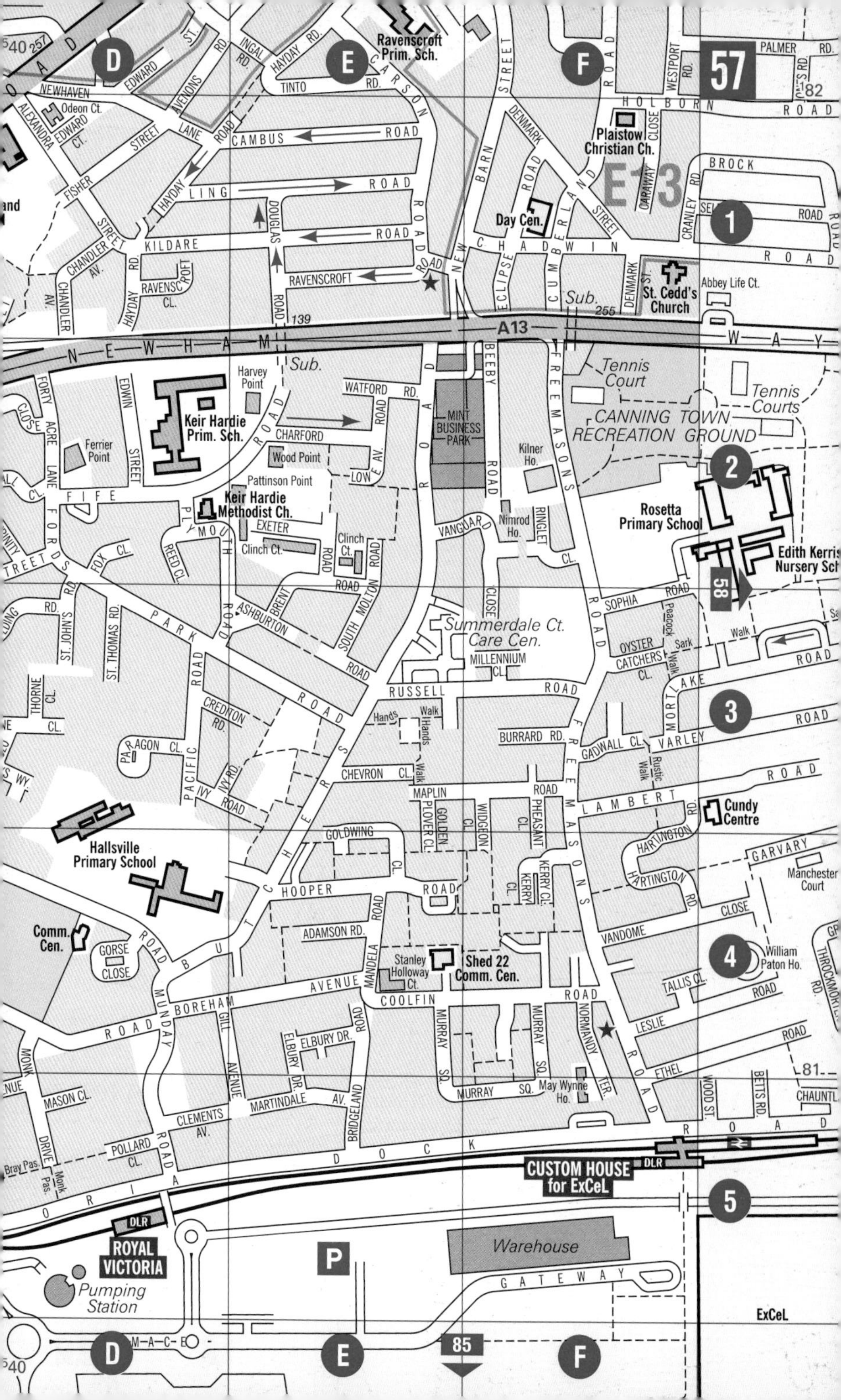
57
D
E
F
1
2
3
4
5
E13
Ravenscroft Prim. Sch.
Plaistow Christian Ch.
Day Cen.
St. Cedd's Church
Abbey Life Ct.
Keir Hardie Prim. Sch.
Keir Hardie Methodist Ch.
Harvey Point
Ferrier Point
Wood Point
Pattinson Point
Clinch Ct.
Mint Business Park
Kilner Ho.
Nimrod Ho.
Tennis Court
Tennis Courts
Canning Town Recreation Ground
Rosetta Primary School
Edith Kerris Nursery Sch
58
Summerdale Ct. Care Cen.
Hallsville Primary School
Comm. Cen.
Cundy Centre
Manchester Court
William Paton Ho.
Stanley Holloway Ct.
Shed 22 Comm. Cen.
May Wynne Ho.
Custom House for ExCeL
DLR
Royal Victoria
Pumping Station
Warehouse
P
ExCeL
85
A13
Newham Way
Holborn Road
Palmer Rd.
Chadwin Road
Barking Road
Freemasons Road
Butchers Road
Prince Regent Lane
Victoria Dock Road
Boreham Avenue
Coolfin Road
Hooper Road
Russell Road
Lambert Road
Varley Road
Sophia Road
Mortlake Road
Vandome Close
Leslie Road
Ethel Road
Garvary Road
Ravenscroft Road
Kildare Road
Ling Road
Cambus Road
Tinto Rd.
Hayday Rd.
Carson Road
Denmark Street
Cumberland Street
Barn Street
Fife Road
Plymouth Road
Ashburton Road
South Molton Road
Pacific Road
Crediton Rd.
Ivy Road
Munday Road
Gill Avenue
Elbury Dr.
Martindale Av.
Clements Av.
Bridgeland Road
Mandela Road
Murray Sq.
Normandy Ter.
Gateway
Western Gateway

58
A
B
C
1
2
3
4
5
57
86
541
182
255
411
289
371
81
E13
E16
CUSTOM
LINCOLN RD.
PALMER ROAD
HOLBORN ROAD
JONES R.
ALLIANCE RD.
BOTHA ROAD
EGHAM ROAD
BENNETT RD.
BARCLAY RD.
PRINCE REGENT LANE
A112
Tollgate Prim. Sch.
Terence Mcmillan Stadium
Newham Leisure Centre
Playing Field
Games Court
Plaistow Christian Ch.
CLOSE
CARAWAY
BROCK
CRAWLEY RD.
SELBY ROAD
ROAD
SUTHERLAND STREET
CHADWIN ROAD
CHALK ROAD
SALOMONS RD.
DENMARK ST.
St. Cedd's Church
Abbey Life Ct.
Sub.
NEWHAM WAY
A13
RIDGWELL
MACGREGOR
Barnes Ct.
Triangle Ct.
TOLLGATE ROAD
Tennis Court
Tennis Courts
CANNING TOWN RECREATION GROUND
Cycle Speedway Track
COLMAN RD.
COLMAN ROAD
CROOMBS ROAD
ATKINSON ROAD
NOTTINGHAM
The Moorings
ILKEY ROAD
Library
Custom Ho. Baptist Church
Rosetta Primary School
Edith Kerrison Nursery School
BURLEY ROAD
YOUNG ROAD
LAWSON
ATKINSON RD.
SOPHIA
HUME TER.
JERSEY RD.
Sark Walk
Walk
OYSTER CATCHERS CL.
Peacock Walk
MORTLAKE ROAD
OTLEY ROAD
BINGLEY ROAD
WILKINSON
HOSKINS CL.
Astor Ct.
AVENUE
FREEMASONS ROAD
GADWALL CL.
VARLEY ROAD
Rustic Walk
DEVONSHIRE ROAD
RIPLEY ROAD
HOSKINS CLOSE
BAXTER ROAD
LAMBERT RD.
Cundy Centre
TREE ROAD
HARTINGTON RD.
GARVARY ROAD
ARGYLE
Shipman Youth Cen.
CHURCHILL
FORTIS CL.
ALNWICK RD.
ALNWICK
Manchester Court
VANDOME CLOSE
GRESHAM ROAD
Anchor Ho.
William Paton Ho.
TALLIS CL.
THROCKMORTEN RD.
SHIPMAN ROAD
St. Joachim's R.C. Prim. Sch.
PRINCE OF WALES RD.
Ascension Church Cen.
R.C. Ch. of St. Anne
BERWICK
CUNDY ROAD
The Royal Docks Comm. Sch.
NORMANDY TER.
LESLIE ROAD
ETHEL ROAD
Playing Fields
Recreation Ground
Wynne Ho.
WOOD ST.
BETTS RD.
CHAUNTLER CL.
DOCK ROAD
VICTORIA
VICTORIA DOCK
PRINCE REGENT
DLR
CUSTOM HOUSE for ExCeL
P
ExCeL

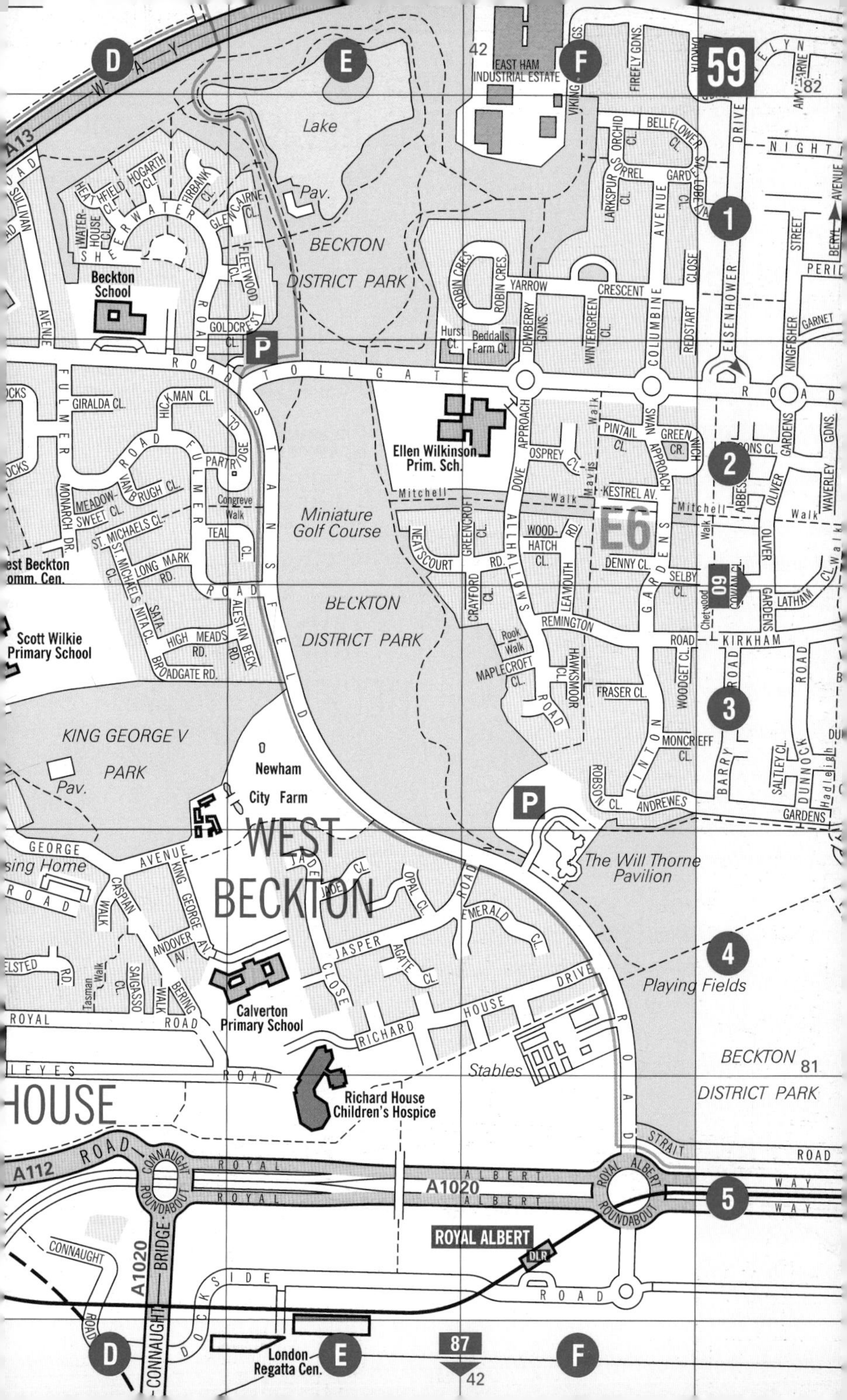

59
D
E
F
42
EAST HAM
INDUSTRIAL ESTATE
A13
WAY
FIREFLY GDNS.
VIKING GDNS.
DAKOTA
AMY
ARNE
182
NIGHTINGALE
BELLFLOWER CL.
ORCHID CL.
SORREL GARDENS
LOBELIA
LARKSPUR CL.
AVENUE
Lake
Pav.
SULLIVAN ROAD
HEATHFIELD
HOGARTH CL.
FIRBANK CL.
WATERHOUSE CL.
SHEERWATER
GLENCAIRNE CL.
FLEETWOOD CL.
Beckton School
AVENUE
GOLDCREST CL.
BECKTON
DISTRICT PARK
ROBIN CRES.
YARROW
CRESCENT
CLOSE
EISENHOWER DRIVE
STREET
BERYL AVENUE
PERIDOT
Hurst Ct.
Beddalls Farm Ct.
DEWBERRY GDNS.
WINTERGREEN CL.
COLUMBINE
REDSTART
KINGFISHER
GARNET
1
P
ROAD
TOLLGATE
ROAD
FULMER
GIRALDA CL.
HICKMAN CL.
PARTRIDGE CL.
ROAD
STANSFELD
Ellen Wilkinson Prim. Sch.
DOVE APPROACH
Walk
PINTAIL CL.
SWAN APPROACH
GREENWICH CR.
GIBBONS CL.
GARDENS
GDNS.
2
OSPREY CL.
Mavis
KESTREL AV.
ABBESS
OLIVER
WAVERLEY
MONARCH DR.
MEADOWSWEET CL.
VANBRUGH CL.
Congreve Walk
Mitchell
Walk
Mitchell Walk
E6
Walk
ST. MICHAELS CL.
TEAL CL.
Miniature Golf Course
NEATSCOURT
GREENCROFT CL.
ALLHALLOWS
WOODHATCH CL.
RD.
DENNY CL.
GARDENS
OLIVER GARDENS
Walk
West Beckton Comm. Cen.
LONG MARK RD.
ST. MICHAELS
ROAD
CRAYFORD CL.
RD.
LEAMOUTH
SELBY CL.
60
Chetwood
COWAN CL.
LATHAM CL.
Scott Wilkie Primary School
SATANITA CL.
HIGH MEADS RD.
ALESTAN BECK RD.
BROADGATE RD.
REMINGTON
Rook Walk
MAPLECROFT CL.
ROAD
HAWKSMOOR CL.
ROAD
KIRKHAM
WOODGET CL.
ROAD
FRASER CL.
3
KING GEORGE V
PARK
Pav.
Newham City Farm
LINTON
MONCRIEFF CL.
BARRY ROAD
SALTLEY CL.
DUNNOCK ROAD
Hadleigh
ROBSON CL.
ANDREWES
GARDENS
P
WEST BECKTON
GEORGE
AVENUE
Nursing Home
ROAD
CASPIAN WALK
KING GEORGE AV.
JADE CL.
JADE
OPAL CL.
ROAD
EMERALD CL.
The Will Thorne Pavilion
ANDOVER AV.
JASPER CLOSE
AGATE CL.
4
Playing Fields
ELSTED RD.
Tasman Walk
SAIGASSO CL.
BERING WALK
DRIVE
HOUSE
ROYAL ROAD
Calverton Primary School
RICHARD
ROAD
BECKTON 81
DISTRICT PARK
Stables
SHELLEYES ROAD
HOUSE
Richard House Children's Hospice
STRAIT
ROAD
A112 ROAD
CONNAUGHT ROUNDABOUT
ROYAL ALBERT
A1020
ROYAL ALBERT
ROYAL ALBERT ROUNDABOUT
WAY
WAY
5
ROYAL ALBERT
DLR
CONNAUGHT ROAD
A1020
CONNAUGHT BRIDGE
DOCKSIDE
ROAD
London Regatta Cen.
87
42
D
E
F

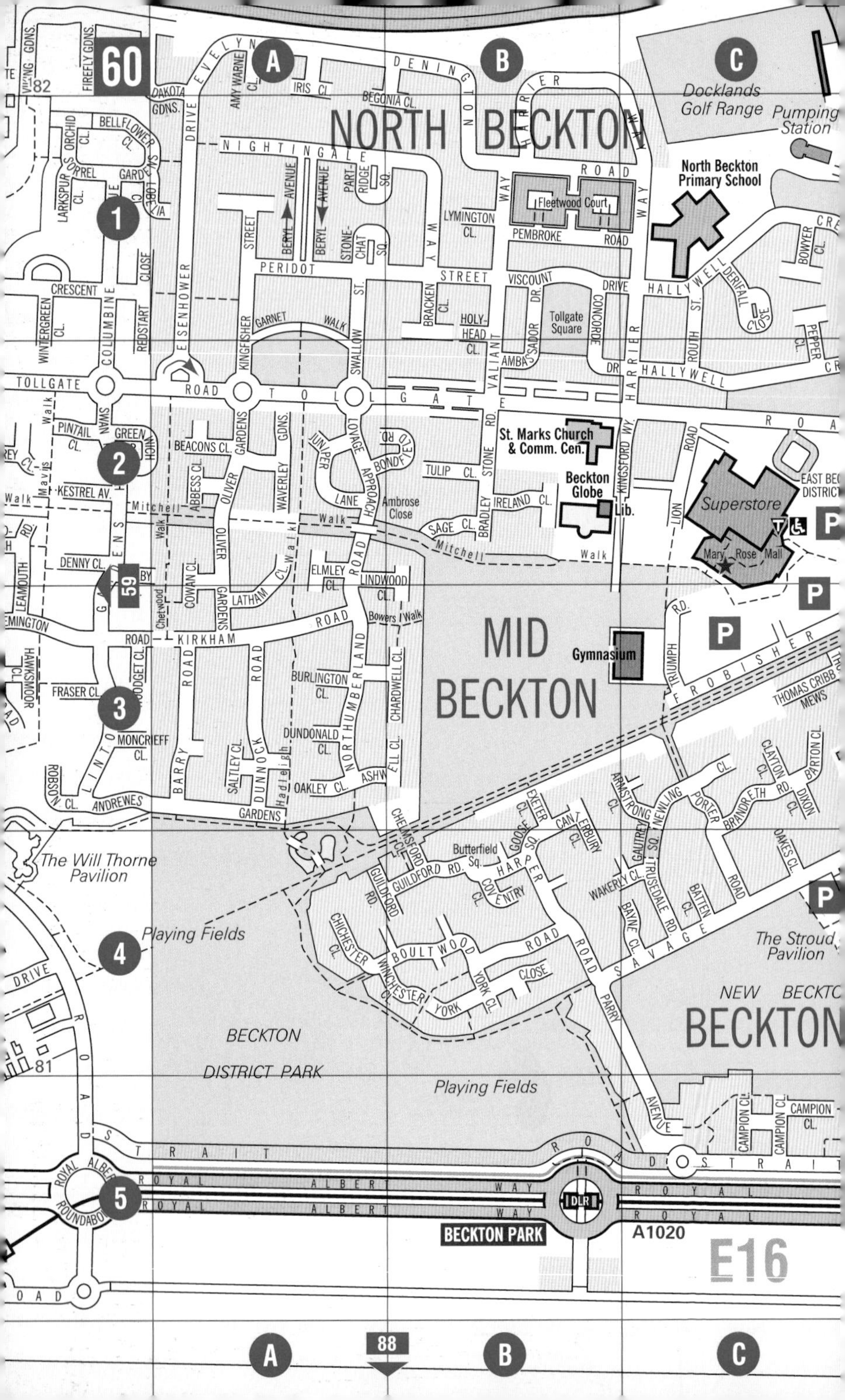

60
A
B
C
NORTH BECKTON
Docklands Golf Range
Pumping Station
North Beckton Primary School
Fleetwood Court
St. Marks Church & Comm. Cen.
Beckton Globe
Lib.
Superstore
Mary Rose Mall
Tollgate Square
Ambrose Close
MID BECKTON
Gymnasium
The Will Thorne Pavilion
Playing Fields
BECKTON DISTRICT PARK
Playing Fields
The Stroud Pavilion
NEW BECKTON
BECKTON
BECKTON PARK
DLR
A1020
E16
59
81
82
88
1
2
3
4
5

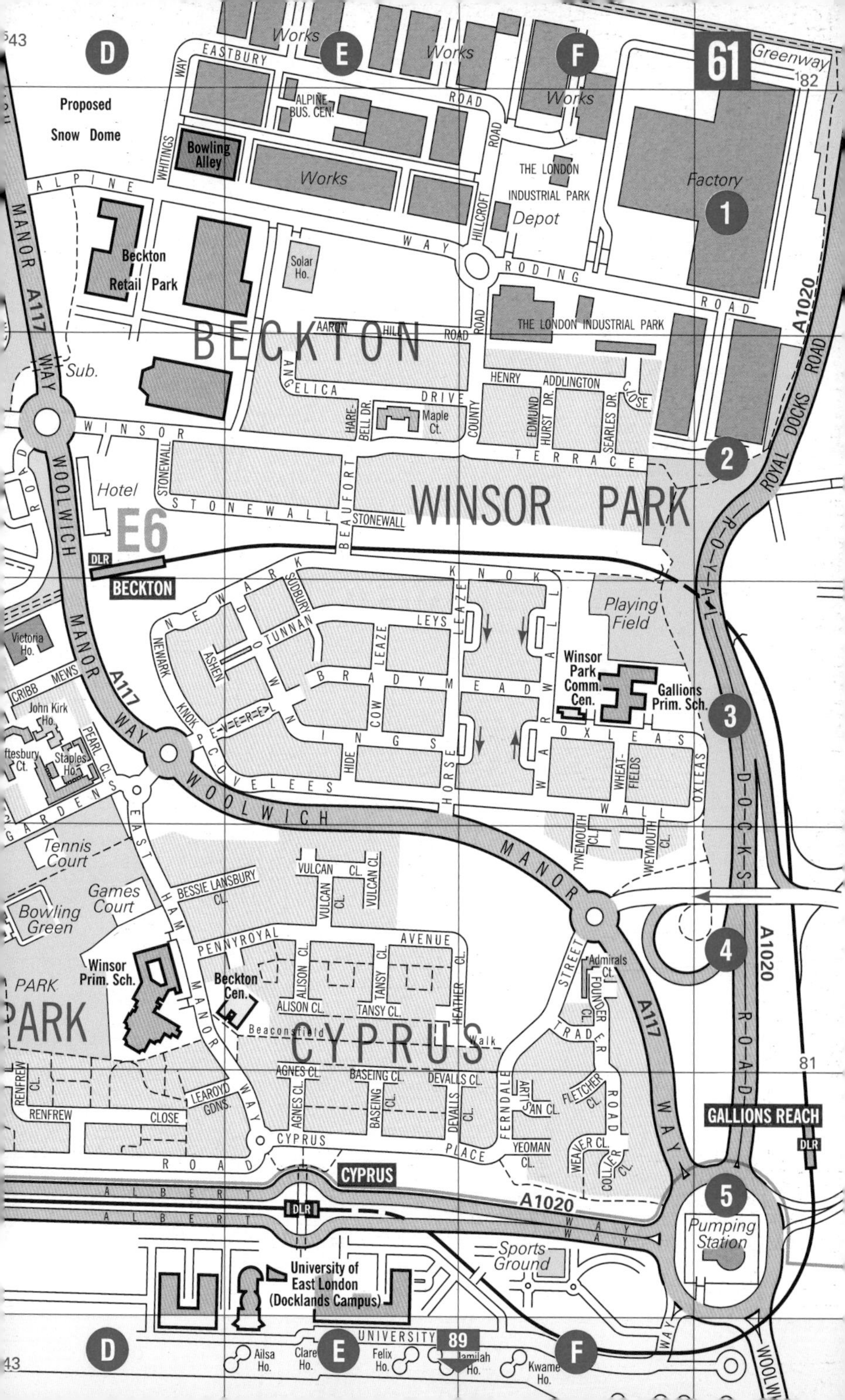
543
D
E
F
Works
Greenway
182
EASTBURY
WAY
ROAD
Proposed
Snow Dome
ALPINE BUS. CEN.
Bowling Alley
WHITINGS
Works
THE LONDON INDUSTRIAL PARK
Factory
1
ALPINE
HILLCROFT
Depot
WAY
RODING
ROAD
Beckton Retail Park
Solar Ho.
A1020
ROYAL DOCKS ROAD
MANOR
A117
WAY
AARON HILL ROAD
THE LONDON INDUSTRIAL PARK
BECKTON
Sub.
ANGELICA
HENRY
ADDLINGTON
CLOSE
DRIVE
HAREBELL DR.
Maple Ct.
COUNTY
EDMUND
HURST DR.
SEARLES DR.
WINSOR
TERRACE
2
ROAD
WOOLWICH
Hotel
STONEWALL
BEAUFORT
WINSOR PARK
E6
DLR
BECKTON
ROYAL
KNOK
NEWARK
SUDBURY
TUNNAN
LEYS
LEAZE
Playing Field
Victoria Ho.
ASHEN
DOWN
BRADYMEAD
WALL
Winsor Park Comm. Cen.
Gallions Prim. Sch.
3
CRIBB
MEWS
A117
John Kirk Ho.
KNOK
PEVEREL
WINGS
COW
HIDE
HORSE
OXLEAS
WHEATFIELDS
Shaftesbury Ct.
Staples Ho.
PEARL CL.
COVELEES
WAY
WOOLWICH
GARDENS
EAST
HAM
Tennis Court
MANOR
TYNEMOUTH CL.
WEYMOUTH CL.
DOCKS
VULCAN CL.
Games Court
BESSIE LANSBURY CL.
Bowling Green
A1020
4
PENNYROYAL
AVENUE
Admirals Ct.
STREET
FOUNDER CL.
Winsor Prim. Sch.
Beckton Cen.
ALISON CL.
TANSY CL.
HEATHER CL.
PARK
Beaconsfield Walk
CYPRUS
TRADER
A117
ROAD
81
RENFREW CL.
AGNES CL.
BASEING CL.
DEVALLS CL.
FERNDALE
ARTISAN CL.
FLETCHER CL.
RENFREW
CLOSE
LEAROYD GDNS.
WAY
GALLIONS REACH
CYPRUS
PLACE
YEOMAN CL.
WEAVER CL.
COLLIER CL.
ROAD
CYPRUS
ALBERT
A1020
5
Pumping Station
WAY
Sports Ground
University of East London (Docklands Campus)
UNIVERSITY
WAY
WOOLWICH
43
Ailsa Ho.
Clare Ho.
Felix Ho.
Jamilah Ho.
Kwame Ho.

89

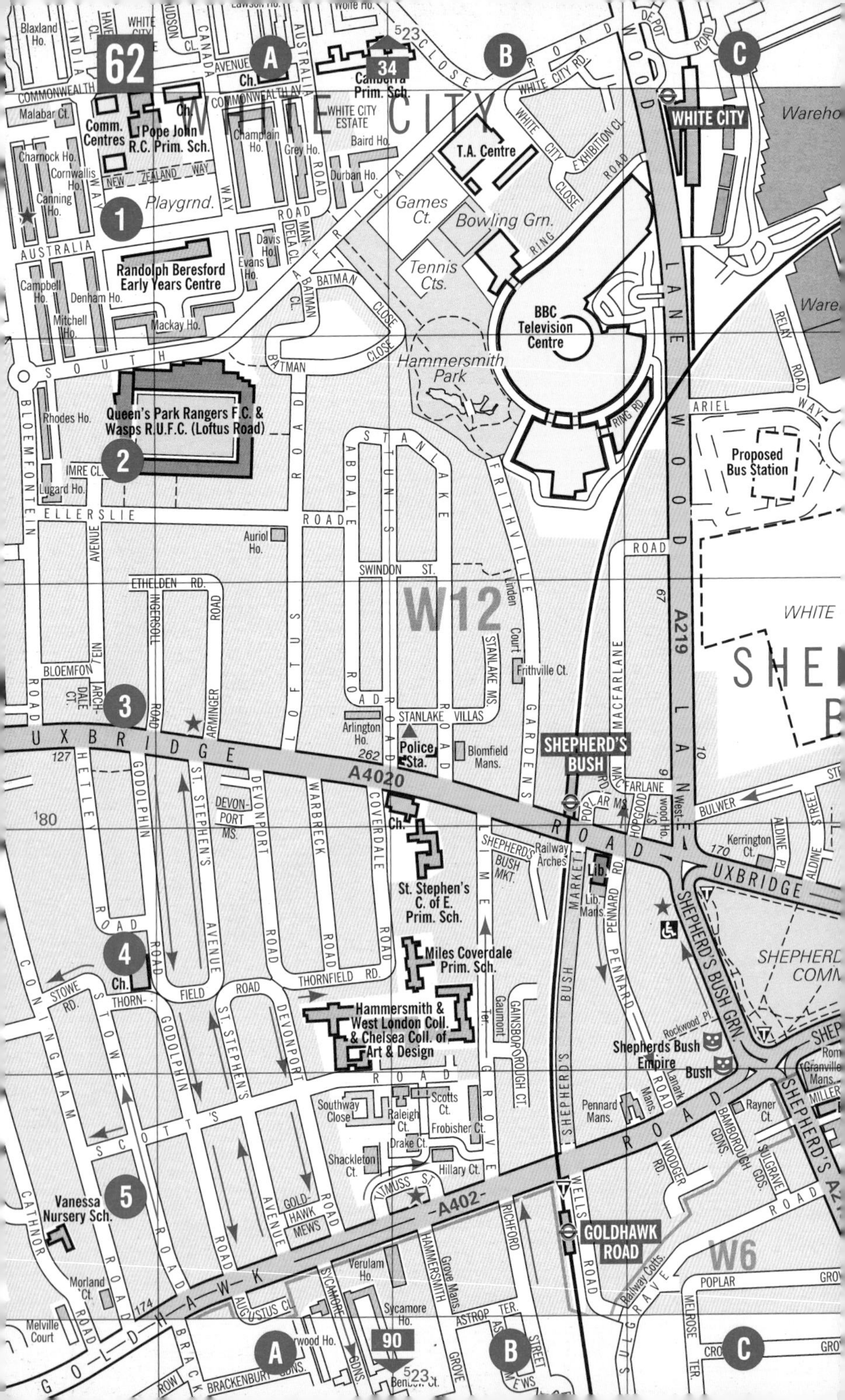

62
34
90
A
B
C
1
2
3
4
5
WHITE CITY
WHITE CITY ESTATE
W12
W6
SHEPHERD'S BUSH
GOLDHAWK ROAD
Blaxland Ho.
Malabar Ct.
Comm. Centres
Pope John R.C. Prim. Sch.
Canberra Prim. Sch.
Champlain Ho.
Grey Ho.
Baird Ho.
Durban Ho.
Charnock Ho.
Cornwallis Ho.
Canning Ho.
NEW ZEALAND WAY
Playgrnd.
COMMONWEALTH AV.
AUSTRALIA ROAD
Davis Ho.
Evans Ho.
MANDELA CL.
Randolph Beresford Early Years Centre
Campbell Ho.
Denham Ho.
Mitchell Ho.
Mackay Ho.
SOUTH AFRICA ROAD
WHITE CITY RD.
WHITE CITY CLOSE
EXHIBITION CL.
T.A. Centre
Games Ct.
Bowling Grn.
Tennis Cts.
BATMAN CL.
BATMAN CLOSE
BBC Television Centre
Hammersmith Park
RING ROAD
RING RD
WOOD LANE
A219
Wareho
RELAY ROAD
ARIEL WAY
Proposed Bus Station
Rhodes Ho.
Queen's Park Rangers F.C. & Wasps R.U.F.C. (Loftus Road)
IMRE CL.
Lugard Ho.
BLOEMFONTEIN ROAD
ELLERSLIE ROAD
BLOEMFONTEIN AVENUE
Auriol Ho.
LOFTUS ROAD
ABDALE ROAD
TUNIS ROAD
STANLAKE ROAD
SWINDON ST.
FRITHVILLE GARDENS
Linden Court
Frithville Ct.
STANLAKE MS.
STANLAKE VILLAS
ETHELDEN RD.
INGERSOLL ROAD
ARMINGER ROAD
ARCHDALE CT.
UXBRIDGE ROAD
A4020
Arlington Ho.
Police Sta.
Blomfield Mans.
MACFARLANE ROAD
MACFARLANE
POPLAR MS.
HOPGOOD ST.
Westwood Ho.
BULWER
Kerrington Ct.
ALDINE PL.
ALDINE
STREET
SHEPHERDS BUSH
WHITE
HETLEY ROAD
GODOLPHIN ROAD
ST. STEPHEN'S AVENUE
DEVONPORT MS.
DEVONPORT ROAD
WARBRECK ROAD
COVERDALE ROAD
Ch.
St. Stephen's C. of E. Prim. Sch.
SHEPHERD'S BUSH MKT.
Railway Arches
LIME GROVE
SHEPHERD'S BUSH MARKET
Lib.
Lib. Mans.
PENNARD RD.
PENNARD ROAD
SHEPHERD'S BUSH GRN.
SHEPHERDS BUSH COMM
Miles Coverdale Prim. Sch.
THORNFIELD RD.
CONINGHAM ROAD
STOWE RD.
STOWE ROAD
THORNFIELD ROAD
Hammersmith & West London Coll. & Chelsea Coll. of Art & Design
Gaumont Ter.
GAINSBOROUGH CT.
Rockwood Pl.
Shepherds Bush Empire
Bush
Lanark Mans.
Granville Mans.
MILLER
SCOTT'S ROAD
Southway Close
Raleigh Ct.
Scotts Ct.
Frobisher Ct.
Drake Ct.
Shackleton Ct.
Hillary Ct.
TITMUSS ST.
GOLDHAWK MEWS
Pennard Mans.
Rayner Ct.
BAMBOROUGH GDNS.
WOODGER RD.
SULGRAVE GDNS.
SHEPHERD'S BUSH RD.
Vanessa Nursery Sch.
CATHNOR ROAD
GOLDHAWK ROAD
A402
Verulam Ho.
HAMMERSMITH GROVE
Grove Mans.
RICHFORD STREET
WELLS ROAD
Railway Cotts.
SULGRAVE ROAD
POPLAR GROVE
MELROSE TER.
Morland Ct.
Melville Court
AUGUSTUS CL.
SYCAMORE GDNS.
Sycamore Ho.
ASTROP TER.
ASTROP MEWS
BRACKENBURY GDNS.
BRACKENBURY ROAD
Benbow Ct.
wood Ho.
523

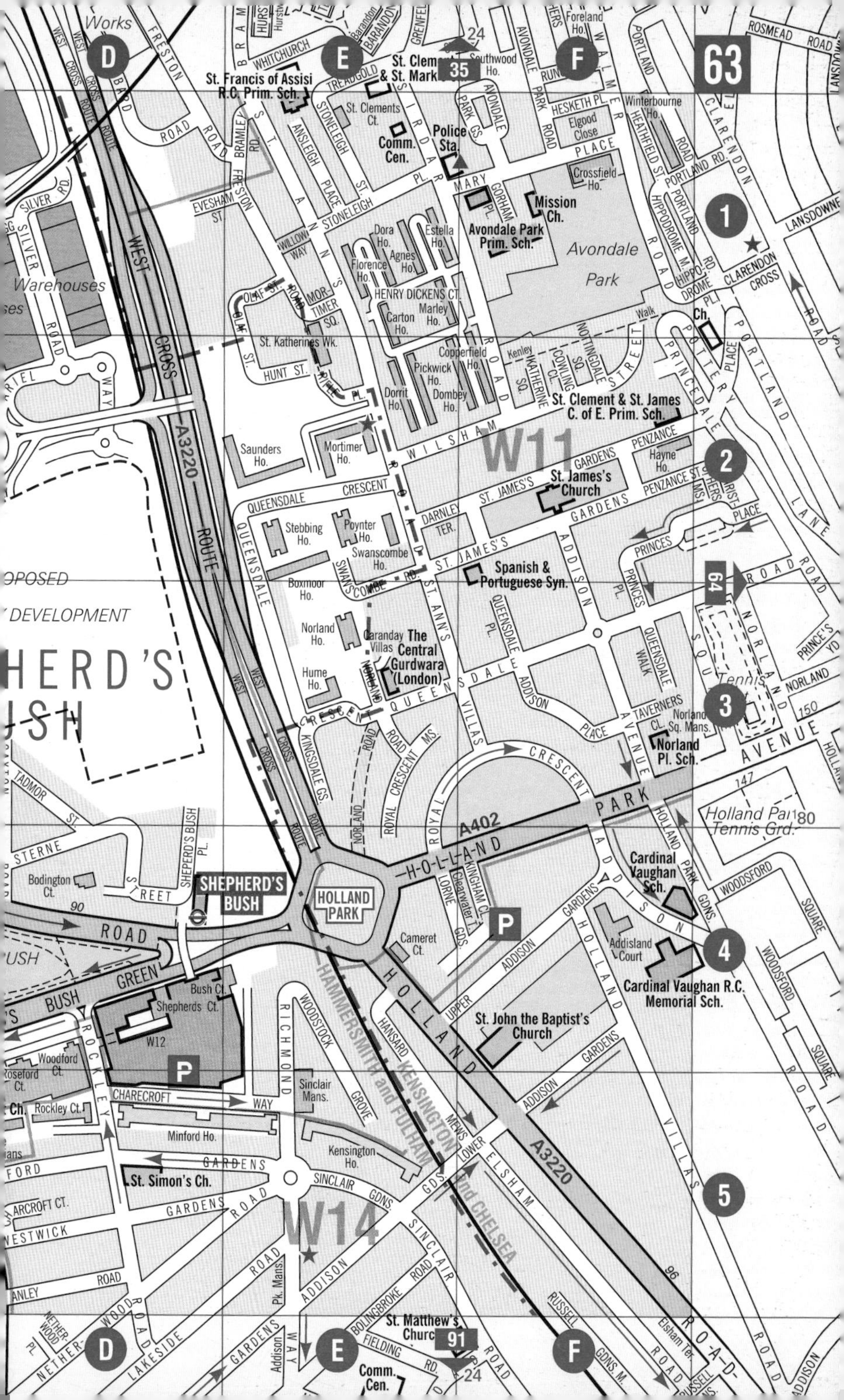
63
D
E
F
35
24
St. Clement & St. Mark
Southwood Ho.
Foreland Ho.
St. Francis of Assisi R.C. Prim. Sch.
St. Clements Ct.
Comm. Cen.
Police Sta.
Winterbourne Ho.
Elgood Close
Crossfield Ho.
Mission Ch.
Avondale Park Prim. Sch.
Avondale Park
Dora Ho.
Estella Ho.
Agnes Ho.
Florence Ho.
HENRY DICKENS CT.
Carton Ho.
Marley Ho.
Copperfield Ho.
Pickwick Ho.
Dombey Ho.
Dorrit Ho.
Kenley
St. Katherines Wk.
Warehouses
St. Clement & St. James C. of E. Prim. Sch.
W11
Saunders Ho.
Mortimer Ho.
Hayne Ho.
St. James's Church
Stebbing Ho.
Poynter Ho.
Swanscombe Ho.
Boxmoor Ho.
Norland Ho.
Hume Ho.
Caranday Villas
The Central Gurdwara (London)
Spanish & Portuguese Syn.
64
Norland Sq. Mans.
Norland Pl. Sch.
Tennis
150
147
80
Holland Park Tennis Grd.
A402
A3220
PROPOSED DEVELOPMENT
SHEPHERD'S BUSH
Bodington Ct.
90
HOLLAND PARK
Cardinal Vaughan Sch.
Cameret Ct.
Addisland Court
Cardinal Vaughan R.C. Memorial Sch.
Bush Ct.
Shepherds Ct.
W12
Woodford Ct.
Roseford Ct.
Rockley Ct.
Minford Ho.
Sinclair Mans.
St. John the Baptist's Church
Kensington Ho.
St. Simon's Ch.
W14
HAMMERSMITH and KENSINGTON and FULHAM and CHELSEA
96
St. Matthew's Church
91
Comm. Cen.
Elsham Ter.
1
2
3
4
5
WEST CROSS ROUTE
QUEENSDALE CRESCENT
HOLLAND PARK AVENUE
HOLLAND ROAD
ADDISON AVENUE
ST. JAMES'S GARDENS
WILSHAM ST.
PORTLAND ROAD
CLARENDON RD.
LANSDOWNE RD.
NORLAND SQ.
ADDISON GARDENS
SHEPHERD'S BUSH GREEN
CHARECROFT WAY
ROCKLEY RD.
RICHMOND WAY
WOODSTOCK GROVE
SINCLAIR GDNS.
SINCLAIR ROAD
ADDISON ROAD
UPPER ADDISON GARDENS
HOLLAND VILLAS
WOODSFORD SQUARE
ROYAL CRESCENT
ELSHAM ROAD
RUSSELL ROAD
BOLINGBROKE ROAD
FIELDING RD.
LAKESIDE ROAD
NETHERWOOD ROAD
FRESTON ROAD
BRAMLEY RD.
STONELEIGH PL.
WALMER ROAD
POTTERY LANE
PRINCEDALE RD.
PENZANCE PLACE

NOTTING
HILL
W11
W14
HOLLAND
PARK
36
63
92
A
B
C
1
2
3
4
5
Foreland Ho.
Runcorn Pl.
Winterbourne Ho.
Hesketh Pl.
Elgood Close
Heathfield St.
Crossfield Ho.
Avondale Park
Rosmead Road
Elgin Cres.
Lansdowne Rd.
Lansdowne Rise
Lansdowne Ct.
Lansdowne Cres.
Lansdowne Walk
Lansdowne Ms.
Stanley Gdns.
Stanley Crescent
Ladbroke Grove
Ladbroke Grove Ho.
Kensington Park Gardens
Kensington Park Road
B415
B450
A402
Peter's Ch.
Latimer Ho.
Portobello
St. John's Ch.
St. John's Gardens
Ladbroke Square Gardens
Ladbroke Square
Ladbroke Walk
Ladbroke Road
Ladbroke Terrace
Ladbroke Mews
Horbury Ms.
Wilby Ms.
Police Sta.
The Square Montessori Sch.
Gate Hill Ct.
Portland Rd.
Clarendon Road
Clarendon Cross
Hippodrome Ms.
Hippodrome Pl.
Pottery Lane
Portland Place
Ch.
Walk
Nottingdale Sq.
Cowling Cl.
St. Clement & St. James C. of E. Prim. Sch.
Penzance Gardens
Penzance Place
St. James's Church
St. Christophers Pl.
Princedale Road
Princes Place
Princes Yd.
Addison
Syn.
Queensdale Road
Queensdale Walk
Queensdale Pl.
Norland Square
Norland Road
Norland Pl.
Norland Sq. Mans.
Norland Pl. Sch.
Tennis Crt.
Boyne Ter. Ms.
Mead Ho.
HOLLAND PARK
Holland Park Avenue
St. Nicholas' Convent
Holland Park Mews
Y.W.C.A. Hostel
Holland Park
Campden Hill Square
Campden Hill Road
Campden Hill
Hillsleigh
Aubrey Road
Aubrey Walk
Holland Walk
Tennis Courts
Holland Park Tennis Grd.
Holland Park Gdns.
Woodsford Square
Cardinal Vaughan Sch.
Addison Road
Addison Crescent
Addison Gardens
Addisland Court
Cardinal Vaughan R.C. Memorial Sch.
Baptist's Ch.
Holland Villas Road
Holland Road
Russell Gardens
Elsham Ter.
Abbotsbury Road
Abbotsbury Close
Somerset Square
Oakwood
Ilchester
Court
Holland House King George VI Mem. Youth Hostel
Cricket Field
P
80
150
147
69
74
23
32
35
36
89
12
72
96

65
BAYSWATER
Greek Orthodox Cathedral
Palace Ct.
37
Prince Edward Mans.
Pembridge Hall Sch.
St. Matthew's Ch.
New West End Syn.
Hall
Coll.
First Bowl
Princess Ct.
Lancaster Close
PEMBRIDGE SQUARE
DAWSON PL.
PEMBRIDGE CRES.
PORTOBELLO MS.
Lib.
Davies, Laing & Dick Coll.
The Limes
W2
KENSINGTON
WESTMINSTER
Kelvin Ct.
Sch.
Training Cen.
Kensington Temple
A4206
PEMBRIDGE ROAD
LINDEN GARDENS
CLANRICARDE GARDENS
BAYSWATER ROAD
A402
Orme Sq. Gate
Coach Park
Diana, Princess of Wales Memorial Playground
NOTTING HILL GATE
Gate
Coll.
Coronet
Unitarian Ch.
Christian Science Ch.
Broadwalk Ct.
Mall Cham.
KENSINGTON MALL
KENSINGTON PALACE GARDENS
Chap.
A4204
Fox Prim. Sch.
Coll. & Fox Cen.
Campden Hill Mans.
Palmerston Ho.
Melbourne Ho.
Campden Houses
Kensington Heights
66
The
B405
The Royal Ceremonial Dress Collection
Kensington Palace
Kensington Palace Green
W8
Campden Ho.
Holland Park School
The Kensington and Chelsea College
Tor Ct.
St. Mary Abbots Church Hall
Vicarage Ct.
Winchester Ct.
Bullingham Mans.
Carmelite Ch.
Mt. Carmel Cham.
Holland Pl. Cham.
York Ho.
Campden Hill Ct.
Duchess of Bedford Ho.
Campden Hill Gate
Fire Sta.
Ashbourne Ind. Sixth Form Coll.
Old Ct. Ho.
Ingelow Ho.
St. Mary Abbots Ch.
Prim. Sch.
Town Hall
Library
Hornton Ct.
Richmond Coll.
KENSINGTON HIGH STREET
A315
Barkers Arc.
Kensington Arcade
HIGH STREET KENSINGTON
Linley Sambourne Ho.
KENSINGTON
93
First Ch. of
Chapel
Heythorp
Esmond Ct.
Univ.

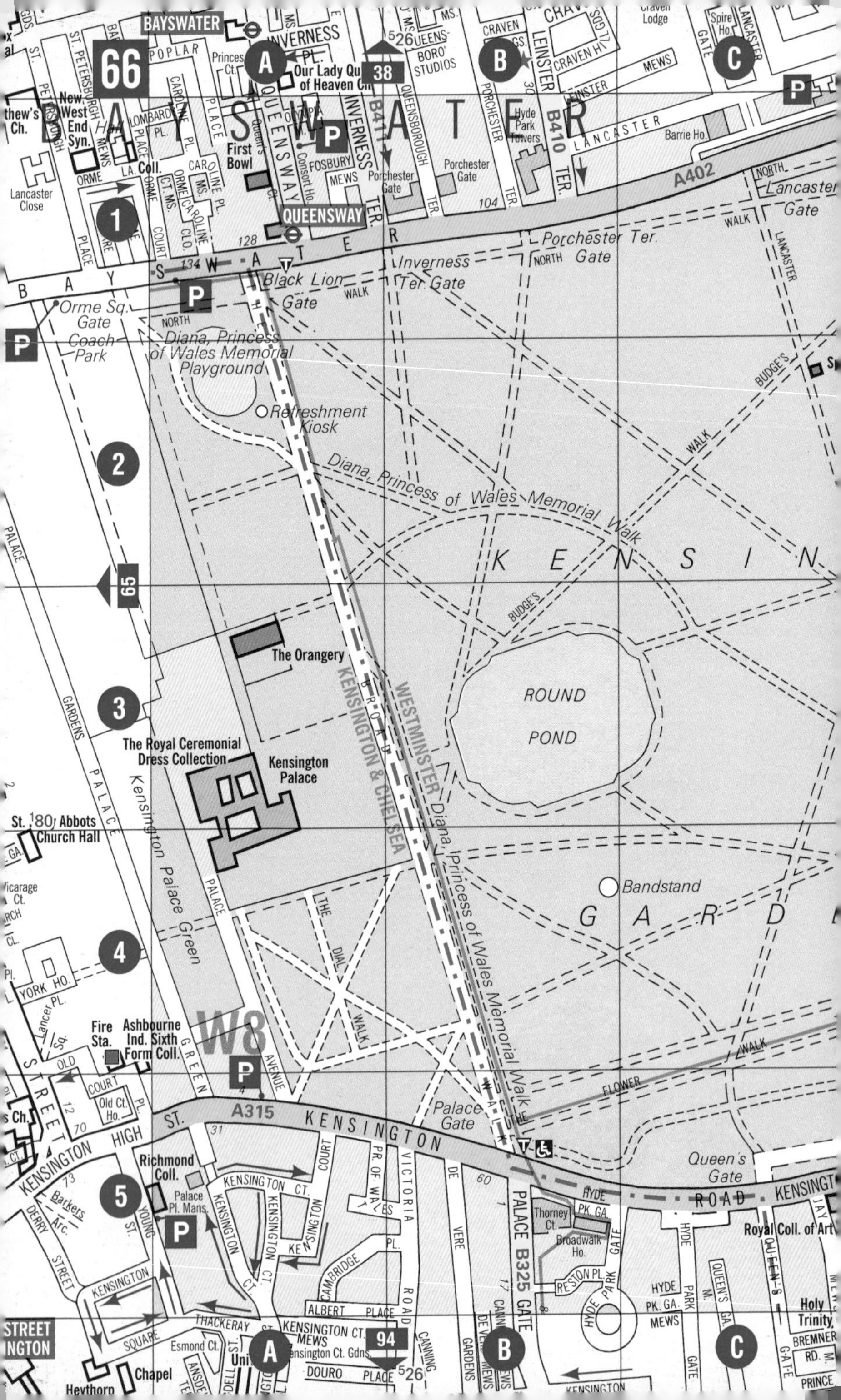

66
BAYSWATER
QUEENSWAY
KENSINGTON GARDENS
ROUND POND
Bandstand
The Orangery
Kensington Palace
The Royal Ceremonial Dress Collection
Diana, Princess of Wales Memorial Playground
Diana, Princess of Wales Memorial Walk
Refreshment Kiosk
Black Lion Gate
Orme Sq. Gate
Coach Park
Inverness Ter. Gate
Porchester Ter. North Gate
Lancaster Gate
Queen's Gate
Palace Gate
Kensington Palace Green
KENSINGTON HIGH ST.
KENSINGTON ROAD
BAYSWATER ROAD
A402
A315
B410
B411
B325
W8
38
65
94
526
Richmond Coll.
Ashbourne Ind. Sixth Form Coll.
Fire Sta.
Royal Coll. of Art
First Bowl
Our Lady Queen of Heaven Ch.
St. Abbots Church Hall

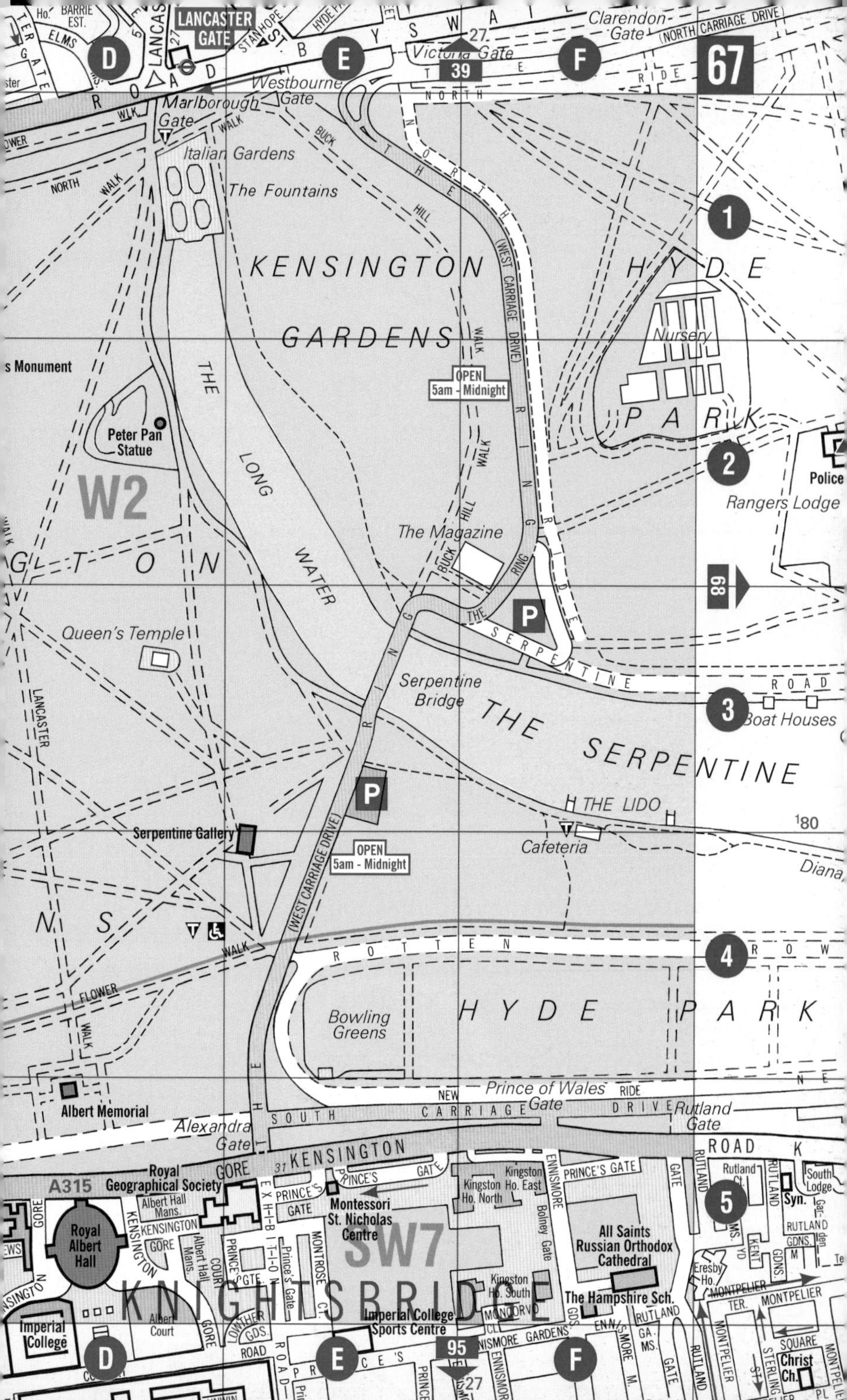

LANCASTER GATE
BAYSWATER ROAD
Clarendon Gate
(NORTH CARRIAGE DRIVE)
Victoria Gate
39
67
D
E
F
Westbourne Gate
Marlborough Gate
Italian Gardens
The Fountains
BUCK HILL
THE RING
NORTH RIDE
KENSINGTON GARDENS
HYDE PARK
Nursery
(WEST CARRIAGE DRIVE)
OPEN 5am - Midnight
s Monument
Peter Pan Statue
W2
THE LONG WATER
Police
Rangers Lodge
The Magazine
BUCK HILL WALK
68
P
THE SERPENTINE ROAD
Queen's Temple
Serpentine Bridge
THE SERPENTINE
Boat Houses
1
2
3
4
5
LANCASTER WALK
THE LIDO
Serpentine Gallery
Cafeteria
Diana
ROTTEN ROW
FLOWER WALK
Bowling Greens
HYDE PARK
Albert Memorial
Prince of Wales Gate
NEW RIDE
SOUTH CARRIAGE DRIVE
Rutland Gate
Alexandra Gate
KENSINGTON ROAD
A315
Royal Geographical Society
KENSINGTON GORE
PRINCE'S GATE
EXHIBITION
Montessori St. Nicholas Centre
Kingston Ho. North
Kingston Ho. East
ENNISMORE
Bolney Gate
All Saints Russian Orthodox Cathedral
South Lodge
Syn.
Royal Albert Hall
Albert Hall Mans.
SW7
KNIGHTSBRIDGE
Kingston Ho. South
The Hampshire Sch.
Eresby Ho.
MONTPELIER
Imperial College
Albert Court
Imperial College Sports Centre
95
ENNISMORE GARDENS
Christ Ch.

68
A
B
C
40
1
2
3
4
5
67
96
HYDE PARK
W2
SW7
SW3
Clarendon Gate
NORTH CARRIAGE DRIVE
ENTRANCE TO UNDERGROUND CAR PARK
Refreshment Kiosk
Underground Car Park
Parade Ground
Reformers Tree
Nursery
Police Sta.
Rangers Lodge
Reservoir
Diana, Princess
BROAD
PARK
THE SERPENTINE
Boat Houses
Pier
Restaurant
Boating Lake
THE LIDO
80
Cafeteria
Fishermans Keep
The Dell
Nannies Lawn
The Holocaust Memorial Garden
Diana, Princess of Wales Memorial Walk
ROTTEN
RIDE
NEW CARRIAGE
SOUTH
HYDE PARK
Prince of Wales Gate
Hyde Park Barracks
Albert Ct. Gate
Park Cl.
Wellington Ct.
EDINBURGH GATE
ALBERT GATE
KNIGHTSBRIDGE
SCOTCH HOUSE
Rutland Gate
KENSINGTON ROAD
KNIGHTSBRIDGE
A315
127
Park Mans
PRINCE'S GATE
ENNISMORE
RUTLAND GATE MS.
Rutland Ct.
Syn.
South Lodge
TREVOR
RUTLAND GDNS. M
KENT YD
All Saints Russian Orthodox Cathedral
The Hampshire Sch.
Eresby Ho.
MONTPELIER TER.
MONTPELIER
TREVOR ST.
Trevor Ter.
TREVOR SQ.
RAPHAEL ST.
LANCELOT PL.
KNIGHTSBRIDGE GRN.
Knightsbridge Arcade
BROMPTON A4 RD.
Brompton Arcade
Hooper's Ct.
Fire Sta.
Lincoln Ho.
SLOANE STREET
A3216
206 Richmond Court
Knightsbridge Court
PAVILION
BASIL
STACK HOUSE
RYSBRACK ST.
SEVILLE ST.
HARRIET
HARRIET WLK.
HARRIET ST.
LOWNDES SQUARE
WILLIAM ST.
KINNERTON
WILLIAM MEWS
DUPLEX
KENSINGTON & CHELSEA
WESTMINSTER
79
Parkside
RUTLAND GA. MS.
ENNISMORE GARDENS
STERLING ST.
MONTPELIER WK.
MONTPELIER PL.
Sub.
BROOK GA.

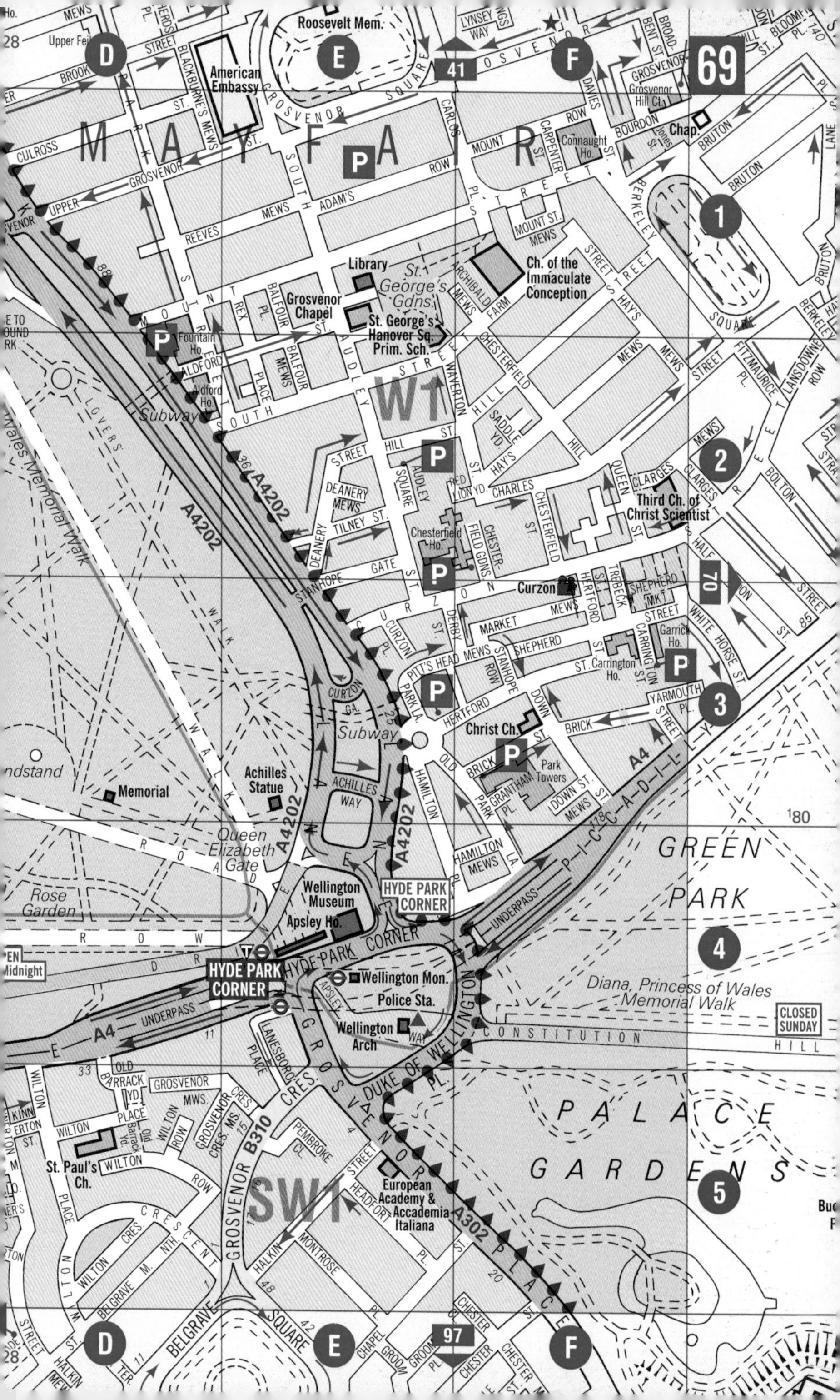
MAYFAIR
W1
SW1
American Embassy
Roosevelt Mem.
GROSVENOR SQUARE
41
Grosvenor Hill Ct.
Chap.
Connaught Ho.
Library
St. George's Gdns.
Grosvenor Chapel
St. George's Hanover Sq. Prim. Sch.
Ch. of the Immaculate Conception
Fountain Ho.
Aldford Ho.
Subway
Chesterfield Ho.
Third Ch. of Christ Scientist
Curzon
Garrick Ho.
St. Carrington Ho.
Christ Ch.
Park Towers
Achilles Statue
Memorial
Queen Elizabeth Gate
Rose Garden
Wellington Museum
Apsley Ho.
HYDE PARK CORNER
Wellington Mon.
Police Sta.
Wellington Arch
European Academy & Accademia Italiana
St. Paul's Ch.
GREEN PARK
Diana, Princess of Wales Memorial Walk
CLOSED SUNDAY
CONSTITUTION HILL
PALACE GARDENS
PICCADILLY
A4202
A4
A302
B310
UNDERPASS
MOUNT STREET
SOUTH AUDLEY STREET
CURZON STREET
PARK LANE
HAMILTON PL.
GROSVENOR PLACE
DUKE OF WELLINGTON PL.
BELGRAVE SQUARE
WILTON CRESCENT
BERKELEY SQUARE
BERKELEY STREET
HALF MOON STREET
WHITE HORSE ST.
CLARGES STREET
SHEPHERD MKT.
70
97
1
2
3
4
5
D
E
F

70
42
98
A
B
C
1
2
3
4
5
W1
GREEN PARK
PALACE GARDENS
WESTM
PICCADILLY CIRCUS
Royal Academy of Arts (Burlington Ho.)
Faraday Mus.
St. James's Ch.
London Library
Spencer Ho.
Chapel Royal
Queen's Chapel
St. James's Palace
Clarence Ho.
Lancaster Ho.
Stable Yard Gate
Canada Memorial
Diana, Princess of Wales Memorial Walk
CLOSED SUNDAY
CONSTITUTION HILL
Queen Victoria Memorial
The Forecourt
The Quadrangle
Buckingham Palace
Ambassadors' Court
Queen's Gallery
Buckingham Gate
Wellington Barracks
Guards' Mus.
Third Ch. of Christ Scientist
Arlington Ho.
BIRDCAGE WALK

D
E
F
43
71
72
99
1
2
3
4
5
Gielgud
China
Metro
Empire
Odeon
Trocadero Cen.
UGC
London Pav.
Prince of Wales
Leicester Fields
Leicester Square
Odeon
Duke of York's
Central Lending Lib.
Garrick
Coliseum
Friends' Meet. Ho.
Adelphi
Eros
Criterion
Comedy Store
Odeon
Cen. Ref. Lib.
Comedy
National Portrait Gallery
National Gallery
(Sainsbury Wing)
St. Martin-in-the-Fields Ch.
Charing Cross Pol. Sta.
Charing Cross Underground Shop. Cen.
WC2
Plaza
UGC
Haymarket
Her Majesty's
Britain Visitor Centre
Canada Ho.
Nelson's Column
North Ter.
Trafalgar Square
CHARING CROSS
South Africa Ho.
Players
Playhouse
King Charles I Island
Northumberland
B308
H.Q. of the Inst. of Directors
Admiralty Arch
Mall Galleries
Whitehall
Northumberland Ho.
Police Sta.
Government Offices
Waterloo Gdns.
Duke of York Column
ICA
R.A.C.
SW1
Old Admiralty Offices
Old War Office
Whitehall Ct.
Victoria Embankment Gardens
King George VI Memorial
Horse Guards
Banqueting House
Guards Mem.
Horse Guards Parade
Welsh Office
Scottish Office
Min. of Defence
CLOSED SUNDAY
Refreshments
A3212
ST. JAMES'S PARK
Duck Island
Lake
Downing St.
Richmond Ter.
Foreign and Commonwealth Office
Cenotaph
Former New Scotland Yard
Clive Steps
King Charles Street
Cabinet War Rooms
H. M. Treasury
Northern Ireland Office
Portcullis Ho
WESTMINSTER
Great George St.
Parliament St.
Bridge St.
A302
Middlesex Guildhall
Queen Anne's Gate
Cockpit Steps
New Palace Yard
Queen Elizabeth II Conference Cen.
Caxton Ho. (Dept. of Employment)
Methodist Central Hall
Broad Sanctuary
St. Margaret's Ch.
Westminster Hall
Westminster Abbey
Houses of Parliament
ST. JAMES'S PARK
The Cloisters
Poets' Corner
Tothill Street
Broadway

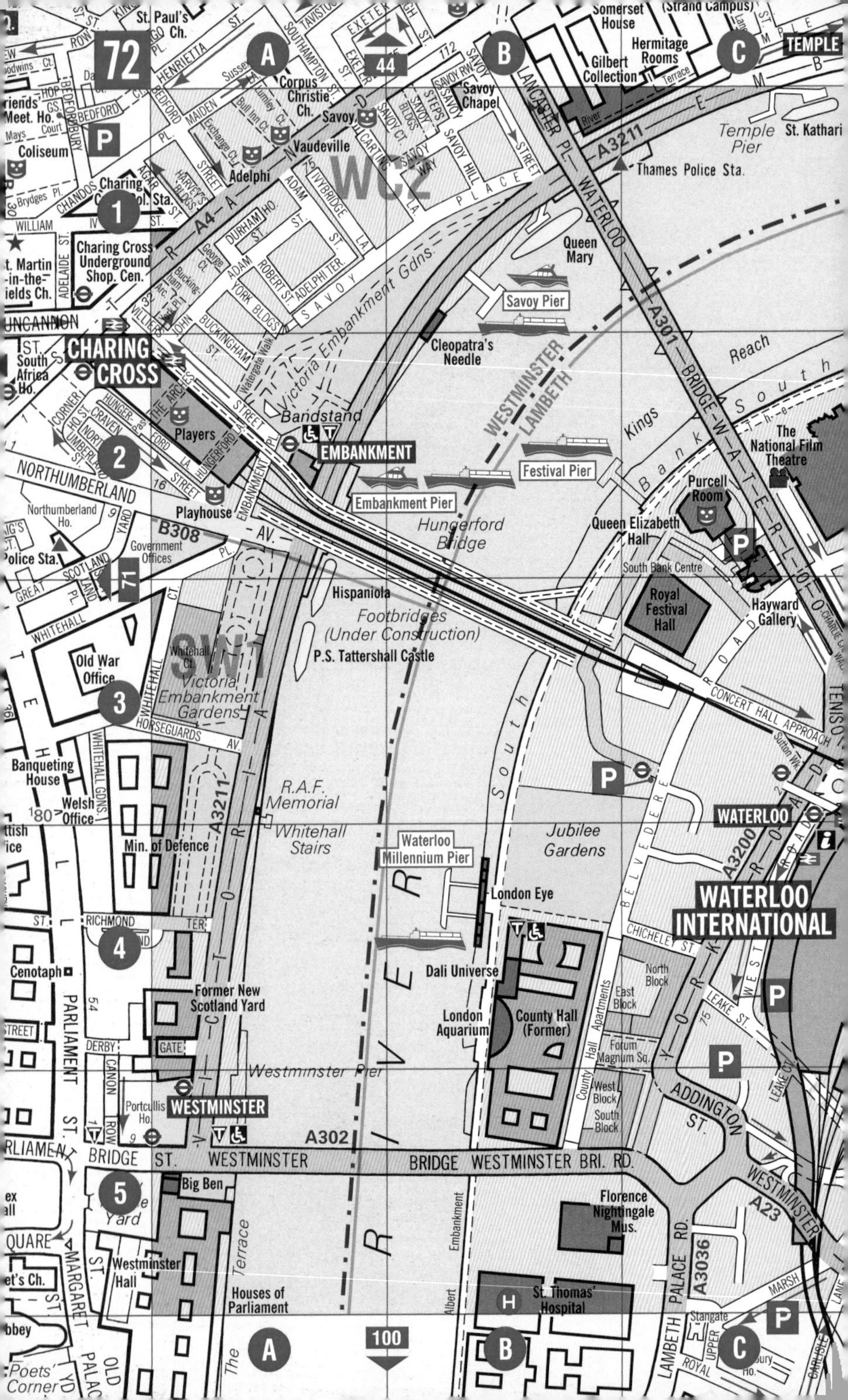

72
A
B
C
44
100
1
2
3
4
5
TEMPLE
Somerset House
(Strand Campus)
Hermitage Rooms
Gilbert Collection
St. Paul's Ch.
Corpus Christie Ch.
Savoy
Savoy Chapel
Vaudeville
Adelphi
Coliseum
Friends' Meet. Ho.
Charing Cross Pol. Sta.
Charing Cross Underground Shop. Cen.
St. Martin -in-the- Fields Ch.
CHARING CROSS
South Africa Ho.
WC2
Temple Pier
St. Kathari
Thames Police Sta.
Queen Mary
Savoy Pier
Cleopatra's Needle
Victoria Embankment Gdns.
Bandstand
EMBANKMENT
Players
Playhouse
Embankment Pier
Festival Pier
Hungerford Bridge
WESTMINSTER LAMBETH
Reach
Kings
Bank
South
The National Film Theatre
Purcell Room
Queen Elizabeth Hall
South Bank Centre
Royal Festival Hall
Hayward Gallery
Northumberland Ho.
Police Sta.
Government Offices
Hispaniola
Footbridges (Under Construction)
P.S. Tattershall Castle
Old War Office
Whitehall Ct.
SW1
Victoria Embankment Gardens
Banqueting House
Welsh Office
Min. of Defence
R.A.F. Memorial
Whitehall Stairs
Waterloo Millennium Pier
London Eye
Jubilee Gardens
WATERLOO
WATERLOO INTERNATIONAL
Cenotaph
Former New Scotland Yard
Dali Universe
London Aquarium
County Hall (Former)
North Block
East Block
Forum Magnum Sq.
West Block
South Block
Westminster Pier
Portcullis Ho.
WESTMINSTER
A302
A3211
A3200
A301
A4
B308
A23
A3036
BRIDGE ST. WESTMINSTER BRIDGE WESTMINSTER BRI. RD.
Big Ben
Florence Nightingale Mus.
Westminster Hall
Houses of Parliament
St. Thomas' Hospital
Poets' Corner
NORTHUMBERLAND AV.
WHITEHALL
HORSEGUARDS AV.
PARLIAMENT ST.
ADDINGTON ST.
BELVEDERE RD.
YORK RD.
CONCERT HALL APPROACH
LAMBETH PALACE RD.
WATERLOO BRIDGE
SAVOY PLACE
VICTORIA EMBANKMENT
RIVER THAMES

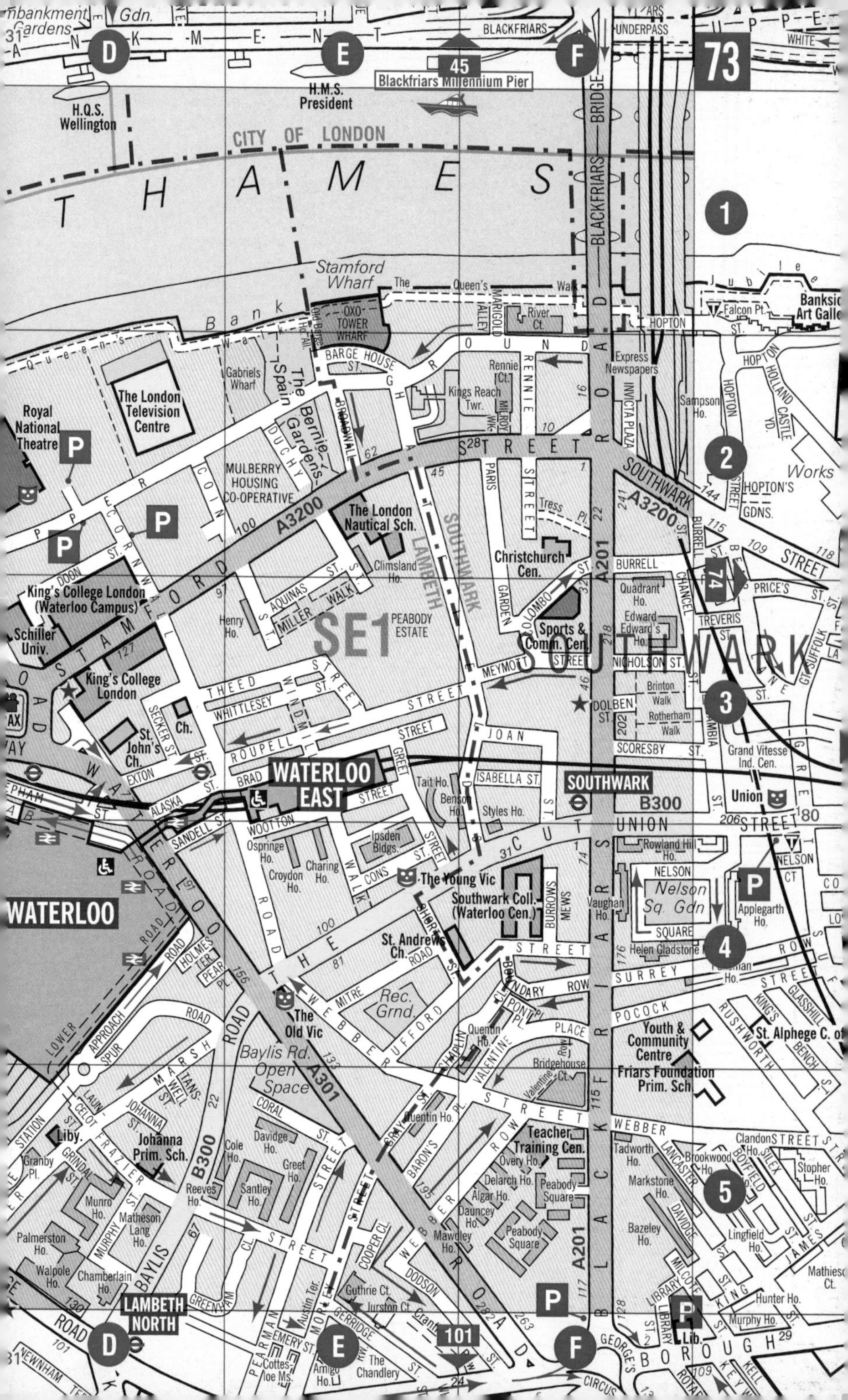

Blackfriars Millennium Pier
H.M.S. President
H.Q.S. Wellington
CITY OF LONDON
THAMES
BLACKFRIARS BRIDGE
Stamford Wharf
The Queen's Walk
OXO TOWER WHARF
BARGE HOUSE ST.
River Ct.
Bankside Art Gallery
Falcon Pt.
HOPTON ST.
Express Newspapers
The London Television Centre
Royal National Theatre
Gabriels Wharf
Bernie Spain Gardens
Kings Reach Twr.
Rennie Ct.
MULBERRY HOUSING CO-OPERATIVE
The London Nautical Sch.
STAMFORD STREET
A3200
SOUTHWARK STREET
Christchurch Cen.
Sports & Comm. Cen.
King's College London (Waterloo Campus)
Schiller Univ.
King's College London
SE1
PEABODY ESTATE
SOUTHWARK
WATERLOO EAST
WATERLOO
SOUTHWARK
UNION STREET
Union
The Young Vic
Southwark Coll. (Waterloo Cen.)
St. Andrews Ch.
Nelson Sq. Gdn
Applegarth Ho.
The Old Vic
Baylis Rd. Open Space
A301
Rec. Grnd.
Youth & Community Centre
Friars Foundation Prim. Sch.
St. Alphege C. of
Teacher Training Cen.
Peabody Square
Johanna Prim. Sch.
Liby.
LAMBETH NORTH
BLACKFRIARS ROAD
A201
BOROUGH
B300
Lib.
45
101

74
46
32
A
B
C
1
2
3
4
5
73
102
London Sch.
Paul's Walk
HIGH TIMBER ST.
BROKEN WHARF
GARDNERS LA.
Stew La.
Queen's Quay
QUEENHITHE
BULL WHARF LA.
KENNETT WHARF LA.
Vintners Hall
Vintner's Pl.
Thames Ho.
Thames Exchange Bldg.
Three Barrels Walk
Three Cranes Wlk.
RIVER
Millennium Bridge
Bankside Pier
BLACKFRIARS BRIDGE
UNDERPASS
Jubilee Walkway
Bankside Art Gallery
Falcon Pt.
HOPTON ST.
HOPTON STREET
Express Newspapers
INVICTA PLAZA
Sampson Ho.
HOLLAND ST.
CASTLE YD.
Tate Modern
Shakespeare's Globe & Exhibition
Cardinal Cap Alley
BANKSIDE
NEW GLOBE WLK.
BEAR GDNS.
ROSE ALLEY
Bankside
BANKSIDE
BANK END
Red Lion Ct.
PARK STREET
Works
HOPTON'S GDNS.
SUMNER STREET
CANVEY ST.
GREAT GUILDFORD ST.
EMERSON ST.
SUMNER BLDGS.
Old Theatre Ct.
PORTER ST.
PERKINS SQ.
Gatehouse Sq.
SOUTHWARK BRIDGE ROAD
A300
A3200
SOUTHWARK ST.
A201
ZOAR ST.
FALCON CL.
Highways Agency St. Christopher House
PEABODY ESTATE
Southwark Bridge Office Village
MAIDEN LA.
Lucy Brown Ho.
Bramah Tea & Coffee Mus.
THRALE ST.
REDCROSS WAY
BURRELL ST.
Quadrant Ho.
Edward Edward's Ho.
Friars Cl.
CHANCEL ST.
TREVERIS ST.
PRICE'S ST.
BEAR LANE
GT. SUFFOLK ST.
FARNHAM PL.
LAVINGTON ST.
NICHOLSON ST.
STREET
DOLBEN ST.
Sports & Comm. Cen.
SOUTHWARK
Great Guildford Business Square
Keppel Row
WARDENS GROVE
AMERICA ST.
O'MEARA ST.
Precious Blood Ch.
GAMBIA ST.
Grand Vitesse Ind. Cen.
SCORESBY ST.
Union
UNION ST.
B300
EWER ST.
FLATIRON YD.
SE1
Cathedral Sch. of St. Saviours & St. Mary Overie
St. Joseph's R.C. Prim. Sch.
Rowland Hill Ho.
NELSON SQUARE
Nelson Sq. Gdn
Vaughan Ho.
BURROWS MEWS
NELSON CT.
Applegarth Ho.
BOROUGH ST.
Jerwood Space Art Gallery
Trelawney Ho.
Thorold Ho.
COPPERFIELD ST.
PEPPER STREET
GT. GUILDFORD ST.
DOYCE ST.
ISLAND ST.
LOMAN ST.
Knightsbridge Crown Court
SAWYER ST.
QUILP ST.
AYRES ST.
CLENNAM ST.
MARSHALSEA RD.
LIT. DORRIT CT.
Little Dorrit Ct.
Babington Ho.
Lit. Dorrit Park
SURREY ROW
Pakeman Ho.
POCOCK ST.
Sports Ground
Fire Sta.
MINT ST.
CALEB ST.
DISNEY ST.
DISNEY PL.
A3201
St. George The Martyr Ch.
ROAD
PLACE
Bridgehouse Ct.
Youth & Community Centre
Friars Foundation Prim. Sch.
KING'S BENCH
RUSHWORTH ST.
GLASSHILL ST.
St. Alphege C. of E. Ch.
KING'S CT.
GROTTO CT.
STURGE ST.
TRUNDLE ST.
LANT ST.
Ch.
WELLER ST.
PEABODY ESTATE
SANCTUARY ST.
Wallis Alley
VINE YD.
BOROUGH
THE
Charles Dickens Prim. Sch.
SUDREY ST.
BITTERN ST.
Lant Ho.
TOULMIN ST.
PICKWICK ST.
Redman Ho.
WEBBER STREET
Tadworth Ho.
Brookwood Ho.
Clandon Ho.
BOYFIELD ST.
SILEX ST.
Stopher Ho.
Albury Ho.
LANCASTER ST.
Peabody Square
BELVEDERE BS.
Lefroy Ho.
COLLINSON ST.
Collinson Walk
Collinson Ho.
Lake Ho.
SCOVELL RD.
Scovell Cres.
McCoid Way
Borough Sq.
STONES END ST.
BOROUGH
TRINITY ST.
St. Michael's Ct.
AVON PL.
COLE ST.
HORSE-MONGERS MEWS
Bazeley Ho.
DAVIDGE ST.
Lingfield Ho.
JAMES ST.
Gibbings Ho.
King James Ct.
Mathieson Ct.
Belvedere Pl.
A3202
ROAD
Police Sta.
KING'S PL.
A3
TRIO PL.
Southwark County Ct.
TRINITY CHURCH SQ.
MILCOTE ST.
LIBRARY ST.
KING ST.
Hunter Ho.
Murphy Ho.
Lib.
ST. GEORGE'S CIRCUS
BOROUGH ROAD
Deeper Life Bible Ch.
NEWINGTON CAUSEWAY
HARPER RD.
SWAN ST.
Gdns.
Inner London
NEWINGTON CT. BUS. CEN.
Trinity

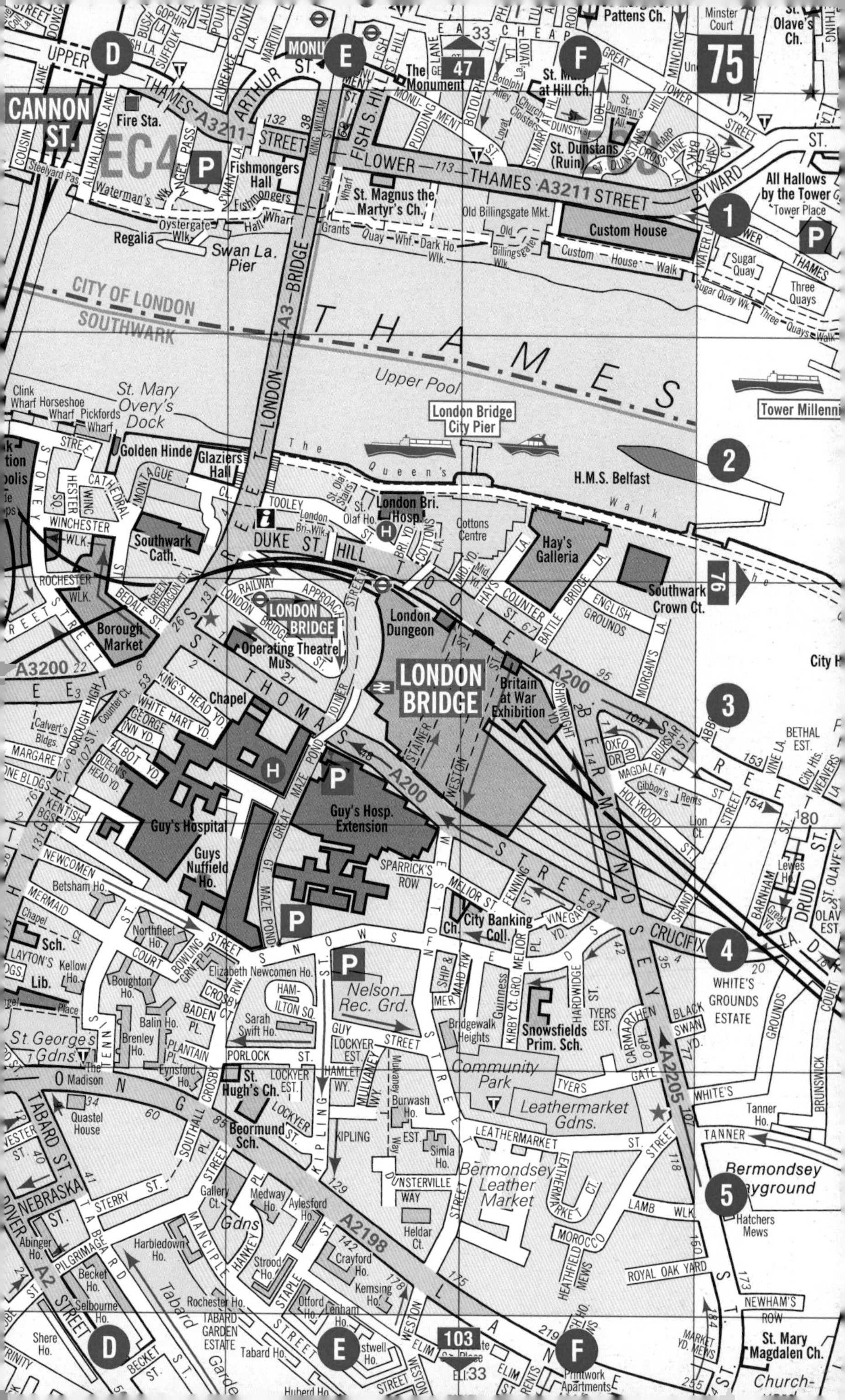

D
E
F
75
47
CANNON ST.
EC4
MONUMENT
The Monument
Pattens Ch.
Minster Court
St. Olave's Ch.
St. Mary at Hill Ch.
St. Dunstans (Ruin)
UPPER THAMES A3211 STREET
LOWER THAMES A3211 STREET
ARTHUR ST.
KING WILLIAM ST.
FISH ST. HILL
PUDDING LA.
BOTOLPH LA.
EASTCHEAP
GREAT TOWER STREET
BYWARD ST.
Fire Sta.
Fishmongers Hall
St. Magnus the Martyr's Ch.
Old Billingsgate Mkt.
Custom House
Custom House Walk
All Hallows by the Tower
Tower Place
Sugar Quay
Three Quays
Regalia
Swan La. Pier
1
CITY OF LONDON
SOUTHWARK
THAMES
Upper Pool
LONDON BRIDGE A3
London Bridge City Pier
Tower Millennium
St. Mary Overy's Dock
Clink Wharf
Horseshoe Wharf
Pickfords Wharf
Golden Hinde
Glaziers Hall
The Queen's Walk
H.M.S. Belfast
2
TOOLEY ST.
DUKE ST. HILL
London Bri. Hosp.
Cottons Centre
Hay's Galleria
Southwark Crown Ct.
76
Southwark Cath.
Borough Market
WINCHESTER WLK.
ROCHESTER WLK.
STONEY STREET
BOROUGH HIGH ST.
A3200
LONDON BRIDGE
London Dungeon
Operating Theatre Mus.
ST. THOMAS ST.
A200
Britain at War Exhibition
City Hall
3
BERMONDSEY STREET
Guy's Hospital
Guy's Hosp. Extension
Guys Nuffield Ho.
Chapel
GREAT MAZE POND
WESTON STREET
SNOWSFIELDS
City Banking Coll.
CRUCIFIX LA.
4
WHITE'S GROUNDS ESTATE
NEWCOMEN ST.
MERMAID CT.
Sch.
Lib.
St. George's Gdns.
LONG LANE
A2198
Nelson Rec. Grd.
Snowsfields Prim. Sch.
Community Park
Leathermarket Gdns.
LEATHERMARKET ST.
Bermondsey Leather Market
Bermondsey Playground
5
St. Hugh's Ch.
Beormund Sch.
KIPLING EST.
DUNSTERVILLE WAY
A2205
TOWER BRIDGE RD.
ROYAL OAK YARD
NEWHAM'S ROW
St. Mary Magdalen Ch.
TABARD ST.
A2 GREAT DOVER STREET
Tabard Garden Estate
103
Printwork Apartments

76
A
B
C
1
2
3
4
5
48
75
104
Pattens Ch.
Minster Court
St. Olave's Ch.
Pepys
Seething Gdns.
Trinity House
TOWER HILL
London Guildhall Univ.
MINORIES
DLR
TOWER GATEWAY
ROYAL MINT STREET
SHORTER ST.
MANSELL
CARTWRIGHT
St. Mary Graces Court
Mary Hill Ch.
GREAT TOWER ST.
St. Dunstan's All.
MUSCOVY ST.
SEETHING LA.
TRINITY SQUARE
TRINITY PL.
Trinity Square Gdns.
Sceptre Ct.
Royal Mint Court
St. Dunstans (Ruin)
ST. DUNSTANS
HARP LANE
CROSS LA.
BYWARD
STREET
TOWER
A3211
HILL
TOWER HILL
EC3
All Hallows by the Tower
Tower Hill Ter.
Tower Place
GLOUCESTER CT.
Tower Gdns.
Sub.
EAST
SMITHFIELD
A1203
LOWER THAMES STREET
Custom House
Custom House Walk
WATER LA.
LOWER THAMES ST.
Sugar Quay
Three Quays
Sugar Quay Wk.
Three Quays Walk
CITY OF LONDON
The Ditch
The Tower of London
TOWER BRIDGE APPROACH
ST. KATHARINE'S WAY
Commodity Quay
International Ho.
St. Katharine Docks
Ivory House
Tower Millennium Pier
Traitors Gate
Tower Wharf
Beach
ST. KATHARINE'S WY.
Tower Hotel
RIVER
THAMES
H.M.S. Belfast
TOWER BRIDGE
St. Katharine's Pier
Tower Bridge Experience
TOWER HAMLETS
SOUTHWARK
Southwark Crown Ct.
The Queen's Walk
ENGLISH GROUNDS
MORGAN'S LA.
City Hall
London Bridge City Park
Potters Fields
TOOLEY
95
104
BETHAL EST.
City Hts.
WEAVERS LA.
VINE LA.
ABBOTS LA.
BURSAR ST.
OXFORD DR.
MAGDALEN
Gibbon's Rents
HOLYROOD
A200
153
154
STREET
Lion Ct.
POTTERS FIELDS
Lambeth Coll. (Tower Bri. Cen.)
ELIZABETH ST.
QN.
A100
TOWER ROAD
226
216
Anchor Brewhouse
Butlers Wharf Pier
UPPER POOL
Butlers Wharf
Compass Ct.
Admirals Ct.
Tower Bri. Plaza
Eagle Wharf Ct.
Copper Row
Brewery Sq.
HORSELYDOWN LANE
GAINSFORD STREET
TOWER BRI. SQ.
Butlers Wharf
Spice Quay Heights
Design Mus.
Tea Trade Wharf
Cinnamon Wharf
New Concordia Wharf
Saffron Wharf
St. Saviour's Wharf
Lewes Ho.
BARNHAM ST.
DRUID ST.
ST. OLAVE'S TER.
ST. OLAVE'S EST.
St. John's Chyd
FAIR ST.
Police Sta.
QUEEN ELIZABETH ST.
Magistrates Court
Horselydown Mans.
JUBILEE YD.
MAGUIRE ST.
Great Yd.
SHAND ST.
CRUCIFIX LA.
A200
20
WHITE'S GROUND ESTATE
London City Mission H.Q.
Tower Bri. Prim. Sch.
BOSS ST.
Boss Ho.
LAFONE ST.
THREE OAK LA.
CURLEW
The Circle
Carnival Ho.
Butlers & Colonial Wharf
Java Wharf
St. Andrew's Wharf
Coopers Lodge
MILLENNIUM SQ.
St. George's Wharf
Dockhead Wharf
Scott's Sufferance Wharf
Vogans Mill
Unity Wharf
Lloyds Wharf
MILL ST.
LIT. LONDON CT.
WOLSELEY ST.
DOCKHEAD
Holy Trinity Ch.
A2207
BERMONDSEY STREET
VINEGAR YD.
HARDWIDGE ST.
TYERS EST.
CARMARTHEN PL.
BLACK SWAN YD.
GROUNDS
COURT
BRUNSWICK CT.
ROPER LA.
ST. JOHN'S ESTATE
COXSON WY.
466
283
300
182
34
Tyers Gate
WHITE'S GROUNDS
Leathermarket Gdns.
Tanner Ho.
TANNER STREET
MALTINGS PL.
KELLMONGERS PATH
BEVINGTON PATH
179
SE1
TANNER ST.
PHOENIX WHARF RD.
ARNOLD ESTATE
SWEENEY CRES.
JAMAICA ROAD
MALTBY ST.
TANNER ST.
Bermondsey Playground
Hatchers Mews
LAMB WLK.
LEATHERMARKET CT.
MOROCCO ST.
HEATHFIELD MEWS
ROYAL OAK YARD
A2205
BERMONDSEY ST.
POPE ST.
Florin Ct.
POPE ST.
RILEY RD.
PURBROOK ESTATE
MILLSTREAM RD.
STANWORTH ST.
Wharton Ho.
Preston Ho.
Marlow Ho.
Rufus Ho.
ARNOLD ESTATE
NECKINGER ST.
NEWHAM'S ROW
MARKET YD. MEWS
COACH HO. MEWS
St. Mary Magdalen
PURBROOK
Tomson Ho.
ST. SAVIOUR'S EST.
Bromleigh
GEDLING PL.
ABBEY STREET
Printwork Apartments
Church-yard
St. Lawrence Ho.
Chartes Ho.
Attilburgh
255

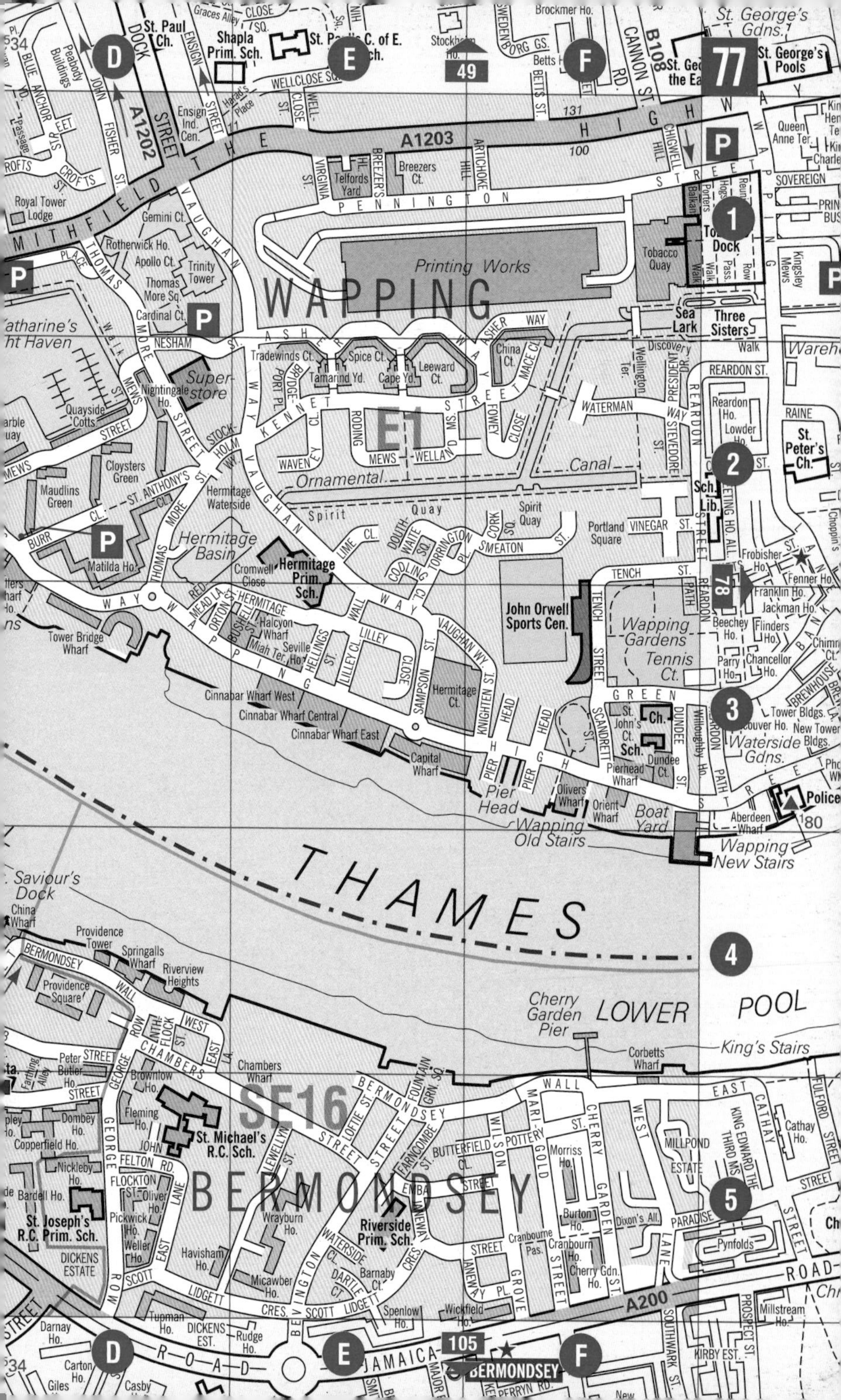

77
49
78
80
105
D
E
F
1
2
3
4
5
WAPPING
E1
THAMES
LOWER
POOL
SE16
BERMONDSEY
A1203
A1202
B108
A200
THE HIGHWAY
St. Paul Ch.
Shapla Prim. Sch.
St. George's Gdns.
St. George's Pools
Peabody Buildings
Blue Anchor Yd.
John Fisher St.
Dock Street
Ensign Street
Ensign Ind. Cen.
Wellclose Sq.
Well Close
Stockholm Ho.
Swedenborg Gs.
Brockmer Ho.
Betts Ho.
Betts St.
Cannon St. Rd.
Chigwell Hill
Queen Anne Ter.
Sovereign
Kingsley Mews
Crofts St.
Royal Tower Lodge
Smithfield
Gemini Ct.
Rotherwick Ho.
Apollo Ct.
Trinity Tower
Thomas More Sq.
Cardinal Ct.
Vaughan Way
Virginia St.
Telfords Yard
Breezer's Hill
Breezers Ct.
Artichoke Hill
Pennington Street
Printing Works
Tobacco Quay
Tobacco Dock
Sea Lark
Three Sisters
Asher Way
Nesham St.
Tradewinds Ct.
Spice Ct.
Tamarind Yd.
Cape Yd.
Leeward Ct.
China Ct.
Mace Cl.
Fowey Close
Bridge Port Pl.
Kennet Street
Roding Mews
Welland Ms.
Wavene Cl.
Ornamental Canal
Waterman Way
Wellington Ter.
Discovery
President Dr.
Stevedore St.
Reardon St.
Reardon Ho.
Lowder Ho.
Raine St.
St. Peter's Ch.
Sch.
Lib.
Superstore
Nightingale Ho.
Quayside Cotts
Marble Quay
Thomas More Street
Stockholm Wy.
Cloysters Green
Maudlins Green
St. Anthony's Cl.
Burr Cl.
Matilda Ho.
Hermitage Waterside
Hermitage Basin
Spirit Quay
Lime Cl.
Douthwaite Sq.
Torrington Pl.
Cork Sq.
Smeaton St.
Portland Square
Vinegar St.
Tench St.
Codling Cl.
Cromwell Close
Hermitage Prim. Sch.
John Orwell Sports Cen.
Wapping Gardens
Tennis Ct.
Frobisher Ho.
Fenner Ho.
Franklin Ho.
Jackman Ho.
Beechey Ho.
Flinders Ho.
Parry Ho.
Chancellor Ho.
Tower Bridge Wharf
Wapping Way
Mead La.
Orton St.
Hermitage
Bushell St.
Halcyon Wharf
Miah Ter.
Seville Ho.
Hellings St.
Lilley Cl.
Lilley Close
Wapping Lane
Sampson St.
Vaughan Wy.
Hermitage Ct.
Knighten St.
Cinnabar Wharf West
Cinnabar Wharf Central
Cinnabar Wharf East
Capital Wharf
Pier Head
Olivers Wharf
Orient Wharf
Scandrett St.
St. John's Ct.
Ch.
Dundee Ct.
Dundee Wharf
Pierhead Wharf
Boat Yard
Willoughby Ho.
Wapping High Street
Green Bank
Brewhouse La.
Tower Bldgs.
New Tower Bldgs.
Waterside Gdns.
Police
Aberdeen Wharf
Wapping Old Stairs
Wapping New Stairs
Saviour's Dock
China Wharf
Providence Tower
Springalls Wharf
Riverview Heights
Providence Square
Bermondsey Wall West
East La.
Flockton St.
Chambers Street
Chambers Wharf
Peter Butler Ho.
Farthing Alley
Brownlow Ho.
Fleming Ho.
St. Michael's R.C. Sch.
Dombey Ho.
Copperfield Ho.
Nickleby Ho.
Bardell Ho.
St. Joseph's R.C. Prim. Sch.
Dickens Estate
George Row
John Felton Rd.
Oliver Ho.
Pickwick Ho.
Weller Ho.
Havisham Ho.
Wrayburn Ho.
Micawber Ho.
Llewellyn St.
Loftie St.
Bermondsey Street
Fountain Grn. Sq.
Farncombe St.
Riverside Prim. Sch.
Waterside Cl.
Dartle Ct.
Barnaby Ct.
Bevington St.
Scott Lidgett Cres.
Spenlow Ho.
Wickfield Ho.
Tupman Ho.
Dickens Est.
Rudge Ho.
Darnay Ho.
Carton Ho.
Giles
Casby
Jamaica Road
Bermondsey
Perryn Rd.
Butterfield Cl.
Wilson Gro.
Pottery St.
Marigold St.
Janeway St.
Janeway Pl.
Cranbourne Pas.
Cranbourne Ho.
Cherry Gdn. Ho.
Morriss Ho.
Burton Ho.
Cherry Garden St.
Cherry Garden Pier
Corbetts Wharf
Dixon's All.
West Lane
Millpond Estate
Paradise Street
Pynfolds
King Edward the Third Ms.
Cathay St.
Cathay Ho.
Fulford Street
East Lane
King's Stairs
Southwark Park Road
Prospect St.
Kirby Est.
Millstream Ho.

78
A
B
C
50
St. George's Gdns.
St. George in the East Ch.
Lowood St.
Chancery Bldgs.
Solander Gdns.
Jun & Inf. Schs.
Tarbert
Redcastle
Gordon Ho.
Glamis
A1203
The Highway
Dock Cotts.
St. Paul's Church
Bowling Green
Tennis Courts
King Henry Ter.
Queen Anne Ter.
Queen Victoria Ter.
King Charles Ter.
West Gdns.
Newlands Quay
Maynards Quay
Rum Cl.
Garnet Street
Peartree La.
Glamis Road
Shadwell Basin
Shadwell Pierhead
Pennington Street
Chigwell Hill
Sovereign Cl.
Princes Ct. Bus. Cen.
Tobacco Dock
Tobacco Quay
Kingsley Mews
Benson Quay
Old Basin
Prospect Wharf
Sea Lark
Three Sisters
SHADWELL
Wine Cl.
Milk Yard
Capstan Ct.
Warehouses
E1
Riverside Mansions
Monza St.
Trafalgar Ct.
Pelican Wharf
Pelican Stairs
Pier
Discovery Walk
Wellington Ter.
President Dr.
Reardon St.
John Rennie Walk
Wainwright Ho.
Merchant Ct.
Prospect Place
Waterman Way
Reardon Ho.
Lowder Ho.
Raine St.
St. Peter's Ch.
Farthing Fields
Pennington
Penang Ho.
Pearl St.
Whitethorn Ho.
Wavel Ct.
Garnet Ho.
Metropolitan Wharf
New Jubilee Wharf
Canal
Chandler St.
Meeting Ho. All.
Oswell Ho.
Shackleton Ho.
St. Peter's C. of E. Prim. Sch.
New Crane Pl.
New Crane Wharf
Sch.
Lib.
Doughty Ct.
Portland Square
Vinegar St.
Inglefield Square
Hilliard Ho.
Hilliards Ct.
New Crane Stairs
Frobisher Ho.
Court
Welsh Ho.
Clegg St.
Tasman Ho.
Prusom's Island
St. Hilda's Wharf
Tench Street
Watts St.
Fenner Ho.
Ross Ho.
Cinnamon St.
Cave St.
77
Franklin Ho.
Jackman Ho.
Reardon Path
Wapping Gardens
Beechey Ho.
Flinders Ho.
Chimney Ct.
Falconet Ct.
Wapping Dock St.
RIVER
Wapping
Tennis Ct.
Parry Ho.
Chancellor Ho.
Brewhouse La.
Moran Ho.
Bridewell Pl.
Wapping High Street
Green Bank
Gun Wharf
St. John's Ct.
Dundee Ct.
Tower Bldgs.
New Tower Bldgs.
Gun Ho.
Wapping Dock Stairs
Vancouver Ho.
Waterside Gdns.
Scandrett St.
Pierhead Wharf
Phoenix Wharf
King Henry's Stairs
Olivers Wharf
Orient Wharf
Boat Yard
Police Sta.
Aberdeen Wharf
Wapping Pier
180
Wapping New Stairs
Mountbatten Ct.
Columbus Ct.
Cook Ct.
Horatio Ct.
Hanover Stairs
Isambard Pl.
Cumberland Wharf
Canon
Clifton Pl.
Western Pl.
Church Stairs
Rotherhithe St.
Seaford Ho.
Winchelsea Ho.
Sandwich Ho.
Rye Ho.
Hythe Ho.
Kenning St.
Swan Road
POOL
4
East India Wharf
St. Mary's Ch.
Tunnel Rd.
Railway Av.
Ainsty St.
Pine Ho.
LOWER
Prince's Stairs
Prince's Tower
Hope Wharf
St. Marychurch St.
ROTHERHITHE
Adams Gds. Est.
Hatteraick St.
Ronald Buckingham Ct.
Albion St.
Rail Way Av.
Corbetts Wharf
King's Stairs
King Stairs Cl.
Elephant La.
Henley Cl.
Temeraire St.
Turner Ct.
Bermondsey Wall East
Cathay Ho.
Cathay St.
King Edward the Third Ms.
Fulford Street
Mayflower St.
St. Mary's Est.
Frank Whymark Ho.
Rupack St.
Brunel Road
Tunnel Approach
A101
Clack St.
Laburnum Ct.
Seth St.
Cherry Garden St.
Millpond Estate
King Stairs Gardens
Cottle Way
Albion Prim. Sch.
Albion Estate
Morriss Ho.
5
Dixon's All.
Paradise Street
R.C. Ch.
Ch.
Lib.
Risdon St.
Renforth St.
Aylton Est.
Burton Ho.
Cranbourn Ho.
Cherry Gdn. Ho.
Pynfolds
Road
St. Olav's Square
Neptune St.
Irwell Estate
Pump Ho. Cl.
Jamaica Road
A200
Christ Church Gate
Lower Rd.
City Bus. Cen.
Calgary Ct.
Manitoba Ct.
Scotia Ct.
Canada Est.
Bus. Sta.
Millstream Ho.
Prospect St.
Southwark Pk. Rd.
Kirby Est.
106
Blick Ho.
Neptune Ho.
Murdoch Ho.
Niagra Ct.
Regina Point
Moodkee St.
Clegg Ho.
Edmonton Ct.
Canada Water
535

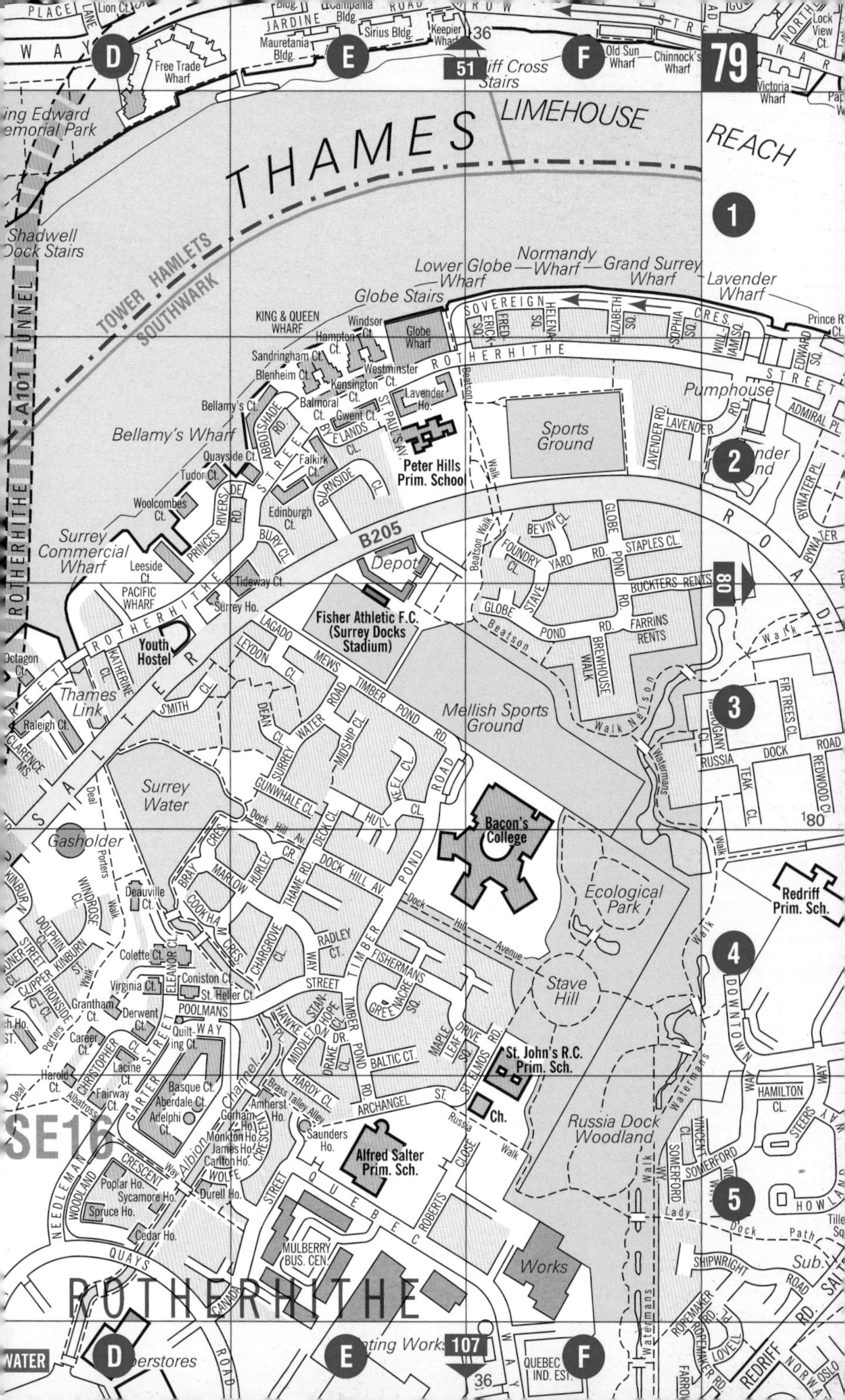

79
D
E
F
51
36
PLACE
LANE
Lion Ct.
WAY
JARDINE
ROAD
ROW
STREET
NARROW
Campania Bldg.
Sirius Bldg.
Mauretania Bldg.
Keepier Wharf
Free Trade Wharf
Old Sun Wharf
Chinnock's Wharf
Lock View Ct.
Victoria Wharf
Cliff Cross Stairs
King Edward Memorial Park
THAMES
LIMEHOUSE
REACH
1
Shadwell Dock Stairs
TOWER HAMLETS
SOUTHWARK
ROTHERHITHE TUNNEL
A101
Lower Globe Wharf
Normandy Wharf
Grand Surrey Wharf
Lavender Wharf
Globe Stairs
KING & QUEEN WHARF
Windsor Ct.
Hampton Ct.
Globe Wharf
SOVEREIGN CRES.
ERICK SQ.
FRED.
HELENA SQ.
ELIZABETH SQ.
SOPHIA SQ.
WILLIAM SQ.
EDWARD SQ.
Prince Regent Ct.
ROTHERHITHE STREET
Sandringham Ct.
Blenheim Ct.
Westminster Ct.
Kensington Ct.
Lavender Ho.
Beatson
Sports Ground
Pumphouse
LAVENDER RD.
LAVENDER
ADMIRAL PL.
2
Bellamy's Ct.
Balmoral Ct.
Gwent Ct.
ST. PAUL'S AV.
ABBOTSHADE RD.
BYELANDS CL.
Bellamy's Wharf
Quayside Ct.
Falkirk Ct.
Peter Hills Prim. School
Walk
Tudor Ct.
BURNSIDE CL.
RIVERSIDE
Woolcombes Ct.
Edinburgh Ct.
PRINCES RIVERSIDE RD.
BURY CL.
Surrey Commercial Wharf
B205
Beatson Walk
BEVIN CL.
GLOBE POND RD.
STAPLES CL.
BYWATER PL.
BYWATER
ROAD
FOUNDRY CL.
YARD
STAVE
Depot
Leeside Ct.
Tideway Ct.
BUCKTERS RENTS
80
PACIFIC WHARF
Surrey Ho.
Fisher Athletic F.C. (Surrey Docks Stadium)
GLOBE POND RD.
FARRINS RENTS
BREWHOUSE WALK
ROTHERHITHE
Youth Hostel
LAGADO MEWS
LEYDON CL.
Beatson Walk
Octagon Ct.
STREET
KATHERINE CL.
TIMBER POND RD.
Nelson Walk
Thames Link
SMITH CL.
SALTER RD.
Raleigh Ct.
DEAN CL.
SURREY WATER ROAD
MIDSHIP CL.
Mellish Sports Ground
3
FIR TREES CL.
MAHOGANY CL.
RUSSIA DOCK ROAD
CLARENCE MS.
Surrey Water
SURREY
GUNWHALE CL.
KEEL CL.
ROAD
Watermans
TEAK CL.
REDWOOD CL.
Deal
HULL CL.
Dock Hill Av.
Bacon's College
80
Gasholder
Porters
BRAY CRES.
HURLEY CR.
DECK CL.
DOCK HILL AV.
POND
Walk
Redriff Prim. Sch.
KINBURN
WINDROSE CL.
MARLOW
COOKHAM CRES.
THAME RD.
Ecological Park
Deauville Ct.
Dock Hill Avenue
DOLPHIN CL.
Walk
CHARGROVE CL.
RADLEY CT.
TIMBER
FISHERMANS
4
Colette Ct.
ELEANOR CL.
Stave Hill
DOWNTOWN
KINBURN ST.
Virginia Ct.
Coniston Ct.
WAY
STREET
CLIPPER CL.
IRONSIDE CL.
St. Heller Ct.
GREENACRE SQ.
Grantham Ct.
Derwent Ct.
POOLMANS
HAWKE PL.
STANHOPE CL.
Porters
Career Ct.
Quilting Ct.
WAY
GARTER STREET
MIDDLETON DR.
TIMBER POND RD.
MAPLE LEAF SQ.
DRIVE
ST. ELMOS RD.
St. John's R.C. Prim. Sch.
WAY
CHRISTOPHER CL.
Lacine Ct.
DRAKE CL.
BALTIC CT.
Harold Ct.
Fairway Ct.
Basque Ct.
Aberdale Ct.
HARDY CL.
Channel
Brass Talley Alley
ARCHANGEL ST.
Ch.
HAMILTON CL.
Deal
Albatross
Adelphi Ct.
Gorham Ho.
Amherst Ho.
Russia
Russia Dock Woodland
Watermans
SE16
Albion
Monkton Ho.
James Ho.
Carlton Ho.
CRESCENT
Saunders Ho.
Walk
STEERS WAY
CRESCENT
Way
WOLFE
Alfred Salter Prim. Sch.
CLOSE
SOMERFORD
VINCENT CL.
SOMERFORD WAY
Poplar Ho.
Sycamore Ho.
Durell Ho.
STREET
Walk
5
HOWLAND
NEEDLEMAN
WOODLAND
Spruce Ho.
QUEBEC
ROBERTS
Lady Dock Path
Tiller Sq.
Cedar Ho.
QUAYS
MULBERRY BUS. CEN.
Works
Sub.
SHIPWRIGHT ROAD
ROTHERHITHE
CANADA
Watermans
ROPEMAKER RD.
LOVELL PL.
REDRIFF RD.
WATER
Superstores
ROAD
Printing Works
107
36
WAY
QUEBEC IND. EST.
FARROW
NORWAY
OSLO

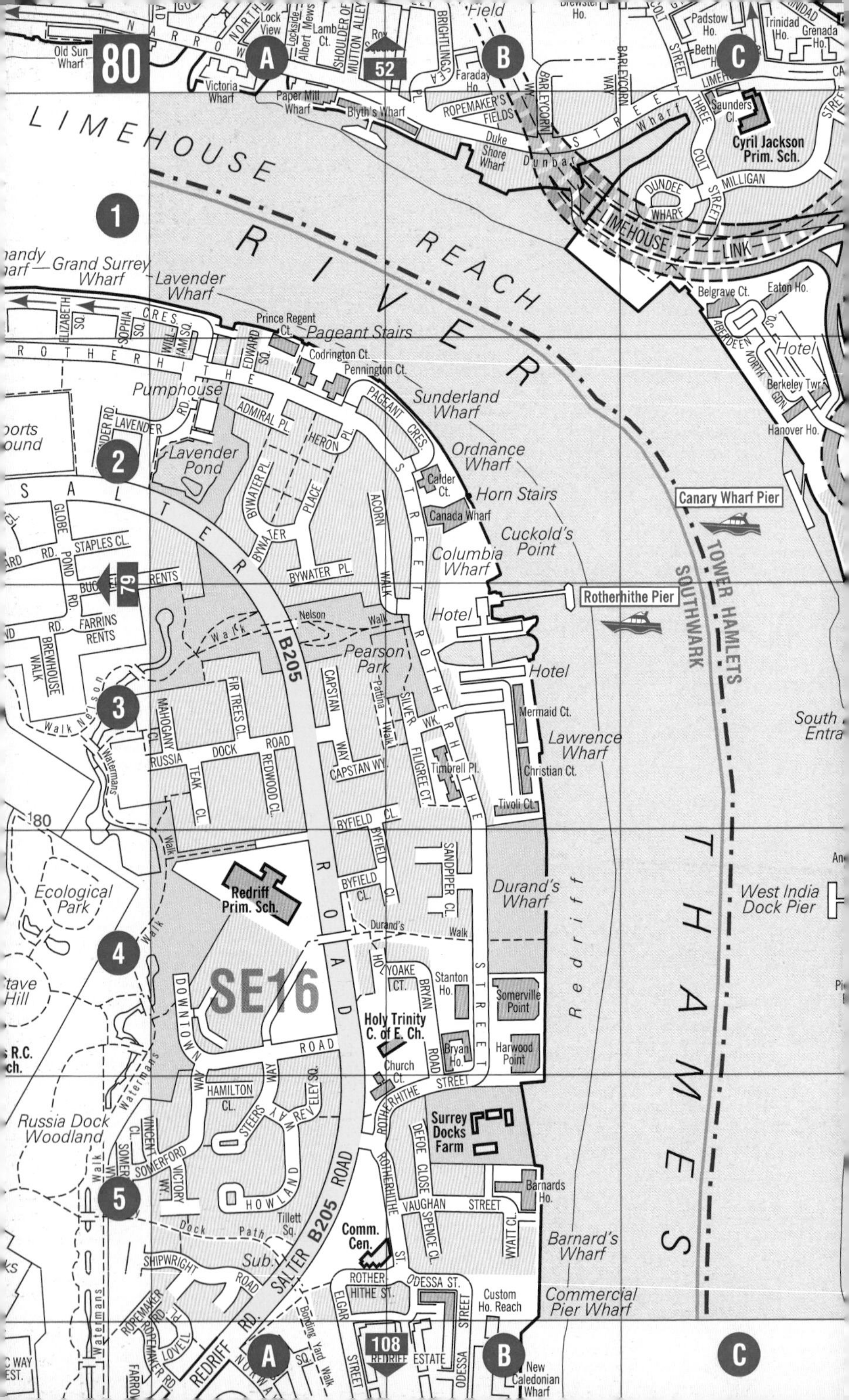

80
52
79
108
A
B
C
1
2
3
4
5
LIMEHOUSE REACH
RIVER THAMES
NARROW STREET
Old Sun Wharf
Victoria Wharf
Paper Mill Wharf
Blyth's Wharf
Duke Shore Wharf
Dunbar Wharf
ROPEMAKER'S FIELDS
BARLEYCORN WAY
THREE COLT STREET
Cyril Jackson Prim. Sch.
DUNDEE WHARF
MILLIGAN
LIMEHOUSE LINK
Belgrave Ct.
Eaton Ho.
Hotel
Berkeley Twr.
Hanover Ho.
Canary Wharf Pier
TOWER HAMLETS
SOUTHWARK
Grand Surrey Wharf
Lavender Wharf
Prince Regent Ct.
Pageant Stairs
Codrington Ct.
Pennington Ct.
Sunderland Wharf
Ordnance Wharf
Horn Stairs
Cuckold's Point
Columbia Wharf
Canada Wharf
Calder Ct.
Rotherhithe Pier
Hotel
Mermaid Ct.
Lawrence Wharf
Christian Ct.
Tivoli Ct.
Timbrell Pl.
ROTHERHITHE STREET
PAGEANT CRES.
Pumphouse
Lavender Pond
ADMIRAL PL.
HERON PL.
BYWATER PL.
ACORN WALK
SALTER ROAD
B205
Nelson Walk
Pearson Park
CAPSTAN WAY
CAPSTAN WY.
SILVER WK.
FILIGREE CT.
RUSSIA DOCK ROAD
MAHOGANY CL.
FIR TREES CL.
TEAK CL.
REDWOOD CL.
Watermans Walk
Ecological Park
Redriff Prim. Sch.
SE16
BYFIELD CL.
SANDPIPER CL.
Durand's Wharf
Durand's Walk
YOAKE CT.
BRYAN ROAD
Stanton Ho.
Somerville Point
Harwood Point
Holy Trinity C. of E. Ch.
Church Ct.
Bryan Ho.
Redriff
DOWNTOWN ROAD
HAMILTON CL.
STEERS WAY
REVELEY SQ.
Surrey Docks Farm
Russia Dock Woodland
SOMERFORD WAY
VICTORY WY.
HOWLAND WAY
DEFOE CLOSE
VAUGHAN STREET
SPENCE CL.
WYATT CL.
Barnards Ho.
Barnard's Wharf
Dock Path
Tillett Sq.
Comm. Cen.
Sub.
SHIPWRIGHT ROAD
ODESSA ST.
Custom Ho. Reach
Commercial Pier Wharf
ELGAR STREET
REDRIFF ESTATE
REDRIFF RD.
ROPEMAKER RD.
LOVELL PL.
Bonding Yard Walk
New Caledonian Wharf
West India Dock Pier
South Entra
180

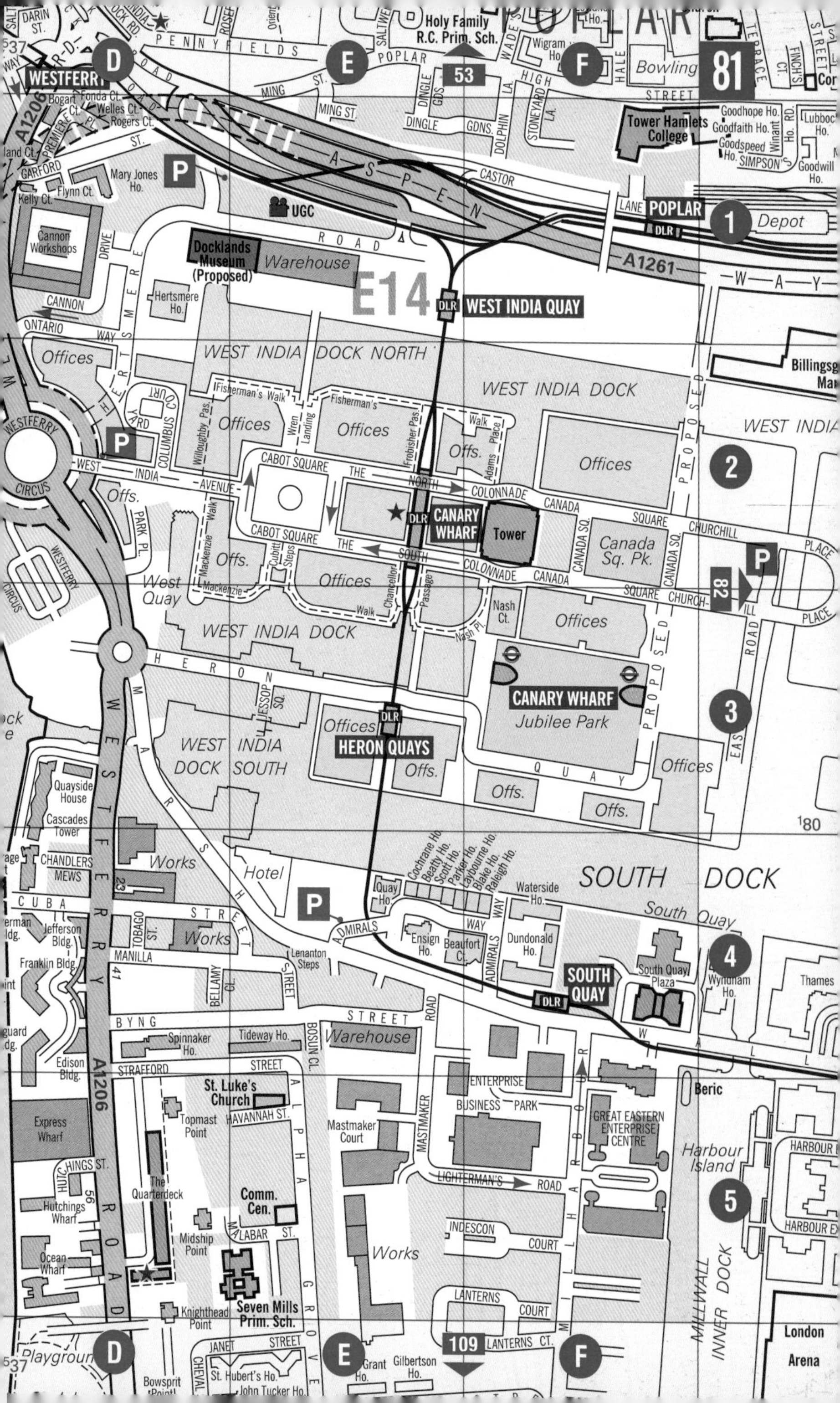

POPLAR
Holy Family R.C. Prim. Sch.
53
PENNYFIELDS
POPLAR HIGH STREET
WESTFERRY
Tower Hamlets College
ASPEN WAY
UGC
Docklands Museum (Proposed)
Warehouse
E14
WEST INDIA QUAY
POPLAR
DLR
Depot
A1261
A1206
WEST INDIA DOCK NORTH
WEST INDIA DOCK
WEST INDIA AVENUE
WESTFERRY CIRCUS
CABOT SQUARE
NORTH COLONNADE
SOUTH COLONNADE
CANARY WHARF
Tower
CANADA SQUARE
Canada Sq. Pk.
CHURCHILL PLACE
82
HERON QUAYS
CANARY WHARF Jubilee Park
WEST INDIA DOCK SOUTH
MARSH WALL
SOUTH DOCK
South Quay
SOUTH QUAY
WESTFERRY ROAD
Works
Hotel
ADMIRALS WAY
CUBA STREET
MANILLA
BYNG STREET
Warehouse
STRAFFORD STREET
St. Luke's Church
ENTERPRISE BUSINESS PARK
GREAT EASTERN ENTERPRISE CENTRE
LIGHTERMAN'S ROAD
Harbour Island
MILLWALL INNER DOCK
Express Wharf
The Quarterdeck
Comm. Cen.
Seven Mills Prim. Sch.
London Arena
109
LANTERNS CT.
D
E
F
1
2
3
4
5

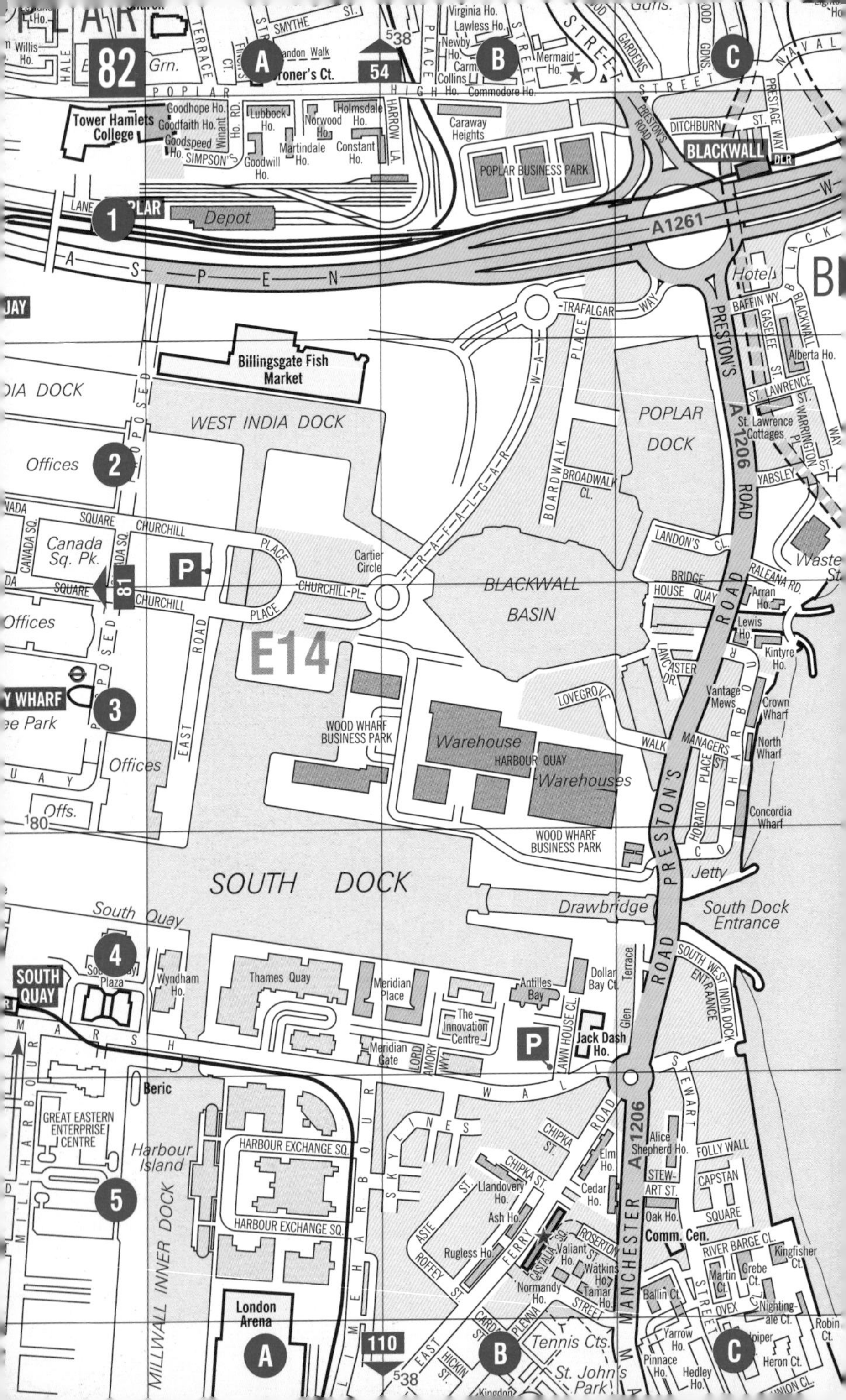

82
A
B
C
54
538
Tower Hamlets College
POPLAR HIGH STREET
BLACKWALL
DLR
POPLAR BUSINESS PARK
Depot
A1261
ASPEN WAY
Billingsgate Fish Market
WEST INDIA DOCK
POPLAR DOCK
BLACKWALL BASIN
E14
Cartier Circle
TRAFALGAR WAY
PRESTON'S ROAD
A1206
Canada Sq. Pk.
Offices
81
WOOD WHARF BUSINESS PARK
Warehouse
HARBOUR QUAY
Warehouses
SOUTH DOCK
South Quay
Drawbridge
South Dock Entrance
SOUTH QUAY
Thames Quay
Meridian Place
The Innovation Centre
Jack Dash Ho.
MARSH WALL
GREAT EASTERN ENTERPRISE CENTRE
Harbour Island
HARBOUR EXCHANGE SQ.
MILLWALL INNER DOCK
London Arena
MANCHESTER ROAD
110
Tennis Cts.
St. John's Park
1
2
3
4
5
180

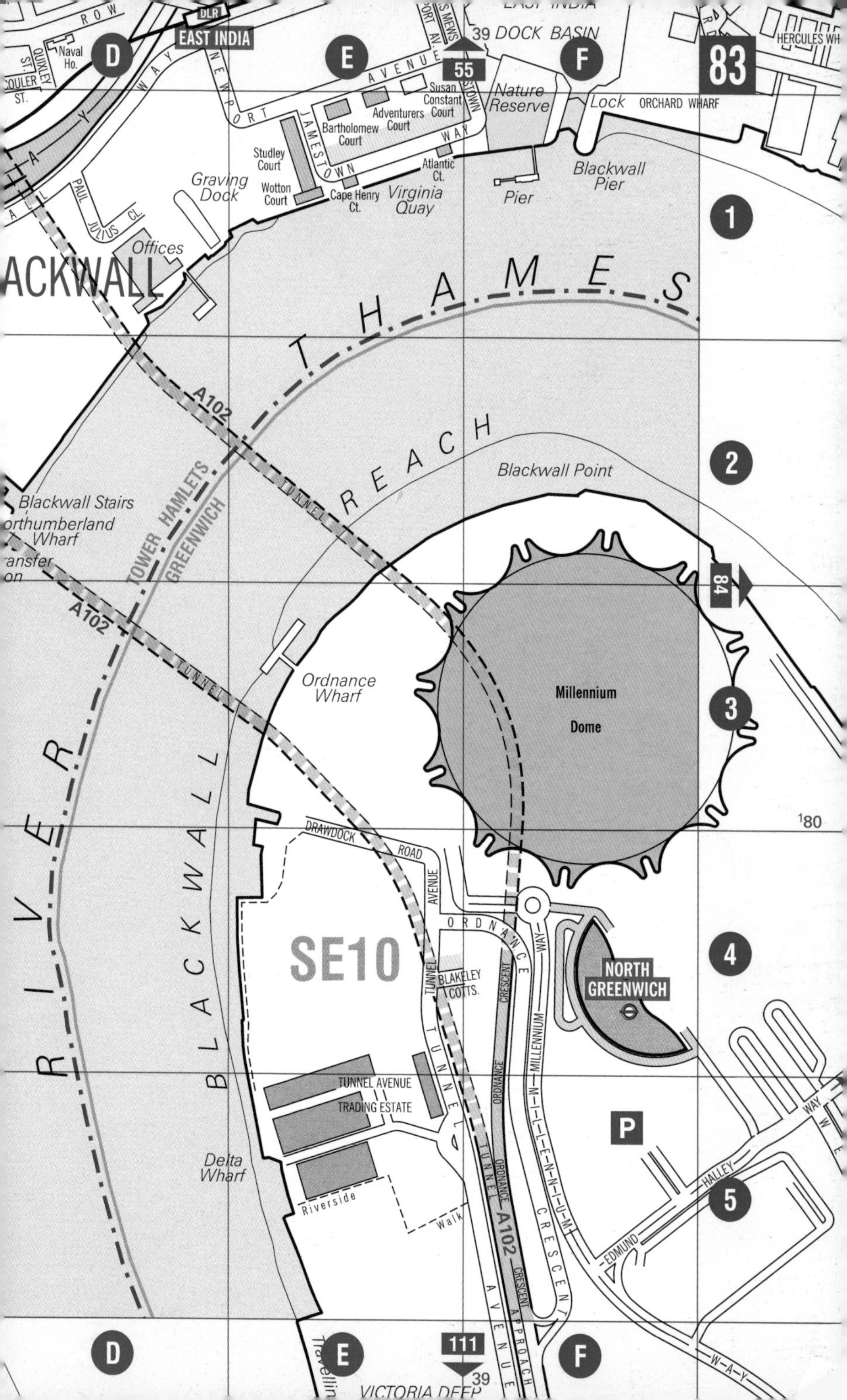

D **E** **F**

DLR
EAST INDIA

EAST INDIA

39 DOCK BASIN

HERCULES WH

ROW

Naval Ho.

QUAYLEY ST.

SQUIER ST.

AVENUE

55

Susan Constant Court

Adventurers Court

Bartholomew Court

Studley Court

Wotton Court

Cape Henry Ct.

Atlantic Ct.

Nature Reserve

Lock

ORCHARD WHARF

Pier

Blackwall Pier

Offices

Graving Dock

Virginia Quay

1

PAUL JULIUS CL.

A 1 1 H A Y

NEWPORT

JAMESTOWN

WAY

ACKWALL

T · H · A · M · E · S

R · E · A · C · H

A102

TOWER HAMLETS

GREENWICH

Blackwall Point

2

Blackwall Stairs

orthumberland Wharf

ansfer on

A102

TUNNEL

84

Ordnance Wharf

Millennium Dome

3

¹80

R · I · V · E · R

B · L · A · C · K · W · A · L · L

DRAWDOCK

ROAD

SE10

AVENUE

ORDNANCE

WAY

Blakeley Cotts.

North Greenwich
NORTH GREENWICH ⊖

4

TUNNEL

CRESCENT

MILLENNIUM

ORDNANCE

TUNNEL AVENUE TRADING ESTATE

P

Delta Wharf

HALLEY

EDMUND

WAY

Riverside

Walk

5

A102

CRESCENT

APPROACH

AVENUE

WAY

D **E** **F**

111

39

VICTORIA DEEP

Travelli

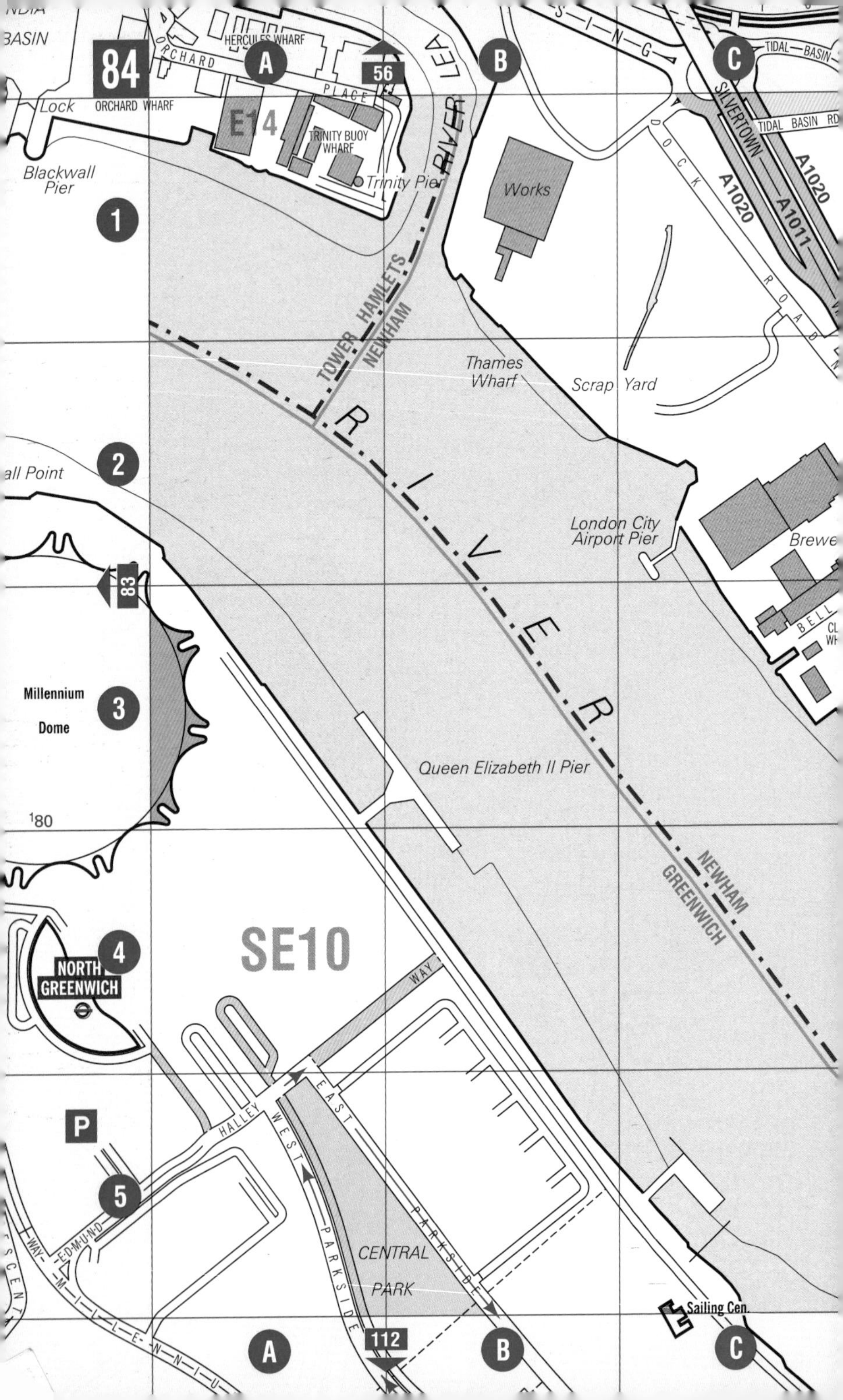

84
ORCHARD
HERCULES WHARF
PLACE
ORCHARD WHARF
Lock
E14
TRINITY BUOY WHARF
Trinity Pier
Blackwall Pier
56
RIVER LEA
Works
TIDAL BASIN
SILVERTOWN
TIDAL BASIN RD
DOCK ROAD
A1020
A1011
TOWER HAMLETS
NEWHAM
Thames Wharf
Scrap Yard
RIVER
London City Airport Pier
83
Millennium Dome
Queen Elizabeth II Pier
NEWHAM
GREENWICH
SE10
NORTH GREENWICH
WAY
HALLEY
WEST
EAST
PARKSIDE
CENTRAL PARK
EDMUND
Sailing Cen.
112

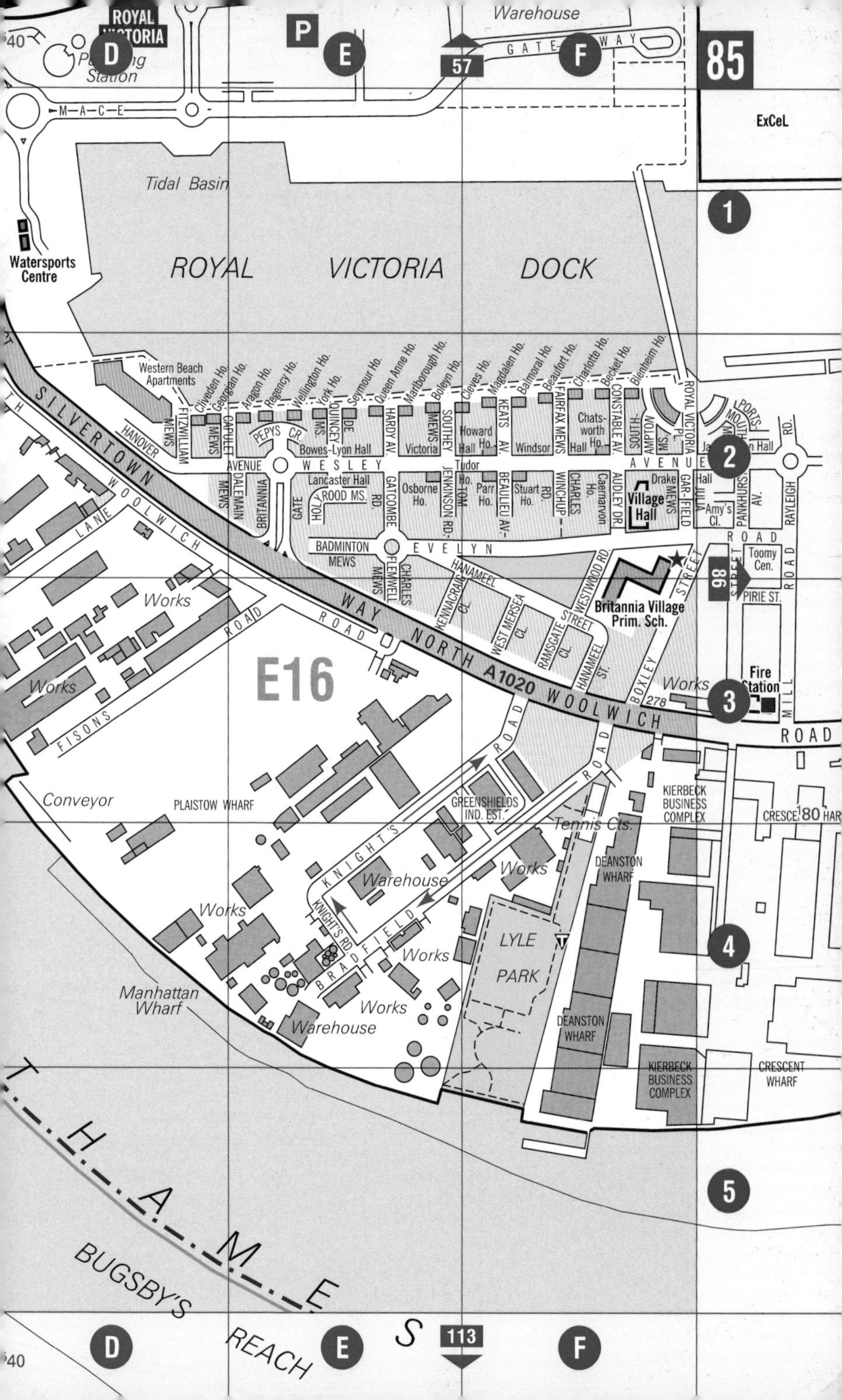

ROYAL VICTORIA
ExCeL
Tidal Basin
Watersports Centre
ROYAL VICTORIA DOCK
Western Beach Apartments
Bowes-Lyon Hall
Lancaster Hall
Village Hall
Britannia Village Prim. Sch.
Toomy Cen.
Fire Station
E16
SILVERTOWN WAY
NORTH WOOLWICH ROAD
A1020
Works
Conveyor
PLAISTOW WHARF
GREENSHIELDS IND. EST.
Tennis Cts.
DEANSTON WHARF
KIERBECK BUSINESS COMPLEX
CRESCENT WHARF
LYLE PARK
Warehouse
Manhattan Wharf
THAMES
BUGSBY'S REACH

57
98
113

EWAY 86

A

ExCeL
541
58

B P P **C**

P P

P P

ROYAL VICTORIA DOCK

1

Hubert Ho.
Charlotte Ho.
Becket Ho.
Blenheim Ho.
FAIRFAX MEWS
CONSTABLE AV.
Chatsworth Hall Ho.
AUDLEY DR.
WESLEY
CHARLES
WINCHUP
Caernarvon Ho.

ROYAL VICTORIA
NON-ST.
MOWS
PIPT ST.
PORTS

Jane Austen Hall

2

AVENUE

Drake Mews
Village Hall
GAR- -FIELD
Hall JULIA
Amy's Cl.
PANKHURST AV.
RAYLEIGH
RD

Mill
Millennium Mill

E16

EVELYN
85

ROAD
Toomy Cen.
PIRIE ST.

STREET

Pontoon Dock

Depot

Britannia Village Prim. Sch.
WESTWOOD RD.

D Silo

BURT RD.

HANAMEL ST.
GATE
STREET
CL.
BOXLEY ST.
Works

Fire Station

FORT ST.
MILL RD

3

WOOLWICH A1020

BARRIER POINT RD.

NORTH

ROAD

'80
Tennis Cts.

KIERBECK BUSINESS COMPLEX

CRESCENT WHARF

SILVERTOWN

THAMES BARRIER

PARK

BARRIER

DEANSTON WHARF

4

POINT

ROAD

DEANSTON WHARF

KIERBECK BUSINESS COMPLEX

CRESCENT WHARF

Jetty

5

W O O L W I C H

R I V E R

A

541

B

C

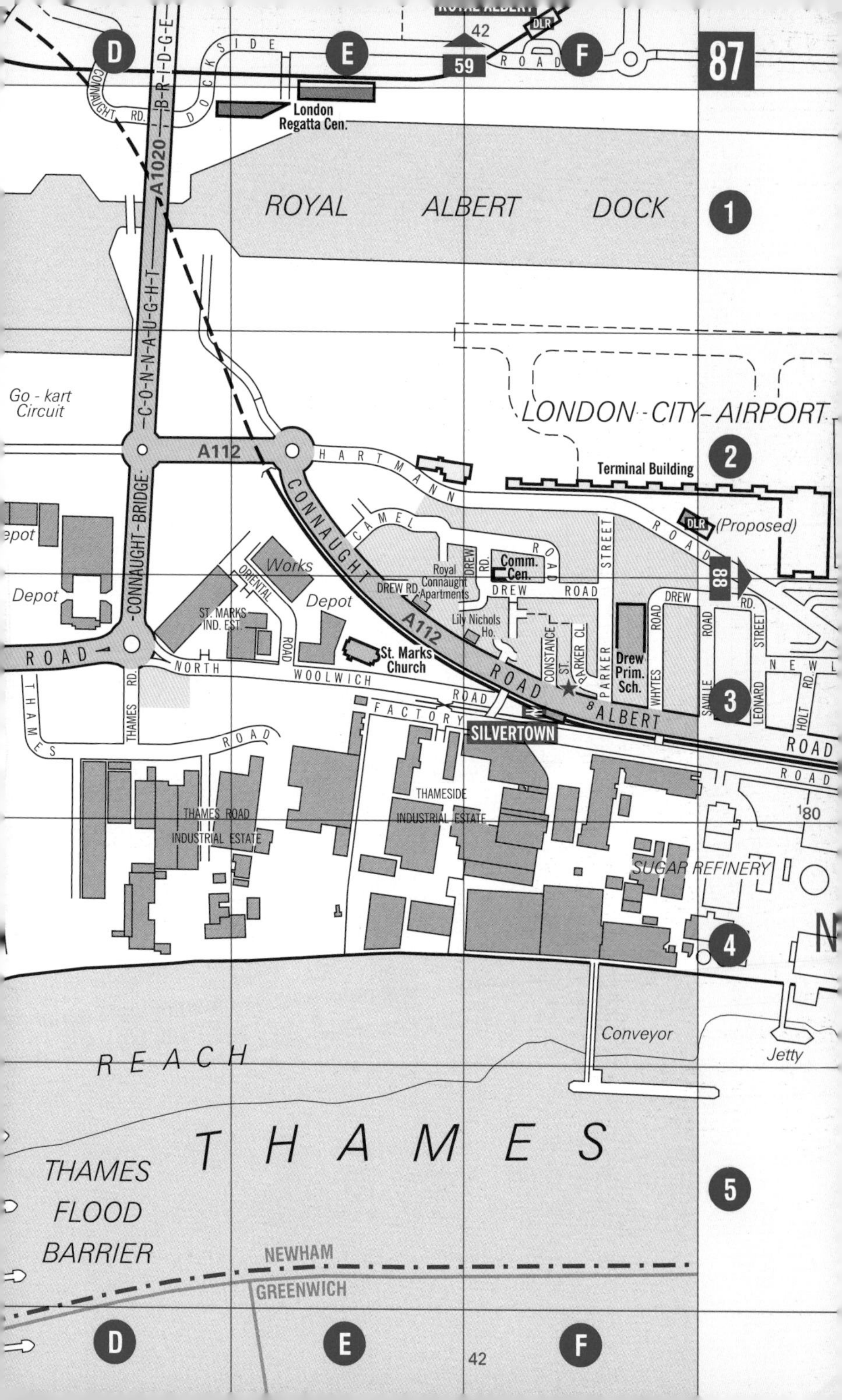

ROYAL ALBERT
42
DLR
D
E
F
DOCKSIDE
ROAD
59
CONNAUGHT RD.
DOCK
London
Regatta Cen.
A1020
CONNAUGHT BRIDGE
ROYAL ALBERT DOCK
1
Go - kart
Circuit
LONDON CITY AIRPORT
2
A112
HARTMANN
Terminal Building
CONNAUGHT
CAMEL
DLR
(Proposed)
ROAD
88
Depot
Works
ORIENTAL
Depot
Royal
Connaught
Apartments
DREW RD.
Comm.
Cen.
DREW ROAD
STREET
ST. MARKS
IND. EST.
Lily Nichols
Ho.
St. Marks
Church
CONSTANCE
ST.
PARKER CL.
PARKER
Drew
Prim.
Sch.
WHYTES
ROAD
DREW
RD.
STREET
NEWL
3
ROAD
NORTH
WOOLWICH
ROAD
THAMES RD.
FACTORY
SILVERTOWN
8 ALBERT
SAVILLE
LEONARD
HOLT
RD.
ROAD
THAMES
ROAD
ROAD
THAMESIDE
INDUSTRIAL ESTATE
THAMES ROAD
INDUSTRIAL ESTATE
180
SUGAR REFINERY
4
N
Conveyor
Jetty
REACH
THAMES
THAMES
FLOOD
BARRIER
5
NEWHAM
GREENWICH
D
E
F

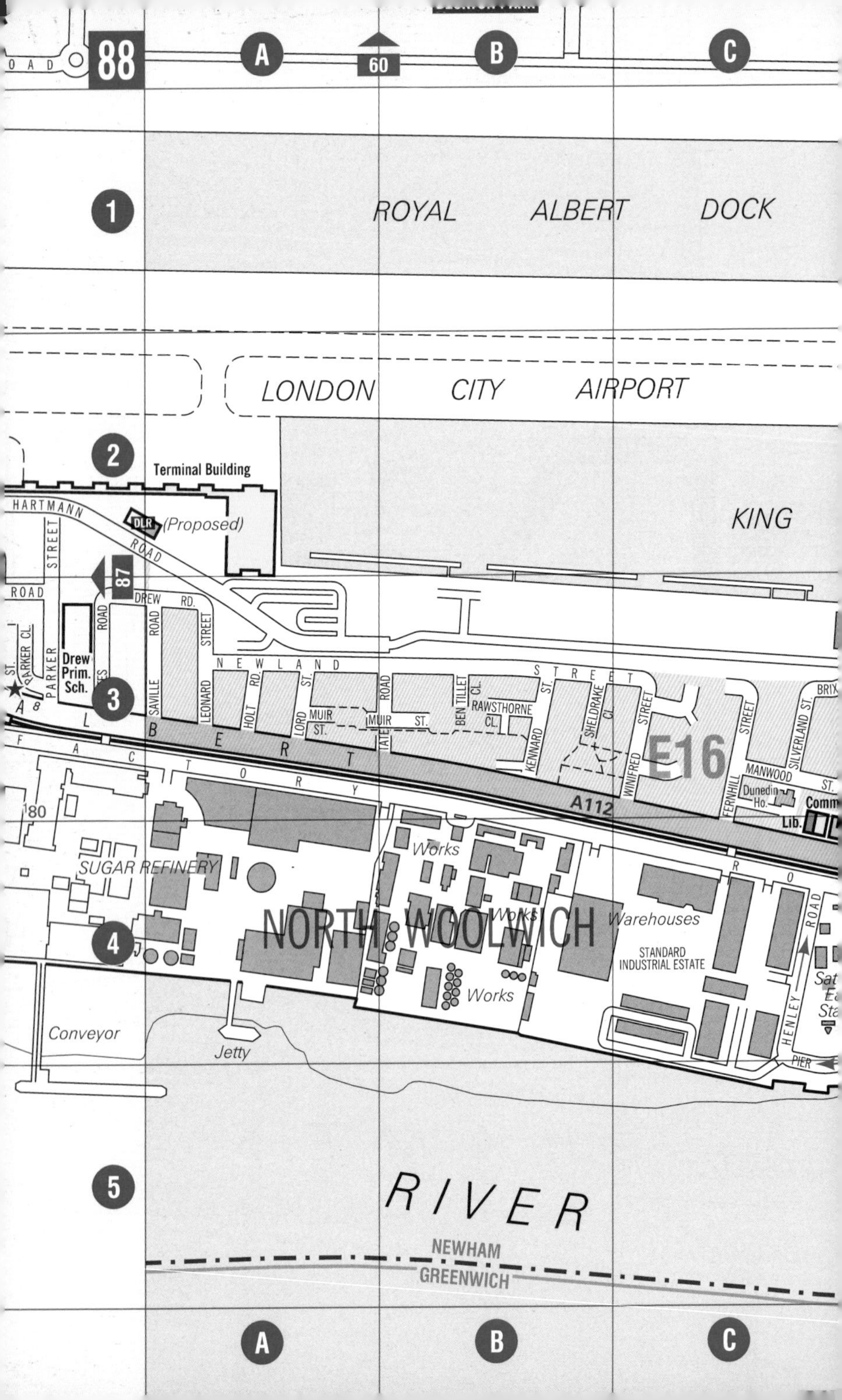

ROAD **88** Ⓐ ▲ 60 Ⓑ Ⓒ

1 ROYAL ALBERT DOCK

LONDON CITY AIRPORT

2 Terminal Building

HARTMANN ▱DLR (Proposed) KING
STREET
ROAD **87**
ROAD DREW RD.
PARKER CL. SAVILLE ROAD LEONARD STREET NEWLAND STREET BEN TILLET CL. STREET SHELDRAKE CL. WINIFRED STREET FERNHILL BRIX
PARKER STREET HOLT RD. LORD ST. MUIR ST. TATE ROAD MUIR ST. RAWSTHORNE CL. KENNARD ST. MANWOOD ST. SILVERLAND ST.
ST. **3** E16
A **8** DREW Prim. Sch. Comm
F A C T O R Y A112 Dunedin Ho. Lib.
80 L B E R T ROAD
SUGAR REFINERY Works Warehouses
4 NORTH WOOLWICH Works STANDARD INDUSTRIAL ESTATE Sat
Ea
HENLEY Sta
Works PIER
Conveyor Jetty

5 R I V E R
NEWHAM
GREENWICH

Ⓐ Ⓑ Ⓒ

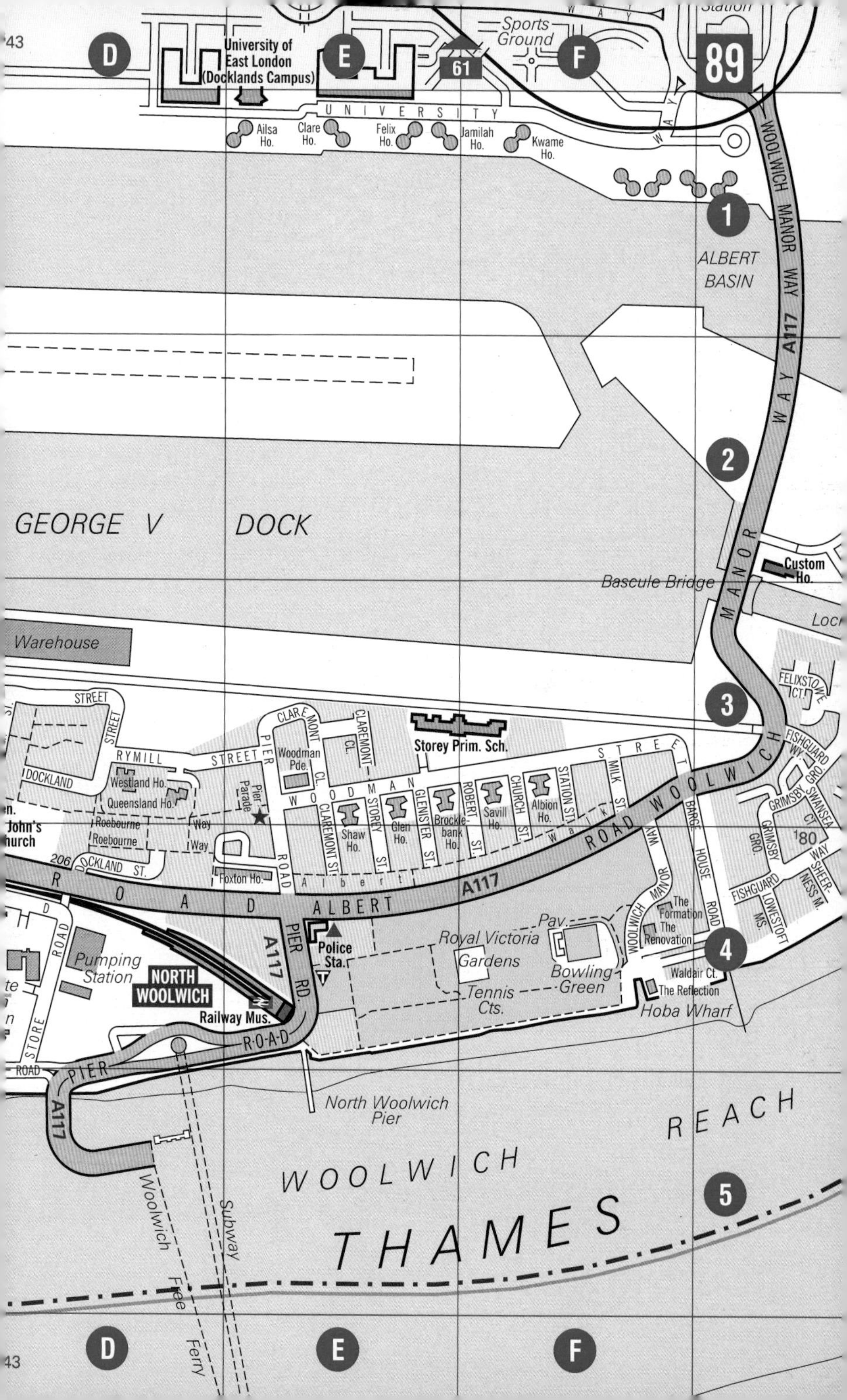
D
E
F
89
61
University of East London (Docklands Campus)
Sports Ground
UNIVERSITY WAY
Ailsa Ho.
Clare Ho.
Felix Ho.
Jamilah Ho.
Kwame Ho.
1
2
3
4
5
ALBERT BASIN
WOOLWICH MANOR WAY
A117
GEORGE V DOCK
Custom Ho.
Bascule Bridge
Warehouse
STREET
RYMILL
DOCKLAND
Westland Ho.
Queensland Ho.
Roebourne Way
St. John's Church
206
DOCKLAND ST.
PIER ROAD
Pier Parade
CLAREMONT CL.
Woodman Pde.
WOODMAN STREET
Storey Prim. Sch.
Shaw Ho.
Glen Ho.
Brocklebank Ho.
Savill Ho.
Albion Ho.
CLAREMONT ST.
STOREY ST.
GLENISTER ST.
ROBERT ST.
CHURCH ST.
STATION ST.
MILK ST.
Albert Walk
Foxton Ho.
ALBERT ROAD
WOOLWICH ROAD
MANOR WAY
BARGE HOUSE ROAD
FELIXSTOWE CT.
FISHGUARD WY.
GRIMSBY GRO.
SWANSEA CT.
SHEERNESS M.
LOWESTOFT MS.
80
The Formation
The Renovation
Waldair Ct.
The Reflection
Hoba Wharf
Royal Victoria Gardens
Pav.
Bowling Green
Tennis Cts.
Police Sta.
PIER RD.
Pumping Station
NORTH WOOLWICH
Railway Mus.
STORE ROAD
PIER ROAD
North Woolwich Pier
WOOLWICH REACH
THAMES
Woolwich Free Ferry
Subway

GOLDHAWK ROAD
A402
Brackenbury Prim. Sch.
GOLDHAWK IND. EST.
Cardross Ho.
Baptist Ch.
Ch.
Asbridge Ct.
Ravenscourt Pk. Mans.
Flora Gardens Sch.
Melville Court
Morland Ct.
Verulam Ho.
Sycamore Ho.
Underwood Ho.
Benbow Ct.
Depot
Lena Gdns. Prim. Sch.
Osram Court
Warehouse
Phoenix Lodge Mans.
Hythe Ho.
Cambridge Ct.
Police Sta.
Lib.
Fire Sta.
Brook Ho.
Sacred Heart R.C. High Sch
HAMMERSMITH BROADWAY
HAMMERSMITH
Playing Field
Cambridge Ho.
Cambridge Sch.
St. John's Ct.
The Godolphin & Latymer Sch.
St. John's Ch.
W6
GLENTHORNE ROAD A315
KING STREET
A315
Ashcroft Sq.
KINGS MALL
Lyric
Broadway Cham.
Broadway Arc.
THE BROADWAY CEN.
Bus Station
UGC
Town Hall
Galena Ho.
Clarence Ct.
Princes Mews
Bridge Av. Mans.
Landmark Ho.
St. Paul's Church
HAMMERSMITH FLYOVER
GREAT WEST RD.
A4
London Apollo
Chapel
Furnival Gardens
Hammersmith Pier
Blades Ct.
St. Paul's C. of E. Prim. Sch.
College Ct.
Beatrice Ho.
Amelia Ho.
Edith Ho.
Joanna Ho.
Adela Ho.
Mary Ho.
Henrietta Ho.
Sophia Ho.
Margaret Ho.
Elizabeth Ho.
Eleanor Ho.
Isabella Ho.
Alexandra Ho.
Digby Mansions
Bath Place
PEABODY EST.
A306
A219
B408
FULHAM PALACE ROAD
SHEPHERD'S BUSH ROAD
HAMMERSMITH GROVE
HAMMERSMITH BRIDGE ROAD

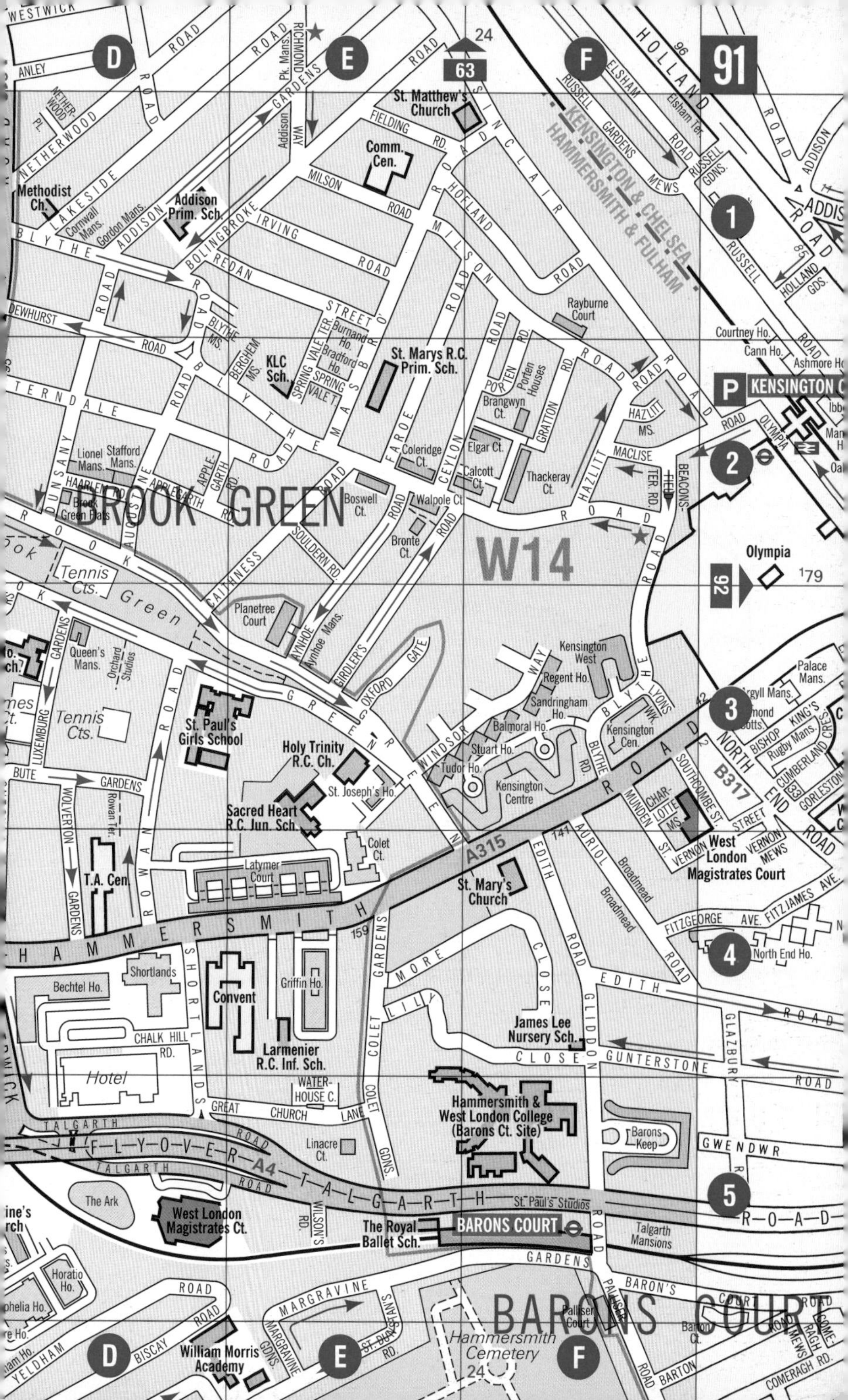
91
63
92
BROOK GREEN
W14
BARONS COURT
KENSINGTON & CHELSEA
HAMMERSMITH & FULHAM
HAMMERSMITH ROAD
A315
A4
TALGARTH ROAD
FLYOVER
B317
NORTH END ROAD
HOLLAND ROAD
BLYTHE ROAD
SINCLAIR ROAD
ADDISON GARDENS
RICHMOND WAY
LAKESIDE ROAD
NETHERWOOD ROAD
MILSON ROAD
HOFLAND ROAD
IRVING ROAD
FIELDING RD.
BOLINGBROKE ROAD
REDAN STREET
DEWHURST ROAD
TERNDALE
DUNSANY
AUGUSTINE
MASBRO' ROAD
FAROE ROAD
CEYLON ROAD
HAZLITT ROAD
PORTEN RD.
GRATTON RD.
BEACONSFIELD
MACLISE
LUXEMBURG GARDENS
BUTE GARDENS
WOLVERTON GARDENS
ROWAN ROAD
SHORTLANDS
COLET GARDENS
EDITH ROAD
AURIOL ROAD
GLIDDON ROAD
GUNTERSTONE ROAD
GLAZBURY ROAD
GWENDWR ROAD
FITZGEORGE AVE.
FITZJAMES AVE.
MARGRAVINE GARDENS
BISCAY ROAD
YELDHAM
BARON'S COURT ROAD
PALLISER ROAD
COMERAGH RD.
BARTON ROAD
St. Matthew's Church
Comm. Cen.
Methodist Ch.
Addison Prim. Sch.
St. Marys R.C. Prim. Sch.
KLC Sch.
Rayburne Court
Thackeray Ct.
Olympia
KENSINGTON OLYMPIA
St. Paul's Girls School
Holy Trinity R.C. Ch.
Sacred Heart R.C. Jun. Sch.
St. Mary's Church
Kensington Centre
West London Magistrates Court
North End Ho.
Latymer Court
Convent
Larmenier R.C. Inf. Sch.
T.A. Cen.
Shortlands
Bechtel Ho.
Hotel
Hammersmith & West London College (Barons Ct. Site)
James Lee Nursery Sch.
Barons Keep
The Ark
West London Magistrates Ct.
The Royal Ballet Sch.
BARONS COURT
Talgarth Mansions
Hammersmith Cemetery
William Morris Academy
Tennis Cts.

A
B
C
64
Cricket
Field
HOLLAND VILLAS ROAD
ADDISON CRESCENT
ADDISON ROAD
ABBOTSBURY CLOSE
SOMERSET SQUARE
ABBOTSBURY ROAD
ILCHESTER PLACE
LANE
RUSSELL GARDENS MEWS
RUSSELL ROAD
Elsham Ter.
RUSSELL GDNS.
HOLLAND ROAD
ADDISON CRES.
OAKWOOD
OAKWOOD COURT
PARK
Commonwealth Institute
1
Creek Ho.
SINCLAIR ROAD
HOLLAND GDS.
A3220
ADDISON
St. Barnabas' Ch.
MELBURY ROAD
Leighton House Art Gall. & Museum
NAPIER CL.
Rayburne Court
Courtney Ho.
Cann Ho.
Ashmore Ho.
NAPIER ROAD
STRANGWAYS
Kenbrook Ho.
HOLLAND PARK
ST. MARY ABBOT'S TER.
KENSINGTON OLYMPIA
Ibberton Ho.
NAPIER PL.
NAPIER PLACE
HOLLAND TER.
HAZLITT MS.
MACLISE RD.
HAZLITT ROAD
OLYMPIA WAY
Manston Ho.
Abbot's Ho.
EARLS
EDWARDES SQUARE
2
Oakeford Ho.
Rushmore Ho.
Shillingstone Ho.
Kenton Ct.
ST. MARY ABBOT'S PLACE
EDWARDES PL.
P
St. Mary Abbot's Ct.
KENSINGTON ROAD
WARWICK ROAD
WARWICK GARDENS
Restricted Access between 9pm & 6am
Olympia
179
91
Charles House
RADNOR TER.
Durrels Ho.
PEMBROKE GDNS.
ADDISON BRIDGE PL.
AVONMORE PL.
AVONMORE ROAD
EARSBY ST.
Kensington West
Palace Mans.
Argyll Mans.
Richmond Cotts.
KING'S
BISHOP KING'S
Rugby Mans.
College
Avonmore Prim. Sch.
Welbeck Court
KENSINGTON and CHELSEA
HAMMERSMITH and FULHAM
Superstore
Ch.
Broadwood Ter.
3
Kensington Cen.
BLYTHE ROAD
BLYTHE RD.
HAMMERSMITH ROAD
A315
CUMBERLAND CRES.
GORLESTON ST.
Youth & Comm. Cen.
W14
LISGAR TERRACE
BECKFORD CL.
BECKFORD CLOSE
PEMBROKE
MUNDEN ST.
CHARLOTTE MS.
SOUTHCOMBE ST.
VERNON ST.
VERNON MEWS
STREET
West London County Court
Samuel Lewis Trust Dwellings
Warren Ho.
Atwood Ho.
Avonmore Gdns.
AURIOL ROAD
West London Magistrates Court
NORTH END ROAD
B317
Burne Jones Ho.
The Grange
MATHESON ROAD
STONOR ROAD
FENELON PL.
Broadmead
FITZGEORGE AV.
FITZJAMES AVE.
Samuel Richardson Ho.
Shaftesbury Place
Superstore
Beaumont
North End Parade
NORTH END CR.
STANWICK ROAD
Caci Ho.
KENSINGTON VILLAGE
WEST KENSINGTON
4
North End Ho.
Glenallan Ho.
Pelham Ho.
Abingdon
Avon Ho.
Mortimer Ho.
Lib.
MORNINGTON AVENUE
EDITH ROAD
Warwick
Lee Sch.
GLIDDON ROAD
GUNTERSTONE ROAD
GLAZBURY ROAD
Clifford Ho.
Whiteley's Cotts.
EDITH VILLAS
Wellesley Mans.
Falkland Ho.
Gwendwr Garden
GWENDWR ROAD
West Kensington Ct.
Barons Keep
TREVANION ROAD
Ashfield Ho.
A4
WEST CROMWELL ROAD
5
TALGARTH ROAD
WEST KENSINGTON
BEAUMONT AV.
Studios
Talgarth Mansions
BEAUMONT
KENSINGTON HALL GDS.
GIBBS GREEN
GIBBS GREEN CL.
GIBBS GRN. CL.
BARON'S COURT ROAD
Inst. of Indian Culture
Gibbs Green School
Palliser Court
PALLISER ROAD
Barton Ct.
COMERAGH ROAD
VEREKER ROAD
CHALLONER ST.
BEAUMONT CRESCENT
West Kensington Mans.
Garsdale Ter.
114
BARTON
Fairburn Ho.

D
E
F
65
93
94
115
1
2
3
4
5
25
KENSINGTON
EARLS COURT
W8
SW5
HIGH STREET KENSINGTON
EARL'S COURT
Linley Sambourne Ho.
Hornton Ct.
Kensington Arcade
Heythorp College
Chapel
Univ.
Esmond Ct.
First Ch. of Christ Scientist
St. Sarkis Armenian Ch.
William Cobbett Ho.
Our Lady of Victories Ch.
Warwick Chambers
Odeon
Kensington Chapel
T.A. Cen.
Prim. Sch.
Pol. Sta.
Coptic Orthodox Church
Cottesmore Ct.
Cedar Ho.
Zetland Ho.
Rutland Ho.
Falkland Ho.
Sutherland Ho.
Aspen Lodge
Maple Lodge
Chestnut Ct.
Tamarind Ct.
Stone Hall
Redwood Mans.
Sandalwood Mans.
Magnolia Lodge
Rowan Lodge
Oak Lodge
Juniper Ct.
Abingdon Lodge
Abingdon Gdns.
Pembroke Cotts.
St. Philip's Ch.
Dain Ct.
Alexa Ct.
London Academy of Music & Dramatic Art
LAMDA
Chatsworth Ct.
Marlborough Ct.
The Cromwell Hosp.
Point West
Pikemans Ct.
Longshott Ct.
Arrow Ct.
St. Jude's
Collingham Sixth Form Co
Mary Smith Ct.
London Electronics College
York Mans.
The Mans.
Mary Flux Ct.
Youth Hostel
Beatrix Ho.
Lib.
Boltons Ct.
Coleherne Mans.
Beach Ho.
Kensington Mans.
Prim. Sch.
Earl's Court Exhibition Building
Sybil Thorndike Casson Ho.
Langham M.
Redcliffe
A315
A3220
A4
B316
B314
A3218
HIGH STREET
KENSINGTON HIGH STREET
CROMWELL ROAD
EARL'S COURT ROAD
WARWICK ROAD
PEMBROKE ROAD
LEXHAM GARDENS
ABINGDON ROAD
ABINGDON VILLAS
KELSO PLACE
SCARSDALE VILLAS
STRATFORD ROAD
LOGAN PLACE
NEVERN SQ.
NEVERN PLACE
PHILBEACH GARDENS
TREBOVIR ROAD
PENYWERN ROAD
EARL'S COURT SQUARE
EARL'S COURT GARDENS
COLLINGHAM PLACE
COURTFIELD GARDENS
BRAMHAM GARDENS
BARKSTON GARDENS
KNARESBOROUGH PLACE
HOGARTH ROAD
KENWAY ROAD
WALLGRAVE RD
REDFIELD LANE
TEMPLETON PLACE
LONGRIDGE ROAD
CHILD'S PL.
SPEAR MEWS
OLD MANOR YARD
BROMPTON ROAD
REDCLIFFE GS.
COLEHERNE COURT
WETHERBY MEWS
BOLTON
KEMPSFORD
EARDLEY CR.
CROMWELL CRES.

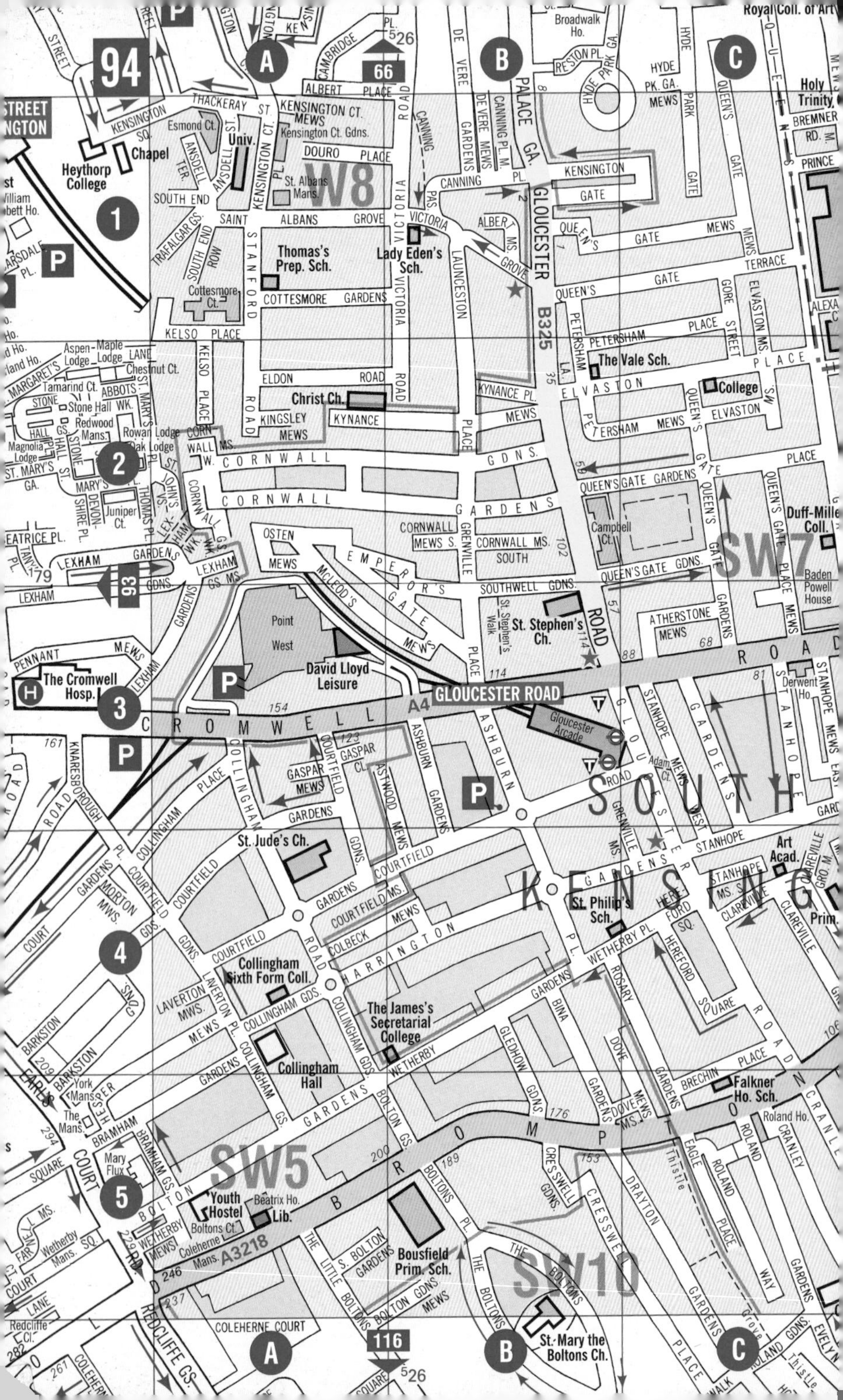

94
A
B
C
66
526
Royal Coll. of Art
Broadwalk Ho.
Heythorp College
Chapel
Univ.
Esmond Ct.
THACKERAY ST.
KENSINGTON SQ.
KENSINGTON CT. MEWS
Kensington Ct. Gdns.
ALBERT PLACE
CAMBRIDGE PL.
DOURO PLACE
W8
St. Albans Mans.
SOUTH END
ANSDELL TER.
ANSDELL ST.
SAINT ALBANS GROVE
TRAFALGAR GS.
SOUTH END ROW
STANFORD ROAD
VICTORIA ROAD
Thomas's Prep. Sch.
Lady Eden's Sch.
CANNING PAS.
CANNING PL.
CANNING PL. M.
DE VERE GARDENS
DE VERE MEWS
PALACE GA.
HYDE PARK GA.
RESTON PL.
HYDE PK. GA. MEWS
HYDE PARK GATE
QUEEN'S GATE
Holy Trinity
BREMNER RD.
PRINCE
KENSINGTON GATE
GLOUCESTER ROAD
B325
ALBERT MS.
VICTORIA GROVE
LAUNCESTON PLACE
QUEEN'S GATE MEWS
QUEEN'S GATE TERRACE
GORE STREET
ELVASTON MS.
Cottesmore Ct.
COTTESMORE GARDENS
KELSO PLACE
PETERSHAM LA.
PETERSHAM PLACE
The Vale Sch.
College
ELVASTON PLACE
ELVASTON MEWS
PETERSHAM MEWS
Aspen Lodge
Maple Lodge
LANE
Chestnut Ct.
ABBOTS WK.
ST. MARGARET'S
Tamarind Ct.
Stone Hall
Redwood Mans.
Rowan Lodge
Oak Lodge
Magnolia Lodge
ELDON ROAD
Christ Ch.
KYNANCE PL.
KYNANCE MEWS
KINGSLEY MEWS
CORNWALL MS.
W. CORNWALL
CORNWALL GARDENS
GDNS.
QUEEN'S GATE GARDENS
QUEEN'S GATE PLACE
Campbell Ct.
Duff-Miller Coll.
SW7
Baden Powell House
CORNWALL MEWS S.
CORNWALL MS. SOUTH
GRENVILLE PLACE
OSTEN MEWS
EMPEROR'S GATE
McLEOD'S MEWS
LEXHAM GARDENS
LEXHAM GS. MS.
LEXHAM WK.
LEXHAM MEWS
93
BEATRICE PL.
SOUTHWELL GDNS.
St. Stephen's Walk
St. Stephen's Ch.
QUEEN'S GATE GDNS.
ATHERSTONE MEWS
Point West
David Lloyd Leisure
PENNANT MEWS
The Cromwell Hosp.
GLOUCESTER ROAD
A4
CROMWELL ROAD
Gloucester Arcade
Derwent Ho.
STANHOPE GARDENS
STANHOPE MEWS WEST
STANHOPE MEWS EAST
Adam Ct.
GASPAR CL.
GASPAR MEWS
COURTFIELD ROAD
COLLINGHAM PLACE
ASHBURN GARDENS
ASHBURN PLACE
ASTWOOD MEWS
KNARESBOROUGH PL.
SOUTH KENSINGTON
St. Jude's Ch.
COURTFIELD GARDENS
COURTFIELD MS.
GRENVILLE MS.
STANHOPE GARDENS
Art Acad.
HARRINGTON
COLBECK MEWS
St. Philip's Sch.
HEREFORD SQ.
HEREFORD SQUARE
WETHERBY PL.
CLAREVILLE
Prim.
Collingham Sixth Form Coll.
LAVERTON MWS.
LAVERTON PL.
COLLINGHAM GDS.
The James's Secretarial College
BINA GARDENS
ROSARY GARDENS
GLEDHOW GDNS.
DOVE MEWS
BRECHIN PLACE
Falkner Ho. Sch.
Roland Ho.
BARKSTON GARDENS
Collingham Hall
WETHERBY GARDENS
York Mans.
The Mans.
HESPER MEWS
BRAMHAM GARDENS
EARLS COURT SQUARE
Mary Flux Ct.
SW5
BOLTON GS.
OLD BROMPTON ROAD
CRESSWELL GDNS.
DRAYTON GARDENS
Thistle Grove
EAGLE PLACE
ROLAND GARDENS
ROLAND WAY
CRANLEY GARDENS
Youth Hostel
Beatrix Ho.
Lib.
Boltons Ct.
Coleherne Mans.
A3218
Wetherby Mans.
FARNELL MS.
BOLTONS PL.
S. BOLTON GARDENS
Bousfield Prim. Sch.
THE LITTLE BOLTONS
BOLTON GDNS. MEWS
THE BOLTONS
SW10
St. Mary the Boltons Ch.
COLEHERNE COURT
REDCLIFFE GS.
Redcliffe Cl.
116
EVELYN
1
2
3
4
5

95
67
27
96
117
27
D
E
F
D
E
F
1
2
3
4
5
KNIGHTSBRIDGE
BROMPTON
CHELSEA
SW3
WESTMINSTER
KENSINGTON & CHELSEA
Albert Hall
Albert Hall Mans.
Albert Court
Imperial College
Russian Orthodox Cathedral
Kingston Ho. South
Hampshire Sch.
Imperial College Sports Centre
Christ Ch.
Royal College of Music
Huron University
Imperial College of Science, Technology & Medicine
Queens Tower
Rutland Mews West
Holy Trinity Ch.
Science Museum
Victoria & Albert Museum
The Oratory
Natural History Museum
Hereford Ho.
Ismaili Cen.
Lycee Francais Charles de Gaulle
Institut Francais
Cine Lumiere
Coll.
Sch.
SOUTH KENSINGTON
Ch. of St. Augustine
Jerome Ho.
Melton Ct.
Marlborough Prim. Sch.
Chelsea Cloisters
Curran Ho.
Thurloe Ct.
Kimbolton Ct.
Pelham Ct.
Pond Ho.
Samuel Lewis Trust Dwellings
Crown Lodge
Police Sta.
Marlow Ct.
LTR Telephone Training Cen.
Sussex Mans.
Institute of Cancer Research
St. Paul's Church
Rose Square
The Royal Marsden Hosp. (Fulham)
The National Heart & Lung Inst.
Royal Brompton Hospital Annexe
Royal Brompton Hospital
Oratory R.C. Prim. Sch.
St. Luke's Ch.
St. Peter's Ch.
Cemy
Chelsea Grn.
Daver Ct.
Meriden Ct.
Leverstock Ho.
Windsor Ct.
CONSORT ROAD
PRINCE'S GATE
PRINCE'S GATE MEWS
PRINCE'S GARDENS
ENNISMORE GARDENS
ENNISMORE MEWS
ENNISMORE ST.
RUTLAND GATE
MONTPELIER SQUARE
MONTPELIER PL.
BROMPTON SQUARE
BROMPTON ROAD
BROMPTON PLACE
CROMWELL ROAD
CROMWELL GDNS.
CROMWELL PL.
EXHIBITION ROAD
THURLOE PLACE
THURLOE SQUARE
THURLOE ST.
ALEXANDER PLACE
EGERTON GARDENS
EGERTON CRESCENT
EGERTON TER.
QUEENSBERRY PLACE
HARRINGTON ROAD
PELHAM STREET
PELHAM CRESCENT
ONSLOW SQUARE
ONSLOW GARDENS
SYDNEY STREET
SUMNER PLACE
FULHAM ROAD
DRAYCOTT AVENUE
WALTON STREET
SLOANE AVENUE
ELYSTAN STREET
IXWORTH PLACE
MARLBOROUGH ST.
CALE STREET
DOVEHOUSE STREET
OLD CHURCH ST.
CHELSEA SQUARE
ST. LUKE'S STREET
BRITTEN STREET
A4
A308
A3218
B304

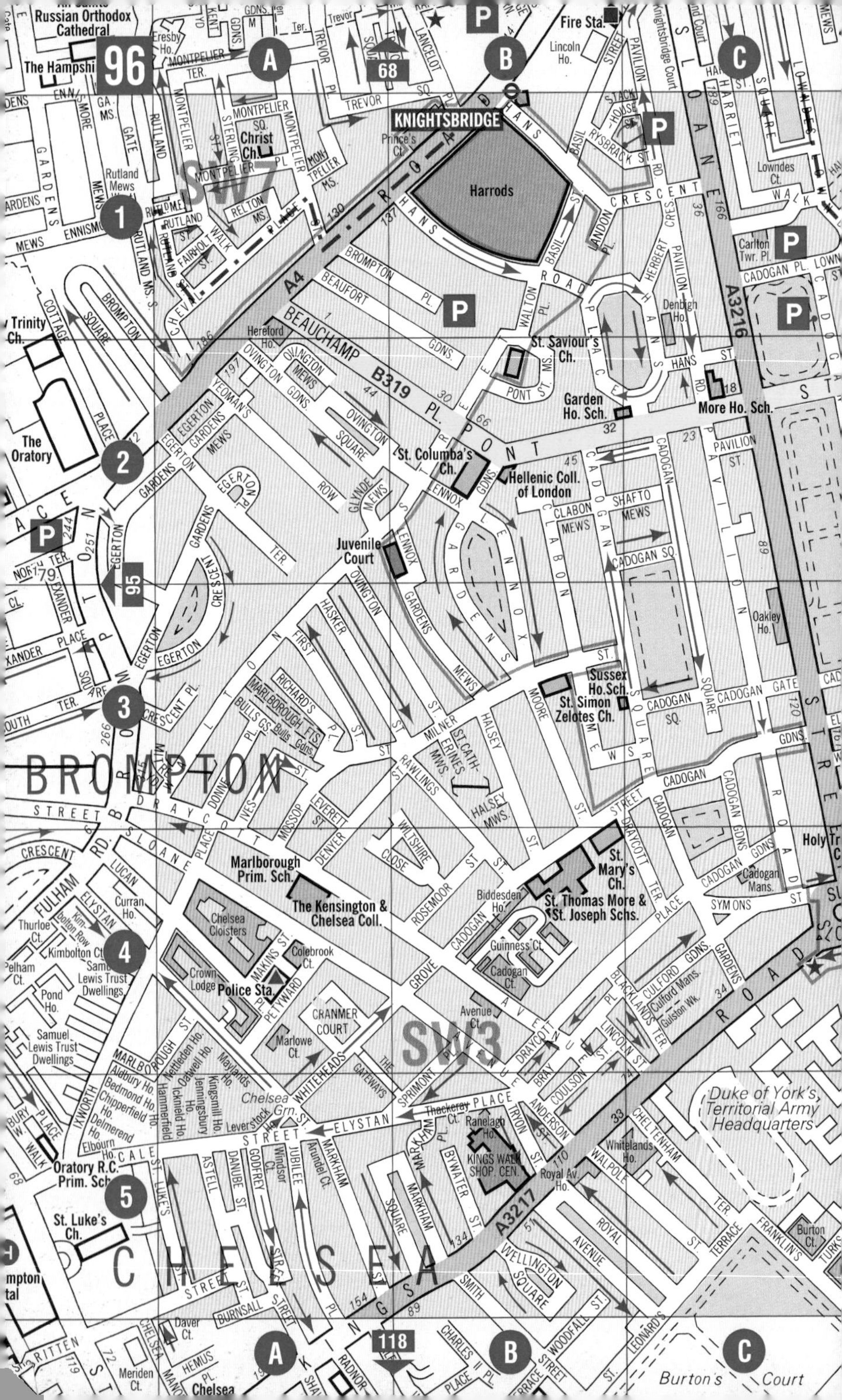
96
68
95
118
A
B
C
1
2
3
4
5
SW7
SW3
BROMPTON
CHELSEA
KNIGHTSBRIDGE
Harrods
Russian Orthodox Cathedral
The Hampshire
Christ Ch.
Trinity Ch.
The Oratory
Hereford Ho.
St. Saviour's Ch.
Garden Ho. Sch.
More Ho. Sch.
St. Columba's Ch.
Hellenic Coll. of London
Juvenile Court
Sussex Ho. Sch.
St. Simon Zelotes Ch.
St. Mary's Ch.
St. Thomas More & St. Joseph Schs.
Marlborough Prim. Sch.
The Kensington & Chelsea Coll.
Chelsea Cloisters
Police Sta.
Cranmer Court
Marlowe Ct.
Guinness Ct.
Cadogan Ct.
Kings Walk Shop. Cen.
Duke of York's Territorial Army Headquarters
Oratory R.C. Prim. Sch.
St. Luke's Ch.
Samuel Lewis Trust Dwellings
Fire Sta.
Lincoln Ho.
Lowndes Ct.
Carlton Twr. Pl.
Denbigh Ho.
Oakley Ho.
Cadogan Mans.
Culford Mans.
Whitelands Ho.
Royal Av. Ho.
Burton Ct.
Burton's Court
A4
B319
A3216
A3217
BROMPTON ROAD
BEAUCHAMP PL.
PONT ST.
HANS ROAD
HANS CRESCENT
SLOANE STREET
CADOGAN SQUARE
CADOGAN GDNS.
EGERTON GARDENS
EGERTON CRESCENT
EGERTON TER.
OVINGTON SQUARE
OVINGTON GDNS.
WALTON ST.
LENNOX GARDENS
MILNER ST.
DRAYCOTT AVENUE
DRAYCOTT PLACE
FULHAM RD.
SLOANE AVENUE
KINGS ROAD
ELYSTAN STREET
MARKHAM SQUARE
ROYAL AVENUE
WELLINGTON SQUARE
CHELTENHAM TER.
LOWER SLOANE ST.
MONTPELIER SQ.
TREVOR PL.
ENNISMORE GARDENS
RUTLAND GATE
BASIL ST.
PAVILION RD.
HARRIET ST.
LOWNDES SQUARE
LOWNDES ST.
HERBERT CRES.
WHITEHEADS GROVE
SYDNEY ST.
CALE ST.
ST. LUKE'S ST.
JUBILEE PL.
SMITH ST.
WALPOLE ST.
FRANKLIN'S ROW
TURKS ROW

97
69
119
86
D
E
F
1
2
3
4
5
Italiana
GROSVENOR PLACE
A302
PALACE GARDENS
Royal Mews
LWR. GROSVENOR PL.
BEESTON PL.
VICTORIA SQUARE
ESCALTON LA.
GDNS.
GROSVENOR GDNS. MS. N.
B312
GROSVENOR
EATON ROW
LOWER BELGRAVE STREET
LYGON PL.
ST. Peter's Prim. Sch.
St. Peter's Ch.
HOBART PL.
A3217
WILTON MS.
WILTON ROW
CHESTER ST.
CHESTER CL.
LITTLE CHESTER ST.
CHESTER MEWS
GROOM PL.
CHAPEL ST.
MONTROSE PL.
HALKIN PL.
WILTON CRES.
WILTON TER.
BELGRAVE MEWS NORTH
BELGRAVE SQUARE
B310
UPPER BELGRAVE STREET
BELGRAVE MEWS SOUTH
BELGRAVE PLACE
ECCLESTON MEWS
EATON SQUARE
Eaton Square Gdns.
Instituto Cervantes
SW1
BELGRAVIA
HALKIN ST.
HALKIN MEWS
HALKIN ARC.
KINNERTON ST.
Belgravia Ho.
BELGRAVE MS. WEST
CHESHAM MS.
CHESHAM PLACE
CHESHAM ST.
LOWNDES PL.
ROBERTS MS.
LOWNDES CLO.
CADOGAN LA.
CADOGAN PLACE
B319
KENSINGTON & CHELSEA
WESTMINSTER
CHESHAM CLO.
LYALL MS.
LYALL ST.
LYALL MS. W.
EATON MS. NORTH
EATON PL.
EATON TER.
EATON PL. MS.
EATON LANE
D'OYLEY ST.
Inchbald Sch.
GROSVENOR COTTS.
CLIVEDEN PL.
EATON GATE
EATON SQ. STH.
Sloane Ter. Mans.
Prim. Sch.
SEDDING ST.
SEDDING STU.
Eaton Mans.
Royal Ct.
SLOANE SQ.
CHESTER COTTS.
SKINNER PL.
HOLBEIN PL.
Garden Ho. Sch.
SLOANE GARDENS
EATON CLO.
CAROLINE TER.
CHESTER ROW
MINERA MEWS
EATON MEWS WEST
ECCLESTON STREET
A3123
EATON MS. STH.
CHESTER SQUARE
CHESTER SQ. MS.
EBURY MS. E.
Belgravia Ct.
ELIZABETH STREET
BOSCOBEL PL.
EATON MS.
St. Michael's Ch.
GERALD RD.
GERALD MS.
BURTON MEWS
EBURY STREET
Victoria Coach Sta. (Arrivals)
Chester Ho.
Liby.
ECCLESTON PL.
BUCKINGHAM PALACE ROAD
A3214
Victoria Place Shop. Cen.
ECCLESTON BRI.
Station
Fountain Square
Coach
Colonnade Walk
BULLEID WAY
ELIZABETH BRI.
Royal Belgrave Ho.
HUGH STREET
Victoria Coach Sta. (Departures)
Semley Ho.
SEMLEY PL.
P
National Audit Office
Kilmuir Ho.
St. Mary's Ch.
Francis Holland C. of E. Sch.
Carmel Hall
PALACE MS.
Johnson Ho.
CUNDY ST.
Lochmore Ho.
Laxford Ho.
Kylestrome Ho.
Walden Ho.
Stack Ho.
Coleshill Flats
Police Sta.
Fountain Ct.
AVERY FM. RW.
EBURY SQUARE
Mozart Terrace
BOURNE ST.
WHITTAKER ST.
GRAHAM TER.
PASSMORE ST.
ORMONDE PL.
BUNHOUSE PL.
REMBRANDT CL.
Lumley Flats
HOLBEIN MEWS
SLOANE GDNS.
Holbein Ho.
PIMLICO RD.
St. Barnabas C. of E. Prim. Sch.
Church of St. Barnabas
ST. BARNABAS STREET
DOVE WALK
BLOOMFIELD TER.
RANELAGH GRO.
Chapel
Chelsea Barracks
A3216
SLOANE ST.
ROYAL HOSPITAL RD.
B302
CHELSEA BRIDGE ROAD
Royal Hospital Chelsea
Mus.
EBURY BRIDGE ROAD
B313
EBURY BRI.
B324
Bridge Ho.
Rye Ho.
Westbourne Ho.
Pimlico Ho.
Bucknill Ho.
Victoria Ho.
Mercer Ho.
Dalton Ho.
Wellesley Ho.
EBURY BRIDGE EST.
Edgson Ho.
Hillersden Ho.
Cheylesmore Ho.
Doneraile Ho.
WARWICK WAY
164 Furness Ho.
SUTHERLAND ST.
SUTHERLAND ROW
Tintern Ho.
Dryburgh Ho.
Glastonbury Ho.
ABBOTS MANOR
ALDERNEY ST.
CAMBRIDGE ST.
Inchbald Sch. of Design
WINCHESTER ST.
CUMBERLAND ST.
Cumberland Ct.
PEABODY AVENUE
TURPENTINE LANE
WESTMORELAND TER.
CLARENDON ST.

98
A
B
C
1
2
3
4
5
70
120
97
29
PALACE GARDENS
Ambassadors' Court
Buckingham Gate
Guards' Chapel
Guards' Mus.
Wellington Barracks
BIRDCAGE
BUCKINGHAM GATE
BUCKINGHAM PALACE ROAD
The Royal Mews
Royal Mews
LWR. GROSVENOR PL.
GROSVENOR PL.
GROSVENOR GDNS.
GROSVENOR GDNS. MS. N.
BEESTON PL.
VICTORIA SQUARE
EATON ROW
EATON LA.
BELGRAVE
LYGON PL.
CHESTER SQ. MS.
St. Peter's Prim. Sch.
STREET
PHIPP'S MEWS
ECCLESTON
EBURY
ECCLESTON BRI.
Chester Ho.
Liby.
Fountain Square
Coach Station
BULLEID WAY
Colonnade
ELIZABETH BRI.
National Audit Office
BUCKINGHAM PALACE RD.
WESTMINSTER
B323
Westminster Chapel
Westminster College
Westminster City Sch.
Westminster City Hall
Lib.
VANDON ST.
Vandon Passage
PETTY FRANCE
CAXTON
SPENSER ST.
Seaforth Place
ST. JAMES' CT.
CASTLE LANE
APPLE TREE
WILFRED PL.
BUCKINGHAM PL.
CATHERINE PL.
STAFFORD PL.
Stafford Mans.
Westminster
Dept. of the Environment
Roebuck Ho.
STAG PLACE
Portland Ho.
BRESSENDEN
Lake Vw. Ct.
WARWICK ROW
ALLINGTON ST.
Allington Ct.
VICTORIA
Victoria Palace
VICTORIA STREET
Kingsgate Parade
A302
A3214
HOWICK PLACE
Ashdown Ho. (D.E.T.R.)
WILCOX PL.
SW1
TERMINUS PLACE
Bus Sta.
VICTORIA ARC.
Evelyn Mans.
CARLISLE PL.
ASHLEY PL.
Ashley Ct.
Westminster R.C. Cathedral
Prim. Sch.
AMBROSDEN AVE.
Ashley Gardens
THIRLEBY RD.
GREENCOAT ROW
Greencoat M.
EMERY HL.
St. Stephen's
Westminster Cath. Choir Sch.
Convent
Apollo Victoria
VICTORIA
Victoria Place Shop. Cen.
HUDSON'S PL.
WILTON RD.
NEATHOUSE PL.
VAUXHALL BRIDGE ROAD
KING'S SCHOLARS' PASS.
Cathedral Mans
Morpeth Mans.
Carlisle Mansions
MORPETH TERRACE
FRANCIS STREET
WILLOW PL.
Queen Marys Bldgs.
STILLINGTON ST.
COBURG CL.
Windsor Place
Victoria Ho.
PEABODY ESTATE
Buckingham Cham.
Admiral Ho.
ROCHESTER ROW
B324
VANE ST.
VINCENT ST.
HATHERLEY ST.
UDALL ST.
A202
BRIDGE PLACE
Passport Office
GILLINGHAM MEWS
GILLINGHAM ST.
GILLINGHAM RW.
The Queen Mother Sports Cen.
TACHBROOK MS.
UPR. TACHBROOK ST.
GUILDHOUSE ST.
Civil Service Coll.
BELGRAVE ROAD
CHARLOTTE PL.
LONGMOORE ST.
DENBIGH MEWS
GEORGE Eliot Ho.
Aubrey Beardsley Ho.
Noel Coward Ho.
Joseph Conrad Ho.
CHURTON PL.
DELL'S MEWS
TACHBROOK STREET
CHARLWOOD PL.
Henry Wise Ho.
LILLINGTON GARDENS EST.
Repton Ho.
Forsyth Ho.
Royal Belgrave Ho.
HUGH MEWS
HUGH STREET
ECCLESTON SQUARE
ECCLESTON SQ. MEWS
WARWICK PL. N.
WARWICK SQ.
WARWICK SQ. MEWS
WARWICK WAY
Inchbald Sch. of Design
CAMBRIDGE ST.
ALDERNEY ST.
Tintern Ho.
Dryburgh Ho.
Glastonbury Ho.
ABBOTS MANOR
WEST MWS.
A3123
PIMLICO
P
WINCHESTER ST.
CUMBERLAND ST.
Cumberland Ct.
Furness Ho.
Sherborne Ho.
SUTHERLAND ROW
SUTHERLAND ST.
St. Gabriel's Ch.
WARWICK SQ.
DENBIGH PL.
DENBIGH ST.
WARWICK SQUARE
MORETON PL.
MORETON TER.
MORETON ST.
Clarion Ho.
MORETON CL.
Church of the Holy Apostles
CLAREMONT ST.
GLOUCESTER STREET
Russell Ho.
LUPUS STREET
ST. GEORGE'S DRIVE
CLAVERTON
PEABODY AVENUE
TURPENTINE LANE
WESTMORELAND TERRACE
SUSSEX STREET
Pimlico

D
E
F
71
Caxton Ho. (Dept. of Employment)
Methodist Central Hall
Westminster Hall
Houses of Parliament
BROADWAY
TOTHILL
ST. JAMES'S PARK
Broadway Shop. Mall
Caxton Hall
New Scotland Yard
Dept. of Trade & Industry
Westminster Abbey
Chap. Ho. & Pyx Cham.
The Cloisters
Poets' Corner
Westminster Abbey Choir Sch.
Westminster Abbey Mus.
The Close
Little Cloisters
Jewel Tower
Abbey Garden
Westminster Sch.
Black Rod Garden
Dept. of Educ. & Employment
Abbey Orchard Street Est.
Church Ho.
Chapel
St. Matthew's Prim. Sch.
St. Matthew's Ch.
Westminster Palace Gdns.
Old Pye St. Est.
William Gibbs Ct.
Fire Sta.
Victoria Tower Gds.
Emmanuel Cen. Ch.
St. John's Concert Hall
GREYCOAT PL.
The Greycoat Hosp. Sch.
Channel 4 T.V.
Norton Ho.
Vestry Ct.
Octavia Ho.
Royal Horticultural Society New Hall
Magistrates Court
Ryl. Coll. of Vet. Surgeons
HORSEFERRY ROAD
B323
B326
A3212
A3203
LAMBETH BRI.
100
Coroner's Ct.
Dept. of Transport
Abady Ho.
Edric Ho.
Bennett Ho.
St. John's Gdns.
Thames House
Royal Westminster Lodge
Royal Horticultural Society Old Hall
Westminster School Playing Field
Norfolk Ho.
Probyn Ho.
Jessel Ho.
Schomberg Ho.
Tothill Ho.
GROSVENOR ESTATE
Rogers Ho.
Marsham Ct.
Westminster Gdns.
Coach Park
Morland Ho.
Millbank Ct.
Dean Abbott Ho.
Dalkeith Ct.
Princess Mary Ho.
Duke's Ho.
Reynolds Ho.
Maclise Ho.
Mulready Ho.
Millais Ho.
Millbank Tower
Vincent Ho.
Hide Tower
Brunswick Ct.
Millbank Prim. Sch.
Hogarth Ho.
Gladstone Ct.
Millbank Sec. Sch.
Millbank Gdns.
Tate Britain
The Grey Coat Hosp. (St. Michael's Bldg.)
Gainsborough Ho.
Leighton Ho.
Landseer Ho.
ATTERBURY ST.
Middleton Ho.
Marysmith Ho.
Wilkie Ho.
London Institute Chelsea College of Art
A202
Charlwood Ho.
Goodyer Ho.
Longleat Ho.
Thorndike Ho.
Exbury Ho.
Priory Ho.
Stourhead Ho.
Wisley Ho.
Lib.
PIMLICO
Albert Embankment Gdns.
RIVER THAMES
Riverside Gardens
Peninsula Heights
A3123
LUPUS
BESSBORO' ST.
Salisbury Ho.
Hartington Ho.
Devonshire Ho.
Ashgrove Ho.
Hale Ho.
Duncannon Ho.
Prim. Sch.
St. Saviour's Ch.
Walston Ho.
Founders Ho.
Kent Ho.
Beaufort Ho.
Wren Ho.
Tuttle Ho.
TACHBROOK EST.
VAUXHALL BRIDGE
GROSVENOR RD.
121
Camelford Ho.
1
2
3
4
5

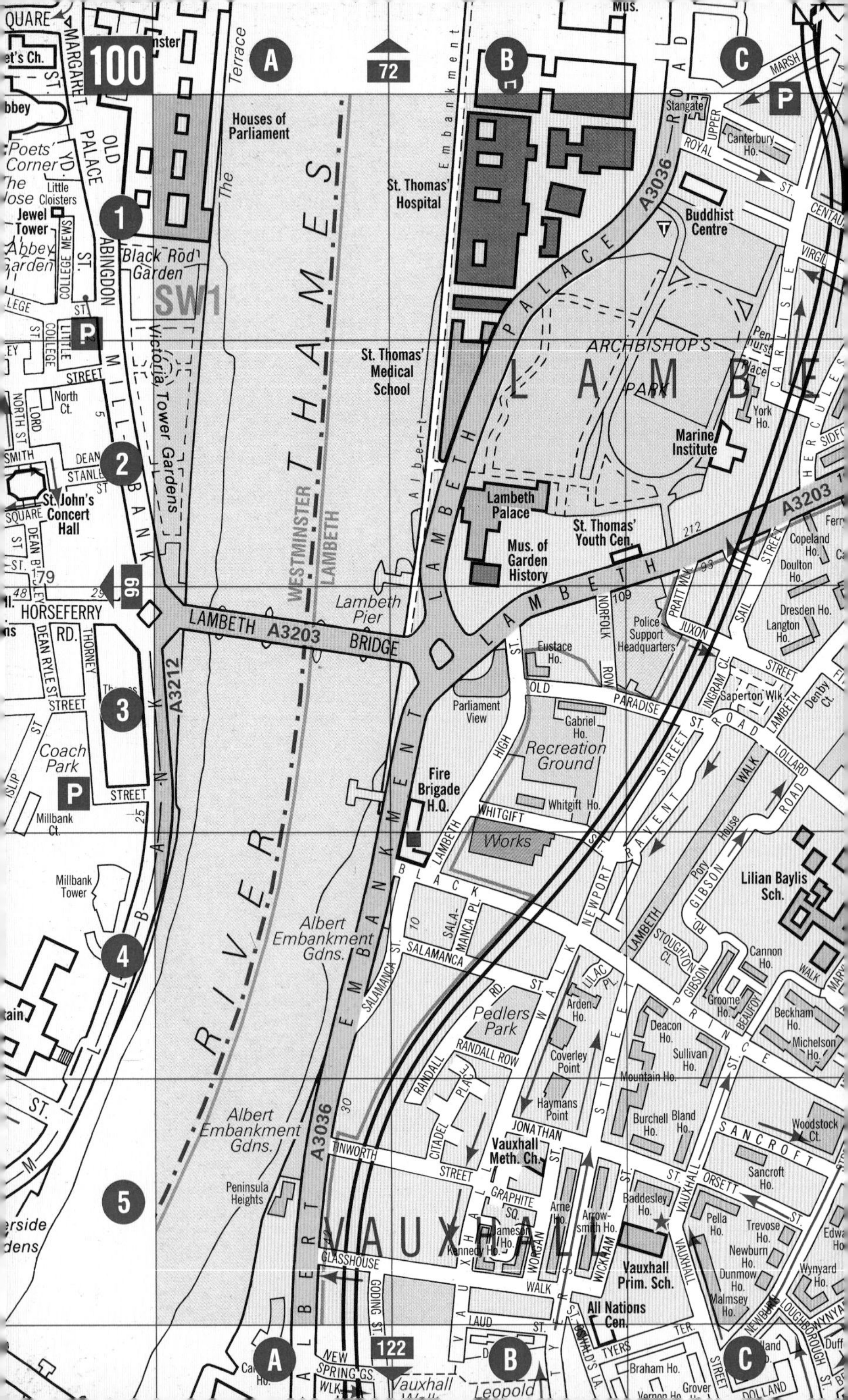

100

72

A B C

SW1

Houses of Parliament

The Terrace

Westminster Terrace

St. Thomas' Hospital

Stangate

Upper Ground

Canterbury Ho.

Royal St.

Marsh

P

Buddhist Centre

Black Rod Garden

Jewel Tower

Abbey Garden

Poets' Corner
The Rose Cloisters
Little Cloisters

St. Thomas' Medical School

ARCHBISHOP'S PARK

L A M B E

Marine Institute

York Ho.

Copeland Ho.
Doulton Ho.

Dresden Ho.
Langton Ho.

North Ct.

St. John's Concert Hall

DEAN STANLEY ST.

SMITH SQUARE

DEAN BR.

HORSEFERRY RD.

DEAN RYLE ST.

THORNEY ST.

Coach Park

P

Millbank Ct.

Millbank Tower

Lambeth Palace

Mus. of Garden History

St. Thomas' Youth Cen.

Lambeth Pier

PALACE ROAD

LAMBETH

A3036

212

Ferry

Police Support Headquarters

Juxon St.

Saperton Wlk

Denby St.

66

LAMBETH A3203 BRIDGE

Parliament View

Eustace Ho.

NORFOLK ROW

109

PRATT WALK

93

OLD PARADISE ST.

INGRAM CL.

Gabriel Ho.

Recreation Ground

Whitgift Ho.

WHITGIFT

Works

HIGH ST.

NEWPORT ST.

LAMBETH WALK

RAVENSDON ST.

GIBSON RD.

Pony House

STOUGHTON CL.

PRINCE'S RD.

Lilian Baylis Sch.

Cannon Ho.

Groome Ho.

Beckham Ho.

Michelson Ho.

Fire Brigade H.Q.

Albert Embankment Gdns.

SALAMANCA ST.

SALAMANCA PL.

Pedlers Park

RANDALL ROW

RANDALL RD.

Arden Ho.

LILAC ST.

Coverley Point

Haymans Point

Mountain Ho.

Deacon Ho.

Sullivan Ho.

Burchell Ho.

Bland Ho.

SANCROFT ST.

Woodstock Ct.

Sancroft Ho.

Pella Ho.

Trevose Ho.

Albert Embankment Gdns.

A3036

TINWORTH ST.

CITADEL ST.

Vauxhall Meth. Ch.

GRAPHITE SQ.

JONATHAN ST.

Arne Ho.

Arrow-smith Ho.

Baddesley Ho.

VAUXHALL WALK

ORSETT ST.

Newburn Ho.
Dunmow Ho.
Malmsey Ho.

Wynyard Ho.

Peninsula Heights

V A U X H A L L

GLASSHOUSE ST.

Kennedy Ho.

WICKHAM ST.

WORGAN ST.

Vauxhall Prim. Sch.

All Nations Cen.

GODING ST.

NEW SPRING GS.

LAUD ST.

TYERS ST.

Braham Ho.

Leopold

122

A B C

1 2 3 4 5

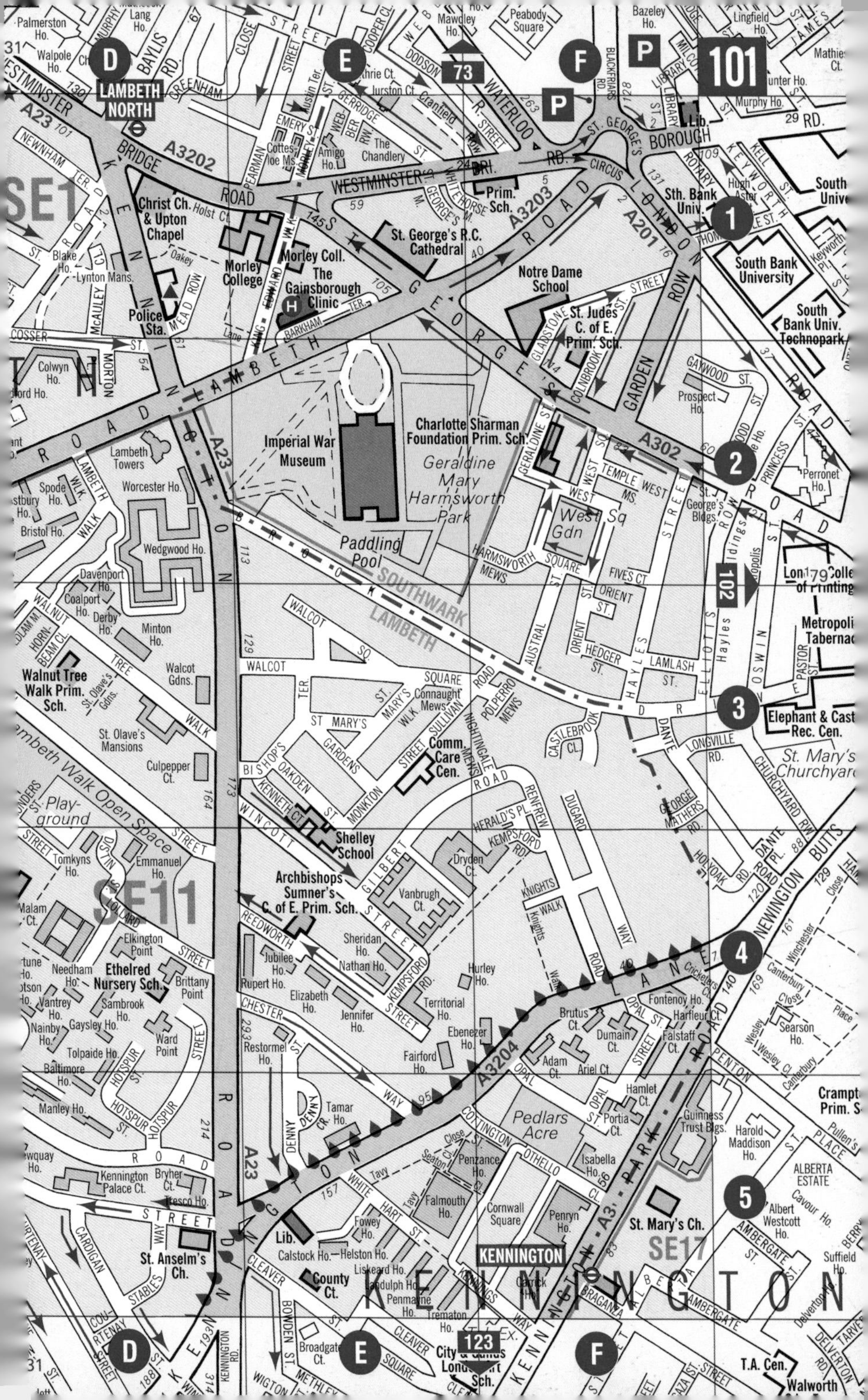

101
D
E
F
LAMBETH NORTH
73
123
102
SE1
SE11
SE17
KENNINGTON
1
2
3
4
5
WESTMINSTER BRIDGE ROAD
A3202
A3203
A201
A302
A23
A3204
ST. GEORGE'S ROAD
ST. GEORGE'S CIRCUS
LONDON ROAD
BOROUGH RD.
WATERLOO RD.
BLACKFRIARS RD.
LAMBETH ROAD
BROOK DRIVE
KENNINGTON ROAD
KENNINGTON LANE
KENNINGTON PARK ROAD
NEWINGTON BUTTS
GARDEN ROW
Christ Ch. & Upton Chapel
Morley College
Morley Coll.
The Gainsborough Clinic
Police Sta.
St. George's R.C. Cathedral
Notre Dame School
St. Judes C. of E. Prim. Sch.
Sth. Bank Univ.
South Bank University
South Bank Univ. Technopark
Imperial War Museum
Charlotte Sharman Foundation Prim. Sch.
Geraldine Mary Harmsworth Park
Paddling Pool
West Sq Gdn
SOUTHWARK
LAMBETH
Walnut Tree Walk Prim. Sch.
Lambeth Walk Open Space
Play-ground
Comm. Care Cen.
Shelley School
Archbishops Sumner's C. of E. Prim. Sch.
Ethelred Nursery Sch.
St. Anselm's Ch.
Lib.
County Ct.
Pedlars Acre
St. Mary's Ch.
Guinness Trust Blgs.
Elephant & Castle Rec. Cen.
St. Mary's Churchyard
Metropolitan Tabernacle
London College of Printing
ALBERTA ESTATE
T.A. Cen.
Walworth
Imperial War Museum
Wedgwood Ho.
Lambeth Towers
Worcester Ho.
Vanbrugh Ct.
Dryden Ct.
Cornwall Square
Falmouth Ho.
Penryn Ho.
Penzance Ho.
Kennington Palace Ct.

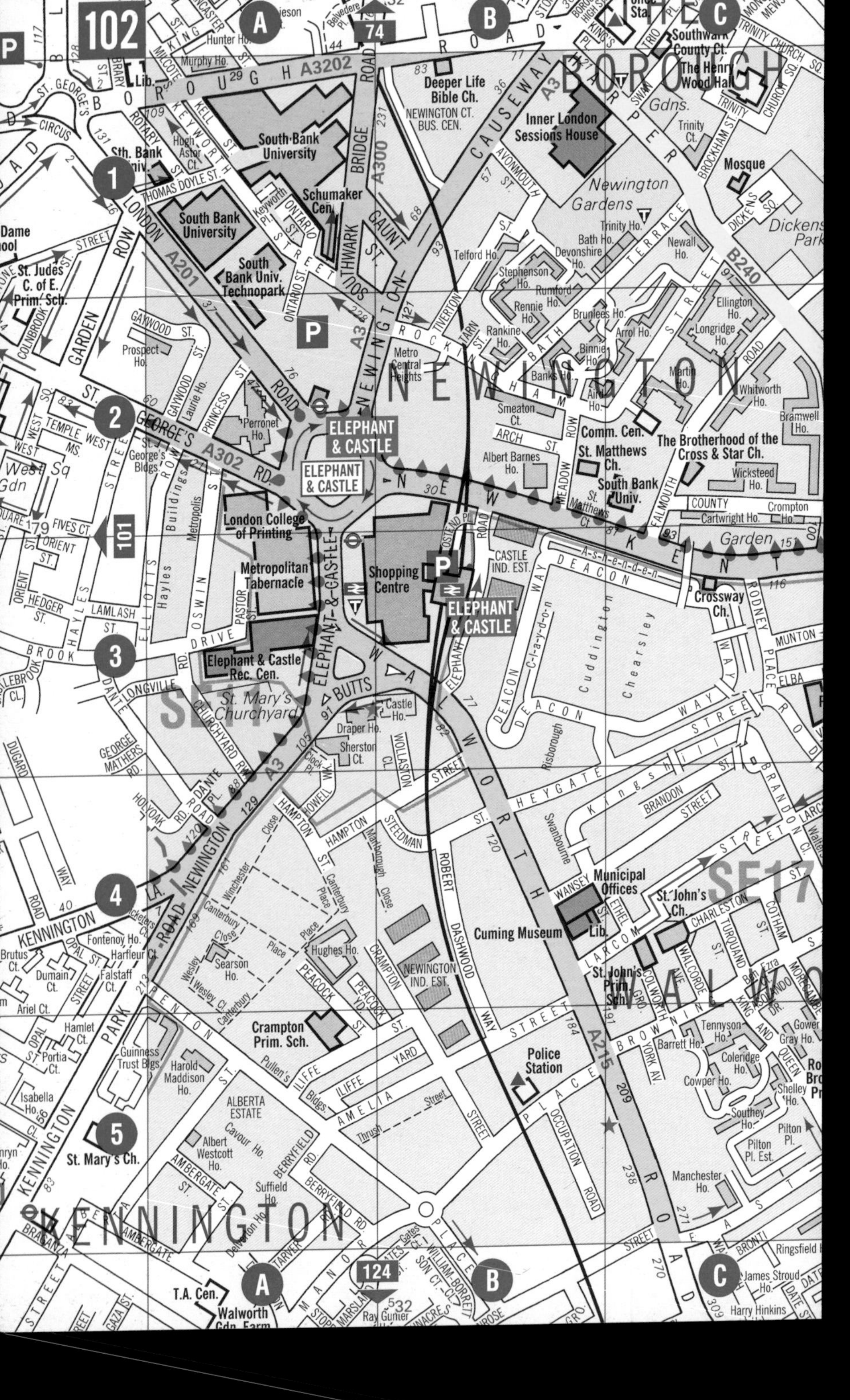

102
A
B
C
1
2
3
4
5
74
101
124
THE BOROUGH
NEWINGTON
KENNINGTON
WALWORTH
SE11
SE17
BOROUGH ROAD
A3202
LONDON ROAD
A201
ST. GEORGE'S CIRCUS
ST. GEORGE'S RD.
A302
NEWINGTON CAUSEWAY
A3
NEWINGTON BUTTS
KENNINGTON PARK ROAD
KENNINGTON ROAD
KENNINGTON LA.
WALWORTH ROAD
A215
NEW KENT ROAD
HARPER ROAD
B240
SOUTHWARK BRIDGE ROAD
A300
ELEPHANT & CASTLE
Shopping Centre
London College of Printing
Metropolitan Tabernacle
Elephant & Castle Rec. Cen.
St. Mary's Churchyard
South Bank University
South Bank Univ. Technopark
Sth. Bank Univ.
Schumaker Cen.
Deeper Life Bible Ch.
NEWINGTON CT. BUS. CEN.
Inner London Sessions House
Newington Gardens
Police Sta.
Southwark County Ct.
The Henry Wood Hall
Mosque
Dickens Sq.
Trinity Ct.
Comm. Cen.
St. Matthews Ch.
South Bank Univ.
The Brotherhood of the Cross & Star Ch.
Crossway Ch.
CASTLE IND. EST.
Metro Central Heights
Municipal Offices
Lib.
Cuming Museum
St. John's Ch.
St. John's Prim. Sch.
NEWINGTON IND. EST.
Crampton Prim. Sch.
Police Station
ALBERTA ESTATE
St. Mary's Ch.
T.A. Cen.
Walworth Gdn. Farm
St. Judes C. of E. Prim. Sch.
West Sq
Prospect Ho.
Perronet Ho.
Draper Ho.
Sherston Ct.
Castle Ho.
Hughes Ho.
Searson Ho.
Harold Maddison Ho.
Guinness Trust Bldgs.
Albert Westcott Ho.
Suffield Ho.
Pilton Pl. Est.
Manchester Ho.

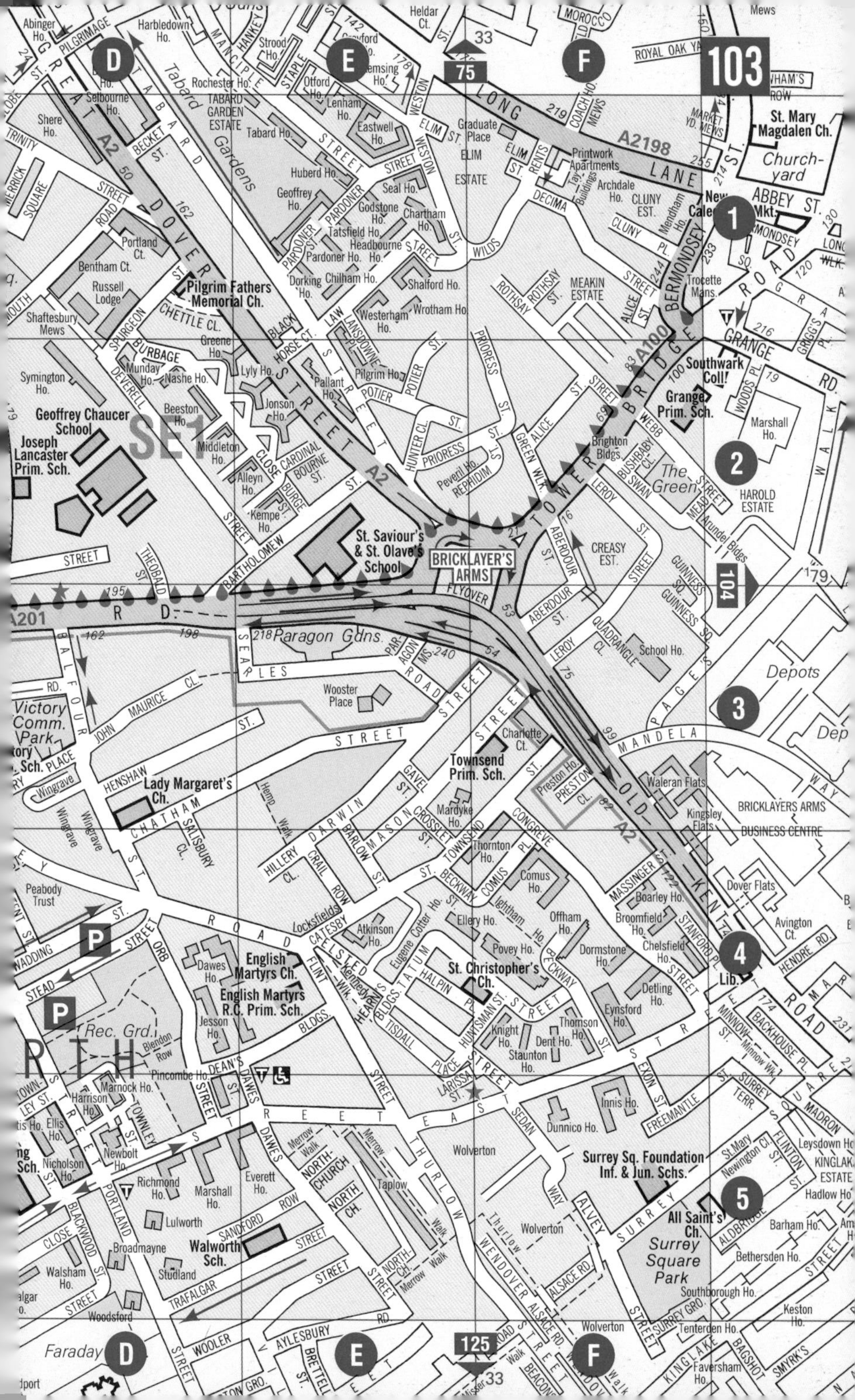
D
E
F
75
33
LONG LANE
A2198
GREAT DOVER STREET
A2
Tabard Gardens
TABARD GARDEN ESTATE
ELIM ESTATE
St. Mary Magdalen Ch.
Churchyard
ABBEY ST.
BERMONDSEY STREET
MEAKIN ESTATE
TOWER BRIDGE RD.
A100
GRANGE RD.
Southwark Coll.
Grange Prim. Sch.
HAROLD ESTATE
Marshall Ho.
Pilgrim Fathers Memorial Ch.
Geoffrey Chaucer School
Joseph Lancaster Prim. Sch.
SE1
St. Saviour's & St. Olave's School
BRICKLAYER'S ARMS
FLYOVER
CREASY EST.
104
A201
Paragon Gdns.
Victory Comm. Park
Lady Margaret's Ch.
Townsend Prim. Sch.
OLD KENT ROAD
A2
Depots
BRICKLAYERS ARMS BUSINESS CENTRE
MANDELA WAY
Waleran Flats
Kingsley Flats
Dover Flats
Avington Ct.
English Martyrs Ch.
English Martyrs R.C. Prim. Sch.
St. Christopher's Ch.
Rec. Grd.
EAST STREET
Wolverton
Surrey Sq. Foundation Inf. & Jun. Schs.
All Saint's Ch.
Surrey Square Park
KINGLAKE ESTATE
Walworth Sch.
TRAFALGAR STREET
WOOLER STREET
AYLESBURY RD.
125
Faraday
1
2
3
4
5

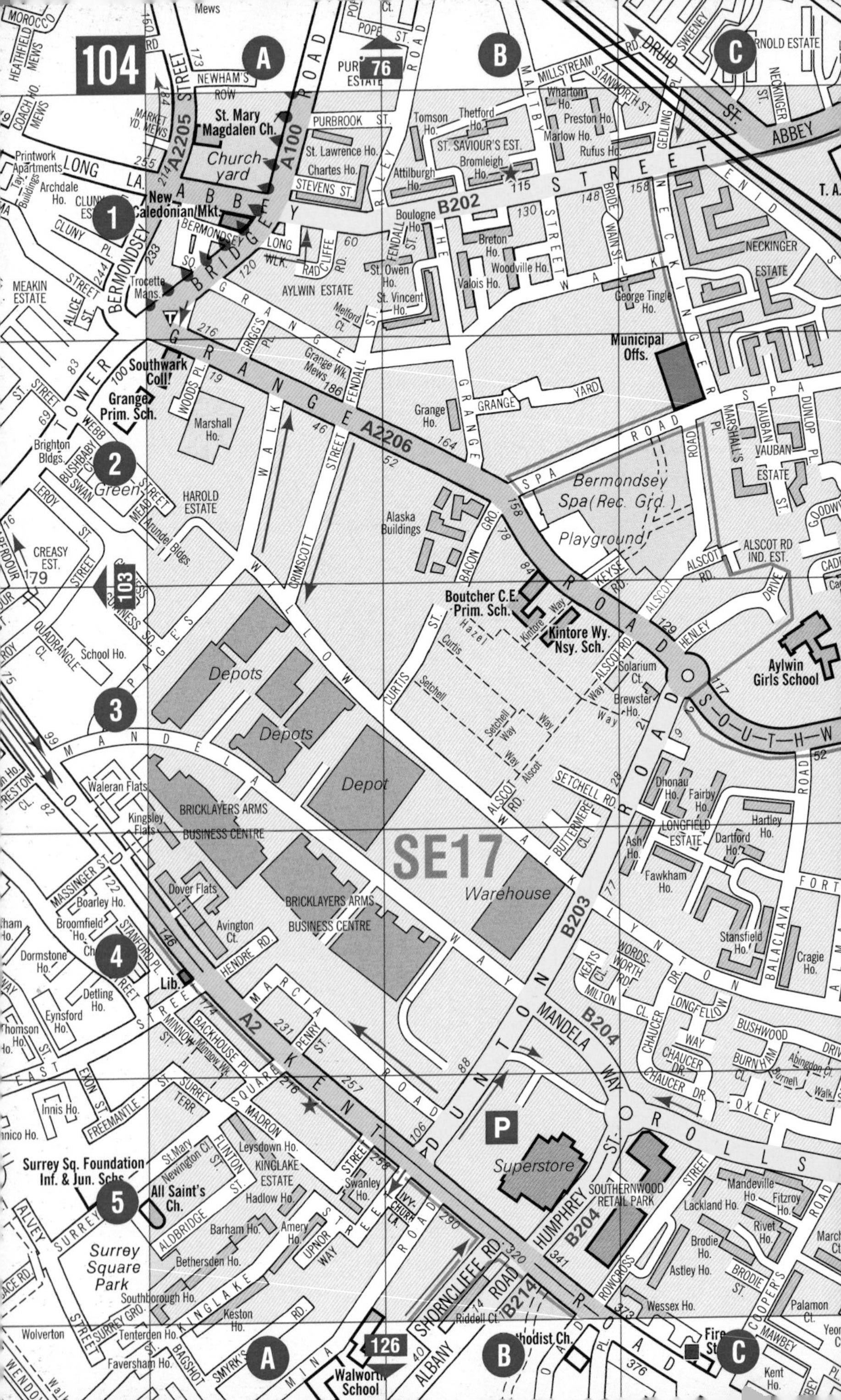
104
76
103
126
A
B
C
1
2
3
4
5
SE17
MOROCCO
HEATHFIELD MEWS
COACH HO. MEWS
MARKET YD. MEWS
Mews
NEWHAM'S ROW
St. Mary Magdalen Ch.
Churchyard
Printwork Apartments
Tay Buildings
LONG LA.
Archdale Ho.
CLUNY ESt.
CLUNY PL.
New Caledonian Mkt.
BERMONDSEY SQ.
BERMONDSEY STREET
A2205
A100
ABBEY
BRIDGE
ROAD
LONG WLK.
RADCLIFFE RD.
MEAKIN ESTATE
ALICE ST.
Trocette Mans.
PURBROOK ST.
St. Lawrence Ho.
Chartes Ho.
STEVENS ST.
POPE ST.
PURBROOK ESTATE
RILEY ROAD
Tomson Ho.
Thetford Ho.
ST. SAVIOUR'S EST.
Bromleigh Ho.
Attilburgh Ho.
Boulogne Ho.
B202
FENDALL ST.
St. Owen Ho.
St. Vincent Ho.
AYLWIN ESTATE
Melford Ct.
GRANGE
GRIGG'S PL.
Grange Wk. Mews
MALTBY STREET
MILLSTREAM
Wharton Ho.
Preston Ho.
Marlow Ho.
Rufus Ho.
STANWORTH ST.
DRUID ST.
SWEENEY
ARNOLD ESTATE
NECKINGER ST.
ABBEY ST.
GEDLING PL.
ENID ST.
T. A.
Breton Ho.
Woodville Ho.
Valois Ho.
BRIDE ST.
WAIN ST.
George Tingle Ho.
NECKINGER ESTATE
NECKINGER
Municipal Offs.
GRANGE YARD
Grange Ho.
GRANGE WALK
SPA ROAD
MARSHALL'S PL.
VAUBAN ESTATE
DUNLOP PL.
Bermondsey Spa (Rec. Grd.)
Playground
ALSCOT RD IND. EST.
ALSCOT RD.
GOODWIN
CADE
Southwark Coll.
Grange Prim. Sch.
TOWER BRIDGE ROAD
WOODS PL.
Marshall Ho.
A2206
GRANGE ROAD
WALK
STREET
Alaska Buildings
BACON GRO.
Boutcher C.E. Prim. Sch.
Kintore Way
Kintore Wy. Nsy. Sch.
KEYSE RD.
HENLEY DRIVE
Aylwin Girls School
ST. STREET
Brighton Bldgs.
WEBB
BUSHBABY CL.
SWAN MEAD
Green
HAROLD ESTATE
Arundel Bldgs.
LEROY ST.
CREASY EST.
STREET
GUINNESS SQ.
QUADRANGLE CL.
School Ho.
PAGES WALK
WILLOW WALK
CRIMSCOTT STREET
CURTIS ST.
Hazel Way
Curtis Way
Setchell Way
Alscot Way
Solarium Ct.
Brewster Ho.
Depots
Depot
MANDELA WAY
Waleran Flats
Kingsley Flats
BRICKLAYERS ARMS BUSINESS CENTRE
Warehouse
ALSCOT RD.
SETCHELL RD.
BUTTERMERE CL.
Dhonau Ho.
Fairby Ho.
LONGFIELD ESTATE
Ash Ho.
Dartford Ho.
Hartley Ho.
Fawkham Ho.
SOUTHWARK PARK ROAD
FORT
OLD KENT ROAD
MASSINGER ST.
Boarley Ho.
Broomfield Ho.
Dover Flats
Avington Ct.
HENDRE RD.
STANFORD PL.
Dormstone Ho.
Detling Ho.
Eynsford Ho.
Thomson Ho.
Lib.
MARCIA ROAD
PENRY ST.
MINNOW ST.
Minnow Wk.
BACKHOUSE PL.
EAST STREET
EXON ST.
B203
DUNTON ROAD
LYNTON ROAD
WORDSWORTH RD.
KEATS CL.
MILTON CL.
CHAUCER DR.
LONGFELLOW WAY
Stansfield Ho.
BALACLAVA
Cragie Ho.
B204
BUSHWOOD DRIVE
BURNHAM CL.
Abingdon Cl.
Burnell Walk
OXLEY
ROLLS ROAD
SURREY SQUARE
Innis Ho.
FREEMANTLE ST.
SURREY TERR.
MADRON
St. Mary Newington Cl.
FLINTON ST.
Leysdown Ho.
KINGLAKE ESTATE
Hadlow Ho.
Swanley Ho.
IVY-CHURCH LA.
P
Superstore
SOUTHERNWOOD RETAIL PARK
HUMPHREY ST.
A2
Surrey Sq. Foundation Inf. & Jun. Schs
All Saint's Ch.
ALVEY
ALDBRIDGE ST.
Barham Ho.
Amery Ho.
UPNOR WAY
Bethersden Ho.
Surrey Square Park
Southborough Ho.
KINGLAKE ST.
Keston Ho.
SURREY GRO.
Tenterden Ho.
Wolverton
Faversham Ho.
BAGSHOT ST.
SMYRK'S RD.
MINA
Walworth School
SHORNCLIFFE RD.
ALBANY ROAD
B214
Riddell Ct.
Methodist Ch.
ROWCROSS
Lackland Ho.
Mandeville Ho.
Fitzroy Ho.
Rivet Ho.
Brodie Ho.
Astley Ho.
BRODIE ST.
Wessex Ho.
COOPER'S ROAD
Palamon Ct.
MAWBEY
Fire St.
Kent Ho.
March Ct.
Yeo

105
106
77
127
D
E
F
1
2
3
4
5
BERMONDSEY
SE16
A200
A2206
A2208
B204
JAMAICA ROAD
DRUMMOND ROAD
SOUTHWARK PARK ROAD
ST. JAMES'S ROAD
CLEMENT'S ROAD
ROTHERHITHE NEW ROAD
CATLIN STREET
LYNTON ROAD
GALLEYWALL ROAD
St. James' C.E. Prim. Sch.
St. James's Church
St. Crispin with Christ Ch.
Southwark Coll. (Surrey Docks Cen.)
TOWER BRIDGE BUSINESS COMPLEX
TOWER BRIDGE BUSINESS SQUARE
DISCOVERY BUSINESS PARK
DOCKLEY RD. IND. EST.
VOYAGER BUS.EST.
EVELYN LOWE ESTATE
Alma Prim. Sch.
Cherry Gdn. Sch.
Lib.
Market Pl.
Vineyard Comm. Ch.
Southwark Park Prim. Sch.
Manor Methodist Ch.
MANOR ESTATE
GALLEYWALL RD. TRAD. EST.
Galleywall Prim. Sch.
ADMIRAL HYSON IND. EST.
Comm. Cen.
Spa School
St. Anne's Ch.
LYNTON ESTATE
Paterson Park
St. Augustine's Church
Works
St. Philip the Apostle
Eveline Prim. Sch.
Comm. Cen.
New Place Square
Lockwood Square
Marden Square
Layard Square
DICKENS ESTATE
KIRBY EST.

106
78
105
128
A
B
C
1
2
3
4
5
SE16
SOUTHWARK PARK
SOUTHWARK PARK
Christ Church Gate
Bowling Green
Tennis Cts.
Jamaica Gate
Gomm Gate
China Hall Gate
Sports Ground
Sports Complex
Cafe Gallery
Leisure Centre
Nursing Home
King George's Field
Rotherhithe Free Ch.
Comm. Cen.
St. Joseph's R.C. Prim. Sch.
Swedish Seamen's Ch.
Police Sta.
Bus. Sta.
Dock Offices
St. Crispin with Christ Ch.
Southwark Park Prim. Sch.
Vineyard Comm. Ch.
Manor Methodist Ch.
Galleywall Prim. Sch.
R.C. Ch.
SOUTH BERMONDSEY
BERMONDSEY TRADING ESTATE
GALLEYWALL RD. TRAD. EST.
ADMIRAL HYSON IND. EST.
ENTERPRISE IND. EST.
TOWER BRIDGE BUSINESS SQUARE
Games Ct.
Works
JAMAICA RD.
A200
LOWER ROAD
A2206
RAYMOUTH ROAD
SOUTHWARK PARK ROAD
SOUTHWARK PK. RD.
PARK ROAD
HAWKSTONE
ROTHERHITHE
A2208
NEW ROAD
ILDERTON
JARROW ROAD
ABBEYFIELD ROAD
ABBEYFIELD EST.
SOUTHWARK PK. EST.
RENNIE EST.
KIRBY EST.
HOWLAND EST.
IRWELL ESTATE
CANADA EST.
SILWOOD EST.
DRUMMOND ROAD
CLEMENT'S ROAD
GALLEYWALL ROAD
ROSEBERRY ST.
STUBBS DRIVE
DELAFORD ROAD
ABLETT ST.
ROSSETTI ROAD
LYNTON ROAD
ALMOND ROAD
New Place Square
Lockwood Square
Marden Square
Layard Square
Moreton Ho.
Arica Ho.
Gataker Ho.
Cornick Ho.
Glebe Ho.
Matson Ho.
Hickling Ho.
Damory Ho.
Maydew Ho.
Bradley Ho.
Antony Ho.
Roderick Ho.
Thaxted Ho.
Trevithick Ho.
Landmann Ho.
Fitzmaurice Ho.
Barlow Ho.
Dodd Ho.
Donkin Ho.
Beamish Ho.
Barry Ho.
Helen Peele Cottages
Blick Ho.
Neptune Ho.
Murdoch Ho.
Clegg Ho.
Ritchie Ho.
Wells Ho.
Calgary Ct.
Manitoba Ct.
Scotia Ct.
Niagra Ct.
Edmonton Ct.
Regina Point
Columbia Point
Landale Ho.
Courthope Ho.
Addy Ho.
Westlake
George Walter Ct.
Adron Ho.
McIntosh Ho.
Richard Ho.
Gillam Ho.
Millender Walk
Hockney Ct.
Toulouse Ct.
Lowry Ct.
Lewis Ct.
Da Vinci Ct.
Blake Ct.
Raphael Ct.
Renoir Ct.
Gainsborough Ct.
Rembrandt Ct.
Constable Ct.
Monet Ct.
Woburn Ct.
Tralee Ct.
Jasmin Lodge
Pope Ho.
Ramsfort Ho.
Mortain Ho.
Millstream Ho.
Cranbourn Ho.
Cherry Gdn. Ho.
Pynfolds

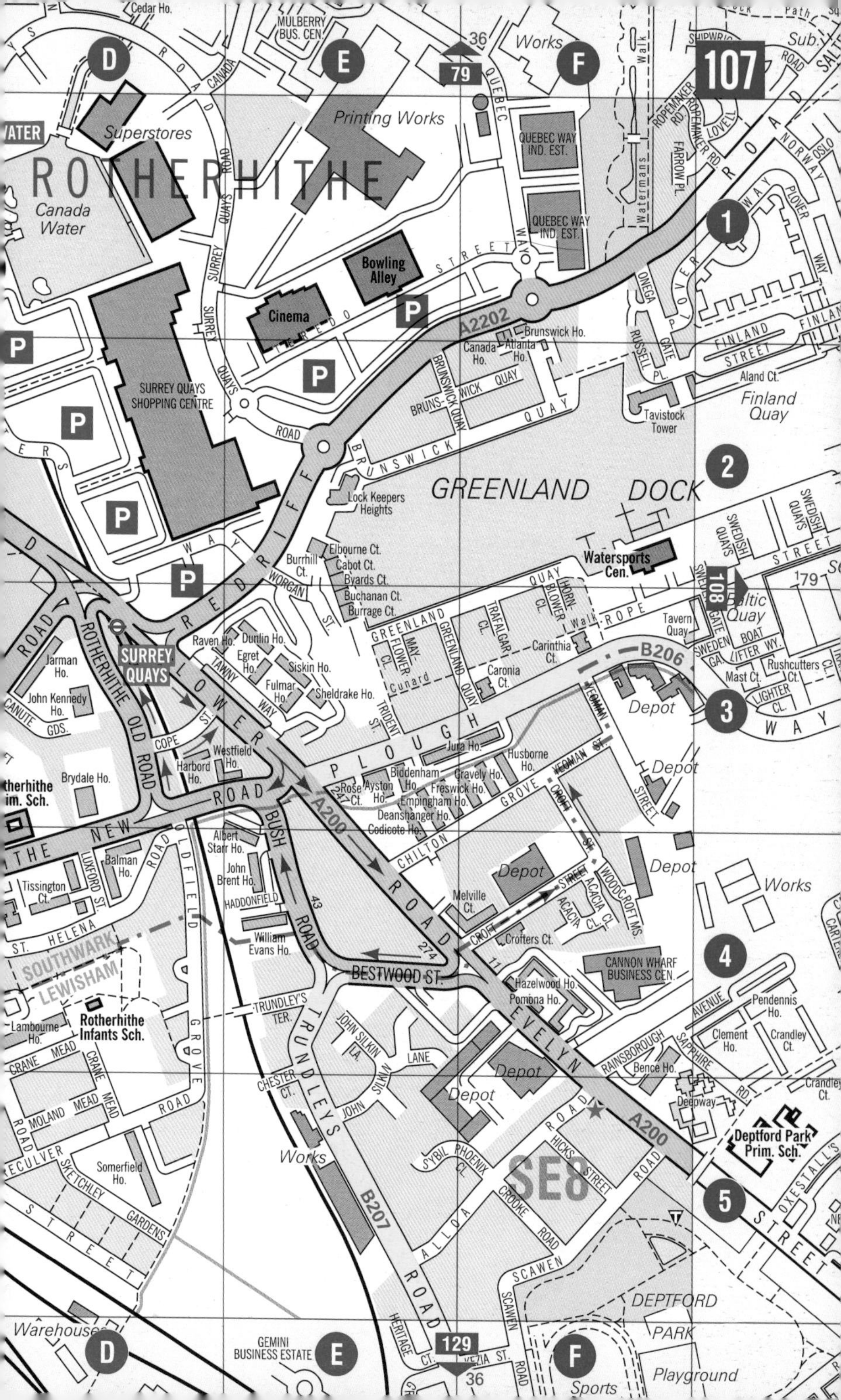
ROTHERHITHE
Canada Water
Superstores
Printing Works
MULBERRY BUS. CEN.
Cedar Ho.
Works
QUEBEC WAY IND. EST.
QUEBEC WAY IND. EST.
Bowling Alley
Cinema
SURREY QUAYS SHOPPING CENTRE
GREENLAND DOCK
Lock Keepers Heights
Watersports Cen.
Finland Quay
Tavistock Tower
Baltic Quay
SURREY QUAYS
Depot
Works
CANNON WHARF BUSINESS CEN.
Deptford Park Prim. Sch.
Rotherhithe Infants Sch.
SOUTHWARK
LEWISHAM
SE8
DEPTFORD PARK
Playground
Sports
GEMINI BUSINESS ESTATE
Warehouses
A2202
A200
B206
B207
79
108
129
36

A
B
C
1
2
3
4
5
80
107
130
REDRIFF ROAD
A2202
Barnard's Wharf
Commercial Pier Wharf
Custom Ho. Reach
New Caledonian Wharf
REDRIFF ESTATE
King Frederick IX Tower
Queen of Denmark Ct.
Greenland Lock
RIVER
SE16
Greenland Pier
Finland Quay
GREENLAND DOCK
Prince's Ct.
South Dock Lock
St. George's Wharf
SOUTH DOCK (Marina)
Baltic Quay
Watersports Cen.
SOUTHWARK
TOWER HAMLETS
LEWISHAM
PLOUGH WAY
B206
Works
GROVE STREET
Depot
SE8
Nursing Home
Aragon Tower
Deptford Strand
Community Centre
Deptford Park Prim. Sch.
EVELYN STREET
A200
Pepys Park
Pepys Park Playground
CONVOYS WH
DEPTFORD PARK
Playground
Bridge Wharf
CROWN WHARF
NEW BALTIC WHARF
VICTORIA WHARF
PARK WHARF

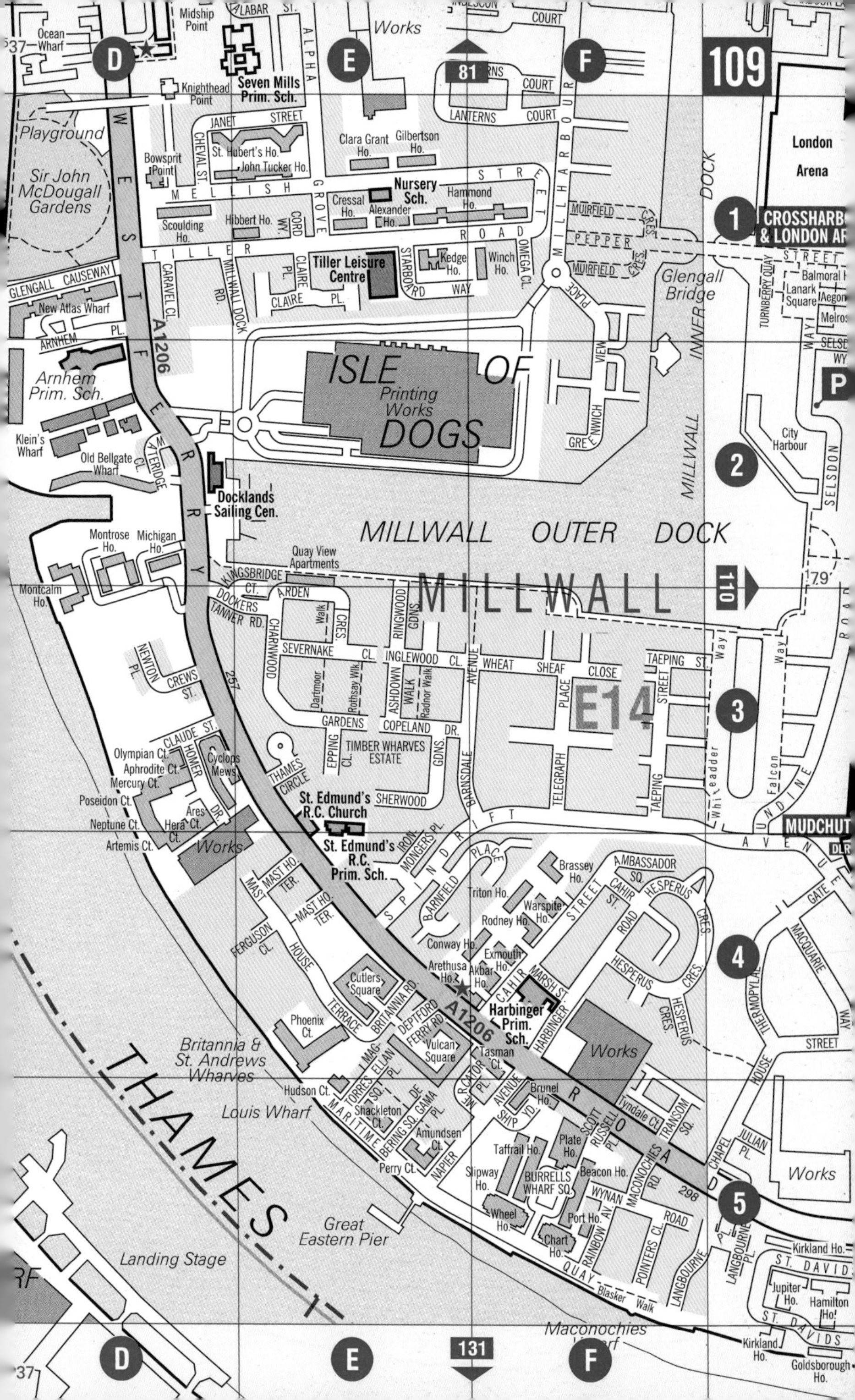
D
E
F
81
109
Midship Point
Ocean Wharf
Seven Mills Prim. Sch.
Knighthead Point
Works
COURT
LANTERNS COURT
Playground
Sir John McDougall Gardens
JANET STREET
CHEVAL ST.
St. Hubert's Ho.
John Tucker Ho.
Bowsprit Point
Clara Grant Ho.
Gilbertson Ho.
London Arena
MELLISH STREET
GROVE
Nursery Sch.
Hammond Ho.
Cressal Ho.
Alexander Ho.
Scoulding Ho.
Hibbert Ho.
CORD WY.
TILLER ROAD
MILLHARBOUR
MUIRFIELD CRES.
PEPPER STREET
1
CROSSHARB
& LONDON AR
DOCK
Tiller Leisure Centre
Kedge Ho.
Winch Ho.
OMEGA CL.
STARBOARD WAY
CLAIRE PL.
CARAVEL CL.
MILLWALL DOCK RD.
GLENGALL CAUSEWAY
New Atlas Wharf
ARNHEM PL.
Glengall Bridge
INNER
TURNBERRY QUAY
Balmoral H
Lanark Square
Aegon
Melros
SELSD
WY
WAY
WEST FERRY
A1206
ISLE OF DOGS
Printing Works
VIEW
GREENWICH
Arnhem Prim. Sch.
Klein's Wharf
Old Bellgate Wharf
MARTERIDGE CL.
Dockland Sailing Cen.
MILLWALL
City Harbour
2
SELSDON
P
MILLWALL OUTER DOCK
Montrose Ho.
Michigan Ho.
Quay View Apartments
KINGSBRIDGE CT.
DOCKERS TANNER RD.
ARDEN CRES.
Walk
Montcalm Ho.
MILLWALL
110
79
RINGWOOD GDNS.
SEVERNAKE CL.
INGLEWOOD CL.
AVENUE
WHEAT SHEAF CLOSE
TAEPING ST.
Way
NEWTON PL.
CREWS ST.
257
CHARNWOOD GARDENS
Dartmoor
Rothsay Wlk.
ASHDOWN WALK
Radnor Walk
PLACE
TELEGRAPH
E14
STREET
3
COPELAND DR.
EPPING CL.
TIMBER WHARVES ESTATE
GDNS.
BARNSDALE
TAEPING
Whiteadder
Falcon
UNDINE
CLAUDE ST.
HOMER DR.
Olympian Ct.
Aphrodite Ct.
Mercury Ct.
Poseidon Ct.
Cyclops Mews
Ares Ct.
Hera Ct.
Neptune Ct.
Artemis Ct.
Works
THAMES CIRCLE
St. Edmund's R.C. Church
SHERWOOD
St. Edmund's R.C. Prim. Sch.
IRONMONGERS PL.
SPINDRIFT
MUDCHUT
DLR
AVENUE
MAST HO. TER.
FERGUSON CL.
HOUSE
BARNFIELD PLACE
Triton Ho.
Brassey Ho.
AMBASSADOR SQ.
CAHIR ST.
HESPERUS CRES.
Warspite Ho.
Rodney Ho.
Conway Ho.
Exmouth Ho.
Arethusa Ho.
Akbar Ho.
CAHIR
MARSH ST.
GATE
MACQUARIE
4
Cutlers Square
BRITANNIA RD.
TERRACE
Phoenix Ct.
DEPTFORD FERRY RD.
Vulcan Square
Harbinger Prim. Sch.
HARBINGER
Works
THERMOPYLAE
Way
STREET
Britannia & St. Andrews Wharves
Tasman Ct.
Hudson Ct.
TORRES SQ.
MAGELLAN PL.
DE GAMA PL.
Shackleton Ct.
MERCATOR PL.
AVENUE
SHIP YD.
Brunel Ho.
Tyndale Ct.
TRANSOM SQ.
HOUSE
Louis Wharf
MARITIME
BERING SQ.
Amundsen Ct.
NAPIER
Taffrail Ho.
Plate Ho.
SCOTT RUSSELL PL.
ROAD
CHAPEL
JULIAN PL.
Works
THAMES
Perry Ct.
Slipway Ho.
BURRELLS WHARF SQ.
Beacon Ho.
WYNAN
MACONOCHIES RD.
298
5
Great Eastern Pier
Wheel Ho.
Port Ho.
RAINBOW AV.
ROAD
Chart Ho.
POINTERS CL.
LANGBOURNE PL.
Kirkland Ho.
ST. DAVIDS
Landing Stage
QUAY
Blasker Walk
Jupiter Ho.
Hamilton Ho.
Maconochies Wharf
Kirkland Ho.
Goldsborough Ho.
131
37

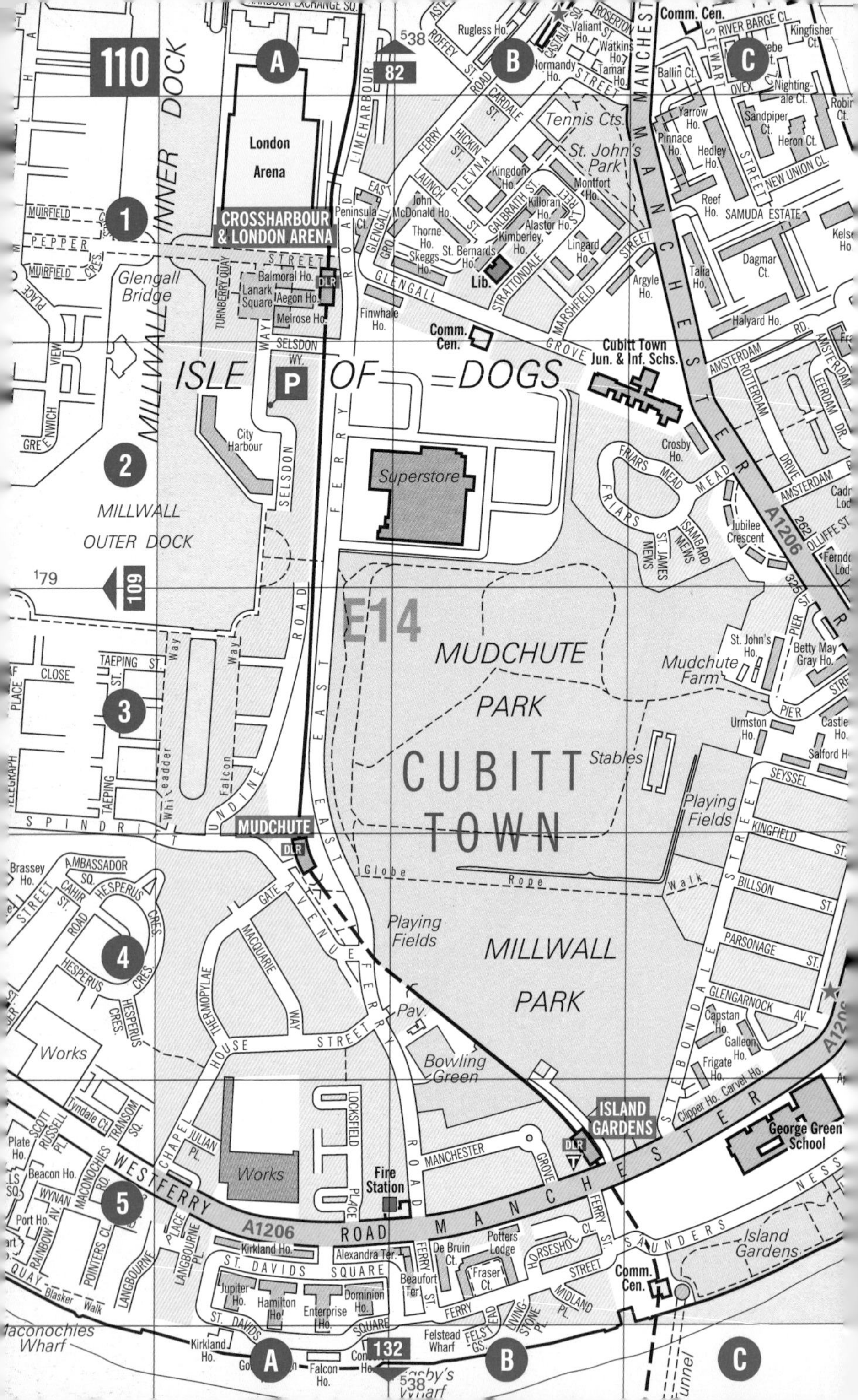
110
A
B
C
82
109
132
London Arena
CROSSHARBOUR & LONDON ARENA
MUDCHUTE
ISLAND GARDENS
ISLE OF DOGS
MILLWALL INNER DOCK
MILLWALL OUTER DOCK
Glengall Bridge
City Harbour
Superstore
E14
MUDCHUTE PARK
CUBITT TOWN
MILLWALL PARK
Mudchute Farm
Stables
Playing Fields
Bowling Green
Tennis Cts.
St. John's Park
Island Gardens
Works
Fire Station
Comm. Cen.
Lib.
Cubitt Town Jun. & Inf. Schs.
George Green's School
SAMUDA ESTATE
MANCHESTER ROAD
A1206
WESTFERRY ROAD
EAST FERRY ROAD
LIMEHARBOUR
GLENGALL GROVE
SPINDRIFT
SELSDON WAY
STEBONDALE STREET
SAUNDERS NESS
Jubilee Crescent
Maconochies Wharf
Felstead Wharf
Globe Rope Walk

ORDNANCE CRES

TUNNEL

M·I·L·L·E·N·N·I·U·M

APPROACH

AVENUE

W·A·Y

VICTORIA DEEP
WATER TERMINAL

Travelling
Cranes

Gas
Works

1

Lorry
Park

STREET

Bay Wharf

BOORD RD

A102

BLACKWALL

TUNNEL

Walk

Riverside

Stipways

SOUTHERN — APPROACH

Primrose Wharf

ROAD

WHARF

2

Morden
WHARF

MORDEN
WHARF

Riverside Walk

Glucose Refineries

112

179

Works

Refineries

Council
Depot

3

SA

SE10

THAMES

Pier

MILLENNIUM

DRIVE

SCHOONER
Lymington
Lodge

CL

Beaulieu
Lodge
wood
odge

REMBRANDT
CL.
Vermeer
Ct.
an Gogh
Ct.

LENNIUM
Fawley
Lodge
Lyndhurst
Lodge
BLYTH CL.

SAUNDERS

CHICHESTER
WAY

MARINERS

WAY

SEXTANT

MEWS

NESS

AVENUE

PLYMOUTH
WHARF

FRANCIS
CL.
ROAD
STREET

STORERS

OBSER-
VATORY
MEWS

Ponds

QUAY

CALEDONIAN
WHARF

St. Luke's
C. of E.
Prim. Sch.

GLENWORTH
AV.
Police Sta.

NESS

CALEDONIAN

EMPIRE
RD.

Church
rist and
John

SAUNDERS
RD.

GROSVENOR WHARF
RD.

TOWER HAMLETS

GREENWICH

Cubitt Town
Wharf

Enderby's Wharf

Piper's Wharf

4

Providence
Warehouse

MAURITIUS

WAY

STREET

AZOF

STREET

AFFRIC
RD
GS

CUMBERLAND
MILL SQ.

Newcastle Drawdock

RIVER

REACH

Granite
Wharf

Cadet
Place

Badcock's
Wharves

Depot

STREET

DERWENT ST.

Christ Ch
C. of E. Pris

FEL MS

ST. JOSEPH
Prim.

Ea

Lovell's
Wharf

5

ST. THISSON

Riverside Quay

BALLAST QUAY

LASSELL
KINS COL-
LINGTON
ST.

Anchor Iron
Wharf

PELTON

ST.

GIBSON

BANNING

CARADOC

HADRIAN

ST.

STREET

CHRISTCHURCH

ROAD

WHITWORTH

Comm.
Cen.

Christchurch
Forum

ROAD

COMMERELL

Ch

Bridge

DERBY

BRADDYL

GREENWICH

112
84
111
A
B
C
1
2
3
4
5
CENTRAL PARK
Gas Works
Lorry Park
Sailing Cen.
Greenwich Millennium Primary School
MILLENNIUM VILLAGE (Under Construction)
SE10
Hotel
Warehouse
UCI Filmworks
Superstore
P
Primrose Wharf
Glucose Refineries
Refineries
Works
Council Depot
Providence Warehouse
Depot
Rothbury Hall
Christ Church C. of E. Prim. Sch.
St. Joseph's R.C. Prim. Sch.
Early Years Cen.
Ch.
Comm. Cen.
Christchurch Forum
Annandale Prim. Sch.
LAWRENCE TRAD. EST.
Meridian Ho.
Lockyer Ho.
Rooke End
Baldrey Ho.
Collins Ho.
Christie Ho.
Halley Ho.
Moore Ho.
Kepler Ho.
Dyson Ho.
Cliffe Ho.
Selcroft Ho.
Collerston Ho.
Bellot Gdns.
MILLENNIUM WAY
BLACKWALL TUNNEL
TUNNEL AV.
BOORD STREET
OLD SCHOOL CL.
WEST PARKSIDE
EAST PARKSIDE
PARKSIDE
RIVER WAY
HARRISON WAY
JOHN HARRISON WAY
DREADNOUGHT STREET
A102
BUGSBY'S WAY
A2052
SCHOOLBANK ROAD
BLACKWALL LANE
A2203
SOUTHERN WAY
MORDEN WHARF ROAD
MORDEN WHARF
PETERBOAT CL.
TUNNEL AVENUE
SALUTATION ROAD
MAURITIUS ROAD
AZOF STREET
TWYCROSS MS.
ARMITAGE RD.
LENTHORP ROAD
LENTHORP RD.
HARRIOTT CL.
MERCERS CL.
DAVERN CL.
HELVELIUS CL.
WILLIAMSON CL.
GLENFORTH STREET
FINGAL STREET
CHILVER STREET
ROOKE WAY
CALETOCK WAY
GLENISTER ROAD
ARMITAGE ROAD
COMMERELL PL.
COMMERELL ST.
CONLEY ST.
HATCLIFFE ST.
Denford St.
MARLTON ST.
DANDRIDGE
Wks.
WOOLWICH ROAD
A206
CHRISTCHURCH WAY
CHRISTCHURCH
DERWENT ST.
BELLOT
FLAMSTEED MS.
STREET
PELTON
KOSSUTH ST.
HADRIAN STREET
THORNLEY PL.
WHITWORTH ST.
COLOMB ROAD
TRAFALGAR ROAD
RODMERE ST.
VANBRUGH HILL
CALVERT RD.
CHEVENING
Badcock's Wharves
Place
179

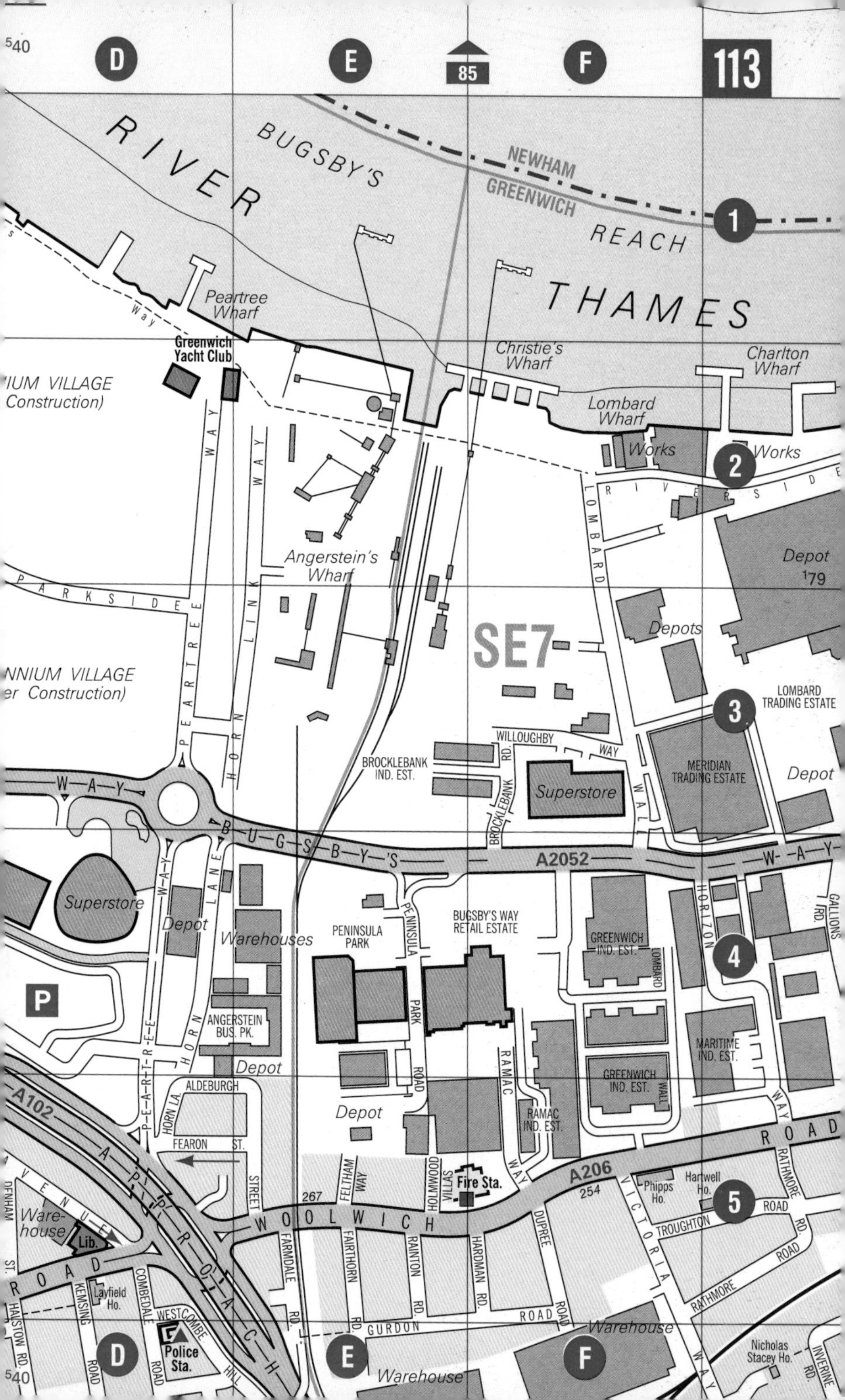

540
D
E
85
F
RIVER THAMES
BUGSBY'S REACH
NEWHAM
GREENWICH
1
Peartree Wharf
Greenwich Yacht Club
Christie's Wharf
Charlton Wharf
Lombard Wharf
Works
2
RIVERSIDE
LOMBARD
Depot
79
Angerstein's Wharf
PARKSIDE
PEARTREE WAY
HORN LINK WAY
Depots
SE7
LOMBARD TRADING ESTATE
3
WILLOUGHBY WAY
BROCKLEBANK IND. EST.
BROCKLEBANK RD.
Superstore
MERIDIAN TRADING ESTATE
Depot
BUGSBY'S WAY
A2052
GALLIONS RD.
HORIZON WAY
Superstore
Depot
Warehouses
PENINSULA PARK
PENINSULA PARK ROAD
BUGSBY'S WAY RETAIL ESTATE
GREENWICH IND. EST.
4
P
ANGERSTEIN BUS. PK.
Depot
RAMAC WAY
MARITIME IND. EST.
A102
ALDEBURGH
HORN LA.
GREENWICH IND. EST.
RAMAC IND. EST.
Depot
FEARON ST.
STREET
A206
ROAD
RATHMORE RD.
FELTHAM WAY
HOLMWOOD VILLAS
Fire Sta.
254
Phipps Ho.
Hartwell Ho.
5
267
WOOLWICH ROAD
TROUGHTON ROAD
DENHAM ST.
AVENUE
Warehouse
Lib.
APPROACH
FARMDALE RD.
FAIRTHORN RD.
RAINTON RD.
HARDMAN RD.
DUPREE ROAD
VICTORIA WAY
RATHMORE ROAD
Layfield Ho.
KEMSING ROAD
COMBEDALE ROAD
WESTCOMBE HILL
HALSTOW RD.
Police Sta.
GURDON ROAD
Warehouse
Nicholas Stacey Ho.
INVERINE RD.
Warehouse

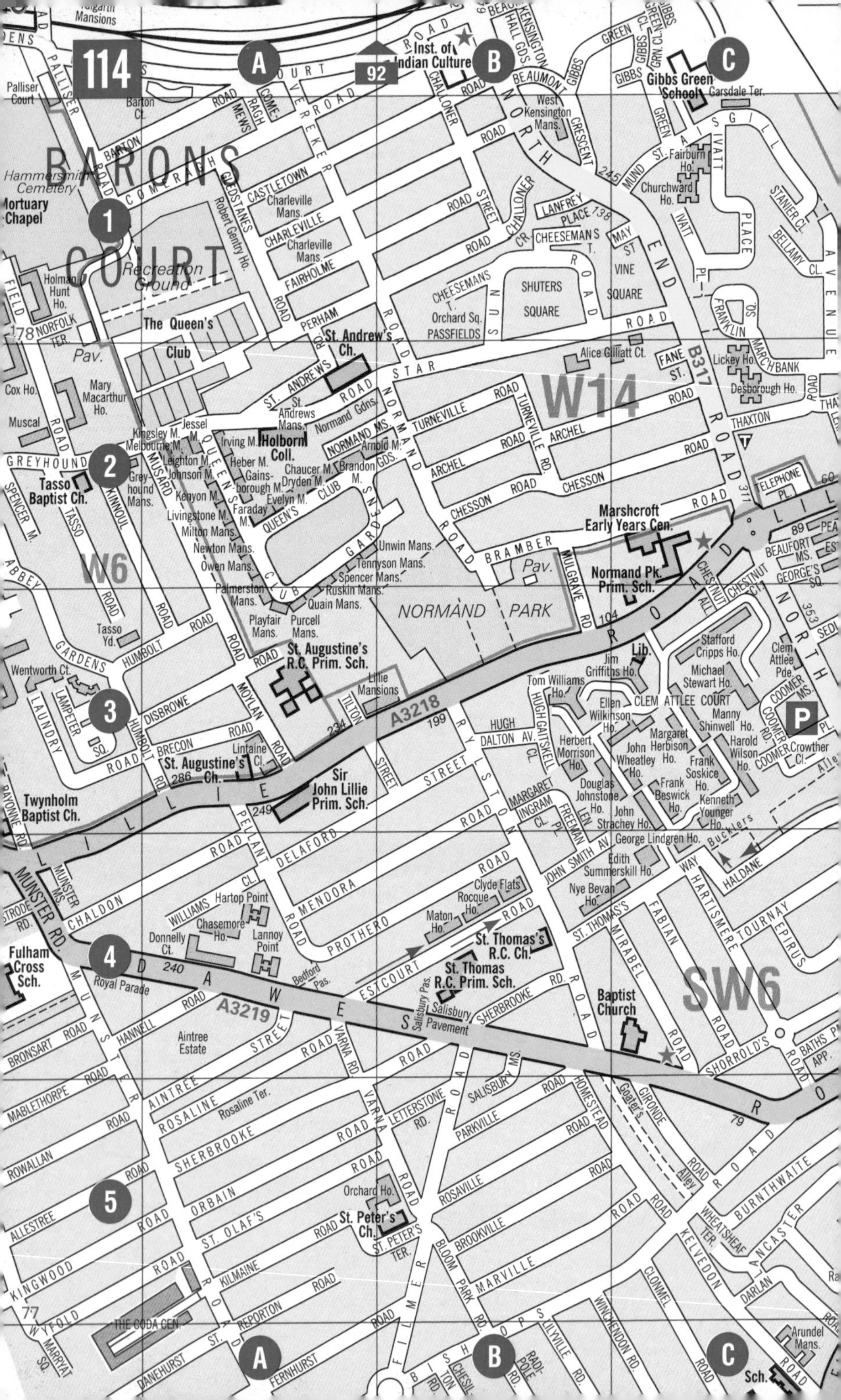

114
A
B
C
92
Inst. of Indian Culture
Gibbs Green School
BARONS COURT
Hammersmith Cemetery
Mortuary Chapel
Recreation Ground
The Queen's Club
Pav.
St. Andrew's Ch.
Holborn Coll.
W14
W6
SW6
NORMAND PARK
Marshcroft Early Years Cen.
Normand Pk. Prim. Sch.
St. Augustine's R.C. Prim. Sch.
St. Augustine's Ch.
Sir John Lillie Prim. Sch.
Twynholm Baptist Ch.
Tasso Baptist Ch.
Fulham Cross Sch.
St. Thomas's R.C. Ch.
St. Thomas R.C. Prim. Sch.
Baptist Church
St. Peter's Ch.
Lib.
CLEM ATTLEE COURT
Aintree Estate
THE CODA CEN.
Royal Parade
A3218
A3219
B317
LILLIE ROAD
DAWES ROAD
NORTH END ROAD
MUNSTER ROAD
FULHAM PALACE ROAD
1
2
3
4
5

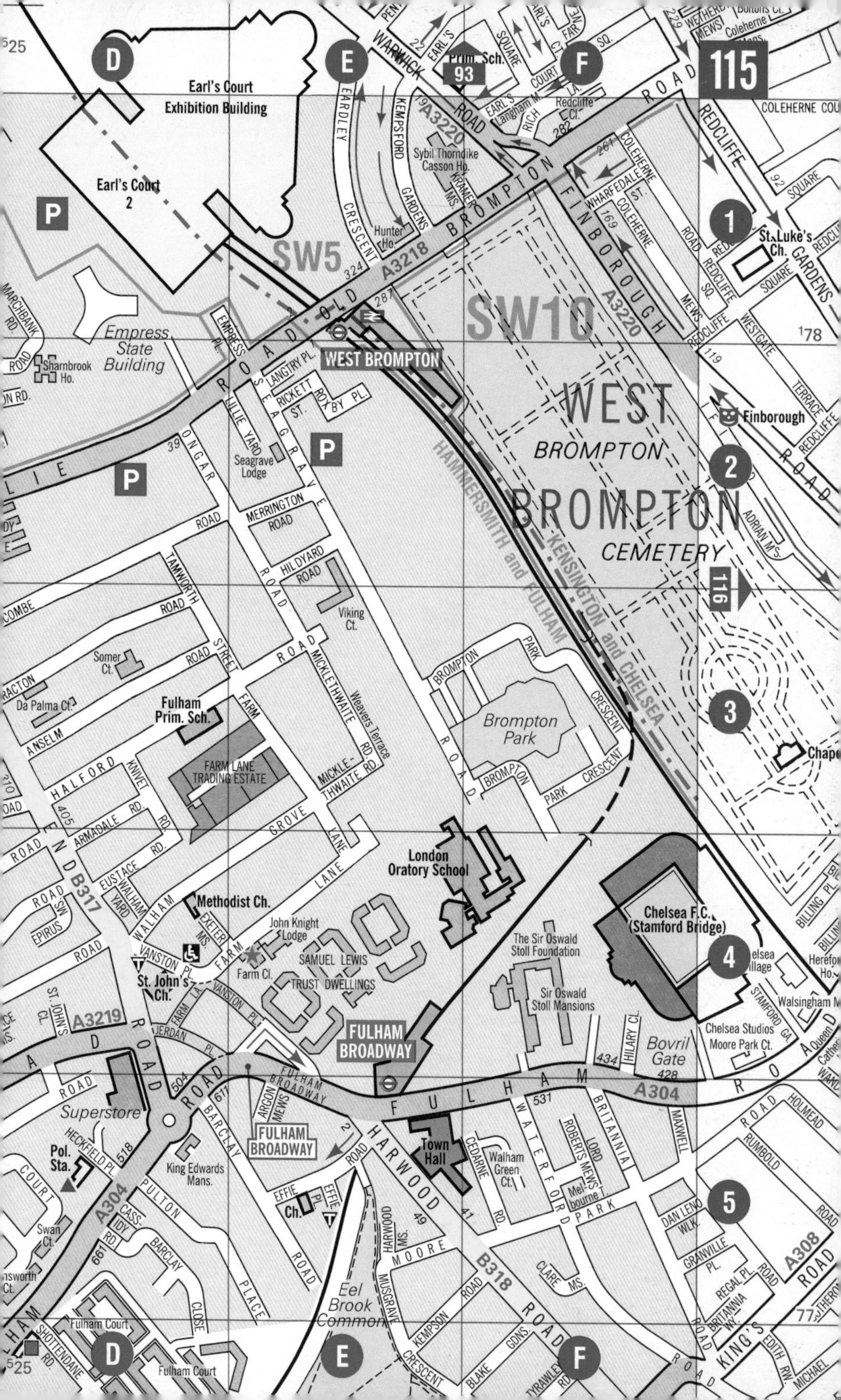

115
93
116
D
E
F
1
2
3
4
5
Earl's Court Exhibition Building
Earl's Court 2
Empress State Building
Sharnbrook Ho.
SW5
SW10
WEST BROMPTON
WEST BROMPTON
BROMPTON CEMETERY
OLD BROMPTON ROAD
A3218
A3220
FINBOROUGH ROAD
REDCLIFFE GARDENS
COLEHERNE COURT
Redcliffe Cl.
WARWICK ROAD
EARL'S COURT SQUARE
Prim. Sch.
EARDLEY CRESCENT
KEMPSFORD GARDENS
Sybil Thorndike Casson Ho.
KRAMER MS.
Hunter Ho.
WHARFEDALE ST.
COLEHERNE MEWS
REDCLIFFE SQUARE
St. Luke's Ch.
WESTGATE TERRACE
Finborough
ADRIAN MS.
Chapel
HAMMERSMITH and FULHAM
KENSINGTON and CHELSEA
LILLIE ROAD
SEAGRAVE ROAD
LANGTRY PL.
RICKETT ST.
ROXBY PL.
LILLIE YARD
Seagrave Lodge
ONGAR ROAD
MERRINGTON ROAD
HILDYARD ROAD
Viking Ct.
TAMWORTH STREET
Somer Ct.
Da Palma Ct.
ANSELM ROAD
HALFORD ROAD
Fulham Prim. Sch.
FARM LANE TRADING ESTATE
FARM LANE
MICKLETHWAITE ROAD
Weavers Terrace
MICKLETHWAITE RD.
BROMPTON PARK CRESCENT
Brompton Park
ARMADALE RD.
KNIVET RD.
GROVE
EUSTACE RD.
WALHAM YARD
WALHAM GROVE
Methodist Ch.
EXETER MS.
John Knight Lodge
SAMUEL LEWIS TRUST DWELLINGS
Farm Cl.
VANSTON PL.
St. John's Ch.
London Oratory School
The Sir Oswald Stoll Foundation
Sir Oswald Stoll Mansions
Chelsea F.C. (Stamford Bridge)
Chelsea Village
Walsingham Mans.
Chelsea Studios
Moore Park Ct.
Bovril Gate
HILARY CL.
FULHAM BROADWAY
FULHAM ROAD
A304
B317
A3219
EPIRUS ROAD
JERDAN PL.
Superstore
Pol. Sta.
HECKFIELD PL.
Swan Ct.
King Edwards Mans.
BARCLAY ROAD
ARGON MEWS
FULHAM BROADWAY
Town Hall
CEDARNE RD.
Walham Green Ct.
WATERFORD ROAD
ROBERTS MEWS
LORD
BRITANNIA ROAD
MAXWELL ROAD
Melbourne T.
PARK
DAN LENO WLK.
GRANVILLE PL.
REGAL PL.
BRITANNIA W.
HOLMEAD ROAD
RUMBOLD ROAD
A308
KING'S ROAD
HARWOOD ROAD
HARWOOD MS.
MOORE PARK ROAD
B318
MUSGRAVE CRESCENT
KEMPSON ROAD
CLARE MS.
Eel Brook Common
EFFIE PL.
EFFIE ROAD
Ch.
CASSIDY RD.
PULTON PLACE
BARCLAY CLOSE
Fulham Court
SHOTTENDANE RD.
BLAKE GDNS.
EDITH RW.

116
A
B
C
1
2
3
4
5
94
115
WEST BROMPTON
SW10
SW6
BROMPTON CEMETERY
Chapel
Finborough
St. Luke's Ch.
St. Mary the Boltons Ch.
Redcliffe School
Walnut Tree Ho.
Finborough Ho.
Corbett Ho.
Cecil Ct.
Servite R.C. Prim. Sch.
Our Lady of Dolours Ch.
St. Mary's Priory
St. Stephen's & St. George's Ch.
Chelsea & Westminster Hospital
Doughty Ho.
Fernshaw Cl.
Gallery Ct.
Hortensia Ho.
Chapel Gallery
Kensington and Chelsea College
Chelsea F.C. (Stamford Bridge)
Chelsea Village
Hereford Ho.
Walsingham Mans.
Chelsea Studios
Moore Park Ct.
Stamford Bridge
King Charles Ho.
Harriet Ho.
Bovril Gate
Brickbarn Cl.
St. John's Ch.
Sch.
World's End
Dartrey Twr.
Greaves Twr.
Winch Ho.
O'Gorman Ho.
Iveagh Ho.
Caple Ho.
Ashburnham Mans.
Coningham Ct.
Cornwall Mans.
Westfield Park
Philadelphia Ct.
Astor Ct.
Comm. Cen.
Generating Station
Gas Works
The Sandhills
COLEHERNE COURT
KENSINGTON and CHELSEA
HAMMERSMITH and FULHAM
A3220
A308
A304
B318
REDCLIFFE GARDENS
FINBOROUGH ROAD
FULHAM ROAD
KING'S ROAD
EDITH GROVE
GUNTER GROVE
LOTS ROAD
ASHBURNHAM ROAD
THE BOLTONS
BOLTONS PLACE
DRAYTON GARDENS
CRESSWELL
REDCLIFFE SQUARE
REDCLIFFE ROAD
HOLLYWOOD ROAD
CATHCART ROAD
FAWCETT ROAD
TREGUNTER ROAD
WESTGATE TERRACE
SLAIDBURN STREET
LIMERSTON STREET
NETHERTON GROVE
HORTENSIA ROAD
UVERDALE ROAD
TETCOTT ROAD
BURNABY STREET
STADIUM STREET
HOLMEAD ROAD
RUMBOLD ROAD
MAXWELL
BRITANNIA ROAD
WATERFORD ROAD

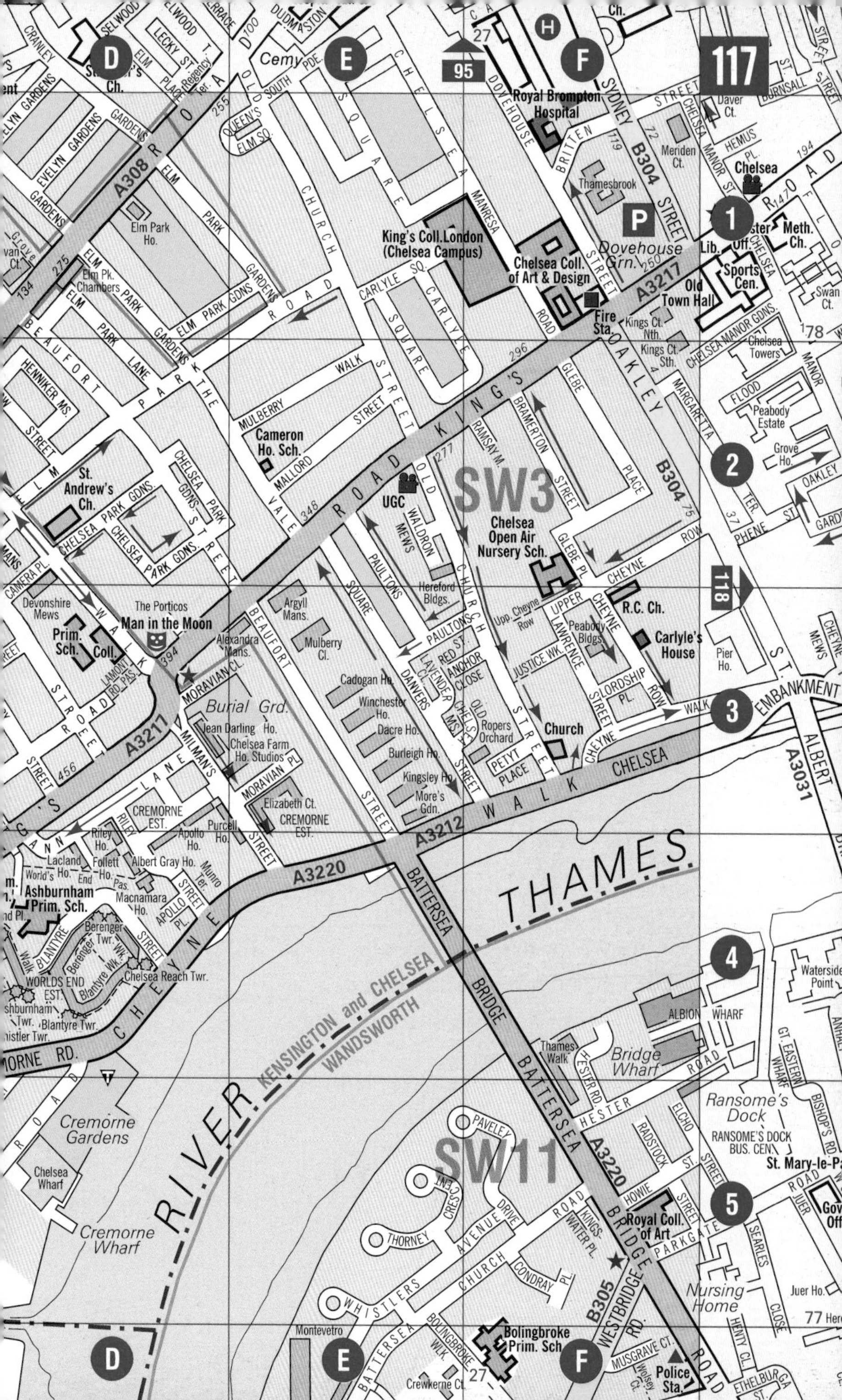

117
D
E
F
95
118
1
2
3
4
5
SW3
SW11
Selwood
Elwood
Lecky St.
Elm Pl.
Cranley
Dudmaston
Cemy.
Old South Pde.
Regency Ter.
St. Peter's Ch.
Evelyn Gardens
Elm Park Gardens
A308
Elm Park Ho.
Elm Park Road
Queen's Elm Sq.
Church Street
Chelsea Square
Manresa
Royal Brompton Hospital
Dovehouse Street
Britten Street
Sydney Street
B304
Meriden Ct.
Thamesbrook
Dovehouse Grn.
King's Coll. London (Chelsea Campus)
Chelsea Coll. of Art & Design
Fire Sta.
Chelsea Manor St.
Hemus Pl.
Daver Ct.
Burnsall St.
Chelsea
Lib.
Meth. Ch.
Sports Cen.
Old Town Hall
Swan Ct.
A3217
King's Road
Kings Ct. Nth.
Kings Ct. Sth.
Chelsea Manor Gdns.
Chelsea Towers
Flood
Peabody Estate
Grove Ho.
Oakley Gardens
Phene St.
Margaretta Ter.
Oakley Street
Carlyle Sq.
Carlyle Square
Beaufort Street
Henniker Ms.
Elm Park Lane
Elm Pk. Chambers
The Vale
Mulberry Walk
Mallord Street
Cameron Ho. Sch.
Old Church Street
UGC
Ramsay M.
Bramerton Street
Glebe Place
Glebe Pl.
Chelsea Open Air Nursery Sch.
Cheyne Row
R.C. Ch.
Carlyle's House
Pier Ho.
Cheyne Mews
Chelsea Embankment
Albert
A3031
St. Andrew's Ch.
Chelsea Park Gdns.
Chelsea Park Gdns. Street
Camera Pl.
Devonshire Mews
Prim. Sch.
Coll.
The Porticos
Man in the Moon
Lamont Rd. Pas.
Alexandra Mans.
Moravian Cl.
Argyll Mans.
Mulberry Cl.
Paultons Square
Paultons Street
Waldron Mews
Hereford Bldgs.
Upp. Cheyne Row
Upper Cheyne
Lawrence Street
Peabody Bldgs.
Red Anchor Close
Lavender Cl.
Justice Wk.
Lordship Pl.
Cheyne Walk
Danvers Street
Chelsea Ms.
Old Church Street
Ropers Orchard
Petyt Place
Church
Cadogan Ho.
Winchester Ho.
Dacre Ho.
Burleigh Ho.
Kingsley Ho.
More's Gdn.
Burial Grd.
Jean Darling Ho.
Chelsea Farm Ho. Studios
Milman's Street
Moravian Pl.
Elizabeth Ct.
Cremorne Est.
Lots Road
Riley Street
Riley Ho.
Apollo Ho.
Purcell Ho.
Lacland Ho.
Follett Ho.
Albert Gray Ho.
Munro Ter.
World's End Pas.
Ashburnham Prim. Sch.
Macnamara Ho.
Apollo Pl.
Blantyre
Berenger Twr.
Berenger Wk.
Blantyre Wk.
Chelsea Reach Twr.
Worlds End Est.
Ashburnham Twr.
Blantyre Twr.
Whistler Twr.
Cremorne Rd.
A3212
A3220
Chelsea Walk
Thames
Battersea Bridge
River
Kensington and Chelsea
Wandsworth
Cremorne Gardens
Chelsea Wharf
Cremorne Wharf
Waterside Point
Albion Wharf
Thames Walk
Bridge Wharf
Hester Rd.
Hester Road
Gt. Eastern Wharf
Bishop's Rd.
Ransome's Dock
Ransome's Dock Bus. Cen.
St. Mary-le-Park
Gov. Off.
Paveley Drive
Crescent
Thorney Crescent
Avenue
Radstock Street
Elcho Street
Howie Street
Royal Coll. of Art
Kings Water Pl.
Parkgate Road
Searles Close
Juer St.
Juer Ho.
Nursing Home
Condray Pl.
Church Road
Whistlers Avenue
Battersea Church Road
B305
Westbridge Rd.
Battersea Bridge Road
Montevetro
Bolingbroke Wlk.
Bolingbroke Prim. Sch
Crewkerne Ct.
Musgrave Ct.
Wolsey Ct.
Police Sta.
Henty Cl.
Ethelburga St.

118
A
B
C
96
117
1
2
3
4
5
CHELSEA
Chelsea
Register Off.
Meth. Ch.
Lib.
Sports Cen.
Old Town Hall
Dovehouse Grn.
Thamesbrook
Coll. Design
Fire Sta.
Kings Ct. Nth.
Kings Ct. Sth.
Swan Ct.
Chelsea Towers
Chelsea Manor Ct.
Peabody Estate
Grove Ho.
Works
Chesil Ct.
Welsh United Reformed Chapel
Synagogue
Christ Ch.
Christ Ch. C.E. Prim. Sch.
Burton's Court
Great Hall
College Ct.
Infirmary Ct.
National Army Mus.
Convent
Royal Hospital Chelsea
SW3
Shelley Ct.
Chelsea Lodge
Chelsea Physic Garden
R.C. Ch.
Carlyle's House
Peabody Bldgs.
Pier Ho.
Cheyne Gardens
Cadogan Pier
RIVER
Chelsea Reach
KENSINGTON and CHELSEA
WANDSWORTH
Peace Pagoda
BATTERSEA
Waterside Point
Albion Wharf
Bridge Wharf
Ransome's Dock
Ransome's Dock Bus. Cen.
St. Mary-le-Park Ch.
St. Mary le-Park Ct.
Albany Mansions
Gov. Offs.
Royal Coll. of Art
SW11
Nursing Home
Juer Ho.
Heron Ho.
Stafford Mans.
Comm. Cen.
Ethelburga Tower
Jagger Ho.
Police Sta.
Daver Ct.
Meriden Ct.
A3217
A3212
A3031
A3220
B302
B304
B305
KING'S ROAD
ROYAL HOSPITAL ROAD
CHELSEA EMBANKMENT
CHEYNE WALK
ALBERT BRIDGE
ALBERT BRIDGE ROAD
BATTERSEA BRIDGE ROAD
WESTBRIDGE RD.
PARKGATE RD.
CARRIAGE DRIVE NORTH
CENTRAL AVENUE
WEST CARRIAGE DRIVE
OAKLEY STREET
FLOOD STREET
SMITH STREET
TITE STREET
SYDNEY STREET
OLD CHURCH STREET
GLEBE PLACE
MARGARETTA TER.
PHENE ST.
CHEYNE ROW
OAKLEY GARDENS
ST. LOO AV.
REDESDALE ST.
TEDWORTH SQUARE
CHRISTCHURCH ST.
CAVERSHAM ST.
ROBINSON ST.
SWAN WALK
DILKE ST.
CLOVER MEWS
PARADISE WALK
ORMONDE GATE
ST. LEONARD'S TER.
WELLINGTON SQUARE
WOODFALL ST.
ROYAL AVENUE
SHAWFIELD ST.
RADNOR WALK
JUBILEE PL.
BURNSALL ST.
CHELSEA MANOR ST.
HEMUS PL.
ANHALT RD.
HESTER RD.
ELCHO ST.
RADSTOCK ST.
HOWIE ST.
SEARLES CLOSE
WORFIELD STREET
JUER ST.
BISHOP'S RD.
GT. EASTERN WHARF
HENTY CL.
ETHELBURGA ST.
MASKELYNE CL.
MUSGRAVE CT.
KINGS-WATER PL.
LORDSHIP PL.

119
97
120
D
E
F
1
2
3
4
5
Chapel
Chelsea Barracks
Royal Hospital Chelsea
Mus.
LIGHT HORSE COURT
Royal Hospital Chelsea
RANELAGH GARDENS
Monument
CHELSEA BRIDGE ROAD
WESTMINSTER
A3216
B313
EBURY BRIDGE RD.
GATLIFF ROAD
Gatliff Cl.
Chelsea Gate
WELLINGTON BLDGS
Chelsea Gdns
The Lister Hospital
GATLIFF RD.
Cheylesmore Ho.
Doneraile Ho.
Edgson Ho.
Hillersdon
BRIDGE EST.
Grosvenor Canal
SW1
Inner Basin
Lock
Carriage Shed
PEABODY
SUTHERLAND ROW
MORELAND
WESTMORELAND
AVENUE
Peabody Close
178
A3212
GROSVENOR ROAD
EMBANKMENT
GDNS.
THAMES
CHELSEA BRIDGE
Grosvenor Bridge
Battersea Wharf
Chelsea Bridge Wharf
QUEENSTOWN
SW8
Pier
P
CARRIAGE DRIVE NORTH
PARADE
CARRIAGE
Tennis Courts
Battersea Park Children's Zoo
British Genius Site
Athletic Ground
Pav.
Rec. Grd.
PARK
AVENUE
DRIVE
CENTRAL
SOPWITH WY.
Marco Polo House
Chelsea Bridge Business Centre
Gas Holder Station
Duck Pond
Boating Lake
Ladies Pond
Bowling Green
EAST
SOUTH
QUEEN'S CIRCUS
326
PRINCE OF WALES DR.
CLOISTERS BUS. CEN.
Ch.
BATTERSEA PARK
PARK RD.
CARRIAGE DRIVE
PRINCE OF WALES DRIVE
Prince of Wales Mansions
All Saints Ct.
Albert Palace Mansions
LURLINE GDS.
ROAD
BATTERSEA
ST. JOSEPH'S ST.
LOCKINGTON RD.
528

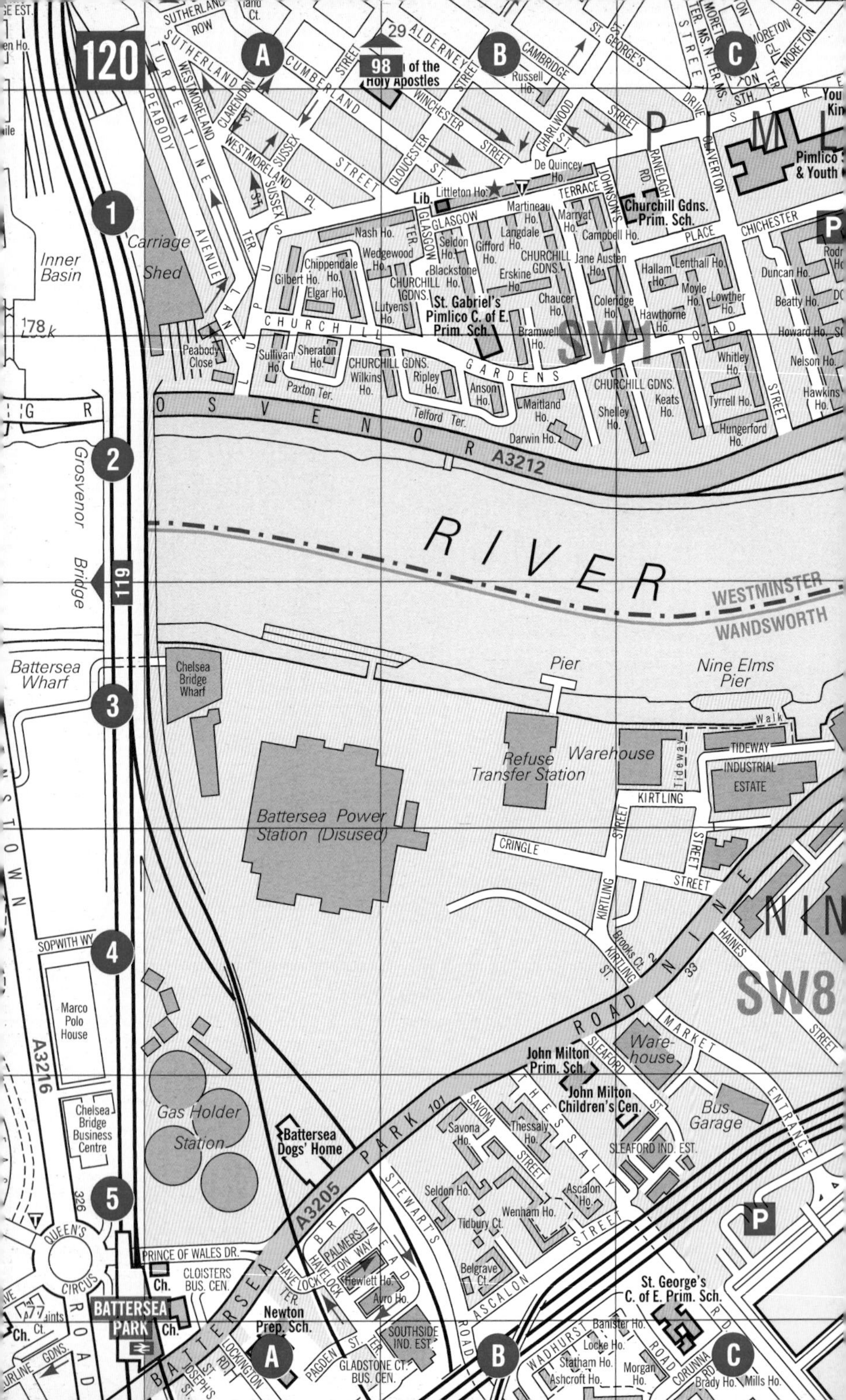

120
98
119
A
B
C
1
2
3
4
5
RIVER
PIMLICO
SW1
SW8
A3212
A3205
A3216
WESTMINSTER
WANDSWORTH
Battersea Power Station (Disused)
Refuse Transfer Station
Warehouse
Gas Holder Station
Battersea Dogs' Home
Chelsea Bridge Wharf
Battersea Wharf
Grosvenor Bridge
Inner Basin
Carriage Shed
Nine Elms Pier
Pier
TIDEWAY INDUSTRIAL ESTATE
Marco Polo House
Chelsea Bridge Business Centre
BATTERSEA PARK
St. Gabriel's Pimlico C. of E. Prim. Sch.
Churchill Gdns. Prim. Sch.
John Milton Prim. Sch.
John Milton Children's Cen.
St. George's C. of E. Prim. Sch.
Newton Prep. Sch.
Bus Garage
SLEAFORD IND. EST.
SOUTHSIDE IND. EST.

THAMES
Vauxhall Bridge
Pimlico Gardens
Westminster Millennium Pier
Flower Market
Thames House
Vauxhall Cross
Vauxhall
St. George Wharf
Tachbrook Nursery Sch.
Crown Reach
South Bank Business Centre
Vauxhall Distribution Park
Warehouse
Depot
Superstore
The Pavilion
New Covent Garden Market
Wyvil Prim. Sch.
Herbert Morrison Prim. Sch.
All Saints Ch.
Miles St. Bus. Est.
Hemans St. Est.
Lansdowne Green Est.
Riverside Court
Elm Quay Ct.
Nine Elms Lane
Wandsworth Road
South Lambeth Road
Parry St.
Bondway
Ponton Road
Post Office Way
Wilcox Road
Thorne Road
Luscombe Way
Davidson Gdns.
Thorncroft St.
Hartington Road
Guildford Road
Lansdowne Gdns.
Bessborough Gdns.
St. George's Square
Lupus St.
Grosvenor Road

A
B
C
100
VAUXHALL
Vauxhall Prim. Sch.
All Nations Cen.
Kennedy Ho.
Newburn Ho.
Wynyard Ho.
GLASSHOUSE
EMBANKMENT
WORGAN
WICKHAM
NEWBURN
LOUGHBOROUGH
WYNYARD
Dolland Ho.
DOLLAND ST.
Braham Ho.
Vernon Ho.
Grover Ho.
Simpson Ho.
Leary Ho.
TYERS TER.
OSWALD'S
Darley Ho.
LAUD ST.
VAUXHALL WALK
NEW SPRING GS. WLK
GODING STREET
Vauxhall Walk
Leopold Walk
Spring Gardens
THAMES
RIVER
VAUXHALL BRI.
Camelford Ho.
Thames House
VAUXHALL CROSS
ALBERT A3036
BRIDGEFOOT
A202
VAUXHALL
St. George Wharf
178
P
St. Peter's Ch.
A3204
KENNINGTON
AUCKLAND ST.
GLYN ST.
322
350
349
383
Superstore
WESTMINSTER BUSINESS SQUARE
St. Anne's R.C. Church
St. Anne's R.C. Prim. Sch.
HARLEYFORD
A202
DURHAM STREET
OVAL
FARNHAM
ROYAL
KENNINGTON GRO.
Brockwell Ho.
STREET
Grace Ho.
St. Mark's C. of E. Prim. Sch.
KENNINGTON
Cobalt Square
Rosewood Ho.
VAUXHALL
GROVE
VAUXHALL GRO.
Langley Mansions
BONNINGTON SQUARE
Harleyford Ct.
BEDSER CL.
63 ROAD
Surrey Cricket
The Cricket
LANGLEY LA.
Park Mans.
EBBISHAM DRIVE
Shrewsbury Ho.
LAWN LANE
Bannerman Ho.
Wisden Ho.
Stoddart Ho.
Archbishop Tenison School
A3205
NE
PARRY ST.
ROAD
A3036
BONDWAY
STH. LAMBETH PL.
ROAD
33
21
52
87
121
WANDSWORTH
MILES
113
WENDLE CT.
Keybridge Ho.
RUDOLF PL.
STREET
St. Anne & All Saints Ch.
MILES ST. BUS. EST.
VAUXHALL PARK
St. Peter's Residence
CLAYLANDS ROAD
ASHMOLE ST.
Ashmole Primary Sch.
Sirinham Point
Coney Way
A203
SOUTH LAMBETH
FENTIMAN
189
47
84
59
STANLEY CLO.
Fentiman Rd. Meth Ch.
MEADOW
MEADOW MEWS
ROAD
98
COTTINGHAM ROAD
62
TRIGON RD.
TRENCHOLD ST
ROAD
A3036
WYVIL
Wyvil Prim. Sch.
Quinton Ho.
Frank Ho.
Gilbert Ho.
Edgar Ho.
LUSCOMBE WAY
Henry Ho.
David Ho.
Oliver Ho.
Norman
Conrad Ho.
Basil Ho.
Peter Ho.
Martin Ho.
Adrian Ho.
LUSCOMBE
WHEATSHEAF LA.
Wheatsheaf
Hanbury Ho.
Vat Ho.
RITA
Beaufoy Ho.
REGENT'S BRI. GDNS.
ROAD
105
B301
SW8
Horton Ho.
Blandford Ho.
Melbury Ho.
Wareham Ho.
USBORNE MEWS
ROAD
165
Queens Ho.
OLD STH.
HEYFORD AV.
Heyford Ter.
HEYFORD AV.
Victoria Ho.
Victoria Mans.
LAMBETH RD.
Ibberton Ho.
Ensbury Ho.
Branksome Ho.
MEADOW
RICHBORNE
WALTON CL.
WALTON
Kings House
Castle Ho.
DORSET
St.Stephens C. of E. Prim. Sch.
Charmouth Ho.
CARROUN
OVAL
WILCOX
ROAD
Wilcox
MEADOW PL.
Beaminster Ho.
Corfe Ho.
TERRACE
DAVIDSON GDNS.
Aldwyn Ho.
Daryngton Ho.
Courthope Ho.
Eastry Ho.
Lib.
Weymouth Ho.
Sherborne Ho.
Lulworth Ho.
Benville Ho.
Elworth Ho.
Denland Ho.
PLACE
WILCOX CL.
CLOSE
Close
Bishops Cl.
TRADESCANT
ELY COTTS.
BOLNEY
TER.
Purbeck Ho.
Pulham Ho.
KIBWORTH
Broadstone Ho.
ROAD
PALFREY
Burden Ho.
Lang Ho.
Herbert Morrison Prim. Sch.
Rosetta
BROUGH CL.
WALBERSWICK ST.
Melcombe Ho.
Sturminster Ho.
KIBWORTH ST.
COBBETT
Wimborne Ho.
SOUTH
Holla
Dean Ct.
Abbot Ct.
ST.
5
KENCHESTER
KINGSWOOD CL.
PICKWORTH CL.
Knights Ho.
ROAD
TRADESCANT
St. Stephen's Ch.
WILKINSON
Crozier Ho.
Mytton Ho.
ST. STEPHEN'S
STREET
Swanage Ho.
Verwood Ho.
COBBETT ST.
Osmington Ho.
SQUARE
CLAPHAM
Whitebeam Close
Rea Prim.
CALDWELL
THORNE
175
A203
Kemp Ct.
CAMELLIA ST.
DRIVE
Lanscombe Walk
HARTINGTON
ROAD
ALDEBERT
TERRACE
ALBERT SQUARE
ALBERT AV.
ALBERT SQUARE
119
BAKERY CL.
SOUTH LAMBETH
Guildford Ct.
Selway Ho.
Bancroft Ct.
LANSDOWNE GDNS.
GUILDFORD ROAD
Kelvedon Ho.
SADDLERS MS.
MURSELL ESTATE
HAMPSON WY.
Warehouse
LIBERTY ST.
MORAT ST.

D
E
F
KENNINGTON
101
St. Anselm's Ch.
Calstock Ho.
Helston Ho.
County Ct.
Penmayne Ho.
Trematon Ho.
Carrick Ho.
Tel. Ex.
City & Guilds London Art Sch.
Broadgates Ct.
CLEAVER SQUARE
CLEAVER ST.
CLEAVER SQ.
BOWDEN ST.
METHLEY ST.
WIGTON PL.
RAVENSDON ST.
RADCOT ST.
MILVERTON
STANNARY PL.
STANNARY ST.
Rifle Court
KENNINGTON ROAD
A23
KENNINGTON PARK ROAD
A3
COURTENAY STREET
CARDIGAN ST.
WINDMILL ROW
Waylett Ho.
HAROLD PL.
MONTFORD PL.
Imperial Court
KENNINGTON
SE11
KENNINGTON GRN.
MONTFORD PL.
PEGASUS PL.
Sherwin Ho.
Kilner Ho.
Read Ho.
Hornby Ho.
Abel Ho.
Henry Fawcett Jun. & Inf. Schs.
CLAYTON ST.
Lohmann Ho.
Key Ho.
Blythe Ho.
BOWLING GREEN STREET
MAGEE ST.
Lockwood Ho.
Alverstone Ho.
Blades Ho.
Rothesay Ct.
OVAL
HARLEYFORD ST.
KENNINGTON OVAL
OVAL
HANOVER GDNS.
ELIAS PL.
ASHMOLE PLACE
CLAYLANDS PL.
CLAYLANDS ROAD
St. Mark's Ch.
PRIMA RD.
Belgrave House
OFFLEY RD.
BRIXTON RD.
BRIXTON ROAD
CAMBERWELL NEW ROAD
A202
Lincoln Ho.
Canterbury Court
Chester Ho.
Chichester Ho.
Salisbury Ho.
Worcester Ho.
Cranmer Ho.
Winchester Ho.
Gloucester Ho.
FOXLEY ROAD
HANDFORTH ROAD
CRANMER ROAD
BOWHILL CL.
MINERVA CL.
MINERVA CLOSE
Minerva Cl.
TOWEL CL.
STREET
DEWSDON ROAD
Library
ISLAND PLACE
Bernard Sunley Ho.
Glenshaw Mans.
Aigburth Mansions
Glencoe Mansions
MOWLL STREET
Cleveland Mans.
Christ Ch.
Jupiter Ct.
Leda Ct.
Latona Ct.
Juno Ct.
Jessie Wood Ct.
Hector Ct.
Creon Ct.
Hermes Ct.
Jason Ct.
Cadmus Ct.
Argos Ct.
Apollo Ct.
SOUTHEY ROAD
Lauderdale Ho.
Macartney Ho.
Plover House
Deal Wk.
PERSEVERANCE PL.
MANDELA STREET
SW9
Ashton House
CHRYSSELL RD.
HOLLAND RD.
Healey House
HOLLAND GROVE
VASSALL ROAD
Ramsey House
Annesley Ho.
Knowlton Ho.
Chardin Ho.
COWLEY RD.
RUSSELL GRO.
CANCELL
Christ Church C. of E. Prim. Sch.
Patmos Lodge
KENNINGTON PARK
All Weather Pitches
KENNINGTON PARK PLACE
Kennington Park Ho.
DE LAUNE STREET
HARMSWORTH
SHARSTED ST.
SHARSTED STREET
FAUNCE ST.
SE17
Keyworth Prim. Sch.
Irving Ho.
DODDINGTON GRO.
DODDINGTON PL.
Faunce Ho.
Garbett Ho.
Harvard Ho.
Kean Ho.
Jephson Ho.
COOKS ROAD
King Charles Ct.
ROYAL ROAD
Conant Ho.
Rutley Cl.
KENNINGTON PARK GDNS.
St. Agnes Ch.
MEADCROFT RD.
ST. AGNES PL.
Aspen Ho. Sch.
Kennington Park
BOLTON CRES.
LAMBETH
SOUTHWARK
SE5
Hanworth Ho.
BRAGANZA
ALBERT
AMBERGATE ST.
Suffield Ho.
Delverton Ho.
DELVERTON RD.
T.A. Cen.
Walworth Gdn. Farm
GAZA ST.
1
2
3
4
5
Arnold Ho.
Burns Ho.
Colet Ho.
Dickens Ho.
Edmund Ho.
CHAPTER ROAD
ST. PAULS TER.
FREDERICK RD.
WESTCOTT
FLEMING RD.
Greig Ter.
FLEMING
FORSYTH GARDENS
LORRIMORE ROAD
124
OTTO ST.
Cornish Ho.
Bateman Ho.
Molesworth Ho.
Walters Ho.
BRANDON ESTATE
MADDOCK WY.
Lib.
Brawne Ho.
Cruden Ho.
Prescott Ho.
HILLINGDON ST.
Trevelyan Ho.
Andrews
RUSKIN
Aberfeldy Ho.
JOHN
GLENFINLAS
WARHAM
St. John the Divine C. of E. Prim. Sch.
MADRIGAL
FARMER'S
LAXLEY
KENDAL PL.
KENDAL CLOSE
KENDAL CL.
ROAD
St. John's Church
CADMAN CL.
ELLIOTT
FREDERICK CRESCENT
PATMOS ROAD
Foxley Square
MYATT ROAD
LANGTON ROAD
SALISBURY PL.
REGENCY MS.
Dalkeith Ho.
Butler Ho.
TINDAL
LOTHIAN
Charles Edw Brooke S

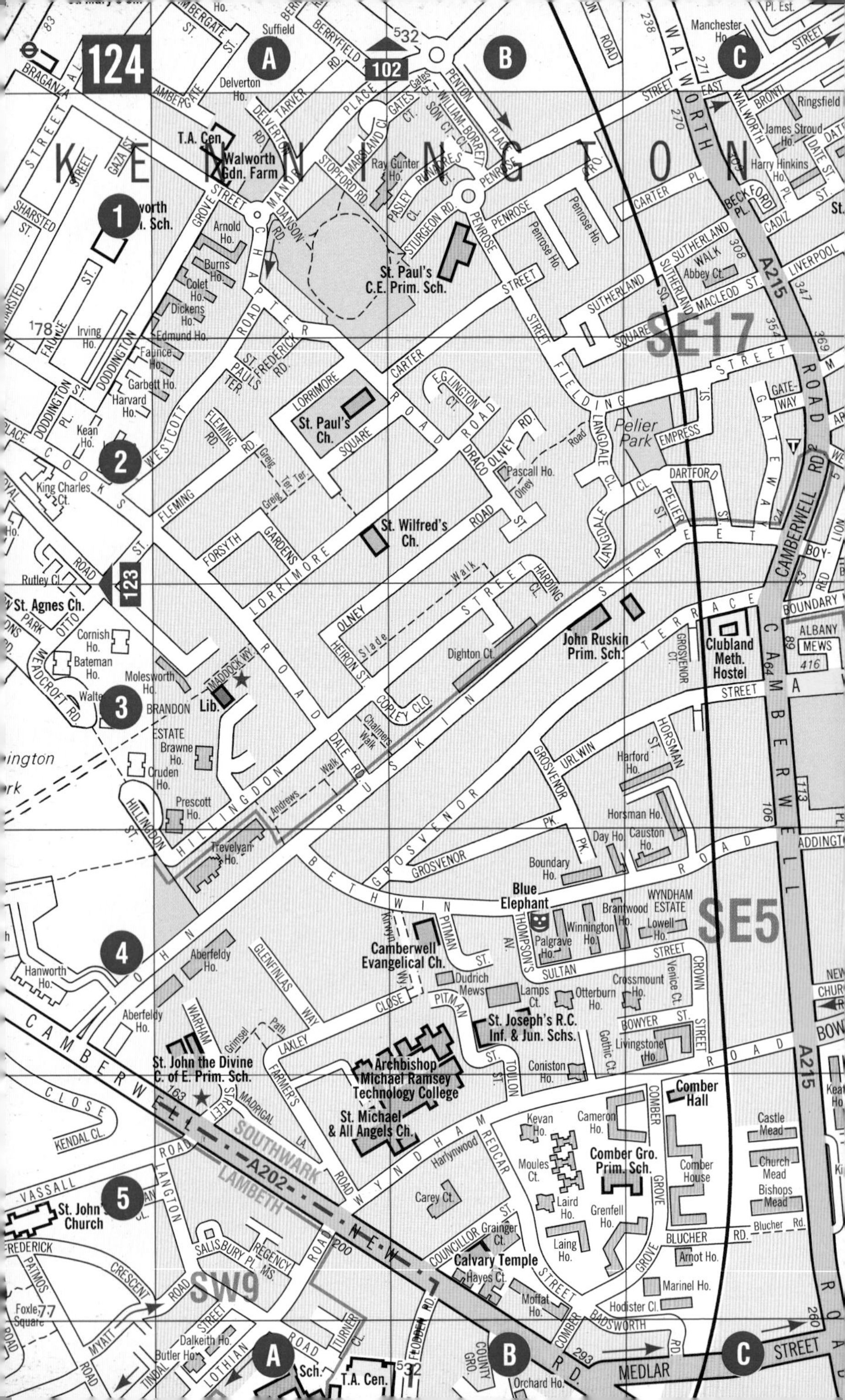
KENNINGTON
SE17
SE5
SW9
A
B
C
1
2
3
4
5
102
123
Suffield Ho.
Delverton Ho.
T.A. Cen.
Walworth Gdn. Farm
Ray Gunter Ho.
St. Paul's C.E. Prim. Sch.
Manchester Ho.
Ringsfield
James Stroud Ho.
Harry Hinkins Ho.
Penrose Ho.
Abbey Ct.
Arnold Ho.
Burns Ho.
Colet Ho.
Dickens Ho.
Edmund Ho.
Faunce Ho.
Garbett Ho.
Harvard Ho.
Irving Ho.
Kean Ho.
King Charles Ct.
St. Paul's Ch.
St. Wilfred's Ch.
Pascall Ho.
Pelier Park
Rutley Cl.
St. Agnes Ch.
Cornish Ho.
Bateman Ho.
Molesworth Ho.
Lib.
BRANDON ESTATE
Brawne Ho.
Cruden Ho.
Prescott Ho.
Trevelyan Ho.
Dighton Ct.
John Ruskin Prim. Sch.
Clubland Meth. Hostel
Harford Ho.
Horsman Ho.
Day Ho.
Causton Ho.
Boundary Ho.
Blue Elephant
WYNDHAM ESTATE
Brantwood Ho.
Lowell Ho.
Winnington Ho.
Palgrave Ho.
Camberwell Evangelical Ch.
Dudrich Mews
Lamps Ct.
Otterburn Ho.
Crossmount Ho.
St. Joseph's R.C. Inf. & Jun. Schs.
Livingstone Ho.
Coniston Ho.
Hanworth Ho.
Aberfeldy Ho.
St. John the Divine C. of E. Prim. Sch.
Archbishop Michael Ramsey Technology College
St. Michael & All Angels Ch.
Comber Hall
Kevan Ho.
Cameron Ho.
Comber Gro. Prim. Sch.
Comber House
Castle Mead
Church Mead
Bishops Mead
Harlynwood
Carey Ct.
Moules Ct.
Laird Ho.
Grenfell Ho.
Laing Ho.
Arnot Ho.
Marinel Ho.
Grainger Ct.
Calvary Temple
Hayes Ct.
Moffat Ho.
Hodister Cl.
St. John's Church
Foxley Square
Dalkeith Ho.
Butler Ho.
Sch.
T.A. Cen.
Orchard Ho.
A215
A202
A215
SOUTHWARK
LAMBETH
CAMBERWELL NEW RD.
CAMBERWELL ROAD
WALWORTH ROAD
JOHN RUSKIN STREET
LORRIMORE ROAD
HILLINGDON ST.
GROSVENOR TERRACE
BETHWIN ROAD
WYNDHAM ROAD
CARTER STREET
MEDLAR STREET
BOUNDARY LANE
ALBANY MEWS
VASSALL ROAD
LANGTON ROAD
COMBER GROVE
BADSWORTH RD.
BLUCHER RD.
FLODDEN RD.
COUNTY GRO.
LOTHIAN ROAD
MYATT ROAD
CRESCENT
SALISBURY PL.
REGENCY MS.
KENDAL CL.
FARMER'S ROAD
LAXLEY CLOSE
PITMAN ST.
TOULON ST.
THOMPSON'S AV.
SULTAN STREET
BOWYER ST.
CROWN STREET
URLWIN ST.
GROSVENOR PK.
HORSMAN ST.
PELIER ST.
DARTFORD ST.
LANGDALE CL.
FIELDING STREET
PENROSE STREET
SUTHERLAND SQ.
MACLEOD ST.
LIVERPOOL
DATE ST.
CADIZ ST.
BECKFORD PL.
CARTER PL.
PENTON PLACE
STURGEON RD.
MANOR PLACE
CHAPTER ROAD
GROVE STREET
WESTCOTT ROAD
DODDINGTON GROVE
COOKS ROAD
FLEMING RD.
FORSYTH GARDENS
OLNEY RD.
DRACO ST.
HEIRON ST.
CORLEY CLO.
DALE RD.
MADDOCK WY.
MEADCROFT RD.
OTTO ST.
BRAGANZA ST.
SHARSTED ST.
FAUNCE ST.
GAZA ST.
AMBERGATE ST.
BERRYFIELD RD.
TARVER RD.
DELVERTON RD.
STOPFORD RD.
MARSLAND CL.
PASLEY CL.
DANSON RD.
EGLINTON CT.
HARDING CL.
GATEWAY
EMPRESS ST.

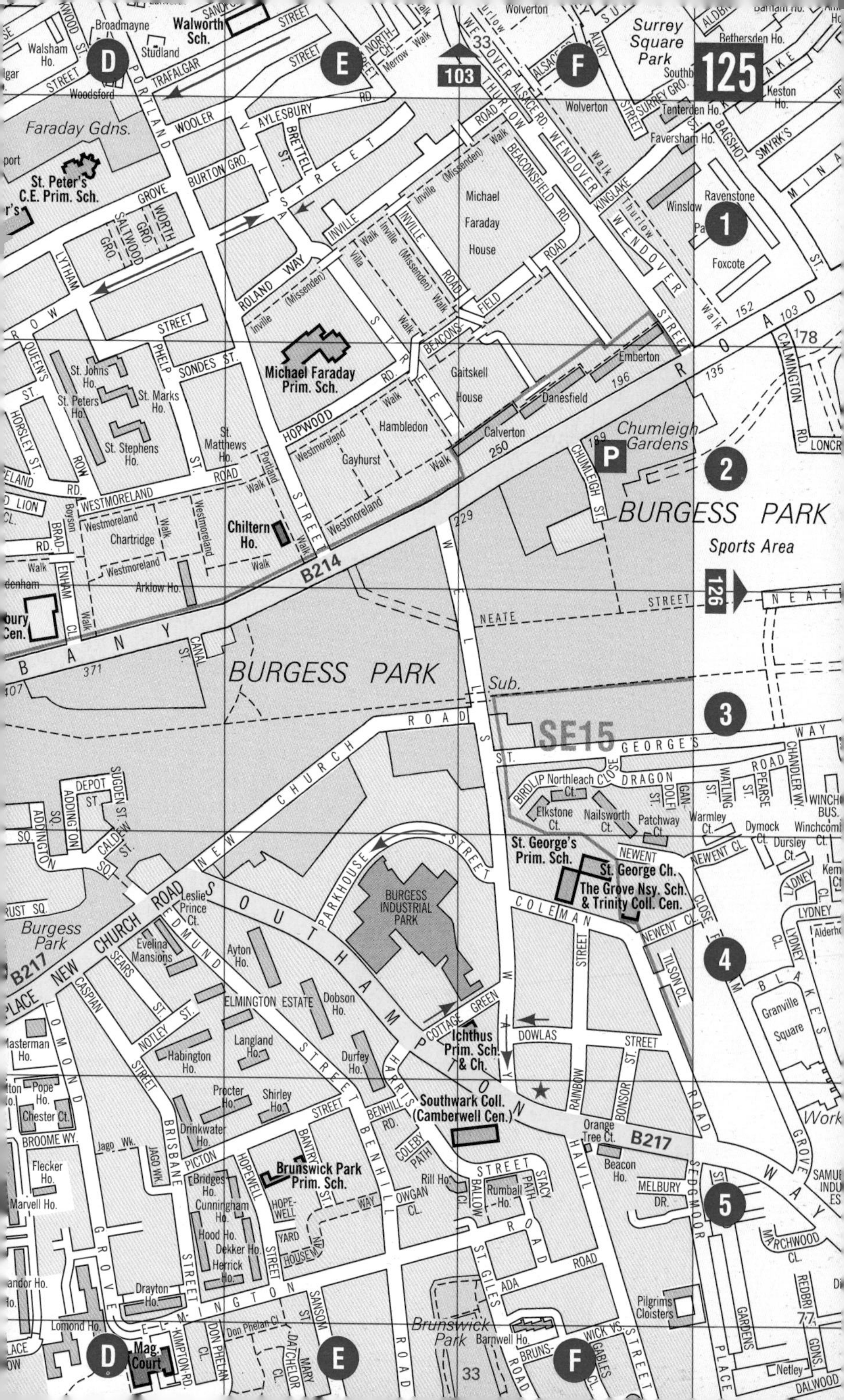
125
103
126
D
E
F
1
2
3
4
5
Surrey Square Park
Walworth Sch.
Faraday Gdns.
St. Peter's C.E. Prim. Sch.
Michael Faraday House
Michael Faraday Prim. Sch.
Chiltern Ho.
Chumleigh Gardens
BURGESS PARK
Sports Area
SE15
St. George's Prim. Sch.
St. George Ch.
The Grove Nsy. Sch. & Trinity Coll. Cen.
BURGESS INDUSTRIAL PARK
Ichthus Prim. Sch. & Ch.
Southwark Coll. (Camberwell Cen.)
Brunswick Park Prim. Sch.
Brunswick Park
Mag. Court
Pilgrims Cloisters
ELMINGTON ESTATE
Granville Square
B214
B217
33

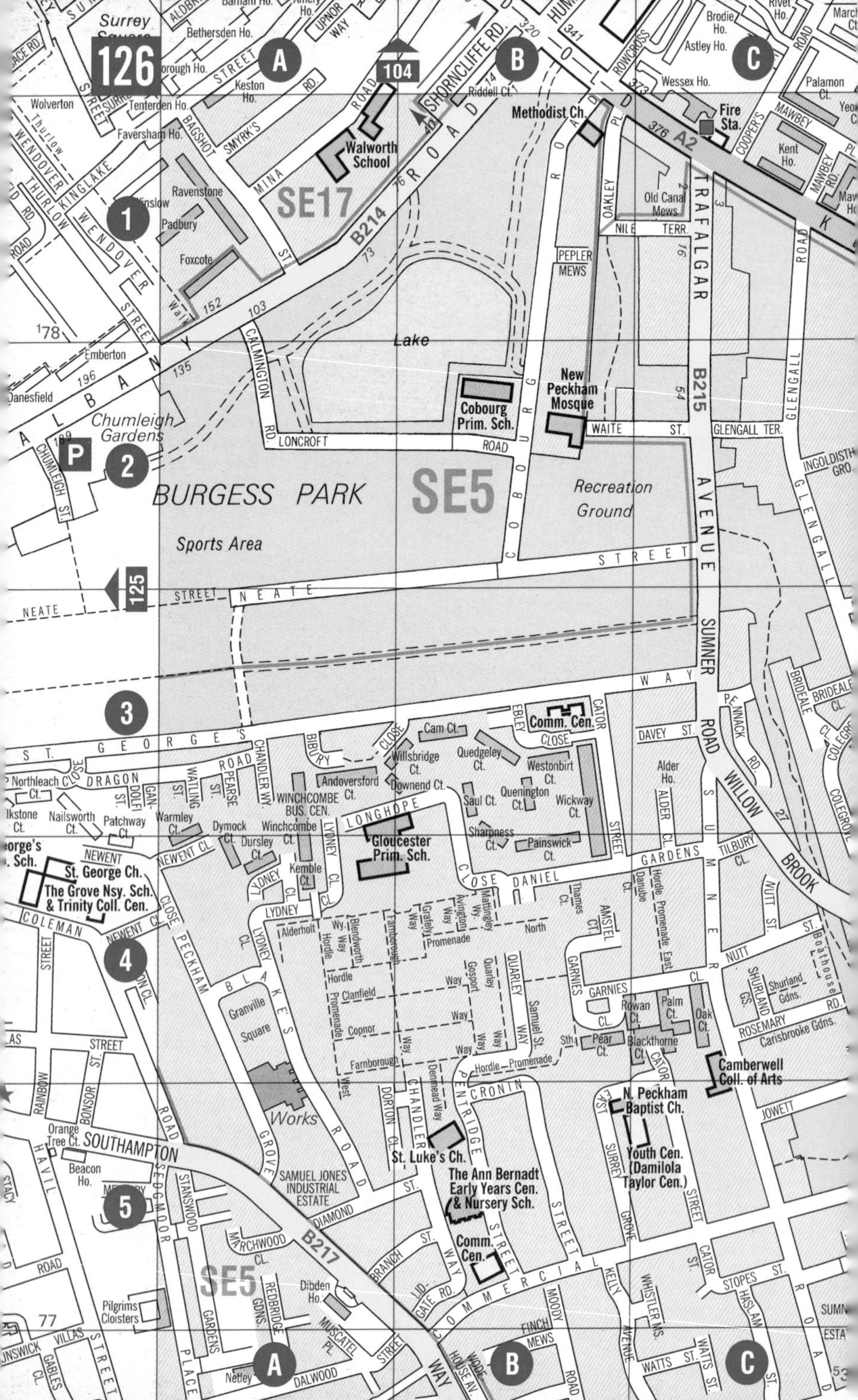

126
104
125
A
B
C
1
2
3
4
5
Surrey Square
Bethersden Ho.
Keston Ho.
Tenterden Ho.
Faversham Ho.
Wolverton
Thurlow
Wendover
Kinglake
Ravenstone
Winslow
Padbury
Foxcote
Bagshot
Smyrk's Rd.
Mina Road
Upnor Way
Shorncliffe Rd.
Riddell Ct.
Walworth School
SE17
B214
Albany Road
Emberton
Danesfield
Chumleigh Gardens
Chumleigh St.
P
Burgess Park
Sports Area
Lake
Calmington Rd.
Loncroft Road
Cobourg Prim. Sch.
Cobourg Road
SE5
Methodist Ch.
New Peckham Mosque
Waite St.
Recreation Ground
Pepler Mews
Oakley Pl.
Nile Terr.
Old Canal Mews
Trafalgar Avenue
B215
A2
Rowcross
Wessex Ho.
Brodie Ho.
Astley Ho.
Rivet Ho.
Fire Sta.
Cooper's Rd.
Mawbey
Kent Ho.
Palamon Ct.
Glengall Ter.
Glengall Road
Ingoldisthorpe Gro.
Neate Street
Way
St. George's Road
Dragon Road
Northleach Close
Kemsley Ct.
Nailsworth Ct.
Patchway Ct.
Warmley Ct.
Dymock Ct.
Dursley Ct.
Winchcombe Ct.
Winchcombe Bus. Cen.
Andoversford Ct.
Watling St.
Pearse St.
Chandler Wy.
Bibury Close
Cam Ct.
Willsbridge Ct.
Quedgeley Ct.
Downend Ct.
Westonbirt Ct.
Quenington Ct.
Saul Ct.
Wickway Ct.
Comm. Cen.
Ebley Close
Cator Street
Longhope Close
Gloucester Prim. Sch.
Sharpness Ct.
Painswick Ct.
Kemble Ct.
Lydney Cl.
Daniel Gardens
Davey St.
Alder Ho.
Alder Cl.
Sumner Road
Willow Brook
Pennack Rd.
Bridealé Cl.
Colegrove Rd.
Tilbury Cl.
Nutt St.
St. George's Sch.
St. George Ch.
The Grove Nsy. Sch. & Trinity Coll. Cen.
Newent Cl.
Coleman Street
Peckham Road
Blake's Road
Granville Square
Works
Alderholt Wy.
Blendworth Way
Hordle Promenade
Farnborough Way
Grafely Way
Avington Way
Mattingley Wy.
Promenade North
Clanfield Way
Gosport Way
Quarley Way
Copnor Way
Samuel St.
Thames Ct.
Amstel Ct.
Danube Ct.
Hordle Promenade East
Garnies Cl.
Rowan Ct.
Palm Ct.
Oak Ct.
Pear Ct.
Blackthorne Ct.
Camberwell Coll. of Arts
Shurland Gdns.
Boathouse
Rosemary Rd.
Carisbrooke Gdns.
Jowett
Bonsor St.
Rainbow
Orange Tree Ct.
Southampton Way
Beacon Ho.
Sedgmoor Pl.
Stanswood Gdns.
Samuel Jones Industrial Estate
Diamond St.
Dorton Cl.
Chandler Way
Denmead Way
Pentridge Street
Cronin Street
St. Luke's Ch.
The Ann Bernadt Early Years Cen. & Nursery Sch.
N. Peckham Baptist Ch.
Youth Cen. (Damilola Taylor Cen.)
East Surrey Grove
Marchwood Cl.
B217
Branch St.
Lidgate Rd.
Commercial Way
Kelly Avenue
Whistler Ms.
Cator St.
Stopes St.
Haslam St.
Dibden Ho.
Muscatel Pl.
Redbridge Gdns.
Pilgrims Cloisters
Villa Street
Gables Cl.
Netley
Dalwood
Finch Mews
Moody Road
Wode House Av.
Watts St.
77
53

127
105
128
D
E
F
1
2
3
4
5
SE1
SE16
SE15
Eveline Lowe Prim. School
St. Philip the Apostle's Ch.
Six Bridges Industrial Estate
Cantium Retail Park
Civic Cen.
Canal Bridge
Warehouses
Wevco Wharf
Gas Holder Station
Kent Park Ind. Est.
Sandgate Trad. Est.
Community Centre
Leyton Square Rec. Grnd.
Haymerle Sch.
St. Andrew's Church
St. Francis R.C. Prim. Sch.
Our Lady of Sorrows R.C. Ch.
Baptist Ch.
Christ Church
Livesey Mus. for Children
Camelot Prim. Sch.
Friary Estate
Lindley Estate
Caroline Gardens
Rich Ind. Est.
Apostolic Faith Ch.
Willowbrook Estate
Peckham Park Prim. Sch.
St. John's Ch.
Old Kent Road
Rotherhithe New Road
Verney Road
Peckham Park Road
Peckham Hill Street
Commercial Way
Bird in Bush Road
Ilderton Road
Asylum Road
Friary Road
Meeting House Lane
Catlin St.
Rolls Rd.
St. James's Road
Sumner Road
Glengall Road
Sandgate Street
Ruby Street
Devon Street
Hyndman St.
Murdock St.
Ethnard Rd.
Naylor Road
Ledbury Street
Elcot Av.
Fenham Road
Kincaid Road
Pennethorne Road
Furley Road
Marmont Road
Goldsmith Road
Studholme Street
Carlton Grove
Montpelier Road
King's Grove
Asylum Road
A2
A2208
B204
B216
B215

128

SE16

SE15

A · **B** · **C** (top)

1 · **2** · **3** · **4** · **5** (left)

A · **B** · **C** (bottom)

535
106
127

Woburn Ct.
Comm. Cen.
Florence Ho.
Jasmin Lodge
RIVERWELL RD
NEW RD

STUBBS CL.
WEALD CL.
Constable Ct.
STREET
DRIVE

BELFRY CL.
TROON CL.
CRANS. WICK
DELAFORD RD
CREDON RD
BRAMCOTE GRO.
ABLETT STREET
535

MAR... CL.
BIRK... CL.
DALE CL.
GLENEAGLE CL.
SUNNINGDALE CL.
EDENBRIDGE CL.
ST. DAVIDS CL.
KINGSDOWN DRIVE
MUIRFIELD CL.
ST. ANDREWS DRIVE
TURNBERRY DRIVE

MASTERS DRIVE
GALWAY CL.

RYDER STREET
STREET

VERNEY ROAD
VARCOE ROAD
Arundel Ct.
BRAMCOTE GRO.
Nature Garden

Splendour Wk.
EAGLE CL.
GERRARDS CLOSE

Ilderton Prim. Sch.

'78

BOLINA RD
Games Ct.
ENTERPRISE IND. EST.
Leisure Cen.
Millwall F.C. (The New Den)
TAMPA
Baptist Ch.
STOCKHOLM ROAD
SURREY
Warehouses
Warehouse
RECORD ST.
Penarth Cen.
ILDERTON RD
Ilderton Wharf
DEPTFORD BUSINESS PARK
EXCE... IND.
STREET

Works
Penarth Street
Wks.
Factory
Depot
ROLLINS ST.
Depot

Warehouse
SHARRATT ST.
Works
Wks.
Works
WHITE LION CT.
Olive Tree Ho.

Reculver Ho.
Mereworth Ho.
Penshurst Ho.
LOVELINCH
Otford Ho.
Silkin Ho.
Lewis...
Aspen Ho.
Richborough Ho.
STREET

Eyns...
Dover Ho.
LOVELINC...
Lamb...
Horton H...
LOVELINCH
Luffin...
Leybourn...

MANOR GROVE
CANTERBURY IND. PK.
Sissinghurst Ho.
Rochester Ho.
Uvnall Ho.
Saltwood Ho.
HORNSHAY ST.
STREET

RUBY TRIANGLE
RUBY ST.
Kent Park Ind. Est.
Gas Holder Station

Gas Holder Station
OLD KENT ROAD
HYNDMAN ST.
MURDOCK ST.
RUBY ST.
127

Livesey Mus. for Children
Sarnesfield Ho.
Skenfrith Ho.
Peterchurch Ho.
ORANG... WY.
ROAD

RICH IND. EST.
DEVON...
STREET
GROVE
Works
GROVE
HILLBECK CL.
Hillbeck Cl.
Ullswater Ho.
Kentmere Ho.
Pilgrims Way Prim. Sch.
Heversham Ho.
TUSTIN ESTATE

Thompso...
Mendip Cl.
Chev...
Chilter...
Filton...
Highbrid...
Gle...

745
A2
720
769
70
SYLVAN GROVE
KENT ROAD

Superstore
Harry Lambourn Ho.
WALES CL.
ASYLUM ROAD
Caroline Gardens
Caroline Gardens
Gervase St.
LEO ST.
Grenier Apartments
DROVERS PLACE
LEO ST.
Bowness Ho.
Ambleside Point
Windermere Point
Grasmere Point
PATTERDALE ROAD
ILDERTON RD
WAGNER ST.
WHITE POST
SOUTHWARK
LEWISHAM

SE15

NEW CROSS ROAD
41

CARDINE MS.
NUTCROFT RD.
NUTCROFT ROAD
STUDHOLME ST.
ALBERT ROAD
SPRINGALL ST.
Clifton Ct.
St. John's Ch.
GROVE HOUSE ST.
ASYLUM RD
CLIFTON CRESCENT
Brimmington Park
A2013
CULMORE ROAD
CLIFTON

WATER LANE
WATER LA.
WATER LA.
PUMP LANE
FARROW LANE
WARDALLS GRO.
WARDALLS GRO.
POMEROY ST.
B2227
ROMNEY CL.
ROMNEY CL.
KENDER ST.
A2
NE...
LUBB...
Hutchinson Ho.
Hammersley Ho.
MONTAGUE SQUARE
Roman Way
WAY

77
Willowdene
Pinedene
Beechdene
Ashdene
Oakdene
Acorn Pde.
Willowdene
Oakdene
Beechdene
MONTPELIER ROAD
KING'S ROAD
CARLTON

BLANCH RD
Depot
BATH CL.
LABURNUM CL.
STATION PASSAGE
ASTBURY BUS. PK.
ASTBURY RD.
535
CLIFTON
KING ARTHUR CL.
LODER RD.
COLL'S RD
Juniper Ho.
Wks.
Warehouse
MYLIUS CL.
STREET
Wks.
Hammon...
A2
N...

D
E
F
107
36
A200
DEPTFORD PARK
Playground
Sports Ground
Warehouses
GEMINI BUSINESS ESTATE
Waste Transfer Station
Warehouse
TRUNDLEYS
B207
HERITAGE CT.
KEZIA ST.
GREENLAND MS.
SCAWEN
Sir Francis Drake Prim. Sch.
Inwen Ct.
HI-GLOSS CENTRE
GRINSTEAD ROAD
Neptune Works
1
ORION BUSINESS CENTRE
LANDMANN WAY
BRITISH WHARF IND. EST.
APOLLO BUS. CEN.
CANAL APP.
SE8
DEPTFORD TRADING ESTATE
78
PARKSIDE BUS. EST.
BLACKHORSE
GOSTERWOOD
CHILDERS
CANAL ROAD
BRIDGE MEADOWS
MERCURY
Lewisham Bus. Cen.
JUNO WAY
ELIZABETH INDUSTRIAL ESTATE
Works
Folkestone Gardens
2
Harrisons Ct.
Grantley Ho.
Sunbury Ho.
MYERS LANE
Connell Ct.
Tilbury Ho.
Graham Ct.
Henderson Ct.
St. Clements Ct.
Jemotts Ct.
JUNO WAY IND. EST.
TRUNDLEYS ROAD
ROLT STREET
130
SANFORD WALK
SANFORD ST
Verona Ct.
Heywood Ho.
Playground
Depot
Francis Ct.
Hind Ho.
Donne Ho.
BRIDGE HOUSE MEADOWS
SAMUEL CL.
Carew Ct.
Depot
Burbage Ho.
Dobson Ho.
Dalton Ho.
Newland Ho.
COLD BLOW LANE
KNOYLE
ARCHER SQ.
Berwick Gdns.
KNOYLE ST.
WOODPECKER
Reynard Pl.
MILTON COURT ROAD
Hercules Twr.
WHITCHER CL.
Portland Ct.
3
LIARDET STREET
Lib.
St. Michael
Redrup Ho.
Gasson Ho.
Greene Ct.
Bryce Ho.
Barnes Ho.
JOHN WILLIAMS CLOSE
Stunell Ho.
Barkwith Ho.
Bannister Ho.
SE14
STERLING GARDENS
CHUBWORTHY ST.
MARCHANT ST.
Phoenix Ct.
CHIPLEY STREET
Hawke Tower
Comm. Cen.
Ch.
DESMOND
Rainbow Ct.
Nursing Home
HUNSDON ROAD
JOSEPH HARDCASTLE CL.
COTTESBROOK ST.
Granville Ct.
NYNEHEAD
Richard Anderson Ct.
MONSON ROAD
Monson Prim. Sch.
Cold Blow La.
BROCKLEHURST ST
CAMPLIN
BAWTREE RD.
MEWS
LUDWICK
4
LUDWICK MEWS
WRIGGLESWORTH ST.
Meader Ct.
ROBERT LOWE CLOSE
TARRAGON CL.
SORRELL CL.
WOODRUSH CL.
SOUTHERNGATE WY.
LUDWICK MS.
EDWARD STREET
Palm Tree Ho.
LEYLANG ROAD
SILVER CL.
REDSTART CL.
CLIFTON RISE
CHILDERIC ROAD
Edward Robinson Ho.
Antony Ho.
Eckington Gdns.
HATFIELD CL.
VENTNOR ROAD
AUBURN CL.
GOODWOOD ROAD
PEAR CL.
Superstore
EGMONT ST.
5
Childeric Prim. Sch.
A2
CROSS ROAD
All Saints' Church
CASELLA
BOND HO.
MARLOWE BUS. CEN.
PANKHURST CL.
BILLINGTON ROAD
Batavia Ho.
NEW CROSS GATE
Lib.
77
PARK
NETTLETON RD.
HART'S LANE
NEW CROSS RD.
Wynne Ho.
Bower Ho.
FISHERS CT.
BESSON STREET
158
HATCHAM PARK
HATCHAM MEWS BUS. CEN.
Brighton Grove
Goodwood Ho.
JAMES ST.
BRIANT

A
B
C
108
VICTORIA WHARF
LEEWAY
EVELYN
138
Bridge Wharf
GROVE ROAD
B206
DEPTFORD PARK
Playground
Sports Ground
cis Drake Sch.
1
ROAD
DEPTFORD PK. BUS. CENTRE
A200
DRAGOON
North Ho.
Rochfort Ho.
Keppel Ho.
Norris Ho.
CONVO
Inwen Ct.
Berkeley Ho.
Camden Ho.
BARNES TER.
Strafford Ho.
Sanderson Ho.
Blackhorse Wharf
ROAD
Inwen Ct.
Richman Ho.
Hurleston Ho.
Sayes Ct. Park
HI-GLOSS CENTRE
GRINSTEAD
Inwen Ct.
STREET
ALVERTON ST.
Fire Sta.
Ch.
Grafton Ho.
Mulberry Ct.
Neptune Works
178
Box Tree Ho.
Citrus Ho.
Fulcher Ho.
DEPTFORD TRADING ESTATE
Plane Tree Ho.
STREET
ROLT ST.
Clyde Nursery Sch.
Prospect Pl.
Sayes Ct.
SAYES COURT ST.
DACCA
PARKSIDE BUS. EST.
BLACKHORSE
GOSTERWOOD
Chester Ho.
Lynch Walk
ALVERTON ST.
Akintaro Ho.
PRINCE
Eider Ct.
Pintail Ct.
Mulberry Ho.
2
CHILDERS
ETTA
STREET
Shelduck Ct.
Rosemary Ct.
Laurel Ho.
Arlington Ho.
Sub.
PILOT CLOSE
DORKING
Skua Ct.
Linden Ho.
GROVE
Folkestone Gardens
Cormorant Ct.
Tristan Ct.
VIOLET CLOSE
Ashford Ho.
Magnolia Ho.
Woodco
Com
TRUNDLEYS ROAD
ROYAL CL.
Lapwing Twr.
Grebe Ct.
Marine Twr.
Wardalls Ho.
A200
ALEXANDRA
TAYLOR CLOSE
STAUNTON
Kittiwake Ct.
Guillemot Ct.
CL.
Teal Ct.
Shearwater Ct.
129
ROLT
PARKSIDE BUS. EST.
ABINGER
Mermaid Twr.
DIANA CL.
Howard Ho.
KNOYLE
ARCHER SQ.
Reynard Pl.
Brambling Ct.
ARKLOW ROAD TRADING ESTATE
Dolphin Twr.
Grinling Gibbons Prim. Sch.
Berwick Gdns.
MILTON
Scoter Ct.
Sanderling Ct.
STREET
KNOYLE ST.
STREET
Hercules Twr.
Kingfisher Square
CLYDE ST.
Portland Ct.
WOODPECKER
ARKLOW RD.
Comm. Cen.
CLYDE
CHUBWORTHY ST.
WHITCHER
3
Magpie Pl.
KERRY PATH
KERRY
LARCH CL.
Phoenix Ct.
LIARDET
COURT
Games Ct.
WALNUT CL.
MARCHANT ST.
ST.
Lib.
STREET
Kestrel Pl.
ARKLOW
WOTTON RD.
EDWARD
CHIPLEY
Hawke Tower
St. Michael's Ch.
Comm. Cen.
STREET
TRIM
ROAD
Merganser Ct.
SANFORD
Rainbow Ct.
Ch.
STREET
DESMOND
BOWERMAN
Depot
TRIM
ST. EDWARD
MARCHANT ST.
Milton Ct.
Astra Ho.
TRIM ST.
EDWARD
PAYNE
PLACE
COTTESBROOK ST.
VANSITTART ST.
STREET
SE14
Ch.
STREET
AVENUE
Baptist Ch.
VALE
Napier St.
Path
ADOLPHUS
Granville Ct.
NYNEHEAD
RD.
ROAD
Milton Ct.
Deptford Green School
Police Sta.
Maple H
ALEXANDRA
EDWARD
AMERSHAM
NAPIER
TARRAGON CL.
BAWTREE
MEWS
Windsor Cotts.
John Penn Ho.
CL.
ADOLPHUS ST.
B207
4
LUDWICK
LUDWICK MEWS
ROAD
PRIMROSE
ST.
WALK
GROVE
Came Ho.
ST.
PAGNELL
RAILWAY GRO.
TURNPIKE
Warwickshire
WOODRUSH CL.
SOUTHERNGATE WY.
LUDWICK MS.
MEWS
EDWARD
Deptford Green School
ROYAL NAVAL PL.
Stanhope Ho.
SORRELL CL.
SOUTHERNGATE
STREET
HEREFORD PL.
AMERSHAM
CLOSE
STREET
Addey Ho.
SILVER CL.
REDSTART CL.
CLIFTON RISE
ANGUS
STREET
B207
Mulberry Cen.
Douglas
Margaret MacMillan Park
PEAR CL.
CHILDERIC
DOUGLAS WY.
STANLEY
AMERSHAM
AUBURN
GOODWOOD
FORDHAM PARK
ROAD
GROVE
Mornington Place
WAY
ROAD
GLENVILLE
GLENVIL
5
CLOSE
Azalea Ho.
EXETER WY.
NEW CROSS
BOND HO.
Childeric Prim. Sch.
CLIFTON
ACHILLES
STREET
Austin Ho.
STREET
STREET
MORNINGTON
Fenton Ho.
Crossleigh Ct.
VALE
MARLOWE BUS. CEN.
ROAD MEWS
RISE
Dean Ho.
NEW CROSS
ROAD
A20
NEW
A2
CROSS
BATAVIA
Batavia Ho.
BATAVIA
NEW CROSS GATE
77
ROAD
Lib.
NEW CROSS A2 ROAD
NEW CROSS
AMERSHAM RD.
ALPHA RD.
Goodwood Ho.
LAURIE GRO.
Goldsmiths College
LEWISHAM WY.
39
PARKFIELD RD.
B218
NEW
ST. JAMES
Gro.

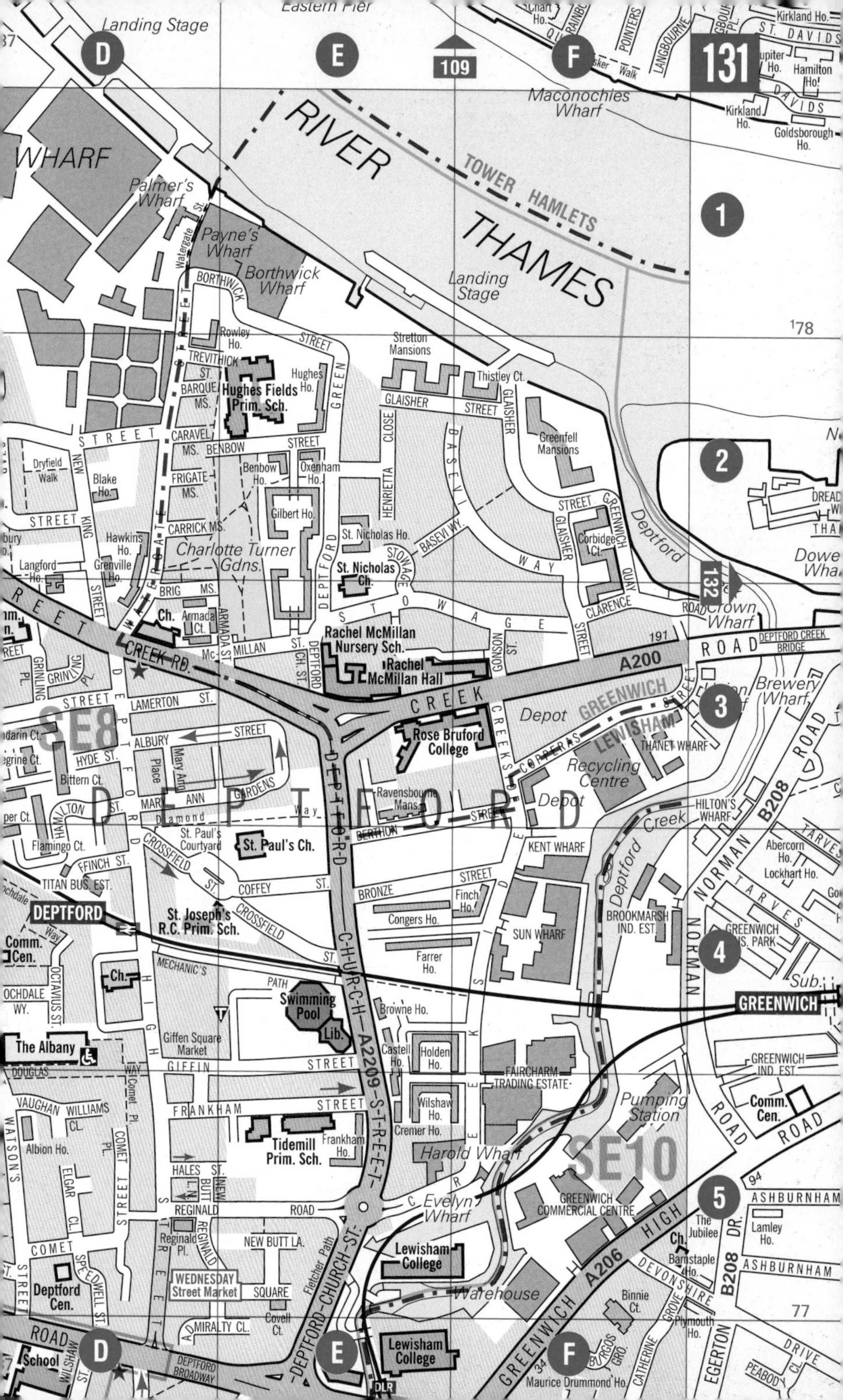

131
109
132
D
E
F
1
2
3
4
5
RIVER THAMES
TOWER HAMLETS
WHARF
Landing Stage
Eastern Pier
Palmer's Wharf
Payne's Wharf
Borthwick Wharf
Maconochies Wharf
Landing Stage
Kirkland Ho.
ST. DAVIDS
Jupiter Ho.
Hamilton Ho.
Goldsborough Ho.
Pointers
Langbourne
Rowley Ho.
Trevithick St.
Hughes Fields Prim. Sch.
Hughes Ho.
Barque Ms.
Caravel Ms.
Benbow Street
Frigate Ms.
Carrick Ms.
Brig Ms.
Stretton Mansions
Thistley Ct.
Glaisher Street
Greenfell Mansions
Basevi Way
Henrietta Close
Benbow Ho.
Oxenham Ho.
Gilbert Ho.
St. Nicholas Ho.
St. Nicholas Ch.
Stowage
Charlotte Turner Gdns.
Dryfield Walk
Blake Ho.
Hawkins Ho.
Grenville Ho.
Langford Ho.
New King Street
Watergate Street
Armada Ct.
Armada St.
Corbidge Ct.
Greenwich Quay
Clarence Road
Deptford
Crown Wharf
Dowells Wharf
Rachel McMillan Nursery Sch.
Rachel McMillan Hall
McMillan St.
Deptford Ch. St.
Creek Rd.
Creek Road
A200
Deptford Creek Bridge
Brewery Wharf
191
178
Grinling Pl.
Lamerton St.
SE8
Albury Street
Hyde St.
Bittern Ct.
Mary Ann Place
Mary Ann Gardens
Diamond Way
Hamilton St.
Flamingo Ct.
Finch St.
Titan Bus. Est.
DEPTFORD
Rose Bruford College
Creekside
Coppers
Depot
GREENWICH
LEWISHAM
Thanet Wharf
Recycling Centre
Ravensbourne Mans.
Berthon Street
St. Paul's Courtyard
St. Paul's Ch.
Crossfield St.
Coffey St.
Bronze Street
Finch Ho.
Congers Ho.
Farrer Ho.
Kent Wharf
Sun Wharf
Hilton's Wharf
Deptford Creek
Brookmarsh Ind. Est.
Norman Road
B208
Abercorn Ho.
Lockhart Ho.
Tarves Way
Greenwich Bus. Park
St. Joseph's R.C. Prim. Sch.
Comm. Cen.
Rochdale Wy.
Octavius St.
Ch.
Mechanic's Path
Swimming Pool
Lib.
Browne Ho.
Castell Ho.
Holden Ho.
Wilshaw Ho.
Cremer Ho.
Giffen Square Market
The Albany
Douglas Way
Comet Pl.
Giffen Street
Frankham Street
Vaughan Williams Cl.
Albion Ho.
Watson's Street
Elgar Cl.
Tidemill Prim. Sch.
Frankham Ho.
Hales St.
New Butt La.
Reginald Road
Reginald Pl.
Reginald Sq.
Deptford High Street
Deptford Church Street
A2209
Harold Wharf
Evelyn Wharf
Faircharm Trading Estate
Pumping Station
SE10
Greenwich Commercial Centre
GREENWICH
Greenwich Ind. Est.
Comm. Cen.
Norman Road
Sub.
Comet Street
Speedwell St.
Deptford Cen.
Wednesday Street Market
Square
Fletcher Path
Lewisham College
Warehouse
Covell Ct.
Admiralty Cl.
Road
School
Wilshaw St.
Deptford Broadway
DLR
Greenwich High Road
A206
The Jubilee
Ch.
Barnstaple Ho.
Devonshire Grove
Binnie Ct.
Plymouth Ho.
Catherine Grove
Burgos Gro.
Maurice Drummond Ho.
Egerton Drive
Peabody Cl.
Ashburnham
Ashburnham Pl.
Lamley Ho.
94
77
34

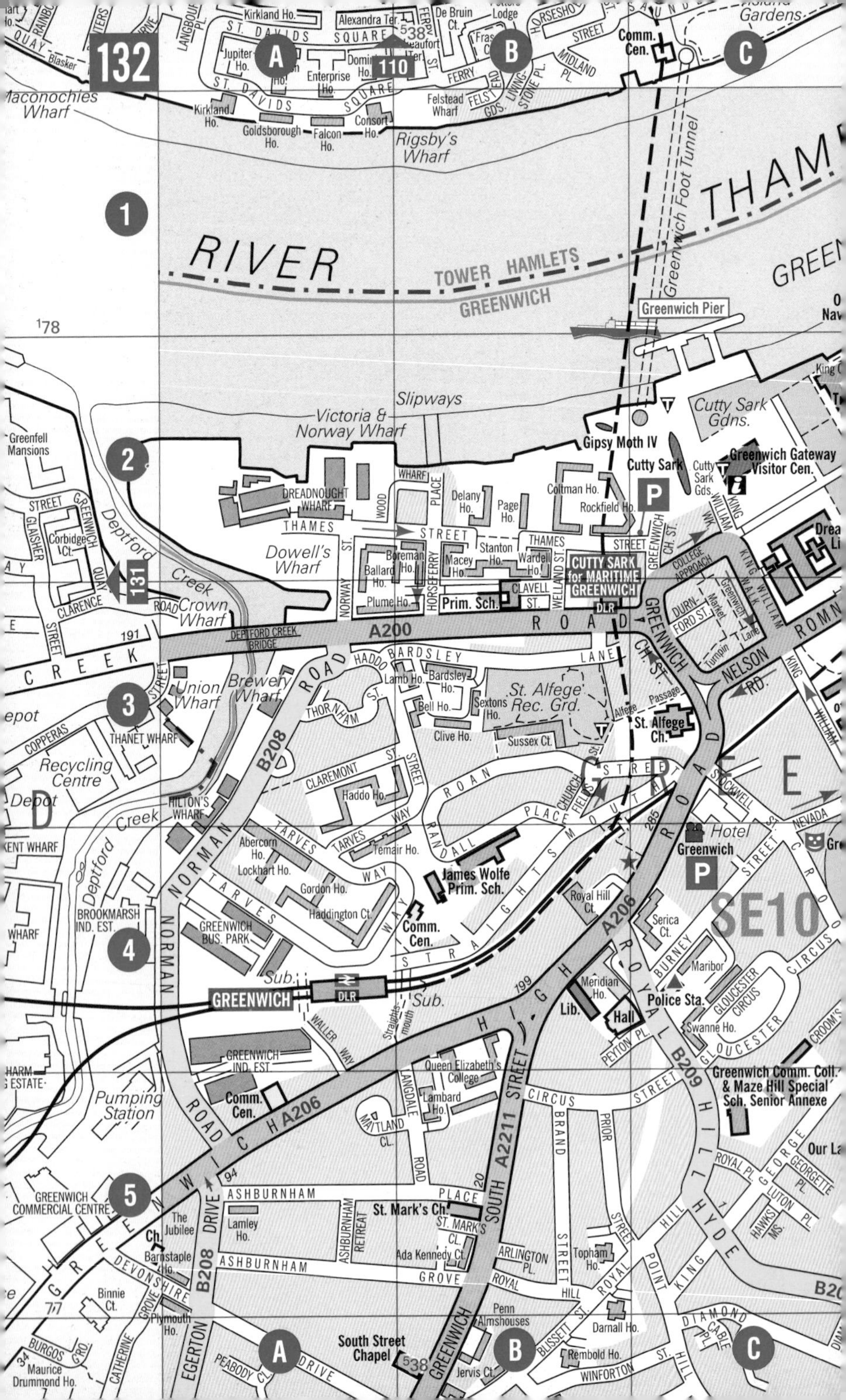

Kirkland Ho.
St. Davids Square
Alexandra Ter.
De Bruin Ct.
Lodge
Horseshoe
Jupiter Ho.
Enterprise Ho.
Dominion Ho.
Beaufort Ter.
110
538
Ferry St.
Midland Pl.
Street
Comm. Cen.
Gardens
Maconochies Wharf
Blasker
Quay
Langbourne Pl.
Kirkland Ho.
Goldsborough Ho.
Falcon Ho.
Consort Ho.
Felstead Wharf
Felstead Gds.
Livingstone Pl.
Rigsby's Wharf
River
Thames
Tower Hamlets
Greenwich
Greenwich Foot Tunnel
Greenwich Pier
178
Slipways
Victoria & Norway Wharf
Gipsy Moth IV
Cutty Sark
Cutty Sark Gdns.
Greenwich Gateway Visitor Cen.
King William Wk.
Greenfell Mansions
Dreadnought Wharf
Wharf Place
Wood
Delany Ho.
Page Ho.
Coltman Ho.
Rockfield Ho.
Glaisher Street
Greenwich
Corbidge Ct.
Deptford Creek
Thames Street
Dowell's Wharf
Boreman Ho.
Ballard Ho.
Macey Ho.
Stanton Ho.
Wardell Ho.
Thames Street
Welland St.
Greenwich Ch. St.
College Approach
Cutty Sark for Maritime Greenwich
DLR
Quay
131
Clarence Road
Crown Wharf
Norway St.
Horseferry
Plume Ho.
Prim. Sch.
Clavell St.
Durnford St.
Greenwich Market
King William Walk
Romney
191
Deptford Creek Bridge
A200
Road
Creek
Street
Haddo
Bardsley Lane
Lamb Ho.
Bardsley Ho.
St. Alfege Rec. Grd.
Nelson Rd.
Turpin Lane
Union Wharf
Brewery Wharf
Thornham St.
Bell Ho.
Sextons Ho.
Alfege Passage
St. Alfege Ch.
Depot
Copperas
Thanet Wharf
B208
Clive Ho.
Sussex Ct.
Recycling Centre
Claremont St.
Street
Roan Street
Church Fields
Greenwich
Stockwell
Depot
Haddo Ho.
Hilton's Wharf
Creek
Tarves Way
Randall Place
Straightsmouth
285
Road
Hotel
Nevada
Kent Wharf
Norman
Abercorn Ho.
Temair Ho.
Greenwich
Croom's
Deptford
Lockhart Ho.
Way
James Wolfe Prim. Sch.
Royal Hill Ct.
Street
Gordon Ho.
Haddington Ct.
Serica Ct.
SE10
Brookmarsh Ind. Est.
Wharf
Greenwich Bus. Park
Comm. Cen.
A206
Burney
Maribor
Circus
Sub.
Greenwich
DLR
Sub.
Straightsmouth
199
Meridian Ho.
Police Sta.
Gloucester Circus
Waller Way
Lib.
Hall
Royal
Swanne Ho.
Harm Estate
Greenwich Ind. Est.
Queen Elizabeth's College
Peyton Pl.
B209
Croom's
Pumping Station
Comm. Cen.
Langdale
Lambard Ho.
Circus Street
Greenwich Comm. Coll. & Maze Hill Special Sch. Senior Annexe
Maitland Cl.
Brand
Prior
Road
High
South Street
A2211
Royal Pl.
George
Georgette Pl.
Our La
Greenwich Commercial Centre
94
Ashburnham Place
20
Luton Pl.
Hawks Ms.
The Jubilee
Lamley Ho.
Ashburnham Retreat
St. Mark's Ch.
St. Mark's Cl.
Street
Hill
Hyde
Ch.
Barnstaple Ho.
Ada Kennedy Ct.
Arlington Pl.
Topham Ho.
Point
King
B20
Devonshire
Ashburnham
Grove
Royal
Hill
Royal
77
Binnie Ct.
Grove
B208
Drive
Street
Bissett St.
Darnall Ho.
Diamond
Cable Pl.
Plymouth Ho.
Penn Almshouses
Burgos Gro.
Catherine
Egerton
Peabody Cl.
Drive
South Street Chapel
538
Greenwich
Jervis Ct.
Rembold Ho.
Winforton St.
Hill
34
Maurice Drummond Ho.

133
111
39
GREENWICH PARK
GREENWICH PARK
Trinity Hospital (Almshouses)
Trident Hall
National Maritime Museum
Queens Ho.
University of Greenwich
Chapel
Painted Hall
Meridian Sch.
Arches Leisure Cen.
Maze Hill Sch.
MAZE HILL
Christchurch Forum
Comm. Cen.
Hatcliffe Almshouses
Sam Manners Ho.
Vanbrugh Castle
Park Row Gate
Maze Hill House Gate
Maze Hill Gate
One Tree Hill
St. Mary's Gate
Queen Elizabeth's Oak
The Prime Meridian Line
Royal Observatory Museum
OPEN MONDAY - FRIDAY
Dawn - 10am and 4pm - Dusk
King George Street Gate
Conduit House
Tea House
Bandstand
The Gardens
Croomshill Gate
Reservoir (Covered)
OPEN
Dawn - Dusk
Tennis Cts.
Playground
Warehouses
A206
TRAFALGAR ROAD
WESTCOMBE PARK RD.
178
77
52

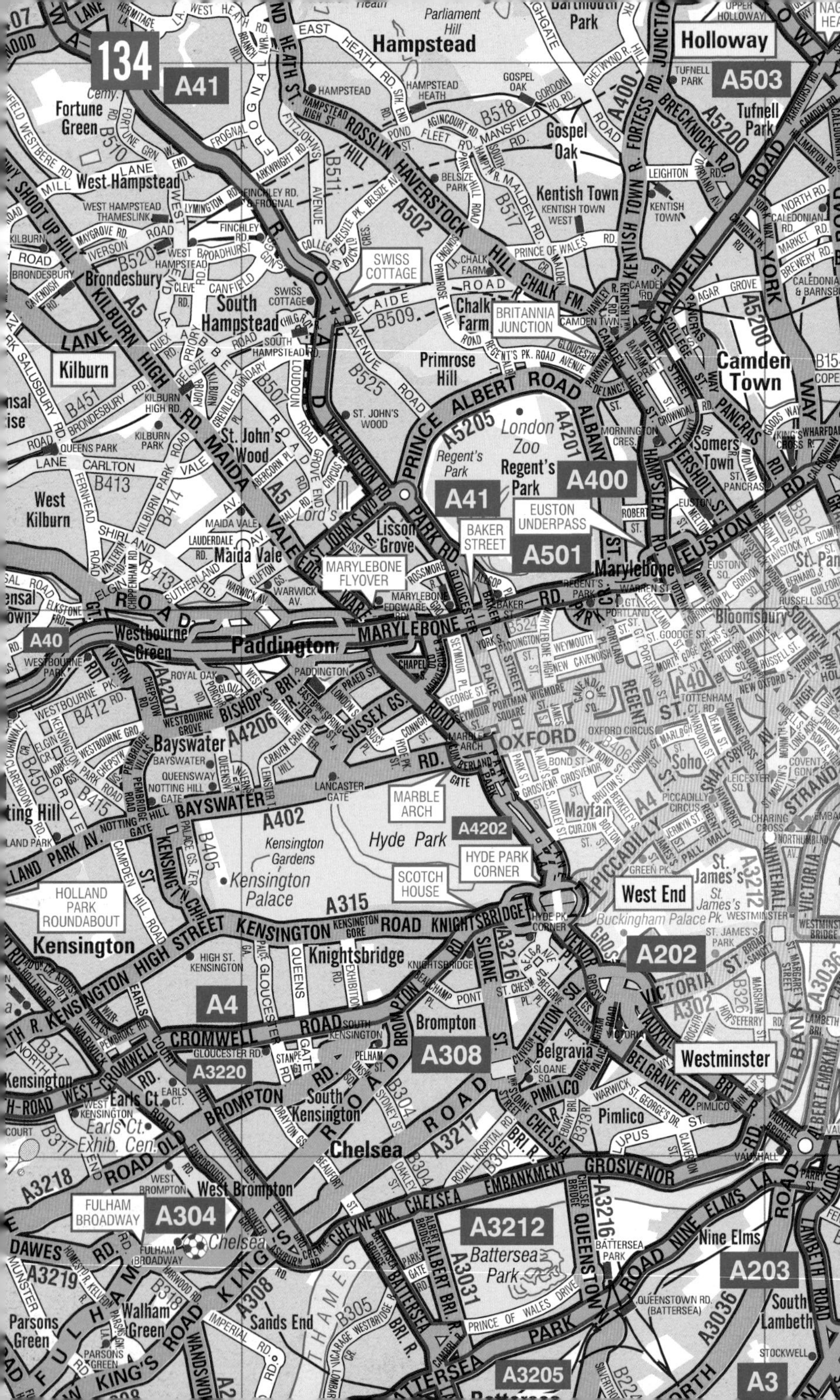

134
Hampstead
Parliament Hill
Holloway
A41
A503
Fortune Green
Tufnell Park
Gospel Oak
West Hampstead
Kentish Town
Brondesbury
Swiss Cottage
South Hampstead
Chalk Farm
Britannia Junction
Kilburn
Primrose Hill
Camden Town
St. John's Wood
London Zoo
Regent's Park
Somers Town
West Kilburn
Maida Vale
Lisson Grove
Lord's
A400
Euston Underpass
Baker Street
A501
Marylebone Flyover
Marylebone
Bloomsbury
A40
Westbourne Green
Paddington
Bayswater
Oxford
Soho
Marble Arch
Mayfair
Notting Hill
Hyde Park
Kensington Gardens
Kensington Palace
A4202
Hyde Park Corner
Scotch House
West End
Holland Park Roundabout
Kensington
Knightsbridge
St. James's
A202
Victoria
Westminster
A4
Brompton
A308
Belgravia
A3220
Earls Ct.
South Kensington
Pimlico
Earls Ct. Exhib. Cen.
Chelsea
West Brompton
Fulham Broadway
A304
A3212
Battersea Park
Nine Elms
A203
Walham Green
Parsons Green
Sands End
South Lambeth
A3205
A3

CONGESTION CHARGING ZONE

■ Zone applies Mon-Fri 7.00am to 6-30pm
excluding public holidays.
■ Daily charge allows unlimited travel within
and multiple access to the zone.
■ Payment must be made on the day of travel
or in advance by telephone (0845 900 1234),
via the website (www.cclondon.com) or by post.
■ Exemptions include motorcycles, mopeds
and bicycles. Registration for discount
schemes, including disabled and residents,
is available from Transport for London.
■ There is a penalty charge for late or
non-payment of the fee.

INDEX

Including Streets, Places & Areas, Industrial Estates, Selected Flats & Walkways,
Junctions and Selected Places of Interest.

HOW TO USE THIS INDEX

1. Each street name is followed by its Postal District and then by its map reference;
   e.g. Abbey Gdns. *NW8* . . . .1B **20** is in the North West 8 Postal District and is to be found in square 1B on page **20**. The page number being shown in bold type.

2. A strict alphabetical order is followed in which Av., Rd., St., etc. (though abbreviated) are read in full and as part of the street name; e.g. Adastral Ho. appears after Ada Rd. but before Ada St.

3. Streets and a selection of flats and walkways too small to be shown on the maps, appear in the index in *Italics* with the thoroughfare to which it is connected shown in brackets;
   e.g. *Alexandra Ho. E16* . . . .2F **85** *(off Wesley Av.)*

4. Places and areas are shown in the index in **blue type** and the map reference is to the actual map square in which the town centre or area is located and not to the place name shown on the map;
   e.g. **Barnsbury** **2B 12**

5. An example of a selected place of interest is **Adelphi Theatre** 1A 72

6. Junction names are shown in the index in **bold type**; e.g. **Aldgate. (Junct.)** **4B 48**

GENERAL ABBREVIATIONS

All : Alley	Est : Estate	Pde : Parade
App : Approach	Fld : Field	Pk : Park
Arc : Arcade	Gdns : Gardens	Pas : Passage
Av : Avenue	Gth : Garth	Pl : Place
Bk : Back	Ga : Gate	Quad : Quadrant
Boulevd : Boulevard	Gt : Great	Res : Residential
Bri : Bridge	Grn : Green	Ri : Rise
B'way : Broadway	Gro : Grove	Rd : Road
Bldgs : Buildings	Ho : House	Shop : Shopping
Bus : Business	Ind : Industrial	S : South
Cvn : Caravan	Info : Information	Sq : Square
Cen : Centre	Junct : Junction	Sta : Station
Chu : Church	La : Lane	St : Street
Chyd : Churchyard	Lit : Little	Ter : Terrace
Circ : Circle	Lwr : Lower	Trad : Trading
Cir : Circus	Mc : Mac	Up : Upper
Clo : Close	Mnr : Manor	Va : Vale
Comn : Common	Mans : Mansions	Vw : View
Cotts : Cottages	Mkt : Market	Vs : Villas
Ct : Court	Mdw : Meadow	Vis : Visitors
Cres : Crescent	M : Mews	Wlk : Walk
Cft : Croft	Mt : Mount	W : West
Dri : Drive	Mus : Museum	Yd : Yard
E : East	N : North	
Embkmt : Embankment	Pal : Palace	

A

Aaron Hill Rd. *E6* 1E **61**
Abady Ho. *SW1* 3E **99**
Abbess Clo. *E6*. 2A **60**
Abbey Ct. *NW8*. 5B **6**
Abbey Ct. *SE17*. 1C **124**
Abbey Est. *NW8* 4A **6**
Abbeyfield Est. *SE16* 3B **106**
Abbeyfield Rd. *SE16*. 3B **106**
(in two parts)
Abbey Gdns. *NW8* 1B **20**
Abbey Gdns. *SE16* 3E **105**

Abbey Gdns. *W6* 2A **114**
Abbey Ho. *NW8*. 2C **20**
Abbey Life Ct. *E16* 1A **58**
Abbey Lodge. *NW8* 3A **22**
Abbey Orchard St. *SW1* 1D **99**
Abbey Orchard St. Est.
    SW1 . . . . .1E **99**
(in two parts)
Abbey Rd. *NW6 & NW8* 2F **5**
Abbey St. *SE1* 1A **104**
Abbot Ct. *SW8* 5F **121**
Abbot Ho. *E14* 5A **54**
Abbotsbury Clo. *W14* 5A **64**
Abbotsbury Rd. *W14* 4A **64**

Abbotshade Rd. *SE16*. 2E **79**
Abbot's Ho. *W14* 2B **92**
Abbots La. *SE1* 3A **76**
Abbots Mnr. *SW1* 5F **97**
Abbot's Pl. *NW6*. 3F **5**
Abbots Wlk. *W8* 2F **93**
Abbott Rd. *E14*. 2C **54**
(in two parts)
Abbotts Clo. *N1* 1B **14**
Abbotts Ho. *SW1* 1D **121**
Abbotts Wharf. *E14* 3D **53**
Abchurch La. *EC4*. 5E **47**
(in two parts)
Abchurch Yd. *EC4* 5D **47**

Abdale Rd. W12. . . . . 2A **62**
Abel Ho. SE11 . . . . 2E **123**
Abercorn Clo. NW8 . . . . 1B **20**
Abercorn Ho. SE10. . . . . . . 4A **132**
Abercorn Mans. NW8. . . . . . 1C **20**
Abercorn Pl. NW8 . . . . 2B **20**
Abercorn Way. SE1 . . . . . . 5D **105**
Aberdale Ct. SE16 . . . . 5D **79**
Aberdare Gdns. NW6 . . . . . . 2A **6**
Aberdeen Ct. W9 . . . . 5C **20**
Aberdeen Mans. WC1 . . . . . . 4F **25**
Aberdeen Pl. NW8 . . . . 5D **21**
Aberdeen Sq. E14. . . . . 1C **80**
Aberdeen Wharf. E1 . . . . . . 3A **78**
Aberdour St. SE1 . . . . 2F **103**
Aberfeldy Ho. SE5. . . . . 4F **123**
      (in two parts)
Aberfeldy St. E14 . . . . 2C **54**
      (in two parts)
Abingdon. W14 . . . . 4C **92**
Abingdon Clo. SE1 . . . . . . 4C **104**
Abingdon Ct. W8 . . . . 2E **93**
Abingdon Gdns. W8 . . . . . . 2E **93**
Abingdon Ho. E2 . . . . 4B **30**
Abingdon Lodge. W8 . . . . . . 2F **93**
Abingdon Rd. W8. . . . . 1D **93**
Abingdon St. SW1 . . . . 1F **99**
Abingdon Vs. W8. . . . . 2D **93**
Abinger Gro. SE8 . . . . 3B **130**
Abinger Ho. SE1 . . . . 5D **75**
Abinger M. W9. . . . . 4D **19**
Ablett St. SE16. . . . . 1B **128**
Acacia Clo. SE8 . . . . 4F **107**
Acacia Gdns. NW8 . . . . 5E **7**
Acacia Pl. NW8 . . . . 5E **7**
Acacia Rd. NW8 . . . . 5E **7**
Academy Bldgs. N1 . . . . . . 2F **29**
Academy Ct. E2 . . . . 2C **32**
Academy Ho. E3. . . . . 1F **53**
Acanthus Dri. SE1 . . . . 5D **105**
Achilles Clo. SE1 . . . . 5E **105**
Achilles Ho. E2. . . . . 1A **32**
Achilles Statue. 3E **69**
Achilles St. SE14 . . . . 5A **130**
Achilles Way. W1 . . . . 3E **69**
Acklam Rd. W10 . . . . 2A **36**
      (in two parts)
Ackroyd Dri. E3 . . . . 1D **53**
Acme Ho. E14 . . . . 1B **54**
Acol Ct. NW6 . . . . 2E **5**
Acol Rd. NW6 . . . . 2E **5**
Acorn Pde. SE15. . . . . 5F **127**
Acorn Production Cen. N7 . . . 1A **12**
Acorn Wlk. SE16 . . . . 2A **80**
Acton Ho. E8 . . . . 3B **16**
Acton M. E8. . . . . 3B **16**
Acton St. WC1 . . . . 3B **26**
Ada Ct. N1 . . . . 4B **14**
Ada Ct. W9 . . . . 3C **20**
Ada Gdns. E14. . . . . 3D **55**
Ada Ho. E2. . . . . 4E **17**
Adair Rd. W10 . . . . 5A **18**
Adair Tower. W10 . . . . 5A **18**
Ada Kennedy Ct. SE10 . . . . 5B **132**
Adam & Eve Ct. W1 . . . . . . 3C **42**
Adam & Eve M. W8 . . . . . . 1E **93**
Adam Ct. SE11. . . . . 4F **101**
Adam Ct. SW7 . . . . 3C **94**
Adams Ct. EC2. . . . . 3E **47**
Adams Gdns. Est. SE16 . . . . 4B **78**

Adams Ho. E14 . . . . 4D **55**
Adamson Rd. E16. . . . . 4E **57**
Adamson Rd. NW3. . . . . 1E **7**
Adams Pl. E14 . . . . 2F **81**
Adam's Row. W1 . . . . 1E **69**
Adam St. WC2 . . . . 1A **72**
Ada Pl. E2 . . . . 4E **17**
Ada Rd. SE5. . . . . 5F **125**
Adastral Ho. WC1. . . . . 1B **44**
Ada St. E8 . . . . 4F **17**
Ada Workshops. E8 . . . . . . 4F **17**
Adderley St. E14 . . . . 4B **54**
Addey Ho. SE8 . . . . 4C **130**
Addington Sq. SE5. . . . . . . 4C **124**
      (in two parts)
Addington St. SE1 . . . . 5C **72**
Addis Ho. E1 . . . . 1B **50**
Addisland Ct. W14 . . . . 4F **63**
Addison Av. W11 . . . . 2F **63**
Addison Bri. Pl. W14 . . . . . . 3B **92**
Addison Cres. W14 . . . . 1A **92**
Addison Gdns. W14. . . . . . . 1D **91**
Addison Ho. NW8 . . . . 2D **21**
Addison Pk. Mans. W14 . . . . 1E **91**
Addison Pl. W11. . . . . 3F **63**
Addison Rd. W14 . . . . 4F **63**
Addle Hill. EC4 . . . . 4A **46**
Addlestone Ho. W10 . . . . . . 1B **34**
Addle St. EC2. . . . . 3C **46**
Addy Ho. SE16. . . . . 4C **106**
Adelaide Ct. NW8 . . . . 1C **20**
Adelaide Ho. W11. . . . . 4B **36**
Adelaide Rd. NW3 . . . . 2D **7**
Adelaide St. WC2 . . . . 1F **71**
Adela St. W10 . . . . 4A **18**
Adelina Gro. E1 . . . . 1B **50**
Adeline Pl. WC1 . . . . 2E **43**
Adelphi Ct. E8 . . . . 2C **16**
Adelphi Ct. SE16 . . . . 5D **79**
Adelphi Ter. WC2 . . . . 1A **72**
Adelphi Theatre. 1A **72**
Aden Ho. E1. . . . . 1E **51**
Adeyfield Ho. EC1. . . . . 3E **29**
Adie Rd. W6. . . . . 2B **90**
Adler St. E1 . . . . 3D **49**
Admiral Ct. W1 . . . . 2D **41**
Admiral Ho. SW1. . . . . 3C **98**
Admiral Hyson Ind. Est.
   SE16 . . . . 4F **105**
Admiral Pl. SE16 . . . . 2A **80**
Admirals Ct. E6. . . . . 4F **61**
Admirals Ct. SE1 . . . . 3B **76**
Admirals Way. E14 . . . . 4E **81**
Admiralty Arch. 2E **71**
Admiralty Clo. SE8 . . . . 5D **131**
Admiral Wlk. W9 . . . . 1E **37**
Adolphus St. SE8 . . . . 4C **130**
Adpar St. W2. . . . . 1D **39**
Adrian Boult Ho. E2 . . . . . . 2F **31**
Adrian Ho. N1 . . . . 4C **12**
Adrian Ho. SW8 . . . . 4F **121**
Adrian M. SW10. . . . . 2A **116**
Adriatic Building. E14. . . . . . 5F **51**
Adriatic Ho. E1. . . . . 1E **33**
Adron Ho. SE16. . . . . 4C **106**
Adstock Ho. N1 . . . . 2F **13**
Adventurers Ct. E14 . . . . . . 1E **83**
Aegon Ho. E14. . . . . 1A **110**
Affleck St. N1. . . . . 1C **26**

Afsil Ho. EC1 . . . . 2E **45**
Agar Gro. NW1. . . . . 2C **10**
Agar Gro. Est. NW1 . . . . . . 1D **11**
Agar Pl. NW1. . . . . 2C **10**
Agar St. WC2 . . . . 1F **71**
Agate Clo. E16 . . . . 4E **59**
Agate Rd. W6. . . . . 1B **90**
Agatha Clo. E1 . . . . 2B **78**
Agdon St. EC1 . . . . 4F **27**
Agnes Clo. E6. . . . . 5E **61**
Agnes Ho. W11 . . . . 1E **63**
Agnes St. E14 . . . . 3C **52**
Aigburth Mans. SW9 . . . . . 5D **123**
Ailsa Ho. E16 . . . . 1E **89**
Ailsa St. E14 . . . . 1C **54**
Ainger M. NW3 . . . . 2C **8**
      (in two parts)
Ainger Rd. NW3. . . . . 2B **8**
Ainsdale. NW1 . . . . 1B **24**
Ainsdale Dri. SE1 . . . . 1D **127**
Ainsley St. E2. . . . . 3A **32**
Ainsty Est. SE16. . . . . 4C **78**
Ainsty St. SE16 . . . . 4C **78**
Ainsworth Ho. NW8 . . . . 4A **6**
Ainsworth Way. NW8 . . . . . . 3B **6**
Aintree Est. SW6 . . . . 4A **114**
Aintree St. SW6 . . . . 5A **114**
Aird Ho. SE1 . . . . 2B **102**
Airdrie Clo. N1 . . . . 2B **12**
Airlie Gdns. W8 . . . . 3D **65**
Air St. W1 . . . . 1C **70**
Aisgill Av. W14 . . . . 1C **114**
      (in two parts)
Aithan Ho. E14. . . . . 4B **52**
Aitken Clo. E8 . . . . 3D **17**
Ajax Ho. E2 . . . . 1A **32**
Akbar Ho. E14 . . . . 4F **109**
Akintaro Ho. SE8 . . . . 2B **130**
Aland Ct. SE16. . . . . 2A **108**
Alaska Bldgs. SE1 . . . . 2B **104**
Alaska St. SE1 . . . . 3D **73**
Alastor Ho. E14 . . . . 1B **110**
Alban Highwalk. EC2 . . . . . . 2C **46**
      (in two parts)
Albany. W1 . . . . 1B **70**
Albany Ct. NW8 . . . . 1D **21**
Albany Courtyard. W1 . . . . . 1C **70**
Albany Mans. SW11. . . . . . 5A **118**
Albany M. N1. . . . . 1E **13**
Albany M. SE5. . . . . 3C **124**
Albany Rd. SE5 . . . . 3C **124**
Albany St. NW1 . . . . 5F **9**
Albany Ter. NW1. . . . . 5A **24**
Alba Pl. W11 . . . . 3B **36**
Albatross Way. SE16 . . . . . 5D **79**
Albemarle Ho. SE8 . . . . 4C **108**
Albemarle St. W1. . . . . 1A **70**
Albemarle Way. EC1 . . . . . . 5F **27**
Alberta Est. SE17 . . . . 5A **102**
Alberta Ho. E14 . . . . 2C **82**
Alberta St. SE17. . . . . 5F **101**
Albert Av. SW8. . . . . 5B **122**
Albert Barnes Ho. SE1 . . . . . 2B **102**
Albert Bri. SW3 & SW11 . . . 3A **118**
Albert Bri. Rd. SW11 . . . . . 4A **118**
Albert Cotts. E1 . . . . 1D **49**
Albert Ct. SW7 . . . . 5D **67**
Albert Ct. Ga. SW7 . . . . 5B **68**
Albert Embkmt. SE1. . . . . . . 2B **100**
      (Lambeth Pal. Rd.)

Albert Embkmt. *SE1* 1A **122**
(Vauxhall Cross)
Albert Gdns. *E1* 4D **51**
Albert Ga. *SW1* 4C **68**
Albert Gray Ho. *SW10* 4D **117**
Albert Hall Mans. *SW7* 5D **67**
(in two parts)
Albert Memorial. . . . 5D 67
Albert M. *E14* 5A **52**
Albert M. *W8* 1B **94**
Albert Pal. Mans. *SW11* 5F **119**
Albert Pl. *W8* 5A **66**
Albert Rd. *E16* 3F **87**
Albert Rd. *NW6* 1B **18**
Albert Sq. *SW8* 5B **122**
Albert Starr Ho. *SE8* 4D **107**
Albert St. *NW1* 4A **10**
Albert Ter. *NW1* 3D **9**
Albert Ter. M. *NW1* 3D **9**
Albert Wlk. *E16* 4E **89**
Albert Way. *SE15* 5F **127**
Albert Westcott Ho. *SE17* . . . 5A **102**
Albery Ct. *E8* 2C **16**
Albery Theatre. . . . 5F 43
Albion Clo. *W2* 5A **40**
Albion Ct. *W6* 4A **90**
Albion Dri. *E8* 2B **16**
(in two parts)
Albion Est. *SE16* 5C **78**
Albion Gdns. *W6* 3A **90**
Albion Ga. *W2* 5A **40**
(in two parts)
Albion Ho. *E16* 3F **89**
Albion Ho. *SE8* 5D **131**
Albion M. *N1* 2D **13**
Albion M. *W2* 5A **40**
Albion M. *W6* 4A **90**
Albion Pl. *EC1* 1F **45**
Albion Pl. *EC2* 2E **47**
Albion Pl. *W6* 4A **90**
Albion Sq. *E8* 2B **16**
Albion St. *SE16* 5B **78**
Albion St. *W2* 4A **40**
Albion Ter. *E8* 2B **16**
Albion Way. *EC1* 2B **46**
Albion Wharf. *SW11* 4F **117**
Albion Yd. *N1* 1A **26**
Albury Ho. *SE1* 5A **74**
Albury St. *SE8* 3D **131**
Aldbridge St. *SE17* 5A **104**
Aldburgh M. *W1* 3E **41**
(in two parts)
Aldbury Ho. *SW3* 4F **95**
Aldebert Ter. *SW8* 5A **122**
Aldeburgh St. *SE10* 5D **113**
Aldenham Ho. *NW1* 1C **24**
Aldenham St. *NW1* 1C **24**
Alden Ho. *E8* 3F **17**
Aldensley Rd. *W6* 2A **90**
Alder Clo. *SE15* 3C **126**
Alderholt Way. *SE15* 4A **126**
Alder Ho. *SE15* 3C **126**
Aldermanbury. *EC2* 3C **46**
Aldermanbury Sq. *EC2* 2C **46**
Aldermans Wlk. *EC2* 2F **47**
Alderney Ho. *N1* 1C **14**
Alderney Rd. *E1* 5D **33**
Alderney St. *SW1* 4A **98**
Aldersgate St. *EC1* 1B **46**
Aldershot Rd. *NW6* 3C **4**
Alderson St. *W10* 4A **18**
Alderwick Ct. *N7* 1C **12**
Aldford Ho. *W1* 2D **69**
Aldford St. *W1* 2D **69**
Aldgate. (Junct.) 4B 48
Aldgate. *EC3* 4B **48**
Aldgate Av. *E1* 3B **48**
Aldgate Barrs. *E1* 3C **48**
Aldgate High St. *EC3* 4B **48**
Aldgate Triangle. *E1* 3D **49**
Aldine Ct. *W12* 3C **62**
Aldine Pl. *W12* 4C **62**
Aldine St. *W12* 4C **62**
Aldington Ct. *E8* 2E **17**
Aldrick Ho. *N1* 4C **12**
Aldridge Rd. Vs. *W11* 2C **36**
Aldsworth Clo. *W9* 5F **19**
Aldwych. *WC2* 5B **44**
Aldwych Ct. *E8* 2C **16**
Aldwych Theatre. . . . 4B 44
Aldwyn Ho. *SW8* 4F **121**
Alestan Beck Rd. *E16* 3E **59**
Alexa Ct. *W8* 3E **93**
Alexander Fleming Mus. . . . 3E 39
Alexander Ho. *E14* 1E **109**
Alexander M. *W2* 3F **37**
Alexander Pl. *SW7* 3F **95**
Alexander Sq. *SW3* 2F **95**
Alexander St. *W2* 3E **37**
Alexandra Clo. *SE8* 2B **130**
Alexandra Ct. *SW7* 1C **94**
Alexandra Ct. *W2* 5A **38**
Alexandra Ct. *W9* 4C **20**
*Alexandra Ho. E16 . . . . 2F **85***
(off Wesley Av.)
Alexandra Ho. *W6* 5B **90**
Alexandra Mans. *SW3* 3D **117**
Alexandra Pl. *NW8* 3C **6**
Alexandra Rd. *NW8* 3C **6**
Alexandra St. *E16* 1D **57**
Alexandra St. *SE14* 4A **130**
Alexandra Ter. *E14* 5A **110**
Alexis St. *SE16* 3D **105**
Alford Ct. *N1* 1C **28**
Alford Pl. *N1* 1C **28**
(in two parts)
Alfred M. *W1* 1D **43**
Alfred Pl. *WC1* 1D **43**
Alfred Rd. *W2* 1E **37**
Algar Ho. *SE1* 5F **73**
Algernon Rd. *NW6* 4D **5**
Alice Gilliatt Ct. *W14* 2B **114**
Alice Owen Technology Cen.
EC1 . . . . 2F **27**
Alice Shepherd Ho. *E14* 5C **82**
Alice St. *SE1* 2F **103**
(in two parts)
Alie St. *E1* 4C **48**
Alison Clo. *E6* 4E **61**
Alison Ct. *SE1* 1D **127**
Allcott Ho. *W12* 4A **34**
Allen Edwards Dri. *SW8* 5F **121**
Allensbury Pl. *NW1* 2E **11**
Allen St. *W8* 1E **93**
Allerton Ho. *N1* 2D **29**
Allerton St. *N1* 2D **29**
Allestree Rd. *SW6* 5A **114**
Alleyn Ho. *SE1* 2E **103**
Allgood St. *E2* 1C **30**
Allhallows La. *EC4* 1D **75**
Allhallows Rd. *E6* 2F **59**
Alliance Rd. *E13* 1B **58**
Allingham St. *N1* 5B **14**
Allington Ct. *SW1* 2A **98**
Allington Rd. *W10* 1A **18**
Allington St. *SW1* 2A **98**
Alliston Ho. *E2* 3C **30**
Allitsen Rd. *NW8* 1F **21**
(in two parts)
Alloa Rd. *SE8* 5E **107**
Allom Ho. *W11* 5F **35**
Allonby Ho. *E14* 2F **51**
Alloway Rd. *E3* 2F **33**
All Saints Ct. *E1* 5C **50**
All Saints Ct. *SW11* 5F **119**
All Saints Ho. *W11* 2B **36**
All Saints Rd. *W11* 2B **36**
All Saints St. *N1* 5B **12**
Allsop Pl. *NW1* 5C **22**
All Souls' Pl. *W1* 2A **42**
Alma Birk Ho. *NW6* 1A **4**
Alma Gro. *SE1* 4C **104**
Alma Sq. *NW8* 1C **20**
Alma Ter. *W8* 2E **93**
Almeida St. *N1* 3F **13**
Almeida Theatre. . . . 3F 13
Almond Rd. *SE16* 3A **106**
Almorah Rd. *N1* 2D **15**
Alnwick Rd. *E16* 4B **58**
Alperton St. *W10* 4A **18**
Alphabet Sq. *E3* 2E **53**
Alpha Clo. *NW1* 3A **22**
Alpha Gro. *E14* 5E **81**
Alpha Ho. *NW6* 5E **5**
Alpha Ho. *NW8* 5F **21**
Alpha Pl. *NW6* 5E **5**
Alpha Pl. *SW3* 2A **118**
Alpha Rd. *SE14* 5C **130**
Alpine Bus. Cen. *E6* 1E **61**
Alpine Rd. *SE16* 4C **106**
(in two parts)
Alpine Way. *E6* 1D **61**
Alsace Rd. *SE17* 5F **103**
Alscot Rd. *SE1* 3B **104**
(in two parts)
Alscot Rd. Ind. Est. *SE1* 2C **104**
Alscot Way. *SE1* 3B **104**
Alton St. *E14* 2F **53**
Alverstone Ho. *SE11* 3D **123**
Alverton St. *SE8* 2B **130**
(in two parts)
Alvey St. *SE17* 5F **103**
Alwyne Ho. *N1* 1A **14**
Alwyne La. *N1* 1A **14**
Alwyne Pl. *N1* 1B **14**
Alwyne Rd. *N1* 1B **14**
Alwyne Vs. *N1* 1A **14**
Alzette Ho. *E2* 1D **33**
Amazon St. *E1* 4F **49**
Ambassador Gdns. *E6* 2B **60**
Ambassadors Ct. *E8* 2C **16**
Ambassador's Ct. *SW1* 3C **70**
Ambassador Sq. *E14* 4F **109**
Ambassadors Theatre. . . . 4E 43
Ambergate St. *SE17* 5F **101**
Amberley Rd. *W9* 1E **37**
Ambleside. *NW1* 1A **24**
Ambleside Point. *SE15* 4B **128**
Ambrosden Av. *SW1* 2B **98**
Ambrose Clo. *E6* 2B **60**

Ambrose Ho. *E14*. 2D **53**
Ambrose St. *SE16* 3F **105**
Amelia Ho. *W6*. 5B **90**
Amelia St. *SE17*. 5A **102**
Amen Corner. *EC4* 4A **46**
Amen Ct. *EC4*. 4A **46**
America Sq. *EC3* 5B **48**
America St. *SE1*. 3B **74**
Amersham Gro. *SE14*. 4B **130**
Amersham Rd. *SE14* 5B **130**
Amersham Va. *SE14*. 4B **130**
Amery Ho. *SE17*. 5A **104**
Ames Cotts. *E14*. 2F **51**
Ames Ho. *E2* 1D **33**
Amherst Ho. *SE16* 5E **79**
Amias Ho. *EC1*. 4B **28**
Amiel St. *E1*. 4C **32**
Amigo Ho. *SE1*. 1E **101**
Amina Way. *SE16*. 2D **105**
Amor Rd. *W6*. 2B **90**
Amory Ho. *N1* 4C **12**
Amoy Pl. *E14*. 4C **52**
(in two parts)
Ampthill Est. *NW1* 1C **24**
Ampton Pl. *WC1* 3B **26**
Ampton St. *WC1* 3B **26**
Amstel Ct. *SE15*. 4B **126**
Amsterdam Rd. *E14*. 2C **110**
Amundsen Ct. *E14* 5E **109**
Amwell St. *EC1* 2D **27**
Amy's Clo. *E16*. 2A **86**
Amy Warne Clo. *E6* 1A **60**
Anchorage Ho. *E14* 5D **55**
Anchorage Point. *E14*. 4C **80**
Anchor Brewhouse. *SE1*. 3B **76**
Anchor Ct. *SW1*. 4D **99**
Anchor Ho. *E16* 2B **56**
(Barking Rd.)
Anchor Ho. *E16* 4B **58**
(Prince Regent La.)
Anchor Ho. *EC1* 4B **28**
Anchor St. *SE16*. 3F **105**
Anchor Ter. *E1* 5C **32**
Anchor Wharf. *E3*. 1F **53**
Anchor Yd. *EC1* 4C **28**
Andaman Ho. *E1*. 1F **51**
Anderson Ho. *E14* 5B **54**
Anderson Ho. *W12*. 4A **34**
Anderson Sq. *N1* 4F **13**
Anderson St. *SW3* 5B **96**
Andover Av. *E16* 4D **59**
Andover Pl. *NW6* 5F **5**
Andoversford Ct. *SE15*. 3A **126**
Andrew Borde St. *WC2*. 3E **43**
Andrewes Gdns. *E6* 3F **59**
Andrewes Highwalk. *EC2* 2C **46**
Andrewes Ho. *EC2* 2C **46**
Andrew Pl. *SW8*. 5E **121**
Andrews Crosse. *WC2* 4D **45**
Andrews Ho. *NW3* 1B **8**
Andrew's Rd. *E8*. 4F **17**
Andrew St. *E14* 3B **54**
Andrews Wlk. *SE17* 3A **124**
Angel. (Junct.) 1E 27
Angel All. *E1* 3C **48**
Angel Cen., The. *N1* 1E **27**
Angel Ct. *EC2*. 3E **47**
Angel Ct. *SW1* 3C **70**
Angel Ga. *EC1* 2A **28**
(in three parts)
Angelica Dri. *E6* 2E **61**
Angelina Ho. *SE15* 5E **127**
Angel M. *E1*. 5A **50**
Angel M. *N1*. 1E **27**
Angel Pas. *EC4* 1D **75**
Angel Pl. *SE1*. 4D **75**
Angel Sq. *EC1* 1E **27**
Angel St. *EC1*. 3B **46**
Angel Wlk. *W6*. 4B **90**
Angerstein Bus. Pk. *SE10*. . . 4E **113**
Anglebury. *W2*. 3D **37**
Anglesey Ho. *E14*. 3D **53**
Anglia Ho. *E14*. 3A **52**
Angrave Ct. *E8*. 3C **16**
Angrave Pas. *E8*. 3C **16**
Angus St. *SE14* 4A **130**
Anhalt Rd. *SW11* 4A **118**
Anley Rd. *W14*. 5D **63**
Annabel Clo. *E14* 4F **53**
Anna Clo. *E8* 3C **16**
Annandale Rd. *SE10*. 5C **112**
Anne Goodman Ho. *E1*. 3B **50**
Annesley Ho. *SW9* 5E **123**
Annetts Cres. *N1* 2C **14**
Anning St. *EC2*. 4A **30**
Ann La. *SW10* 4D **117**
Ann Moss Way. *SE16*. 1B **106**
Ann's Clo. *SW1* 5C **68**
Ann's Pl. *E1* 2B **48**
Ansdell St. *W8*. 1A **94**
Ansdell Ter. *W8* 1A **94**
Ansell Ho. *E1*. 1B **50**
Anselm Rd. *SW6* 3D **115**
Ansleigh Pl. *W11* 1E **63**
Anson Ho. *E1*. 5F **33**
Anson Ho. *SW1* 2B **120**
Antenor Ho. *E2*. 1F **31**
Anthony Cope Ct. *N1* 2E **29**
Anthony Ho. *NW8*. 5F **21**
Anthony St. *E1*. 3A **50**
Antilles Bay. *E14* 4B **82**
Antill Rd. *E3*. 2F **33**
Antill Ter. *E1* 3D **51**
Antony Ho. *SE14* 5D **129**
Antony Ho. *SE16* 3B **106**
Aphrodite Ct. *E14*. 3D **109**
Apollo Bus. Cen. *SE8* 1E **129**
Apollo Ct. *E1* 1D **77**
Apollo Ct. *SW9* 5D **123**
Apollo Ho. *E2*. 1A **32**
Apollo Ho. *SW10*. 4D **117**
Apollo Pl. *SW10*. 4D **117**
Apollo Theatre. 5D 43
Apollo Victoria Theatre. . . . 2B 98
Apothecary St. *EC4*. 4F **45**
Apple Blossom Ct. *SW8* 4E **121**
Appleby Rd. *E8*. 1E **17**
Appleby Rd. *E16* 4C **56**
Appleby St. *E2*. 5B **16**
Appleford Ho. *W10*. 5A **18**
Appleford Rd. *W10*. 5A **18**
Applegarth Ho. *SE1* 4A **74**
Applegarth Ho. *SE15* 4D **127**
Applegarth Rd. *W14*. 2D **91**
Apple Tree Yd. *SW1* 2C **70**
Appold St. *EC2*. 1F **47**
Approach Rd. *E2* 1B **32**
April Ct. *E2*. 5E **17**
Apsley House. 4E 69
Apsley Ho. *E1* 2C **50**
Apsley Ho. *NW8*. 5D **7**
Apsley Way. *W1* 4E **69**
(in two parts)
Aquila St. *NW8*. 5E **7**
Aquinas St. *SE1* 3E **73**
Arabian Ho. *E1* 5F **33**
Aragon Ho. *E16* 2E **85**
Aragon Tower. *SE8*. 4C **108**
Aral Ho. *E1*. 5E **33**
Arapiles Ho. *E14* 4D **55**
Arbery Rd. *E3*. 2F **33**
Arbon Ct. *N1* 4C **14**
Arborfield Ho. *E14* 5E **53**
Arbour Ho. *E1* 3D **51**
Arbour Sq. *E1* 3D **51**
Arbutus St. *E8* 3B **16**
Arcade, The. *EC2* 2F **47**
Arcadia Ct. *E1* 3B **48**
Arcadia St. *E14*. 3E **53**
Archangel St. *SE16*. 5E **79**
Archdale Ct. *W12*. 3A **62**
Archdale Ho. *SE1* 1F **103**
Archel Rd. *W14* 2B **114**
Archer Ho. *W11*. 5C **36**
Archers Lodge. *SE16* 1E **127**
Archer Sq. *SE14*. 3F **129**
Archer St. *W1* 5D **43**
Archery Clo. *W2*. 4A **40**
Archery Steps. *W2*. 5A **40**
Arches, The. *NW1*. 1F **9**
Arches, The. *SW8* 4D **121**
Arches, The. *WC2* 2A **72**
Archibald M. *W1*. 1F **69**
Arch St. *SE1*. 2B **102**
Archway Clo. *W10* 2D **35**
Arden Cres. *E14*. 3E **109**
Arden Est. *N1*. 1F **29**
Arden Ho. *N1* 1F **29**
Arden Ho. *SE11* 4B **100**
Ardent Ho. *E3*. 1F **33**
Ardleigh Rd. *N1* 1F **15**
Ares Ct. *E14*. 3D **109**
Arethusa Ho. *E14* 4E **109**
Argon M. *SW6*. 5E **115**
Argos Ct. *SW9*. 5D **123**
Argos Ho. *E2* 1F **31**
Argosy Ho. *SE8* 4A **108**
Argyle Ho. *E14*. 1C **110**
Argyle Pl. *W6*. 4A **90**
Argyle Rd. *E1*. 4D **33**
Argyle Rd. *E16*. 4A **58**
Argyle Sq. *WC1* 2A **26**
Argyle St. *WC1*. 2F **25**
Argyle Wlk. *WC1* 3F **25**
Argyle Way. *SE16*. 1E **127**
Argyll Mans. *SW3*. 3E **117**
Argyll Mans. *W14*. 3A **92**
Argyll Rd. *W8* 5D **65**
Argyll St. *W1* 4B **42**
Arica Ho. *SE16*. 1A **106**
Ariel Ct. *SE11*. 4F **101**
Ariel Way. *W12* 2C **62**
Arklow Ho. *SE17* 3D **125**
Arklow Rd. *SE14* 3B **130**
Arklow Rd. Trad. Est.
SE14. . . . . 3A **130**
Ark, The. *W6* 5D **91**
Arlington Av. *N1*. 5C **14**
(in two parts)
Arlington Ho. *EC1*. 2E **27**

Arlington Ho. *SE8* 2C **130**
Arlington Ho. *SW1* 2B **70**
Arlington Ho. *W12* 3A **62**
Arlington Pl. *SE10* 5B **132**
Arlington Rd. *NW1* 3F **9**
Arlington Sq. *N1* 4C **14**
Arlington St. *SW1* 2B **70**
Arlington Way. *EC1* 2E **27**
Armada Ct. *SE8* 3D **131**
Armadale Rd. *SW6* 4D **115**
Armada St. *SE8* 3E **131**
Arminger Rd. *W12* 3A **62**
Armitage Rd. *SE10* 4B **112**
Armsby Ho. *E1* 2B **50**
Armstrong Clo. *E6* 3B **60**
Armstrong Rd. *SW7* 2D **95**
Arncliffe. *NW6* 5A **6**
Arne Ho. *SE11* 5B **100**
Arne St. *WC2* 4A **44**
Arneway St. *SW1* 2E **99**
Arnhem Pl. *E14* 2D **109**
Arnhem Wharf. *E14* 2C **108**
Arnold Cir. *E2* 3B **30**
Arnold Est. *SE1* 5C **76**
     (in two parts)
Arnold Ho. *SE17* 1A **124**
Arnold Mans. *W14* 2A **114**
Arnot Ho. *SE5* 5C **124**
Arnside St. *SE17* 2C **124**
Arran Ho. *E14* 3C **82**
Arran Wlk. *N1* 1B **14**
Arrol Ho. *SE1* 2C **102**
Arrow Ct. *SW5* 4D **93**
Arrowsmith Ho. *SE11* 5B **100**
Artemis Ct. *E14* 4D **109**
Artesian Rd. *W2* 4D **37**
Arthur Ct. *W2* 3F **37**
Arthur Ct. *W10* 4E **35**
Arthur Deakin Ho. *E1* 1D **49**
Arthur St. *EC4* 1E **75**
Artichoke Hill. *E1* 1F **77**
Artillery La. *E1* 2A **48**
Artillery Pas. *E1* 2A **48**
Artillery Pl. *SW1* 2D **99**
Artillery Row. *SW1* 2D **99**
Artisan Clo. *E6* 5F **61**
Artizan St. *E1* 3A **48**
Arts Theatre. 5F **43**
Arundel Bldgs. *SE1* 2A **104**
Arundel Ct. *SE16* 1A **128**
Arundel Ct. *SW3* 5A **96**
Arundel Gdns. *W11* 5B **36**
Arundel Gt. Ct. *WC2* 5C **44**
Arundel Mans. *SW6* 5C **114**
Arundel Pl. *N1* 1D **13**
Arundel St. *WC2* 5C **44**
Asbridge Ct. *W6* 2A **90**
Ascalon Ho. *SW8* 5B **120**
Ascalon St. *SW8* 5B **120**
Ascot Ct. *NW8* 3D **21**
Ascot Ho. *NW1* 2A **24**
Ascot Ho. *W9* 5D **19**
Ascot Lodge. *NW6* 4A **6**
Ashbee Ho. *E2* 3C **32**
Ashbridge St. *NW8* 5F **21**
Ashburn Gdns. *SW7* 3B **94**
Ashburnham Gro. *SE10* 5A **132**
Ashburnham Mans.
     SW10 . . . . 4C **116**
Ashburnham Pl. *SE10* 5A **132**

Ashburnham Retreat.
     SE10 . . . . 5A **132**
Ashburnham Rd. *SW10* 4C **116**
Ashburnham Tower.
     SW10 . . . . 4D **117**
Ashburn Pl. *SW7* 3B **94**
Ashburton Ho. *W9* 4C **18**
Ashburton Rd. *E16* 3E **57**
Ashby Ct. *NW8* 4E **21**
Ashby Gro. *N1* 1C **14**
Ashby Ho. *N1* 1C **14**
Ashby St. *EC1* 3A **28**
Ashcroft Ho. *SW8* 5B **120**
Ashcroft Rd. *E3* 3F **33**
Ashcroft Sq. *W6* 4B **90**
Ashdene. *SE15* 5F **127**
Ashdown Ho. *SW1* 2C **98**
Ashdown Wlk. *E14* 3E **109**
Ashen. *E6* 3D **61**
Ashenden. *SE17* 3B **102**
Ashentree Ct. *EC4* 4E **45**
Asher Way. *E1* 1E **77**
Ashfield Ho. *W14* 5C **92**
Ashfield St. *E1* 2F **49**
Ashfield Yd. *E1* 2B **50**
Ashford Ho. *SE8* 2C **130**
Ashford St. *N1* 2F **29**
Ash Gro. *E8* 4F **17**
     (in two parts)
Ashgrove Ct. *W9* 1D **37**
Ashgrove Ho. *SW1* 5E **99**
Ash Ho. *E14* 5B **82**
Ash Ho. *SE1* 4C **104**
Ash Ho. *W10* 4A **18**
Ashington Ho. *E1* 4A **32**
Ashland Pl. *W1* 1D **41**
Ashley Ct. *SW1* 2B **98**
Ashley Gdns. *SW1* 2B **98**
     (in three parts)
Ashley Pl. *SW1* 2B **98**
     (in two parts)
Ashmill St. *NW1* 1F **39**
Ashmole Pl. *SW8* 3D **123**
     (in two parts)
Ashmole St. *SW8* 3C **122**
Ashmore. *NW1* 1D **11**
Ashmore Clo. *SE15* 5C **126**
Ashmore Ho. *W14* 2A **92**
Ashmore Rd. *W9* 2B **18**
Ashpark Ho. *E14* 3B **52**
Ashton Ho. *SW9* 5E **123**
Ashton St. *E14* 5B **54**
Ashwell Clo. *E6* 3A **60**
Ashworth Mans. *W9* 3A **20**
Ashworth Rd. *W9* 2A **20**
Aske Ho. *N1* 2F **29**
     (in two parts)
Aske St. *N1* 2F **29**
Asolando Dri. *SE17* 5C **102**
Aspen Gdns. *W6* 5A **90**
Aspen Ho. *SE15* 3C **128**
Aspen Lodge. *W8* 2F **93**
Aspen Way. *E14* 1E **81**
Aspinden Rd. *SE16* 3A **106**
Assam St. *E1* 3D **49**
Assembly Pas. *E1* 1C **50**
Association Gallery, The.
     . . . . 4F **29**
Astbury Bus. Pk. *SE15* 5B **128**
Astbury Ho. *SE11* 2D **101**

Astbury Rd. *SE15* 5B **128**
Astell St. *SW3* 5A **96**
Aste St. *E14* 5B **82**
Astey's Row. *N1* 3A **14**
Astley Ho. *SE1* 5C **104**
Aston Ho. *W11* 5C **36**
Aston St. *E14* 2F **51**
Astor Ct. *E16* 3B **58**
Astor Ct. *SW6* 5B **116**
Astra Ho. *SE14* 3B **130**
Astrop M. *W6* 1B **90**
Astrop Ter. *W6* 1B **90**
Astwood M. *SW7* 3A **94**
Asylum Rd. *SE15* 3A **128**
Athelstan Gdns. *NW6* 2A **4**
Athenia Ho. *E14* 4D **55**
Athens Gdns. *W9* 5D **19**
Atherstone Ct. *W2* 1A **38**
Atherstone M. *SW7* 3C **94**
Athlone Ho. *E1* 3B **50**
Atholl Ho. *W9* 3B **20**
Athol Sq. *E14* 4C **54**
Atkin Building. *WC1* 1C **44**
Atkinson Ho. *E2* 5E **17**
Atkinson Ho. *SE17* 4E **103**
Atkinson Rd. *E16* 2C **58**
Atlanta Ho. *SE16* 1F **107**
Atlantic Ct. *E14* 1E **83**
Atlantic Ho. *E1* 1F **51**
Atlantic Wharf. *E1* 5E **51**
Atterbury St. *SW1* 4F **99**
Attilburgh Ho. *SE1* 1B **104**
Attneave St. *WC1* 4D **27**
Atwood Ho. *W14* 4C **92**
Atwood Rd. *W6* 3A **90**
Aubrey Beardsley Ho. *SW1* . . 4C **98**
Aubrey Mans. *NW1* 1F **39**
Aubrey Pl. *NW8* 1B **20**
Aubrey Rd. *W8* 2C **64**
Aubrey Wlk. *W8* 3C **64**
Auburn Clo. *SE14* 5F **129**
Auckland St. *SE11* 1B **122**
Auden Pl. *NW1* 3D **9**
     (in two parts)
Audley Dri. *E16* 2F **85**
Audley Sq. *W1* 2E **69**
Audrey St. *E2* 5D **17**
Augusta St. *E14* 3F **53**
Augustine Rd. *W14* 2D **91**
Augustus Clo. *W12* 5A **62**
Augustus Ho. *NW1* 1B **24**
Augustus St. *NW1* 1A **24**
Aulton Pl. *SE11* 1E **123**
Auriol Ho. *W12* 2A **62**
Auriol Rd. *W14* 4F **91**
Aurora Ho. *E14* 3A **54**
Austen Ho. *NW6* 2D **19**
Austin Friars. *EC2* 3E **47**
     (in two parts)
Austin Friars Pas. *EC2* 3E **47**
Austin Friars Sq. *EC2* 3E **47**
Austin Ho. *SE14* 5B **130**
Austin St. *E2* 3B **30**
Austin Ter. *SE1* 1E **101**
Australia Rd. *W12* 5A **34**
Austral St. *SE11* 3F **101**
Avebury Ct. *N1* 4D **15**
Avebury St. *N1* 4D **15**
Aveline St. *SE11* 1D **123**
Ave Maria La. *EC4* 4A **46**

Avenfield Ho. *W1* 5C **40**
Avenons Rd. *E13* 1D **57**
Avenue Clo. *NW8* 4A **8**
Avenue Ct. *SW3* 4B **96**
Avenue Ho. *NW8* 1F **21**
Avenue Lodge. *NW8* 2E **7**
Avenue Rd. *NW3 & NW8* 1D **7**
Avenue, The. *NW6* 3A **4**
Avenue, The. *SE10* 4D **133**
Avery Farm Row. *SW1* 4F **97**
Avery Row. *W1* 5F **41**
Aviary Clo. *E16* 2C **56**
Avington Ct. *SE1* 4A **104**
Avington Way. *SE15* 4B **126**
Avis Sq. *E1* 3E **51**
Avocet Clo. *SE1* 5D **105**
Avon Ct. *W9* 1D **37**
Avondale Ct. *E16* 1A **56**
Avondale Ho. *SE1* 1D **127**
Avondale Pk. Gdns. *W11* 1F **63**
Avondale Pk. Rd. *W11* 5F **35**
Avondale Rd. *E16* 1A **56**
Avondale Sq. *SE1* 1D **127**
Avon Ho. *W8* 1E **93**
Avon Ho. *W14* 4C **92**
Avonley Rd. *SE14* 5C **128**
Avonmore Gdns. *W14* 4C **92**
Avonmore Pl. *W14* 3A **92**
Avonmore Rd. *W14* 3A **92**
Avonmouth St. *SE1* 1B **102**
Avon Pl. *SE1* 5C **74**
Avro Ho. *SW8* 5A **120**
Aybrook St. *W1* 2D **41**
Aylesbury Ho. *SE15* 3E **127**
Aylesbury Rd. *SE17* 1E **125**
Aylesbury St. *EC1* 5F **27**
Aylesford Ho. *SE1* 5E **75**
Aylesford St. *SW1* 5D **99**
Aylmer Ho. *SE10* 1E **133**
Aylton Est. *SE16* 5C **78**
Aylward St. *E1* 3B **50**
Aylwin Est. *SE1* 1A **104**
Aynhoe Mans. *W14* 3E **91**
Aynhoe Rd. *W14* 3E **91**
Ayres St. *SE1* 4C **74**
Ayrton Gould Ho. *E2* 2E **33**
Ayrton Rd. *SW7* 1D **95**
Ayshford Ho. *E2* 3F **31**
Ayston Ho. *SE16* 3E **107**
Ayton Ho. *SE5* 4E **125**
Azalea Ho. *SE14* 5B **130**
Azof St. *SE10* 4A **112**
Azov Ho. *E1* 5F **33**

B

Babington Ct. *WC1* 1B **44**
Babington Ho. *SE1* 4C **74**
Babmaes St. *SW1* 1D **71**
Bacchus Wlk. *N1* 1F **29**
Bache's St. *N1* 3E **29**
Back All. *EC3* 4A **48**
Bk. Church La. *E1* 4D **49**
Back Hill. *EC1* 5E **27**
Backhouse Pl. *SE17* 4A **104**
Bacon Gro. *SE1* 2B **104**
Bacon St. *E1 & E2* 4C **30**
Bacton St. *E2* 2C **32**
Baddesley Ho. *SE11* 5C **100**

Baddow Wlk. *N1* 3B **14**
Baden Pl. *SE1* 4D **75**
Baden Powell Ho. *SW7* 2C **94**
Badminton M. *E16* 2E **85**
Badsworth Rd. *SE5* 5B **124**
Baffin Way. *E14* 1C **82**
Bagnigge Ho. *WC1* 3D **27**
Bagshot Ho. *NW1* 2A **24**
Bagshot St. *SE17* 1A **126**
Baildon. *E2* 1C **32**
Baildon St. *SE8* 5C **130**
Bainbridge St. *WC1* 3E **43**
Baird Ho. *W12* 1A **62**
Baird St. *EC1* 4C **28**
Baker Ho. *WC1* 5A **26**
Bakers Hall Ct. *EC3* 1F **75**
Baker's M. *W1* 3D **41**
Baker's Rents. *E2* 3B **30**
Baker's Row. *EC1* 5D **27**
Baker Street. (Junct.) **1C 40**
Baker St. *NW1 & W1* 5C **22**
Baker's Yd. *EC1* 5D **27**
Bakery Clo. *SW9* 5C **122**
Balaclava Rd. *SE1* 4C **104**
Balcombe Ho. *NW1* 4A **22**
Balcombe St. *NW1* 4B **22**
Balderton Flats. *W1* 4E **41**
Balderton St. *W1* 4E **41**
Baldrey Ho. *SE10* 5B **112**
Baldwins Gdns. *EC1* 1D **45**
Baldwin St. *EC1* 3D **29**
Baldwin Ter. *N1* 5B **14**
Bale Rd. *E1* 1F **51**
Balfe St. *N1* 5A **12**
Balfour Ho. *W10* 1E **35**
Balfour M. *W1* 2E **69**
Balfour Pl. *W1* 1E **69**
Balfour St. *SE17* 3D **103**
Balfron Tower. *E14* 3B **54**
Balin Ho. *SE1* 4D **75**
Balkan Wlk. *E1* 1F **77**
Balladier Wlk. *E14* 1F **53**
Ballard Ho. *SE10* 2A **132**
Ballast Quay. *SE10* 5E **111**
Ball Ct. *EC3* 4E **47**
Ballin Ct. *E14* 5C **82**
Balliol Rd. *W10* 3C **34**
Ballow Clo. *SE5* 5F **125**
Balman Ho. *SE16* 4D **107**
Balmes Rd. *N1* 3E **15**
Balmoral Ct. *SE16* 2E **79**
Balmoral Ho. *E14* 1A **110**
Balmoral Ho. *E16* 2F **85**
Balmoral Ho. *W14* 3F **91**
Balniel Ga. *SW1* 5E **99**
Balsam Ho. *E14* 5A **54**
Baltic Ct. *SE16* 4E **79**
Baltic Pl. *N1* 4A **16**
Baltic St. E. *EC1* 5B **28**
Baltic St. W. *EC1* 5B **28**
Baltimore Ho. *SE11* 4D **101**
Balvaird Pl. *SW1* 1E **121**
Bamborough Gdns. *W12* . . . 5C **62**
Banbury Ct. *WC2* 5F **43**
Bancroft Ct. *SW8* 5F **121**
Bancroft Ho. *E1* 4B **32**
Bancroft Rd. *E1* 3C **32**
Banim St. *W6* 2A **90**
Banister Ho. *SW8* 5C **120**
Banister Ho. *W10* 3A **18**

Bank End. *SE1* 2C **74**
Bank of England. **4D 47**
Bank of England Mus. **4E 47**
Bank of England Offices.
. . . *EC4* 4B **46**
Banks Ho. *SE1* 2B **102**
Bankside. *SE1* 1B **74**
(in two parts)
Bankside Art Gallery. **1A 74**
Bannerman Ho. *SW8* 3B **122**
Banner St. *EC1* 5C **28**
Banning St. *SE10* 1F **133**
Bannister Ho. *SE14* 3E **129**
Banqueting House. **3F 71**
Bantock Ho. *W10* 3A **18**
Bantry Ho. *E1* 5E **33**
Bantry St. *SE5* 5E **125**
Banyard Rd. *SE16* 2A **106**
Barandon Rd. *W11* 5E **35**
Barandon Wlk. *W11* 5E **35**
Barbanel Ho. *E1* 4C **32**
Barbara Brosnan Ct. *NW8* . . 1D **21**
Barber Beaumont Ho. *E1* . . . 3D **33**
Barbican Arts Cen. **1C 46**
Barbican Cinema. **1C 46**
Barbican Theatre. **1C 46**
Barb M. *W6* 2C **90**
Barbon Clo. *WC1* 1A **44**
Barchester St. *E14* 2F **53**
Barclay Clo. *SW6* 5D **115**
Barclay Rd. *E13* 1B **58**
Barclay Rd. *SW6* 5D **115**
Bardell Ho. *SE1* 5D **77**
Bard Rd. *W10* 5D **35**
Bardsey Pl. *E1* 5B **32**
Bardsley Ho. *SE10* 3B **132**
Bardsley La. *SE10* 3B **132**
Barents Ho. *E1* 5D **33**
Barfett St. *W10* 4B **18**
Barfleur Ho. *SE8* 4C **108**
Barford St. *N1* 4E **13**
Barge Ho. Rd. *E16* 3F **89**
Barge Ho. St. *SE1* 2E **73**
Barham Ho. *SE17* 5A **104**
Baring Ho. *E14* 4D **53**
Baring St. *N1* 4D **15**
Barker Dri. *NW1* 2C **10**
Barkers Arc. *W8* 5F **65**
Barker St. *SW10* 2B **116**
Barkham Ter. *SE1* 1E **101**
Barking Rd. *E16 & E13* 3A **56**
Bark Pl. *W2* 5F **37**
Barkston Gdns. *SW5* 4F **93**
Barkwith Ho. *SE14* 3D **129**
Barkworth Rd. *SE16* 1A **128**
Barlborough St. *SE14* 4D **129**
Barlby Gdns. *W10* 1D **35**
Barlby Rd. *W10* 2C **34**
Barleycorn Way. *E14* 5B **52**
Barley Mow Pas. *EC1* 2A **46**
Barley Shotts Bus. Pk.
. . . *W10* 1B **36**
Barling. *NW1* 1A **10**
Barlow Ho. *N1* 2D **29**
Barlow Ho. *SE16* 4A **106**
Barlow Ho. *W11* 5F **35**
Barlow Pl. *W1* 1A **70**
Barlow St. *SE17* 4E **103**
Barnaby Ct. *SE16* 5E **77**
Barnaby Pl. *SW7* 4D **95**

Barnard Ho. *E2* 2F **31**
Barnard Lodge. W9 . . . . *1E* ***37***
(off Admiral Wlk.)
Barnardo Gdns. *E1* 5D **51**
Barnardo St. *E1* 4D **51**
Barnards Ho. *SE16* 5B **80**
Barnard's Inn. *EC1* 3E **45**
(in two parts)
Barnbrough. *NW1* 4B **10**
Barnby St. *NW1* 1C **24**
Barnes Ct. *E16* 1C **58**
Barnes Ct. *N1* 2D **13**
Barnes Ho. *SE14* 3D **129**
Barnes St. *E14* 3F **51**
Barnes Ter. *SE8* 1C **130**
Barnet Gro. *E2* 2D **31**
Barnett St. *E1* 3F **49**
Barnfield Pl. *E14* 4E **109**
Barnham St. *SE1* 4A **76**
Barnsbury. **2B 12**
Barnsbury Est. *N1* 4C **12**
(in two parts)
Barnsbury Gro. *N7* 1C **12**
Barnsbury Pk. *N1* 1D **13**
Barnsbury Rd. *N1* 5D **13**
Barnsbury Sq. *N1* 2D **13**
Barnsbury St. *N1* 2D **13**
Barnsbury Ter. *N1* 2C **12**
Barnsdale Av. *E14* 3E **109**
Barnsdale Rd. *W9* 4C **18**
Barnsley St. *E1* 4A **32**
Barnstaple Ho. *SE10* 5F **131**
Barnston Wlk. *N1* 3B **14**
Barnwell Ho. *SE5* 5F **125**
Barnwood Clo. *W9* 5F **19**
Baroness Rd. *E2* 2C **30**
Barons Court. **1A 114**
Baron's Ct. Rd. *W14* 5F **91**
Barons Court Theatre. ***5A 92***
(off Comeragh Rd.)
Barons Keep. *W14* 5F **91**
Baron's Pl. *SE1* 5E **73**
Baron St. *N1* 5D **13**
Baron Wlk. *E16* 1B **56**
Barque M. *SE8* 2D **131**
Barratt Ho. *N1* 1A **14**
Barret Ho. *NW6* 4D **5**
Barrett Ho. *SE17* 5C **102**
Barrett St. *W1* 4E **41**
Barrie Est. *W2* 5D **39**
Barrie Ho. *W2* 1C **66**
Barrier Point Rd. *E16* 3B **86**
Barrow Hill Est. *NW8* 1F **21**
Barrow Hill Rd. *NW8* 1F **21**
Barry Ho. *SE16* 4A **106**
Barry Rd. *E6* 3A **60**
Barter St. *WC1* 2A **44**
Bartholomew Clo. *EC1* 2A **46**
(in two parts)
Bartholomew Ct. *E14* 1E **83**
Bartholomew Ct. *EC1* 4C **28**
Bartholomew La. *EC2* 4E **47**
Bartholomew Pl. *EC1* 2B **46**
Bartholomew Sq. *E1* 4A **32**
Bartholomew Sq. *EC1* 3C **28**
Bartholomew St. *SE1* 2E **103**
Bartle Rd. *W11* 4E **35**
Bartlett Clo. *E14* 3E **53**
Bartlett Ct. *EC4* 3E **45**
Bartletts Pas. *EC4* 3E **45**
Barton Clo. *E6* 3C **60**
Barton Ct. *W14* 5F **91**
Barton Ho. *N1* 1A **14**
Barton Rd. *W14* . . . . 5F **91** & 1A **14**
Barton St. *SW1* 1F **99**
Bartonway. *NW8* 4D **7**
Barwell Ho. *E2* 4E **31**
Baseing Clo. *E6* 5E **61**
Basevi Way. *SE8* 2E **131**
Basildon Ct. *W1* 1E **41**
Basil Ho. *SW8* 4F **121**
Basil St. *SW3* 1B **96**
Basin App. *E14* 4A **52**
Basinghall Av. *EC2* 3D **47**
Basinghall St. *EC2* 3C **46**
Basing Ho. Yd. *E2* 2A **30**
Basing Pl. *E2* 2A **30**
Basing St. *W11* 3B **36**
Basire St. *N1* 3B **14**
Basque Ct. *SE16* 5D **79**
Bassett Rd. *W10* 3E **35**
Bassingbourn Ho. *N1* 1E **13**
Bassishaw Highwalk. *EC2* 2D **47**
Basterfield Ho. *EC1* 5B **28**
Bastion Highwalk. *EC2* 2C **46**
Bastion Ho. *EC2* 2B **46**
Bastwick St. *EC1* 4B **28**
Batavia Ho. *SE14* 5A **130**
Batavia M. *SE14* 5A **130**
Batavia Rd. *SE14* 5A **130**
Batchelor St. *N1* 5E **13**
Bateman Ho. *SE17* 3F **123**
Bateman's Bldgs. *W1* 4D **43**
Bateman's Row. *EC2* 4A **30**
Bateman St. *W1* 4D **43**
Bate St. *E14* 5C **52**
Bath Clo. *SE15* 5A **128**
Bath Ct. *EC1* 5D **27**
Bath Gro. *E2* 1D **31**
Bath Ho. *E2* 4E **31**
Bath Ho. *SE1* 1B **102**
Bath Pl. *EC2* 3F **29**
Bath Pl. *W6* 5C **90**
Baths App. *SW6* 4C **114**
Bath St. *EC1* 3C **28**
Bath Ter. *SE1* 2B **102**
Bathurst Ho. *W12* 5A **34**
Bathurst M. *W2* 5E **39**
Bathurst St. *W2* 5E **39**
Batman Clo. *W12* 1A **62**
Batoum Gdns. *W6* 1C **90**
Batson Ho. *E1* 4E **49**
Batten Clo. *E6* 4C **60**
Batten Ho. *W10* 3A **18**
Battersea Bri.
SW3 & SW11 . . . . 4E **117**
Battersea Bri. Rd. *SW11* 4F **117**
Battersea Chu. Rd. *SW11* . . . 5E **117**
Battersea Dogs' Home. **5A 120**
Battersea Pk. **4D 119**
Battersea Pk. Children's Zoo.
. . . . **4D 119**
Battersea Pk. Rd.
SW11 & SW8 . . . . 5A **120**
Battishill St. *N1* 2F **13**
Battlebridge Ct. *N1* 5A **12**
Battle Bri. La. *SE1* 3F **75**
Battle Bri. Rd. *NW1* 1F **25**
Battle Ho. *SE15* 3D **127**
Batty St. *E1* 3E **49**
Bawtree Rd. *SE14* 4F **129**
Baxendale St. *E2* 2D **31**
Baxter Rd. *E16* 3C **58**
Bay Ct. *E1* 5D **33**
Bayer Ho. *EC1* 5B **28**
Bayes Ct. *NW3* 1B **8**
Bayford M. *E8* 2F **17**
Bayford St. *E8* 2F **17**
Bayford St. Bus. Cen. *E8* 2F **17**
Bayham Pl. *NW1* 4B **10**
Bayham St. *NW1* 3A **10**
Bayley St. *W1* 2D **43**
Baylis Rd. *SE1* 5D **73**
Bayne Clo. *E6* 4C **60**
Baynes St. *NW1* 2C **10**
Bayonne Rd. *W6* 3A **114**
Bayswater. **5B 38**
Bayswater Rd. *W2* 1F **65**
Baythorne St. *E3* 1C **52**
Bayton Ct. *E8* 2E **17**
Bazalgette Ho. *NW8* 4E **21**
Bazeley Ho. *SE1* 5F **73**
Bazely St. *E14* 5B **54**
BBC Broadcasting House.
. . . . **2A 42**
Beach Ho. *SW5* 5D **93**
Beacon Ho. *E14* 5F **109**
Beacon Ho. *SE5* 5F **125**
Beacons Clo. *E6* 2A **60**
Beaconsfield Rd. *SE17* 2E **125**
Beaconsfield Ter. Rd. *W14* . . . 2F **91**
Beaconsfield Wlk. *E6* 4E **61**
Beadon Rd. *W6* 4B **90**
Beak St. *W1* 5B **42**
Beaminster Ho. *SW8* 4B **122**
Beamish Ho. *SE16* 4A **106**
Bear All. *EC4* 3F **45**
Bear Gdns. *SE1* 2B **74**
Bear La. *SE1* 2A **74**
Bear St. *WC2* 5E **43**
Beatrice Ho. *W6* 5B **90**
Beatrice Pl. *W8* 2F **93**
Beatrice Rd. *SE1* 4E **105**
Beatrix Ho. *SW5* 5A **94**
Beatson Wlk. *SE16* 2F **79**
(in two parts)
Beatty Ho. *E14* 4E **81**
Beatty Ho. *NW1* 4B **24**
Beatty Ho. *SW1* 1C **120**
Beatty St. *NW1* 5B **10**
Beauchamp Pl. *SW3* 1A **96**
Beauchamp St. *EC1* 2D **45**
Beauclerc Rd. *W6* 1A **90**
Beaufort Ct. *E14* 4E **81**
Beaufort Dri. *E6* 2E **61**
Beaufort Gdns. *SW3* 1A **96**
Beaufort Ho. *E16* 2F **85**
Beaufort Ho. *SW1* 1D **121**
Beaufort M. *SW6* 2C **114**
Beaufort St. *SW3* 1D **117**
Beaufort Ter. *E14* 5B **110**
Beaufoy Ho. *SW8* 4B **122**
Beaufoy Wlk. *SE11* 4C **100**
Beaulieu Av. *E16* 2F **85**
Beaulieu Lodge. *E14* 2D **111**
Beaumont. *W14* 4C **92**
Beaumont Av. *W14* 5B **92**
Beaumont Bldgs. *WC2* 4A **44**
Beaumont Ct. *W1* 1E **41**
Beaumont Cres. *W14* 5B **92**

Beaumont Gro. *E1* 5D **33**
Beaumont Lodge. *E8* 1E **17**
Beaumont M. *W1* 1E **41**
Beaumont Pl. *W1* 4C **24**
Beaumont Sq. *E1* 1D **51**
Beaumont St. *W1* 1E **41**
Beaumont Wlk. *NW3* 1C **8**
Beauvale. *NW1* 1E **9**
Beccles St. *E14* 4C **52**
Bechtel Ho. *W6* 4D **91**
Becket Ho. *E16* 2F **85**
Becket Ho. *SE1* 5D **75**
Becket St. *SE1* 1D **103**
Beckett Ho. *E1* 2B **50**
Beckfoot. *NW1* 1C **24**
Beckford Clo. *W14* 3C **92**
Beckford Pl. *SE17* 1C **124**
Beckham Ho. *SE11* 4C **100**
Beck Rd. *E8* 3F **17**
Beckton. 3C 60
Beckton Park. 4B 60
Beckton Retail Pk. *E6* 1D **61**
Beckton Rd. *E16* 1C **56**
Beckway St. *SE17* 4E **103**
(in two parts)
Bedale St. *SE1* 3D **75**
Beddalls Farm Ct. *E6* 1F **59**
Bedefield. *WC1* 3A **26**
Bedford Av. *WC1* 2E **43**
Bedfordbury. *WC2* 1F **71**
Bedford Ct. *WC2* 1F **71**
(in two parts)
Bedford Ct. Mans. *WC1* 2E **43**
Bedford Gdns. *W8* 3D **65**
Bedford Pas. *SW6* 4A **114**
Bedford Pas. *W1* 1C **42**
Bedford Pl. *WC1* 1F **43**
Bedford Row. *WC1* 1C **44**
Bedford Sq. *WC1* 2E **43**
Bedford St. *WC2* 5F **43**
Bedford Way. *WC1* 5E **25**
Bedlam M. *SE11* 3D **101**
Bedmond Ho. *SW3* 5F **95**
Bedser Clo. *SE11* 2C **122**
Beeby Rd. *E16* 2F **57**
Beech Clo. *SE8* 3C **130**
Beech Ct. *W9* 1D **37**
Beechdene. *SE15* 5F **127**
Beechey Ho. *E1* 3A **78**
Beech Gdns. *EC2* 1B **46**
Beech Ho. *SE16* 4C **78**
Beech St. *EC2* 1B **46**
Beech Tree Clo. *N1* 1D **13**
Beechwood Ho. *E2* 5E **17**
Beehive Clo. *E8* 1B **16**
Bee Pas. *EC3* 4F **47**
Beeston Ho. *SE1* 2D **103**
Beeston Pl. *SW1* 2A **98**
Beethoven St. *W10* 2A **18**
Begonia Clo. *E6* 1A **60**
Bekesbourne St. *E14* 4F **51**
Belford Ho. *E8* 3C **16**
Belfry Clo. *SE16* 5A **106**
Belgrave Ct. *E14* 1C **80**
Belgrave Ct. *SW8* 5B **120**
Belgrave Gdns. *NW8* 4A **6**
Belgrave Ho. *SW9* 4D **123**
Belgrave M. N. *SW1* 1D **97**
Belgrave M. S. *SW1* 1E **97**
Belgrave M. W. *SW1* 1D **97**
Belgrave Pl. *SW1* 1E **97**
Belgrave Rd. *SW1* 4A **98**
Belgrave Sq. *SW1* 1D **97**
Belgrave St. *E1* 2E **51**
Belgrave Yd. *SW1* 2F **97**
Belgravia. 2E 97
Belgravia Ct. *SW1* 2F **97**
Belgravia Ho. *SW1* 1D **97**
Belgrove St. *WC1* 2A **26**
Belitha Vs. *N1* 1C **12**
Bellamy Clo. *E14* 4D **81**
Bellamy Clo. *W14* 1C **114**
Bellamy's Ct. *SE16* 2D **79**
Bellevue Pl. *E1* 5B **32**
Bellflower Clo. *E6* 1F **59**
Bell Ho. *SE10* 3B **132**
Bell Inn Yd. *EC3* 4E **47**
Bell La. *E1* 2B **48**
Bell La. *E16* 3C **84**
Bellmaker Ct. *E3* 1D **53**
Bellot Gdns. *SE10* 5A **112**
Bellot St. *SE10* 5A **112**
Bell St. *NW1* 1F **39**
Bell Wharf La. *EC4* 1C **74**
Bell Yd. *WC2* 4D **45**
Belmont St. *NW1* 1E **9**
Belsize Pk. *NW3* 1D **7**
Belsize Rd. *NW6* 4E **5**
Belton Way. *E3* 1D **53**
Belvedere Bldgs. *SE1* 5A **74**
Belvedere Pl. *SE1* 5A **74**
Belvedere Rd. *SE1* 4C **72**
Bembridge Ho. *SE8* 4B **108**
Bemerton Est. *N1* 2B **12**
Bemerton St. *N1* 3B **12**
Benbow Ct. *W6* 1B **90**
Benbow Ho. *SE8* 2E **131**
Benbow Rd. *W6* 1A **90**
Benbow St. *SE8* 2E **131**
Bence Ho. *SE8* 4F **107**
Bendall M. *NW1* 1A **40**
Ben Ezra Ct. *SE17* 4C **102**
Benfleet Ct. *E8* 3C **16**
Bengal Ct. *EC3* 4E **47**
Bengal Ho. *E1* 1E **51**
Benhill Rd. *SE5* 5E **125**
Benjamin Clo. *E8* 3E **17**
Benjamin Franklin House.
. . . . 2F 71
(off Craven St.)
Benjamin St. *EC1* 1F **45**
Ben Jonson Ct. *N1* 5A **16**
Ben Jonson Ho. *EC2* 1C **46**
Ben Jonson Pl. *EC2* 1C **46**
Ben Jonson Rd. *E1* 2E **51**
Benledi St. *E14* 3D **55**
Bennelong Clo. *W12* 5A **34**
Bennet's Hill. *EC4* 5A **46**
Bennet St. *SW1* 2B **70**
Bennett Ho. *SW1* 3E **99**
Bennett Rd. *E13* 1B **58**
Bennett's Yd. *SW1* 2E **99**
Ben Smith Way. *SE16* 1E **105**
Benson Ho. *E2* 4B **30**
Benson Ho. *SE1* 3E **73**
Benson Quay. *E1* 1B **78**
Bentham Ct. *N1* 2B **14**
Bentham Ct. *SE1* 1D **103**
Ben Tillet Clo. *E16* 3B **88**
Bentinck Clo. *NW8* 1A **22**
Bentinck Ho. *W12* 5A **34**
Bentinck M. *W1* 3E **41**
Bentinck St. *W1* 3E **41**
Bentworth Clo. *W12* 4A **34**
Bentworth Ct. *E2* 4D **31**
Bentworth Rd. *W12* 4A **34**
Benville Ho. *SW8* 5C **122**
Benwick Clo. *SE16* 3A **106**
Benyon Ct. *N1* 3F **15**
Benyon Ho. *EC1* 2E **27**
Benyon Rd. *N1* 3E **15**
Berberis Ho. *E3* 1E **53**
Berber Pl. *E14* 5D **53**
Berenger Tower. *SW10* 4D **117**
Berenger Wlk. *SW10* 4D **117**
Bere St. *E1* 5E **51**
Bergen Sq. *SE16* 1A **108**
Berghem M. *W14* 2E **91**
Bergholt M. *NW1* 2C **10**
Berglen Ct. *E14* 4F **51**
Bering Sq. *E14* 5E **109**
Bering Wlk. *E16* 4D **59**
Berkeley Ct. *NW1* 5C **22**
Berkeley Gdns. *W8* 3E **65**
Berkeley Ho. *SE8* 1B **130**
Berkeley M. *W1* 4C **40**
Berkeley Sq. *W1* 1A **70**
Berkeley St. *W1* 1A **70**
Berkeley Tower. *E14* 2C **80**
Berkley Gro. *NW1* 2C **8**
Berkley Rd. *NW1* 2C **8**
Bermondsey. 5C 76
Bermondsey Sq. *SE1* 1A **104**
Bermondsey St. *SE1* 3F **75**
Bermondsey Trad. Est.
SE16 . . . . 5B **106**
Bermondsey Wall E. *SE16* 5E **77**
Bermondsey Wall W. *SE16* . . . 4D **77**
Bernard Angell Ho. *SE10* . . . 2E **133**
Bernard Cassidy St. *E16* 1C **56**
Bernard Mans. *WC1* 5F **25**
Bernard Shaw Ct. *NW1* 1B **10**
Bernard St. *WC1* 5F **25**
Bernard Sunley Ho. *SW9* . . . 5D **123**
Berners Ho. *N1* 5D **13**
Berners M. *W1* 2C **42**
Berners Pl. *W1* 3C **42**
Berners Rd. *N1* 4F **13**
Berners St. *W1* 2C **42**
Berner Ter. *E1* 4E **49**
Bernhardt Cres. *NW8* 4F **21**
Berryfield Rd. *SE17* 5A **102**
Berry Ho. *E1* 5A **32**
Berry Pl. *EC1* 3A **28**
Berry St. *EC1* 4A **28**
Berthon St. *SE8* 4E **131**
Berwick Rd. *E16* 4A **58**
Berwick St. *W1* 3C **42**
Beryl Av. *E6* 1A **60**
Besant Ho. *NW8* 3B **6**
Besford Ho. *E2* 5E **17**
Bessborough Gdns. *SW1* 5E **99**
Bessborough Pl. *SW1* 5D **99**
Bessborough St. *SW1* 5D **99**
Bessemer Ct. *NW1* 1C **10**
Bessie Lansbury Clo. *E6* 4D **61**
Besson St. *SE14* 5D **129**
Bessy St. *E2* 2C **32**
Bestwood St. *SE8* 4E **107**
Bethal Est. *SE1* 3A **76**

Bethersden Ho. *SE17* 5A **104**
Bethlehem Ho. *E14*. 5C **52**
Bethnal Green. 3F **31**
Bethnal Green Mus. of Childhood.
. . . . 2B **32**
Bethnal Grn. Rd. *E1 & E2*. . . 4B **30**
Bethwin Rd. *SE5* 4A **124**
Betsham Ho. *SE1*. 4D **75**
Betterton Ho. *WC2* 4A **44**
Betterton St. *WC2* 4A **44**
Betts Ho. *E1*. 5F **49**
Betts Rd. *E16*. 5A **58**
Betts St. *E1* 5F **49**
Betty May Gray Ho. *E14* 3C **110**
Bevan Ho. *WC1* 1A **44**
Bevan St. *N1* 4C **14**
Bevenden St. *N1*. 2E **29**
Beverston M. *W1* 2B **40**
Bevin Clo. *SE16* 2F **79**
Bevin Ct. *WC1* 2C **26**
Bevington Rd. *W10* 1A **36**
Bevington St. *SE16*. 5E **77**
Bevin Ho. *E2* 2C **32**
Bevin Way. *WC1* 2D **27**
Bevis Marks. *EC3*. 3A **48**
Bewdley St. *N1* 1D **13**
Bewick M. *SE15* 5F **127**
Bewley Ho. *E1* 5A **50**
Bewley St. *E1*. 5A **50**
Bianca Rd. *SE15*. 3C **126**
Bibury Clo. *SE15* 3A **126**
(in two parts)
Bickenhall Mans. *W1* 1C **40**
(in two parts)
Bickenhall St. *W1*. 1C **40**
Bicknell Ho. *E1*. 4E **49**
Bidborough St. *WC1*. 3F **25**
Biddenham Ho. *SE16* 3E **107**
Bidder St. *E16* 1F **55**
(in two parts)
Biddesden Ho. *SW3*. 4B **96**
Biddulph Mans. *W9* 3F **19**
Biddulph Rd. *W9* 3F **19**
Big Ben. 5A **72**
Bigland St. *E1*. 4F **49**
Bilberry Ho. *E3*. 1E **53**
Billing Ho. *E1*. 4D **51**
Billingley. *NW1*. 4B **10**
Billing Pl. *SW10*. 4A **116**
Billing Rd. *SW10* 4A **116**
Billingsgate Fish Market.
. . . . 2A **82**
Billing St. *SW6*. 4A **116**
Billington Rd. *SE14* 5D **129**
Billiter Sq. *EC3*. 4A **48**
Billiter St. *EC3* 4A **48**
Billson St. *E14*. 4C **110**
Bilton Towers. *W1* 4C **40**
Bina Gdns. *SW5*. 4B **94**
Binbrook Ho. *W10* 1B **34**
Bingfield St. *N1* 3A **12**
(in two parts)
Bingham Ct. *N1* 1A **14**
Bingham Pl. *W1*. 1D **41**
Bingley Rd. *E16* 3B **58**
Binney St. *W1* 4E **41**
Binnie Ct. *SE10*. 5F **131**
Binnie Ho. *SE1*. 2B **102**
Birch Clo. *E16*. 1F **55**
Birchfield Ho. *E14* 5D **53**

Birchfield St. *E14*. 5D **53**
Birch Ho. *W10* 4A **18**
Birchington Ct. *NW6*. 3F **5**
Birchington Rd. *NW6* 3E **5**
Birchin La. *EC3*. 4E **47**
Birchmere Lodge. *SE16* 1F **127**
Birdbrook Ho. *N1* 2B **14**
Birdcage Wlk. *SW1* 5B **70**
Bird in Bush Rd. *SE15* 4D **127**
Birdlip Clo. *SE15*. 3F **125**
Bird St. *W1* 4E **41**
Birkbeck College. 1E **43**
Birkbeck St. *E2*. 3A **32**
Birkdale Clo. *SE16* 1F **127**
Birkenhead St. *WC1*. 2A **26**
Birley Lodge. *NW8*. 5E **7**
Biscay Ho. *E1*. 5E **33**
Biscay Rd. *W6*. 5D **91**
Bishop King's Rd. *W14*. 3A **92**
Bishop's Bri. Rd. *W2* 4A **38**
Bishop's Ct. *EC4*. 3F **45**
Bishops Ct. *W2* 3A **38**
Bishop's Ct. *WC2*. 3D **45**
Bishopsdale Ho. *NW6*. 3E **5**
Bishopsgate. *EC2* 3F **47**
Bishopsgate Arc. *EC2*. 2A **48**
Bishopsgate Chyd. *EC2*. 3F **47**
Bishopsgate Institute & Libraries
. . . . 2A **48**
Bishops Ho. *SW8*. 5A **122**
Bishops Mead. *SE5* 5C **124**
Bishops Rd. *SW6*. 5B **114**
Bishop's Rd. *SW11* 5A **118**
Bishop's Ter. *SE11* 3E **101**
Bishop St. *N1*. 3B **14**
Bishop's Way. *E2*. . . 5F **17** & 1A **32**
Bittern Ct. *SE8*. 3D **131**
Bittern Ho. *SE1* 5B **74**
Bittern St. *SE1*. 5B **74**
Blackall St. *EC2* 4F **29**
Blackbird Yd. *E2*. 2C **30**
Blackburne's M. *W1*. 5D **41**
Blackfriars Bri. *EC4*. 1F **73**
Blackfriars Bri. *SE1 & EC4* . . 1F **73**
Blackfriars Ct. *EC4* 5F **45**
Black Friars La. *EC4* 5F **45**
(in two parts)
Blackfriars Pas. *EC4* 5F **45**
Blackfriars Rd. *SE1*. 5F **73**
Blackfriars Underpass. *EC4*. . 5F **45**
Blackheath Av. *SE10*. 4E **133**
Black Horse Ct. *SE1* 1E **103**
Blackhorse Rd. *SE8* 2A **130**
Blacklands Ter. *SW3*. 4B **96**
Blackmans Yd. *E2*. 4D **31**
Blackmore Ho. *N1* 4C **12**
Black Prince Rd.
SE1 & SE11. . . . . 4B **100**
Blacks Rd. *W6*. 4B **90**
Blackstone Est. *E8* 2E **17**
Blackstone Ho. *SW1*. 1B **120**
Black Swan Yd. *SE1* 4F **75**
Blackthorne Ct. *SE15* 4C **126**
Blackthorn St. *E3* 1E **53**
Blackwall. 5B **54**
Blackwall La. *SE10* 5A **112**
(in two parts)
Blackwall Trad. Est.
E14. . . . . 2E **55**

Blackwall Tunnel.
E14 & SE10. . . . . 2D **83**
(in two parts)
Blackwall Tunnel App. *E14* . . 5C **54**
Blackwall Tunnel Northern App.
E3 & E14. . . . . 1B **54**
Blackwall Tunnel Southern App.
SE10 . . . . 1F **111**
Blackwall Way. *E14* 1C **82**
Blackwater Ho. *NW8*. 1E **39**
Blackwood Ho. *E1* 5A **32**
Blackwood St. *SE17*. 5D **103**
Bladen Ho. *E1* 3D **51**
Blades Ct. *W6* 5A **90**
Blades Ho. *SE11* 3D **123**
Blagrove Rd. *W10* 2A **36**
Blair Ct. *NW8*. 3D **7**
Blair St. *E14* 4C **54**
Blake Ct. *NW6* 2D **19**
Blake Ct. *SE16*. 5A **106**
Blake Gdns. *SW6* 5F **115**
Blake Ho. *E14*. 4F **81**
Blake Ho. *SE1* 1D **101**
Blake Ho. *SE8* 2D **131**
Blakeley Cotts. *SE10*. 4E **83**
Blakeney Clo. *NW1*. 2D **11**
Blakes Clo. *W10*. 1C **34**
Blake's Rd. *SE15* 4A **126**
Blanchard Way. *E8*. 1E **17**
Blanch Clo. *SE15* 5B **128**
Blandford Ct. *E8*. 2A **16**
Blandford Ho. *SW8* 4B **122**
Blandford Sq. *NW1* 5A **22**
Blandford St. *W1*. 3C **40**
Bland Ho. *SE11* 5C **100**
Blantyre St. *SW10*. 4D **117**
Blantyre Tower. *SW10* 4D **117**
Blantyre Wlk. *SW10*. 4D **117**
Blashford. *NW3*. 1B **8**
Blasker Wlk. *E14*. 5F **109**
Blaxland Ho. *W12*. 5A **34**
Blazer Ct. *NW8*. 3E **21**
Blechynden Ho. *W10* 4E **35**
Blechynden St. *W10*. 5E **35**
Bledlow Ho. *NW8* 5E **21**
Bleeding Heart Yd. *EC1*. 2E **45**
Blemundsbury. *WC1*. 1B **44**
Blendon Row. *SE17* 4D **103**
Blendworth Way. *SE15*. 4A **126**
Blenheim Ct. *SE16*. 2E **79**
Blenheim Cres. *W11* 5F **35**
Blenheim Ho. *E16*. 2F **85**
Blenheim Pas. *NW8*. 5B **6**
(in two parts)
Blenheim Rd. *NW8*. 5C **6**
Blenheim St. *W1* 4F **41**
Blenheim Ter. *NW8*. 5B **6**
Bletchley Ct. *N1*. 1D **29**
(in two parts)
Bletchley St. *N1*. 1C **28**
Bletsoe Wlk. *N1*. 5C **14**
Blick Ho. *SE16*. 1B **106**
Blissett St. *SE10*. 5B **132**
Bliss M. *W10*. 2A **18**
Blisworth Ho. *E2* 4E **17**
Blithfield St. *W8*. 2F **93**
Bloemfontein Av. *W12*. 3A **62**
Bloemfontein Rd. *W12*. 2A **62**
Blomfield Ct. *W9* 4C **20**
Blomfield Mans. *W12*. 3B **62**

Blomfield Rd. *W9*. 1A **38**
Blomfield St. *EC2* 2E **47**
Blomfield Vs. *W2* 2A **38**
Bloomburg St. *SW1* 4C **98**
Bloomfield Ho. *E1* 2D **49**
Bloomfield Pl. *W1* 5A **42**
Bloomfield Ter. *SW1* 5E **97**
Bloom Pk. Rd. *SW6* 5B **114**
Bloomsbury. **1F 43**
Bloomsbury Ct. *WC1* 2A **44**
Bloomsbury Pl. *WC1* 2A **44**
Bloomsbury Sq. *WC1*. 2A **44**
Bloomsbury St. *WC1* 2E **43**
Bloomsbury Theatre. **4D 25**
Bloomsbury Way. *WC1*. 2F **43**
Blore Ct. *W1* 5D **43**
Blossom St. *E1* 5A **30**
Blount Ho. *E14*. 2A **52**
Blount St. *E14* 3A **52**
Blucher Rd. *SE5*. 5C **124**
Blue Anchor La. *SE16*. 3E **105**
Blue Anchor Yd. *E1* 5D **49**
Blue Ball Yd. *SW1* 3B **70**
Blue Elephant Theatre. . . . **4B 124**
Bluegate M. *E1*. 5A **50**
Blundell St. *N7*. 1A **12**
Blyth Clo. *E14* 3D **111**
Blythe Ho. *SE11* 2E **123**
Blythe M. *W14*. 1D **91**
Blythendale Ho. *E2*. 1E **31**
Blythe Rd. *W14* 1D **91**
(in two parts)
Blythe St. *E2*. 2F **31**
Blyth's Wharf. *E14* 1A **80**
Boadicea St. *N1* 4B **12**
Boardwalk Pl. *E14* 2B **82**
Boarley Ho. *SE17* 4F **103**
Boathouse Wlk. *SE15*. 4C **126**
(in two parts)
Boat Lifter Way. *SE16*. 3A **108**
Bocking St. *E8* 3F **17**
BOC Mus. **2E 43**
(Association of Anaesthetists, The)
Boden Ho. *E1*. 1D **49**
Bodington Ct. *W12*. 4D **63**
Bogart Ct. *E14* 1D **81**
Bohn Rd. *E1*. 1F **51**
Boisseau Ho. *E1*. 2C **50**
Boldero Pl. *NW8*. 5F **21**
Boleyn Ho. *E16*. 2E **85**
Bolina Rd. *SE16*. 5C **106**
Bolingbroke Rd. *W14*. 1D **91**
Bolingbroke Wlk. *SW11*
. . . . 5E **117**
Bolney Ga. *SW7*. 5F **67**
Bolney St. *SW8* 5B **122**
Bolsover St. *W1*. 5A **24**
Bolt Ct. *EC4* 4E **45**
Bolton Cres. *SE5*. 4F **123**
Bolton Gdns. *SW5* 5F **93**
Bolton Gdns. M. *SW10*. 5A **94**
Bolton Ho. *SE10*. 1F **133**
Bolton Pl. *NW8* 4A **6**
Bolton Rd. *NW8*. 4A **6**
Boltons Ct. *SW5*. 5A **94**
Boltons Pl. *SW5*. 5B **94**
Boltons, The. *SW10* 5B **94**
Bolton St. *W1* 2A **70**
Bolton Studios. *SW10* 1C **116**
Bombay St. *SE16* 3F **105**
Bomore Rd. *W11* 5E **35**
Bonar Rd. *SE15* 5D **127**
Bonchurch Rd. *W10* 1F **35**
Bond Ct. *EC4*. 4D **47**
Bondfield Rd. *E6* 2B **60**
Bond Ho. *NW6*. 1C **18**
Bond Ho. *SE14*. 5A **130**
Bonding Yd. Wlk. *SE16* 5A **80**
Bondway. *SW8*. 3A **122**
Bonhill St. *EC2*. 5E **29**
Bonner Rd. *E2* 1B **32**
Bonner St. *E2*. 1C **32**
Bonnington Ho. *N1*. 1B **26**
Bonnington Sq. *SW8* 2B **122**
Bonny St. *NW1* 2B **10**
Bonsor St. *SE5*. 5F **125**
Booker Clo. *E14*. 2C **52**
Boord St. *SE10* 2A **112**
Booth Clo. *E9*. 4F **17**
Booth La. *EC4* 5B **46**
Booth's Pl. *W1*. 2C **42**
Boot St. *N1* 3F **29**
Boreas Wlk. *N1* 1A **28**
Boreham Av. *E16*. 4D **57**
Boreman Ho. *SE10*. 2B **132**
Borough High St. *SE1* 5C **74**
Borough Rd. *SE1* 1F **101**
Borough Sq. *SE1* 5B **74**
Borough, The. **4D 75**
Borrett Clo. *SE17* 1B **124**
Borrowdale. *NW1*. 3B **24**
Borthwick St. *SE8* 1D **131**
Boscobel Pl. *SW1*. 3E **97**
Boscobel St. *NW8* 5E **21**
Boss Ho. *SE1*. 4B **76**
Boss St. *SE1* 4B **76**
Boston Pl. *NW1* 4B **22**
Bosun Clo. *E14*. 4E **81**
Boswell Ct. *W14*. 2E **91**
Boswell Ct. *WC1* 1A **44**
Boswell Ho. *WC1*. 1A **44**
Boswell St. *WC1* 1A **44**
Bosworth Ho. *W10*. 5A **18**
Bosworth Rd. *W10*. 5A **18**
Botha Rd. *E13* 1A **58**
Bothwell Clo. *E16*. 2C **56**
Botolph All. *EC3*. 5F **47**
Botolph La. *EC3* 1F **75**
Botts M. *W2*. 4E **37**
Boughton Ho. *SE1* 4D **75**
Boulcott St. *E1*. 4E **51**
Boulogne Ho. *SE1* 1B **104**
Boultwood Rd. *E6* 4B **60**
Boundary Ho. *SE5* 4B **124**
Boundary La. *SE17*. 3C **124**
Boundary Pas. *E1*. 4B **30**
Boundary Rd. *NW8* 4A **6**
Boundary Row. *SE1* 4F **73**
Boundary St. *E2*. 3B **30**
(in two parts)
Bourchier St. *W1* 5D **43**
(in two parts)
Bourdon Pl. *W1* 5A **42**
Bourdon St. *W1* 5A **42**
Bourlet Clo. *W1* 2B **42**
Bourne Est. *EC1*. 1D **45**
Bourne M. *W1* 3E **41**
Bourne St. *SW1* 4D **97**
Bourne Ter. *W2*. 2F **37**
Bouverie Pl. *W2* 3E **39**
Bouverie St. *EC4* 4E **45**
Bowater Ho. *EC1* 5B **28**
Bow Brook, The. *E2* 1E **33**
Bow Chyd. *EC4* 4C **46**
Bow Common. **1E 53**
Bow Comn. La. *E3* 1C **52**
Bowden St. *SE11* 5E **101**
Bowditch. *SE8* 4B **108**
(in two parts)
Bowen St. *E14* 3F **53**
Bower Av. *SE10* 5F **133**
Bower Ho. *SE14*. 5D **129**
Bowerman Av. *SE14*. 3A **130**
Bower St. *E1* 4D **51**
Bowers Wlk. *E6* 3A **60**
Bowes-Lyon Hall. *E16* 2E **85**
(in two parts)
Bowhill Clo. *SW9* 4E **123**
Bowland Yd. *SW1* 5C **68**
Bow La. *EC4* 4C **46**
Bowl Ct. *EC2* 5A **30**
Bowles Rd. *SE1* 2D **127**
Bowley Ho. *SE16* 1D **105**
Bowling Grn. La. *EC1* 5E **27**
Bowling Grn. Pl. *SE1* 4D **75**
Bowling Grn. St. *SE11* 2D **123**
Bowling Grn. Wlk. *N1* 3F **29**
Bowman Av. *E16* 5C **56**
Bowman's Bldgs. *NW1* 1F **39**
Bowman's M. *E1* 5D **49**
Bowmore Wlk. *NW1*. 1E **11**
Bowness Ho. *SE15*. 4B **128**
Bowry Ho. *E14*. 2C **52**
Bowsprit Point. *E14* 1D **109**
Bow St. *WC2*. 4A **44**
Bowyer Clo. *E6*. 1C **60**
Bowyer Ho. *N1*. 4A **16**
Bowyer Pl. *SE5* 4C **124**
Bowyer St. *SE5* 4C **124**
Boxley St. *E16* 3F **85**
Boxmoor Ho. *W11* 3E **63**
Box Tree Ho. *SE8*. 1A **130**
Boxworth Gro. *N1* 3C **12**
Boyce Ho. *W10* 3B **18**
Boydell Ct. *NW8*. 2D **7**
(in two parts)
Boyd St. *E1* 4E **49**
Boyfield St. *SE1*. 5A **74**
Boyle St. *W1* 5B **42**
Boyne Ter. M. *W11*. 2B **64**
Boyson Rd. *SE17*. 2C **124**
(in two parts)
Boyson Wlk. *SE17* 2C **124**
Boyton Clo. *E1*. 4C **32**
Boyton Ho. *NW8* 5E **7**
Brabant Ct. *EC3* 5F **47**
Brabazon St. *E14* 3F **53**
Brabner Ho. *E2* 2D **31**
Bracer Ho. *N1* 4A **16**
Bracewell Rd. *W10*. 2B **34**
Brackenbury Gdns. *W6*. 1A **90**
Brackenbury Rd. *W6* 1A **90**
Bracken Clo. *E6* 1B **60**
Bracken Ho. *E3*. 1E **53**
Brackley Ct. *NW8*. 4D **21**
Brackley St. *EC1*. 1C **46**
Bracklyn Ct. *N1* 5D **15**
Bracklyn St. *N1* 5D **15**
Bradbeer Ho. *E2*. 3B **32**
Braddyll St. *SE10* 1F **133**

Bradenham. *SE17* 2D **125**
Bradenham Clo. *SE17* 2D **125**
Braden St. *W9* 5F **19**
Bradfield Ct. *NW1* 1A **10**
Bradfield Rd. *E16* 4E **85**
Bradford Ho. *W14* 2E **91**
Bradiston Rd. *W9* 2C **18**
Bradley Clo. *N7* 1B **12**
Bradley Ho. *E2* 1E **31**
Bradley Ho. *SE16* 3A **106**
Bradley's Clo. *N1* 5E **13**
Bradley Stone Rd. *E6* 2B **60**
Bradmead. *SW8* 5A **120**
Bradmore Pk. Rd. *W6* 2A **90**
Brad St. *SE1* 3E **73**
Bradwell Ho. *NW6* 4F **5**
Brady Ho. *SW8* 5C **120**
Bradymead. *E6* 3E **61**
Brady St. *E1* 4F **31**
Braemar Clo. *SE16* 1F **127**
Braemar Ho. *W9* 3B **20**
Braemar Rd. *E13* 1C **56**
Braes St. *N1* 1A **14**
Braganza St. *SE17* 5F **101**
Braham Ho. *SE11* 1C **122**
Braham St. *E1* 4C **48**
Braidwood Pas. *EC1* 1B **46**
Braintree Ho. *E1* 4B **32**
Braintree St. *E2* 4B **32**
Braithwaite Ho. *E14* 3D **55**
Braithwaite Ho. *EC1* 4D **29**
Braithwaite Tower. *W2* 1D **39**
Bramah Tea & Coffee Mus. **4C 76**
Bramber. *WC1* 3F **25**
Bramber Rd. *W14* 2B **114**
Bramble Ho. *E3* 1E **53**
Brambling Ct. *SE8* 3B **130**
Bramcote Gro. *SE16* 5B **106**
Bramerton St. *SW3* 2F **117**
Bramham Gdns. *SW5* 5F **93**
Bramley Cres. *SW8* 4E **121**
Bramley Ho. *W10* 4E **35**
Bramley Rd. *W10* 1E **63** (in two parts)
Brampton. *WC1* 2B **44**
Bramshurst. *NW8* 4A **6**
Bramwell Ho. *SE1* 2C **102**
Bramwell Ho. *SW1* 1B **120**
Bramwell M. *N1* 3C **12**
Brancaster Ho. *E1* 3E **33**
Branch Pl. *N1* 4E **15**
Branch Rd. *E14* 5F **51**
Branch St. *SE15* 5A **126**
Brandon Est. *SE17* 3F **123**
Brandon Mans. *W14* 2A **114**
Brandon M. *EC2* 2D **47**
Brandon Rd. *N7* 1F **11**
Brandon St. *SE17* 4C **102** (in three parts)
Brandreth Rd. *E6* 3C **60**
Brand St. *SE10* 5B **132**
Brangton Rd. *SE11* 1C **122**
Brangwyn Ct. *W14* 2F **91**
Branksome Ho. *SW8* 4B **122**
Branscombe. *NW1* 4C **10**
Bransdale Clo. *NW6* 3E **5**
Brantwood Ho. *SE5* 4B **124**
Brassey Ho. *E14* 4F **109**
Brass Talley All. *SE16* 5E **79**
Brathay. *NW1* 1C **24**
Bratley St. *E1* 5D **31**
Bravington Pl. *W9* 4B **18**
Bravington Rd. *W9* 1B **18**
Brawne Ho. *SE17* 3A **124**
Bray. *NW3* 1F **7**
Bray Cres. *SE16* 4D **79**
Bray Dri. *E16* 5C **56**
Brayfield Ter. *N1* 2D **13**
Brayford Sq. *E1* 3C **50**
Bray Pas. *E16* 5D **57**
Bray Pl. *SW3* 5B **96**
Bread St. *EC4* 5C **46** (in two parts)
Breamore Ho. *SE15* 4E **127**
Bream's Bldgs. *EC4* 3D **45**
Brechin Pl. *SW7* 5C **94**
Brecon Ho. *W2* 3B **38**
Brecon Rd. *W6* 3A **114**
Bredel Ho. *E14* 2D **53**
Breezers Ct. *E1* 1E **77**
Breezer's Hill. *E1* 1E **77**
Bremner Rd. *SW7* 1C **94**
Brendon St. *W1* 3A **40**
Brenley Ho. *SE1* 4D **75**
Brenton St. *E14* 3A **52**
Brent Rd. *E16* 3E **57**
Bressenden Pl. *SW1* 1A **98**
Breton Highwalk. *EC1* 1C **46**
Breton Ho. *EC1* 1C **46**
Breton Ho. *SE1* 1B **104**
Brettell St. *SE17* 1E **125**
Brettinghurst. *SE1* 1D **127**
Brewer's Grn. *SW1* 1D **99**
Brewer's Hall Garden. *EC2* 2C **46**
Brewer St. *W1* 1C **70**
Brewery Ind. Est., The. *N1* 1C **28**
Brewery Rd. *N7* 1F **11**
Brewery Sq. *SE1* 3B **76**
Brewhouse La. *E1* 3A **78**
Brewhouse Wlk. *SE16* 3F **79**
Brewhouse Yd. *EC1* 4F **27**
Brewster Gdns. *W10* 1B **34**
Brewster Ho. *E14* 5B **52**
Brewster Ho. *SE1* 3C **104**
Briant Ho. *SE1* 2D **101**
Briant St. *SE14* 5D **129**
Briar Wlk. *W10* 4A **18**
Briary Clo. *NW3* 1F **7**
Brickbarn Clo. *SW10* 4C **116**
Brick Ct. *EC4* 4D **45**
Brick La. *E2 & E1* 3C **30**
Brick Lane Music Hall. **3A 30**
Bricklayer's Arms. (Junct.) **2E 103**
Bricklayers Arms Bus. Cen. *SE1* 3A **104**
Brick St. *W1* 3F **69**
Brideale Clo. *SE15* 3C **126**
Bride Ct. *EC4* 4F **45**
Bride La. *EC4* 4F **45**
Bridel M. *N1* 4F **13**
Bridewain St. *SE1* 1B **104** (in two parts)
Bridewell Pl. *E1* 3A **78**
Bridewell Pl. *EC4* 4F **45**
Bridewell, The (Theatre) **4F 45**
Bridford M. *W1* 1A **42**
Bridge App. *NW1* 1D **9**
Bridge Av. *W6* 4B **90**
Bridge Av. Mans. *W6* 5B **90**
Bridge Clo. *W10* 4E **35**
Bridgefoot. *SE1* 1A **122**
Bridge Ho. *NW3* 1D **9**
Bridge Ho. *SW1* 5F **97**
Bridgehouse Ct. *SE1* 4F **73**
Bridge Ho. Quay. *E14* 3C **82**
Bridgeland Rd. *E16* 5E **57**
Bridgeman Rd. *N1* 2B **12**
Bridgeman St. *NW8* 1F **21**
Bridge Meadows. *SE14* 2D **129**
Bridgen Ho. *E1* 3A **50**
Bridge Pl. *SW1* 3A **98**
Bridgeport Pl. *E1* 2E **77**
Bridges Ho. *SE5* 5D **125**
Bridgeside Ho. *N1* 1B **28**
Bridge St. *SW1* 5F **71**
Bridge Vw. *W6* 5B **90**
Bridgewalk Heights. *SE1* 4E **75**
Bridgewater Highwalk. *EC2* 1C **46**
Bridgewater Sq. *EC2* 1B **46**
Bridgewater St. *EC2* 1B **46**
Bridgeway St. *NW1* 1C **24**
Bridge Wharf. *E2* 1D **33**
Bridge Yd. *SE1* 2E **75**
Bridgnorth Ho. *SE15* 3E **127**
Bridgwater Ho. *W2* 3B **38**
Bridle La. *W1* 5C **42**
Bridport. *SE17* 1D **125**
Bridport Ho. *N1* 4E **15**
Bridport Pl. *N1* 3E **15** (in two parts)
Bridstow Pl. *W2* 3E **37**
Brierfield. *NW1* 4B **10**
Brierly Gdns. *E2* 1C **32**
Briggs Ho. *E2* 2C **30**
Brightlingsea Pl. *E14* 5B **52**
Brighton Bldgs. *SE1* 2F **103**
Brighton Gro. *SE14* 5F **129**
Bright St. *E14* 3A **54**
Brig M. *SE8* 3D **131**
Brill Pl. *NW1* 1E **25**
Brinklow Ho. *W2* 2F **37**
Brinsley Ho. *E1* 4B **50**
Brinsley St. *E1* 4A **50**
Brinton Wlk. *SE1* 3F **73**
Brion Pl. *E14* 2B **54**
Brisbane Ho. *W12* 5A **34**
Brisbane St. *SE5* 5D **125**
Briset St. *EC1* 1F **45**
Bristol Gdns. *W9* 5A **20**
Bristol Ho. *SE11* 2D **101**
Bristol M. *W9* 5A **20**
Britain Vis. Cen. **2D 71**
Britannia Ga. *E16* 2E **85**
Britannia Rd. *E14* 4E **109**
Britannia Rd. *SW6* 5F **115** (in two parts)
Britannia Row. *N1* 3A **14**
Britannia St. *WC1* 2B **26**
Britannia Wlk. *N1* 1D **29** (in two parts)
Britannia Way. *SW6* 5A **116**
Britannic Highwalk. *EC2* 2D **47**
Britannic Tower. *EC2* 1D **47**
British Library. **2E 25**
British Mus. **2F 43**
British Telecom Cen. *EC1* 3B **46**

British Wharf Ind. Est.
SE14 . . . . 1E **129**
Britley Ho. *E14*. 4B **52**
Brittany Point. *SE11*. 4D **101**
Britten St. *SW3*. 1F **117**
Britton St. *EC1*. 5F **27**
Brixham St. *E16*. 3C **88**
Brixton Rd. *SW9 & SE11* . . . 5D **123**
Broadbent St. *W1*. 5F **41**
Broad Ct. *WC2*. 4A **44**
Broadfield La. *NW1*. 2F **11**
Broadford Ho. *E1*. 5F **33**
Broadgate. *EC2*. 2F **47**
Broadgate Circ. *EC2*. 2F **47**
Broadgate Ice Rink. 2F **47**
Broadgate Rd. *E16*. 3D **59**
Broadgates Ct. *SE11*. 1E **123**
Broad La. *EC2* 1F **47**
(in two parts)
Broadley St. *NW8*. 1E **39**
Broadley Ter. *NW1*. 5A **22**
Broadmayne. *SE17*. 5D **103**
Broadmead. *W14* 4F **91**
Broadoak Ho. *NW6*. 4A **6**
Broad Sanctuary. *SW1*. . . . 5E **71**
Broadstone Ho. *SW8* 5B **122**
Broadstone Pl. *W1*. 2D **41**
Broad St. Av. *EC2*. 2F **47**
Broad St. Pl. *EC2*. 2E **47**
Broad Wlk. *NW1*. 5E **9**
Broad Wlk. *W1*. 1C **68**
Broadwalk Clo. *E14* 2B **82**
Broadwalk Ct. *W8*. 2E **65**
Broadwalk Ho. *EC2*. 5F **29**
Broadwalk Ho. *SW7*. 5B **66**
Broad Wlk., The. *W8* 1A **66**
Broadwall. *SE1*. 2E **73**
Broadway. *SW1*. 1D **99**
Broadway Arc. *W6*. 4C **90**
Broadway Cen., The. *W6* . . 4C **90**
Broadway Chambers. *W6* . . 4C **90**
Broadway Ho. *E8* 4F **17**
Broadway Mkt. *E8*. 4F **17**
Broadway Mkt. M. *E8*. 4E **17**
Broadway Shop. Mall.
SW1. . . . . 1D **99**
Broadwick St. *W1*. 5C **42**
Broadwood Ter. *W14* 3C **92**
Broad Yd. *EC1* 5F **27**
Brocas Clo. *NW3* 1A **8**
Brockham Ho. *NW1*. 4C **10**
Brockham St. *SE1* 1C **102**
Brocklebank Ho. *E16* 3E **89**
Brocklebank Ind. Est. *SE7*. . 3E **113**
Brocklebank Rd. *SE7* 4F **113**
Brocklehurst St. *SE14*. 4E **129**
Brockmer Ho. *E1*. 5F **49**
Brock Rd. *E13* 1A **58**
Brockweir. *E2*. 1C **32**
Brockwell Ho. *SE11* 2C **122**
Brodie Ho. *SE1*. 5C **104**
Brodie St. *SE1*. 5C **104**
Brodlove La. *E1*. 5D **51**
Broken Wharf. *EC4*. 5B **46**
Broke Wlk. *E8* 3C **16**
Bromfield St. *N1*. 5E **13**
Bromhead Rd. *E1*. 3B **50**
Bromhead St. *E1* 3B **50**
Bromleigh Ho. *SE1*. 1B **104**
Bromley Hall Rd. *E14* 1B **54**

Bromley Pl. *W1* 1B **42**
Bromley St. *E1*. 2E **51**
Brompton. 2A **96**
Brompton Arc. *SW3*. 5C **68**
Brompton Pk. Cres. *SW6* . . . 3E **115**
Brompton Pl. *SW3*. 1A **96**
Brompton Rd. *SW3 & SW1*. . 3F **95**
Brompton Sq. *SW3*. 1F **95**
Bromyard Ho. *SE15*. 4F **127**
Bron Ct. *NW6* 4D **5**
Brondesbury. 1C **4**
Brondesbury M. *NW6* 2D **5**
Brondesbury Pk.
NW2 & NW6 . . . . 2A **4**
Brondesbury Rd. *NW6*. 5B **4**
Brondesbury Vs. *NW6*. 5C **4**
Bronsart Rd. *SW6* 4A **114**
Bronte Ct. *W14*. 2E **91**
Bronte Ho. *NW6*. 2E **19**
Bronti Clo. *SE17*. 1C **124**
Bronwen Ct. *NW8*. 3D **21**
Bronze St. *SE8*. 4E **131**
Brook Dri. *SE11*. 2E **101**
Brooke's Ct. *EC1* 2D **45**
Brooke's Mkt. *EC1*. 1D **45**
Brooke St. *EC1*. 2D **45**
Brook Ga. *W1* 1C **68**
Brook Green. 3E **91**
Brook Grn. *W6*. 2D **91**
Brook Grn. Flats. *W14* 2D **91**
Brook Ho. *W6* 4C **90**
Brook Houses. *NW1*. 1C **24**
Brooklands Ct. *NW6*. 1B **4**
Brookmarsh Ind. Est. *SE8*. . 4F **131**
Brook M. *WC2* 4E **43**
Brook M. N. *W2*. 5C **38**
Brooksby M. *N1*. 1E **13**
Brooksby St. *N1*. 2D **13**
Brooks Ct. *SW8* 4C **120**
Brooks Lodge. *N1* 5A **16**
Brooks M. *W1* 5F **41**
Brook St. *W1* 5E **41**
Brook St. *W2*. 5E **39**
Brooksville Av. *NW6*. 4A **4**
Brookville Rd. *SW6* 5B **114**
Brookwood Ho. *SE1*. 5A **74**
Broome Way. *SE5* 5D **125**
Broomfield. *NW1*. 1E **9**
Broomfield Ct. *SE16*. 1E **105**
Broomfield Ho. *SE17* 4F **103**
Broomfield St. *E14*. 2E **53**
Brougham Rd. *E8*. 3D **17**
Brough Clo. *SW8* 5A **122**
Browne Ho. *SE8*. 4E **131**
Brownfield Area. *E14* 4A **54**
Brownfield St. *E14*. 4A **54**
Brown Hart Gdns. *W1*. 5E **41**
Browning Clo. *W9* 5C **20**
Browning Ho. *W12*. 4B **34**
Browning M. *W1* 2E **41**
Browning St. *SE17*. 5C **102**
Brownlow Ho. *SE16*. 5D **77**
Brownlow M. *WC1*. 5C **26**
Brownlow Rd. *E8*. 3C **16**
Brownlow St. *WC1*. 2C **44**
Browns Arc. *W1*. 1C **70**
Brown's Bldgs. *EC3*. 4A **48**
Brown St. *W1*. 3B **40**
Broxwood Way. *NW8*. 4A **8**
Bruce Clo. *W10* 1E **35**

Bruce Ho. *W10*. 1E **35**
Bruckner St. *W10*. 2B **18**
Bruges Pl. *NW1*. 2C **10**
Brune Ho. *E1* 2B **48**
Brunei Gallery. 1E **43**
Brunel Est. *W2*. 2D **37**
Brunel Ho. *E14*. 5F **109**
Brunel Rd. *SE16*. 5B **78**
Brunel St. *E16* 4B **56**
Brune St. *E1*. 2B **48**
Brunlees Ho. *SE1* 2B **102**
Brunswick Cen. *WC1* 4F **25**
Brunswick Clo. Est. *EC1* . . . 3F **27**
Brunswick Ct. *EC1* 3F **27**
Brunswick Ct. *SE1* 5A **76**
Brunswick Ct. *SW1*. 4E **99**
Brunswick Gdns. *W8* 3E **65**
Brunswick Ho. *E2*. 5C **16**
Brunswick Ho. *SE16*. 1F **107**
Brunswick Mans. *WC1* 4A **26**
Brunswick M. *W1*. 3C **40**
Brunswick Pl. *N1*. 3E **29**
Brunswick Pl. *NW1*. 5E **23**
(in two parts)
Brunswick Quay. *SE16* 2E **107**
Brunswick Rd. *E14*. 4C **54**
Brunswick Sq. *WC1* 4A **26**
Brunswick Vs. *SE5* 5F **125**
Brunton Pl. *E14* 4A **52**
Brushfield St. *E1* 2A **48**
(in two parts)
Bruton La. *W1* 1A **70**
Bruton Pl. *W1* 1A **70**
Bruton St. *W1* 1A **70**
Brutus Ct. *SE11* 4F **101**
Bryan Ho. *SE16* 4B **80**
Bryan Rd. *SE16* 4B **80**
Bryanston Ct. *W1*. 3B **40**
(in two parts)
Bryanston Mans. *W1* 1B **40**
Bryanston M. E. *W1*. 2B **40**
Bryanston M. W. *W1* 2B **40**
Bryanston Pl. *W1*. 2B **40**
Bryanston Sq. *W1* 2B **40**
Bryanston St. *W1*. 4B **40**
Bryant Ct. *E2* 5B **16**
(in two parts)
Bryce Ho. *SE14* 3D **129**
Brydale Ho. *SE16*. 3D **107**
Brydges Pl. *WC2* 1F **71**
Brydon Wlk. *N1*. 3A **12**
Bryer Ct. *EC2*. 1B **46**
Bryher Ct. *SE11*. 5D **101**
Buchanan Ct. *SE16*. 3E **107**
Buckfast St. *E2*. 3E **31**
Buck Hill Wlk. *W2*. 1E **67**
Buckhurst St. *E1*. 5A **32**
Buckingham Arc. *WC2* 1A **72**
Buckingham Chambers.
SW1 . . . . 3C **98**
Buckingham Ga. *SW1*. 1B **98**
Buckingham M. *SW1* 1B **98**
Buckingham Palace. 5A **70**
Buckingham Pal. Rd. *SW1* . . 4F **97**
Buckingham Pl. *SW1* 1B **98**
Buckingham St. *WC2* 1A **72**
Buckland Ct. *N1*. 5F **15**
Buckland Cres. *NW3* 1D **7**
Buckland St. *N1* 1E **29**
Bucklebury. *NW1*. 4B **24**

Bucklers All. SW6 . . . . 4C 114
(in two parts)
Bucklersbury. EC4 . . . . 4D 47
Bucklersbury Pas.
EC2 & EC4 . . . . 4D 47
Buckle St. E1 . . . . 4C 48
Buckley Ct. NW6 . . . . 2C 4
Buckley Rd. NW6 . . . . 2C 4
Bucknall Ho. WC2 . . . . 3E 43
Bucknill Ho. SW1 . . . . 5F 97
Buckridge Ho. EC1 . . . . 1D 45
Buck St. NW1 . . . . 2A 10
Buckters Rents. SE16 . . . . 3F 79
Budge Row. EC4 . . . . 4D 47
Budge's Wlk. W2 . . . . 3B 66
Budleigh Ho. SE15 . . . . 4E 127
Bugsby's Way.
SE10 & SE7 . . . . 3B 112
Bugsby's Way Retail Est.
SE7 . . . . 4E 113
Bulbarrow. NW8 . . . . 4A 6
Bulinga St. SW1 . . . . 4F 99
Bullace Row. SE5 . . . . 5D 125
Bullard's Pl. E2 . . . . 2D 33
Bulleid Way. SW1 . . . . 4A 98
Bullen Ho. E1 . . . . 5A 32
Buller Clo. SE15 . . . . 5D 127
Bullingham Mans. W8 . . . . . 4E 65
Bull Inn Ct. WC2 . . . . 1A 72
Bullivant St. E14 . . . . 5B 54
Bulls Gdns. SW3 . . . . 3A 96
(in two parts)
Bulls Head Pas. EC3 . . . . 4F 47
Bull Wharf La. EC4 . . . . 5C 46
Bulmer M. W11 . . . . 2D 65
Bulmer Pl. W11 . . . . 2C 64
Bulstrode Pl. W1 . . . . 2E 41
Bulstrode St. W1 . . . . 3E 41
Bulwer St. W12 . . . . 3C 62
Bunbury Ho. SE15 . . . . 5D 127
Bunhill Row. EC1 . . . . 4D 29
Bunhouse Pl. SW1 . . . . 5D 97
Bunning Way. N7 . . . . 1B 12
Bunsen Ho. E3 . . . . 1E 33
Bunsen St. E3 . . . . 1F 33
Bunyan Ct. EC2 . . . . 1B 46
Buonaparte M. SW1 . . . . 5D 99
Burbage Clo. SE1 . . . . 2D 103
Burbage Ho. N1 . . . . 4E 15
Burbage Ho. SE14 . . . . 3D 129
Burcham St. E14 . . . . 3A 54
Burchell Ho. SE11 . . . . 5C 100
Burden Ho. SW8 . . . . 5F 121
Burdett M. W2 . . . . 3F 37
Burdett Rd. E3 & E14 . . . . . . 1B 52
Burford Wlk. SW6 . . . . 5A 116
Burgess Ind. Pk. SE5 . . . . . 4E 125
Burgess Pk. 2A 126
Burgess St. E14 . . . . 2D 53
Burge St. SE1 . . . . 2E 103
Burgh St. N1 . . . . 5A 14
Burgon St. EC4 . . . . 4A 46
Burgos Gro. SE10 . . . . 5F 131
Burke St. E16 . . . . 2B 56
(in two parts)
Burleigh Ho. SW3 . . . . 3E 117
Burleigh Ho. W10 . . . . 1F 35
Burleigh St. WC2 . . . . 5B 44
Burley Ho. E1 . . . . 3E 51
Burley Rd. E16 . . . . 3B 58

Burlington Arc. W1 . . . . 1B 70
Burlington Clo. E6 . . . . 3A 60
Burlington Clo. W9 . . . . 4D 19
Burlington Gdns. W1 . . . . . . 1B 70
Burnaby St. SW10 . . . . 5C 116
Burnand Ho. W14 . . . . 1E 91
Burne Jones Ho. W14 . . . . . 4A 92
Burnell Wlk. SE1 . . . . 5C 104
Burne St. NW1 . . . . 1F 39
Burney St. SE10 . . . . 4C 132
Burnham. NW3 . . . . 1F 7
Burnham Clo. SE1 . . . . 4C 104
Burnham Ct. W2 . . . . 5F 37
Burnham Est. E2 . . . . 2B 32
Burnham St. E2 . . . . 2B 32
Burnsall St. SW3 . . . . 5A 96
Burns Ho. E2 . . . . 3B 32
Burns Ho. SE17 . . . . 1A 124
Burnside Clo. SE16 . . . . 2E 79
Burnthwaite Rd. SW6 . . . . . 5C 114
Buross St. E1 . . . . 3A 50
Burrage Ct. SE16 . . . . 3E 107
Burrard Rd. E16 . . . . 3F 57
Burr Clo. E1 . . . . 2D 77
Burrell St. SE1 . . . . 2A 74
Burrells Wharf Sq. E14 . . . . . 5F 109
Burrhill Ct. SE16 . . . . 2E 107
Burroughs Cotts. E14 . . . . . 2A 52
Burrows M. SE1 . . . . 4F 73
Bursar St. SE1 . . . . 3F 75
Burslem St. E1 . . . . 4F 49
Burton Bank. N1 . . . . 2D 15
Burton Ct. SW3 . . . . 5C 96
(in two parts)
Burton Gro. SE17 . . . . 1D 125
Burton Ho. SE16 . . . . 5F 77
Burton M. SW1 . . . . 4E 97
Burton Pl. WC1 . . . . 3E 25
Burton Rd. NW6 . . . . 2C 4
Burton St. WC1 . . . . 3E 25
Burt Rd. E16 . . . . 3C 86
Burtt Ho. N1 . . . . 2F 29
Burwash Ho. SE1 . . . . 5E 75
Burwell Clo. E1 . . . . 4A 50
Burwood Pl. W2 . . . . 3A 40
Bury Clo. SE16 . . . . 2E 79
Bury Ct. EC3 . . . . 3A 48
Bury Pl. WC1 . . . . 2F 43
Bury St. EC3 . . . . 4A 48
Bury St. SW1 . . . . 2B 70
Bury Wlk. SW3 . . . . 4F 95
Busbridge Ho. E14 . . . . 1E 53
Bushbaby Clo. SE1 . . . . 2F 103
Bush Ct. W12 . . . . 4D 63
Bushell St. E1 . . . . 3E 77
Bush La. EC4 . . . . 5D 47
Bush Rd. E8 . . . . 4F 17
Bush Rd. SE8 . . . . 3E 107
Bush Theatre. 5C 62
Bushwood Dri. SE1 . . . . 4C 104
Butcher Row. E14 & E1 . . . . 5E 51
Butchers Rd. E16 . . . . 4D 57
Bute Gdns. W6 . . . . 4D 91
Bute St. SW7 . . . . 3D 95
Butler Ho. E2 . . . . 2C 32
Butler Ho. E14 . . . . 3C 52
Butler Ho. SW9 . . . . 5A 124
Butler Pl. SW1 . . . . 1D 99
Butlers & Colonial Wharf.
SE1 . . . . 4C 76

Butler St. E2 . . . . 2C 32
Butlers Wharf. SE1 . . . . 4B 76
Butterfield Clo. SE16 . . . . . . 5E 77
Butterfield Sq. E6 . . . . 4B 60
Buttermere. NW1 . . . . 2A 24
Buttermere Clo. SE1 . . . . . . 4B 104
Buttermere Ct. NW8 . . . . 3D 7
Butterwick. W6 . . . . 4D 91
Buttesland St. N1 . . . . 2E 29
Buxted Rd. E8 . . . . 1B 16
Buxton Ct. N1 . . . . 2C 28
(in two parts)
Buxton St. E1 . . . . 5C 30
Byards Ct. SE16 . . . . 2E 107
Byelands Clo. SE16 . . . . 2E 79
Byfield Clo. SE16 . . . . 3A 80
Bygrove St. E14 . . . . 3F 53
(in two parts)
Byng Pl. WC1 . . . . 5E 25
Byng St. E14 . . . . 4D 81
Byron Clo. E8 . . . . 3D 17
Byron Ct. NW6 . . . . 2C 6
Byron Ct. W9 . . . . 4E 19
Byron Ct. WC1 . . . . 4B 26
Byron M. W9 . . . . 4E 19
Byron St. E14 . . . . 3B 54
Byward St. EC3 . . . . 1A 76
Bywater Pl. SE16 . . . . 2A 80
Bywater St. SW3 . . . . 5B 96
Bywell Pl. W1 . . . . 2B 42

C

Cabbell St. NW1 . . . . 2F 39
Cabinet War Rooms. 4E 71
Cable Ho. WC1 . . . . 2D 27
Cable Pl. SE10 . . . . 5C 132
Cable St. E1 . . . . 5D 49
Cabot Ct. SE16 . . . . 2E 107
Cabot Sq. E14 . . . . 2E 81
Cab Rd. SE1 . . . . 3D 73
Caci Ho. W14 . . . . 4B 92
Cadbury Way. SE16 . . . . 2C 104
(in two parts)
Cadell Clo. E2 . . . . 1C 30
Cade Rd. SE10 . . . . 5D 133
Cadet Dri. SE1 . . . . 5C 104
Cadet Pl. SE10 . . . . 5F 111
Cadiz St. SE17 . . . . 1C 124
Cadman Clo. SW9 . . . . 5F 123
Cadmore Ho. N1 . . . . 2F 13
Cadmus Ct. SW9 . . . . 5D 123
Cadnam Lodge. E14 . . . . . . 2C 110
Cadogan Ct. SW3 . . . . 4B 96
Cadogan Gdns. SW3 . . . . . . 3C 96
Cadogan Ga. SW1 . . . . 3C 96
Cadogan Ho. SW3 . . . . 3E 117
Cadogan La. SW1 . . . . 2D 97
Cadogan Mans. SW3 . . . . . . 4C 96
Cadogan Pl. SW1 . . . . 1C 96
Cadogan Sq. SW1 . . . . 2B 96
Cadogan St. SW3 . . . . 4B 96
Caernarvon Ho. E16 . . . . . . 2F 85
Caernarvon Ho. W2 . . . . 3B 38
Café Gallery. 2B 106
Cahill St. EC1 . . . . 5C 28
Cahir St. E14 . . . . 4F 109
Caird St. W10 . . . . 3A 18
Caister Ho. N7 . . . . 1C 12

Caithness Ho. *N1* 3B **12**
Caithness Rd. *W14* 3D **91**
Calcott Ct. *W14* 2F **91**
Calcraft Ho. *E2*. 1B **32**
Calder Ct. *SE16* 2B **80**
Calderon Ho. *NW8* 5F **7**
Calderon Pl. *W10*. 2B **34**
Caldew St. *SE5* 4D **125**
Caldwell St. *SW9*. 5C **122**
Caldy Wlk. *N1* 1B **14**
Caleb St. *SE1*. 4C **74**
Caledonia Ho. *E14* 4A **52**
Caledonian Rd. *N7 & N1*. 1B **12**
Caledonian Wharf. *E14*. 4D **111**
Caledonia St. *N1* 1A **26**
Cale St. *SW3* 5F **95**
Caletock Way. *SE10* 5B **112**
Calgarth. *NW1* 1C **24**
Calgary Ct. *SE16* 5C **78**
Caliban Tower. *N1*. 1F **29**
Calico Ho. *EC4*. 4C **46**
Callahan Cotts. *E1* 1B **50**
Callcott Ct. *NW6*. 2B **4**
Callcott Rd. *NW6* 2B **4**
Callcott St. *W8*. 2D **65**
Callendar Rd. *SW7*. 1D **95**
Callingham Clo. *E14*. 2C **52**
Callow St. *SW3* 2C **116**
Calmington Rd. *SE5*. 2A **126**
Calshot Ho. *N1*. 5B **12**
Calshot St. *N1* 5B **12**
Calstock. *NW1*. 4D **11**
Calstock Ho. *SE11* 5E **101**
Calthorpe St. *WC1* 4C **26**
Calvert Av. *E1 & E2* 3A **30**
Calvert Ho. *W12*. 5A **34**
Calverton. *SE5* 2F **125**
Calvert Rd. *SE10* 5B **112**
Calvert's Bldgs. *SE1*. 3D **75**
Calvert St. *NW1*. 3D **9**
Calvin St. *E1* 5B **30**
Calypso Way. *SE16*. 2B **108**
Cambay Ho. *E1*. 5F **33**
Camber Ho. *SE15*. 2C **128**
Camberley Ho. *NW1*. 1A **24**
Camberwell New Rd. *SE5*. . . 3D **123**
Camberwell Rd.
SE5 & SE17. . . . . 2C **124**
Cambourne M. *W11* 4F **35**
Cambria Ho. *E14* 3A **52**
Cambria St. *SW6* 5A **116**
Cambridge Av. *NW6*. 5E **5**
Cambridge Cir. *WC2*. 4E **43**
Cambridge Ct. *E2*. 1A **32**
Cambridge Ct. *NW6* 5E **5**
(in three parts)
Cambridge Ct. *W2* 2F **39**
Cambridge Ct. *W6* 3C **90**
Cambridge Cres. *E2* 1F **31**
Cambridge Gdns. *NW6*. 5E **5**
Cambridge Gdns. *W10* 3E **35**
Cambridge Ga. *NW1*. 4F **23**
Cambridge Ga. M. *NW1* 4A **24**
Cambridge Gro. *W6* 3A **90**
Cambridge Heath Rd.
E1 & E2. . . . . 1A **50**
Cambridge Ho. *W6*. 3A **90**
Cambridge Pl. *W8* 5A **66**
Cambridge Rd. *NW6*. 2E **19**
(in two parts)
Cambridge Sq. *W2*. 3F **39**
Cambridge St. *SW1* 4A **98**
Cambridge Ter. *NW1*. 3F **23**
Cambridge Ter. M. *NW1* 3A **24**
Cambridge Theatre. 4F **43**
Cambus Rd. *E16* 1E **57**
Cam Ct. *SE15*. 3B **126**
Camden Ct. *NW1* 2C **10**
Camden Gdns. *NW1*. 2A **10**
Camden High St. *NW1* 2A **10**
Camden Ho. *SE8* 1B **130**
Camdenhurst St. *E14* 3A **52**
Camden Lock Market. 2F **9**
Camden Lock Pl. *NW1* 2F **9**
Camden Market. 3A **10**
Camden M. *NW1* 1C **10**
Camden Pas. *N1*. 5F **13**
(in two parts)
Camden Peoples Theatre.
. . . . 4B **24**
Camden Rd. *NW1 & N7* 2B **10**
Camden Sq. *NW1*. 1D **11**
(in two parts)
Camden St. *NW1* 2A **10**
Camden Studios. *NW1* 4C **10**
Camden Town. 3A **10**
Camden Wlk. *N1*. 4F **13**
(in two parts)
Camelford. *NW1*. 4C **10**
Camelford Ct. *W11* 5F **35**
Camelford Ho. *SE1*. 1A **122**
Camelford Wlk. *W11*. 4F **35**
Camellia Ho. *SE8* 4C **130**
Camellia St. *SW8* 5F **121**
Camel Rd. *E16*. 2E **87**
Camera Pl. *SW10*. 3D **117**
Cameret Ct. *W14* 4E **63**
Cameron Ho. *NW8* 5F **7**
Cameron Ho. *SE5*. 5B **124**
Cameron Pl. *E1* 3A **50**
Camilla Rd. *SE16* 4F **105**
Camlet St. *E2*. 4B **30**
Camley St. *NW1*. 2D **11**
Camomile St. *EC3*. 3F **47**
Campania Building. *E1* 5E **51**
Campbell Ct. *SW7* 2B **94**
Campbell Ho. *SW1*. 1B **120**
Campbell Ho. *W12*. 1A **62**
Campbell Wlk. *N1*. 3A **12**
Campden Gro. *W8* 4E **65**
Campden Hill. *W8* 4C **64**
Campden Hill Ct. *W8* 4E **65**
Campden Hill Gdns. *W8*. 2D **65**
Campden Hill Ga. *W8*. 4D **65**
Campden Hill Mans. *W8*. 2E **65**
Campden Hill Pl. *W11* 2C **64**
Campden Hill Rd. *W8*. 2D **65**
Campden Hill Sq. *W8*. 2C **64**
Campden Ho. *NW6* 1D **7**
Campden Ho. *W8*. 3E **65**
Campden Ho. Clo. *W8* 4E **65**
Campden Houses. *W8* 3D **65**
Campden St. *W8* 3D **65**
Camperdown St. *E1* 4C **48**
Campion Clo. *E6* 5C **60**
Camplin St. *SE14* 4E **129**
Canada Est. *SE16*. 1C **106**
Canada Ho. *SE16* 1F **107**
Canada Memorial. 4A **70**
Canada Sq. *E14* 2F **81**
Canada St. *SE16* 5D **79**
Canada Way. *W12* 5A **34**
Canada Wharf. *SE16* 2B **80**
Canal App. *SE8*. 2F **129**
Canal Bridge. (Junct.) 2E **127**
Canal Building. *N1* 5B **14**
Canal Clo. *E1* 4F **33**
Canal Gro. *SE15*. 2E **127**
Canal Market. 2F **9**
Canal Path. *E2* 4B **16**
Canal St. *SE5*. 3D **125**
Canal Wlk. *N1* 3E **15**
Canary Wharf. 2F **81**
Canary Wharf Pier. *E14* 2C **80**
Cancell Rd. *SW9*. 5E **123**
Candida Ct. *NW1* 1A **10**
Candover St. *W1* 2B **42**
Canfield Gdns. *NW6*. 1F **5**
Cann Ho. *W14* 2A **92**
Canning Ho. *W12*. 1A **62**
Canning Pas. *W8* 1B **94**
(in two parts)
Canning Pl. *W8* 1B **94**
Canning Pl. M. *W8*. 5B **66**
Canning Town. 4C **56**
Canning Town. (Junct.) 2A **56**
Cannon Dri. *E14*. 1D **81**
Cannon Ho. *SE11*. 4C **100**
Cannon St. *EC4* 4B **46**
Cannon St. Rd. *E1* 3F **49**
Cannon Wharf Bus. Cen. *SE8*
. . . . 4F **107**
Cannon Workshops. *E14* 1D **81**
Canon All. *EC4*. 4B **46**
Canon Beck Rd. *SE16*. 4C **78**
Canonbury Bus. Cen. *N1* 3C **14**
Canonbury Ct. *N1*. 2A **14**
Canonbury Cres. *N1*. 1B **14**
Canonbury Gro. *N1* 1B **14**
Canonbury La. *N1*. 1F **13**
Canonbury Pl. *N1*. 1A **14**
(in two parts)
Canonbury Rd. *N1* 1A **14**
Canonbury Sq. *N1* 1A **14**
Canonbury St. *N1*. 1B **14**
Canonbury Vs. *N1* 1A **14**
Canon Row. *SW1* 5F **71**
(in two parts)
Canon St. *N1* 4B **14**
Canrobert St. *E2*. 1F **31**
Cantelowes Rd. *NW1* 1E **11**
(in two parts)
Canterbury Clo. *E6*. 3B **60**
Canterbury Ct. *NW6*. 5D **5**
Canterbury Ho. *SE1* 1C **100**
Canterbury Ho. *SW9*. 4E **123**
Canterbury Ind. Pk. *SE15* . . . 3C **128**
Canterbury Pl. *SE17*. 4A **102**
Canterbury Rd. *NW6* 1C **18**
(in two parts)
Canterbury Ter. *NW6* 5D **5**
Cantium Retail Pk. *SE1*. . . . 2D **127**
Canton St. *E14*. 4D **53**
Canute Gdns. *SE16* 3D **107**
Canvey St. *SE1*. 2B **74**
Cape Henry Ct. *E14* 1E **83**
Capel Ct. *EC2* 4E **47**
Capener's Clo. *SW1* 5C **68**
Cape Yd. *E1* 2E **77**
Capital Wharf. *E1* 3E **77**

Capland Ho. *NW8* 4E **21**
Capland St. *NW8* 4E **21**
Caple Ho. *SW10* 4C **116**
Capper St. *W1* 5C **24**
Capstan Ct. *E1* 1C **78**
Capstan Ho. *E14* 5D **55**
          (Clove Cres.)
Capstan Ho. *E14.* 4C **110**
      (Stebondale St.)
Capstan Rd. *SE8* 3B **108**
Capstan Sq. *E14.* 5C **82**
Capstan Way. *SE16* 3A **80**
Capulet M. *E16* 2D **85**
Caradoc Clo. *W2* 3D **37**
Caradoc St. *SE10* 5F **111**
Caranday Villas. *W11* 3E **63**
Caravel Clo. *E14.* 1D **109**
Caravel M. *SE8* 2D **131**
Caraway Clo. *E13* 1F **57**
Caraway Heights. *E14.* 1B **82**
Carbis Rd. *E14.* 3B **52**
Carburton St. *W1* 1A **42**
Cardale St. *E14* 1B **110**
Cardiff Ho. *SE15.* 3E **127**
Cardigan St. *SE11* 5D **101**
Cardigan Wlk. *N1.* 1C **14**
Cardinal Bourne St. *SE1* . . . 2E **103**
Cardinal Cap All. *SE1* 2B **74**
Cardinal Ct. *E1.* 1D **77**
Cardine M. *SE15.* 4F **127**
Cardington St. *NW1* 2C **24**
Cardross Ho. *W6* 1A **90**
Cardross St. *W6.* 1A **90**
Career Ct. *SE16* 4D **79**
Carew Ct. *SE14* 3D **129**
Carey Ct. *SE5.* 5B **124**
Carey La. *EC2* 3B **46**
Carey Mans. *SW1* 3D **99**
Carey Pl. *SW1* 4D **99**
Carey St. *WC2* 4C **44**
Carfree Clo. *N1.* 1E **13**
Carinthia Ct. *SE16.* 3F **107**
Carisbrooke Gdns. *SE15* . . . 4C **126**
Carlisle Av. *EC3* 4B **48**
Carlisle La. *SE1* 2C **100**
Carlisle Mans. *SW1* 3B **98**
Carlisle Pl. *SW1* 2B **98**
Carlisle Rd. *NW6* 3A **4**
Carlisle St. *W1.* 4D **43**
Carlos Pl. *W1.* 1E **69**
Carlow St. *NW1* 5B **10**
Carlton Ct. *W9* 5A **6**
Carlton Gdns. *SW1* 2D **71**
Carlton Gro. *SE15* 5A **128**
Carlton Hill. *NW8* 1A **20**
Carlton Ho. *NW6* 5C **4**
        (in five parts)
Carlton Ho. SE16 . . . . 5D **79**
      (off Wolfe Cres.)
Carlton Ho. Ter. *SW1* 3D **71**
Carlton Mans. *NW6* 2E **5**
Carlton Mans. *W9* 2A **20**
Carlton M. *NW6.* 1D **19**
Carlton Sq. *E1* 4D **33**
      (in two parts)
Carlton St. *SW1.* 1D **71**
Carlton Tower Pl. *SW1* 1C **96**
Carlton Va. *NW6* 1C **18**
Carlyle M. *E1* 4E **33**
Carlyle's House. 3F **117**

Carlyle Sq. *SW3* 1E **117**
Carmarthen Pl. *SE1* 4F **75**
Carmel Ct. *W8* 4F **65**
Carmelite St. *EC4* 5E **45**
Carmen St. *E14* 3F **53**
Carmichael Ho. *E14* 5B **54**
Carnaby St. *W1* 4B **42**
Carnegie St. *N1* 4B **12**
Carnival Ho. *SE1* 4C **76**
Carnoustie Dri. *N1* 2B **12**
      (in two parts)
Caroline Clo. *W2* 1A **66**
Caroline Gdns. *E2.* 2A **30**
Caroline Gdns. *SE15.* 4F **127**
Caroline Ho. *W6.* 5B **90**
Caroline Pl. *W2* 5A **38**
Caroline Pl. M. *W2* 1A **66**
Caroline St. *E1* 4E **51**
Caroline Ter. *SW1* 4D **97**
Carol St. *NW1* 3B **10**
Caronia Ct. *SE16.* 3F **107**
Carpenter Ho. *E14* 2D **53**
Carpenters Ct. *NW1* 3B **10**
Carpenter St. *W1* 1F **69**
Carradale Ho. *E14* 3B **54**
Carriage Dri. E. *SW11* 4D **119**
Carriage Dri. N. *SW11* 5B **118**
      (in two parts)
Carriage Dri. S. *SW11.* 5E **119**
Carriage Dri. W. *SW11* 5B **118**
Carrick Ho. *SE11* 5F **101**
Carrick M. *SE8.* 2D **131**
Carrington Ho. *W1* 3F **69**
Carrington St. *W1.* 3F **69**
Carroll Ho. *W2.* 5D **39**
Carron Clo. *E14.* 3A **54**
Carroun Rd. *SW8* 4B **122**
Carr St. *E14.* 2A **52**
      (in two parts)
Carson Rd. *E16* 1E **57**
Carter Ct. *EC4* 4A **46**
Carteret Ho. *W12* 5A **34**
Carteret St. *SW1* 5D **71**
Carteret Way. *SE8* 4A **108**
Carter Ho. *E1* 2B **48**
Carter La. *EC4* 4A **46**
Carter Pl. *SE17* 1C **124**
Carter St. *SE17* 2B **124**
Carthew Rd. *W6.* 2A **90**
Carthew Vs. *W6.* 1A **90**
Carthusian St. *EC1* 1B **46**
Cartier Circ. *E14.* 2A **82**
Carting La. *WC2.* 1A **72**
Cartmel. *NW1* 2B **24**
Carton Ho. *SE16* 1D **105**
Carton Ho. *W11* 1E **63**
Cartwright Gdns. *WC1* 3F **25**
Cartwright Ho. *SE1.* 2C **102**
Cartwright St. *E1* 5C **48**
Carvel Ho. *E14.* 5C **110**
Casby Ho. *SE16.* 1D **105**
Cascades Tower. *E14.* 3D **81**
Casella Rd. *SE14* 5D **129**
Caspian Ho. *E1.* 1E **51**
Caspian St. *SE5* 4D **125**
Caspian Wlk. *E16.* 4D **59**
Cassidy Rd. *SW6* 5D **115**
      (in two parts)
Casson Ho. *E1* 1D **49**
Casson St. *E1* 2D **49**

Castalia Sq. *E14.* 5B **82**
Castellain Mans. *W9* 3F **19**
      (in two parts)
Castellain Rd. *W9.* 4F **19**
Castell Ho. *SE8.* 4E **131**
Casterbridge. *NW6.* 3A **6**
Casterbridge. *W11.* 3C **36**
Castleacre. *W2.* 4F **39**
Castle Baynard St. *EC4.* . . . 5A **46**
Castlebrook Ct. *SE11* 3F **101**
Castle Ct. *EC3* 4E **47**
Castleford Ct. *NW8.* 4E **21**
Castlehaven Rd. *NW1.* 2F **9**
Castle Ho. *SE1* 3B **102**
Castle Ho. *SW8* 4A **122**
Castle Ind. Est. *SE17* 3B **102**
Castle La. *SW1.* 1B **98**
Castle Mead. *SE5* 5C **124**
Castle Pl. *NW1.* 1A **10**
Castlereagh St. *W1.* 3B **40**
Castle Rd. *NW1* 1F **9**
Castleton Ho. *E14.* 3C **110**
Castletown Rd. *W14.* 1A **114**
Castle Wharf. *E14* 5A **56**
Castle Yd. *SE1* 2A **74**
Castor La. *E14* 1F **81**
Catesby St. *SE17* 4E **103**
Cathay Ho. *SE16* 5A **78**
Cathay St. *SE16.* 5A **78**
Cathcart Rd. *SW10.* 2A **116**
Cathedral Lodge. *EC1.* 1B **46**
Cathedral Mans. *SW1.* 3B **98**
Cathedral Piazza. *SW1* 2B **98**
Cathedral St. *SE1.* 2D **75**
Catherine Griffiths Ct. *EC1* . . 4E **27**
Catherine Gro. *SE10.* 5F **131**
Catherine Ho. *N1* 4F **15**
Catherine Pl. *SW1* 1B **98**
Catherine St. *WC2* 5B **44**
Catherine Wheel All. *E1* . . . 2A **48**
      (in two parts)
Catherine Wheel Yd. *SW1.* . . 3B **70**
Catherwood Ct. *N1.* 2D **29**
      (in two parts)
Cathnor Rd. *W12.* 5A **62**
Catlin St. *SE16.* 1E **127**
Cator St. *SE15* 4C **126**
     (Commercial Way)
Cator St. *SE15* 3B **126**
     (St George's Way)
Cato St. *W1* 2A **40**
Catton St. *WC1* 2B **44**
Caughley Ho. *SE11.* 2C **100**
Causton Cotts. *E14.* 2A **52**
Causton Ho. *SE5* 4C **124**
Causton St. *SW1* 4E **99**
Cavaye Pl. *SW10* 1C **116**
Cavell Ho. *N1* 4F **15**
Cavell St. *E1.* 1A **50**
Cavendish Av. *NW8* 1E **21**
Cavendish Clo. *NW6.* 1B **4**
Cavendish Clo. *NW8.* 2E **21**
Cavendish Ct. *EC3* 3A **48**
Cavendish Ho. *NW8* 1E **21**
Cavendish Mans. *EC1.* 5D **27**
Cavendish M. N. *W1.* 1A **42**
Cavendish M. S. *W1.* 2A **42**
Cavendish Pl. *W1.* 3A **42**
Cavendish Rd. *NW6.* 2A **4**
Cavendish Sq. *W1* 3A **42**

Cavendish St. *N1* 1D **29**
Caversham Ho. *SE15* 3D **127**
Caversham St. *SW3* 2B **118**
Caverswall St. *W12* 3B **34**
Cavour Ho. *SE17* 5A **102**
Caxton Rd. *W12* 3D **63**
Caxton St. *SW1* 1C **98**
Caxton St. N. *E16* 4B **56**
Caxton Wlk. *WC2* 4E **43**
Cayton Pl. *EC1* 3D **29**
Cayton St. *EC1* 3D **29**
Cecil Ct. *NW6* 2F **5**
Cecil Ct. *SW10* 2B **116**
Cecil Ct. *WC2* 1F **71**
Cecil Rhodes Ho. *NW1* 5D **11**
Cedar Ct. *N1* 1C **14**
Cedar Ho. *E14* 5B **82**
Cedar Ho. *SE16* 5D **79**
Cedar Ho. *W8* 1F **93**
Cedarne Rd. *SW6* 5F **115**
Cedar Way. *NW1* 2D **11**
Cedar Way Ind. Est. *NW1* . . . 2D **11**
Celandine Clo. *E3* 2D **53**
Celandine Dri. *E8* 1C **16**
Celbridge M. *W2* 3A **38**
Celia Ho. *N1* 1F **29**
Celtic St. *E14* 1A **54**
Cenotaph. 4F **71**
Centaur St. *SE1* 1C **100**
Central Av. *SW11* 5B **118**
Central Criminal Court (Old Bailey)
. . . . 3A **46**
Central Markets (Smithfield)
. . . . 2F **45**
Central St. *EC1* 2B **28**
Cen. for the Magic Arts, The.
. . . . 4C **24**
Centre Heights. *NW3* 1D **7**
Centre Point. *SE1* 5D **105**
Centrepoint. *WC2* 3E **43**
Centre Point Ho. *WC2* 3E **43**
Centre St. *E2* 1F **31**
Centric Clo. *NW1* 3F **9**
Centurion Clo. *N7* 1B **12**
Cephas Av. *E1* 4C **32**
Cephas Ho. *E1* 5B **32**
Cephas St. *E1* 5B **32**
Cerney M. *W2* 5D **39**
Cervantes Ct. *W2* 4A **38**
Cester St. *E2* 4D **17**
Ceylon Rd. *W14* 2E **91**
Chadbourn St. *E14* 2A **54**
Chadston Ho. *N1* 1A **14**
Chadswell. *WC1* 3A **26**
Chadwell St. *EC1* 2E **27**
Chadwick St. *SW1* 2E **99**
Chadwin Rd. *E13* 1F **57**
Chadworth Ho. *EC1* 3B **28**
Chagford St. *NW1* 5B **22**
Chalbury Wlk. *N1* 5C **12**
Chalcot Cres. *NW1* 2C **8**
Chalcot Rd. *NW1* 2D **9**
Chalcot Sq. *NW1* 2C **8**
(in two parts)
Chaldon Rd. *SW6* 4A **114**
Chalfont Ct. *NW1* 5C **22**
Chalfont Ho. *SE16* 1F **105**
Chalford. *NW3* 1C **6**
Chalk Farm. 1E **9**
Chalk Farm Rd. *NW1* 1D **9**

Chalk Hill Rd. *W6* 4D **91**
Chalk Rd. *E13* 1A **58**
Chalkwell Ho. *E1* 4E **51**
Challenger Ho. *E14* 5A **52**
Challoner Cres. *W14* 1B **114**
Challoner St. *W14* 5B **92**
Chalmers Wlk. *SE17* 3A **124**
Chalton Ho. *NW1* 2D **25**
Chalton St. *NW1* 5C **10**
(in three parts)
Chamberlain Ho. *E1* 5B **50**
Chamberlain Ho. *NW1* 1D **25**
Chamberlain Ho. *SE1* 5D **73**
Chamberlain St. *NW1* 2C **8**
Chambers St. *SE16* 4D **77**
Chamber St. *E1* 5C **48**
Chambers Wharf. *SE16* 4E **77**
Chambord St. *E2* 2C **30**
Champlain Ho. *W12* 1A **62**
Chancellor Ho. *E1* 3A **78**
Chancellor Pas. *E14* 3E **81**
Chancellors Ct. *WC1* 1B **44**
Chancel St. *SE1* 3F **73**
Chancery Bldgs. *E1* 5A **50**
Chancery La. *WC2* 2C **44**
Chance St. *E2 & E1* 4B **30**
Chandler Av. *E16* 1D **57**
Chandler Ho. *NW6* 3C **4**
Chandler Ho. *WC1* 5A **26**
Chandlers M. *E14* 4D **81**
Chandler St. *E1* 2A **78**
Chandler Way. *SE15* 5B **126**
(Diamond St.)
Chandler Way. *SE15* 3A **126**
(St George's Way)
Chandlery Ho. *E1* 4D **49**
Chandlery, The. *SE1* 1E **101**
Chandos Pl. *WC2* 1F **71**
Chandos St. *W1* 2A **42**
Change All. *EC3* 4E **47**
Channel Ho. *E14* 2F **51**
Chantry Clo. *W9* 5C **18**
Chantry Sq. *W8* 2F **93**
Chantry St. *N1* 4A **14**
Chapel Ct. *SE1* 4D **75**
Chapel Gallery. 4B **116**
Chapel Ho. St. *E14* 5A **110**
Chapel Mkt. *N1* 5D **13**
Chapel of St John the Evangelist.
. . . . 1B **76**
(in Tower of London, The)
Chapel Pl. *EC2* 3F **29**
Chapel Pl. *N1* 5E **13**
Chapel Pl. *W1* 4F **41**
Chapel Side. *W2* 5F **37**
Chapel St. *NW1* 2F **39**
Chapel St. *SW1* 1E **97**
Chaplin Clo. *SE1* 4E **73**
Chapman Ho. *E1* 4A **50**
Chapman St. *E1* 5F **49**
Chapone Pl. *W1* 4D **43**
Chapter Chambers. *SW1* . . . 4D **99**
Chapter House. 4A **46**
Chapter Rd. *SE17* 1A **124**
Chapter St. *SW1* 4D **99**
Charcroft Ct. *W14* 5D **63**
Chardin Ho. *SW9* 5E **123**
Chardwell Clo. *E6* 3B **60**
Charecroft Way.
W12 & W14 . . . . 5D **63**

Charfield Ct. *W9* 5A **20**
Charford Rd. *E16* 2E **57**
Chargrove Clo. *SE16* 4E **79**
Charing Cross. *SW1* 2F **71**
Charing Cross Rd. *WC2* 3E **43**
Charing Ho. *SE1* 4E **73**
Charlbert Ct. *NW8* 5F **7**
Charlbert St. *NW8* 5F **7**
Charles Auffray Ho. *E1* 2C **50**
Charles Darwin Ho. E2 . . . . . 2F **31**
(off Canrobert St.)
Charles Dickens Ho. *E2* 2E **31**
Charles Flemwell M. *E16* 2E **85**
Charles Gardner Ct. *N1* 2E **29**
Charles La. *NW8* 1E **21**
Charles MacKenzie Ho.
SE16 . . . . 3D **105**
Charles Pl. *NW1* 3C **24**
Charles Rowan Ho. *WC1* 3D **27**
Charles II Pl. *SW3* 1A **118**
Charles II St. *SW1* 2D **71**
Charles Simmons Ho.
WC1 . . . . 3C **26**
Charles Sq. *N1* 3E **29**
Charles Sq. Est. *N1* 3E **29**
Charles St. *E16* 3C **86**
Charles St. *W1* 2F **69**
Charleston St. *SE17* 4C **102**
Charles Townsend Ho. *EC1* . . 3F **27**
Charles Whinchup Rd. *E16* . . 2F **85**
Charlesworth Ho. *E14* 4C **52**
Charleville Mans. *W14* 1A **114**
Charleville Rd. *W14* 1A **114**
Charlie Chaplin Wlk. *SE1* . . . 3C **72**
Charlotte Ct. *SE1* 3F **103**
Charlotte Ho. *E16* 2F **85**
Charlotte M. *W1* 1C **42**
Charlotte M. *W10* 4D **35**
Charlotte M. *W14* 3F **91**
Charlotte Pl. *SW1* 4B **98**
Charlotte Pl. *W1* 2C **42**
Charlotte Rd. *EC2* 3F **29**
Charlotte St. *W1* 1C **42**
Charlotte Ter. *N1* 4C **12**
Charlton Ct. *E2* 5C **16**
Charlton Pl. *N1* 5F **13**
Charlwood Ho. *SW1* 4D **99**
Charlwood Houses. WC1 . . . 3A **26**
(off Midhope St.)
Charlwood Pl. *SW1* 4C **98**
Charlwood St. *SW1* 1B **120**
(in two parts)
Charmans Ho. *SW8* 4F **121**
Charmouth Ho. *SW8* 4B **122**
Charnock Ho. *W12* 1A **62**
Charnwood Gdns. *E14* 3E **109**
Charrington St. *NW1* 5D **11**
Charterhouse. 5A **28**
Charter Ho. *WC2* 4A **44**
Charterhouse Bldgs. *EC1* . . . 5B **28**
Charterhouse M. *EC1* 1A **46**
Charterhouse Sq. *EC1* 1A **46**
Charterhouse St. *EC1* 2E **45**
Charteris Rd. *NW6* 3C **4**
Chartes Ho. *SE1* 1A **104**
Chartham Ho. *SE1* 1E **103**
Chart Ho. *E14* 5F **109**
Chartridge. *SE17* 2D **125**
Chart St. *N1* 2E **29**
Chaseley St. *E14* 4F **51**

Chasemore Ho.—Christopher Pl.

Chasemore Ho. *SW6* 4A **114**	Chequer St. *EC1*. 5C **28**	Cheyne Ct. *SW3*. 2B **118**
Chater Ho. *E2* 2D **33**	(in two parts)	Cheyne Gdns. *SW3* 2A **118**
Chatham St. *SE17* 3D **103**	Cherbury Ct. *N1*. 1E **29**	Cheyne M. *SW3* 3A **118**
Chatsworth Ct. *W8*. 3D **93**	Cherbury St. *N1*. 1E **29**	Cheyne Pl. *SW3*. 2B **118**
Chatsworth Ho. *E16* 2F **85**	Cherry Garden Ho. *SE16*. 5F **77**	Cheyne Row. *SW3* 3F **117**
Chatsworth Rd. *NW2* 1A **4**	Cherry Garden St. *SE16* 5F **77**	Cheyne Wlk.
(in two parts)	Cherry Tree Ct. *NW1*. 1C **10**	*SW10 & SW3* 4D **117**
Chaucer Dri. *SE1* 4C **104**	Cherry Tree Wlk. *EC1* 5C **28**	(in three parts)
Chaucer Ho. *SW1*. 1B **120**	Cherrywood Clo. *E3* 2F **33**	Chicheley St. *SE1*. 4C **72**
Chaucer Mans. *W14* 2A **114**	Cherwell Ho. *NW8* 5E **21**	Chichester Clo. *E6* 4A **60**
Chaucer Theatre. 3C **48**	Chesham Clo. *SW1* 2D **97**	Chichester Ho. *NW6*. 1D **19**
Chaulden Ho. *EC1*. 3E **29**	Chesham Flats. *W1*. 5E **41**	Chichester Ho. *SW9*. 4D **123**
Chauntler Clo. *E16* 5A **58**	Chesham M. *SW1* 1D **97**	Chichester Rents. *WC2* 3D **45**
Cheadle Ct. *NW8* 4E **21**	Chesham Pl. *SW1* 2D **97**	Chichester Rd. *NW6*. 1D **19**
Cheadle Ho. *E14*. 4B **52**	(in two parts)	Chichester Rd. *W2*. 1A **38**
Cheapside. *EC2* 4B **46**	Chesham St. *SW1* 2D **97**	Chichester St. *SW1* 1C **120**
Chearsley. *SE17* 3C **102**	Cheshire Ct. *EC4* 4E **45**	Chichester Way. *E14* 3D **111**
Cheddington Ho. *E2*. 4D **17**	Cheshire St. *E2* 4C **30**	Chicksand Ho. *E1*. 1D **49**
Chedworth Clo. *E16* 3B **56**	Cheshunt Ho. *NW6*. 4F **5**	Chicksand St. *E1* 2C **48**
Cheesemans Ter. *W14* 1B **114**	Chesil Ct. *SW3*. 2A **118**	(in two parts)
(in two parts)	Chesilton Rd. *SW6*. 5B **114**	Chigwell Hill. *E1*. 1F **77**
Chelmsford Clo. *E6* 3B **60**	Chesney Ct. *W9*. 4E **19**	Chilcot Clo. *E14*. 4F **53**
Chelsea. 1F **117**	Chesson Rd. *W14* 2B **114**	Childeric Rd. *SE14* 4A **130**
Chelsea Bri. *SW1 & SW8*	Chester Clo. *SW1* 5F **69**	Childers St. *SE8* 2A **130**
. . . . 2F **119**	Chester Clo. N. *NW1* 2A **24**	Child's Pl. *SW5*. 4E **93**
Chelsea Bri. Bus. Cen.	Chester Clo. S. *NW1*. 3A **24**	Child's St. *SW5* 4E **93**
SW8. . . . . 5F **119**	Chester Cotts. *SW1* 4D **97**	Child's Wlk. *SW5* 4E **93**
Chelsea Bri. Rd. *SW1* 5D **97**	Chester Ct. *NW1* 2A **24**	Chilham Ho. *SE1* 1E **103**
Chelsea Bri. Wharf. *SW8* . . . 3A **120**	Chester Ct. *SE5* 5D **125**	Chilham Ho. *SE15* 2C **128**
Chelsea Cinema. 1A **118**	Chester Ct. *SE8* 5E **107**	**Chilianwalla Memorial.** 2D **119**
Chelsea Cloisters. *SW3* 4A **96**	Chesterfield Gdns. *SE10*. . . . 5D **133**	Chiltern Ct. *NW1* 5C **22**
Chelsea College of Art & Design.	Chesterfield Gdns. *W1* 2F **69**	Chiltern Ct. *SE14* 4C **128**
. . . . 1F **117**	Chesterfield Hill. *W1*. 2F **69**	Chiltern Ho. *SE17*. 2E **125**
Chelsea Embkmt. *SW3* 3F **117**	Chesterfield Ho. *W1* 2E **69**	Chiltern St. *W1* 1D **41**
Chelsea Farm Ho. Studios.	Chesterfield St. *W1*. 2F **69**	Chilton Gro. *SE8*. 4E **107**
SW10. . . . . 3E **117**	Chesterfield Wlk. *SE10*. 5D **133**	Chilton St. *E2*. 4C **30**
Chelsea F.C. (Stamford Bridge)	Chesterfield Way. *SE15*. 5B **128**	Chilver St. *SE10*. 5C **112**
. . . . 4F **115**	Chester Ga. *NW1* 3F **23**	Chilworth M. *W2* 4D **39**
Chelsea Gdns. *SW1* 1E **119**	Chester Ho. *SE8* 2C **130**	Chilworth St. *W2* 4C **38**
Chelsea Ga. *SW1* 1E **119**	Chester Ho. *SW1* 3F **97**	Chimney Ct. *E1* 3A **78**
Chelsea Lodge. *SW3* 2C **118**	Chester Ho. *SW9* 4E **123**	China Ct. *E1* 2F **77**
Chelsea Mnr. Ct. *SW3*. 2A **118**	Chester M. *SW1* 1F **97**	China Wharf. *SE1*. 4D **77**
Chelsea Mnr. Gdns. *SW3* 2A **118**	Chester Pl. *NW1*. 2F **23**	Ching Ct. *WC2* 4F **43**
Chelsea Mnr. St. *SW3*. 1F **117**	Chester Rd. *NW1* 3E **23**	Chinnock's Wharf. *E14* 5F **51**
Chelsea Pk. Gdns. *SW3* 2D **117**	Chester Row. *SW1* 4D **97**	Chipka St. *E14*. 5B **82**
Chelsea Physic Garden. 2B **118**	Chester Sq. *SW1* 3E **97**	(in two parts)
Chelsea Reach Tower.	Chester Sq. M. *SW1* 2F **97**	Chipley St. *SE14*. 3F **129**
SW10 . . . . 4D **117**	Chester St. *E2* 4E **31**	Chippendale Ho. *SW1*. 1A **120**
Chelsea Sq. *SW3* 5E **95**	Chester St. *SW1* 1E **97**	Chippenham Gdns. *NW6* 3D **19**
Chelsea Studios. *SW6* 4A **116**	Chester Ter. *NW1* 2F **23**	Chippenham M. *W9* 5D **19**
Chelsea Towers. *SW3*. 1A **118**	(in three parts)	Chippenham Rd. *W9* 4D **19**
Chelsea Village. *SW6* 4A **116**	Chesterton Rd. *W10*. 2E **35**	Chipperfield Ho. *SW3* 5F **95**
Chelsea Wharf. *SW10* 5D **117**	Chesterton Sq. *W8*. 3C **92**	Chiswell St. *EC1*. 1C **46**
Chelsfield Ho. *SE11*. 4F **103**	Chester Way. *SE11* 4E **101**	Chitty St. *W1* 1C **42**
Cheltenham Ter. *SW3*. 5C **96**	Chestnut All. *SW6* 2C **114**	Choppin's Ct. *E1*. 2A **78**
Chelwood Ho. *W2*. 4E **39**	Chestnut Ct. *SW6*. 3C **114**	Chrisp Ho. *SE10*. 2F **133**
Cheney Rd. *NW1* 1F **25**	*Chestnut Ct. W8*. *2F* **93**	Chrisp St. *E14* 2F **53**
Chenies M. *WC1* 5D **25**	(off Abbots Wlk.)	(in two parts)
Chenies Pl. *NW1* 5E **11**	Chettle Clo. *SE1*. 1D **103**	Christchurch Av. *NW6* 2A **4**
Chenies St. *WC1* 1D **43**	Chetwode Ho. *NW8* 4F **21**	Christchurch Ct. *EC4* 3A **46**
Chenies, The. *NW1*. 5E **11**	Chetwood Wlk. *E6*. 3A **60**	Christchurch St. *SW3* 2B **118**
Cheniston Gdns. *W8*. 1F **93**	Cheval Pl. *SW7* 1A **96**	Christchurch Ter. *SW3* 2B **118**
Chepstow Corner. *W2*. 4E **37**	Cheval St. *E14* 1D **109**	Christchurch Way. *SE10*. . . . 5A **112**
Chepstow Ct. *W11*. 5D **37**	Chevening Rd. *NW6*. 4A **4**	Christian Ct. *SE16* 3B **80**
Chepstow Cres. *W11* 5D **37**	Chevening Rd. *SE10*. 5C **112**	Christian Pl. *E1*. 4E **49**
Chepstow Pl. *W2* 4E **37**	Cheverell Ho. *E2*. 5E **17**	Christian St. *E1* 3E **49**
Chepstow Rd. *W2* 2D **37**	Cheviot Ct. *SE14* 3C **128**	Christie Ho. *SE10*. 5B **112**
Chepstow Vs. *W11*. 5C **36**	Cheviot Ho. *E1*. 3A **50**	Christina St. *EC2*. 4F **29**
Chequers Ct. *EC1*. 5D **29**	Chevron Clo. *E16* 3E **57**	Christopher Clo. *SE16*. 5D **79**
Chequers Ho. *NW8* 4F **21**	Cheylesmore Ho. *SW1* 1F **119**	Christopher Pl. *NW1*. 2E **25**

Christophers M. *W11* 2A **64**
Christopher St. *EC2* 5E **29**
Chryssell Rd. *SW9* 5E **123**
Chubworthy St. *SE14* 3F **129**
Chudleigh St. *E1* 3D **51**
Chumleigh St. *SE5* 2F **125**
Church Cloisters. *EC3* 1F **75**
Church Clo. *W8* 4F **65**
Church Ct. *SE16* 4B **80**
Church Entry. *EC4* 4A **46**
Churchfields. *SE10* 3B **132**
Church Ho. *SW1* 1E **99**
Churchill Gdns. *SW1* 1B **120**
(in three parts)
Churchill Gdns. Rd. *SW1* . . . 1A **120**
Churchill Pl. *E14* 2F **81**
Churchill Rd. *E16* 4B **58**
Church Mead. *SE5* 5C **124**
Church Pas. *EC2* 3C **46**
(off Guildhall Yd.)
Church Pl. *SW1* 1C **70**
Church Rd. *N1* 1C **14**
Church St. *E16* 3F **89**
Church St. *W2 & NW8* 1E **39**
Church St. Est. *NW8* 5E **21**
(in two parts)
Churchward Ho. *W14* 1C **114**
Churchway. *NW1* 2E **25**
(in two parts)
Churchyard Row. *SE11* 3A **102**
Churton Pl. *SW1* 4C **98**
Churton St. *SW1* 4C **98**
Chusan Pl. *E14* 4C **52**
Cicely Ho. *NW8* 1E **21**
Cine Lumiere. 3D **95**
Cinnabar Wharf Central. *E1*. . 3E **77**
Cinnabar Wharf E. *E1* 3E **77**
Cinnabar Wharf W. *E1* 3D **77**
Cinnamon St. *E1* 3A **78**
Cinnamon Wharf. *SE1* 4C **76**
Circle, The. *SE1* 4C **76**
Circus Lodge. *NW8* 2D **21**
Circus M. *W1* 1B **40**
Circus Pl. *EC2* 2E **47**
Circus Rd. *NW8* 2D **21**
Circus St. *SE10* 5B **132**
Cirencester St. *W2* 1F **37**
Citadel Pl. *SE11* 5B **100**
Citrus Ho. *SE8* 1B **130**
City & Guilds of London Institute.
 . . . . 5E **27**
City & Islington College
(City Campus) 5D **29**
City Bus. Cen. *SE16* 5B **78**
City Central Est. *EC1*. 3B **28**
City Garden Row. *N1* 1A **28**
City Harbour. *E14* 2A **110**
City Heights. *SE1* 3A **76**
City of London. 4D **47**
City of London College. 3C **48**
City of Westminster College.
 . . . . 5C **42**
City Pavilion. *EC1* 1F **45**
City Rd. *EC1*. 1F **27**
City Tower. *EC2* 2D **47**
City University, The. 3F **27**
Clabon M. *SW1* 2B **96**
Clack St. *SE16* 5C **78**
Claire Pl. *E14* 1E **109**
Clandon Ho. *SE1* 5A **74**

Clanfield Way. *SE15* 4A **126**
Clanricarde Gdns. *W2*. 1E **65**
Clapham Rd.
 SW4 & SW9 . . . . 5C **122**
Clara Grant Ho. *E14* 1E **109**
Clare Ct. *WC1* 3A **26**
Claredale Ho. *E2*. 1F **31**
Claredale St. *E2* 1E **31**
Clare Gdns. *W11* 4A **36**
Clare Ho. *E16*. 1E **89**
Clare La. *N1*. 2C **14**
Clare Mkt. *WC2* 4C **44**
Clare M. *SW6*. 5F **115**
Claremont Clo. *E16*. 3E **89**
Claremont Clo. *N1* 1D **27**
Claremont Rd. *W9* 1A **18**
Claremont Sq. *N1*. 1D **27**
Claremont St. *E16* 3E **89**
Claremont St. *SE10* 3A **132**
Clarence Ct. *W6* 4A **90**
Clarence Gdns. *NW1* 3A **24**
Clarence Ga. Gdns. *NW1* . . . 5C **22**
Clarence House. 4C **70**
Clarence M. *SE16*. 3D **79**
Clarence Pas. *NW1*. 1F **25**
Clarence Rd. *E16* 1A **56**
Clarence Rd. *NW6* 2B **4**
Clarence Rd. *SE8* 3F **131**
Clarence Ter. *NW1* 4C **22**
Clarence Way. *NW1* 1F **9**
Clarendon Clo. *W2* 5F **39**
Clarendon Cross. *W11*. 1A **64**
Clarendon Flats. *W1* 4E **41**
Clarendon Gdns. *W9* 5C **20**
Clarendon Gro. *NW1* 2D **25**
Clarendon Ho. *NW1* 1C **24**
Clarendon M. *W2* 5F **39**
Clarendon Pl. *W2* 5F **39**
Clarendon Rd. *W11* 5F **35**
Clarendon St. *SW1*. 1A **120**
Clarendon Ter. *W9* 4C **20**
Clarendon Wlk. *W11*. 4F **35**
Clare St. *E2*. . . . . . . 5F **17** & 1A **32**
Clareville Gro. *SW7* 4C **94**
Clareville Gro. M. *SW7*. 4C **94**
Clareville St. *SW7*. 4C **94**
Clarewood Ct. *W1* 2B **40**
Clarges M. *W1* 2F **69**
Clarges St. *W1* 2A **70**
Clarion Ho. *E3* 1F **33**
(off Roman Rd.)
Clarion Ho. *SW1* 5C **98**
Clarion Ho. *W1* 4D **43**
Clarissa Ho. *E14*. 3A **54**
Clarissa St. *E8* 3B **16**
Clarke's M. *W1* 1E **41**
Clarkson Rd. *E16* 3B **56**
Clarkson Row. *NW1* 5B **10**
Clarkson St. *E2*. 2F **31**
Clark's Pl. *EC2* 3F **47**
Clark St. *E1* 2A **50**
Claude St. *E14* 3D **109**
Clavell St. *SE10* 3B **132**
Claverton St. *SW1* 1C **120**
Clave St. *E1* 3B **78**
Claydon. *SE17* 3B **102**
Claylands Pl. *SW8* 4D **123**
Claylands Rd. *SW8*. 3C **122**
Clay St. *W1* 2C **40**
Clayton Clo. *E6*. 3C **60**

Clayton St. *SE11* 2D **123**
Clearbrook Way. *E1* 3C **50**
Clearwater Ter. *W11* 4F **63**
Clearwell Dri. *W9* 5F **19**
Cleaver Ho. *NW3* 1B **8**
Cleaver Sq. *SE11* 1E **123**
Cleaver St. *SE11*. 5E **101**
Cleeve Workshops. *E2* 3A **30**
Clegg Ho. *SE16* 1C **106**
Clegg St. *E1*. 2A **78**
Clem Attlee Ct. *SW6*. 3C **114**
Clem Attlee Pde. *SW6* 3C **114**
Clemence St. *E14*. 2B **52**
Clement Ho. *SE8* 4A **108**
Clement Ho. *W10*. 1C **34**
Clement's Av. *E16* 5D **57**
Clement's Inn. *WC2* 4C **44**
Clement's Inn Pas. *WC2* 4C **44**
Clements La. *EC4*. 5E **47**
Clement's Rd. *SE16* 2E **105**
Clemson Ho. *E8* 4C **16**
Clennam St. *SE1* 4C **74**
Clenston M. *W1* 3B **40**
Cleopatra's Needle. 2B **72**
Clere Pl. *EC2* 4E **29**
Clere St. *EC2* 4E **29**
Clerkenwell. 5F **27**
Clerkenwell Clo. *EC1*. 4E **27**
(in two parts)
Clerkenwell Grn. *EC1* 5E **27**
Clerkenwell Rd. *EC1*. 5D **27**
Cleve Ho. *NW6*. 1F **5**
Cleveland Gdns. *W2*. 4B **38**
Cleveland Gro. *E1*. 5B **32**
Cleveland Mans. *SW9* 5D **123**
Cleveland Mans. *W9*. 4E **19**
Cleveland M. *W1* 1B **42**
Cleveland Pl. *SW1* 2C **70**
Cleveland Rd. *N1* 2E **15**
Cleveland Row. *SW1* 3B **70**
Cleveland Sq. *W2*. 4B **38**
Cleveland St. *W1* 5A **24**
Cleveland Ter. *W2*. 4B **38**
Cleveland Way. *E1* 5B **32**
Cleve Rd. *NW6*. 1E **5**
Cleves Ho. *E16*. 2F **85**
Clichy Est. *E1*. 2C **50**
Clichy Ho. *E1*. 2C **50**
Cliffe Ho. *SE10*. 5B **112**
Clifford Ct. *W2* 2F **37**
Clifford Ho. *W14* 4B **92**
Clifford Rd. *N1*. 3F **15**
Clifford's Inn Pas. *EC4* 4D **45**
Clifford St. *W1* 1B **70**
Cliff Wlk. *E16* 1B **56**
(in two parts)
Clifton Ct. *NW8* 4D **21**
Clifton Ct. *SE15* 4A **128**
Clifton Cres. *SE15* 5A **128**
Clifton Gdns. *W9* 5B **20**
Clifton Hill. *NW6* 5A **6**
Clifton Ho. *E2*. 4B **30**
Clifton Pl. *SE16* 4C **78**
Clifton Pl. *W2*. 4E **39**
Clifton Ri. *SE14* 4A **130**
(in two parts)
Clifton Rd. *E16*. 1A **56**
Clifton Rd. *W9* 4C **20**
Clifton St. *EC2* 5F **29**
(in two parts)

Clifton Vs. *W9* 1A **38**
Clifton Wlk. *W6* 4A **90**
Clifton Way. *SE15*. 5A **128**
Climsland Ho. *SE1* 2E **73**
Clinch Ct. *E16* 2E **57**
　　　　　　(in two parts)
Clinger Ct. *N1*. 4F **15**
Clink Exhibition, The. **2D 75**
Clink St. *SE1* 2C **74**
Clink Wharf. *SE1* 2D **75**
Clinton Rd. *E3* 3F **33**
Clipper Clo. *SE16*. 4D **79**
Clipper Ho. *E14* 5C **110**
Clipstone M. *W1* 1B **42**
Clipstone St. *W1* 1A **42**
Clive Ct. *W9*. 4C **20**
Cliveden Ho. *E16* 2D **85**
Cliveden Pl. *SW1*. 3D **97**
Clive Ho. *SE10*. 3B **132**
Cloak La. *EC4*. 5C **46**
Clock Mus., The. **3C 46**
Clock Pl. *SE11* 3A **102**
Clock Tower M. *N1*. 4C **14**
Cloisters Bus. Cen.
　　SW8 . . . . 5A **120**
Cloisters, The. **1F 99**
Cloisters, The. *E1*. 1B **48**
Clonmel Rd. *SW6*. 5C **114**
Cloth Ct. *EC1* 2A **46**
Cloth Fair. *EC1* 2A **46**
Clothier St. *E1* 3A **48**
Cloth St. *EC1* 1B **46**
Cloudesley Pl. *N1*. 4D **13**
Cloudesley Rd. *N1* 3D **13**
　　　　　　(in two parts)
Cloudesley Sq. *N1* 4D **13**
Cloudesley St. *N1*. 4E **13**
Clove Cres. *E14*. 5D **55**
Clovelly Ho. *W2*. 3B **38**
Clovelly Way. *E1*. 3C **50**
Clover M. *SW3*. 2C **118**
Cloysters Grn. *E1*. 2D **77**
Club Row. *E2 & E1*. 4B **30**
Clunbury St. *N1*. 1E **29**
Cluny Est. *SE1* 1F **103**
Cluny M. *SW5* 4D **93**
Cluny Pl. *SE1* 1F **103**
Cluse Ct. *N1*. 5B **14**
　　　　　　(in two parts)
Clutton St. *E14*. 2A **54**
Clyde Ct. *NW1* 5E **11**
Clyde Flats. *SW6* 4B **114**
Clydesdale Ho. *W11*. 3C **36**
Clydesdale Rd. *W11*. 3B **36**
Clyde St. *SE8*. 3C **130**
Clyde Wharf. *E16*. 3C **84**
Clynes Ho. *E2* 2D **33**
Coach & Horses Yd. *W1*. . . . 5A **42**
Coach Ho. M. *SE1*. 1F **103**
Coalport Ho. *SE11*. 3D **101**
Coate St. *E2*. 1E **31**
Cobalt Sq. *SW8* 2B **122**
Cobbett St. *SW8*. 5C **122**
Cobble La. *N1*. 1E **13**
Cobbold Ct. *SW1*. 3D **99**
Cobb's Ct. *EC4*. 4A **46**
Cobb St. *E1*. 2B **48**
Cobden Ho. *E2*. 2E **31**
Cobden Ho. *NW1*. 5B **10**
Cobham M. *NW1*. 1D **11**

Cobourg Rd. *SE5* 2B **126**
Cobourg St. *NW1*. 3C **24**
Coburg Clo. *SW1*. 3C **98**
Coburg Dwellings. *E1*. 4C **50**
Cochrane Clo. *NW8* 1E **21**
Cochrane Ho. *E14*. 4E **81**
Cochrane M. *NW8*. 1E **21**
Cochrane St. *NW8* 1E **21**
Cochrane Theatre, The.
　　. . . . . **2A 44**
Cockburn Ho. *SW1*. 1E **121**
Cock Hill. *E1* 2A **48**
Cock La. *EC1* 2F **45**
Cockpit Steps. *SW1* 5E **71**
Cockpit Theatre. **5F 21**
Cockpit Yd. *WC1* 1C **44**
Cockspur Ct. *SW1* 2E **71**
Cockspur St. *SW1* 2E **71**
Coda Cen., The. *SW6* 5A **114**
Code St. *E1* 5C **30**
Codicote Ho. *SE8* 3E **107**
Codling Clo. *E1*. 2E **77**
Codrington Ct. *E1*. 5F **31**
Codrington Ct. *SE16*. 2A **80**
Codrington M. *W11* 4A **36**
Coffey St. *SE8* 4E **131**
Coin St. *SE1* 2D **73**
　　　　　　(in two parts)
Coke St. *E1* 3D **49**
Colas M. *NW6* 3E **5**
Colbeck M. *SW7* 4A **94**
Colborne Ho. *E14*. 5E **53**
Colchester St. *E1*. 3C **48**
Coldbath Sq. *EC1*. 4D **27**
Cold Blow La. *SE14* 4D **129**
　　　　　　(in two parts)
Coldharbour. *E14*. 4C **82**
Colebeck M. *N1* 1A **14**
Colebert Av. *E1*. 4B **32**
Colebert Ho. *E1* 4C **32**
Colebrook Ct. *SW3*. 4A **96**
Colebrooke Pl. *N1* 4A **14**
Colebrooke Row. *N1*. 4A **14**
Colebrook Ho. *E14* 3F **53**
Coleby Path. *SE5* 5E **125**
Colechurch Ho. *SE1*. 1D **127**
Colegrove Rd. *SE15* 3C **126**
Coleherne Ct. *SW5*. 1A **116**
Coleherne Mans. *SW5* 5A **94**
Coleherne M. *SW10* 1F **115**
Coleherne Rd. *SW10*. 1F **115**
Cole Ho. *SE1* 5E **73**
Coleman Fields. *N1* 3C **14**
Coleman Rd. *SE5* 4F **125**
Coleman St. *EC2* 3D **47**
Coleman St. Bldgs. *EC2*. . . . 3D **47**
Coleridge Ct. *W14* 2E **91**
Coleridge Gdns. *NW6*. 2B **6**
Coleridge Ho. *SE17* 5C **102**
Coleridge Ho. *SW1*. 1C **120**
Coleshill Flats. *SW1* 4E **97**
Colet Ct. *SE1*. 5C **74**
Colet Gdns. *W14* 4E **91**
Colet Ho. *SE17*. 1A **124**
Colette Ct. *SE16*. 4D **79**
Coley St. *WC1* 5C **26**
Colin Winter Ho. *E1* 4C **32**
Coliseum Theatre. 1F **71**
Collard Pl. *NW1* 1F **9**

College App. *SE10* 2C **132**
College Arts Collection, The.
　　. . . . . ***4D 25***
　　(in Strang Print Room)
College Ct. *NW3*. 1D **7**
College Ct. *SW3*. 1C **118**
College Ct. *W6*. 5C **90**
College Cres. *NW3*. 1C **6**
College Cross. *N1*. 1E **13**
College E. *E1*. 2C **48**
College Gro. *NW1* 3D **11**
College Hall. **5D 25**
　　(University of London)
College Hill. *EC4*. 5C **46**
College Mans. *NW6* 3A **4**
College M. *N1* 1E **13**
College M. *SW1* 1F **99**
College of Arms. **5B 46**
College Pde. *NW6* 3A **4**
College Pl. *NW1*. 3C **10**
College Pl. *SW10* 4B **116**
College Pl. *SW10* 4B **116**
College St. *EC4* 5C **46**
Collerston Ho. *SE10*. 5B **112**
Collett Rd. *SE16*. 2E **105**
Collier Clo. *E6*. 5F **61**
Collier St. *N1* 1B **26**
Collingham Gdns. *SW5* 4A **94**
Collingham Pl. *SW5* 4F **93**
Collingham Rd. *SW5* 3A **94**
Collington St. *SE10*. 1E **133**
Collingwood Ho. *E1* 5A **32**
Collingwood Ho. SE16 . . . . . . *5F 77*
　　(off Cherry Garden St.)
Collingwood Ho. *SW1* 1D **121**
Collingwood Ho. *W1* 1B **42**
Collingwood St. *E1*. 4A **32**
Collins Ct. *E8*. 1D **17**
Collins Ho. *E14* 5B **54**
Collins Ho. *SE10* 5B **112**
Collinson Ct. *SE1*. 5B **74**
Collinson Ho. *SE15* 4D **127**
Collinson St. *SE1*. 5B **74**
Collinson Wlk. *SE1*. 5B **74**
Collin's Yd. *N1* 4F **13**
Coll's Rd. *SE15* 5C **128**
Colman Rd. *E16*. 2B **58**
Colmans Wharf. *E14*. 1F **53**
Colmar Clo. *E1*. 4D **33**
Colnbrook St. *SE1* 2F **101**
Colombo St. *SE1* 3F **73**
Colomb St. *SE10* 5A **112**
Colonnade. *WC1*. 5F **25**
Colonnades, The. *W2* 3A **38**
Colonnade, The. *SE8* 4B **108**
Colonnade Wlk. *SW1*. 4F **97**
Colosseum Ter. *NW1* 3A **24**
Colour Ct. *SW1* 3C **70**
Colstead Ho. *E1* 4A **50**
Coltman Ho. *E14* 3A **52**
Coltman Ho. *SE10* 2B **132**
Columbia Point. *SE16*. 1C **106**
Columbia Rd. *E2* 2B **30**
Columbia Road Market. ***2C 30***
　　(off Columbia Rd.)
Columbine Av. *E6*. 2F **59**
Columbus Ct. *SE16* 3C **78**
Columbus Ct. Yd. *E14* 2D **81**
Colverson Ho. *E1*. 2B **50**
Colville Est. *N1*. 4E **15**
Colville Est. W. *E2* 3C **30**

Colville Gdns. *W11*. 4C **36**
(in two parts)
Colville Houses. *W11*. 3B **36**
Colville M. *W11*. 4C **36**
Colville Pl. *W1* 2C **42**
Colville Rd. *W11* 4C **36**
Colville Sq. *W11*. 4B **36**
Colville Ter. *W11*. 4B **36**
Colworth Gro. *SE17*. 4C **102**
Colwyn Ho. *SE1*. 2D **101**
Colyer Clo. *N1* 5C **12**
Combedale Rd. *SE10*. 5D **113**
Comber Gro. *SE5*. 5C **124**
Comber Ho. *SE5*. 5C **124**
Combe, The. *NW1* 3A **24**
(in two parts)
Comedy Store. 1D **71**
Comedy Theatre. 1D **71**
Comeragh M. *W14*. 1A **114**
Comeragh Rd. *W14* 1A **114**
Comerell Pl. *SE10* 5B **112**
Comet Pl. *SE8* 5D **131**
(in two parts)
Comet St. *SE8* 5D **131**
Commercial Dock Path. *SE16*
. . . . 1B **108**
Commercial Rd. *E1 & E14* . . . 3D **49**
Commercial St. *E1*. 5B **30**
Commercial Way. *SE15*. . . . 5B **126**
Commerell St. *SE10*. 5A **112**
Commodity Quay. *E1* 1C **76**
Commodore Ho. *E14* 5B **54**
Commodore St. *E1*. 5F **33**
Commonwealth Av. *W12* . . . 1A **62**
(in three parts)
Commonwealth Institute. . . . 1C **92**
Compass Ct. *SE1* 3B **76**
Compass Point. *E14*. 5C **52**
Compayne Gdns. *NW6* 1F **5**
Compton Av. *N1*. 1F **13**
Compton Clo. *E3* 1E **53**
Compton Clo. *NW1*. 3A **24**
Compton Clo. *SE15* 5D **127**
Compton Pas. *EC1*. 4A **28**
Compton Pl. *WC1*. 4F **25**
Compton Rd. *N1* 1A **14**
Compton St. *EC1* 4F **27**
Compton Ter. *N1*. 1F **13**
Comus Ho. *SE17* 4F **103**
Comus Pl. *SE17*. 4F **103**
Comyns Clo. *E16* 1B **56**
Conant Ho. *SE11* 2F **123**
Conant M. *E1* 5D **49**
Concert Hall App. *SE1* 3C **72**
Concorde Dri. *E6* 1B **60**
Concordia Wharf. *E14* 3C **82**
Conder St. *E14* 3F **51**
Condray Pl. *SW11* 5F **117**
Conduit Av. *SE10* 5E **133**
Conduit Ct. *WC2*. 5F **43**
Conduit M. *W2*. 4D **39**
Conduit Pas. *W2* 4D **39**
Conduit Pl. *W2*. 4D **39**
Conduit St. *W1*. 5A **42**
Coney Way. *SW8* 3C **122**
Congers Ho. *SE8* 4E **131**
Congreve St. *SE17* 3F **103**
Congreve Wlk. *E16*. 2E **59**
Coningham Ct. *SW10*. 4C **116**
Coningham Rd. *W12* 4A **62**

Conisbrough. *NW1*. 4B **10**
Coniston. *NW1*. 2B **24**
Coniston Ct. *SE16*. 4D **79**
Coniston Ct. *W2*. 4A **40**
Conistone Way. *N7*. 1A **12**
Coniston Ho. *SE5*. 4B **124**
Conlan St. *W10* 4A **18**
Conley St. *SE10*. 5A **112**
Connaught Bri. *E16*. 3D **87**
Connaught Clo. *W2* 4A **40**
Connaught Hall. 4E **25**
(University of London)
Connaught Ho. *W1*. 1F **69**
Connaught M. *SE11* 3E **101**
Connaught Pl. *W2* 5B **40**
Connaught Rd. *E16* 2E **87**
(Albert Rd.)
Connaught Rd. *E16* 5D **59**
(Connaught Bri.)
Connaught Roundabout. (Junct.)
. . . . 5D **59**
Connaught Sq. *W2* 4B **40**
Connaught St. *W2* 4F **39**
Connell Ct. *SE14* 2D **129**
Connett Ho. *E2* 1E **31**
Conrad Ho. *E14* 5A **52**
Conrad Ho. E16 . . . . 2F 85
(off Wesley Av.)
Conrad Ho. *SW8*. 4F **121**
Consort Ho. *E14*. 1A **132**
Consort Ho. *W2*. 1A **66**
Consort Lodge. *NW8* 4B **8**
Cons St. *SE1* 4E **73**
Constable Av. *E16*. 2F **85**
Constable Ct. *SE16*. 5A **106**
Constable Ho. *NW3* 1C **8**
Constance Allen Ho. *W10* . . . 4E **35**
Constance St. *E16* 3F **87**
Constant Ho. *E14* 1A **82**
Constitution Hill. *SW1*. 4F **69**
Content St. *SE17* 4D **103**
Convent Gdns. *W11* 4B **36**
Conway Ho. *E14* 4E **109**
Conway M. *W1*. 5B **24**
Conway St. *W1* 5B **24**
(in two parts)
Conybeare. *NW3* 1A **8**
Conyer St. *E3*. 1F **33**
Cook Ct. *SE16* 3C **78**
Cookham Cres. *SE16*. 4D **79**
Cookham Ho. *E2* 4B **30**
Cook's Rd. *SE17*. 2F **123**
Coolfin Rd. *E16* 4E **57**
Coomassie Rd. *W9*. 4B **18**
Coombs St. *N1*. 1A **28**
Coomer M. *SW6*. 3C **114**
Coomer Pl. *SW6*. 3C **114**
Coomer Way. *SW6*. 3C **114**
Cooper Clo. *SE1* 5E **73**
Cooper Ho. *NW8* 5D **21**
Coopers Clo. *E1* 5B **32**
Coopers La. *NW1*. 5E **11**
Coopers Lodge. *SE1*. 4B **76**
Cooper's Rd. *SE1*. 1C **126**
Coopers Row. *EC3*. 5B **48**
Cooper St. *E16*. 2C **56**
Cope Ho. *EC1*. 3C **28**
Copeland Dri. *E14*. 3E **109**
Copeland Ho. *SE11* 2C **100**
Copenhagen Ho. *N1*. 4C **12**

Copenhagen Pl. *E14*. 3C **52**
(in two parts)
Copenhagen St. *N1* 4A **12**
Cope Pl. *W8*. 2D **93**
Cope St. *SE16*. 3D **107**
Copford Wlk. *N1* 3B **14**
Copley Clo. *SE17* 3A **124**
Copley St. *E1*. 2D **51**
Copnor Way. *SE15*. 4A **126**
Copperas St. *SE8* 3F **131**
Copperfield Ho. *SE1*. 5D **77**
Copperfield Ho. *W1* 1E **41**
Copperfield Ho. *W11*. 2E **63**
Copperfield Rd. *E3*. 1A **52**
Copperfield St. *SE1* 4A **74**
Copper Row. *SE1*. 3B **76**
Copthall Av. *EC2*. 3E **47**
(in three parts)
Copthall Bldgs. *EC2*. 3D **47**
Copthall Clo. *EC2*. 3D **47**
Coptic St. *WC1*. 2F **43**
Coral Ho. *E1*. 5F **33**
Coral St. *SE1*. 5E **73**
Coram Ho. *WC1* 4F **25**
Coram St. *WC1*. 5F **25**
Corbet Ct. *EC3*. 4E **47**
Corbet Ho. *N1*. 5D **13**
Corbet Pl. *E1* 1B **48**
Corbett Ho. *SW10*. 2B **116**
Corbetts La. *SE16* 4B **106**
(in two parts)
Corbetts Pas. *SE16* 4B **106**
Corbetts Wharf. *SE16*. 4F **77**
Corbidge Ct. *SE8* 2F **131**
Corbiere Ho. *N1* 3E **15**
Corbridge Cres. *E2* 5F **17**
Cordelia Ho. *N1* 5A **16**
Cordelia St. *E14* 3F **53**
Cording St. *E14* 2A **54**
Cord Way. *E14* 1E **109**
Corelli Ct. *SW5* 4D **93**
Corfe Ho. *SW8*. 4B **122**
Corfield St. *E2* 3A **32**
Coriander Av. *E14* 4D **55**
Cork Sq. *E1* 2F **77**
Cork St. *W1* 1B **70**
Cork St. M. *W1* 1B **70**
Corlett St. *NW1* 1F **39**
Cormorant Ct. *SE8* 2B **130**
Cornbury Ho. *SE8* 2D **131**
Cornelia St. *N7*. 1C **12**
Cornell Building. *E1* 3D **49**
Corner Ho. St. *WC2* 2F **71**
Cornhill. *EC3* 4E **47**
Cornick Ho. *SE16*. 2A **106**
Cornish Ho. *SE17*. 3F **123**
Cornwall Av. *E2* 3B **32**
Cornwall Cres. *W11* 5F **35**
Cornwall Gdns. *SW7* 2A **94**
Cornwall Gdns. Wlk. *SW7*. . . . 2A **94**
Cornwallis Ho. SE16. . . . . . . *5F 77*
(off Cherry Garden St.)
Cornwallis Ho. *W12*. 1A **62**
Cornwall Mans. *SW10* 4C **116**
Cornwall Mans. *W14* 1D **91**
Cornwall M. S. *SW7*. 2B **94**
Cornwall M. W. *SW7*. 2A **94**
Cornwall Rd. *SE1*. 2D **73**
Cornwall Sq. *SE11* 5F **101**
Cornwall St. *E1* 5A **50**

Cornwall Ter. *NW1* 5C **22**
Cornwall Ter. M. *NW1* 5C **22**
Cornwood Dri. *E1* 3B **50**
Coronation Ct. *W10* 2B **34**
Coronet St. *N1* 3F **29**
Coronet Cinema. 2D 65
Corporation Row. *EC1* 4E **27**
Corringham Ho. *E1* 4E **51**
Corry Ho. *E14* 5F **53**
Corsham St. *N1* 3E **29**
Corunna Rd. *SW8* 5C **120**
Corvette Sq. *SE10* 2E **133**
Coryton Path. *W9* 4C **18**
Cosgrove Ho. *E2* 4E **17**
Cosmo Pl. *WC1* 1A **44**
Cosser St. *SE1* 1D **101**
Cosway Mans. *NW1* 1A **40**
Cosway St. *NW1* 1A **40**
Cotall St. *E14* 3E **53**
Cotes Ho. *NW8* 5F **21**
Cotham St. *SE17* 4C **102**
Cotleigh Rd. *NW6* 1D **5**
Cotman Ho. *NW8* 5F **7**
Cotswold Ct. *EC1* 4B **28**
Cottage Clo. *E1* 5C **32**
Cottage Grn. *SE5* 4E **125**
Cottage Pl. *SW3* 1F **95**
Cottage St. *E14* 5A **54**
Cottesbrook St. *SE14* 4F **129**
Cottesloe Ho. *NW8* 4F **21**
Cottesloe M. *SE1* 1E **101**
Cottesloe Theatre. 2D 73
(in Royal National Theatre)
Cottesmore Ct. *W8* 1A **94**
Cottesmore Gdns. *W8* 1A **94**
Cottingham Rd. *SW8* 4C **122**
Cottington St. *SE11* 5E **101**
Cottle Way. *SE16* 5A **78**
Cottons Cen. *SE1* 2F **75**
Cotton's Gdns. *E2* 2A **30**
Cottons La. *SE1* 2E **75**
Cotton St. *E14* 5B **54**
Coulson St. *SW3* 5B **96**
Coulter Rd. *W6* 2A **90**
Councillor St. *SE5* 5B **124**
Counter Ct. *SE1* 3D **75**
Counter St. *SE1* 3F **75**
County Gro. *SE5* 5B **124**
County Hall Apartments.
SE1 5B **72**
County Rd. *E6* 2F **61**
County St. *SE1* 2C **102**
Courtauld Ho. *E2* 4E **17**
Courtauld Institute Galleries.
5B 44
Courtenay Sq. *SE11* 1D **123**
Courtenay St. *SE11* 5D **101**
Courtfield Gdns. *SW5* 4F **93**
Courtfield Ho. *EC1* 1D **45**
Courtfield M. *SW5* 4A **94**
Courtfield Rd. *SW7* 4B **94**
Courthope Ho. *SE16* 2C **106**
Courthope Ho. *SW8* 5F **121**
Courtnell St. *W2* 3D **37**
Courtney Ho. *W14* 1A **92**
Court St. *E1* 1F **49**
Court Theatre. 5C 64
Courtville Ho. *W10* 3A **18**
Courtyard, The. *N1* 1C **12**
Courtyard, The. *NW1* 2E **9**
Courtyard Theatre. 1A 26
Cousin La. *EC4* 1D **75**
Couzens Ho. *E3* 1C **52**
Covelees Wall. *E6* 3D **61**
Covell Ct. *SE8* 5E **131**
Covent Garden. 5A 44
Coventry Clo. *E6* 4B **60**
Coventry Clo. *NW6* 5E **5**
Coventry Rd. *E1 & E2* 4A **32**
Coventry St. *W1* 1D **71**
Coverdale Rd. *W12* 3A **62**
Coverley Clo. *E1* 1E **49**
Coverley Point. *SE11* 4B **100**
Cowan Clo. *E6* 3A **60**
Cowcross St. *EC1* 1F **45**
Cowdenbeath Path. *N1* 3B **12**
Cow Leaze. *E6* 3E **61**
Cowley Rd. *SW9* 5E **123**
(in two parts)
Cowley St. *SW1* 2F **99**
Cowling Clo. *W11* 2F **63**
Cowper Ho. *SE17* 5C **102**
Cowper Ho. *SW1* 1D **121**
Cowper's Ct. *EC3* 4E **47**
Cowper St. *EC2* 4E **29**
Cowper Ter. *W10* 2D **35**
Cowthorpe Rd. *SW8* 5E **121**
Cox Ho. *W6* 2A **114**
Cox's Ct. *E1* 2B **48**
Coxson Way. *SE1* 5B **76**
Crabtree Clo. *E2* 1B **30**
Crace St. *NW1* 2D **25**
Crafts Council & Gallery. 1E 27
Cragie Ho. *SE1* 4C **104**
Craig's Ct. *SW1* 2F **71**
Craik Ct. *NW6* 1C **18**
Crail Row. *SE17* 4E **103**
Cramer St. *W1* 2E **41**
Crampton St. *SE17* 4B **102**
Cranbourn All. *WC2* 5E **43**
Cranbourne Pas. *SE16* 5F **77**
Cranbourn Ho. *SE16* 5F **77**
Cranbourn St. *WC2* 5E **43**
Cranbrook. *NW1* 4C **10**
Cranbrook Est. *E2* 1D **33**
Cranbrook St. *E2* 1E **33**
Crandley Ct. *SE8* 4A **108**
Crane Ct. *EC4* 4E **45**
Crane Ho. *E3* 1F **33**
Crane Mead. *SE16* 4D **107**
Crane St. *SE10* 1D **133**
Cranfield Ct. *W1* 2A **40**
Cranfield Ho. *WC1* 1F **43**
Cranfield Row. *SE1* 1E **101**
Cranford Cotts. *E1* 5E **51**
Cranford St. *E1* 5E **51**
Cranleigh Houses. *NW1* 1C **24**
Cranleigh St. *NW1* 1C **24**
Cranley Gdns. *SW7* 5C **94**
Cranley M. *SW7* 5C **94**
Cranley Pl. *SW7* 4D **95**
Cranley Rd. *E13* 1F **57**
Cranmer Ct. *SW3* 4A **96**
Cranmer Ho. *SW9* 4D **123**
Cranmer Rd. *SW9* 4E **123**
Cranston Est. *N1* 5E **15**
Cranswick Rd. *SE16* 5A **106**
Cranwell Clo. *E3* 1F **53**
Cranwood Ct. *EC1* 3E **29**
Cranwood St. *EC1* 3E **29**
Craven Hill. *W2* 5C **38**
Craven Hill Gdns. *W2* 5B **38**
(in two parts)
Craven Hill M. *W2* 5C **38**
Craven Lodge. *W2* 5C **38**
Craven Pas. *WC2* 2F **71**
Craven Rd. *W2* 5C **38**
Craven St. *WC2* 2F **71**
Craven Ter. *W2* 5C **38**
Crawford Bldgs. *W1* 2A **40**
Crawford Mans. *W1* 2A **40**
Crawford M. *W1* 2B **40**
Crawford Pas. *EC1* 5D **27**
Crawford Pl. *W1* 3A **40**
Crawford Point. *E16* 3B **56**
Crawford St. *W1* 2A **40**
Crayford Clo. *E6* 3F **59**
Crayford Ho. *SE1* 5E **75**
Crayle Ho. *EC1* 4F **27**
Creasy Est. *SE1* 2F **103**
Credenhill Ho. *SE15* 4F **127**
Crediton Rd. *E16* 3D **57**
Credon Rd. *SE16* 5A **106**
Creechurch La. *EC3* 4A **48**
(in two parts)
Creechurch Pl. *EC3* 4A **48**
Creed Ct. *EC4* 4A **46**
Creed La. *EC4* 4A **46**
Creek Ho. *W14* 1A **92**
Creek Rd. *SE8 & SE10* 3E **131**
Creekside. *SE8* 3F **131**
Cremer Bus. Cen. *E2* 1B **30**
Cremer Ho. *SE8* 5E **131**
Cremer St. *E2* 1B **30**
Cremorne Est. *SW10* 3E **117**
Cremorne Rd. *SW10* 5C **116**
Creon Ct. *SW9* 5D **123**
Crescent. *EC3* 5B **48**
Crescent Ho. *EC1* 5B **28**
Crescent Pl. *SW3* 3F **95**
Crescent Row. *EC1* 5B **28**
Crescent St. *N1* 1C **12**
Crescent Wharf. *E16* 3A **86**
(in two parts)
Cressal Ho. *E14* 1E **109**
Cresswell Gdns. *SW5* 5B **94**
Cresswell Pl. *SW10* 5B **94**
Cressy Ct. *E1* 1C **50**
Cressy Ct. *W6* 1A **90**
Cressy Houses. *E1* 1C **50**
Cressy Pl. *E1* 1C **50**
Cresta Ho. *NW3* 1D **7**
Crestfield St. *WC1* 2A **26**
Crewdson Rd. *SW9* 4D **123**
Crewkerne Ct. *SW11* 5E **117**
Crews St. *E14* 3D **109**
Cricketers Ct. *SE11* 4F **101**
Crimscott St. *SE1* 2A **104**
Crimsworth Rd. *SW8* 5E **121**
Crinan St. *N1* 5A **12**
Cringle St. *SW8* 4B **120**
Cripplegate St. *EC2* 1B **46**
Crispe Ho. *N1* 4C **12**
Crispin St. *E1* 2B **48**
Criterion Ct. *E8* 2C **16**
Criterion Theatre. 1D 71
Crofters Ct. *SE8* 4F **107**
Crofters Way. *NW1* 3D **11**
Croft Ho. *W10* 3A **18**
Crofts Ho. *E2* 5E **17**

Crofts St. *E1* 1D **77**
Croft St. *SE8* 4F **107**
Crogsland Rd. *NW1* 1D **9**
Cromarty Ho. *E1* 2F **51**
Cromer St. *WC1* 3F **25**
Crompton Ho. *SE1* 2C **102**
Crompton Ho. *W2* 5D **21**
Crompton St. *W2* 5D **21**
Cromwell Av. *W6* 5A **90**
Cromwell Clo. *E1* 2E **77**
Cromwell Cres. *SW5* 3D **93**
Cromwell Gdns. *SW7* 3E **95**
Cromwell Gro. *W6* 1C **90**
Cromwell Highwalk. *EC2* 1C **46**
Cromwell Lodge. *E1* 5B **32**
Cromwell M. *SW7* 3E **95**
Cromwell Pl. *EC2* 1C **46**
Cromwell Pl. *SW7* 3E **95**
Cromwell Rd. *SW5 & SW7* . . 3E **93**
Cromwell Tower. *EC2* 1C **46**
Crondall Ct. *N1* 1F **29**
Crondall St. *N1* 1E **29**
Crone Ct. *NW6* 1C **18**
Cronin St. *SE15* 5B **126**
Crooked Billet Yd. *E2* 2A **30**
Crooke Rd. *SE8* 5F **107**
Croombs Rd. *E16* 2B **58**
Croom's Hill. *SE10* 4C **132**
Croom's Hill Gro. *SE10* 4C **132**
Cropley Ct. *N1* 5D **15**
　　　　　　　　(in two parts)
Cropley St. *N1* 5D **15**
Cropthorne Ct. *W9* 3C **20**
Crosby Ct. *SE1* 4D **75**
Crosby Ho. *E14* 2C **110**
Crosby Row. *SE1* 5D **75**
Crosby Sq. *EC3* 4F **47**
Cross Av. *SE10* 3E **133**
Crossfield Ho. *W11* 1F **63**
Crossfield Rd. *NW3* 1E **7**
Crossfield St. *SE8* 4D **131**
　　　　　　　　(in two parts)
Cross Keys Clo. *W1* 2E **41**
Cross Keys Sq. *EC1* 2B **46**
Cross La. *EC3* 1F **75**
Crossleigh Ct. *SE14* 5B **130**
Crosslet St. *SE17* 3E **103**
Crossmount Ho. *SE5* 4C **124**
Cross St. *N1* 3F **13**
Crosswall. *EC3* 5B **48**
Croston St. *E8* 3E **17**
Crowder St. *E1* 5F **49**
Crowland Ho. *NW8* 4B **6**
Crowland Ter. *N1* 1D **15**
Crown Ct. *EC4* 4C **46**
Crown Ct. *WC2* 4A **44**
Crowndale Ct. *NW1* 5D **11**
Crowndale Rd. *NW1* 5C **10**
Crown Lodge. *SW3* 4A **96**
Crown Office Row. *EC4* 5D **45**
Crown Pas. *SW1* 3C **70**
Crown Pl. *EC2* 1F **47**
　　　　　　　　(in two parts)
Crown St. *SE5* 4C **124**
Crown Wharf. *E14* 3C **82**
Crown Wharf. *SE8* 5B **108**
Crowther Clo. *SW6* 3C **114**
Crowthorne Rd. *W10* 4D **35**
Croxley Rd. *W9* 3C **18**

Croydon Ho. *SE1* 4E **73**
Crozier Ho. *SW8* 5B **122**
Crucifix La. *SE1* 4F **75**
Cruden Ho. *SE17* 3A **124**
Cruden St. *N1* 4A **14**
Cruikshank Ho. *NW8* 5A **8**
Cruikshank St. *WC1* 2D **27**
Crutched Friars. *EC3* 5A **48**
Cuba St. *E14* 4D **81**
Cubitt Steps. *E14* 2E **81**
Cubitt St. *WC1* 3C **26**
Cubitt's Yd. *WC2* 5A **44**
Cubitt Town. **4C 110**
Cuddington. *SE17* 3B **102**
Cudworth St. *E1* 4A **32**
Cuffley Ho. *W10* 1B **34**
Cuff Point. *E2* 2B **30**
Culford Gdns. *SW3* 4C **96**
Culford Gro. *N1* 1F **15**
Culford Mans. *SW3* 4C **96**
Culford Rd. *N1* 1F **15**
　　　　　　　　(in two parts)
Culham Ho. *E2* 3B **30**
Culling Rd. *SE16* 1B **106**
Culloden Clo. *SE16* 1E **127**
Cullum St. *EC3* 5F **47**
Cullum Welch Ct. *N1* 2E **29**
Cullum Welch Ho. *EC1* 5B **28**
Culmore Rd. *SE15* 5A **128**
Culpeper Ho. *E14* 3A **52**
Culpepper Ct. *SE11* 3D **101**
Culross Bldgs. *NW1* 1F **25**
Culross Ho. *W10* 4E **35**
Culross St. *W1* 1D **69**
Culverhouse. *WC1* 2B **44**
Culworth Ho. *NW8* 5F **7**
Culworth St. *NW8* 1F **21**
Cumberland Ct. *SW1* 5A **98**
Cumberland Cres. *W14* 3A **92**
　　　　　　　　(in two parts)
Cumberland Gdns. *WC1* 2D **27**
Cumberland Ga. *W1* 5B **40**
Cumberland Ho. E16 . . . . . . *2E 85*
　　　　　　　　(off Wesley Av.)
Cumberland Mans. *W1* 3B **40**
Cumberland Mkt. *NW1* 2A **24**
Cumberland Mills Sq.
　E14 . . . . 5D **111**
Cumberland Pl. *NW1* 2F **23**
Cumberland Rd. *E13* 1F **57**
Cumberland St. *SW1* 5A **98**
Cumberland Ter. *NW1* 1F **23**
Cumberland Ter. M. *NW1* . . . 1F **23**
Cuming Mus. **4B 102**
Cumming St. *N1* 1C **26**
Cunard Pl. *EC3* 4A **48**
Cunard Wlk. *SE16* 3E **107**
Cundy Rd. *E16* 4B **58**
Cundy St. *SW1* 4E **97**
Cunningham Ho. *SE5* 5D **125**
Cunningham Pl. *NW8* 4D **21**
Cureton St. *SW1* 4E **99**
Curlew St. *SE1* 4B **76**
Curran Ho. *SW3* 4F **95**
Currie Ho. *E14* 3E **55**
Cursitor St. *EC4* 3D **45**
Curtain Pl. *EC2* 4A **30**
Curtain Rd. *EC2* 3A **30**
　　　　　　　　(in two parts)
Curtis Ho. *SE17* 5D **103**

Curtis St. *SE1* 3B **104**
Curtis Way. *SE1* 3B **104**
Curzon Cinema. 3F **69**
　　　　　　　　(Curzon St.)
Curzon Cinema. 5E **43**
　　　　　　　　(Shaftesbury Av.)
Curzon Ga. *W1* 3E **69**
Curzon Pl. *W1* 3E **69**
Curzon St. *W1* 3E **69**
Custance Ho. *N1* 1D **29**
Custance St. *N1* 2D **29**
Custom House. **4B 58**
Custom House. **1F 75**
Custom Ho. Reach. *SE16* . . . 5B **80**
Custom Ho. Wlk. *EC3* 1F **75**
Cuthbert Harrowing Ho.
　EC1 . . . . 5B **28**
Cuthbert Ho. *W2* 1D **39**
Cuthbert St. *W2* 5D **21**
Cutlers Gdns. *E1* 2A **48**
Cutlers Sq. *E14* 4E **109**
Cutler St. *E1* 3A **48**
Cut, The. *SE1* 4E **73**
Cutty Sark Clipper Ship. . . . 2C **132**
Cutty Sark Gdns. *SE10* 2C **132**
Cyclops M. *E14* 3D **109**
Cygnet St. *E1* 4C **30**
Cynthia St. *N1* 1C **26**
Cypress Ho. SE16 . . . . *5D 79*
　　　　　　　　(off Woodland Cres.)
Cypress Pl. *W1* 5C **24**
Cyprus. **5E 61**
Cyprus Pl. *E2* 1C **32**
Cyprus Pl. *E6* 5E **61**
Cyprus St. *E2* 1B **32**
　　　　　　　　(in two parts)
Cyrus Ho. *EC1* 4A **28**
Cyrus St. *EC1* 4A **28**
Czar St. *SE8* 2D **131**

D

Dabbs La. *EC1* 5E **27**
Dacca St. *SE8* 2C **130**
Dacre Ho. *SW3* 3E **117**
Dacre St. *SW1* 1D **99**
Da Gama Pl. *E14* 5E **109**
Dagmar Ct. *E14* 1C **110**
Dagmar Pas. *N1* 3A **14**
Dagmar Ter. *N1* 3A **14**
Dagobert Ho. *E1* 2C **50**
Dain Ct. *W8* 3E **93**
Dakota Gdns. *E6* 1F **59**
Dalehead. *NW1* 1B **24**
Dale Ho. *NW8* 4B **6**
Dalemain M. *E16* 2E **85**
Dale Rd. *SE17* 3A **124**
Dale Row. *W11* 4A **36**
Daley Ho. *W12* 4A **34**
Dalgarno Gdns. *W10* 1B **34**
Dalgarno Way. *W10* 1C **34**
Dalgleish St. *E14* 4A **52**
Dali Universe. **4B 72**
Dalkeith Ct. *SW1* 4E **99**
Dalkeith Ho. *SW9* 5A **124**
Dalling Rd. *W6* 2A **90**
Dallington St. *EC1* 4A **28**
Dalo Lodge. *E3* 1E **53**
Dalston. **1B 16**

Dalton Ho. *SE14* . . . 3D **129**
Dalton Ho. *SW1* . . . 5F **97**
Dalwood St. *SE5* . . . 5A **126**
Damer Ter. *SW10* . . . 5C **116**
Dame St. *N1* . . . 5B **14**
Damien Ct. *E1* . . . 3A **50**
Damien St. *E1* . . . 3A **50**
Damory Ho. *SE16* . . . 3A **106**
Danbury St. *N1* . . . 5A **14**
Dandridge Clo. *SE10* . . . 5C **112**
Dandridge Ho. *E1* . . . 1B **48**
Danehurst St. *SW6* . . . 5A **114**
Danes Ct. *NW8* . . . 4B **8**
Danesfield. *SE5* . . . 2F **125**
Danes Ho. *W10* . . . 1B **34**
Dane St. *WC1* . . . 2B **44**
Daniel Bolt Clo. *E14* . . . 1A **54**
Daniel Gdns. *SE15* . . . 4B **126**
Daniel Ho. *N1* . . . 5E **15**
Dan Leno Wlk. *SW6* . . . 5F **115**
Dansey Pl. *W1* . . . 5D **43**
Danson Rd. *SE17* . . . 1A **124**
Dante Pl. *SE11* . . . 4A **102**
Dante Rd. *SE11* . . . 3F **101**
Danube Ct. *SE15* . . . 4C **126**
Danube St. *SW3* . . . 5A **96**
Danvers Ho. *E1* . . . 4E **49**
Danvers St. *SW3* . . . 3E **117**
Da Palma Ct. *SW6* . . . 3D **115**
Daplyn St. *E1* . . . 1D **49**
D'Arblay St. *W1* . . . 4C **42**
Darcy Ho. *E8* . . . 3F **17**
Darent Ho. *NW8* . . . 1E **39**
Darfield. *NW1* . . . 4B **10**
Darfield Way. *W10* . . . 4D **35**
Darien Ho. *E1* . . . 1E **51**
Daring Ho. *E3* . . . 1F **33**
Dark Ho. Wlk. *EC3* . . . 1E **75**
Darlan Rd. *SW6* . . . 5C **114**
Darley Ho. *SE11* . . . 1B **122**
Darling Row. *E1* . . . 5A **32**
Darlington Ho. *SW8* . . . 5E **121**
Darnall Ho. *SE10* . . . 5B **132**
Darnay Ho. *SE16* . . . 1D **105**
Darnley Ho. *E14* . . . 3A **52**
Darnley Ter. *W11* . . . 2E **63**
Darsley Dri. *SW8* . . . 5E **121**
Dartford Ho. *SE1* . . . 4C **104**
Dartford St. *SE17* . . . 2C **124**
Dartington. *NW1* . . . 4C **10**
Dartington Ho. *W2* . . . 1F **37**
Dartle Ct. *SE16* . . . 5E **77**
Dartmoor Wlk. *E14* . . . 3E **109**
Dartmouth Clo. *W11* . . . 3C **36**
Dartmouth St. *SW1* . . . 5D **71**
Dartrey Tower. *SW10* . . . 4C **116**
Dartrey Wlk. *SW10* . . . 4C **116**
Dart St. *W10* . . . 2A **18**
Darwin Ct. *NW1* . . . 3E **9**
(in three parts)
Darwin Ho. *SW1* . . . 2B **120**
Darwin St. *SE17* . . . 4E **103**
(in two parts)
Daryngton Ho. *SW8* . . . 5F **121**
Datchet Ho. *NW1* . . . 2A **24**
Datchworth Ho. *N1* . . . 2F **13**
Date St. *SE17* . . . 1C **124**
Daubeney Tower. *SE8* . . . 5B **108**
Dauncey Ho. *SE1* . . . 5F **73**
Davenant St. *E1* . . . 2E **49**
Davenport Ho. *SE11* . . . 2D **101**
Daventry St. *NW1* . . . 1F **39**
Daver Ct. *SW3* . . . 1A **118**
Davern Clo. *SE10* . . . 4B **112**
Davey's Ct. *WC2* . . . 5F **43**
Davey St. *SE15* . . . 3C **126**
Davidge Ho. *SE1* . . . 5E **73**
Davidge St. *SE1* . . . 5F **73**
David Ho. *E14* . . . 1A **54**
David Ho. *SW8* . . . 4F **121**
David M. *W1* . . . 1C **40**
Davidson Gdns. *SW8* . . . 5F **121**
Davies M. *W1* . . . 5F **41**
Davies St. *W1* . . . 4F **41**
Da Vinci Ct. *SE16* . . . 5A **106**
Davis Ho. *W12* . . . 1A **62**
Dawes Ho. *SE17* . . . 4D **103**
Dawes Rd. *SW6* . . . 4A **114**
Dawes St. *SE17* . . . 5E **103**
Dawson Ho. *E2* . . . 3B **32**
Dawson Pl. *W2* . . . 5D **37**
Dawson St. *E2* . . . 1C **30**
Day Ho. *SE5* . . . 4B **124**
Deacon Ho. *SE11* . . . 4C **100**
Deacon M. *N1* . . . 2E **15**
Deacon Way. *SE17* . . . 3B **102**
Deal Ho. *SE15* . . . 2D **129**
Deal Porters Wlk. *SE16* . . . 3D **79**
Deal Porters Way. *SE16* . . . 1C **106**
Deal St. *E1* . . . 1D **49**
Deal Wlk. *SW9* . . . 5D **123**
Dean Abbott Ho. *SW1* . . . 3D **99**
Dean Bradley St. *SW1* . . . 2F **99**
Dean Clo. *SE16* . . . 3E **79**
Dean Ct. *SW8* . . . 5F **121**
Deancross St. *E1* . . . 4B **50**
Deanery M. *W1* . . . 2E **69**
Deanery St. *W1* . . . 2E **69**
Dean Farrar St. *SW1* . . . 1E **99**
Dean Ho. *E1* . . . 4B **50**
Dean Ho. *SE14* . . . 5A **130**
Dean Ryle St. *SW1* . . . 3F **99**
Dean's Bldgs. *SE17* . . . 4D **103**
Dean's Ct. *EC4* . . . 4A **46**
Deanshanger Ho. *SE8* . . . 3E **107**
Dean's M. *W1* . . . 3A **42**
Dean Stanley St. *SW1* . . . 2F **99**
Deanston Wharf. *E16* . . . 4F **85**
(in two parts)
Dean St. *W1* . . . 3D **43**
Dean's Yd. *SW1* . . . 1E **99**
Dean Trench St. *SW1* . . . 2F **99**
Deauville Ct. *SE16* . . . 4D **79**
Debdale Ho. *E2* . . . 4E **17**
De Beauvoir Ct. *N1* . . . 1E **15**
De Beauvoir Cres. *N1* . . . 3F **15**
De Beauvoir Est. *N1* . . . 3F **15**
De Beauvoir Rd. *N1* . . . 3F **15**
De Beauvoir Sq. *N1* . . . 1A **16**
De Beauvoir Town. . . . 3F 15
Debenham Ct. *E8* . . . 4D **17**
Debnams Rd. *SE16* . . . 4B **106**
De Bruin Ct. *E14* . . . 5B **110**
Decima St. *SE1* . . . 1F **103**
Deck Clo. *SE16* . . . 4E **79**
Deepway. *SE8* . . . 5F **107**
Deerhurst Ho. *SE15* . . . 3D **127**
Dee St. *E14* . . . 3C **54**
Defoe Clo. *SE16* . . . 5B **80**
Defoe Ho. *EC2* . . . 1B **46**
Defoe Pl. *EC2* . . . 1B **46**
Dekker Ho. *SE5* . . . 5E **125**
Delafield Ho. *E1* . . . 4E **49**
Delaford Rd. *SE16* . . . 5A **106**
Delaford St. *SW6* . . . 4A **114**
Delamere St. *W2* . . . 1B **38**
Delamere Ter. *W2* . . . 1A **38**
Delancey Pas. *NW1* . . . 4A **10**
Delancey St. *NW1* . . . 4F **9**
Delancey Studios. *NW1* . . . 4A **10**
Delany Ho. *SE10* . . . 2B **132**
Delarch Ho. *SE1* . . . 5F **73**
De Laune St. *SE17* . . . 1F **123**
Delaware Mans. *W9* . . . 4F **19**
Delaware Rd. *W9* . . . 4F **19**
Delhi St. *N1* . . . 4A **12**
(in two parts)
Dellow Ho. *E1* . . . 5A **50**
Dellow St. *E1* . . . 5A **50**
Dell's M. *SW1* . . . 4C **98**
Delmaine Ho. *E14* . . . 3A **52**
Delmerend Ho. *SW3* . . . 5F **95**
Delta Building. *E14* . . . 4C **54**
Delta Est. *E2* . . . 2D **31**
Delta St. *E2* . . . 2D **31**
Delverton Ho. *SE17* . . . 5A **102**
Delverton Rd. *SE17* . . . 1A **124**
Denbigh Clo. *W11* . . . 5C **36**
Denbigh Ho. *SW1* . . . 1C **96**
Denbigh Ho. *W11* . . . 4C **36**
Denbigh M. *SW1* . . . 4B **98**
Denbigh Pl. *SW1* . . . 5B **98**
Denbigh Rd. *W11* . . . 5C **36**
Denbigh St. *SW1* . . . 4B **98**
(in two parts)
Denbigh Ter. *W11* . . . 5C **36**
Denby Ct. *SE11* . . . 3C **100**
Dence Ho. *E2* . . . 3D **31**
Denford St. *SE10* . . . 5C **112**
Dengie Wlk. *N1* . . . 3B **14**
Denham Ho. *W12* . . . 1A **62**
Denham St. *SE10* . . . 5D **113**
Denholme Rd. *W9* . . . 2C **18**
Denison Ho. *E14* . . . 3D **53**
Denland Ho. *SW8* . . . 5C **122**
Denman Pl. *W1* . . . 5D **43**
Denman St. *W1* . . . 1D **71**
Denmark Gro. *N1* . . . 5D **13**
Denmark Pl. *WC2* . . . 3E **43**
Denmark Rd. *NW6* . . . 1C **18**
(in two parts)
Denmark St. *E13* . . . 1F **57**
Denmark St. *WC2* . . . 4E **43**
Denmead Way. *SE15* . . . 4B **126**
Denne Ter. *E8* . . . 4C **16**
Denning Clo. *NW8* . . . 2C **20**
Denning Point. *E1* . . . 3C **48**
Denny Clo. *E6* . . . 2F **59**
Denny Cres. *SE11* . . . 5E **101**
Denny St. *SE11* . . . 5E **101**
Densham Ho. *NW8* . . . 1E **21**
Denstone Ho. *SE15* . . . 3D **127**
Dent Ho. *SE17* . . . 4F **103**
Denton. *NW1* . . . 1E **9**
Denton Ho. *N1* . . . 1A **14**
Denyer St. *SW3* . . . 4A **96**
Denys Ho. *EC1* . . . 1D **45**
Depot Rd. *W12* . . . 5C **34**
Depot St. *SE5* . . . 3D **125**
Deptford. . . . 3D 131

Deptford B'way. *SE8*. 5D **131**
Deptford Bus. Pk. *SE15* 2C **128**
Deptford Chu. St. *SE8*. 3E **131**
(in two parts)
Deptford Creek Bri. *SE8* 3A **132**
Deptford Ferry Rd. *E14*. 4E **109**
Deptford Grn. *SE8* 3E **131**
Deptford High St. *SE8* 3D **131**
Deptford Pk. Bus. Cen.
SE8 . . . . 1A **130**
Deptford Strand. *SE8*. 4C **108**
Deptford Trad. Est. *SE8* 1A **130**
Deptford Wharf. *SE8* 3B **108**
(in two parts)
De Quincey Ho. *SW1* 1B **120**
De Quincey M. *E16*. 2E **85**
Derby Ga. *SW1*. 4F **71**
(in two parts)
Derby Ho. *SE11*. 3D **101**
Derby Lodge. *WC1*. 2B **26**
Derbyshire St. *E2* 3E **31**
(in two parts)
Derby St. *W1* 3E **69**
Dereham Pl. *EC2* 3A **30**
Dericote St. *E8* 3F **17**
Derifall Clo. *E6*. 1C **60**
Dering St. *W1*. 4F **41**
Dering Yd. *W1*. 4A **42**
Derry St. *W8* 5F **65**
Derwent. *NW1* 3B **24**
Derwent Ct. *SE16*. 4D **79**
Derwent Ho. *SW7* 3C **94**
Derwent St. *SE10* 5F **111**
Desborough Clo. *W2* 1A **38**
Desborough Ho. *W14*. 2C **114**
Design Mus. 4C **76**
Desmond St. *SE14*. 3A **130**
Detling Ho. *SE17* 4F **103**
Devalls Clo. *E6*. 5E **61**
De Vere Gdns. *W8* 5B **66**
Deverell St. *SE1* 2D **103**
De Vere M. *W8*. 1B **94**
Devereux Ct. *WC2* 4D **45**
Devitt Ho. *E14* 5F **53**
Devizes St. *N1* 4E **15**
Devonia Rd. *N1* 5A **14**
Devon Mans. SE1. . . . . *4B* **76**
(off Tooley St.)
Devonport. *W2*. 3F **39**
Devonport M. *W12*. 3A **62**
Devonport Rd. *W12* 3A **62**
(in two parts)
Devonport St. *E1* 4C **50**
Devonshire Clo. *W1* 1F **41**
Devonshire Ct. *E1*. 3C **32**
Devonshire Ct. *WC1*. 1A **44**
Devonshire Dri. *SE10* 5F **131**
Devonshire Gro. *SE15* 3A **128**
Devonshire Ho. *NW6* 1B **4**
Devonshire Ho. *SE1* 1B **102**
Devonshire Ho. *SW1* 5E **99**
Devonshire M. *SW10* 3D **117**
Devonshire M. N. *W1* 1F **41**
Devonshire M. S. *W1* 1F **41**
Devonshire M. W. *W1*. 5E **23**
Devonshire Pl. *W1* 5E **23**
Devonshire Pl. *W8* 2F **93**
Devonshire Pl. M. *W1*. 1E **41**
Devonshire Rd. *E16* 3A **58**
Devonshire Row. *EC2*. 2A **48**

Devonshire Row M. *W1* 5A **24**
Devonshire Sq. *EC2 & EC1*. . . 3A **48**
Devonshire St. *W1* 1E **41**
Devonshire Ter. *W2* 4C **38**
Devons Rd. *E3* 1E **53**
Devon St. *SE15* 3A **128**
Devon Wharf. *E14* 2C **54**
De Walden Ho. *NW8*. 5F **7**
De Walden St. *W1* 2E **41**
Dewberry Gdns. *E6*. 1F **59**
Dewberry St. *E14*. 2B **54**
Dewey Rd. *N1* 5D **13**
Dewhurst Rd. *W14*. 1D **91**
Dewsbury Ter. *NW1* 3A **10**
Dhonau Ho. *SE1*. 3C **104**
Diadem Ct. *W1*. 4D **43**
Dial Wlk., The. *W8* 4A **66**
Diamond Ho. *E3*. 1F **33**
Diamond St. *SE15* 5A **126**
Diamond Ter. *SE10*. 5C **132**
Diamond Way. *SE8*. 3D **131**
Diana Clo. *SE8*. 3C **130**
Dibden Ho. *SE5* 5A **126**
Dibden St. *N1* 3A **14**
Dibdin Ho. *W9* 5F **5**
Dickens Est. *SE1 & SE16* 5D **77**
Dickens Est. *SE16* 1D **105**
Dickens House. 5C **26**
Dickens Ho. *NW6*. 2D **19**
Dickens Ho. *NW8*. 4E **21**
Dickens Ho. *SE17*. 1A **124**
Dickens Ho. *WC1* 4F **25**
Dickens M. *EC1* 1F **45**
Dickens Sq. *SE1*. 1C **102**
Dicksee Ho. *NW8*. 5D **21**
Dickson Ho. *E1*. 3F **49**
Digby Mans. *W6* 5A **90**
Digby St. *E2*. 3C **32**
Diggon St. *E1* 2D **51**
Dighton Ct. *SE5* 3B **124**
Dignum St. *N1*. 5D **13**
Dilke St. *SW3*. 2C **118**
Dilston Gro. *SE16*. 3B **106**
Dimes Pl. *W6*. 4A **90**
Dingle Gdns. *E14* 5E **53**
Dingley Pl. *EC1* 3C **28**
Dingley Rd. *EC1*. 3B **28**
Dinmont Est. *E2*. 5E **17**
Dinmont Ho. *E2* 5E **17**
Dinmont St. *E2*. 5F **17**
Dinnington Ho. *E1* 4A **32**
Dinton Ho. *NW8* 4F **21**
Disbrowe Rd. *W6*. 3A **114**
Discovery Bus. Pk. *SE16* . . 2D **105**
Discovery Ho. *E14* 5B **54**
Discovery Wlk. *E1* 2F **77**
Disney Pl. *SE1*. 4C **74**
Disney St. *SE1*. 4C **74**
Diss St. *E2*. 2B **30**
Distaff La. *EC4*. 5B **46**
Distin St. *SE11*. 4D **101**
Ditchburn St. *E14*. 1C **82**
Dixon Clo. *E6*. 3C **60**
Dixon Ho. *W10* 4D **35**
Dixon's All. *SE1* 5F **77**
Dobson Clo. *NW6* 2D **7**
Dobson Ho. *SE5*. 4E **125**
Dobson Ho. *SE14*. 3D **129**
Doby Ct. *EC4*. 5C **46**
Dock Cotts. *E1*. 1C **78**

Dockers Tanner Rd. *E14*. . . . 3D **109**
Dockhead. *SE1*. 5C **76**
Dockhead Wharf. *SE1*. 4C **76**
Dock Hill Av. *SE16* 3E **79**
Docklands Mus. (Proposed)
. . . . 1D **81**
Dockland St. *E16*. 3D **89**
(in two parts)
Dockley Rd. *SE16* 2D **105**
Dockley Rd. Ind. Est.
SE16 . . . . 2D **105**
Dock Offices. *SE16*. 1C **106**
Dock Rd. *E16*. 1C **84**
Dockside Rd. *E16*. 1D **87**
Dock St. *E1* 5D **49**
Dodd Ho. *SE16* 4A **106**
Doddington Gro. *SE17* 2F **123**
Doddington Pl. *SE17*. 2F **123**
Dodson St. *SE1* 5E **73**
Dod St. *E14*. 4C **52**
Dog & Duck Yd. *WC1*. 1C **44**
Dolben Ct. *SE8*. 4B **108**
Dolben St. *SE1*. 3F **73**
(in two parts)
Dolland Ho. *SE11*. 1C **122**
Dolland St. *SE11* 1C **122**
Dollar Bay Ct. *E14*. 4B **82**
Dolphin Clo. *SE16* 4D **79**
Dolphin La. *E14*. 1F **81**
Dolphin Sq. *SW1* 1C **120**
Dolphin Tower. *SE8* 3C **130**
Dombey Ho. *SE1* 5D **77**
Dombey Ho. *W11*. 2E **63**
Dombey St. *WC1* 1B **44**
(in two parts)
Domingo St. *EC1* 5B **28**
Dominion Ct. *E8*. 2C **16**
Dominion Ho. *E14* 5A **110**
Dominion St. *EC2*. 1E **47**
Dominion Theatre. 3E **43**
Donaldson Rd. *NW6*. 4C **4**
Donegal Ho. *E1* 4A **32**
Donegal St. *N1*. 1C **26**
Doneraile Ho. *SW1* 1F **119**
Dongola Rd. *E1* 1F **51**
Donkin Ho. *SE16* 4A **106**
Donmar Warehouse Theatre.
. . . . 4F **43**
Donne Ho. *E14*. 3D **53**
Donne Ho. *SE14*. 3D **129**
Donnelly Ct. *SW6*. 4A **114**
Donne Pl. *SW3*. 3A **96**
Donnington Ct. *NW1* 1A **10**
Donoghue Cotts. *E14*. 2A **52**
Donovan Ct. *SW10*. 1D **117**
Donovan Ho. *E1*. 5B **50**
Don Phelan Clo. *SE5* 5D **125**
Doon St. *SE1*. 3D **73**
Dora Ho. *E14*. 3B **52**
Dora Ho. *W11* 1E **63**
Dorando Clo. *W12* 5A **34**
Dora St. *E14* 3B **52**
Dorchester Ct. *N1*. 1A **16**
Doric Ho. *E2* 1D **33**
Doric Way. *NW1* 2D **25**
Dorking Clo. *SE8* 2B **130**
Dorking Ho. *SE1*. 1E **103**
Dorman Way. *NW8* 3D **7**
Dormstone Ho. *SE17* 4F **103**
Dorney. *NW3* 1A **8**

Dorrington St. *EC1* 1D **45**
Dorrit Ho. *W11* 2E **63**
Dorrit St. *SE1* 4C **74**
Dorset Bldgs. *EC4* 4F **45**
Dorset Clo. *NW1* 1B **40**
Dorset Ct. *N1* 1A **16**
Dorset Ho. *NW1* 5C **22**
Dorset Ri. *EC4* 4F **45**
Dorset Rd. *SW8* 4A **122**
Dorset Sq. *NW1* 5B **22**
Dorset St. *W1* 2C **40**
Dorton Clo. *SE15* 5A **126**
Doughty Ct. *E1* 2A **78**
Doughty Ho. *SW10* 3C **116**
Doughty M. *WC1* 5B **26**
Doughty St. *WC1* 4B **26**
Douglas Ct. *NW6* 2E **5**
Douglas Johnstone Ho.
    SW6 . . . . 3B **114**
Douglas Pl. *SW1* 4D **99**
Douglas Rd. *E16* 1E **57**
Douglas Rd. *N1* 1B **14**
Douglas Rd. *NW6* 3C **4**
Douglas Rd. S. *N1* 1C **14**
Douglas St. *SW1* 4D **99**
Douglas Waite Ho. *NW6* 1F **5**
Douglas Way. *SE8* 5C **130**
    (Amersham Va., in two parts)
Douglas Way. *SE8* 5D **131**
    (Idonia St.)
Doulton Ho. *SE11* 2C **100**
Douro Pl. *W8* 1A **94**
Douthwaite Sq. *E1* 2E **77**
Dove App. *E6* 2F **59**
Dove Ct. *EC2* 4D **47**
Dovehouse St. *SW3* 5E **95**
Dove M. *SW5* 4B **94**
Dover Flats. *E1* 4A **104**
Dover Ho. *SE15* 2C **128**
Dove Row. *E2* 4D **17**
Dover St. *W1* 1A **70**
Dover Yd. *W1* 2B **70**
Doves Yd. *N1* 4D **13**
Doveton Ho. *E1* 4B **32**
Doveton St. *E1* 4B **32**
Dove Wlk. *SW1* 5D **97**
Dovey Lodge. *N1* 1E **13**
Dowgate Hill. *EC4* 5D **47**
Dowland St. *W10* 2A **18**
Dowlas St. *SE5* 4F **125**
Dowler Ho. *E1* 4E **49**
Downend Ct. *SE15* 3B **126**
Downey Ho. *E1* 5D **33**
Downfield Clo. *W9* 5F **19**
Downham Rd. *N1* 2D **15**
Downings. *E6* 3E **61**
Downing St. *SW1* 4F **71**
Down Pl. *W6* 4A **90**
Down St. *W1* 3F **69**
Down St. M. *W1* 3F **69**
Downtown Rd. *SE16* 4A **80**
Dowrey St. *N1* 3D **13**
Dowson Ho. *E1* 4D **51**
Doyce St. *SE1* 4B **74**
D'Oyley St. *SW1* 3D **97**
Draco St. *SE17* 2B **124**
Dragon Rd. *SE15* 3F **125**
Dragon Yd. *WC1* 3A **44**
Dragoon Rd. *SE8* 1B **130**
Drake Clo. *SE16* 4E **79**

Drake Ct. *W12* 5B **62**
Drake Hall. *E16* 2F **85**
    (in two parts)
Drake Ho. *E1* 2B **50**
Drake Ho. *E14* 5A **52**
Drake Ho. *SW1* 2D **121**
Drakeland Ho. *W9* 4C **18**
Drakes Courtyard. *NW6* 1C **4**
Drake St. *WC1* 2B **44**
Draper Ho. *SE1* 3A **102**
Draper Pl. *N1* 3A **14**
Drapers Gdns. *EC2* 3E **47**
Drappers Way. *SE16* 3E **105**
Drawdock Rd. *SE10* 4E **83**
Draycott Av. *SW3* 3F **95**
Draycott Pl. *SW3* 4B **96**
Draycott Ter. *SW3* 4C **96**
Drayford Clo. *W9* 4C **18**
Drayson M. *W8* 5E **65**
Drayton Gdns. *SW10* 5C **94**
Drayton Ho. *SE5* 5D **125**
Dreadnought Wharf.
    SE10 . . . . 2A **132**
Dresden Ho. *SE11* 3C **100**
Drewett Ho. *E1* 4E **49**
Drew Rd. *E16* 3E **87**
    (in three parts)
Driffield Rd. *E3* 1F **33**
Drill Hall Arts Cen. 1D **43**
Drinkwater Ho. *SE5* 5D **125**
Dr Johnson's House. 3E **45**
Dron Ho. *E1* 1B **50**
Droop St. *W10* 4A **18**
Drovers Pl. *SE15* 4A **128**
Druid St. *SE1* 4A **76**
Drummond Cres. *NW1* 2D **25**
Drummond Ga. *SW1* 5E **99**
Drummond Ho. *E2* 5E **17**
Drummond Rd. *SE16* 1F **105**
Drummond St. *NW1* 4B **24**
Drum St. *E1* 3C **48**
Drury La. *WC2* 3A **44**
Drury Lane Theatre. 4B **44**
Dryburgh Ho. *SW1* 5F **97**
Dryden Ct. *SE11* 4E **101**
Dryden Mans. *W14* 2A **114**
Dryden St. *WC2* 4A **44**
Dryfield Wlk. *SE8* 2D **131**
Drysdale Ho. *N1* 2A **30**
Drysdale Pl. *N1* 2A **30**
Drysdale St. *N1* 3A **30**
Dublin Av. *E8* 3E **17**
Ducal St. *E2* 3C **30**
Du Cane Clo. *W12* 4B **34**
Du Cane Rd. *W12* 4A **34**
Duchess M. *W1* 2A **42**
Duchess of Bedford Ho.
    W8 . . . . 4D **65**
Duchess of Bedford's Wlk.
    W8 . . . . 5C **64**
Duchess St. *W1* 2A **42**
Duchess Theatre. 5B **44**
Duchy St. *SE1* 2E **73**
    (in two parts)
Duckett St. *E1* 5E **33**
Duck La. *W1* 4D **43**
Dudley Ct. *W1* 4B **40**
Dudley Ct. *WC2* 3F **43**
Dudley Ho. *W2* 2D **39**
Dudley Rd. *NW6* 5A **4**

Dudley St. *W2* 2D **39**
Dudmaston M. *SW3* 5E **95**
Dudrich M. *SE5* 4B **124**
Duffell Ho. *SE11* 1C **122**
Dufferin Av. *EC1* 5D **29**
Dufferin Ct. *EC1* 5D **29**
Dufferin St. *EC1* 5C **28**
Duff St. *E14* 4F **53**
Dufour's Pl. *W1* 4C **42**
Dugard Way. *SE11* 3F **101**
Duke of Wellington Pl. *SW1*
    . . . . 5E **69**
Duke of York Column Memorial.
    . . . . 3D **71**
Duke of York's Theatre. 1F **71**
Duke of York St. *SW1* 2C **70**
Duke Shore Wharf. *E14* 1B **80**
Duke's Ho. *SW1* 3E **99**
Dukes La. *W8* 4E **65**
Duke's M. *W1* 3E **41**
Duke's Pl. *EC3* 4A **48**
Duke's Rd. *WC1* 3E **25**
Duke St. *SW1* 2C **70**
Duke St. *W1* 3E **41**
Duke St. Hill. *SE1* 2E **75**
Duke St. Mans. *W1* 4E **41**
Duke's Yd. *W1* 5E **41**
Dulford St. *W11* 5F **35**
Dulverton. *NW1* 4C **10**
Dulverton Mans. *WC1* 5C **26**
Dumain Ct. *SE11* 4F **101**
Dumpton Pl. *NW1* 2D **9**
Dunbar Wharf. *E14* 1B **80**
Dunbridge St. *E2* 4E **31**
Duncan Ho. *NW3* 1B **8**
Duncan Ho. *SW1* 1C **120**
Duncannon Ho. *SW1* 1E **121**
Duncannon St. *WC2* 1F **71**
Duncan Rd. *E8* 4F **17**
Duncan St. *N1* 5F **13**
Duncan Ter. *N1* 1F **27**
    (in two parts)
Dunch St. *E1* 4A **50**
Dundalk Ho. *E1* 3B **50**
Dundee Ct. *E1* 3F **77**
Dundee Ho. *W9* 2B **20**
Dundee St. *E1* 3F **77**
Dundee Wharf. *E14* 1C **80**
Dundonald Clo. *E6* 3A **60**
Dundonald Ho. *E14* 4F **81**
Dunedin Ho. *E16* 3C **88**
Dunelm St. *E1* 3D **51**
Dunkeld Ho. *E14* 3E **55**
Dunlin Ho. *SE16* 3E **107**
Dunloe Ct. *E2* 1C **30**
Dunloe St. *E2* 1B **30**
Dunlop Pl. *SE16* 2C **104**
Dunmore Point. *E2* 3B **30**
Dunmore Rd. *NW6* 4A **4**
Dunmow Ho. *SE11* 5C **100**
Dunmow Wlk. *N1* 3B **14**
Dunnage Cres. *SE16* 3B **108**
    (in two parts)
Dunnico Ho. *SE17* 5F **103**
Dunnock Clo. *E6* 3A **60**
Dunn's Pas. *WC1* 3A **44**
Dunoon Ho. *N1* 4B **12**
Dunraven St. *W1* 5C **40**
Dunsany Rd. *W14* 2D **91**
Dunstable M. *W1* 1E **41**

Dunstan Houses. *E1* 1C **50**
Dunster Ct. *EC3* 5A **48**
Dunster Gdns. *NW6* 1C **4**
Dunsterville Way. *SE1* 5E **75**
Dunston Rd. *E8* 4B **16**
Dunston St. *E8* 3B **16**
Dunton Rd. *SE1* 5B **104**
Dunworth M. *W11* 3B **36**
Duplex Ride. *SW1* 5C **68**
Dupree Rd. *SE7* 5F **113**
Durands Wlk. *SE16* 4A **80**
Durant St. *E2* 2D **31**
Durban Ho. *W12* 1A **62**
Durdans Ho. *NW1* 1A **10**
Durell Ho. *SE16* 5D **79**
Durfey Ho. *SE5* 4E **125**
Durham Ct. *NW6* 1E **19**
(in five parts)
Durham Ho. St. *WC2* 1A **72**
Durham Pl. *SW3* 1B **118**
Durham Rd. *E16* 1A **56**
Durham Row. *E1* 2E **51**
Durham St. *SE11* 1B **122**
Durham Ter. *W2* 3F **37**
Durham Yd. *E2* 2F **31**
Durnford St. *SE10* 3C **132**
Durrels Ho. *W14* 3C **92**
Dursley Ct. *SE15* 4A **126**
Durward St. *E1* 1F **49**
Durweston M. *W1* 1C **40**
Durweston St. *W1* 1C **40**
Dyer's Bldgs. *EC1* 2D **45**
Dymock Ct. *SE15* 3A **126**
Dyne Rd. *NW6* 2A **4**
Dynham Rd. *NW6* 1D **5**
Dyott St. *WC1* 3E **43**
Dysart St. *EC2* 5F **29**
Dyson Ho. *SE10* 5B **112**

E

Eagle Clo. *SE16* 1B **128**
Eagle Ct. *EC1* 1F **45**
Eagle Ho. *E1* 5A **32**
Eagle Ho. *N1* 5D **15**
Eagle Pl. *SW1* 1C **70**
Eagle Pl. *SW7* 5C **94**
Eagle St. *WC1* 2B **44**
Eagle Wharf Ct. *SE1* 3B **76**
Eagle Wharf E. *E14* 5F **51**
(off Narrow St.)
Eagle Wharf Rd. *N1* 5C **14**
Eagle Wharf W. *E14* 5F **51**
(off Narrow St.)
Eamont Ct. *NW8* 5A **8**
Eamont St. *NW8* 5F **7**
Eardley Cres. *SW5* 5E **93**
Earlham St. *WC2* 4E **43**
Earl Ho. *NW1* 5A **22**
Earlom Ho. *WC1* 3D **27**
Earl's Court. 5E **93**
Earl's Court Exhibition Building.
. . . . 1D **115**
Earls Ct. Gdns. *SW5* 4F **93**
Earls Ct. Rd. *W8 & SW5* 1D **93**
Earl's Ct. Sq. *SW5* 5E **93**
Earlsferry Way. *N1* 2A **12**
(in two parts)
Earls Ter. *W8* 2C **92**

Earlstoke St. *EC1* 2F **27**
Earl St. *EC2* 1E **47**
Earls Wlk. *W8* 2D **93**
Earlswood St. *SE10* 1F **133**
Early M. *NW1* 3A **10**
Earnshaw St. *WC2* 3E **43**
Earsby St. *W14* 3A **92**
(in three parts)
Easleys M. *W1* 3E **41**
E. Arbour St. *E1* 3D **51**
E. Beckton District Cen. *E6* . . 2C **60**
East Block. *SE1* 4C **72**
Eastbourne M. *W2* 3C **38**
Eastbourne Ter. *W2* 3C **38**
Eastbury Rd. *E6* 1D **61**
Eastbury Ter. *E1* 5D **33**
Eastcastle St. *W1* 3B **42**
Eastcheap. *EC3* 2F **47**
E. Ferry Rd. *E14* 1A **110**
Eastfield St. *E14* 2A **52**
E. Ham Ind. Est. *E6* 1F **59**
E. Ham Mnr. Way. *E6* 4D **61**
E. Harding St. *EC4* 3E **45**
E. India Bldgs. *E14* 5E **53**
E. India Dock Ho. *E14* 4C **54**
E. India Dock Rd. *E14* 4D **53**
Eastlake Ho. *NW8* 5E **21**
East La. *SE16* 4D **77**
(Chambers St.)
East La. *SE16* 5D **77**
(Scott Lidgett Cres.)
East Lodge. E16 . . . . 2E **85**
(off Wesley Av.)
E. Mount St. *E1* 1A **50**
(in two parts)
Eastney St. *SE10* 1D **133**
Easton St. *WC1* 4D **27**
East Parkside. *SE10* 5A **84**
East Pas. *EC1* 1A **46**
East Point. *SE1* 5D **105**
E. Poultry Av. *EC1* 2F **45**
East Rd. *N1* 3D **29**
East Row. *W10* 5A **18**
Eastry Ho. *SW8* 5F **121**
East Smithfield. *E1* 1C **76**
East St. *SE17* 5C **102**
E. Surrey Gro. *SE15* 5B **126**
E. Tenter St. *E1* 4C **48**
Eastwell Ho. *SE1* 1E **103**
Eaton Clo. *SW1* 4D **97**
Eaton Ga. *SW1* 3D **97**
Eaton Ho. *E14* 1C **80**
Eaton La. *SW1* 2A **98**
Eaton Mans. *SW1* 4D **97**
Eaton M. N. *SW1* 3D **97**
Eaton M. S. *SW1* 3E **97**
Eaton M. W. *SW1* 3E **97**
Eaton Pl. *SW1* 2D **97**
Eaton Row. *SW1* 2F **97**
Eaton Sq. *SW1* 3D **97**
Eaton Ter. *SW1* 3D **97**
Eaton Ter. M. *SW1* 3D **97**
Ebbisham Dri. *SW8* 2B **122**
Ebenezer Ho. *SE11* 4E **101**
Ebenezer Mussel Ho. *E2* . . . 1B **32**
Ebenezer St. *N1* 2D **29**
Ebley Clo. *SE15* 3B **126**
Ebor St. *E1* 4B **30**
Ebury Bri. *SW1* 5F **97**
Ebury Bri. Est. *SW1* 5F **97**

Ebury Bri. Rd. *SW1* 1E **119**
Ebury M. *SW1* 3E **97**
Ebury M. E. *SW1* 3F **97**
Ebury Sq. *SW1* 4E **97**
Ebury St. *SW1* 4E **97**
Ecclesbourne Rd. *N1* 2C **14**
Eccleston Bri. *SW1* 3A **98**
Eccleston M. *SW1* 2E **97**
Eccleston Pl. *SW1* 4F **97**
Eccleston Sq. *SW1* 4A **98**
Eccleston Sq. M. *SW1* 4B **98**
Eccleston St. *SW1* 2E **97**
Eckford St. *N1* 5D **13**
Eclipse Rd. *E13* 1F **57**
Edbrooke Rd. *W9* 5D **19**
Eddystone Tower. *SE8* 5A **108**
Edenbridge Clo. *SE16* 1F **127**
Eden Clo. *W8* 1E **93**
Edenham Way. *W10* 1B **36**
Eden Ho. *NW8* 5F **21**
Edgar Ho. *SW8* 4F **121**
Edgcott Ho. *W10* 1B **34**
Edge St. *W8* 2E **65**
Edgeworth Ho. *NW8* 3B **6**
Edgson Ho. *SW1* 5F **97**
Edgware Rd. *W2* 5D **21**
Edinburgh Clo. *E2* 1B **32**
Edinburgh Ct. *SE16* 2E **79**
Edinburgh Ga. *SW1* 4B **68**
Edinburgh Ho. *W9* 2A **20**
Edison Building. *E14* 4D **81**
Edis St. *NW1* 3D **9**
Edith Brinson Ho. *E14* 3E **55**
Edith Gro. *SW10* 3B **116**
Edith Ho. *W6* 5B **90**
Edith Neville Cotts. *NW1* . . . 2D **25**
Edith Ramsay Ho. *E1* 1F **51**
Edith Rd. *W14* 4F **91**
Edith Row. *SW6* 5A **116**
Edith St. *E2* 5C **16**
Edith Summerskill Ho.
SW6 . . . . 4C **114**
Edith Ter. *SW10* 4B **116**
Edith Vs. *W14* 4B **92**
Edith Yd. *SW10* 4C **116**
Edmonton Ct. *SE16* 1C **106**
Edmund Halley Way. *SE10* . . . 5F **83**
Edmund Ho. *SE17* 1A **124**
Edmund Hurst Dri. *E6* 2F **61**
Edmund St. *SE5* 4D **125**
Ednam Ho. *SE15* 3D **127**
Edric Ho. *SW1* 3E **99**
Edric Rd. *SE14* 5D **107**
Edward Bond Ho. WC1 . . . . . 3A **26**
(off Cromer St.)
Edward Ct. *E16* 1D **57**
Edward Dodd Ct. *N1* 2E **29**
Edward Edward's Ho. *SE1* . . . 3F **73**
Edwardes Pl. *W8* 2C **92**
Edwardes Sq. *W8* 2C **92**
Edward Ho. *SE11* 5C **100**
Edward Mann Clo. *E1* 4E **51**
Edward M. *NW1* 2A **24**
Edward Pl. *SE8* 3C **130**
Edward Robinson Ho.
SE14 . . . . 4D **129**
Edward's Cotts. *N1* 1F **13**
Edwards M. *N1* 1E **13**
Edwards M. *W1* 4D **41**
Edward Sq. *N1* 4B **12**

Edward Sq. *SE16* 2A **80**
Edward St. *E16* 1D **57**
(in two parts)
Edward St. *SE14 & SE8* 4A **130**
Edwin Ho. *SE15* 5D **127**
Edwin St. *E1* 4C **32**
Edwin St. *E16* 2D **57**
Effie Pl. *SW6* 5E **115**
Effie Rd. *SW6* 5E **115**
Egbert St. *NW1* 3D **9**
Egerton Cres. *SW3* 3A **96**
Egerton Dri. *SE10* 5A **132**
Egerton Gdns. *SW3* 2F **95**
Egerton Gdns. M. *SW3* 2A **96**
Egerton Pl. *SW3* 2A **96**
Egerton Ter. *SW3* 2A **96**
Egham Rd. *E13* 1A **58**
Eglington Ct. *SE17* 2B **124**
Eglon M. *NW1* 2C **8**
Egmont St. *SE14* 5E **129**
Egret Ho. *SE16* 3E **107**
Eider Ct. *SE8* 2B **130**
Eisenhower Dri. *E6* 1A **60**
Elan Ct. *E1* 2F **49**
Elba Pl. *SE17* 3C **102**
Elbourne Ct. *SE16* 2E **107**
Elbourn Ho. *SW3* 5F **95**
Elbury Dri. *E16* 4E **57**
Elcho St. *SW11* 5F **117**
Elcot Av. *SE15* 4F **127**
Elderfield Ho. *E14* 5D **53**
Elder St. *E1* 1B **48**
(in two parts)
Elder Wlk. *N1* 3A **14**
Eldon Ct. *NW6* 4D **5**
Eldon Rd. *W8* 2A **94**
Eldon St. *EC2* 2E **47**
Eldridge Ct. *SE16* 2D **105**
Eleanor Clo. *SE16* 4D **79**
Eleanor Ho. *W6* 5B **90**
Eleanor Rd. *E8* 1F **17**
Elephant & Castle. (Junct.)
. . . . **2A 102**
Elephant & Castle. *SE1* 3A **102**
Elephant La. *SE16* 4B **78**
Elephant Rd. *SE17* 3B **102**
Elf Row. *E1* 5C **50**
Elgar Clo. *SE8* 5D **131**
Elgar Ct. *W14* 2F **91**
Elgar Ho. *NW6* 1C **6**
Elgar Ho. *SW1* 1A **120**
Elgar St. *SE16* 5A **80**
Elgin Av. *W9* 5C **18**
Elgin Ct. *W9* 4F **19**
Elgin Cres. *W11* 1A **64**
Elgin Est. *W9* 5D **19**
Elgin Ho. *E14* 4F **53**
Elgin Mans. *W9* 3F **19**
Elgin M. *W11* 4A **36**
Elgin M. N. *W9* 2A **20**
Elgin M. S. *W9* 2A **20**
Elgood Clo. *W11* 1F **63**
Elgood Ho. *NW8* 1E **21**
Elia M. *N1* 1F **27**
Elias Pl. *SW8* 3D **123**
Elia St. *N1* 1F **27**
Elim Est. *SE1* 1F **103**
Elim St. *SE1* 1E **103**
(in two parts)
Eliot M. *NW8* 1B **20**
Elizabeth Av. *N1* 3C **14**
Elizabeth Bri. *SW1* 4F **97**
Elizabeth Clo. *E14* 4F **53**
Elizabeth Clo. *W9* 5C **20**
Elizabeth Ct. *SW1* 2E **99**
Elizabeth Ct. *SW10* 3E **117**
Elizabeth Fry M. *E8* 2F **17**
Elizabeth Ho. *SE11* 4E **101**
Elizabeth Ho. *W6* 5C **90**
Elizabeth Ind. Est. *SE14* 2E **129**
Elizabeth Newcomen Ho.
SE1 . . . . 4D **75**
Elizabeth Sq. *SE16* 1F **79**
Elizabeth St. *SW1* 3E **97**
Elkington Point. *SE11* 4D **101**
Elkstone Ct. *SE15* 3F **125**
Elkstone Rd. *W10* 1B **36**
Elland Ho. *E14* 4B **52**
Ellenborough Ho. *W12* 5A **34**
Ellen St. *E1* 4E **49**
Ellen Wilkinson Ho. *E2* 2D **33**
Ellen Wilkinson Ho. *SW6* . . . 3B **114**
Ellerslie Rd. *W12* 2A **62**
Ellery Ho. *SE17* 4E **103**
Ellesmere Rd. *E3* 1F **33**
Ellesmere St. *E14* 3F **53**
Ellingfort Rd. *E8* 1F **17**
Ellington Ho. *SE1* 2C **102**
Elliot Ho. *W1* 2A **40**
Elliott Rd. *SW9* 5F **123**
Elliott's Pl. *N1* 4A **14**
Elliott Sq. *NW3* 2A **8**
Elliotts Row. *SE11* 3F **101**
Ellis Franklin Ct. *NW8* 5B **6**
Ellis Ho. *SE17* 5D **103**
Ellis St. *SW1* 3C **96**
Ellsworth St. *E2* 2A **32**
Ellwood Ct. *W9* 5F **19**
Elmbridge Wlk. *E8* 1E **17**
Elm Ct. *EC4* 5D **45**
Elm Ct. *W9* 1E **37**
Elmer Ho. *NW8* 1F **39**
Elmfield Way. *W9* 1D **37**
Elm Friars Wlk. *NW1* 1E **11**
Elm Ho. *E14* 5B **82**
Elm Ho. *W10* 4A **18**
Elmington Est. *SE5* 4E **125**
Elmington Rd. *SE5* 5D **125**
Elmley Clo. *E6* 2A **60**
Elmore St. *N1* 1C **14**
Elm Pk. Chambers.
SW10 . . . . 1D **117**
Elm Pk. Gdns. *SW10* 1D **117**
Elm Pk. Ho. *SW10* 1D **117**
Elm Pk. La. *SW3* 1D **117**
Elm Pk. Mans. *SW10* 2C **116**
Elm Pk. Rd. *SW3* 2D **117**
Elm Pl. *SW7* 5D **95**
Elm Quay Ct. *SW8* 3D **121**
Elmslie Point. *E3* 1C **52**
Elms M. *W2* 5D **39**
Elm St. *WC1* 5C **26**
Elmton Ct. *NW8* 4D **21**
Elm Tree Clo. *NW8* 2D **21**
Elm Tree Ct. *NW8* 2D **21**
Elm Tree Rd. *NW8* 2D **21**
Elnathan M. *W9* 5A **20**
Elsa Cotts. *E14* 2A **52**
Elsa St. *E1* 2F **51**
Elsden M. *E2* 1C **32**
Elsham Rd. *W14* 5F **63**
Elsham Ter. *W14* 1F **91**
Elsie La. Ct. *W2* 2E **37**
Elsinore Ho. *N1* 4D **13**
Elsinore Ho. *W6* 5C **90**
Elsted St. *SE17* 4E **103**
Elsworthy Ri. *NW3* 1A **8**
Elsworthy Rd. *NW3* 3F **7**
Elsworthy Ter. *NW3* 2A **8**
Elvaston M. *SW7* 1C **94**
Elvaston Pl. *SW7* 2B **94**
Elver Gdns. *E2* 1E **31**
Elverton St. *SW1* 3D **99**
Elwin St. *E2* 2D **31**
Elworth Ho. *SW8* 5C **122**
Ely Cotts. *SW8* 5B **122**
Ely Ct. *EC1* 2E **45**
Ely Ct. *NW6* 5D **5**
Ely Ho. *SE15* 4E **127**
Ely Pl. *EC1* 2E **45**
Elystan Pl. *SW3* 5A **96**
Elystan St. *SW3* 4F **95**
Elystan Wlk. *N1* 4D **13**
Embankment Gdns. *SW3* . . . 2C **118**
Embankment Pl. *WC2* 2A **72**
Embassy Ct. *NW8* 1E **21**
Embassy Ho. *NW6* 1F **5**
Emba St. *SE16* 5E **77**
Emberton. *SE5* 2F **125**
Emberton Ct. *EC1* 3F **27**
Emerald Clo. *E16* 4F **59**
Emerald St. *WC1* 1B **44**
Emerson St. *SE1* 2B **74**
Emery Hill St. *SW1* 2C **98**
Emery St. *SE1* 1E **101**
Emery Theatre. **4F 53**
Emily St. *E16* 4B **56**
Emmanuel Ho. *SE11* 4D **101**
Emma St. *E2* 5F **17**
Emminster. *NW6* 3F **5**
Emmott Clo. *E1* 5F **33**
Emperor's Ga. *SW7* 2A **94**
Empingham Ho. *SE8* 3E **107**
Empire Cinema. **5E 43**
Empire Wharf Rd. *E14* 4D **111**
Empress Pl. *SW6* 1D **115**
Empress St. *SE17* 2C **124**
Enbrook St. *W10* 3A **18**
Endell St. *WC2* 3F **43**
Enderby St. *SE10* 1F **133**
Endsleigh Gdns. *WC1* 4D **25**
Endsleigh Pl. *WC1* 4E **25**
Endsleigh St. *WC1* 4D **25**
Enfield Cloisters. *N1* 2F **29**
Enfield Rd. *N1* 2A **16**
Enford St. *W1* 1B **40**
Engine Ct. *SW1* 3C **70**
Englefield. *NW1* 3B **24**
Englefield Rd. *N1* 1D **15**
English Grounds. *SE1* 3F **75**
Enid St. *SE16* 1C **104**
Ennerdale. *NW1* 2B **24**
Ennis Ho. *E14* 4A **54**
Ennismore Gdns. *SW7* 5F **67**
Ennismore Gdns. M. *SW7* 1F **95**
Ennismore M. *SW7* 1F **95**
Ennismore St. *SW7* 1F **95**
Ensbury Ho. *SW8* 4B **122**
Ensign Ho. *E14* 4E **81**
Ensign Ind. Cen. *E1* 1D **77**

Ensign St. *E1* 5D **49**
Ensor M. *SW7* 5D **95**
Enterprise Bus. Pk. *E14* 5F **81**
Enterprise Ho. *E14* 5A **110**
Enterprise Ind. Est. *SE16* . . . 1C **128**
Enterprize Way. *SE8* 3B **108**
Epirus M. *SW6* 4D **115**
Epirus Rd. *SW6* 4C **114**
Epping Clo. *E14* 3E **109**
Epworth St. *EC2* 5E **29**
Equity Sq. *E2* 3C **30**
Erasmus St. *SW1* 4E **99**
Eresby Ho. *SW7* 5A **68**
Eresby Pl. *NW6* 2D **5**
Eric Fletcher Ct. *N1* 1C **14**
Eric Wilkins Ho. *SE1* 1D **127**
Erlich Cotts. *E1* 1B **50**
Ernest Harriss Ho. *W9* 4D **19**
Ernest St. *E1* 5E **33**
Eros. **1D 71**
Errington Rd. *W9* 4C **18**
Errol St. *EC1* 5C **28**
Erskine Ho. *SW1* 1B **120**
Erskine M. *NW3* 2C **8**
Erskine Rd. *NW3* 2C **8**
Eskdale. *NW1* 1B **24**
Esmeralda Rd. *SE1* 4E **105**
Esmond Ct. *W8* 1A **94**
Esmond Rd. *NW6* 4C **4**
Essendine Rd. *W9* 4E **19**
Essex Ct. *WC2* 4D **45**
Essex Ho. *E14* 3F **53**
Essex Rd. *N1* 4A **14**
Essex St. *WC2* 4D **45**
Essex Vs. *W8* 5D **65**
Essian St. *E1* 1F **51**
Estcourt Rd. *SW6* 4A **114**
Estella Ho. *W11* 1E **63**
Esterbrooke St. *SW1* 4D **99**
Estorick Collection of Modern Italian Art. ***1A 14***
(off Canonbury Sq.)
Etal Ho. *N1* 1F **13**
Ethelburga St. *SW11* 5A **118**
Ethelburga Tower. *SW11* 5A **118**
Ethelden Rd. *W12* 3A **62**
Ethel Rd. *E16* 4F **57**
Ethel St. *SE17* 4C **102**
Ethnard Rd. *SE15* 3F **127**
Eton Av. *NW3* 1D **7**
Eton College Rd. *NW3* 1C **8**
Eton Ct. *NW3* 1E **7**
Eton Garages. *NW3* 1A **8**
Eton Hall. *NW3* 1C **8**
Eton Pl. *NW3* 1D **9**
Eton Ri. *NW3* 1C **8**
Eton Rd. *NW3* 1B **8**
Eton Vs. *NW3* 1C **8**
Etta St. *SE8* 2A **130**
Ettrick St. *E14* 3C **54**
(in two parts)
Eugene Cotter Ho. *SE17* 4E **103**
Eugenia Rd. *SE16* 4C **106**
Europa Pl. *EC1* 3B **28**
Eustace Ho. *SE11* 3B **100**
Eustace Rd. *SW6* 4D **115**
Euston Cen. *NW1* 4B **24**
(in two parts)
Euston Gro. *NW1* 3D **25**
Euston Rd. *NW1 & N1* 5A **24**
Euston Sq. *NW1* 3D **25**
(in two parts)
Euston Sta. Colonnade. *NW1* 3D **25**
Euston St. *NW1* 4C **24**
Euston Tower. *NW1* 4B **24**
Euston Underpass. (Junct.) **4B 24**
Evangalist Ho. EC4 . . . . *4F 45*
(off Black Friars La.)
Evans Ho. *SW8* 5E **121**
Evans Ho. *W12* 1A **62**
Evelina Mans. *SE5* 4D **125**
Evelyn Ct. *N1* 1D **29**
(in two parts)
Evelyn Denington Ct. *N1* 1F **13**
Evelyn Denington Rd. *E6* 1A **60**
Evelyn Fox Ct. *W10* 2C **34**
Evelyn Gdns. *SW7* 1C **116**
Evelyn Lowe Est. *SE16* 2D **105**
Evelyn Mans. *SW1* 2B **98**
Evelyn Mans. *W14* 2A **114**
Evelyn Rd. *E16* 2E **85**
Evelyn St. *SE8* 4F **107**
Evelyn Wlk. *N1* 1D **29**
Evelyn Yd. *W1* 3D **43**
Everard Ho. *E1* 4E **49**
Everest Pl. *E14* 1B **54**
Everett Ho. *SE17* 5E **103**
Everilda St. *N1* 4C **12**
Eversholt St. *NW1* 5C **10**
Eversley Ho. *E2* 3D **31**
Everton Bldgs. *NW1* 3B **24**
Evesham Ho. *E2* 1B **32**
Evesham Ho. *NW8* 4B **6**
Evesham St. *W11* 1D **63**
Ewen Ho. *N1* 4B **12**
Ewer St. *SE1* 3B **74**
Ewhurst Clo. *E1* 2C **50**
Exbury Ho. *SW1* 5D **99**
ExCeL. **5A 58**
Excel Ct. *WC2* 1E **71**
Excelsior Ind. Est. *SE15* 2C **128**
Exchange Arc. *EC2* 1A **48**
Exchange Building. *E1* 5B **30**
Exchange Ct. *WC2* 1A **72**
Exchange Ho. *EC2* 1A **48**
Exchange Pl. *EC2* 1F **47**
Exchange Sq. *EC2* 1F **47**
Exchange St. *EC1* 3B **28**
Exeter Clo. *E6* 3B **60**
Exeter Ct. *NW6* 1E **19**
(in four parts)
Exeter Ho. *SE15* 3E **127**
Exeter Ho. *W2* 3B **38**
Exeter M. *NW6* 1F **5**
Exeter M. *SW6* 4D **115**
Exeter Rd. *E16* 2E **57**
Exeter St. *WC2* 5A **44**
Exeter Way. *SE14* 5B **130**
Exhibition Clo. *W12* 1B **62**
Exhibition Rd. *SW7* 5E **67**
Exmoor Ho. *E3* 1F **33**
Exmoor St. *W10* 1E **35**
Exmouth Ho. *E14* 4F **109**
Exmouth Ho. *EC1* 4D **27**
Exmouth Mkt. *EC1* 4D **27**
Exmouth M. *NW1* 3C **24**
Exmouth Pl. *E8* 2F **17**
Exmouth St. *E1* 3C **50**
Exning Rd. *E16* 1B **56**
Exonbury. *NW8* 4A **6**
Exon St. *SE17* 4F **103**
Express Newspapers. *SE1* 2F **73**
Express Wharf. *E14* 5D **81**
Exton St. *SE1* 3D **73**
Eynham Rd. *W12* 2B **34**
Eynsford Ho. *SE1* 5D **75**
Eynsford Ho. *SE15* 2C **128**
Eynsford Ho. *SE17* 4F **103**
Eyre Ct. *NW8* 5D **7**
Eyre St. Hill. *EC1* 5D **27**
Ezra St. *E2* 2C **30**

F

Fabian Rd. *SW6* 4C **114**
Factory Rd. *E16* 3E **87**
Fairbank Est. *N1* 1E **29**
Fairburn Ho. *W14* 1C **114**
Fairby Ho. *SE1* 3C **104**
Faircharm Trad. Est. *SE8* 5F **131**
Fairchild Ho. *N1* 2F **29**
Fairchild Pl. *EC2* 5A **30**
Fairchild St. *EC2 & E1* 5A **30**
Fairclough St. *E1* 4E **49**
Fairfax Mans. *NW3* 1C **6**
Fairfax M. *E16* 2F **85**
Fairfax Pl. *NW6* 2C **6**
Fairfax Rd. *NW6* 2C **6**
Fairfield. *E1* 1C **50**
Fairfield. *NW1* 4B **10**
Fairford Ho. *SE11* 4E **101**
Fairhazel Gdns. *NW6* 1B **6**
Fairhazel Mans. *NW6* 1B **6**
Fairholme Rd. *W14* 1A **114**
Fairholt St. *SW7* 1A **96**
Fairstead Wlk. *N1* 3B **14**
Fair St. *SE1* 4A **76**
Fairthorn Rd. *SE7* 5E **113**
Fairway Ct. *SE16* 5D **79**
Fakruddin St. *E1* 5E **31**
Falcon. *WC1* 1A **44**
Falconberg Ct. *W1* 3E **43**
Falconberg M. *W1* 3D **43**
Falcon Clo. *SE1* 2A **74**
Falcon Ct. *EC4* 4E **45**
Falcon Ct. *N1* 1A **28**
Falconet Ct. *E1* 3A **78**
Falcon Ho. *E14* 1A **132**
Falcon Lodge. *W9* 1E **37**
Falcon Point. *SE1* 1A **74**
Falcon Way. *E14* 3A **110**
Falkirk Ct. *SE16* 2E **79**
Falkirk Ho. *W9* 2A **20**
Falkirk St. *N1* 1A **30**
Falkland Ho. *W8* 2F **93**
Falkland Ho. *W14* 5B **92**
Fallodon Ho. *W11* 2C **36**
Fallow Ct. *SE16* 1E **127**
Falmouth Ho. *SE11* 5E **101**
Falmouth Ho. *W2* 5F **39**
Falmouth Rd. *SE1* 2C **102**
Falstaff Ct. *SE11* 4F **101**
Falstaff Ho. *N1* 1F **29**
Fane St. *W14* 2C **114**
Fan Mus. ***4C 132***
(off Croom's Hill)

Fann St. *EC2 & EC1* . . . . 5B **28** (in two parts)
Fanshaw St. *N1* 2F **29**
Faraday Ho. *E14*. 5B **52**
Faraday Mans. *W14* 2A **114**
Faraday Mus. **1B 70**
Faraday Rd. *W10* 1F **35**
Fareham St. *W1*. 3D **43**
Farjeon Ho. *NW3* 2D **7**
Farley Ct. *NW1*. 5C **22**
Farm Clo. *SW6*. 4E **115**
Farmdale Rd. *SE10*. 5E **113**
Farmer's Rd. *SE5* 5A **124**
Farmer St. *W11 & W8* 2D **65**
Farm La. *SW6* 3E **115**
Farm La. Trad. Est. *SW6*. . . . 3D **115**
Farm Pl. *W8*. 2D **65**
Farm St. *W1*. 1F **69**
Farnaby Ho. *W10*. 3B **18**
Farnborough Way. *SE15*. . . . 4A **126**
Farncombe St. *SE16*. 5E **77**
Farndale Ho. *NW6* 3F **5**
Farnell M. *SW5*. 5F **93**
Farnham Ho. *NW1* 5A **22**
Farnham Pl. *SE1* 3A **74**
Farnham Royal. *SE11*. 1C **122**
Farnworth Ho. *E14*. 3D **111**
Faroe Rd. *W14*. 2E **91**
Farrance St. *E14*. 4C **52**
Farrell Ho. *E1*. 4C **50**
Farrer Ho. *SE8* 4E **131**
Farriers Ho. *EC1*. 5C **28**
Farrier St. *NW1* 1A **10**
Farrier Wlk. *SW10* 2B **116**
Farringdon La. *EC1*. 5E **27**
Farringdon Rd. *EC1* 4D **27**
Farringdon St. *EC4* 2F **45**
Farrins Rents. *SE16* 3F **79**
Farrow La. *SE14*. 4C **128**
Farrow Pl. *SE16* 1F **107**
Farthing All. *SE1* 5D **77**
Farthing Fields. *E1* 2A **78**
Fashion St. *E1* 2B **48**
Faulkners All. *EC1*. 1F **45**
Faulkner St. *SE14*. 5C **128**
Faunce Ho. *SE17* 2F **123**
Faunce St. *SE17*. 2F **123**
Faversham Ho. *NW1*. 4C **10**
Faversham Ho. *SE17*. 1F **125**
Fawcett St. *SW10*. 3A **116**
Fawe St. *E14* 2A **54**
Fawkham Ho. *SE1* 4C **104**
Fawley Lodge. *E14*. 3D **111**
Fazeley Ct. *W9*. 1D **37**
Fearon St. *SE10*. 5D **113**
Feathers Pl. *SE10* 2E **133**
Featherstone St. *EC1* 4D **29**
Felgate M. *W6* 4A **90**
Felix Ho. *E16* 1E **89**
Felixstowe Ct. *E16* 3F **89**
Felix St. *E2*. 1A **32**
Fellbrigg St. *E1*. 5A **32**
Fellmongers Path. *SE1* 5B **76**
Fellows Ct. *E2* . . . . 5B **16** (in two parts)
Fellows Rd. *NW3* 1E **7**
Felltram Way. *SE7* 5E **113**
Felstead Gdns. *E14*. 1B **132**
Felstead Wharf. *E14*. 1B **132**
Felsted Rd. *E16* 4D **59**
Felton Ho. *N1*. 4E **15**
Felton St. *N1* 4E **15**
Fenchurch Av. *EC3* 4F **47**
Fenchurch Bldgs. *EC3* 4A **48**
Fenchurch Pl. *EC3* 5A **48**
Fenchurch St. *EC3* 5F **47**
Fen Ct. *EC3* 4F **47**
Fendall St. *SE1*. . . . . 2A **104** (in two parts)
Fendt Clo. *E16* 5C **56**
Fenelon Pl. *W14*. 4C **92**
Fenham Rd. *SE15*. 5E **127**
Fenner Clo. *SE16* 3A **106**
Fenner Ho. *E1* 2A **78**
Fenning St. *SE1* 4F **75**
Fen St. *E16* 5C **56**
Fentiman Rd. *SW8*. 3A **122**
Fenton Ho. *SE14* 5A **130**
Fenton St. *E1*. 3A **50**
Ferdinand Ho. *NW1* 1E **9**
Ferdinand Pl. *NW1*. 1E **9**
Ferdinand St. *NW1*. 1E **9**
Ferguson Clo. *E14* 4E **109**
Fermain Ct. E. *N1*. 3A **16**
Fermain Ct. N. *N1*. 3A **16**
Fermain Ct. W. *N1* 3F **15**
Fermoy Rd. *W9* 5B **18**
Fern Clo. *N1*. 5F **15**
Ferndale St. *E6*. 5F **61**
Ferndown Lodge. *E14*. 2C **110**
Fernhead Rd. *W9*. 1B **18**
Fernhill St. *E16*. 3C **88**
Fernhurst Rd. *SW6*. 5A **114**
Fernsbury St. *WC1*. 3D **27**
Fernshaw Clo. *SW10* 3B **116**
Fernshaw Rd. *SW10*. 3B **116**
Fern Wlk. *SE16*. 1E **127**
Ferriby Clo. *N1*. 1D **13**
Ferrier Point. *E16*. 2D **57**
Ferrybridge Ho. *SE11* 2C **100**
Ferry St. *E14* 5B **110**
Festival Ct. *E8* 2C **16**
Fetter La. *EC4*. . . . . 4E **45** (in two parts)
Fettes Ho. *NW8* 1E **21**
Ffinch St. *SE8* 4D **131**
Field Ct. *WC1*. 2C **44**
Fieldgate Mans. *E1*. . . . . 2E **49** (in two parts)
Fieldgate St. *E1* 2D **49**
Fielding Ho. *NW6*. 2E **19**
Fielding Rd. *W14* 1E **91**
Fielding St. *SE17* 2B **124**
Field Rd. *W6* 1A **114**
Fields Est. *E8*. 2E **17**
Field St. *WC1*. 2B **26**
Fife Rd. *E16*. 2D **57**
Fife Ter. *N1*. 5C **12**
Fifth Av. *W10* 4A **18**
Figure Ct. *SW3*. 1C **118**
Filigree Ct. *SE16*. 3B **80**
Filmer Rd. *SW6* 5B **114**
Filton Ct. *SE14*. 4C **128**
Finborough Ho. *SW10* 2B **116**
Finborough Rd. *SW10* 1F **115**
Finborough Theatre, The. **2A 116**
Finch Ho. *SE8*. 4F **131**
Finch La. *EC3*. 4E **47**
Finchley Pl. *NW8* 5D **7**
Finchley Rd. *NW3* 1C **6**
Finchley Rd. *NW8 & NW3* 4D **7**
Finch Lodge. *W9* 1E **37**
Finch M. *SE15* 5B **126**
Finch's Ct. *E14*. 5A **54**
Findhorn St. *E14* 3C **54**
Fingal St. *SE10*. 5C **112**
Fingest Ho. *NW8* 4F **21**
Finland St. *SE16*. 2A **108**
Finnemore Ho. *N1* 3B **14**
Finn Ho. *N1* 2E **29**
Finnis St. *E2*. 3A **32**
Finsbury. **3E 27**
Finsbury Av. *EC2* . . . . 2E **47** (in two parts)
Finsbury Av. Sq. *EC2* 1F **47**
Finsbury Cir. *EC2* 2E **47**
Finsbury Est. *EC1* 3F **27**
Finsbury Mkt. *EC2* . . . . 5F **29** (in two parts)
Finsbury Pavement. *EC2*. 1E **47**
Finsbury Sq. *EC2* 5E **29**
Finsbury St. *EC2 & EC1* 1D **47**
Finstock Rd. *W10*. 3D **35**
Finwhale Ho. *E14* 1A **110**
Fiona Ct. *NW6* 5D **5**
Firbank Clo. *E16*. 1D **59**
Firefly Gdns. *E6* 1F **59**
Fir Ho. *W10* 4A **18**
Firle Ho. *W10*. 1B **34**
First Av. *W10*. 4B **18**
First St. *SW3* 3A **96**
Firth Ho. *E2* 3D **31**
Fir Tree Ho. *SE14* 4C **128**
Fir Trees Clo. *SE16*. 3A **80**
Fisher Athletic F.C. (Surrey Docks Stadium) **3E 79**
Fisher Ho. *E1*. 5C **50**
Fisher Ho. *N1*. 4D **13**
Fishermans Dri. *SE16*. 4E **79**
Fisherman's Wlk. *E14*. 2D **81**
Fishers Ct. *SE14*. 5D **129**
Fisher St. *E16* 1D **57**
Fisher St. *WC1*. 2B **44**
Fisherton St. *NW8* 5D **21**
Fishguard Way. *E16* . . . . 3F **89** (in two parts)
Fishmongers Hall Wharf. *EC4* 1E **75**
Fish St. Hill. *EC3*. 1E **75**
Fish Wharf. *EC3* 1E **75**
Fisons Rd. *E16*. 3D **85**
Fitzalan St. *SE11* 3C **100**
Fitzgeorge Av. *W14*. 4F **91**
Fitzgerald Ho. *E14* 4A **54**
Fitzhardinge Ho. *W1*. 3D **41**
Fitzhardinge St. *W1* 3D **41**
Fitzjames Av. *W14* 4A **92**
Fitzmaurice Ho. *SE16* 4A **106**
Fitzmaurice Pl. *W1* 2A **70**
Fitzroy Ct. *W1* 5C **24**
Fitzroy Ho. *E14*. 2C **52**
Fitzroy Ho. *SE1* 5C **104**
Fitzroy M. *W1* 5B **24**
Fitzroy Rd. *NW1*. 3D **9**
Fitzroy Sq. *W1* 5B **24**
Fitzroy St. *W1* . . . . 5B **24** (in two parts)
Fitzroy Yd. *NW1*. 3D **9**

Fitzwilliam M. *E16* 2D **85**
Five Bell All. *E14* 4C **52**
Fives Ct. *SE11* 2F **101**
Flamborough St. *E14* 4F **51**
Flamborough Wlk. *E14* 4F **51**
Flamingo Ct. *SE8* 4D **131**
Flamstead Ho. SW3 . . . . *5F 95*
(off Cale St.)
Flank St. *E1* 5D **49**
Flansham Ho. *E14* 3B **52**
Flatiron Yd. *SE1* 3C **74**
Flavell M. *SE10* 5A **112**
Flaxman Ct. *W1* 4D **43**
Flaxman Ct. *WC1* 3E **25**
Flaxman Ter. *WC1* 3E **25**
Flecker Ho. *SE5* 5D **125**
Fleetbank Ho. *EC4* 4E **45**
Fleet Building. *EC4* 3F **45**
Fleetfield. *WC1* 2A **26**
Fleet Ho. *E14* 5A **52**
Fleet Pl. *EC4* 3F **45**
(in two parts)
Fleet Sq. *WC1* 3C **26**
Fleet St. *EC4* 4D **45**
Fleet St. Hill. *E1* 5D **31**
Fleetway. *WC1* 2A **26**
Fleetwood Clo. *E16* 1E **59**
Fleetwood Ct. *E6* 1B **60**
(in three parts)
Fleming Clo. *W9* 5D **19**
Fleming Ct. *W2* 1D **39**
Fleming Ho. *SE16* 5D **77**
Fleming Lodge. *W9* 1E **37**
Fleming Rd. *SE17* 2A **124**
Fletcher Bldgs. *WC2* 4A **44**
Fletcher Clo. *E6* 5F **61**
Fletcher Path. *SE8* 5E **131**
Fletcher St. *E1* 5E **49**
Fleur-de-Lis St. *E1* 5A **30**
Flinders Ho. *E1* 3A **78**
Flinton St. *SE17* 5A **104**
Flint St. *SE17* 4E **103**
Flitcroft St. *WC2* 4E **43**
Flitton Ho. *N1* 2F **13**
Flockton St. *SE16* 5D **77**
Flodden Rd. *SE5* 5B **124**
Flood St. *SW3* 1A **118**
Flood Wlk. *SW3* 2A **118**
Flora Clo. *E14* 4F **53**
Flora Gdns. *W6* 3A **90**
Floral St. *WC2* 5F **43**
Florence Ct. *N1* 2F **13**
Florence Ct. *W9* 3C **20**
Florence Ho. *SE16* 1F **127**
Florence Ho. *W11* 1E **63**
Florence Nightingale Mus.
. . . . 5B **72**
Florence Rd. *SE14* 5C **130**
Florence St. *N1* 2F **13**
Flores Ho. *E1* 1E **51**
Florey Lodge. W9 . . . . *1E 37*
(off Admiral Wlk.)
Florida St. *E2* 3D **31**
Florin Ct. *SE1* 5B **76**
Flower & Dean Wlk.
E1 . . . . 2C **48**
Flower Wlk., The. *SW7* 5B **66**
Flynn Ct. *E14* 1D **81**
Foley Ho. *E1* 4B **50**
Foley St. *W1* 2B **42**

Folgate St. *E1* 1A **48**
(in two parts)
Foliot Ho. *N1* 5B **12**
Follett Ho. *SW10* 4D **117**
Follett St. *E14* 4B **54**
Follingham Ct. *N1* 2A **30**
Folly M. *W11* 3B **36**
Folly Wall. *E14* 5C **82**
Fonda Ct. *E14* 1D **81**
Fontenoy Ho. *SE11* 4F **101**
Forber Ho. *E2* 3B **32**
Forbes St. *E1* 4E **49**
Fordham St. *E1* 3E **49**
Fordingley Rd. *W9* 3C **18**
Fords Pk. Rd. *E16* 2D **57**
Ford Sq. *E1* 2A **50**
Ford St. *E16* 3B **56**
Foreland Ho. *W11* 5F **35**
Foreshore. *SE8* 4B **108**
Forest Gro. *E8* 1C **16**
Fore St. *EC2* 2C **46**
Fore St. Av. *EC2* 2D **47**
Forest Rd. *E8* 1B **16**
Forge Pl. *NW1* 1E **9**
Formation, The. *E16* 4F **89**
Former County Hall. **4B 72**
Formosa Ho. *E1* 5F **33**
Formosa St. *W9* 1A **38**
Formunt Clo. *E16* 2C **56**
Forset Ct. *W2* 3A **40**
Forset St. *W1* 3A **40**
Forston St. *N1* 5C **14**
Forsyth Gdns. *SE17* 2A **124**
Forsyth Ho. *SW1* 5C **98**
Fortescue Av. *E8* 2F **17**
Fortis Clo. *E16* 4B **58**
Fort Rd. *SE1* 4C **104**
Fort St. *E1* 2A **48**
Fort St. *E16* 3A **88**
Fortune Ho. *EC1* 5C **28**
Fortune Ho. *SE11* 4D **101**
Fortune St. *EC1* 5C **28**
Fortune Theatre. **4A 44**
Forty Acre La. *E16* 2D **57**
Forum Magnum Sq. *SE1* . . . 4B **72**
Fosbrooke Ho. *SW8* 5F **121**
Fosbury M. *W2* 1A **66**
Foscote M. *W9* 5E **19**
Foster Ct. *E16* 5C **56**
Foster Ct. *NW1* 1B **10**
Foster La. *EC2* 3B **46**
Foubert's Pl. *W1* 4B **42**
Foulis Ter. *SW7* 5E **95**
Founder Clo. *E6* 4F **61**
Founders Ct. *EC2* 3D **47**
Foundry Clo. *SW1* 1D **121**
Foundling Ct. *WC1* 4F **25**
Foundling Mus., The. **4A 26**
(Closed Until 2003)
Foundry Clo. *SE16* 2F **79**
Foundry Ho. *E14* 1A **54**
Foundry M. *NW1* 4C **24**
Fountain Ct. *EC4* 5D **45**
Fountain Ct. *SW1* 4F **97**
Fountain Grn. Sq. *SE16* 5E **77**
Fountain Ho. *NW6* 2A **4**
Fountain Ho. *W1* 2D **69**
Fountain Sq. *SW1* 3A **98**
Fount St. *SW8* 5E **121**
Fouracres. *NW1* 3B **24**

Fournier St. *E1* 1B **48**
Fourth Av. *W10* 4A **18**
Fowey Clo. *E1* 2F **77**
Fowey Ho. *SE11* 5E **101**
Fowler Rd. *N1* 3A **14**
Fox & Knot St. *EC1* 1A **46**
Fox Clo. *E1* 4C **32**
Fox Clo. *E16* 2D **57**
Foxcote. *SE5* 1A **126**
Foxcroft. *WC1* 1C **26**
Foxfield. *NW1* 4A **10**
Foxley Rd. *SW9* 4E **123**
Foxley Sq. *SW9* 5F **123**
Fox Rd. *E16* 2B **56**
Foxton Ho. *E16* 4E **89**
Frampton. *NW1* 2D **11**
Frampton Ho. *NW8* 5E **21**
Frampton St. *NW8* 5D **21**
Francis Clo. *E14* 3D **111**
Francis Ct. *EC1* 1F **45**
Francis Ct. *SE14* 3D **129**
Francis Ho. *N1* 4F **15**
Francis St. *SW1* 3B **98**
Francis Wlk. *N1* 3B **12**
Frank Beswick Ho. *SW6* . . . 3C **114**
Frankham Ho. *SE8* 5E **131**
Frankham St. *SE8* 5D **131**
Frank Ho. *SW8* 4F **121**
Frankland Clo. *SE16* 2A **106**
Frankland Rd. *SW7* 2D **95**
Franklin Building. *E14* 4D **81**
Franklin Ho. *E1* 3A **78**
Franklin Sq. *W14* 1C **114**
Franklin's Row. *SW3* 5C **96**
Frank Soskice Ho. *SW6* . . . 3C **114**
Frank Whymark Ho. *SE16*. . . 5B **78**
Frans Hals Ct. *E14* 1C **110**
Fraser Clo. *E6* 3F **59**
Fraser Ct. *E14* 5B **110**
Frazier St. *SE1* 5D **73**
Frean St. *SE16* 1D **105**
Frearson Ho. *WC1* 2C **26**
Freda Corbett Clo. *SE15* . . . 4D **127**
Frederica St. *N7* 1B **12**
Frederick Charrington Ho.
E1 . . . . 4B **32**
Frederick Clo. *W2* 5A **40**
Frederick Cres. *SW9* 5F **123**
Frederick Rd. *SE17* 2A **124**
Frederick's Pl. *EC2* 4D **47**
Frederick Sq. *SE16* 1F **79**
Frederick's Row. *EC1* 2F **27**
Frederick St. *WC1* 3B **26**
Frederick Ter. *E8*. 2B **16**
Frederic M. *SW1* 5C **68**
Freeling Ho. *NW8*. 3D **7**
Freeling St. *N1* 2B **12**
(Carnoustie Dri.)
Freeling St. *N1* 2A **12**
(Pembroke St.)
Freemantle St. *SE17* 5F **103**
Freemasons Rd. *E16*. 2F **57**
Free Trade Wharf. *E1* 5D **51**
Fremantle Ho. *E1* 5F **31**
French Ordinary Ct. *EC3*. . . . 5A **48**
French Pl. *E1* 4A **30**
Frensham St. *SE15*. 3E **127**
Freshfield Av. *E8* 1B **16**
Freshwater Ct. W1 . . . . *2A 40*
(off Crawford St.)

Freston Rd. *W10 & W11* 5D **35**
Freswick Ho. *SE8* 3E **107**
Frewell Ho. *EC1* 1D **45**
Friars Clo. *SE1* 2A **74**
Friars Mead. *E14* 2B **110**
Friar St. *EC4* 4A **46**
Friary Ct. *SW1* 3C **70**
Friary Est. *SE15* 3E **127**
(in two parts)
Friary Rd. *SE15* 3E **127**
Friday St. *EC4* 5B **46**
Friend St. *EC1* 2F **27**
Frigate Ho. *E14* 4C **110**
Frigate M. *SE8* 2D **131**
Frimley St. *E1* 5D **33**
Frimley Way. *E1* 4D **33**
Frinstead Ho. *W10* 5D **35**
Frith Ho. *NW8* 5E **21**
Frith St. *W1* 4D **43**
Frithville Ct. *W12* 3B **62**
Frithville Gdns. *W12* 2B **62**
Frobisher Ct. *SE10* 2E **133**
Frobisher Ct. *W12* 5B **62**
Frobisher Cres. *EC2* 1C **46**
Frobisher Ho. *E1* 2A **78**
Frobisher Ho. *SW1* 2D **121**
Frobisher Pas. *E14* 2E **81**
Frobisher Rd. *E6* 3C **60**
Frobisher St. *SE10* 2F **133**
Frome St. *N1* 5B **14**
Frostic Wlk. *E1* 2C **48**
Fruiterers Pas. *EC4* 1C **74**
Frying Pan All. *E1* 2B **48**
Fulbeck Ho. *N7* 1B **12**
Fulbourne St. *E1* 1F **49**
Fulcher Ho. *N1* 4F **15**
Fulcher Ho. *SE8* 1B **130**
Fulford St. *SE16* 5A **78**
Fulham Broadway. (Junct.)
. . . . 5E **115**
Fulham B'way. *SW6* 5E **115**
Fulham Ct. *SW6* 5D **115**
Fulham Pal. Rd. *W6 & SW6*. . . 5C **90**
Fulham Rd.
SW6, SW10 & SW3 . . . . 5C **114**
(in two parts)
Fuller Clo. *E2* 4D **31**
Fullwood's M. *N1* 2E **29**
Fulmar Ho. *SE16* 3E **107**
Fulmer Ho. *NW8* 5A **22**
Fulmer Rd. *E16* 2D **59**
Fulneck. *E1* 1C **50**
Fulton M. *W2* 5B **38**
Fulwood Pl. *WC1* 2C **44**
Furber St. *W6* 2A **90**
Furley Ho. *SE15* 4E **127**
Furley Rd. *SE15* 5E **127**
Furness Ho. *SW1* 5F **97**
Furnival Mans. *W1* 2B **42**
Furnival St. *EC4* 3D **45**
Fursecroft. *W1* 3B **40**
Furze St. *E3* 1E **53**
Fye Foot La. *EC4* 5B **46**
(in two parts)
Fynes St. *SW1* 3D **99**

G

Gables Clo. *SE5* 5F **125**
Gabriel Ho. *SE11* 3B **100**

Gabriels Wharf. *SE1* 2E **73**
Gaddesden Ho. *EC1* 3E **29**
Gadebridge Ho. SW3 . . . . . . 5F **95**
(off Cale St.)
Gadsden Ho. *W10* 5A **18**
Gadwall Clo. *E16* 3F **57**
Gage Brown Ho. W10. . . . . . 4E **35**
(off Bridge Clo.)
Gage Rd. *E16*. 1A **56**
Gage St. *WC1* 1A **44**
Gainford Ho. *E2* 2F **31**
Gainsborough Ct. *SE16* 5A **106**
Gainsborough Ct. *W12*. 4B **62**
Gainsborough Ho. *E14* 5A **52**
Gainsborough Ho. *SW1*. 4E **99**
Gainsborough Mans. *W14*. . . 2A **114**
Gainsford St. *SE1*. 4B **76**
Gairloch Ho. *NW1* 1D **11**
Gaitskell Ho. *SE17* 2F **125**
Galbraith St. *E14* 1B **110**
Galena Ho. *W6*. 4A **90**
Galena Rd. *W6*. 4A **90**
Galen Pl. *WC1* 2A **44**
Gales Gdns. *E2*. 3A **32**
Gale St. *E3*. 1E **53**
Galleon Clo. *SE16*. 4C **78**
Galleon Ho. *E14* 4C **110**
Gallery Ct. *SE1*. 5D **75**
Gallery Ct. *SW10* 3B **116**
Galleywall Rd. *SE16* 3F **105**
Galleywall Rd. Trad. Est.
SE16 . . . . 4A **106**
Galleywood Ho. *W10* 1B **34**
Gallions Rd. *SE7*. 4F **113**
Galsworthy Av. *E14* 2A **52**
Galsworthy Ho. *W11* 4A **36**
Galton St. *W10*. 3A **18**
Galveston Ho. *E1* 5F **33**
Galway Clo. *SE16*. 1A **106**
Galway Ho. *E1* 1E **51**
Galway Ho. *EC1*. 3C **28**
Galway St. *EC1*. 3C **28**
Gambia St. *SE1* 3A **74**
Gambier Ho. *EC1* 3C **28**
Gandolfi St. *SE15*. 3F **125**
Ganton St. *W1* 5B **42**
Garbett Ho. *SE17* 2F **123**
Garbutt Pl. *W1* 2E **41**
Garden Ct. *EC4* 5D **45**
Garden M. *W2* 1E **65**
Garden Pl. *E8*. 4C **16**
Garden Rd. *NW8* 2C **20**
Garden Row. *SE1* 2F **101**
Garden St. *E1*. 2E **51**
Garden Ter. *SW1* 5D **99**
Garden Ter. *SW7* 5A **68**
Garden Wlk. *EC2* 4F **29**
Gardners La. *EC4*. 5B **46**
Gard St. *EC1* 2A **28**
Garford St. *E14* 1D **81**
Garland Ct. *E14* 1D **81**
Garlick Hill. *EC4*. 5C **46**
Garnault M. *EC1*. 3E **27**
Garnault Pl. *EC1*. 3E **27**
Garner St. *E2*. 1E **31**
Garnet Ho. *E1* 2B **78**
Garnet St. *E1*. 1B **78**
Garnet Wlk. *E6*. 1A **60**
Garnies Clo. *SE15* 4B **126**

Garrett Ho. *W12*. 4A **34**
Garrett St. *EC1*. 4B **28**
Garrick Ho. *W1*. 3F **69**
Garrick St. *WC2* 5F **43**
Garrick Theatre. 1F **71**
Garrick Yd. *WC2*. 5F **43**
Garsdale Ter. *W14* 5C **92**
Garson Ho. *W2* 5D **39**
Garston Ho. *N1*. 2F **13**
Garter Way. *SE16*. 5D **79**
Garvary Rd. *E16*. 4A **58**
Garway Rd. *W2* 4F **37**
Gascoigne Pl. *E2* 3B **30**
(in two parts)
Gascony Av. *NW6* 2D **5**
Gaselee St. *E14* 1C **82**
Gaskin St. *N1*. 3F **13**
Gaspar Clo. *SW5* 3A **94**
Gaspar M. *SW5* 3A **94**
Gasson Ho. *SE14*. 3D **129**
Gastigny Ho. *EC1*. 3C **28**
Gataker Ho. *SE16*. 1A **106**
Gataker St. *SE16* 1A **106**
Gatcombe Rd. *E16*. 2E **85**
Gate Cinema. 2D **65**
Gateforth St. *NW8* 5F **21**
Gate Hill Ct. *W11* 2C **64**
Gatehouse Sq. *SE1*. 2C **74**
Gate Lodge. *W9* 1E **37**
Gate M. *SW7* 5A **68**
Gatesborough St. *EC2*. 4F **29**
Gates Ct. *SE17*. 1B **124**
Gatesden. *WC1* 3A **26**
Gate St. *WC2*. 3B **44**
Gate Theatre, The. 2D **65**
Gateway. *SE17*. 2C **124**
Gateway Arc. *N1*. 5F **13**
Gateways, The. *SW3* 4A **96**
Gathorne St. *E2* 1E **33**
Gatliff Clo. *SW1* 1F **119**
Gatliff Rd. *SW1*. 1F **119**
(in two parts)
Gattis Wharf. *N1* 5A **12**
Gatwick Ho. *E14*. 3B **52**
Gaugin Ct. *SE16*. 5F **105**
Gaumont Ter. *W12*. 4B **62**
Gaunt St. *SE1*. 1B **102**
Gautrey Sq. *E6*. 4C **60**
Gavel St. *SE17*. 3E **103**
Gawber St. *E2* 2B **32**
Gaydon Ho. *W2*. 1F **37**
Gayfere St. *SW1*. 2F **99**
Gayhurst. *SE17* 2E **125**
Gayhurst Ho. *NW8* 4F **21**
Gayhurst Rd. *E8*. 1D **17**
Gaymead. *NW8* 4A **6**
Gaysley Ho. *SE11*. 4D **101**
Gaywood St. *SE1* 2A **102**
Gaza St. *SE17*. 1F **123**
Gaze Ho. *E14*. 4D **55**
Gedling Pl. *SE1*. 1C **104**
Gees Ct. *W1*. 4E **41**
Gee St. *EC1* 4B **28**
Geffrye Ct. *N1*. 1A **30**
Geffrye Est. *N1*. 1A **30**
Geffrye Mus. 1A **30**
Geffryre St. *E2*. 5B **16**
Geldart Rd. *SE15* 5F **127**
Gemini Bus. Cen. *E16*. 1E **55**
Gemini Bus. Est. *SE14* 1E **129**

Gemini Ct. *E1* 1D **77**
Genoa Ho. *E1* 5E **33**
Geoffrey Ho. *SE1* 1E **103**
Geographers' A-Z Shop. **1D 45**
George Beard Rd. *SE8* 4B **108**
George Belt Ho. *E2* 2D **33**
George Ct. *WC2* 1A **72**
George Eliot Ho. *SW1* 4C **98**
George Elliston Ho. *SE1* 1D **127**
George Eyre Ho. *NW8* 1E **21**
George Gillett Ct. *EC1* 4C **28**
George Inn Yd. *SE1* 3D **75**
George Lindgren Ho. *SW6* 4C **114**
George Loveless Ho. *E2* 2C **30**
George Lowe Ct. *W2* 1F **37**
George Mathers Rd. *SE11* 3F **101**
George M. *NW1* 3C **24**
George Peabody Ct. *NW1* 1F **39**
George Row. *SE16* 5D **77**
George's Sq. *SW6* 2C **114**
George St. *E16* 4B **56**
George St. *W1* 3B **40**
George Tingle Ho. *SE1* 1C **104**
Georgette Pl. *SE10* 5C **132**
George Walter Ct. *SE16* 4C **106**
George Yd. *EC3* 4E **47**
George Yd. *W1* 5E **41**
Georgiana St. *NW1* 3B **10**
Georgian Ho. *E16* 2D **85**
Georgina Gdns. *E2* 2C **30**
Geraldine St. *SE11* 2F **101**
Gerald M. *SW1* 3E **97**
Gerald Rd. *SW1* 3E **97**
Gerards Clo. *SE16* 1B **128**
Gernon Rd. *E3* 1F **33**
Gerrard Ho. *SE14* 5C **128**
Gerrard Pl. *W1* 5E **43**
Gerrard Rd. *N1* 5F **13**
Gerrard St. *W1* 5D **43**
Gerridge Ct. SE1 *1E* ***101*** *(off Gerridge St.)*
Gerridge St. *SE1* 1E **101**
Gertrude St. *SW10* 3C **116**
Gervase St. *SE15* 4A **128**
Gibbings Ho. *SE1* 5A **74**
Gibbon Ho. *NW8* 5E **21**
Gibbon's Rents. *SE1* 3F **75**
Gibbs Grn. *W14* 5B **92** (in two parts)
Gibbs Grn. Clo. *W14* 5C **92**
Gibraltar Wlk. *E2* 3C **30**
Gibson Clo. *E1* 4C **32**
Gibson Rd. *SE11* 4C **100**
Gibson Sq. *N1* 3E **13**
Gibson St. *SE10* 1F **133**
Gielgud Theatre. **5D 43**
Giffen Sq. Mkt. *SE8* 4D **131**
Giffin St. *SE8* 4D **131**
Gifford Ho. *SE10* 1E **133**
Gifford Ho. *SW1* 1B **120**
Gifford St. *N1* 2A **12**
Gilbert Bri. EC2 *2C* ***46*** *(off Gilbert Ho.)*
Gilbert Collection. **5B 44**
Gilbert Ho. *E2* 2D **33**
Gilbert Ho. *EC2* 2C **46**
Gilbert Ho. *SE8* 2E **131**
Gilbert Ho. *SW1* 1A **120**
Gilbert Ho. *SW8* 4F **121**
Gilbert Pl. *WC1* 2F **43**
Gilbert Rd. *SE11* 4E **101**
Gilbert Sheldon Ho. *W2* 1E **39**
Gilbertson Ho. *E14* 1E **109**
Gilbert St. *W1* 4E **41**
Gilbeys Yd. *NW1* 2E **9**
Gildea St. *W1* 2A **42**
Giles Ho. *SE16* 1D **105**
Gillam Ho. *SE16* 4B **106**
Gill Av. *E16* 4D **57**
Gillender St. *E3 & E14* 1B **54**
Gillfoot. *NW1* 1B **24**
Gillingham M. *SW1* 3B **98**
Gillingham Row. *SW1* 3B **98**
Gillingham St. *SW1* 4A **98**
Gillison Wlk. *SE16* 1E **105**
Gillman Ho. *E2* 5E **17**
Gill St. *E14* 4C **52**
Gilray Ho. *W2* 5D **39**
Gilston Rd. *SW10* 1C **116**
Giltspur St. *EC1* 3A **46**
Gipsy Moth IV. **2B 132**
Giralda Clo. *E16* 2D **59**
Giraud St. *E14* 3F **53**
Girdler's Rd. *W14* 3E **91**
Girling Ho. *N1* 4F **15**
Gironde Rd. *SW6* 5C **114**
Girton Vs. *W10* 3E **35**
Gisburn Ho. *SE15* 3E **127**
Gissing Wlk. *N1* 2E **13**
Gladstone Ct. *SW1* 4E **99**
Gladstone Ct. Bus. Cen. *SW8* 5A **120**
Gladstone Ho. *E14* 4D **53**
Gladstone M. *NW6* 1B **4**
Gladstone St. *SE1* 2F **101**
Gladwin Ho. *NW1* 1C **24**
Gladys Rd. *NW6* 1E **5**
Glaisher St. *SE8* 2E **131**
Glamis Pl. *E1* 5C **50**
Glamis Rd. *E1* 1C **78**
Glasgow Ho. *W9* 1A **20**
Glasgow Ter. *SW1* 1B **120**
Glasshill St. *SE1* 4A **74**
Glasshouse Fields. *E1* 5D **51**
Glasshouse St. *W1* 1C **70**
Glasshouse Wlk. *SE11* 5A **100**
Glasshouse Yd. *EC1* 5B **28**
Glass St. *E2* 4A **32**
Glastonbury Ct. *SE14* 4C **128**
Glastonbury Ho. *SW1* 5F **97**
Glastonbury Pl. *E1* 4B **50**
Glaucus St. *E3* 1F **53**
Glazbury Rd. *W14* 4A **92**
Glebe Ho. *SE16* 2A **106**
Glebe Pl. *SW3* 2F **117**
Glebe Rd. *E8* 2B **16**
Gledhow Gdns. *SW5* 4B **94**
Gledstanes Rd. *W14* 1A **114**
Glenaffric Av. *E14* 4D **111**
Glenallan Ho. *W14* 4B **92**
Glencairne Clo. *E16* 1D **59**
Glencoe Mans. *SW9* 5D **123**
Glendower Pl. *SW7* 3D **95**
Gleneagles Clo. *SE16* 1F **127**
Glenfinlas Way. *SE5* 4A **124**
Glenforth St. *SE10* 4C **112**
Glengall Causeway. *E14* 1D **109**
Glengall Gro. *E14* 1A **110**
Glengall Pas. *NW6* 3D **5** (in two parts)
Glengall Rd. *NW6* 3C **4**
Glengall Rd. *SE15* 2C **126**
Glengall Ter. *SE15* 2C **126**
Glengarnock Av. *E14* 4C **110**
Glen Ho. *E16* 4E **89**
Glenister Rd. *SE10* 5B **112**
Glenister St. *E16* 3E **89**
Glenkerry Ho. *E14* 3B **54**
Glenridding. *NW1* 1C **24**
Glenroy St. *W12* 3B **34**
Glenshaw Mans. *SW9* 5D **123**
Glen Ter. *E14* 4C **82**
Glenthorne M. *W6* 4A **90**
Glenthorne Rd. *W6* 3A **90**
Glentworth St. *NW1* 5C **22**
Glenville Gro. *SE8* 5C **130**
Glenworth Av. *E14* 4D **111**
Gliddon Rd. *W14* 4F **91**
Globe Pond Rd. *SE16* 3F **79**
Globe Rd. *E2 & E1* 1B **32** (in two parts)
Globe Rope Wlk. *E14* 4A **110**
Globe St. *SE1* 1D **103**
Globe Ter. *E2* 2C **32**
Globe Town. **2D 33**
Globe Town Mkt. *E2* 2D **33**
Globe Wharf. *SE16* 1E **79**
Globe Yd. *W1* 4F **41**
Gloucester Arc. *SW7* 3B **94**
Gloucester Av. *NW1* 2D **9**
Gloucester Cir. *SE10* 4C **132**
Gloucester Ct. *EC3* 1A **76**
Gloucester Cres. *NW1* 3F **9**
Gloucester Gdns. *W2* 3B **38**
Gloucester Ga. *NW1* 5F **9** (in two parts)
Gloucester Ga. M. *NW1* 5F **9**
Gloucester Ho. E16 *2E* ***85*** *(off Gatcombe Rd.)*
Gloucester Ho. *NW6* 1E **19**
Gloucester Ho. *SE5* 4E **123**
Gloucester M. *W2* 4C **38**
Gloucester M. W. *W2* 4B **38**
Gloucester Pl. *NW1 & W1* 4B **22**
Gloucester Pl. M. *W1* 2C **40**
Gloucester Rd. *SW7* 1B **94**
Gloucester Sq. *E2* 4D **17**
Gloucester Sq. *W2* 4E **39**
Gloucester St. *SW1* 1B **120**
Gloucester Ter. *W2* 3A **38**
Gloucester Wlk. *W8* 4E **65**
Gloucester Way. *EC1* 3E **27**
Glover Ho. *NW6* 1C **6**
Glynde M. *SW3* 2A **96**
Glynde Reach. *WC1* 3A **26**
Glyn St. *SE11* 1B **122**
Goater's All. *SW6* 5C **114**
Godalming Rd. *E14* 2F **53**
Godfrey Ho. *EC1* 3D **29**
Godfrey St. *SW3* 5A **96**
Goding St. *SE11* 5A **100**
Godliman St. *EC4* 4B **46**
Godolphin Ho. *NW3* 1F **7**
Godolphin Rd. *W12* 3A **62** (in two parts)
Godstone Ho. *SE1* 1E **103**
Godwin Clo. *N1* 5C **14**
Godwin Ct. *NW1* 5C **10**

Godwin Ho. *NW6* 5F **5**
(in three parts)
Golborne Gdns. *W10* 5B **18**
Golborne Ho. *W10* 5A **18**
Golborne M. *W10*. 1A **36**
Golborne Rd. *W10* 1A **36**
Goldcrest Clo. *E16* 1D **59**
Golden Cross M. *W11* 3B **36**
Golden Hinde Educational Mus.
. . . . 2D **75**
Golden Hind Pl. *SE8* 4A **108**
Golden La. *EC1* 4B **28**
Golden La. Est. *EC1* 5B **28**
Golden Plover Clo. *E16*. 3E **57**
Golden Sq. *W1*. 5C **42**
Goldhawk Ind. Est. *W6*. 1A **90**
Goldhawk M. *W12* 5A **62**
Goldhawk Rd. *W6 & W12*. . . . 1A **90**
Goldhurst Ter. *NW6* 2F **5**
Golding St. *E1* 4E **49**
Golding Ter. *E1*. 3E **49**
Goldington Ct. *NW1*. 4D **11**
Goldington Cres. *NW1* 5D **11**
Goldington St. *NW1*. 5D **11**
Goldman Clo. *E2* 4D **31**
Goldney Rd. *W9*. 5D **19**
Goldsboro' Rd. *SW8*. 5E **121**
Goldsborough Ho. *E14*. 1A **132**
Goldsmith Ct. *WC2*. 3A **44**
Goldsmith Rd. *SE15*. 5E **127**
Goldsmith's Pl. *NW6*. 4F **5**
Goldsmith's Row. *E2* 1D **31**
Goldsmith's Sq. *E2*. 5E **17**
Goldsmith St. *EC2* 3C **46**
Goldsworthy Gdns. *SE16* . . . 4C **106**
Goldthorpe. *NW1*. 4B **10**
Goldwing Clo. *E16* 4E **57**
Gomm Rd. *SE16* 2B **106**
Gonson St. *SE8* 3F **131**
Gooch Ho. *EC1* 1D **45**
Goodfaith Ho. *E14* 1A **82**
Goodge Pl. *W1*. 2C **42**
Goodge St. *W1*. 2C **42**
Goodhart Pl. *E14* 5A **52**
Goodhope Ho. *E14*. 1A **82**
Goodman's Ct. *E1*. 5B **48**
Goodman's Stile. *E1*. 3D **49**
Goodmans Yd. *E1* 5B **48**
Goodrich Ct. *W10* 4D **35**
Goodson St. *N1*. 1E **45**
Goodspeed Ho. *E14* 1A **82**
Goods Way. *NW1*. 5F **11**
Goodway Gdns. *E14*. 3D **55**
Goodwill Ho. *E14*. 1A **82**
Goodwin Clo. *SE16* 2C **104**
Goodwins Ct. *WC2* 5F **43**
Goodwood Ct. *W1* 1A **42**
Goodwood Ho. *SE14*. 5F **129**
Goodwood Rd. *SE14*. 5F **129**
Goodyear Pl. *SE5*. 3C **124**
Goodyer Ho. *SW1*. 5D **99**
Goose Sq. *E6*. 4B **60**
Gophir La. *EC4*. 5D **47**
Gopsall St. *N1*. 4E **15**
Gordon Ct. *W12*. 4B **34**
Gordon Ho. *E1* 5C **50**
Gordon Ho. *SE10*. 4A **132**
Gordon Mans. *W14* 1D **91**
Gordon Mans. *WC1* 5D **25**
Gordon Pl. *W8*. 4E **65**

Gordon Sq. *WC1* 4D **25**
Gordon St. *WC1*. 4D **25**
Gorefield Ho. *NW6*. 5E **5**
(in three parts)
Gorefield Pl. *NW6* 5D **5**
Gore St. *SW7*. 1C **94**
Gorham Ho. *SE16*. 5E **79**
(off Wolfe Cres.)
Gorham Pl. *W11*. 1F **63**
Goring St. *EC3*. 3A **48**
Gorleston St. *W14* 3A **92**
(in two parts)
Gorse Clo. *E16*. 4D **57**
Gorsefield Ho. *E14*. 5D **53**
Gorsuch Pl. *E2*. 2B **30**
Gorsuch St. *E2*. 2B **30**
Gosfield St. *W1* 1B **42**
Goslett Yd. *WC2*. 4E **43**
Gosling Ho. *E1*. 5B **50**
Gosling Way. *SW9* 5E **123**
Gosport Way. *SE15* 4B **126**
Gosset St. *E2*. 2C **30**
Gosterwood St. *SE8*. 2A **130**
Goswell Pl. *EC1*. 3A **28**
Goswell Rd. *EC1*. 1F **27**
Gothic Ct. *SE5* 4B **124**
Gough Ho. *N1* 3A **14**
Gough Sq. *EC4*. 3E **45**
Gough St. *WC1* 4C **26**
Gough Wlk. *E14*. 4D **53**
Gouldman Ho. *E1*. 5B **32**
Goulston St. *E1* 3B **48**
Govan St. *E2* 4E **17**
Gowan Ho. *E2* 3C **30**
Gower Ct. *WC1* 4D **25**
Gower Ho. *SE17*. 5C **102**
Gower M. *WC1*. 2E **43**
Gower M. Mans. *WC1* 1E **43**
Gower Pl. *WC1*. 4C **24**
Gower St. *WC1* 4C **24**
Gower's Wlk. *E1*. 3D **49**
Gracechurch St. *EC3*. 5E **47**
Gracehill. *E1*. 1C **50**
Grace Ho. *SE11* 2C **122**
Grace Jones Clo. *E8*. 1D **17**
Graces All. *E1* 5D **49**
Graces M. *NW8* 1C **20**
Graduate Pl. *SE1*. 1F **103**
Grafely Way. *SE15* 4B **126**
Grafton Ho. *SE8*. 1B **130**
Grafton M. *N1* 5B **14**
Grafton M. *W1* 5B **24**
Grafton Pl. *NW1*. 3E **25**
Grafton St. *W1*. 1A **70**
Grafton Way. *W1 & WC1* . . . 5B **24**
Graham Ct. *SE14*. 2D **129**
Graham St. *N1*. 1A **28**
Graham Ter. *SW1*. 4D **97**
Grainger Ct. *SE5*. 5B **124**
Grampians, The. *W6* 5D **63**
Granary Rd. *E1*. 5F **31**
Granary St. *NW1* 4D **11**
Granby Pl. *SE1*. 5D **73**
Granby St. *E2*. 4C **30**
(in two parts)
Granby Ter. *NW1* 1B **24**
Grand Av. *EC1* 1A **46**
(in three parts)
Grand Junct. Wharf. *N1* 1B **28**
Grand Union Clo. *W9* 1C **36**

Grand Union Cres. *E8*. 3E **17**
Grand Union Wlk. *NW1* 2A **10**
Grand Vitesse Ind. Cen.
SE1. . . . . 3A **74**
Grand Wlk. *E1* 4F **33**
Grange Ct. *WC2*. 4C **44**
Grangefield. *NW1*. 1E **11**
Grange Ho. *SE1* 2B **104**
Grange Pl. *NW6*. 2D **5**
Grange Rd. *SE1* 2A **104**
Grange St. *N1* 4E **15**
Grange, The. *SE1* 1B **104**
Grange, The. *W14* 4B **92**
Grange Wlk. *SE1* 1A **104**
Grange Wlk. M. *SE1* 2A **104**
Grange Way. *NW6* 2D **5**
Grange Yd. *SE1* 2B **104**
Gransden Av. *E8*. 2F **17**
Gransden Ho. *SE8* 5B **108**
Grantbridge St. *N1*. 5A **14**
Grantham Ct. *SE16* 4D **79**
Grantham Ho. *SE15* 3E **127**
Grantham Pl. *W1* 3F **69**
Grantley Ho. *SE14* 2D **129**
Grantley St. *E1*. 3D **33**
Grants Quay Wharf. *EC3*. . . . 1E **75**
Grant St. *N1*. 5D **13**
Grantully Rd. *W9* 3F **19**
Granville Ct. *N1* 3E **15**
Granville Ct. *SE14*. 4F **129**
Granville Ho. *E14* 4E **53**
Granville Mans. *W12* 4C **62**
Granville Pl. *SW6* 5F **115**
Granville Pl. *W1*. 4D **41**
Granville Rd. *NW6* 1D **19**
(in two parts)
Granville Sq. *SE15* 4A **126**
Granville Sq. *WC1* 3C **26**
Granville St. *WC1*. 3C **26**
Grape St. *WC2* 3F **43**
Graphite Sq. *SE11* 5B **100**
Grasmere. *NW1* 3A **24**
Grasmere Point. *SE15* 4B **128**
Gratton Rd. *W14* 2F **91**
Gravel La. *E1*. 3B **48**
Gravely Ho. *SE8*. 3F **107**
Gray Ho. *SE17*. 5C **102**
Grayling Sq. *E2*. 2E **31**
Gray's Inn. 1C **44**
Gray's Inn Bldgs. EC1. . . . . . *5D* **27**
(off Rosebery Av.)
Gray's Inn Pl. *WC1*. 2C **44**
Gray's Inn Rd. *WC1* 2A **26**
Gray's Inn Sq. *WC1* 1D **45**
Grayson Ho. *EC1*. 3C **28**
Gray St. *SE1*. 5E **73**
Gray's Yd. *W1* 3E **41**
Gt. Arthur Ho. *EC1* 5B **28**
Gt. Bell All. *EC2* 3D **47**
Gt. Castle St. *W1* 3A **42**
Gt. Central St. *NW1* 1B **40**
Gt. Chapel St. *W1* 3D **43**
Gt. Church La. *W6* 5D **91**
Gt. College St. *SW1* 1F **99**
Great Cft. *WC1*. 3A **26**
Gt. Cross Av. *SE10*. 5E **133**
(in three parts)
Gt. Cumberland M. *W1*. 4B **40**
Gt. Cumberland Pl. *W1*. 3B **40**
Gt. Dover St. *SE1*. 5C **74**

Gt. Eastern Bldgs. *E1*	2E **49**
Gt. Eastern Enterprise Cen.	
E14	5F **81**
Gt. Eastern St. *EC2*	3F **29**
Gt. Eastern Wlk. *EC2*	2A **48**
Gt. Eastern Wharf. *SW11*	4A **118**
Gt. George St. *SW1*	5E **71**
Gt. Guildford Bus. Sq.	
SE1	3B **74**
Gt. Guildford St. *SE1*	2B **74**
Great Hall.	1C **118**
(Royal Hospital Chelsea)	
Gt. James St. *WC1*	1B **44**
Gt. Marlborough St. *W1*	4B **42**
Gt. Maze Pond. *SE1*	4E **75**
(in two parts)	
Gt. Newport St. *WC2*	5E **43**
Gt. New St. *EC4*	3E **45**
Greatorex Ho. *E1*	1D **49**
Greatorex St. *E1*	1D **49**
Gt. Ormond St. *WC1*	1A **44**
Gt. Percy St. *WC1*	2C **26**
Gt. Peter St. *SW1*	2D **99**
Gt. Portland St. *W1*	5A **24**
Gt. Pulteney St. *W1*	5C **42**
Gt. Queen St. *WC2*	4A **44**
Gt. Russell St. *WC1*	3E **43**
Gt. St Helen's. *EC3*	3F **47**
Gt. St Thomas Apostle.	
EC4	5C **46**
Gt. Scotland Yd. *SW1*	3F **71**
Gt. Smith St. *SW1*	1E **99**
Gt. Suffolk St. *SE1*	3A **74**
Gt. Sutton St. *EC1*	5A **28**
Gt. Swan All. *EC2*	3D **47**
(in two parts)	
Gt. Titchfield St. *W1*	5A **24**
Gt. Tower St. *EC3*	5F **47**
Gt. Trinity La. *EC4*	5C **46**
Great Turnstile. *WC1*	2C **44**
Gt. Western Rd.	
W9 & W11	5C **18**
Gt. West Rd. *W4 & W6*	5A **90**
Gt. Winchester St. *EC2*	3E **47**
Gt. Windmill St. *W1*	5D **43**
Great Yd. *SE1*	4A **76**
Greaves Cotts. *E14*	2A **52**
Greaves Tower. *SW10*	4C **116**
Grebe Ct. *E14*	5C **82**
Grebe Ct. *SE8*	2B **130**
Greek Ct. *W1*	4E **43**
Greek St. *W1*	4E **43**
Greenacre Sq. *SE16*	4E **79**
Grn. Arbour Ct. *EC4*	3F **45**
Greenaway Ho. *NW8*	3B **6**
Greenaway Ho. *WC1*	3D **27**
Green Bank. *E1*	3F **77**
Greenberry St. *NW8*	1F **21**
Greencoat Mans. *SW1*	2C **98**
Greencoat Pl. *SW1*	3C **98**
Greencoat Row. *SW1*	2C **98**
Greencourt Ho. *E1*	5D **33**
Greencroft Clo. *E6*	2F **59**
Greencroft Gdns. *NW6*	2F **5**
Grn. Dragon Ct. *SE1*	3D **75**
Grn. Dragon Yd. *E1*	2D **49**
Greene Ct. *SE14*	3D **129**
Greene Ho. *SE1*	2D **103**
Greenfell Mans. *SE8*	2F **131**
Greenfield Rd. *E1*	2E **49**
Greenham Clo. *SE1*	5D **73**
Greenheath Bus. Cen. *E2*	4A **32**
Greenhill's Rents. *EC1*	1F **45**
Grn. Hundred Rd. *SE15*	3E **127**
Greenland Ho. *E1*	5F **33**
Greenland M. *SE8*	1E **129**
Greenland Pl. *NW1*	3A **10**
Greenland Quay. *SE16*	3E **107**
Greenland Rd. *NW1*	3A **10**
Greenland St. *NW1*	3A **10**
Greenman St. *N1*	2B **14**
Green Pk.	3A **70**
Green's Ct. *W1*	5D **43**
Greenshields Ind. Est. *E16*	3F **85**
Green St. *W1*	5C **40**
Green Ter. *EC1*	3E **27**
Green Wlk. *SE1*	2F **103**
Greenwell St. *W1*	5A **24**
Greenwich.	4B **132**
Greenwich Bus. Pk. *SE10*	4A **132**
Greenwich Chu. St. *SE10*	2C **132**
Greenwich Cinema.	4C **132**
Greenwich Commercial Cen.	
SE10	5F **131**
Greenwich Ct. *E1*	3A **50**
Greenwich Cres. *E6*	2F **59**
Greenwich Gateway Vis. Cen.	
	2C **132**
Greenwich High Rd. *SE10*	5F **131**
Greenwich Ind. Est. *SE7*	4F **113**
Greenwich Ind. Est. *SE10*	4A **132**
Greenwich Mkt. *SE10*	3C **132**
Greenwich Pk.	4F **133**
Greenwich Pk. St. *SE10*	1E **133**
Greenwich Quay. *SE8*	2F **131**
Greenwich S. St. *SE10*	5B **132**
Greenwich Vw. Pl. *E14*	2F **109**
Greenwood Rd. *E8*	1E **17**
Green Yd. *WC1*	4C **26**
Green Yd., The. *EC3*	4F **47**
Greet Ho. *SE1*	5E **73**
Greet St. *SE1*	3E **73**
Gregory Pl. *W8*	4F **65**
Greig Ter. *SE17*	2A **124**
Grenada Ho. *E14*	5C **52**
Grenade St. *E14*	5C **52**
Grenadier St. *E16*	3D **89**
Grenard Clo. *SE15*	5D **127**
Grendon Ho. *N1*	1B **26**
Grendon St. *NW8*	4F **21**
Grenfell Ho. *SE5*	5B **124**
Grenfell Rd. *W11*	5E **35**
Grenfell Tower. *W11*	5E **35**
Grenfell Wlk. *W11*	5E **35**
Grenier Apartments.	
SE15	4A **128**
Grenville Ho. *E3*	1F **33**
Grenville Ho. *SE8*	2D **131**
Grenville Ho. *SW1*	2D **121**
Grenville M. *SW7*	3B **94**
Grenville Pl. *SW7*	2B **94**
Grenville St. *WC1*	5A **26**
Gresham Rd. *E16*	4A **58**
Gresham St. *EC2*	3B **46**
Gresse St. *W1*	2D **43**
Gretton Ho. *E2*	2B **32**
Greville Hall. *NW6*	5A **6**
Greville M. *NW6*	4F **5**
Greville Pl. *NW6*	5A **6**
Greville Rd. *NW6*	5F **5**
Greville St. *EC1*	2D **45**
(in two parts)	
Greycoat Gdns. *SW1*	2D **99**
Greycoat Pl. *SW1*	2D **99**
Greycoat St. *SW1*	2D **99**
Grey Eagle St. *E1*	1B **48**
Greyfriars Pas. *EC1*	3A **46**
Greyhound Ct. *WC2*	5C **44**
Greyhound Mans. *W6*	2A **114**
Greyhound Rd.	
W6 & W14	2A **114**
Grey Ho. *W12*	1A **62**
Greystoke Ho. *SE15*	3E **127**
Greystoke Pl. *EC4*	3D **45**
Griffin Ho. *E14*	4F **53**
Griffin Ho. *W6*	4E **91**
Grigg's Pl. *SE1*	2A **104**
Grimaldi Ho. *N1*	5B **12**
Grimsby Gro. *E16*	3F **89**
Grimsby St. *E2*	5C **30**
Grimsel Path. *SE5*	4A **124**
Grimthorpe Ho. *EC1*	4F **27**
Grindall Ho. *E1*	5A **32**
Grindal St. *SE1*	5D **73**
Grindley Ho. *E3*	1C **52**
Grinling Pl. *SE8*	3D **131**
Grinstead Rd. *SE8*	1F **129**
Grisedale. *NW1*	2B **24**
Grittleton Rd. *W9*	4D **19**
Grocer's Hall Ct. *EC2*	4D **47**
Grocer's Hall Gdns. *EC2*	4D **47**
Groome Ho. *SE11*	4C **100**
Groom Pl. *SW1*	1E **97**
Grosvenor Cotts. *SW1*	3D **97**
Grosvenor Ct. *SE5*	3C **124**
Grosvenor Ct. Mans. *W2*	4B **40**
Grosvenor Cres. *SW1*	5E **69**
Grosvenor Cres. M. *SW1*	5D **69**
Grosvenor Est. *SW1*	3E **99**
Grosvenor Gdns. *SW1*	1F **97**
Grosvenor Gdns. M. E.	
SW1	1A **98**
Grosvenor Gdns. M. N.	
SW1	2F **97**
Grosvenor Gdns. M. S.	
SW1	2A **98**
Grosvenor Ga. *W1*	1D **69**
Grosvenor Hill. *W1*	5F **41**
Grosvenor Hill Ct. *W1*	5F **41**
Grosvenor Pk. *SE5*	3B **124**
Grosvenor Pl. *SW1*	4E **69**
Grosvenor Rd. *SW1*	2F **119**
Grosvenor Sq. *W1*	5E **41**
Grosvenor St. *W1*	5F **41**
Grosvenor Ter. *SE5*	4A **124**
Grosvenor Wharf Rd.	
E14	4D **111**
Grotto Ct. *SE1*	4B **74**
Grotto Pas. *W1*	1E **41**
Grove Ct. *NW8*	2D **21**
Grove Ct. *SW10*	1C **116**
Grove Dwellings. *E1*	1B **50**
Grove End Gdns. *NW8*	1D **21**
Grove End Ho. *NW8*	3D **21**
Grove End Rd. *NW8*	1D **21**
Grove Gdns. *NW8*	3A **22**
Grove Hall Ct. *NW8*	2C **20**
Grove Ho. *SW3*	2A **118**
Groveland Ct. *EC4*	4C **46**
Grove Mans. *W6*	5B **62**

Grove M. *W6* 1B **90**
Grove Pas. *E2*. 5F **17**
Grover Ho. *SE11* 1C **122**
Grove Rd. *E3*. 1E **33**
Grove St. *SE8*. 3B **108**
Grove Vs. *E14*. 5A **54**
Grundy St. *E14*. 4F **53**
Guards Memorial. 3E **71**
Guards' Mus. 5C **70**
Guildford Ct. *SW8* 5A **122**
Guildford Rd. *E6* 4A **60**
Guildford Rd. *SW8*. 5A **122**
Guildhall. 3C **46**
Guildhall Art Gallery. 3D **47**
Guildhall Bldgs. *EC2*. 3D **47**
Guildhall Library. 3C **46**
Guildhall Offices. *EC2*. 3C **46**
Guildhall School of Music &
   Drama. 1C **46**
Guildhall Yd. *EC2*. 3C **46**
Guildhouse St. *SW1*. 3B **98**
Guilford Pl. *WC1* 5B **26**
Guilford St. *WC1* 5F **25**
Guinness Ct. *E1*. 4B **48**
Guinness Ct. *EC1*. 3C **28**
Guinness Ct. *NW8* 4A **8**
Guinness Ct. *SE1*. 4F **75**
Guinness Ct. *SW3*. 4B **96**
Guinness Sq. *SE1*. 2F **103**
Guinness Trust Bldgs.
   SE11 . . . . 5F **101**
Guinness Trust Bldgs. *W6* . . 5C **90**
Gulland Wlk. *N1*. 1C **14**
Gulliver's Ho. *EC1*. 5B **28**
Gulliver St. *SE16* 1B **108**
Gulston Wlk. *SW3* 4C **96**
Gun Ho. *E1* 3A **78**
Gunpowder Sq. *EC4* 3E **45**
   (in two parts)
Gun St. *E1*. 2B **48**
Gunter Gro. *SW10* 3B **116**
Gunterstone Rd. *W14*. 4F **91**
Gunthorpe St. *E1* 2C **48**
Gunwhale Clo. *SE16*. 3E **79**
Gun Wharf. *E1*. 3B **78**
Gurdon Ho. *E14*. 3D **53**
Gurdon Rd. *SE7*. 5E **113**
Gurney Ho. *E2* 5E **17**
Guthrie Ct. *SE1*. 5E **73**
Guthrie St. *SW3*. 5F **95**
Gutter La. *EC2* 3B **46**
Guy St. *SE1* 4E **75**
Gwendwr Rd. *W14*. 5A **92**
Gwent Ct. *SE16* 2E **79**
Gwilym Maries Ho. *E2* 2F **31**
Gwyn Clo. *SW6* 5A **116**
Gwynne Ho. *E1*. 2F **49**
Gwynne Ho. *WC1*. 3D **27**
Gwynne Pl. *WC1* 3C **26**

H

Haarlem Rd. *W14*. 2D **91**
Haberdasher Est. *N1*. 2E **29**
Haberdasher Pl. *N1*. 2E **29**
Haberdasher St. *N1* 2E **29**
Habington Ho. *SE5*. 4D **125**
Hackford Rd. *SW9*. 5D **123**
Hackney. 3F **17**
Hackney Rd. *E2* 3B **30**

Haddington Ct. *SE10* 4A **132**
Haddo Ho. *SE10*. 3A **132**
Haddonfield. *SE8* 4E **107**
Haddo St. *SE10* 3A **132**
Hadfield Ho. *E1* 4E **49**
Hadleigh Clo. *E1*. 4B **32**
Hadleigh Ho. *E1*. 4B **32**
Hadleigh St. *E2* 4C **32**
Hadleigh Wlk. *E6* 3A **60**
Hadley St. *NW1* 1F **9**
   (in two parts)
Hadlow Ho. *SE17*. 5A **104**
Hadrian Est. *E2*. 1E **31**
Hadrian St. *SE10* 5F **111**
Hadstock Ho. *NW1* 2E **25**
Haggerston. 1C **30**
Haggerston Rd. *E8 & E2*. . . . 2B **16**
Hague St. *E2* 3E **31**
Haig Ho. *E2*. 1D **31**
Haines St. *SW8* 4C **120**
Hainton Clo. *E1* 4A **50**
Halcomb St. *N1* 4F **15**
Halcrow St. *E1*. 2A **50**
Halcyon Wharf. *E1* 3E **77**
Haldane Rd. *SW6*. 4C **114**
Hale Ho. *SW1*. 5E **99**
Hales Prior. *N1*. 1B **26**
Hales St. *SE8*. 5D **131**
Hale St. *E14*. 5F **53**
Half Moon Ct. *EC1*. 2B **46**
Half Moon Cres. *N1* 5C **12**
   (in two parts)
Half Moon Pas. *E1*. 4C **48**
   (in two parts)
Half Moon St. *W1*. 2A **70**
Halford Rd. *SW6*. 3D **115**
Haliwell Ho. *NW6* 4F **5**
Halkin Arc. *SW1*. 1C **96**
   (in two parts)
Halkin M. *SW1*. 1D **97**
Halkin Pl. *SW1*. 1D **97**
Halkin St. *SW1*. 5E **69**
Hallam Ct. *W1* 1A **42**
Hallam Ho. *SW1*. 1C **120**
Hallam M. *W1* 1A **42**
Hallam St. *W1* 5A **24**
Halley Ho. *E2*. 5E **17**
Halley Ho. *SE10* 5B **112**
Halley St. *E14*. 2F **51**
Hallfield Est. *W2*. 4A **38**
   (in two parts)
Hall Ga. *NW8*. 2D **21**
Halliford St. *N1* 1C **14**
Hall Pl. *W2* 5D **21**
   (in two parts)
Hall Rd. *NW8*. 3C **20**
Hall St. *EC1* 2A **28**
Hallsville Rd. *E16*. 4B **56**
Hall Tower. *W2*. 1E **39**
Hallywell Cres. *E6*. 1C **60**
Halpin Pl. *SE17* 4E **103**
Halsey M. *SW3*. 3B **96**
Halsey St. *SW3* 3B **96**
Halstead Ct. *N1* 1E **29**
Halstow Rd. *SE10* 5D **113**
Halton Cross St. *N1* 3A **14**
Halton Mans. *N1* 2A **14**
Halton Pl. *N1*. 3B **14**
Halton Rd. *N1*. 1A **14**
Halyard Ho. *E14*. 1C **110**
Hambledon. *SE17*. 2E **125**

Hambley Ho. *SE16*. 4F **105**
Hamilton Bldgs. *EC2*. 5A **30**
Hamilton Clo. *NW8* 3D **21**
Hamilton Clo. *SE16* 5A **80**
Hamilton Ct. *W9*. 2B **20**
Hamilton Gdns. *NW8* 2C **20**
Hamilton Ho. *E14*. 5A **110**
   (St Davids Sq.)
Hamilton Ho. *E14*. 5B **52**
   (Victory Pl.)
Hamilton Ho. *NW8*. 2D **21**
Hamilton Lodge. *E1* 5B **32**
Hamilton M. *W1*. 4F **69**
Hamilton Pl. *W1*. 3E **69**
Hamilton Sq. *SE1*. 4E **75**
Hamilton St. *SE8*. 4D **131**
Hamilton Ter. *NW8*. 5A **6**
Hamlet Ct. *SE11*. 5F **101**
Hamlet Way. *SE1* 5E **75**
Hammerfield Ho. *SW3*. 5A **96**
Hammersley Ho. *SE14*. . . . 5C **128**
Hammersmith. 4C **90**
Hammersmith Bri. Rd. *W6* . . 5B **90**
Hammersmith B'way. *W6*. . . 4C **90**
Hammersmith Flyover. (Junct.)
   . . . . 5B **90**
Hammersmith Flyover. *W6* . . 5B **90**
Hammersmith Gro. *W6* . . . 5B **62**
Hammersmith Rd.
   W6 & W14 . . . . 4D **91**
Hammett St. *EC3* 5B **48**
Hammond Ho. *E14*. 1E **109**
Hammond Ho. *SE14*. 5C **128**
Hammond Lodge. *W9*. 1E **37**
   (off Admiral Wlk.)
Hamond Sq. *N1* 5F **15**
Hampden Clo. *NW1* 1E **25**
Hampden Gurney St. *W1* . . . 4B **40**
Hampson Way. *SW8*. 5B **122**
Hampstead Rd. *NW1* 5B **10**
Hampstead Theatre Club. . . 2E **7**
Hampton Clo. *NW6* 3D **19**
Hampton Ct. *SE16*. 1E **79**
Hampton St. *SE17 & SE1*. . . 4A **102**
Ham Yd. *W1* 5D **43**
Hanameel St. *E16*. 2F **85**
Hanbury Ho. *E1*. 1D **49**
Hanbury Ho. *SW8* 3A **122**
Hanbury M. *N1* 4C **14**
Hanbury St. *E1*. 1B **48**
Hancock Nunn Ho. *NW3*. . . . 1B **8**
Hand Ct. *WC1* 2C **44**
Handel House Mus. 5F **41**
Handel Mans. *WC1*. 4A **26**
Handel St. *WC1* 4F **25**
Handforth Rd. *SW9* 4D **123**
Hands Wlk. *E16* 3E **57**
Hanging Sword All. *EC4*. . . . 4E **45**
Hankey Pl. *SE1*. 5E **75**
Hannah Mary Way. *SE1* . . . 4E **105**
Hannell Rd. *SW6* 4A **114**
Hannibal Rd. *E1*. 1C **50**
Hanover Av. *E16*. 2D **85**
Hanover Flats. *W1* 5E **41**
   (in two parts)
Hanover Gdns. *SE11* 3D **123**
Hanover Ga. *NW8 & NW1* . . . 3A **22**
Hanover Ga. Mans. *NW1* . . . 4A **22**
Hanover Ho. *E14* 2C **80**
Hanover Ho. *NW8*. 1F **21**

Hanover Pl. *WC2* 4A **44**
Hanover Sq. *W1*. 4A **42**
Hanover Steps. *W2* 4A **40**
Hanover St. *W1* 4A **42**
Hanover Ter. *NW1* 3A **22**
Hanover Ter. M. *NW1* 3A **22**
Hanover Yd. *N1* 5A **14**
Hansard M. *W14* 4E **63**
             (in two parts)
Hans Cres. *SW1*. 1B **96**
Hanson St. *W1*. 1B **42**
Hans Pl. *SW1*. 1C **96**
Hans Rd. *SW3*. 1B **96**
Hans St. *SW1* 2C **96**
Hanway Pl. *W1* 3D **43**
Hanway St. *W1* 3D **43**
Hanworth Ho. *SE5* 4F **123**
             (in two parts)
Harad's Pl. *E1* 1D **77**
Harben Pde. *NW3* 1C **6**
Harben Rd. *NW6* 1C **6**
Harbet Rd. *W2* 2E **39**
Harbinger Rd. *E14* 4F **109**
Harbledown Ho. *SE1* 5D **75**
Harbord Ho. *SE16* 3D **107**
Harbour Exchange Sq. *E14*. . . 5A **82**
Harbour Quay. *E14*. 3B **82**
Harcourt Bldgs. *EC4*. 5D **45**
Harcourt St. *W1*. 2A **40**
Harcourt Ter. *SW10* 1A **116**
Harding Clo. *SE17* 2B **124**
Hardinge La. *E1* 4C **50**
             (in two parts)
Hardington. *NW1*. 1E **9**
Hardman Rd. *SE7*. 5F **113**
Hardwicke M. *WC1*. 3C **26**
Hardwick Ho. *NW8*. 4A **22**
Hardwick St. *EC1* 3E **27**
Hardwidge St. *SE1* 4F **75**
Hardy Av. *E16*. 2E **85**
Hardy Clo. *SE16*. 5E **79**
Hardy Cotts. *SE10* 2E **133**
Harebell Dri. *E6* 2E **61**
Hare Ct. *EC4* 4D **45**
Hare Marsh. *E2* 4D **31**
Hare Pl. *EC4*. 4E **45**
Hare Row. *E2*. 5F **17**
Hare Wlk. *N1* 1A **30**
             (in two parts)
Harewood Av. *NW1* 5A **22**
Harewood Pl. *W1*. 4A **42**
Harewood Row. *NW1*. 1A **40**
Harfleur Ct. *SE11* 4F **101**
Harford Ho. *SE5*. 3C **124**
Harford Ho. *W11* 2C **36**
Harford St. *E1* 5F **33**
Hargraves Ho. *W12* 5A **34**
Harkness Ho. *E1*. 4E **49**
Harleyford Ct. *SE11* 2B **122**
Harleyford Rd. *SE11*. 2B **122**
Harleyford St. *SE11* 3D **123**
Harley Gdns. *SW10* 1C **116**
Harley Ho. *NW1*. 5E **23**
Harley Pl. *W1*. 2F **41**
Harley Rd. *NW3*. 2E **7**
Harley St. *W1*. 5F **23**
Harlowe Clo. *E8* 3E **17**
Harlowe Ho. *E8* 3B **16**
Harlynwood. *SE5* 5B **124**
Harman Clo. *SE1* 1D **127**

Harmon Ho. *SE8* 4B **108**
Harmont Ho. *W1* 2F **41**
Harmood Gro. *NW1* 1F **9**
Harmood Ho. *NW1* 1F **9**
Harmood Pl. *NW1* 1E **9**
Harmood St. *NW1* 1F **9**
Harmsworth M. *SE11* 2F **101**
Harmsworth St. *SE17*. 1F **123**
Harold Ct. *SE16*. 4D **79**
Harold Est. *SE1* 2A **104**
Harold Ho. *E2* 1D **33**
Harold Laski Ho. *EC1* 3A **28**
Harold Maddison Ho.
    SE17 . . . . 5A **102**
Harold Pl. *SE11* 1D **123**
Harold Wilson Ho. *SW6* . . . 3C **114**
Harp All. *EC4* 3F **45**
Harper Rd. *E6* 4B **60**
Harper Rd. *SE1* 1B **102**
Harp La. *EC3* 1F **75**
Harpley Sq. *E1*. 3D **33**
Harpur M. *WC1* 1B **44**
Harpur St. *WC1* 1B **44**
Harrier Way. *E6* 1B **60**
Harriet Clo. *E8* 3D **17**
Harriet Ho. *SW6*. 5A **116**
Harriet St. *SW1* 5C **68**
Harriet Wlk. *SW1* 5C **68**
Harrington Ct. *W10* 2B **18**
Harrington Gdns. *SW7* 4A **94**
Harrington Ho. *NW1*. 2B **24**
Harrington Rd. *SW7*. 3D **95**
Harrington Sq. *NW1*. 5B **10**
Harrington St. *NW1* 1B **24**
             (in two parts)
Harriott Clo. *SE10* 4B **112**
Harriott Ho. *E1*. 2C **50**
Harris Bldgs. *E1* 4E **49**
Harrison Ho. *SE17*. 5D **103**
Harrisons Ct. *SE14*. 2D **129**
Harrison St. *WC1*. 3A **26**
Harris St. *SE5*. 4E **125**
Harrods. 1B **96**
Harrold Ho. *NW6* 1C **6**
Harrowby St. *W1* 3A **40**
Harrow La. *E14* 1B **82**
Harrow Lodge. *NW8* 4D **21**
Harrow Pl. *E1*. 3A **48**
Harrow Rd. *W2 & NW1* 2A **38**
             (in two parts)
Harrow Rd. *W10 & W9* 4A **18**
Harrow Rd. Bri. *W2* 1C **38**
Harrow St. *NW1*. 1A **40**
Harry Hinkins Ho. *SE17* . . . 1C **124**
Harry Lambourn Ho.
    SE15 . . . . 4A **128**
Hartington Ho. *SW1* 5E **99**
Hartington Rd. *E16*. 4F **57**
Hartington Rd. *SW8* 5F **121**
Hartismere Rd. *SW6*. 4C **114**
Hartland. *NW1* 4C **10**
Hartland Rd. *NW1* 1F **9**
Hartland Rd. *NW6* 5B **4**
Hartley Ho. *SE1* 3C **104**
Hartley St. *E2*. 2C **32**
             (in two parts)
Hartmann Rd. *E16*. 2E **87**
Hartop Point. *SW6*. 4A **114**
Hartshorn All. *EC3* 4A **48**
Hart's La. *SE14*. 5F **129**

Hart St. *EC3*. 5A **48**
Hartwell Ho. *SE7*. 5F **113**
Harvard Ho. *SE17*. 2F **123**
Harvey Ho. *E1* 5F **31**
Harvey Ho. *N1* 4E **15**
Harvey Ho. *SW1*. 1E **121**
Harvey Lodge. *W9* 1E **37**
Harvey Point. *E16*. 2E **57**
Harvey's Bldgs. *WC2* 1A **72**
Harvey St. *N1*. 4E **15**
Harvington Wlk. *E8*. 1E **17**
Harvist Rd. *NW6* 1A **18**
Harwood Ct. *N1* 4E **15**
Harwood M. *SW6*. 5E **115**
Harwood Point. *SE16*. 4B **80**
Harwood Rd. *SW6* 5E **115**
Hasker St. *SW3* 3A **96**
Haslam Clo. *N1* 1E **13**
Haslam St. *SE15* 5C **126**
Hassard St. *E2*. 1C **30**
Hastings Clo. *SE15* 5D **127**
Hastings Ho. *W12* 5A **34**
Hastings Ho. *WC1* 3F **25**
Hastings St. *WC1*. 3F **25**
Hat & Mitre Ct. *EC1* 5A **28**
Hatcham M. Bus. Cen. *SE14*
    . . . . 5E **129**
Hatcham Pk. M. *SE14*. 5E **129**
Hatcham Pk. Rd. *SE14* 5E **129**
Hatcham Rd. *SE15*. 3B **128**
Hatchers M. *SE1* 5A **76**
Hatcliffe Almshouses.
    SE10 . . . . 1F **133**
Hatcliffe St. *SE10*. 5B **112**
Hatfield Clo. *SE14* 5D **129**
Hatfield Ho. *EC1*. 5B **28**
Hatfields. *SE1*. 2E **73**
Hathaway Ho. *N1* 2F **29**
Hatherley Ct. *W2* 3F **37**
Hatherley Gro. *W2*. 3F **37**
Hatherley St. *SW1* 4C **98**
Hatteraick St. *SE16* 4C **78**
Hatton Garden. *EC1* 1E **45**
Hatton Pl. *EC1* 1E **45**
Hatton Row. *NW8*. 5E **21**
Hatton St. *NW8* 5E **21**
Hatton Wall. *EC1* 1E **45**
Haunch of Venison Yd. *W1*. . . 4F **41**
Havannah St. *E14*. 5E **81**
Havelock Clo. *W12*. 5A **34**
Havelock St. *N1*. 3A **12**
Havelock Ter. *SW8*. 5A **120**
Haven M. *E3* 2B **52**
Havenpool. *NW8* 4A **6**
Haven St. *NW1*. 2A **10**
Haverfield Rd. *E3* 2F **33**
Havering. *NW1*. 1A **10**
Havering St. *E1* 4D **51**
Haverstock Hill. *NW3*. 1D **9**
Haverstock Pl. *N1*. 2A **28**
Haverstock St. *N1* 1A **28**
Havil St. *SE5* 5F **125**
Havisham Ho. *SE16* 5D **77**
Hawes St. *N1*. 2A **14**
Hawgood St. *E3* 2E **53**
Hawke Ho. *E1*. 5E **33**
Hawke Pl. *SE16*. 4E **79**
Hawke Tower. *SE14* 3A **130**
Hawkins Ho. *SE8* 2D **131**
Hawkins Ho. *SW1* 5C **120**

Hawkshead. *NW1* 2B **24**
Hawks M. *SE10* 5C **132**
Hawksmoor Clo. *E6* 3F **59**
Hawksmoor Ho. *E14* 2F **51**
Hawksmoor M. *E1* 5F **49**
Hawksmoor Pl. *E2* 4D **31**
Hawkstone Rd. *SE16* 3C **106**
Hawkwell Wlk. *N1* 3C **14**
Hawley Cres. *NW1* 2A **10**
Hawley M. *NW1* 1F **9**
Hawley Rd. *NW1* 1F **9**
(in two parts)
Hawley St. *NW1* 2F **9**
Hawthorne Ho. *SW1* 1C **120**
Hawthorn Wlk. *W10* 4A **18**
Hawtrey Rd. *NW3* 2F **7**
Hay Currie St. *E14* 3A **54**
Hayday Rd. *E16* 1D **57**
(in three parts)
Hayden's Pl. *W11* 3B **36**
Haydon St. *EC3* 5B **48**
Haydon Wlk. *E1* 5C **48**
Hayes Ct. *SE5* 5B **124**
Hayes Pl. *NW1* 5A **22**
Hayfield Pas. *E1* 5C **32**
Hayfield Yd. *E1* 5C **32**
Hay Hill. *W1* 1A **70**
Hayles Bldgs. *SE11* 3A **102**
Hayles St. *SE11* 3F **101**
Haymans Point. *SE11* 5B **100**
Hayman St. *N1* 2A **14**
Haymarket. *SW1* 1D **71**
Haymarket Arc. *SW1* 1D **71**
Haymarket Theatre Royal. **2E** 71
Haymerle Ho. *SE15* 3D **127**
Haymerle Rd. *SE15* 3D **127**
Hayne Ho. *W11* 2F **63**
Hayne St. *EC1* 1A **46**
Hay's Galleria. *SE1* 2F **75**
Hays La. *SE1* 3F **75**
Hay's M. *W1* 1F **69**
Hay St. *E2* 4E **17**
Hayward Gallery. **3C** 72
Hayward's Pl. *EC1* 5F **27**
Hazelmere Rd. *NW6* 3C **4**
Hazel Way. *SE1* 3B **104**
Hazelwood Ho. *SE8* 4F **107**
Hazlewood Cres. *W10* 5A **18**
Hazlewood Tower. *W10* 5A **18**
Hazlitt M. *W14* 2F **91**
Hazlitt Rd. *W14* 2F **91**
Headbourne Ho. *SE1* 1E **103**
Headfort Pl. *SW1* 5E **69**
Headlam St. *E1* 5A **32**
Head's M. *W11* 4D **37**
Head St. *E1* 3D **51**
(in two parts)
Healey Ho. *SW9* 5E **123**
Hearn's Bldgs. *SE17* 4E **103**
Hearnshaw Ho. *E14* 2F **51**
Hearn St. *EC2* 5A **30**
Heathcock Ct. WC2 *1A* ***72***
(off Exchange Ct.)
Heathcote St. *WC1* 4B **26**
Heather Clo. *E6* 4E **61**
Heather Ho. *E14* 3C **54**
Heather Wlk. *W10* 4A **18**
Heathfield Clo. *E16* 1D **59**
Heathfield St. *W11* 1F **63**
Heathpool Ct. *E1* 5F **31**
Hebden Ct. *E2* 4B **16**
Heber Mans. *W14* 2A **114**
Hebron Rd. *W6* 2A **90**
Heckfield Pl. *SW6* 5D **115**
Heckford Ho. *E14* 4F **53**
Heckford St. *E1* 5E **51**
Hector Ct. *SW9* 5D **123**
Hector Ho. *E2* 1F **31**
Heddon St. *W1* 5B **42**
(in two parts)
Hedgegate Ct. *W11* 3C **36**
Hedger St. *SE11* 3F **101**
Hedingham Clo. *N1* 2B **14**
Hedley Ho. *E14* 1C **110**
Hedsor Ho. *E2* 4B **30**
Hega Ho. *E14* 2B **54**
Heiron St. *SE17* 3A **124**
Heldar Ct. *SE1* 5E **75**
Helena Sq. *SE16* 1F **79**
Helen Gladstone Ho. *SE1* 4F **73**
Helen Ho. *E2* 1F **31**
Helen Mackay Ho. *E14* 3D **55**
Helen Peele Cotts. *SE16* 1B **106**
Helen's Pl. *E2* 2B **32**
Helen Taylor Ho. *SE16* 2D **105**
Hellings St. *E1* 3E **77**
Helmet Row. *EC1* 3C **28**
(in two parts)
Helmsdale Ho. *NW6* 1F **19**
Helmsley Pl. *E8* 2F **17**
Helmsley St. *E8* 2F **17**
Helsby Ct. *NW8* 4D **21**
Helsinki Sq. *SE16* 1A **108**
Helston. *NW1* 5C **10**
Helston Ho. *SE11* 5E **101**
Hemans St. *SW8* 4E **121**
Hemans St. Est. *SW8* 5E **121**
Hemingford Rd. *N1* 4C **12**
Hemlington Ho. *E14* 2F **51**
Hemming St. *E1* 5E **31**
Hemp Wlk. *SE17* 3E **103**
Hemstal Rd. *NW6* 1D **5**
Hemsworth Ct. *N1* 5F **15**
Hemsworth St. *N1* 5F **15**
Hemus Pl. *SW3* 1A **118**
Hen & Chicken Ct. *EC4* 4D **45**
Henderson Ct. *SE14* 2D **129**
Henderson Dri. *NW8* 4D **21**
Hendre Rd. *SE1* 4A **104**
Heneage La. *EC3* 4A **48**
Heneage Pl. *EC3* 4A **48**
Heneage St. *E1* 1C **48**
Henley Clo. *SE16* 4B **78**
Henley Dri. *SE1* 3C **104**
Henley Ho. *E2* 4C **30**
Henley Prior. *N1* 1B **26**
Henley Rd. *E16* 4C **88**
Henniker M. *SW3* 2D **117**
Henrietta Clo. *SE8* 2E **131**
Henrietta Ho. *W6* 5B **90**
Henrietta M. *WC1* 4A **26**
Henrietta Pl. *W1* 4F **41**
Henrietta St. *WC2* 5A **44**
Henriques St. *E1* 3E **49**
Henry Addlington Clo. *E6* 2F **61**
Henry Dickens Ct. *W11* 1E **63**
Henry Ho. *SE1* 3E **73**
Henry Ho. *SW8* 4A **122**
Henry Purcell Ho. E16 *2A* ***86***
(off Evelyn Rd.)
Henry Wise Ho. *SW1* 4C **98**
Henshaw St. *SE17* 3D **103**
Henslow Ho. *SE15* 4D **127**
Henstridge Pl. *NW8* 5F **7**
Henty Clo. *SW11* 5A **118**
Hepworth Ct. *N1* 3F **13**
Hera Ct. *E14* 3D **109**
Herald's Pl. *SE11* 3F **101**
Herald St. *E2* 4A **32**
Herbal Hill. *EC1* 5E **27**
Herbal Hill Gdns. *EC1* 5E **27**
Herbal Pl. *EC1* 5E **27**
Herbert Cres. *SW1* 1C **96**
Herbert Ho. *E1* 3B **48**
Herbert Morrison Ho. *SW6* 3B **114**
Herbrand Est. *WC1* 4F **25**
Herbrand St. *WC1* 4F **25**
Hercules Rd. *SE1* 2C **100**
Hercules Tower. *SE14* 3A **130**
Hercules Wharf. *E14* 5A **56**
Hereford Bldgs. *SW3* 2E **117**
Hereford Ho. *NW6* 1D **19**
Hereford Ho. *SW3* 1A **96**
Hereford Ho. *SW10* 4A **116**
Hereford M. *W2* 4E **37**
Hereford Pl. *SE14* 4B **130**
Hereford Retreat. *SE15* 4D **127**
Hereford Rd. *W2* 3E **37**
Hereford Sq. *SW7* 4C **94**
Hereford St. *E2* 4D **31**
Heritage Ct. *SE8* 1E **129**
Her Majesty's Theatre. **2D** 71
Hermes Clo. *W9* 5D **19**
Hermes Ct. *SW9* 5D **123**
Hermes St. *N1* 1D **27**
Hermitage Ct. *E1* 3E **77**
Hermitage Rooms. **5C** 44
Hermitage St. *W2* 2D **39**
Hermitage Wall. *E1* 3E **77**
Hermitage Waterside. *E1* 2D **77**
Hermit Pl. *NW6* 4F **5**
Hermit Rd. *E16* 1B **56**
Hermit St. *EC1* 2F **27**
Heron Ct. *E14* 1C **110**
Heron Ho. *NW8* 1F **21**
Heron Ho. *SW11* 5A **118**
Heron Pl. *SE16* 2A **80**
Heron Pl. *W1* 3E **41**
Heron Quay. *E14* 3D **81**
Herrick Ho. *SE5* 5D **125**
Herrick St. *SW1* 4E **99**
Herries St. *W10* 1A **18**
Hertford Pl. *W1* 5B **24**
Hertford Rd. *N1* 3A **16**
(in two parts)
Hertford St. *W1* 2F **69**
Hertsmere Ho. *E14* 1D **81**
Hertsmere Rd. *E14* 2D **81**
Hesketh Pl. *W11* 1F **63**
Hesper M. *SW5* 5F **93**
Hesperus Clo. *E14* 4F **109**
Hesperus Cres. *E14* 4F **109**
Hessel St. *E1* 4F **49**
Hester Rd. *SW11* 5F **117**
Hethpool Ho. *W2* 5D **21**
Hetley Rd. *W12* 3A **62**
Hevelius Clo. *SE10* 5B **112**

Hever Ho. *SE15* 2D **129**
Heversham Ho. *SE15* 3B **128**
Hewer St. *W10*. 1E **35**
Hewett St. *EC2*. 5A **30**
Hewlett Ho. *SW8* 5A **120**
Hewlett Rd. *E3*. 1F **33**
Heybridge. *NW1*. 1F **9**
Heyford Av. *SW8* 4A **122**
Heyford Ter. *SW8*. 4A **122**
Heygate St. *SE17*. 4B **102**
Heywood Ho. *SE14* 2D **129**
Hibbert Ho. *E14* 1E **109**
Hickes Ho. *NW6*. 1D **7**
Hickin St. *E14* 1B **110**
Hickleton. *NW1* 4B **10**
Hickling Ho. *SE16* 2A **106**
Hickman Clo. *E16*. 2D **59**
Hicks St. *SE8* 5F **107**
Hide. *E6*. 3E **61**
Hide Pl. *SW1*. 4D **99**
Hide Tower. *SW1* 4D **99**
Higgins Ho. *N1*. 4F **15**
Higginson Ho. *NW3*. 1B **8**
High Bri. *SE10* 1E **133**
Highbridge Ct. *SE14*. 4C **128**
High Bri. Wharf. *SE10*. 1E **133**
High Holborn. *WC1*. 3F **43**
Highlever Rd. *W10*. 1B **34**
High Meads Rd. *E16* 3D **59**
Highstone Mans. *NW1* 2B **10**
High Timber St. *EC4*. 5B **46**
Highway Bus. Pk., The. *E1* . . 5E **51**
Highway, The. *E1 & E14*. . . . 1E **77**
Highway Trad. Cen., The. *E1*
. . . . 5D **51**
Highworth St. *NW1* 1A **40**
Hi-Gloss Cen. *SE8* 1A **130**
Hilary Clo. *SW6* 4F **115**
Hilborough Ct. *E8*. 2C **16**
Hildyard Rd. *SW6* 2E **115**
Hilgrove Rd. *NW6* 2C **6**
Hillary Ct. *W12*. 5B **62**
Hillbeck Clo. *SE15* 4B **128**
Hillbeck Ho. *SE15*. 3B **128**
Hillcroft Rd. *E6*. 1F **61**
Hillersden Ho. *SW1* 5F **97**
Hillery Clo. *SE17* 4E **103**
Hill Farm Rd. *W10* 1C **34**
Hillgate Pl. *W8*. 2D **65**
Hillgate St. *W8*. 2D **65**
Hilliard Ho. *E1*. 2A **78**
Hilliards Ct. *E1* 2A **78**
Hillier Ho. *NW1* 1D **11**
Hillingdon St.
SE5 & SE17 . . . . 3F **123**
(in two parts)
Hillman Dri. *W10* 1C **34**
Hill Rd. *NW8* 2C **20**
Hillsborough Ct. *NW6*. 4F **5**
Hillside. *SE10*. 5D **133**
Hillside Clo. *NW8*. 5A **6**
Hillsleigh Rd. *W8*. 2C **64**
Hills Pl. *W1* 4B **42**
Hill St. *W1*. 2E **69**
Hilltop Ct. *NW8* 2C **6**
Hilltop Rd. *NW6*. 1E **5**
Hillwood Ho. *NW1* 1C **24**
Hilton Wharf. *SE10*. 3A **132**
Hinchinbrook Ho. *NW6*. 4F **5**
Hind Ct. *EC4*. 4E **45**

Hinde Ho. *W1*. 3E **41**
Hinde M. *W1* 3E **41**
Hinde St. *W1* 3E **41**
Hind Gro. *E14*. 4D **53**
Hind Ho. *SE14*. 3D **129**
Hindmarsh Clo. *E1*. 5E **49**
Hinstock. *NW6*. 3F **5**
Hippodrome M. *W11* 1F **63**
Hippodrome Pl. *W11* 1F **63**
HMS Belfast. 2F **76**
Hobart Pl. *SW1*. 2F **97**
Hobbs Ct. *SE1* 4C **76**
Hobbs Pl. *N1* 4F **15**
Hobbs Pl. Est. *N1*. 5F **15**
Hobday St. *E14*. 5F **53**
Hobson's Pl. *E1*. 1D **49**
Hobury St. *SW10*. 3C **116**
Hocker St. *E2*. 3B **30**
Hockett Clo. *SE8* 3A **108**
Hockliffe Ho. *W10* 1B **34**
Hockney Ct. *SE16*. 5A **106**
Hodister Clo. *SE5*. 5B **124**
Hodnet Gro. *SE16* 3C **106**
Hofland Rd. *W14*. 1E **91**
Hogan M. *W2*. 1D **39**
Hogarth Clo. *E16*. 1D **59**
Hogarth Ct. *E1*. 3E **49**
Hogarth Ct. *EC3*. 5A **48**
Hogarth Ct. *NW1* 1C **10**
Hogarth Ho. *SW1*. 4E **99**
Hogarth Pl. *SW5*. 4F **93**
Hogarth Rd. *SW5* 4F **93**
Hogshead Pas. *E1* 1A **78**
Holbeck Row. *SE15* 5E **127**
Holbein Ho. *SW1*. 5D **97**
Holbein M. *SW1*. 5D **97**
Holbein Pl. *SW1*. 5D **97**
Holborn. 2D **45**
Holborn. *EC1*. 2D **45**
Holborn Cir. *EC1*. 2E **45**
Holborn Pl. *WC2* 2B **44**
Holborn Rd. *E13*. 1F **57**
Holborn Viaduct.
EC4 & EC1. . . . . 2E **45**
Holcombe St. *W6*. 5A **90**
Holcroft Ct. *W1* 1B **42**
Holden Ho. *N1*. 4B **14**
Holden Ho. *SE8* 4E **131**
Holford Ho. *SE16* 4F **105**
Holford M. *WC1*. 2D **27**
Holford Pl. *WC1*. 2C **26**
Holford St. *WC1*. 2D **27**
Holford Yd. *WC1* 1D **27**
Holland Gdns. *W14* 1A **92**
Holland Gro. *SW9*. 5E **123**
Holland Park. 3B **64**
Holland Park. (Junct.) **4E 63**
Holland Pk. 5C **64**
Holland Pk. *W11* 3A **64**
Holland Pk. Av. *W11* 4E **63**
Holland Pk. Gdns. *W14*. 3F **63**
Holland Pk. M. *W11* 3A **64**
Holland Pk. Rd. *W14* 2B **92**
Holland Pk. Theatre. 5C **64**
(in Holland Pk., Open Air)
Holland Pas. *N1*. 3B **14**
Holland Pl. *W8*. 4F **65**
Holland Pl. Chambers. *W8* . . 4F **65**
Holland Ri. Ho. *SW9* 5C **122**
Holland Rd. *W14* 4E **63**

Holland St. *SE1* 2A **74**
Holland St. *W8*. 5E **65**
Holland Vs. Rd. *W14* 4F **63**
Holland Wlk. *W8* 3C **64**
Hollen St. *W1* 3D **43**
Holles St. *W1*. 3A **42**
Hollisfield. *WC1*. 3A **26**
Hollybush Gdns. *E2*. 2A **32**
Hollybush Ho. *E2*. 2A **32**
Hollybush Pl. *E2*. 2A **32**
Holly Ho. *W10*. 4A **18**
Holly M. *SW10*. 1C **116**
Holly St. *E8*. 1C **16**
Hollywood M. *SW10*. 2B **116**
Hollywood Rd. *SW10*. 2B **116**
Holman Ho. *E2*. 2D **33**
Holman Hunt Ho. *W6*. 1A **114**
Holmbrook. *NW1*. 1C **24**
Holmead Rd. *SW6* 5A **116**
Holmesdale Ho. *NW6*. 3E **5**
Holmes Pl. *SW10*. 2C **116**
Holmes Ter. *SE1*. 4D **73**
Holmsdale Ho. *E14*. 1A **82**
Holmwood Vs. *SE7*. 5E **113**
Holst Ct. *SE1* 1D **101**
Holsworthy Sq. *WC1* 5C **26**
Holton St. *E1*. 4D **33**
Holt Rd. *E16* 3A **88**
Holyhead Clo. *E6* 1B **60**
Holyoake Ct. *SE16* 4A **80**
Holyoak Rd. *SE11*. 4F **101**
Holyrood M. *E16* 2E **85**
Holyrood St. *SE1* 3F **75**
Holywell Clo. *SE16*. 5A **106**
Holywell La. *EC2* 4A **30**
Holywell Row. *EC2* 5F **29**
Homefield St. *N1* 1F **29**
Homer Dri. *E14* 3D **109**
Homer Row. *W1*. 2A **40**
Homer St. *W1* 2A **40**
Homestead Rd. *SW6* 5B **114**
Honduras St. *EC1*. 4B **28**
Honey La. *EC2*. 4C **46**
Honiton Rd. *NW6*. 5B **4**
Hood Ct. *EC4* 4E **45**
Hood Ho. *SE5* 5D **125**
Hood Ho. *SW1*. 1D **121**
Hooke Ho. *E3* 1F **33**
Hooper Rd. *E16*. 4E **57**
Hooper's Ct. *SW3*. 5B **68**
Hooper Sq. *E1* 4D **49**
Hooper St. *E1* 4D **49**
Hopefield Av. *NW6*. 5A **4**
Hopetown St. *E1* 2C **48**
Hopewell St. *SE5* 5E **125**
Hopewell Yd. *SE5*. 5E **125**
Hope Wharf. *SE16* 4B **78**
Hop Gdns. *WC2* 1F **71**
Hopgood St. *W12*. 3C **62**
Hopkins Ho. *E14*. 4D **53**
Hopkinsons Pl. *NW1* 3D **9**
Hopkins St. *W1* 4C **42**
Hopton's Gdns. *SE1* 2A **74**
Hopton St. *SE1*. 1F **73**
Hopwood Rd. *SE17* 2E **125**
Hopwood Wlk. *E8*. 1E **17**
Horatio Ct. *SE16* 3C **78**
Horatio Ho. *E2*. 1C **30**
Horatio Ho. *W6*. 5D **91**
Horatio Pl. *E14*. 4C **82**

Horatio St. *E2* 1C **30**
(in two parts)
Horbury Cres. *W11* 1D **65**
Horbury M. *W11* 1C **64**
Hordle Promenade E.
SE15 . . . . 4C **126**
Hordle Promenade N.
SE15 . . . . 4A **126**
Hordle Promenade S.
SE15 . . . . 4B **126**
Hordle Promenade W.
SE15 . . . . 4A **126**
Horizon Building. *E14* 1E **81**
(off Hertsmere Rd.)
Horizon Way. *SE7* 4F **113**
Hormead Rd. *W9* 5B **18**
Hornbeam Clo. *SE11* 3D **101**
Hornblower Clo. *SE16* 3F **107**
Hornby Clo. *NW3* 1E **7**
Hornby Ho. *SE11* 2D **123**
Horner Ho. *N1* 4A **16**
Horn La. *SE10* 1C **113**
(in two parts)
Horn Link Way. *SE10* 3E **113**
Hornshay St. *SE15* 3C **128**
Hornton Ct. *W8* 5E **65**
Hornton Pl. *W8* 5E **65**
Hornton St. *W8* 4E **65**
Horse & Dolphin Yd. *W1* 5E **43**
Horseferry Pl. *SE10* 3B **132**
Horseferry Rd. *E14* 5F **51**
Horseferry Rd. *SW1* 2D **99**
Horseferry Rd. Est. *SW1* . . . 2D **99**
Horseguards Av. *SW1* 3F **71**
Horse Guards Rd. *SW1* 3E **71**
Horse Leaze. *E6* 3E **61**
Horselydown La. *SE1* 4B **76**
Horselydown Mans. *SE1* 4B **76**
Horsemongers M. *SE1* 5C **74**
Horse Ride. *SW1* 4B **70**
Horseshoe Clo. *E14* 5B **110**
Horseshoe Wharf. *SE1* 2D **75**
Horse Yd. *N1* 3A **14**
Horsfield Ho. *N1* 2B **14**
Horsley St. *SE17* 2D **125**
Horsman Ho. *SE5* 3B **124**
Horsman St. *SE5* 3C **124**
Hortensia Ho. *SW10* 4B **116**
Hortensia Rd. *SW10* 3B **116**
Horton Ho. *SE15* 3C **128**
Horton Ho. *SW8* 4B **122**
Horwood Ho. *E2* 3A **32**
Horwood Ho. *NW8* 4A **22**
Hosier La. *EC1* 2F **45**
Hoskins Clo. *E16* 3C **58**
Hoskins St. *SE10* 1E **133**
Hothfield Pl. *SE16* 2C **106**
Hotspur St. *SE11* 5D **101**
Houghton St. *WC2* 4C **44**
(in two parts)
Houndsditch. *EC3* 3A **48**
Houseman Way. *SE5* 5E **125**
Houses of Parliament. . . . 1A **100**
Hove St. *SE15* 5B **128**
Howard Ho. *E16* 2F **85**
Howard Ho. *SE8* 2C **130**
Howard Ho. *SW1* 1C **120**
Howard Ho. *W1* 5A **24**
Howell Wlk. *SE1* 4A **102**
Howick Pl. *SW1* 2C **98**

Howie St. *SW11* 5F **117**
Howland Est. *SE16* 1B **106**
Howland M. E. *W1* 1C **42**
Howland St. *W1* 1B **42**
Howland Way. *SE16* 5A **80**
Howley Pl. *W2* 1C **38**
How's St. *E2* 5B **16**
Hoxton. 1A **30**
Hoxton Hall Theatre. 1A **30**
Hoxton Mkt. *N1* 3F **29**
Hoxton Sq. *N1* 3F **29**
Hoxton St. *N1* 4F **15**
Hoyland Clo. *SE15* 4F **127**
Hoy St. *E16* 4C **56**
Huberd Ho. *SE1* 1E **103**
Hubert Ho. *NW8* 5F **21**
Hucknall Ct. *NW8* 4D **21**
Huddart St. *E3* 1C **52**
(in two parts)
Huddleston Clo. *E2* 1A **32**
Hudson Clo. *W12* 5A **34**
Hudson Ct. *E14* 5E **109**
Hudson's Pl. *SW1* 3B **98**
Huggin Ct. *EC4* 5C **46**
Huggin Hill. *EC4* 5C **46**
Hugh Astor Ct. *SE1* 1A **102**
Hugh Dalton Av. *SW6* 3B **114**
Hughenden Ho. *NW8* 4F **21**
Hughes Ho. *E2* 3B **32**
Hughes Ho. *SE8* 2E **131**
Hughes Ho. *SE17* 4A **102**
Hughes Mans. *E1* 5E **31**
Hughes Ter. *E16* 2B **56**
Hugh Gaitskell Clo. *SW6* . . 3B **114**
Hugh M. *SW1* 4A **98**
Hugh Platt Ho. *E2* 1A **32**
Hugh St. *SW1* 4A **98**
Huguenot Pl. *E1* 1C **48**
Hullbridge M. *N1* 3D **15**
Hull Clo. *SE16* 3E **79**
Hull St. *EC1* 3B **28**
Hulme Pl. *SE1* 5C **74**
Humber Dri. *W10* 1D **35**
Humbolt Rd. *W6* 3A **114**
Hume Ct. *N1* 2A **14**
Hume Ho. *W11* 3E **63**
Hume Ter. *E16* 3A **58**
Humphrey St. *SE1* 5B **104**
Hungerford Ho. *SW1* 2C **120**
Hungerford La. *WC2* 2F **71**
(in two parts)
Hungerford St. *E1* 3A **50**
Hunsdon Rd. *SE14* 3D **129**
Hunslett St. *E2* 1C **32**
Hunstanton Ho. *NW1* 1A **40**
Hunter Clo. *SE1* 2E **103**
Hunter Ho. *SE1* 5A **74**
Hunter Ho. *SW5* 1E **115**
Hunter Ho. *SW8* 5E **121**
Hunter Ho. *WC1* 4F **25**
Hunterian Mus., The. 4C **44**
Hunter Lodge. *W9* 1E **37**
Hunter St. *WC1* 4A **26**
Huntingdon St. *E16* 4C **56**
Huntingdon St. *N1* 2B **12**
Huntley St. *WC1* 5C **24**
Hunton St. *E1* 5D **31**
Hunt's Ct. *WC2* 1E **71**
Huntsman St. *SE17* 4E **103**
Huntsworth M. *NW1* 4B **22**

Hurdwick Pl. *NW1* 5B **10**
(off Hampstead Rd.)
Hurleston Ho. *SE8* 1B **130**
Hurley Cres. *SE16* 4E **79**
Hurley Ho. *SE11* 4F **101**
Huron University. 1E **95**
Hurst Ct. *E6* 1E **59**
Hurst Ho. *WC1* 1C **26**
Hurstway Rd. *W10* 5E **35**
Hurstway Wlk. *W11* 5E **35**
Husborne Ho. *SE8* 3F **107**
Huson Clo. *NW3* 1F **7**
Hutchings St. *E14* 5D **81**
Hutchings Wharf. *E14* 5D **81**
Hutchinson Ho. *NW3* 1B **8**
Hutchinson Ho. *SE14* 5C **128**
Hutton St. *EC4* 4F **45**
Huxley Ho. *NW8* 5E **21**
Hyde Pk. 1A **68**
Hyde Park Corner. (Junct.)
. . . . 4E **69**
Hyde Pk. Corner. *W1* 4E **69**
Hyde Pk. Cres. *W2* 4F **39**
Hyde Pk. Gdns. *W2* 5E **39**
Hyde Pk. Gdns. M. *W2* . . . 5E **39**
(in two parts)
Hyde Pk. Ga. *SW7* 5B **66**
(in two parts)
Hyde Pk. Ga. M. *SW7* 5C **66**
Hyde Pk. Mans. *NW1* 2F **39**
(in two parts)
Hyde Pk. Pl. *W2* 5A **40**
Hyde Pk. Sq. *W2* 4F **39**
Hyde Pk. Sq. M. *W2* 4F **39**
Hyde Pk. St. *W2* 4F **39**
Hyde Pk. Towers. *W2* 1B **66**
Hyde Rd. *N1* 4F **15**
Hyde's Pl. *N1* 1F **13**
Hyde St. *SE8* 3D **131**
Hyde Va. *SE10* 5C **132**
Hydra Building, The. *EC1* . . 3E **27**
Hyndman St. *SE15* 3F **127**
Hyperion Ho. *E3* 1F **33**
Hyson Rd. *SE16* 5A **106**
Hythe Ho. *SE16* 4C **78**
Hythe Ho. *W6* 3C **90**

I

Ian Bowater Ct. *N1* 2E **29**
Ibberton Ho. *SW8* 4B **122**
Ibberton Ho. *W14* 2A **92**
Ibbotson Av. *E16* 3C **56**
Ibbott St. *E1* 4C **32**
Ibis Ct. *SE8* 3C **130**
ICA Cinema. 3E **71**
ICA Theatre. 3E **71**
Ice Wharf Marina. *N1* 5A **12**
Icknield Ho. *SW3* 5A **96**
Ida St. *E14* 3B **54**
(in three parts)
Idol La. *EC3* 1F **75**
Idonia St. *SE8* 4D **131**
Iffley Rd. *W6* 1A **90**
Ifield Rd. *SW10* 2A **116**
Ifor Evans Pl. *E1* 5E **33**
Ightham Ho. *SE17* 4F **103**
Ilbert St. *W10* 3A **18**
Ilchester Gdns. *W2* 5F **37**

Ilchester Pl. *W14* 1B **92**
Ilderton Rd. *SE16 & SE15*
. . . . 5A **106**
Ilderton Wharf. *SE15* 2C **128**
Ilfracombe Flats. *SE1* 4C **74**
(off Marshalsea Rd.)
Iliffe St. *SE17* 5A **102**
Iliffe Yd. *SE17* 5A **102**
Ilkley Rd. *E16*. 2B **58**
IMAX Cinema. 3D **73**
Imber St. *N1* 4D **15**
Imperial College. 1D **95**
Imperial College Rd. *SW7*
. . . . 2C **94**
Imperial Ct. *NW8* 5A **8**
Imperial Ct. *SE11* 1D **123**
Imperial Ho. *E3*. 2F **33**
Imperial Ho. *E14* 5B **52**
Imperial Pde. *EC4*. 4F **45**
Imperial War Mus. 2E **101**
Imre Clo. *W12* 2A **62**
Indescon Ct. *E14* 5E **81**
India Pl. *WC2* 5B **44**
India St. *EC3* 4B **48**
India Way. *W12* 5A **34**
Indigo M. *E14* 4C **54**
Infirmary Ct. *SW3* 2C **118**
Ingal Rd. *E13*. 1E **57**
Ingelow Ho. *W8* 4F **65**
Ingersoll Rd. *W12* 3A **62**
Ingestre Pl. *W1* 4C **42**
Inglebert St. *EC1* 2D **27**
Inglefield Sq. *E1*. 2A **78**
Inglewood Clo. *E14* 3E **109**
Ingoldisthorpe Gro. *SE15* . . . 2C **126**
Ingram Clo. *SE11*. 3C **100**
Ingrebourne Ho. *NW8*. 1E **39**
Inigo Pl. *WC2* 5F **43**
Inkerman Ter. *W8* 2E **93**
Inner Circ. *NW1*. 3D **23**
Inner Temple Hall. 5E **45**
Inner Temple La. *EC4* 4D **45**
Innis Ho. *SE17* 5F **103**
Inn of Court & City Yeomanry Mus.
. . . . 2C **44**
Innovation Cen., The. *E14*. . . 4B **82**
Institute for English Studies.
. . . . 1E **43**
(in University of London,
Senate House)
Institute of Advanced
Legal Studies. 5E **25**
Institute of Classical Studies.
. . . . 1E **43**
(in University of London,
Senate House)
Institute of Commonwealth Studies.
. . . . 1F **43**
(off Russell Sq.)
Institute of Contemporary Arts.
. . . . 3D **71**
(off Carlton Ho. Ter.)
Institute of Education. 5E **25**
Institute of Germanic Studies.
. . . . 1F **43**
(off Russell Sq.)
Institute of Historical Research.
. . . . 1E **43**
(in University of London,
Senate House)

Institute of Latin American Studies.
. . . . 4E **23**
Institute of Romance Studies.
. . . . 1E **43**
(in University of London,
Senate House)
Institute of United States Studies.
. . . . 1E **43**
(in University of London,
Senate House)
International Ho. *E1* 1C **76**
Inver Ct. *W2*. 4A **38**
Invergarry Ho. *NW6* 1F **19**
Inverine Rd. *SE7*. 5F **113**
Inverness Gdns. *W8* 3F **65**
Inverness M. *W2* 5A **38**
Inverness Pl. *W2* 5A **38**
Inverness St. *NW1* 3F **9**
Inverness Ter. *W2* 4A **38**
Invicta Plaza. *SE1* 2F **73**
Inville Rd. *SE17* 1E **125**
Inville Wlk. *SE17* 1E **125**
Inwen Ct. *SE8*. 1F **129**
(in three parts)
Inwood Ct. *NW1*. 1C **10**
Inworth Wlk. *N1*. 3B **14**
Ion Ct. *E2* 1D **31**
Ionian Building. *E14*. 5F **51**
Ionian Ho. *E1* 5E **33**
Ion Sq. *E2* 1D **31**
Ipsden Bldgs. *SE1* 4E **73**
Ireland Clo. *E6* 2B **60**
Ireland Yd. *EC4* 4A **46**
Iris Clo. *E6*. 1A **60**
Iris Ct. *SE14*. 5C **128**
Iron Bri. Ho. *NW1* 1C **8**
Ironmonger La. *EC2*. 4C **46**
Ironmonger Pas. *EC1* 3C **28**
Ironmonger Row. *EC1* 3C **28**
Ironmongers Pl. *E14*. 4E **109**
Ironside Clo. *SE16*. 4D **79**
Irvine Ho. *E14* 1A **54**
Irving Ho. *SE17* 1F **123**
Irving Mans. *W14*. 2A **114**
Irving Rd. *W14*. 1E **91**
Irving St. *WC2* 1E **71**
Irwell Est. *SE16* 5B **78**
Isabella Ho. *SE11* 5F **101**
Isabella Ho. *W6* 5B **90**
Isabella St. *SE1* 3F **73**
Isambard M. *E14* 2C **110**
Isambard Pl. *SE16* 3C **78**
Isis Ho. *NW8* 5E **21**
Island Row. *E14*. 4B **52**
Isleden Ho. *N1*. 3B **14**
Islington. 4F **13**
Islington Grn. *N1* 4F **13**
Islington High St. *N1* 1E **27**
(in two parts)
Islington Pk. M. *N1*. 1F **13**
Islington Pk. St. *N1* 1E **13**
Ivanhoe Ho. *E3*. 1F **33**
Ivatt Pl. *W14* 1C **114**
Iveagh Ct. *E1*. 4B **48**
Iveagh Ho. *SW10* 4C **116**
Iverna Ct. *W8*. 1E **93**
Iverna Gdns. *W8* 1E **93**
Iverson Rd. *NW6* 1C **4**
Ives Rd. *E16*. 2F **55**
Ives St. *SW3* 3A **96**

Ivimey St. *E2* 2E **31**
Ivor Ct. *NW1* 4B **22**
Ivories, The. *N1* 1B **14**
Ivor Pl. *NW1* 5B **22**
Ivor St. *NW1* 2B **10**
Ivory Ho. *E1*. 2C **76**
Ivybridge Ct. *NW1* 1A **10**
Ivybridge La. *WC2* 1A **72**
Ivychurch La. *SE17* 5B **104**
Ivy Cotts. *E14* 5A **54**
Ivy Ct. *SE16* 1E **127**
Ivy Rd. *E16* 3D **57**
Ivy St. *N1*. 5F **15**
Ixworth Pl. *SW3* 5F **95**

J

Jacaranda Gro. *E8* 2C **16**
Jack Dash Ho. *E14*. 4B **82**
Jackman Ho. *E1*. 3A **78**
Jackman St. *E8*. 4F **17**
Jacob St. *SE1* 4C **76**
Jacob's Well M. *W1* 3E **41**
Jade Clo. *E16*. 4E **59**
Jade Ter. *NW6* 1C **6**
Jagger Ho. *SW11* 5B **118**
Jago Wlk. *SE5* 5D **125**
Jamaica Rd. *SE1 & SE16* . . . 5C **76**
Jamaica St. *E1* 3C **50**
James Anderson Ct. *N1* 5A **16**
James Brine Ho. *E2* 2C **30**
James Campbell Ho. *E2* 1B **32**
James Collins Clo. *W9* 5B **18**
James Ct. *N1*. 3C **14**
James Docherty Ho. *E2* 1A **32**
James Hammett Ho. *E2* 2C **30**
James Ho. *E1*. 5F **33**
James Ho. SE16. . . . . 5E **79**
(off Wolfe Cres.)
James Lind Ho. *SE8* 4B **108**
James Middleton Ho. *E2*. . . . 2A **32**
Jameson Ct. *E2* 1B **32**
Jameson Ho. *SE11* 5B **100**
Jameson St. *W8*. 2E **65**
James Stewart Ho. *NW6* 1C **4**
James St. *W1*. 3E **41**
James St. *WC2* 4A **44**
James Stroud Ho. *SE17* 1C **124**
Jamestown Rd. *NW1* 3F **9**
Jamestown Way. *E14*. 1E **83**
Jamilah Ho. *E16*. 1F **89**
Jamuna Clo. *E14* 2A **52**
Jane Austen Hall. *E16*. 2A **86**
(in two parts)
Jane Austen Ho. *SW1*. 1B **120**
Jane St. *E1*. 3F **49**
Janet St. *E14*. 1D **109**
Janeway Pl. *SE16*. 5F **77**
Janeway St. *SE16*. 5E **77**
Jardine Rd. *E1*. 5E **51**
Jarman Ho. *E1*. 2B **50**
Jarman Ho. *SE16*. 3D **107**
Jarrow Rd. *SE16*. 4B **106**
Jasmin Lodge. *SE16*. 1F **127**
Jason Ct. *SW9*. 5D **123**
Jason Ct. *W1*. 3E **41**
Jasper Rd. *E16*. 4E **59**
Jasper Wlk. *N1*. 2D **29**
Java Wharf. *SE1*. 4C **76**

Jay M. *SW7* 5C **66**
Jean Darling Ho. *SW10* 3D **117**
Jean Pardies Ho. *E1* 2B **50**
Jefferson Building. *E14* 4D **81**
Jeffrey's Pl. *NW1* 1B **10**
Jeffrey's St. *NW1* 1A **10**
Jeger Av. *E2* 4B **16**
Jellicoe Ho. *E2* 1D **31**
Jellicoe Ho. *NW1* 5A **24**
Jemotts Ct. *SE14* 2D **129**
Jenkinson Ho. *E2* 2D **33**
Jenner Ho. *SE3* 2F **133**
Jenner Ho. *WC1* 4A **26**
Jennifer Ho. *SE11* 4E **101**
Jenningsbury Ho. *SW3* 5A **96**
Jennings Ho. *SE10* 1E **133**
Jephson Ho. *SE17* 2F **123**
Jerdan Pl. *SW6* 4D **115**
Jeremiah St. *E14* 4F **53**
Jeremy Bentham Ho. *E2* 2E **31**
Jermyn St. *SW1* 2B **70**
Jermyn Street Theatre. 1C **70**
Jerome Cres. *NW8* 4F **21**
Jerome Ho. *NW1* 1A **40**
Jerome Ho. *SW7* 3D **95**
Jerome St. *E1* 1B **48**
Jerrold St. *N1* 1A **30**
Jersey Rd. *E16* 3B **58**
Jersey St. *E2* 3F **31**
Jerusalem Pas. *EC1* 5F **27**
Jervis Bay Ho. *E14* 4D **55**
Jervis Ct. *SE10* 5B **132**
Jervis Ct. *W1* 4A **42**
Jerwood Space Art Gallery.
. . . . 4B **74**
Jessel Ho. *SW1* 3E **99**
Jessel Ho. *WC1* 3F **25**
Jessel Mans. *W14* 2A **114**
Jessie Wood Ct. *SW9* 5D **123**
Jesson Ho. *SE17* 4D **103**
Jessop Ct. *N1* 1A **28**
Jessop Sq. *E14* 3E **81**
Jewel House. *1B 76*
(*in Tower of London, The*)
Jewel Tower. 1F **99**
Jewish Mus. 4A **10**
Jewry St. *EC3* 4B **48**
Jim Griffiths Ho. *SW6* 3B **114**
Joanna Ho. *W6* 5B **90**
Joan St. *SE1* 3F **73**
Jocelin Ho. *N1* 4C **12**
Jocelyn St. *SE15* 5D **127**
Jockey's Fields. *WC1* 1C **44**
Jodane St. *SE8* 4B **108**
Johanna St. *SE1* 5D **73**
John Adam St. *WC2* 1A **72**
John Aird Ct. *W2* 1C **38**
(in two parts)
John Brent Ho. *SE8* 4E **107**
John Carpenter St. *EC4* 5F **45**
John Cartwright Ho. *E2* 2F **31**
John Felton Rd. *SE16* 5D **77**
John Fielden Ho. *E2* 2F **31**
John Fisher St. *E1* 5D **49**
John Harrison Way. *SE10* . . . 2B **112**
John Islip St. *SW1* 5E **99**
John Kennedy Ho. *SE16* 3D **107**
John Kirk Ho. *E6* 3D **61**
John Knight Lodge. *SW6* 4E **115**
John McDonald Ho. *E14* 1B **110**

John McKenna Wlk. *SE16* . . . 1E **105**
John Maurice Clo. *SE17* 3D **103**
John Parry Ct. *N1* 5A **16**
John Penn Ho. *SE14* 4C **130**
John Prince's St. *W1* 3A **42**
John Pritchard Ho. *E1* 5E **31**
John Ratcliffe Ho. *NW6* 3D **19**
John Rennie Wlk. *E1* 2A **78**
John Roll Way. *SE16* 1E **105**
John Ruskin St. *SE5* 4F **123**
John Scurr Ho. *E14* 4F **51**
John Silkin La. *SE8* 4E **107**
John's M. *WC1* 5C **26**
John Smith Av. *SW6* 4B **114**
Johnson Clo. *E8* 3D **17**
Johnson Ho. *E2* 3E **31**
Johnson Ho. *NW1* 1C **24**
Johnson Ho. *NW3* 1B **8**
Johnson Ho. *SW1* 4E **97**
Johnson Ho. *SW8* 5E **121**
Johnson Lodge. *W9* 1E **37**
Johnson Mans. *W14* 2A **114**
Johnson's Ct. *EC4* 4E **45**
Johnson's Pl. *SW1* 1B **120**
Johnston St. *E1* 4C **50**
John's Pl. *E1* 3A **50**
John Strachey Ho. *SW6* 3C **114**
John St. *WC1* 5C **26**
John Trundle Ct. *EC2* 1B **46**
John Trundle Highwalk.
EC2 . . . . 1B **46**
John Tucker Ho. *E14* 1E **109**
John Wesley Highwalk.
EC1 . . . . 2B **46**
John Wheatley Ho. *SW6* . . . 3C **114**
John Williams Clo. *SE14* . . . 3D **129**
Joiner St. *SE1* 3E **75**
Jonathan St. *SE11* 5B **100**
Jones Ho. *E14* 4D **55**
Jones Rd. *E13* 1A **58**
Jones St. *W1* 1F **69**
Jonson Ho. *SE1* 2E **103**
Jordan Ho. *N1* 3E **15**
Jordans Ho. *NW8* 4E **21**
Joscoyne Ho. *E1* 3A **50**
Joseph Conrad Ho. *SW1* . . . 4C **98**
Joseph Hardcastle Clo.
SE14 . . . . 4E **129**
Joseph Irwin Ho. *E14* 5C **52**
Joseph Priestley Ho. E2 . . . . *2F 31*
(*off Canrobert St.*)
Joseph St. *E3* 1C **52**
Joseph Trotter Clo. *EC1* 3E **27**
Joshua St. *E14* 2B **54**
Jowett St. *SE15* 5C **126**
Jowitt Ho. *E2* 2D **33**
Jubilee Bldgs. *NW8* 4D **7**
Jubilee Cres. *E14* 2C **110**
Jubilee Ho. *SE11* 4E **101**
Jubilee Ho. *WC1* 4B **26**
Jubilee Mans. *E1* 3B **50**
Jubilee Pl. *SW3* 5A **96**
Jubilee St. *E1* 3B **50**
Jubilee, The. *SE10* 5A **132**
Jubilee Walkway. *SE1* 1A **74**
Jubilee Yd. *SE1* 4B **76**
Judd St. *WC1* 2F **25**
Jude St. *E16* 4B **56**
Juer Ho. *SW11* 5A **118**
Juer St. *SW11* 5A **118**

Julia Garfield M. *E16* 2F **85**
Julian Pl. *E14* 5A **110**
Juliet Ho. *N1* 1F **29**
Julius Nyerere Clo. *N1* 4B **12**
Junction M. *W2* 3F **39**
Junction Pl. *W2* 3F **39**
Juniper Ct. *W8* 2F **93**
Juniper Cres. *NW1* 2E **9**
Juniper Ho. *SE15* 5C **128**
Juniper Ho. *W10* 4A **18**
Juniper La. *E6* 2A **60**
Juniper St. *E1* 5B **50**
Juno Ct. *SW9* 5D **123**
Juno Way. *SE14* 2E **129**
Juno Way Ind. Est. *SE14* . . . 2E **129**
Jupiter Ct. *SW9* 5D **123**
Jupiter Ho. *E14* 5A **110**
Jura Ho. *SE16* 3E **107**
Jurston Ct. *SE1* 5E **73**
Justice Wlk. *SW3* 3F **117**
Juxon St. *SE11* 3C **100**

K

Katherine Clo. *SE16* 3D **79**
Katherine Sq. *W11* 2F **63**
Kay St. *E2* 5E **17**
Kay Way. *SE10* 4B **132**
Kean Ho. *SE17* 2F **123**
Kean St. *WC2* 4B **44**
Keats Av. *E16* 2F **85**
Keats Clo. *SE1* 4B **104**
Keats Ho. *E2* 2B **32**
Keats Ho. *SE5* 5C **124**
Keats Ho. *SW1* 2C **120**
Keats Pl. *EC2* 2D **47**
Kedge Ho. *E14* 1E **109**
Kedleston Wlk. *E2* 2A **32**
Keel Clo. *SE16* 3E **79**
Keeley St. *WC2* 4B **44**
Keeling Ho. *E2* 1F **31**
Keepier Wharf. *E14* 5E **51**
Keeton's Rd. *SE16* 1F **105**
(in two parts)
Keith Ho. *NW6* 2F **19**
Kelby Ho. *N7* 1B **12**
Kelfield Ct. *W10* 3E **35**
Kelfield Gdns. *W10* 3C **34**
Kelfield M. *W10* 3D **35**
Kellet Houses. WC1 . . . . *3A 26*
(*off Tankerton St.*)
Kellett Ho. *N1* 4F **15**
Kellow Ho. *SE1* 4D **75**
Kell St. *SE1* 1A **102**
Kelly Av. *SE15* 5B **126**
Kelly Ct. *E14* 1D **81**
Kelly M. *W9* 5C **18**
Kelsey St. *E2* 4F **31**
Kelson Ho. *E14* 1C **110**
Kelso Pl. *W8* 1A **94**
Kelvedon Ho. *SW8* 5A **122**
Kelvedon Rd. *SW6* 5C **114**
Kelvin Ct. *W11* 1D **65**
Kember St. *N1* 2B **12**
Kemble Ct. *SE15* 4A **126**
Kemble St. *WC2* 4B **44**
Kemp Ct. *SW8* 5F **121**
Kempe Ho. *SE1* 2E **103**
Kemp Ho. *W1* 5D **43**

Kemps Ct. *W1* 4D **43**
Kemps Dri. *E14* 5E **53**
Kempsford Gdns. *SW5* 1E **115**
Kempsford Rd. *SE11* 4E **101**
      (Reedworth St.)
Kempsford Rd. *SE11* 4F **101**
      (Renfrew Rd.)
Kempson Rd. *SW6* 5E **115**
Kempthorne Rd. *SE8* 3A **108**
Kempton Ct. *E1* 1F **49**
Kemsing Ho. *SE1* 5E **75**
Kemsing Rd. *SE10* 5D **113**
Kenbrook Ho. *W14* 1C **92**
Kenchester Clo. *SW8* 5A **122**
Kendal. *NW1* 2A **24**
Kendal Clo. *SW9* 4F **123**
Kendal Ho. *N1* 1C **26**
Kendall Pl. *W1* 2D **41**
Kendal Pl. *SW9* 4F **123**
Kendal Steps. *W2* 4A **40**
Kendal St. *W2* 4A **40**
Kender St. *SE14* 5C **128**
Kendrick M. *SW7* 3D **95**
Kendrick Pl. *SW7* 4D **95**
Kenilworth Rd. *E3* 1F **33**
Kenilworth Rd. *NW6* 3C **4**
Kenley Wlk. *W11* 2F **63**
Kennacraig Clo. *E16* 3E **85**
Kennard St. *E16* 3B **88**
Kennedy Cox Ho. *E16* 2B **56**
Kennedy Ho. *SE11* 5B **100**
Kennedy Wlk. *SE17* 4E **103**
Kennet Ct. *W9* 1E **37**
Kenneth Campbell Ho.
  NW8 . . . . 4E **21**
Kenneth Ct. *SE11* 3E **101**
Kennet Ho. *NW8* 5E **21**
Kenneth Younger Ho.
  SW6 . . . . 3C **114**
Kennet Rd. *W9* 4C **18**
Kennet St. *E1* 2E **77**
Kennett Wharf La. *EC4* 1C **74**
Kenning Ho. *N1* 3F **15**
Kenning St. *SE16* 4C **78**
Kennings Way. *SE11* 5E **101**
Kennington. 2E **123**
Kennington Grn. *SE11* 1D **123**
Kennington Gro. *SE11* 2C **122**
Kennington La. *SE11* 1B **122**
Kennington Oval. (Junct.)
  . . . . 3D **123**
Kennington Oval. *SE11* 2C **122**
Kennington Pal. Ct. *SE11* . . 5D **101**
Kennington Pk. Gdns.
  SE11 . . . . 2F **123**
Kennington Pk. Ho. *SE11* . . 1E **123**
Kennington Pk. Pl. *SE11*. . . 2E **123**
Kennington Pk. Rd. *SE11* . . 3D **123**
Kennington Rd.
  SE1 & SE11. . . . . 1D **101**
Kenrick Pl. *W1* 1D **41**
Kensal Rd. *W10* 4A **18**
Kensington. **5F 65**
Kensington Arc. *W8* 5F **65**
Kensington Cen. *W14* 3F **91**
      (in two parts)
Kensington Chu. Ct. *W8* 5F **65**
Kensington Chu. St. *W8* . . . 2E **65**
Kensington Chu. Wlk. *W8* . . . 4F **65**
      (in two parts)

Kensington Ct. *SE16*. 2E **79**
Kensington Ct. *W8* 5A **66**
Kensington Ct. Gdns. *W8* . . . 1A **94**
Kensington Ct. M. *W8* 1A **94**
Kensington Ct. Pl. *W8* 1A **94**
Kensington Gardens. **2B 66**
Kensington Gdns. Sq. *W2*. . . . 4F **37**
      (in two parts)
Kensington Ga. *W8* 1B **94**
Kensington Gore. *SW7*. 5C **66**
Kensington Hall Gdns.
  W14 . . . . 5B **92**
Kensington Heights. *W8*. . . . 3D **65**
Kensington High St.
  W14 & W8 . . . . 3B **92**
Kensington Ho. *W14* 5E **63**
Kensington Mall. *W8* 2E **65**
Kensington Mans. *SW5* 5E **93**
      (in two parts)
Kensington Palace. **3A 66**
Kensington Pal. Gdns. *W8* . . 2F **65**
Kensington Pk. Gdns. *W11*. . . 1B **64**
Kensington Pk. M. *W11* 4B **36**
Kensington Pk. Rd. *W11* 4B **36**
Kensington Pl. *W8*. 3D **65**
Kensington Rd.
  W8 & SW7 . . . . 5A **66**
Kensington Sq. *W8*. 5F **65**
Kensington Village. *W14*. . . . 4C **92**
Kensington W. *W14* 3F **91**
Kensworth Ho. *EC1* 3E **29**
Kent Ct. *E2*. 5C **16**
Kent Ho. *SE1* 1C **126**
Kent Ho. *SW1* 1D **121**
Kentish Bldgs. *SE1*. 3D **75**
Kentish Town Rd.
  NW1 & NW5 . . . . 3A **10**
Kentmere Ho. *SE15* 3B **128**
Kenton Ct. *W14* 2B **92**
Kenton Ho. *E1* 4C **32**
Kenton St. *WC1* 4F **25**
Kent Pk. Ind. Est. *SE15*. . . . 2F **127**
Kent Pas. *NW1*. 4B **22**
Kent St. *E2*. 5C **16**
Kent Ter. *NW1* 3A **22**
Kent Wharf. *SE8*. 4F **131**
Kent Yd. *SW7* 5A **68**
Kenway Rd. *SW5* 4F **93**
Ken Wilson Ho. *E2* 5E **17**
Kenwrick Ho. *N1* 4C **12**
Kenyon Mans. *W14* 2A **114**
Kepler Ho. *SE10* 5B **112**
Keppel Ho. *SE8* 1B **130**
Keppel Row. *SE1* 3B **74**
Keppel St. *WC1* 1E **43**
Kerbela St. *E2* 4D **31**
Kerbey St. *E14*. 3A **54**
Kerrington Ct. *W12* 4C **62**
Kerry Clo. *E16* 4F **57**
Kerry Ho. *E1* 3B **50**
Kerry Path. *SE14* 3B **130**
Kerry Rd. *SE14* 3B **130**
Kerwick Clo. *N7*. 1B **12**
Keston Ho. *SE17* 5A **104**
Kestrel Av. *E6*. 2F **59**
Kestrel Ho. *EC1* 2B **28**
Kestrel Pl. *SE14* 3A **130**
Ketton Ho. *W10* 1B **34**
Kevan Ho. *SE5*. 5B **124**
Keybridge Ho. *SW8*. 3A **122**

Key Clo. *E1* 5A **32**
Keyes Ho. *SW1* 1D **121**
Key Ho. *SE11* 2D **123**
Keyse Rd. *SE1* 2B **104**
Keystone Cres. *N1* 1A **26**
Keyworth Pl. *SE1* 1A **102**
Keyworth St. *SE1* 1A **102**
Kezia St. *SE8* 1F **129**
Kibworth St. *SW8*. 5B **122**
Kierbeck Bus. Complex.
  E16 . . . . 3F **85**
Kiffen St. *EC2*. 4E **29**
Kilbrennan Ho. *E14* 3C **54**
Kilburn. **5B 4**
Kilburn Bri. *NW6* 4E **5**
Kilburn Ga. *NW6*. 5F **5**
Kilburn High Rd. *NW6* 1B **4**
Kilburn Ho. *NW6* 1C **18**
Kilburn La. *W10 & W9* 2A **18**
Kilburn Pk. Rd. *NW6* 3D **19**
Kilburn Pl. *NW6* 4E **5**
Kilburn Priory. *NW6* 4F **5**
Kilburn Sq. *NW6* 3D **5**
Kilburn Va. *NW6*. 4F **5**
Kilburn Va. Est. *NW6* 3E **5**
Kildare Gdns. *W2* 3E **37**
Kildare Rd. *E16* 1D **57**
Kildare Ter. *W2*. 3E **37**
Kildare Wlk. *E14* 4D **53**
Killick St. *N1* 5B **12**
Killip Clo. *E16* 3C **56**
Killoran Ho. *E14*. 1B **110**
Kilmaine Rd. *SW6* 5A **114**
Kilmarsh Rd. *W6* 3B **90**
Kilmore Ho. *E14*. 4A **54**
Kilmuir Ho. *SW1* 4E **97**
Kiln Ct. *E14* 5B **52**
Kilner Ho. *E16* 2F **57**
Kilner Ho. *SE11* 2D **123**
Kilner St. *E14*. 2D **53**
Kilravock St. *W10*. 3A **18**
Kimberley Ho. *E14* 1B **110**
Kimberley Rd. *NW6* 3A **4**
Kimble Ho. *NW8* 4A **22**
Kimbolton Ct. *SW3*. 4F **95**
Kimbolton Row. *SW3* 4F **95**
Kimpton Rd. *SE5* 5D **125**
Kinburn St. *SE16*. 4D **79**
Kincaid Rd. *SE15* 5F **127**
Kincardine Gdns. *W9*. 5D **19**
Kinder Ho. *N1* 5E **15**
Kindersley Ho. *E1*. 4E **49**
Kinder St. *E1* 4F **49**
King & Queen St. *SE17*. . . . 5C **102**
King & Queen Wharf. *SE16*. . . 1E **79**
King Arthur Clo. *SE15* 5B **128**
King Charles Ct. *SE17*. 2F **123**
King Charles Ho. *SW6* 4A **116**
King Charles's Ct. *SE10* . . . 2C **132**
King Charles St. *SW1*. 4E **71**
King Charles Ter. *E1*. 1A **78**
King David La. *E1*. 5B **50**
Kingdon Ho. *E14* 1B **110**
King Edward Building. *EC1*. . . 3A **46**
King Edward Mans. *E8* 4F **17**
King Edwards Mans.
  SW6 . . . . 5D **115**
King Edward's Rd. *E8 & E9*. . . 3F **17**
King Edward St. *EC1* 3B **46**
King Edward III M. *SE16* 5A **78**

King Edward Wlk. *SE1* 1E **101**
Kingfield St. *E14* 3C **110**
Kingfisher Ct. *E14* 5C **82**
Kingfisher Sq. *SE8* 3C **130**
Kingfisher St. *E6* 2A **60**
King Frederick IX Tower.
  SE16 . . . . 1B **108**
King George Av. *E16*. 3C **58**
King George VI Memorial.
  . . . . 3D **71**
King George St. *SE10*. 5C **132**
Kingham Clo. *W11* 4F **63**
King Henry's Rd. *NW3* 2E **7**
King Henry Ter. *E1*. 1A **78**
Kinghorn St. *EC1* 1A **46**
King Ho. *W12* 4A **34**
King James Ct. *SE1* 5A **74**
King James St. *SE1* 5A **74**
King John Ct. *EC2* 4A **30**
King John St. *E1* 2E **51**
Kinglake Est. *SE17* 5A **104**
Kinglake St. *SE17*. 1F **125**
    (in two parts)
Kingly Ct. *W1*. 5B **42**
Kingly St. *W1*. 4B **42**
Kings Arms Ct. *E1* 2D **49**
Kings Arms Yd. *EC2*. 3D **47**
King's Bench St. *SE1* 4A **74**
King's Bench Wlk. *EC4* 5E **45**
Kingsbridge Ct. *E14* 2E **109**
Kingsbridge Ct. *NW1* 1A **10**
Kingsbridge Rd. *W10*. 3C **34**
Kings College Ct. *NW3* 1A **8**
King's College London. . . . 1E **117**
    (Chelsea Campus)
King's College London. . . . 5C **44**
    (Strand Campus)
King's College London. 3D **73**
    (Waterloo Campus)
King's College Rd. *NW3* 1F **7**
Kingscote St. *EC4*. 5F **45**
Kings Ct. *N7*. 1B **12**
Kings Ct. *NW8*. 4B **8**
King's Ct. *SE1* 4A **74**
Kings Ct. N. *SW3* 1F **117**
Kings Ct. S. *SW3* 2F **117**
King's Cross. 1A **26**
King's Cross. (Junct.) 2F **25**
King's Cross Bri. *N1*. 2A **26**
King's Cross Rd. *WC1* 2B **26**
Kingsdale Gdns. *W11* 3E **63**
Kingsdown Clo. *SE16*. 1A **128**
Kingsdown Clo. *W10* 4E **35**
Kingsford Way. *E6*. 2C **60**
King's Gdns. *NW6* 2E **5**
Kingsgate Mans. *WC1* 2B **44**
Kingsgate Pde. *SW1*. 2C **98**
Kingsgate Pl. *NW6*. 2D **5**
Kingsgate Rd. *NW6* 1D **5**
King's Gro. *SE15* 3A **128**
    (in two parts)
Kings Head Theatre. 3F **13**
King's Head Yd. *SE1* 3D **75**
Kingshill. *SE17*. 4C **102**
Kings Ho. *SW8*. 4A **122**
Kingsland. 1F **15**
Kingsland. *NW8*. 4A **8**
Kingsland Rd. *E2 & E8*. 2A **30**
Kingsley Flats. *SE1* 3F **103**
Kingsley Ho. *SW3*. 3E **117**

Kingsley Mans. *W14*. 2A **114**
Kingsley M. *E1*. 1A **78**
Kingsley M. *W8* 2A **94**
Kingsley Rd. *NW6* 3C **4**
Kings Mall. *W6*. 4B **90**
King's M. *WC1* 5C **26**
Kingsmill. *NW8* 5E **7**
Kingsmill Ho. *SW3*. 5A **96**
Kingsmill Ter. *NW8*. 5E **7**
Kingsnorth Ho. *W10*. 4E **35**
King's Pl. *SE1* 5B **74**
King Sq. *EC1* 3B **28**
Kings Reach Tower. *SE1*. . . . 2E **73**
King's Rd. *SW6, SW10 & SW3*
  . . . . 5A **116**
King's Scholars' Pas. *SW1* . . 2B **98**
King Stairs Clo. *SE16*. 4A **78**
King's Ter. *NW1* 4B **10**
Kingston Ho. E. *SW7* 5F **67**
Kingston Ho. N. *SW7*. 5F **67**
Kingston Ho. S. *SW7* 5F **67**
Kingstown St. *NW1* 3D **9**
    (in two parts)
King St. *EC2*. 4C **46**
King St. *SW1* 3C **70**
King St. *W6* 4A **90**
King St. *WC2* 5F **43**
King St. Cloisters. W6 . . . . . *4A 90*
    (off King St.)
Kings Wlk. Shop. Cen.
  SW3 . . . . 5B **96**
Kingswater Pl. *SW11* 5F **117**
Kingsway. *WC2* 3B **44**
Kingsway Mans. *WC1*. 2B **44**
Kingsway Pl. *EC1* 4E **27**
Kingswood. *E2*. 1B **32**
Kingswood Av. *NW6*. 4A **4**
Kingswood Clo. *SW8* 5A **122**
Kingswood Ct. *NW6*. 2E **5**
Kington Ho. *NW6*. 4A **6**
Kingward Ho. *E1* 1D **49**
King William La. *SE10* 1F **133**
King William's Ct. *SE10* . . . 2D **133**
King William St. *EC4* 4E **47**
King William Wlk. *SE10* 2C **132**
    (in two parts)
Kingwood Rd. *SW6* 5A **114**
Kinnerton Pl. N. *SW1*. 5C **68**
Kinnerton Pl. S. *SW1* 5C **68**
Kinnerton St. *SW1*. 5D **69**
Kinnerton Yd. *SW1*. 5C **68**
Kinnoul Rd. *W6* 2A **114**
Kinsham Ho. *E2*. 4E **31**
Kintore Way. *SE1* 3B **104**
Kintyre Ho. *E14* 3C **82**
Kipling Est. *SE1* 5E **75**
Kipling Ho. E16. . . . . *2F 85*
    (off Southampton M.)
Kipling Ho. *SE5* 5C **124**
Kipling St. *SE1* 5E **75**
Kirby Est. *SE16* 1A **106**
Kirby Gro. *SE1* 4F **75**
Kirby St. *EC1* 1E **45**
Kirkeby Ho. *EC1* 1D **45**
Kirkham Rd. *E6* 3A **60**
Kirkland Ho. *E14* 5A **110**
Kirkland Ho. *E14* 1A **132**
Kirkman Pl. *W1* 2D **43**
Kirkmichael Rd. *E14*. 3C **54**

Kirkstone. *NW1* 2B **24**
Kirk St. *WC1* 5C **26**
Kirkwall Pl. *E2* 2C **32**
Kirkwood Pl. *NW1* 1D **9**
Kirtling St. *SW8* 3C **120**
Kirton Gdns. *E2* 3C **30**
    (in two parts)
Kirwyn Way. *SE5* 4A **124**
Kite Pl. *E2* 2E **31**
Kitson Rd. *SE5*. 4C **124**
Kittiwake Ct. *SE8* 2C **130**
Klein's Wharf. *E14* 2D **109**
Knaresborough Pl. *SW5* 3F **93**
Knighten St. *E1*. 3F **77**
Knighthead Point. *E14*. 5D **81**
Knight Ho. *SE17*. 4F **103**
Knightrider Ct. *EC4*. 5B **46**
Knightrider St. *EC4*. 5A **46**
Knights Arc. *SW1*. 5B **68**
Knightsbridge. **5B 68**
Knightsbridge.
  SW7 & SW1 . . . . 5A **68**
Knightsbridge Ct. *SW7 & SW1*
  . . . . 5C **68**
Knightsbridge Grn. *SW1*. . . . 5B **68**
    (in two parts)
Knights Ho. *SW8* 5A **122**
Knight's Rd. *E16*. 4E **85**
Knight's Wlk. *SE11*. 4F **101**
    (in two parts)
Knivet Rd. *SW6* 3D **115**
Knoll Ho. *NW8* 5B **6**
Knolly's Ho. *WC1* 4F **25**
Knottisford St. *E2*. 2C **32**
Knowlden Ho. *E1* 5B **50**
Knowlton Ho. *SW9*. 5E **123**
Knox St. *NW1* 1B **40**
Knoyle St. *SE14* 3F **129**
Kossuth St. *SE10* 5F **111**
Kotree Way. *SE1*. 4E **105**
Kramer M. *SW5* 1E **115**
Krupnik Pl. *EC2* 4A **30**
Kwame Ho. *E16*. 1F **89**
Kylemore Rd. *NW6* 1D **5**
Kylestrome Ho. *SW1* 4E **97**
Kynance M. *SW7*. 2A **94**
Kynance Pl. *SW7* 2B **94**

L

Laburnum Clo. *SE15* 5B **128**
Laburnum Ct. *E2* 4B **16**
Laburnum Ct. *SE16* 5C **78**
Laburnum St. *E2* 4B **16**
La Caye Apartments. *E14* . . . 4D **111**
Lacine Ct. *SE16*. 4D **79**
Lackington St. *EC2*. 1E **47**
Lackland Ho. *SE1*. 5C **104**
Lacland Ho. *SW10* 4D **117**
Lacon Ho. *WC1* 1B **44**
Ladbroke Cres. *W11*. 4A **36**
Ladbroke Gdns. *W11*. 5B **36**
Ladbroke Gro. *W10 & W11*. . 1F **35**
Ladbroke Gro. Ho. *W11* 1B **64**
Ladbroke M. *W11*. 3A **64**
Ladbroke Rd. *W11*. 2A **64**
Ladbroke Sq. *W11*. 1B **64**
Ladbroke Ter. *W11*. 1C **64**
Ladbroke Wlk. *W11* 2C **64**

Lady Dock Wlk. *SE16* 5F **79**
Lady Micos Almshouses.
  E1 . . . . 3C **50**
Lafone St. *SE1* 4B **76**
Lagado M. *SE16* 3E **79**
Laing Ho. *SE5* 5B **124**
Laird Ho. *SE5* 5B **124**
Lake Ho. *SE1* 5B **74**
Lakeside Rd. *W14* 1D **91**
Lakeside Ter. *EC2* 1C **46**
Lake Vw. Ct. *SW1* 1A **98**
Laleham Ho. *E2* 4B **30**
Lambard Ho. *SE10* 5B **132**
Lamb Ct. *E14* 5A **52**
Lamberhurst Ho. *SE15* 3C **128**
Lambert Jones M. *EC2* 1B **46**
Lambert Rd. *E16* 3F **57**
Lambert St. *N1* 2D **13**
Lambeth. **2B 100**
Lambeth Bri. *SW1 & SE1* . . 3A **100**
Lambeth High St. *SE1* 4B **100**
Lambeth Hill. *EC4* 5B **46**
Lambeth Pal. Rd. *SE1* 2B **100**
Lambeth Rd. *SE1 & SE11* . . 3B **100**
Lambeth Towers. *SE11* 2D **101**
Lambeth Wlk.
  SE1 & SE11 . . . . 2D **101**
  (in two parts)
Lamb Ho. *SE5* 5C **124**
Lamb Ho. *SE10* 3B **132**
Lamb La. *E8* 2F **17**
Lambourne Ho. *NW8* 1E **39**
Lambourne Ho. *SE16* 4D **107**
Lamb's Bldgs. *EC1* 5D **29**
Lamb's Conduit Pas.
  WC1 . . . . 1B **44**
Lamb's Conduit St. *WC1* . . . 5B **26**
  (in three parts)
Lamb's M. *N1* 4F **13**
Lamb's Pas. *EC1* 1D **47**
Lamb St. *E1* 1B **48**
Lambton Pl. *W11* 5C **36**
Lamb Wlk. *SE1* 5F **75**
LAMDA Theatre. **3E 93**
Lamerton St. *SE8* 3D **131**
Lamington St. *W6* 3A **90**
Lamlash St. *SE11* 3F **101**
Lamley Ho. *SE10* 5A **132**
Lamont Rd. *SW10* 3C **116**
Lamont Rd. Pas. *SW10* . . . 3D **117**
Lampern Sq. *E2* 2E **31**
Lampeter Sq. *W6* 3A **114**
Lamplighter Clo. *E1* 5B **32**
Lamp Office Ct. *WC1* 5B **26**
Lamps Ct. *SE5* 4B **124**
Lanark Ho. *SE1* 1D **127**
Lanark Mans. *W9* 4C **20**
Lanark Mans. *W12* 5C **62**
Lanark M. *W9* 3B **20**
Lanark Pl. *W9* 4C **20**
Lanark Rd. *W9* 1A **20**
Lanark Sq. *E14* 1A **110**
Lancashire Ct. *W1* 5F **41**
Lancaster Clo. *N1* 2A **16**
Lancaster Clo. *W2* 1F **65**
Lancaster Ct. *SW6* 5C **114**
Lancaster Ct. *W2* 5C **38**
Lancaster Dri. *E14* 3C **82**
Lancaster Ga. *W2* 1B **66**
Lancaster Gro. *NW3* 1F **7**

Lancaster Hall. *E16* 2E **85**
  (in two parts)
Lancaster Lodge. *W11* 3A **36**
Lancaster M. *W2* 5C **38**
Lancaster Pl. *WC2* 5B **44**
Lancaster Rd. *W11* 4F **35**
Lancaster St. *SE1* 5F **73**
Lancaster Ter. *W2* 5D **39**
Lancaster Wlk. *W2* 1C **66**
Lancefield Ct. *W10* 1A **18**
Lancefield St. *W10* 2B **18**
Lancelot Pl. *SW7* 5B **68**
Lancer Sq. *W8* 4F **65**
Lanchester Ct. *W2* 4B **40**
Lancing St. *NW1* 3D **25**
Lancresse Ct. *N1* 3F **15**
Landale Ho. *SE16* 1C **106**
Landin Ho. *E14* 3D **53**
Landmann Ho. *SE16* 4A **106**
Landmann Way. *SE14* 2E **129**
Landmark Ho. *W6* 5B **90**
Landon Pl. *SW1* 1B **96**
Landon's Clo. *E14* 2C **82**
Landon Wlk. *E14* 5A **54**
Landor Ho. *SE5* 5D **125**
Landrake. *NW1* 4C **10**
Landseer Ho. *NW8* 4E **21**
Landseer Ho. *SW1* 4E **99**
Landulph Ho. *SE11* 5E **101**
Landward Ct. *W1* 3A **40**
Lanesborough Pl. *SW1* 4E **69**
Lane, The. *NW8* 5B **6**
Laney Ho. *EC1* 1D **45**
Lanfranc Rd. *E3* 1F **33**
Lanfrey Pl. *W14* 1B **114**
Langbourne Pl. *E14* 5F **109**
Langdale. *NW1* 2B **24**
Langdale Clo. *SE17* 2B **124**
Langdale Ho. *SW1* 1B **120**
Langdale Rd. *SE10* 5B **132**
Langdale St. *E1* 4F **49**
Langdon Ct. *EC1* 1A **28**
Langdon Ho. *E14* 4B **54**
Langdon Way. *SE1* 4E **105**
Langford Clo. *NW8* 5C **6**
Langford Ct. *NW8* 5C **6**
Langford Ho. *SE8* 2D **131**
Langford Pl. *NW8* 5C **6**
Langham Mans. *SW5* 1F **115**
Langham Pl. *W1* 2A **42**
Langham St. *W1* 2A **42**
Langhorne Ct. *NW8* 2D **7**
Lang Ho. *SW8* 5F **121**
Langland Ho. *SE5* 4E **125**
Langley Ct. *WC2* 5F **43**
Langley La. *SW8* 2A **122**
Langley Mans. *SW8* 2B **122**
Langley St. *WC2* 4F **43**
Langmore Ho. *E1* 4E **49**
Lang St. *E1* 4B **32**
Langthorn Ct. *EC2* 3E **47**
Langton Clo. *WC1* 4C **26**
Langton Ho. *SE11* 3C **100**
Langton Rd. *SW9* 5A **124**
Langton St. *SW10* 3C **116**
Langtry Pl. *SW6* 2E **115**
Langtry Rd. *NW8* 4F **5**
Langtry Wlk. *NW8* 3A **6**
Lanhill Rd. *W9* 4D **19**
Lannoy Point. *SW6* 4A **114**

Lanrick Ho. *E14* 3E **55**
Lanrick Rd. *E14* 3E **55**
Lansbury Est. *E14* 3F **53**
Lansbury Gdns. *E14* 3D **55**
Lanscombe Wlk. *SW8* 5F **121**
Lansdowne Ct. *W11* 1A **64**
Lansdowne Cres. *W11* 1A **64**
Lansdowne Dri. *E8* 1E **17**
Lansdowne Gdns. *SW8* 5F **121**
Lansdowne M. *W11* 3B **64**
Lansdowne Pl. *SE1* 1E **103**
Lansdowne Ri. *W11* 1A **64**
Lansdowne Rd. *W11* 1A **64**
Lansdowne Row. *W1* 2A **70**
Lansdowne Ter. *WC1* 5A **26**
Lansdowne Wlk. *W11* 2A **64**
Lanterns Ct. *E14* 5F **81**
Lant Ho. *SE1* 5B **74**
Lant St. *SE1* 4B **74**
Lanyard Ho. *SE8* 4A **108**
Lapford Clo. *W9* 4C **18**
Lapwing Tower. *SE8* 2B **130**
Lapworth Ct. *W2* 1A **38**
Larch Clo. *SE8* 3C **130**
Larch Ct. *W9* 1D **37**
Larch Ho. *SE16* 4C **78**
Larcom St. *SE17* 4B **102**
Larissa St. *SE17* 5E **103**
Larkspur Clo. *E6* 1F **59**
Lascelles Ho. *NW1* 5A **22**
Lassell St. *SE10* 1E **133**
Latham Clo. *E6* 3A **60**
Latham Ct. *SW5* 4D **93**
Latham Ho. *E1* 3E **51**
Latimer Ho. *W11* 1C **64**
Latimer Pl. *W10* 3C **34**
Latimer Rd. *W10* 2B **34**
  (in two parts)
Latona Ct. *SW9* 5D **123**
Latona Rd. *SE15* 3D **127**
Latymer Ct. *W6* 4E **91**
Lauderdale Ho. *SW9* 5D **123**
Lauderdale Mans. *W9* 3F **19**
  (in two parts)
Lauderdale Pl. *EC2* 1B **46**
Lauderdale Rd. *W9* 3F **19**
Lauderdale Tower. *EC2* 1B **46**
Laud St. *SE11* 5B **100**
Launcelot St. *SE1* 5D **73**
Launceston Pl. *W8* 1B **94**
Launch St. *E14* 1B **110**
Laundry La. *N1* 2B **14**
Laundry Rd. *W6* 3A **114**
Laurel Ho. *SE8* 2B **130**
Laurence Pountney Hill.
  EC4 . . . . 5D **47**
Laurence Pountney La.
  EC4 . . . . 1D **75**
Laurie Gro. *SE14* 5A **130**
Laurie Ho. *SE1* 2A **102**
Lavender Clo. *SW3* 3E **117**
Lavender Gro. *E8* 2C **16**
Lavender Ho. *SE16* 2E **79**
Lavender Rd. *SE16* 2F **79**
Lavendon Ho. *NW8* 4A **22**
Laverton M. *SW5* 4A **94**
Laverton Pl. *SW5* 4A **94**
Lavina Gro. *N1* 5B **12**
Lavington St. *SE1* 3A **74**
Lawford Rd. *N1* 2F **15**

Lawless Ho. *E14* 5B **54**
Lawless St. *E14* 5A **54**
Lawn Ho. Clo. *E14* 4B **82**
Lawn La. *SW8* 2A **122**
Lawrence Clo. *W12* 5A **34**
Lawrence Ho. *SW1* 4E **99**
Lawrence La. *EC2* 4C **46**
Lawrence Pl. *N1* 3A **12**
Lawrence St. *E16* 2C **56**
Lawrence St. *SW3* 3F **117**
Lawrence Trad. Est. *SE10* . . . 4A **112**
Lawson Clo. *E16* 2C **58**
Lawson Ho. *W12* 5A **34**
Law St. *SE1* 1E **103**
Lawton Rd. *E3* 3F **33**
         (in two parts)
Laxfield Ct. *E8* 4E **17**
Laxford Ho. *SW1* 4E **97**
Laxley Clo. *SE5* 4A **124**
Laxton Pl. *NW1* 4A **24**
Layard Rd. *SE16* 3A **106**
Layard Sq. *SE16.* 3A **106**
Laybourne Ho. *E14.* 4F **81**
Laycock St. *N1.* 1E **13**
Layfield Ho. *SE10.* 5D **113**
Laystall St. *WC1* 5D **27**
Laystall St. *EC1* 5D **27**
Layton's Bldgs. *SE1* 4D **75**
Lazenby Ct. *WC2* 5F **43**
Leadenhall Market. **4F 47**
Leadenhall Pl. *EC3* 4F **47**
Leadenhall St. *EC3* 4F **47**
Lea Ho. *NW8* 5F **21**
Leake Ct. *SE1.* 5C **72**
Leake St. *SE1.* 4C **72**
         (in two parts)
Leamington Rd. Vs. *W11* . . . 2C **36**
Leamore St. *W6* 4A **90**
Leamouth. **5F 55**
Leamouth Rd. *E6* 3F **59**
Leamouth Rd. *E14* 4E **55**
Learoyd Gdns. *E6.* 5D **61**
Leary Ho. *SE11* 1C **122**
Leatherdale St. *E1* 4C **32**
         (in two parts)
Leather La. *EC1* 1D **45**
         (in two parts)
Leathermarket Ct. *SE1* 5F **75**
Leathermarket St. *SE1* 5F **75**
Lebus Ho. *NW8* 1F **21**
Lecky Ho. *SW7* 5D **95**
Leda Ct. *SW9* 5D **123**
Ledam Ho. *EC1* 1D **45**
Ledbury Ho. *W11.* 4C **36**
Ledbury M. N. *W11.* 5D **37**
Ledbury M. W. *W11.* 5D **37**
Ledbury Rd. *W11.* 3C **36**
Ledbury St. *SE15.* 4E **127**
Lee Ho. *EC2.* 2C **46**
Leeke St. *WC1* 2B **26**
Leerdam Dri. *E14.* 2C **110**
Lees Ct. *W1.* 5D **41**
Leeside Ct. *SE16.* 2D **79**
Lees Pl. *W1.* 5D **41**
Lee St. *E8* 3B **16**
Leeward Ct. *E1.* 2E **77**
Leeway. *SE8.* 5B **108**
Leff Ho. *NW6.* 2A **4**
Lefroy Ho. *SW8* 5B **74**

Legion Clo. *N1* 1E **13**
Leicester Ct. *W9* 1D **37**
Leicester Ct. *WC2.* 5E **43**
Leicester Fields. *WC2* 1E **71**
Leicester Pl. *WC2.* 5E **43**
Leicester Sq. *WC2* 1E **71**
Leicester St. *WC2.* 5E **43**
Leigh Pl. *EC1.* 1D **45**
Leigh St. *WC1* 4F **25**
Leighton Ho. *SW1* 4E **99**
Leighton House Mus. &
   Art Gallery. **1C 92**
Leighton Mans. *W14* 2A **114**
Leinster Gdns. *W2* 4B **38**
Leinster M. *W2* 1B **66**
Leinster Pl. *W2* 4B **38**
Leinster Sq. *W2.* 4E **37**
         (in two parts)
Leinster Ter. *W2.* 5B **38**
Leith Mans. *W9* 3F **19**
Lelita Clo. *E8.* 4D **17**
Leman Pas. *E1.* 4D **49**
Leman St. *E1.* 4C **48**
Lemmon Rd. *SE10* 2F **133**
Le Moal Ho. *E1.* 2C **50**
Lena Gdns. *W6* 2C **90**
Lenanton Steps. *E14* 4E **81**
Len Freeman Pl. *SW6.* 3B **114**
Lenham Ho. *SE1.* 1E **103**
Lennox Gdns. *SW1* 2B **96**
Lennox Gdns. M. *SW1* 2B **96**
Lenthall Ho. *SW1* 1C **120**
Lenthall Rd. *E8.* 1C **16**
Lenthorp Rd. *SE10.* 4B **112**
Len Williams Ct. *NW6.* 1E **19**
Leonard Ct. *WC1* 4E **25**
Leonard St. *E16.* 3A **88**
Leonard St. *EC2.* 4E **29**
Leonora Ho. *W9.* 4B **20**
Leontine Clo. *SE15.* 5E **127**
Leopards Ct. *EC1.* 1D **45**
Leopold Bldgs. *E2* 2B **30**
Leopold St. *E3.* 1C **52**
Leo St. *SE15* 4A **128**
Leo Yd. *EC1.* 5A **28**
Leroy St. *SE1.* 2F **103**
Lerry Clo. *W14.* 2C **114**
Leslie Prince Ct. *SE5* 4D **125**
Leslie Rd. *E16* 4F **57**
Letchmore Ho. *W10.* 1B **34**
Letterstone Rd. *SW6* 5B **114**
Levant Ho. *E1.* 5E **33**
Leven Rd. *E14* 2C **54**
Leverett St. *SW3* 3A **96**
Leverington Pl. *N1* 3F **29**
Leverstock Ho. *SW3.* 5A **96**
Lever St. *EC1.* 3A **28**
Levita Ho. *NW1* 2E **25**
         (in two parts)
Lewes Ho. *SE1.* 4A **76**
Lewes Ho. *SE15.* 3E **127**
Lewey Ho. *E3.* 1C **52**
Lewis Ct. *SE16.* 5A **106**
Lewisham Bus. Cen.
   SE14 . . . . 2D **129**
Lewisham St. *SW1.* 5E **71**
         (in two parts)
Lewisham Way. *SE14 & SE4*
   . . . . 5B **130**

Lewis Ho. *E14* 3C **82**
Lewis Silkin Ho. *SE15* 2C **128**
Lewis St. *NW1* 1F **9**
         (in two parts)
Lexham Gdns. *W8* 3E **93**
Lexham Gdns. M. *W8.* 2A **94**
Lexham M. *W8.* 3E **93**
Lexham Wlk. *W8* 2A **94**
Lexington Apartments. *EC1.* . . 4E **29**
Lexington St. *W1.* 4C **42**
Leybourne Ho. *E14.* 4C **52**
Leybourne Ho. *SE15.* 3C **128**
Leybourne Rd. *NW1.* 2A **10**
Leybourne St. *NW1* 2F **9**
Leyden St. *E1.* 2B **48**
Leydon Clo. *SE16.* 3E **79**
Leyes Rd. *E16* 4D **59**
Leyland Ho. *E14.* 5F **53**
Leylang Rd. *SE14.* 4E **129**
Leysdown Ho. *SE17.* 5A **104**
Liardet St. *SE14.* 3A **130**
Liberty St. *SW9* 5C **122**
Library Mans. *W12.* 4B **62**
Library Pl. *E1.* 5A **50**
Library St. *SE1.* 5F **73**
Lichfield Rd. *E3* 2F **33**
Lickey Ho. *W14.* 2C **114**
Lidgate Rd. *SE15.* 5B **126**
Lidlington Pl. *NW1.* 1C **24**
Lighter Clo. *SE16.* 3A **108**
Lighterman Ho. *E14.* 5C **54**
Lighterman M. *E1.* 3E **51**
Lightermans Rd. *E14* 5E **81**
Light Horse Ct. *SW3* 1D **119**
Ligonier St. *E2.* 4B **30**
Lilac Pl. *SE11.* 4B **100**
Lilestone Ho. *NW8.* 4E **21**
Lilestone St. *NW8.* 4F **21**
Lilley Clo. *E1* 3E **77**
Lillie Mans. *SW6* 3A **114**
Lillie Rd. *SW6* 4A **114**
Lillie Yd. *SW6.* 2E **115**
Lillington Gdns. Est. *SW1.* . . 4C **98**
Lily Clo. *W14* 4E **91**
         (in two parts)
Lily Nichols Ho. *E16.* 3E **87**
Lily Pl. *EC1* 1E **45**
Lilyville Rd. *SW6* 5B **114**
Limberg Ho. *SE8* 4B **108**
Limborough Ho. *E14* 2D **53**
Limeburner La. *EC4* 4F **45**
Lime Clo. *E1.* 2E **77**
Lime Gro. *W12.* 4B **62**
Limeharbour. *E14.* 1A **110**
Limehouse. **4B 52**
Limehouse Causeway. *E14.* . . 5C **52**
Limehouse Ct. *E14.* 3C **52**
Limehouse Cut. *E14.* 1A **54**
Limehouse Fields Est. *E1* . . . 2A **52**
Limehouse Link. *E14.* 4A **52**
Limerston St. *SW10.* 2C **116**
Limes, The. *W2* 1E **65**
Lime St. *EC3* 5F **47**
Lime St. Pas. *EC3.* 5F **47**
Linacre Ct. *W6.* 5E **91**
Linale Ho. *N1.* 1D **29**
Linberry Wlk. *SE8* 4B **108**
Lincoln Ho. *SW3* 5B **68**
Lincoln Ho. *SW9 & SE5* 4E **123**

Lincoln M. *NW6* 3B **4**
Lincolns Inn Fields. *WC2* 3B **44**
Lincoln's Inn Hall. 3C 44
Lincoln St. *SW3* 4B **96**
Linden Ct. *W12* 3B **62**
Linden Gdns. *W2* 1E **65**
Linden Ho. *SE8* 2C **130**
Linden M. *W2* 1E **65**
Lindfield St. *E14* 3D **53**
Lindley Est. *SE15* 4E **127**
Lindley Ho. *E1* 1B **50**
Lindley Ho. *SE15* 4D **127**
Lindley St. *E1* 1B **50**
Lindop Ho. *E1* 4F **33**
Lindsay Sq. *SW1* 5E **99**
Lindsey M. *N1* 1C **14**
Lindsey St. *EC1* 1A **46**
Lindwood Clo. *E6* 2A **60**
Linfield. *WC1* 3B **26**
Lingard Ho. *E14* 1B **110**
Lingfield Ho. *SE1* 5A **74**
Ling Rd. *E16* 1D **57**
Linhope St. *NW1* 4B **22**
Link Ho. *W10* 4E **35**
Link Rd. *E1* 5D **49**
Links Yd. *E1* 1C **48**
Linkwood Wlk. *NW1* 1E **11**
Linley Sambourne House. 1D 93
Linnell Ho. *E1* 1B **48**
Linsey St. *SE16* 3D **105** (in two parts)
Linslade Ho. *E2* 4E **17**
Linslade Ho. *NW8* 4A **22**
Linstead St. *NW6* 1D **5**
Lintaine Clo. *W6* 3A **114**
Linton Gdns. *E6* 3F **59**
Linton Ho. *E3* 2D **53**
Linton St. *N1* 4C **14** (in two parts)
Lion Ct. *E1* 5D **51**
Lion Ct. *N1* 4B **12**
Lion Ct. *SE1* 3F **75**
Lionel Mans. *W14* 2D **91**
Lionel M. *W10* 1F **35**
Lion Mills. *E2* 1E **31**
Lion Rd. *E6* 2C **60**
Lipton Rd. *E1* 4D **51**
Lisford St. *SE15* 5D **126**
Lisgar Ter. *W14* 3B **92**
Liskeard Ho. *SE11* 5E **101**
Lisle St. *WC2* 5E **43**
Lisson Grn. Est. *NW8* 4F **21**
Lisson Grove. 1A 40
Lisson Gro. *NW8 & NW1* 3E **21**
Lisson Ho. *NW1* 1F **39**
Lisson St. *NW1* 1F **39**
Lister Ho. *E1* 1E **49**
Lister Ho. *SE3* 2F **133**
Lister Lodge. *W2* 1E **37**
Listowel Clo. *SW9* 4E **123**
Litcham Ho. *E1* 3E **33**
Litchfield St. *WC2* 5E **43**
Lit. Albany St. *NW1* 3A **24** (in two parts)
Little Angel Theatre. 3A 14
Lit. Argyll St. *W1* 4B **42**
Lit. Boltons, The. *SW5 & SW10* 5A **94**
Little Britain. *EC1* 2A **46**
Lit. Chester St. *SW1* 1F **97**
Little Cloisters. *SW1* 1F **99**
Lit. College La. *EC4* 5D **47**
Lit. College St. *SW1* 1F **99**
Lit. Dean's Yd. *SW1* 1F **99**
Lit. Dorrit Ct. *SE1* 4C **74**
Lit. Edward St. *NW1* 2A **24**
Lit. Essex St. *WC2* 5D **45**
Lit. George St. *SW1* 5F **71**
Lit. London Ct. *SE1* 5C **76**
Lit. Marlborough St. *W1* 4B **42**
Lit. Newport St. *WC2* 5E **43**
Lit. New St. *EC4* 3E **45**
Lit. Portland St. *W1* 3A **42**
Lit. Russell St. *WC1* 2F **43**
Lit. St James's St. *SW1* 3B **70**
Little Sanctuary. *SW1* 5F **71**
Lit. Smith St. *SW1* 1E **99**
Lit. Somerset St. *E1* 4B **48**
Lit. Titchfield St. *W1* 2B **42**
Littleton Ho. *SW1* 1B **120**
Lit. Trinity La. *EC4* 5C **46**
Little Turnstile. *WC1* 2B **44**
Livermere Ct. *E8* 3C **16**
Livermere Rd. *E8* 3B **16**
Liverpool Gro. *SE17* 1C **124**
Liverpool Rd. *E16* 1A **56**
Liverpool Rd. *N7 & N1* 1E **13**
Liverpool St. *EC2* 2F **47**
Livesey Mus. 3F 127
Livesey Pl. *SE15* 2E **127**
Livingstone Ho. *SE5* 4C **124**
Livingstone Lodge. *W9* 1E **37**
Livingstone Mans. *W14* 2A **114**
Livingstone Pl. *E14* 5B **110**
Livonia St. *W1* 4C **42**
Lizard St. *EC1* 3C **28**
Llandovery Ho. *E14* 5B **82**
Llewellyn St. *SE16* 5E **77**
Lloyd Baker St. *WC1* 3C **26** (in two parts)
Lloyd's Av. *EC3* 4A **48**
Lloyds Building. 4F 47
Lloyd Sq. *WC1* 2D **27**
Lloyd's Row. *EC1* 3E **27**
Lloyd St. *WC1* 2D **27**
Lloyds Wharf. *SE1* 4C **76**
Loanda Clo. *E8* 3B **16**
Lobelia Clo. *E6* 1F **59**
Lochmore Ho. *SW1* 4E **97**
Lochnagar St. *E14* 2B **54**
Lockbridge Ct. *W9* 1D **37**
Locke Ho. *SW8* 5B **120**
Lockhart Ho. *SE10* 4A **132**
Lockington Rd. *SW8* 5A **120**
Lock Keepers Quay. *SE16* 2E **107**
Locksfield Pl. *E14* 5A **110**
Locksfields. *SE17* 4E **103**
Lockside. *E14* 5A **52**
Locksley Est. *E14* 3B **52**
Locksley St. *E14* 2B **52**
Lock Vw. Ct. *E14* 5A **52**
Lockwood Ho. *SE11* 3D **123**
Lockwood Sq. *SE16* 1F **105**
Lockyer Est. *SE1* 4E **75** (in two parts)
Lockyer Ho. *SE10* 5B **112**
Lockyer Ho. *SW8* 4E **121**
Lockyer St. *SE1* 5E **75**
Loder St. *SE15* 5B **128**
Lodge Rd. *NW8* 4E **21**
Lodore St. *E14* 4B **54**
Loftie St. *SE16* 5E **77**
Lofting Rd. *N1* 2C **12**
Loftus Rd. *W12* 3A **62**
Loftus Rd. (Queen's Park Rangers F.C.) 2A 62
Logan M. *W8* 3D **93**
Logan Pl. *W8* 3D **93**
Lohmann Ho. *SE11* 2D **123**
Lolesworth Clo. *E1* 2C **48**
Lollard St. *SE11* 3C **100** (in two parts)
Loman St. *SE1* 4A **74**
Lomas St. *E1* 1E **49**
Lombard Ct. *EC3* 5E **47**
Lombard La. *EC4* 4E **45**
Lombard St. *EC3* 4D **47**
Lombard Trad. Est. *SE7* 3F **113**
Lombard Wall. *SE7* 2F **113** (in two parts)
Lombardy Pl. *W2* 1F **65**
Lomond Gro. *SE5* 4D **125**
Lomond Ho. *SE5* 5D **125**
Loncroft Rd. *SE5* 2A **126**
Londinium Tower. *E1* 5C **48**
London Academy of Music & Dramatic Art. 3E 96
London Aquarium. 4B 72
London Arena. 1A 110
London Bri. *SE1 & EC4* 2E **75**
London Bri. St. *SE1* 3E **75**
London Bri. Wlk. *SE1* 2E **75**
London Business School. 4B 22
London Canal Mus. 5A 12
London City College. 3D 73 (Schiller University)
London Coliseum. 1F 71
London College of Fashion. 5B 28 (Baltic St. E.)
London College of Fashion. 4A 30 (Curtain Rd.)
London Dungeon. 3E 75
London Eye. 4B 72
London Fields E. Side. *E8* 2F **17** (in two parts)
London Fields W. Side. *E8* 1E **17**
London Fruit Exchange. *E1* 2B **48**
London Guildhall University. 3E 49 (Commercial Rd.)
London Guildhall University. 4B 48 (Jewry St.)
London Guildhall University. 3D 49 (Manningtree St.)
London Guildhall University. 5B 48 (Minories)
London Guildhall University. 2E 47 (Moorgate)

London Guildhall University. 3B 48
(Whitechapel High St.)
London Ho. NW8 . . . . 5A 8
London Ho. WC1 . . . . 4B 26
London Ind. Pk., The.
E6 . . . . 1F 61
London Knights Ice Hockey
(London Arena) 1A 110
London La. E8 . . . . 1F 17
London Leopards Basketball
(London Arena) 1A 110
London M. W2 . . . . 4E 39
London Palladium. 4B 42
London Planetarium. 5D 23
London Rd. SE1 . . . . 1F 49
London School of Economics &
Politics, The. 4C 44
London St. EC3 . . . . 5A 48
London St. W2 . . . . 3D 39
London Ter. E2 . . . . 1D 31
London Transport Mus. 5A 44
London Underwriting Cen.
EC3 . . . . 5A 48
London Wall. EC2 . . . . 2C 46
London Wall Bldgs.
EC2 . . . . 2E 47
London Wharf. E2 . . . . 4F 17
London Zoo. 5D 9
Long Acre. WC2 . . . . 5F 43
Longfellow Way. SE1 . . . . . 4C 104
Longfield Est. SE1 . . . . . . 3C 104
Longford Ho. E1 . . . . 3B 50
Longford St. NW1 . . . . 4A 24
Longhope Clo. SE15 . . . . . . 3A 126
Longland Ct. SE1 . . . . 5D 105
Longlands Ct. W11 . . . . 5C 36
Long La. EC1 . . . . 2A 46
Long La. SE1 . . . . 5D 75
Longleat Ho. SW1 . . . . 5D 99
Longley St. SE1 . . . . 4D 105
Longman Ho. E2 . . . . 1D 33
Longman Ho. E8 . . . . 4C 16
Long Mark Rd. E16 . . . . . . 2D 59
Longmoore St. SW1 . . . . . . 4B 98
Longnor Est. E1 . . . . 3E 33
Longnor Rd. E1 . . . . 3E 33
Longridge Ho. SE1 . . . . . . 2C 102
Longridge Rd. SW5 . . . . . . 4D 93
Long's Ct. WC2 . . . . 1E 71
Longshore. SE8 . . . . 4B 108
Longshott Ct. SW5 . . . . 4D 93
Long St. E2 . . . . 2B 30
Longville Rd. SE11 . . . . . . 3F 101
Long Wlk. SE1 . . . . 1A 104
Long Yd. WC1 . . . . 5B 26
Lonsdale Ho. W11 . . . . 4C 36
Lonsdale M. W11 . . . . 4C 36
Lonsdale Pl. N1 . . . . 2E 13
Lonsdale Rd. NW6 . . . . 5B 4
Lonsdale Rd. W11 . . . . 4B 36
Lonsdale Sq. N1 . . . . 2E 13
Lonsdale Yd. W11 . . . . 1D 65
Lord Amory Way. E14 . . . . . 4B 82
Lorden Wlk. E2 . . . . 3D 31
Lord Hills Bri. W2 . . . . 2A 38
Lord Hills Rd. W2 . . . . 1A 38
Lord N. St. SW1 . . . . 2F 99
Lord Roberts M. SW6 . . . . . 5F 115

Lord's Cricket Ground 3E 21
(Marylebone & Middlesex
County Cricket Clubs)
Lordship Pl. SW3 . . . . 3F 117
Lord St. E16 . . . . 3A 88
Lords Vw. NW8 . . . . 3E 21
Lorenzo St. WC1 . . . . 2B 26
Loris Rd. W6 . . . . 2C 90
Lorne Clo. NW8 . . . . 3A 22
Lorne Gdns. W11 . . . . 4E 63
Lorne Ho. E1 . . . . 2F 51
Lorraine Ct. NW1 . . . . 1A 10
Lorrimore Rd. SE17 . . . . 3A 124
Lorrimore Sq. SE17 . . . . . 2A 124
Lorton Ho. NW6 . . . . 4E 5
Lothbury. EC2 . . . . 3D 47
Lothian Rd. SW9 . . . . 5A 124
Lothrop St. W10 . . . . 2A 18
Lots Rd. SW10 . . . . 5B 116
Loudoun Rd. NW8 . . . . 2C 6
Loughborough St. SE11 . . . . 5C 100
Louisa Gdns. E1 . . . . 5D 33
Louisa St. E1 . . . . 5D 33
Louise De Marillac Ho. E1 . . 2B 50
Lovage App. E6 . . . . 2A 60
Lovat La. EC3 . . . . 5F 47
(in two parts)
Lovegrove St. SE1 . . . . . . 1E 127
Lovegrove Wlk. E14 . . . . . . 3B 82
Lovelace Ho. E8 . . . . 3C 16
Love La. EC2 . . . . 3C 46
Lovelinch Clo. SE15 . . . . . 3C 128
Lovell Ho. E8 . . . . 3D 17
Lovell Pl. SE16 . . . . 1A 108
Lovers Wlk. SE10 . . . . 3E 133
Lovers' Wlk. W1 . . . . 2D 69
Lowder Ho. E1 . . . . 2A 78
Lowe Av. E16 . . . . 2E 57
Lowell Ho. SE5 . . . . 4C 124
Lowell St. E14 . . . . 3A 52
Lwr. Addison Gdns. W14 . . . 5F 63
Lwr. Belgrave St. SW1 . . . . 2F 97
Lwr. Clarendon Wlk. W11 . . . 4F 35
Lwr. Grosvenor Pl. SW1 . . . 1F 97
Lwr. James St. W1 . . . . 5C 42
Lwr. John St. W1 . . . . 5C 42
Lwr. Lea Crossing. E14 . . . . . 5F 55
Lower Mall. W6 . . . . 5A 90
Lower Marsh. SE1 . . . . 5D 73
Lwr. Merton Ri. NW3 . . . . . . 1B 7
Lower Rd. SE1 . . . . 4D 73
Lower Rd. SE16 & SE8 . . . . 5B 78
(in two parts)
Lwr. Sloane St. SW1 . . . . . . 4D 97
Lwr. Thames St. EC3 . . . . . 1E 75
Lowerwood Ct. W11 . . . . . . 4A 36
Lowestoft M. E16 . . . . 4F 89
Lowfield Rd. NW6 . . . . 1D 5
Lowndes Clo. SW1 . . . . 2E 97
Lowndes Ct. SW1 . . . . 1C 96
Lowndes Ct. W1 . . . . 4B 42
Lowndes Pl. SW1 . . . . 2D 97
Lowndes Sq. SW1 . . . . 5C 68
Lowndes St. SW1 . . . . 1C 96
Lowood Ho. E1 . . . . 5B 50
Lowood St. E1 . . . . 5A 50
Lowry Ct. SE16 . . . . 5A 106
Lowther Gdns. SW7 . . . . . . 1E 95
Lowther Ho. E8 . . . . 3B 16

Lowther Ho. SW1 . . . . 1C 120
Loxham St. WC1 . . . . 3A 26
Lubbock Ho. E14 . . . . 1A 82
Lubbock St. SE14 . . . . . . 5C 128
Lucan Ho. N1 . . . . 4E 15
Lucan Pl. SW3 . . . . 4F 95
Lucerne M. W8 . . . . 2E 65
Lucey Rd. SE16 . . . . 2D 105
Lucey Way. SE16 . . . . 2D 105
(in two parts)
Lucy Brown Ho. SE1 . . . . . 3C 74
Ludgate B'way. EC4 . . . . . . 4F 45
Ludgate Cir. EC4 . . . . 4F 45
Ludgate Hill. EC4 . . . . 4F 45
Ludgate Sq. EC4 . . . . 4A 46
Ludlow St. EC1 . . . . 4B 28
Ludwick M. SE14 . . . . 4F 129
Lugard Ho. W12 . . . . 2A 62
Luke Ho. E1 . . . . 4F 49
Luke St. EC2 . . . . 4F 29
Lukin St. E1 . . . . 4C 50
Lullingstone Ho. SE15 . . . . 3C 128
Lulworth. NW1 . . . . 2D 11
Lulworth. SE17 . . . . 5D 103
Lulworth Ct. N1 . . . . 2A 16
Lulworth Ho. SW8 . . . . . . 5B 122
Lumley Ct. WC2 . . . . 5A 44
Lumley Flats. SW1 . . . . 5D 97
Lumley St. W1 . . . . 4E 41
Lumsdon. NW8 . . . . 4A 6
Luntley Pl. E1 . . . . 2D 49
Lupin Point. SE1 . . . . 5C 76
Lupus St. SW1 . . . . 2A 120
Luralda Gdns. E14 . . . . . . 5C 110
Lurline Gdns. SW11 . . . . . . 5F 119
Luscombe Way. SW8 . . . . . 4F 121
Luton Pl. SE10 . . . . 5C 132
Luton St. NW8 . . . . 5E 21
Lutyens Ho. SW1 . . . . 1B 120
Luxborough Ho. W1 . . . . . . 1D 41
Luxborough St. W1 . . . . . . 5D 23
Luxborough Tower. W1 . . . . 1D 41
Lux Cinema. 3F 29
Luxemburg Gdns. W6 . . . . . 3D 91
Luxford St. SE16 . . . . 4D 107
Lux Gallery. 3F 29
(off Hoxton Sq.)
Lyall M. SW1 . . . . 2D 97
Lyall M. W. SW1 . . . . 2D 97
Lyall St. SW1 . . . . 2D 97
Lyal Rd. E3 . . . . 1F 33
Lyceum Theatre. 5B 44
Lydford. NW1 . . . . 4C 10
Lydford Rd. W9 . . . . 4C 18
Lydney Clo. SE15 . . . . 4A 126
Lygon Ho. E2 . . . . 2C 30
Lygon Pl. SW1 . . . . 2F 97
Lyly Ho. SE1 . . . . 2E 103
Lyme St. NW1 . . . . 2B 10
Lyme Ter. NW1 . . . . 2B 10
Lymington Clo. E6 . . . . 1B 60
Lymington Lodge. E14 . . . . . 2D 111
Lympstone Gdns. SE15 . . . 4E 127
Lynch Wlk. SE8 . . . . 2C 130
Lyndhurst Ct. NW8 . . . . . . 4D 7
Lyndhurst Lodge. E14 . . . . 3D 111
Lynn Ho. SE15 . . . . 3F 127
Lynton Est. SE1 . . . . 4D 105
Lynton Ho. W2 . . . . 4B 38

Lynton Mans. *SE1* 1D **101**
Lynton Rd. *NW6* 4C **4**
Lynton Rd. *SE1* 4C **104**
Lyon Ho. *NW8* 5F **21**
Lyons Pl. *NW8*. 5D **21**
Lyon St. *N1* 2B **12**
Lyons Wlk. *W14* 3F **91**
Lyric Theatre. **4B 90**
(Hammersmith)
Lyric Theatre. **5D 43**
(Westminster)
Lysander Ho. *E2*. 1F **31**
Lytham St. *SE17* 1D **125**
Lyttelton Clo. *NW3* 2F **7**
Lyttelton Theatre. **2D 73**
(in Royal National Theatre)

M

Mabledon Ct. *WC1* 3E **25**
Mabledon Pl. *WC1* 3E **25**
Mablethorpe Rd. *SW6* 5A **114**
Macartney Ho. *SE10*. 5E **133**
Macartney Ho. *SW9*. 5D **123**
McAuley Clo. *SE1*. 1D **101**
Macbeth Ho. *N1* 5F **15**
Macbeth St. *W6*. 5A **90**
Macclesfield Ho. *EC1* 3B **28**
Macclesfield Rd. *EC1* 2B **28**
Macclesfield St. *W1* 5E **43**
McCoid Way. *SE1*. 5B **74**
McDowall Clo. *E16*. 2C **56**
Mace Clo. *E1* 2F **77**
Mace Gateway. *E16* 1D **85**
Mace St. *E2*. 1D **33**
Macey St. *SE10* 2B **132**
Macfarlane Rd. *W12*. 3B **62**
Macfarren Pl. *NW1*. 5E **23**
McGlashon Ho. *E1*. 5D **31**
McGregor Ct. *N1* 2A **30**
MacGregor Rd. *E16* 1C **58**
McGregor Rd. *W11* 2B **36**
McIndoe Ct. *N1* 3D **15**
McIntosh Ho. *SE16* 4C **106**
Macintosh Ho. *W1* 1E **41**
Mackay Ho. *W12* 1A **62**
McKay Trad. Est. *W10* 4A **18**
Mackennal St. *NW8* 1A **22**
Mackenzie Clo. *W12*. 5A **34**
Mackenzie Wlk. *E14*. 2D **81**
Macklin St. *WC2* 3A **44**
Mackonochie Ho. *EC1* 1D **45**
Mackrow Wlk. *E14*. 5C **54**
Mack's Rd. *SE16* 3E **105**
Mackworth Ho. *NW1* 2B **24**
Mackworth St. *NW1*. 2B **24**
McLeod's M. *SW7* 2A **94**
(in two parts)
Macleod St. *SE17*. 1C **124**
Maclise Ho. *SW1* 4F **99**
Maclise Rd. *W14* 2F **91**
McMillan St. *SE8* 3D **131**
Macnamara Ho. *SW10*. 4D **117**
Maconochies Rd. *E14*. 5F **109**
Macquarie Way. *E14*. 4A **110**
Macready Ho. *W1*. 2A **40**
Macroom Rd. *W9*. 2C **18**
Mac's Pl. *EC4*. 3E **45**

Madame Tussaud's. **5D 23**
Maddams St. *E3*. 1F **53**
Maddocks Ho. *E1*. 5A **50**
Maddock Way. *SE17*. 3A **124**
Maddox St. *W1* 5A **42**
Madison Ho. *E14*. 5B **52**
Madison, The. *SE1*. 4D **75**
Madrigal La. *SE5* 5A **124**
Madron St. *SE17* 5A **104**
Magdalen Ho. *E16* 2F **85**
Magdalen Pas. *E1*. 5C **48**
Magdalen St. *SE1*. 3F **75**
Magee St. *SE11* 2D **123**
Magellan Ho. *E1*. 5E **33**
Magellan Pl. *E14*. 4E **109**
Magnin Clo. *E8* 3D **17**
Magnolia Ho. *SE8*. 2C **130**
Magnolia Lodge. *W8*. 2F **93**
Magpie All. *EC4* 4E **45**
Magpie Pl. *SE14*. 3A **130**
Magri Wlk. *E1* 2B **50**
Maguire St. *SE1*. 4C **76**
Mahogany Clo. *SE16* 3A **80**
Maida Av. *W2*. 1C **38**
Maida Hill. **5C 18**
Maida Vale. **3F 19**
Maida Va. *W9*. 5F **5**
Maiden La. *NW1*. 1E **11**
Maiden La. *SE1* 3C **74**
Maiden La. *WC2*. 1A **72**
Maidstone Bldgs. *SE1* 3C **74**
Maidstone Ho. *E14*. 3F **53**
Mail Coach Yd. *E2* 2A **30**
Maismore St. *SE15*. 3E **127**
Maitland Clo. *SE10*. 5A **132**
Maitland Ct. *W2*. 5D **39**
Maitland Ho. *SW1*. 2B **120**
Maize Row. *E14*. 5B **52**
Major Rd. *SE16* 1E **105**
Makins St. *SW3*. 4A **96**
Malabar Ct. *W12* 1A **62**
Malabar St. *E14*. 5E **81**
Malam Ct. *SE11*. 4D **101**
Malam Gdns. *E14*. 5F **53**
Malcolm Ho. *N1* 1F **29**
Malcolm Pl. *E2*. 4B **32**
Malcolm Rd. *E1*. 4B **32**
Malcolm Sargent Ho. E16. . . . 2A 86
(off Evelyn Rd.)
Malcolmson Ho. *SW1* 1D **121**
Malden Cres. *NW5*. 1E **9**
Maldon Clo. *N1* 3B **14**
Malet Pl. *WC1* 5D **25**
Malet St. *WC1* 5D **25**
Mallard Clo. *NW6*. 4E **5**
Mallard Ho. *NW8* 1F **21**
Mall Chambers. *W8* 2E **65**
Mall Galleries. **2E 71**
Mall Gallery. WC2. . . . . 4F **43**
(off Thomas Neals Shop. Mall)
Mallon Gdns. *E1*. 3C **48**
Mallord St. *SW3*. 2E **117**
Mallory Ho. *E14*. 1A **54**
Mallory St. *NW8*. 4A **22**
Mallow St. *EC1*. 4D **29**
Mall Rd. *W6*. 5A **90**
Mall, The. *SW1* 4B **70**
Malmesbury. *E2*. 1B **32**
Malmesbury Rd. *E16* 2A **56**

Malmesbury Ter. *E16* 1B **56**
Malmsey Ho. *SE11*. 5C **100**
Malta St. *EC1*. 4A **28**
Maltby St. *SE1*. 5B **76**
Malting Ho. *E14*. 5B **52**
Maltings Pl. *SE1*. 5A **76**
Malton M. *W10*. 3F **35**
Malton Rd. *W10*. 3F **35**
Maltravers St. *WC2* 5C **44**
Malt St. *SE1*. 2D **127**
Malvern Clo. *W10*. 2B **36**
Malvern Ct. *SW7* 3E **95**
Malvern M. *NW6*. 2D **19**
Malvern Pl. *NW6*. 2C **18**
Malvern Rd. *E8* 2D **17**
Malvern Rd. *NW6*. 1C **18**
(in two parts)
Malvern Ter. *N1* 3D **13**
Managers St. *E14*. 3C **82**
Manchester Ct. *E16* 4A **58**
Manchester Dri. *W10*. 5A **18**
Manchester Gro. *E14* 5B **110**
Manchester Ho. *SE17*. 5C **102**
Manchester M. *W1*. 2D **41**
Manchester Rd. *E14*. 5C **82**
Manchester Sq. *W1* 3E **41**
Manchester St. *W1*. 2D **41**
Manciple St. *SE1*. 5D **75**
Mandarin Ct. *SE8*. 3D **131**
Mandarin St. *E14*. 5D **53**
Mandela Clo. *W12*. 1A **62**
Mandela Ho. *E2* 3B **30**
Mandela Rd. *E16* 4E **57**
Mandela St. *NW1*. 3C **10**
Mandela St. *SW9*. 5D **123**
(in two parts)
Mandela Way. *SE1* 3F **103**
Mandeville Ho. *SE1* 5C **104**
Mandeville Pl. *W1*. 3E **41**
Manette St. *W1* 4E **43**
Manilla St. *E14*. 4D **81**
Man in the Moon Theatre.
. . . . **3D 117**
Manitoba Ct. *SE16* 5C **78**
Manley Ho. *SE11*. 5D **101**
Manley St. *NW1*. 3D **9**
Manneby Prior. *N1* 1C **26**
Manningford Clo. *EC1*. 2F **27**
Manningtree St. *E1* 3D **49**
Manny Shinwell Ho. *SW6*. . . 3C **114**
Manor Est. *SE16*. 4F **105**
Manor Gro. *SE15*. 3B **128**
Manor Ho. *NW1*. 1A **40**
Manor Ho. Ct. *W9* 5B **20**
Manor M. *NW6* 5E **5**
(in two parts)
Manor Pl. *SE17* 1A **124**
Manor Rd. *E15 & E16*. 1F **55**
Manresa Rd. *SW3*. 1F **117**
Mansell St. *E1* 4C **48**
Mansfield Ct. *E2*. 4C **16**
Mansfield M. *W1* 2F **41**
Mansfield St. *W1* 2F **41**
Mansford St. *E2*. 1E **31**
Mansion House. **4D 47**
Mansion Ho. Pl. *EC4*. 4D **47**
Mansion Ho. St. *EC4* 4D **47**
Mansions, The. *SW5*. 5F **93**
Manson M. *SW7* 4C **94**

Manson Pl. *SW7* 4D **95**
Manston. *NW1* 2C **10**
Manston Ho. *W14* 2A **92**
Mantus Clo. *E1.* 4C **32**
Mantus Rd. *E1.* 4B **32**
Manwood St. *E16.* 3C **88**
Mapesbury Rd. *NW2* 1A **4**
Mapes Ho. *NW6.* 2A **4**
Mape St. *E2* 4F **31**
Maple Ct. *E6.* 2E **61**
Maplecroft Clo. *E6* 3F **59**
Mapledene Est. *E8* 1D **17**
Mapledene Rd. *E8* 1C **16**
Maple Ho. *SE8.* 4C **130**
Maple Leaf Sq. *SE16* 4E **79**
Maple Lodge. *W8* 2F **93**
Maple M. *NW6* 5F **5**
Maple Pl. *W1* 5C **24**
Maples Pl. *E1.* 1A **50**
Maple St. *W1.* 1B **42**
Maplin Rd. *E16.* 3E **57**
Marathon Ho. *NW1* 1B **40**
Marban Rd. *W9* 2B **18**
Marble Arch. (Junct.) **5B 40**
Marble Arch. 5C **40**
Marble Arch. *W1* 5B **40**
Marble Arch Apartments.
 W1 . . . . 3B **40**
Marble Ho. *W9.* 5C **18**
Marble Quay. *E1.* 2D **77**
Marchant Ct. *SE1* 5C **104**
Marchant St. *SE14* 3F **129**
Marchbank Rd. *W14.* 2C **114**
Marchmont St. *WC1.* 4F **25**
Marchwood Clo. *SE5* 5A **126**
Marcia Rd. *SE1* 4A **104**
Marco Polo Ho. *SW8* 4F **119**
Marco Rd. *W6* 2A **90**
Marden Sq. *SE16* 2F **105**
Mardyke Ho. *SE17* 3E **103**
Mare St. *E8 & E2* 4F **17**
Margaret Ct. *W1.* 3B **42**
Margaret Herbison Ho.
 SW6 . . . . 3C **114**
Margaret Ho. *W6* 5B **90**
Margaret Ingram Clo.
 SW6 . . . . 3B **114**
Margaret St. *W1.* 3A **42**
Margaretta Ter. *SW3* 2F **117**
Margaret White Ho. *NW1* . . . 2D **25**
Margery St. *WC1* 3D **27**
Margravine Gdns. *W6.* 5E **91**
Maria Clo. *SE1* 3E **105**
Marian Pl. *E2* 5F **17**
Marian Sq. *E2* 5E **17**
Marian St. *E2* 5F **17**
Maria Ter. *E1* 1D **51**
Maribor. *SE10* 4C **132**
Marie Lloyd Ho. *N1* 1D **29**
Marie Lloyd Wlk. *E8.* 1D **17**
Marigold All. *SE1* 1F **73**
Marigold St. *SE16.* 5F **77**
Marinel Ho. *SE5* 5C **124**
Mariners M. *E14* 3D **111**
Marine St. *SE16.* 1D **105**
Marine Tower. *SE8* 2B **130**
Maritime Ind. Est. *SE7* 4F **113**
Maritime Quay. *E14* 5E **109**
Marjorie M. *E1.* 4D **51**

Market Ct. *W1* 3B **42**
Market Entrance. *SW8* 4C **120**
Market M. *W1* 3F **69**
Market Pl. *SE16* 3E **105**
 (in two parts)
Market Pl. *W1* 3B **42**
Market Sq. *E14* 4A **54**
Market Way. *E14* 4A **54**
Market Yd. M. *SE1* 1A **104**
Markham Pl. *SW3* 5B **96**
Markham Sq. *SW3* 5B **96**
Markham St. *SW3* 5A **96**
Mark Ho. *E2.* 1D **33**
Markland Ho. *W10.* 5D **35**
Mark La. *EC3* 5A **48**
Mark Sq. *EC2* 4F **29**
Markstone Ho. *SE1.* 5F **73**
Mark St. *EC2* 4F **29**
Marlborough Av. *E8* 4D **17**
 (in three parts)
Marlborough Clo. *SE17* 4A **102**
Marlborough Ct. *W1.* 4B **42**
Marlborough Ct. *W8* 3D **93**
Marlborough Flats. *SW3* 3A **96**
Marlborough Gro. *SE1* 1D **127**
Marlborough Hill. *NW8* 3D **7**
Marlborough House. 3C **70**
Marlborough Ho. *E16* 2E **85**
Marlborough Ho. *NW1* 4A **24**
Marlborough Pl. *NW8.* 1B **20**
Marlborough Rd. *SW1* 3C **70**
Marlborough St. *SW3* 4F **95**
Marlbury. *NW8.* 4A **6**
Marley Ho. *W11.* 1E **63**
Marloes Rd. *W8* 2F **93**
Marlowe Bus. Cen. *SE14* . . . 5A **130**
Marlowe Ct. *SW3* 4A **96**
Marlowe Ho. *SE8* 5B **108**
Marlowes, The. *NW8* 4D **7**
Marlow Ho. *E2.* 3B **30**
Marlow Ho. *SE1.* 1B **104**
Marlow Way. *SE16.* 4D **79**
Marlton St. *SE10* 5C **112**
Marmont Rd. *SE15.* 5E **127**
Marmora Ho. *E1.* 1F **51**
Marne St. *W10.* 2A **18**
Marnock Ho. *SE17.* 5D **103**
Maroon Ho. *E14.* 2A **52**
Maroon St. *E14* 2F **51**
Marquess Rd. S. *N1.* 1C **14**
Marquis Rd. *NW1.* 1E **11**
Marrick Ho. *NW6.* 4A **6**
Marryat Ho. *SW1.* 1B **120**
Marryat Sq. *SW6.* 5A **114**
Marshall Ho. *N1.* 5E **15**
Marshall Ho. *NW6.* 1C **18**
Marshall Ho. *SE1.* 2A **104**
Marshall Ho. *SE17.* 5D **103**
Marshall's Pl. *SE16.* 2C **104**
Marshall St. *W1.* 4C **42**
Marshalsea Rd. *SE1.* 4C **74**
Marsham Ct. *SW1* 3E **99**
Marsham St. *SW1* 2E **99**
Marsh Cen., The. *E1.* 3C **48**
Marsh Ct. *E8.* 1D **17**
Marshfield St. *E14.* 1B **110**
Marsh Ho. *NW1.* 1E **121**
Marsh St. *E14.* 4F **109**
Marsh Wall. *E14* 3D **81**

Marshwood Ho. *NW6.* 4E **5**
Marsland Clo. *SE17.* 1A **124**
Marsom Ho. *N1.* 1D **29**
Marston Clo. *NW6* 1C **6**
Marsworth Ho. *E2.* 4D **17**
Martello St. *E8.* 1F **17**
Martello Ter. *E8.* 2F **17**
Martha Ct. *E2.* 5F **17**
Martha's Bldgs. *EC1.* 4D **29**
Martha St. *E1.* 4A **50**
Martin Ct. *E14* 5C **82**
Martindale Av. *E16.* 5E **57**
Martindale Ho. *E14.* 1A **82**
Martineau Est. *E1.* 5B **50**
Martineau Ho. *SW1* 1B **120**
Martin Ho. *SE1.* 2C **102**
Martin Ho. *SW8* 4F **121**
Martin La. *EC4* 5E **47**
 (in two parts)
Martlett Ct. *WC2* 4A **44**
Marvell Ho. *SE5* 5D **125**
Marville Rd. *SW6.* 5B **114**
Mary Ann Gdns. *SE8* 3D **131**
Mary Ann Pl. *SE8.* 3D **131**
Mary Datchelor Clo. *SE5.* . . . 5E **125**
Mary Flux Ct. *SW5* 5F **93**
Mary Grn. *NW8* 3A **6**
Mary Ho. *W6* 5B **90**
Mary Jones Ho. *E14.* 1D **81**
Marylands Rd. *W9* 5E **19**
Maryland Wlk. *N1* 3B **14**
Marylebone. 1E **41**
Marylebone Cricket Club. . . . 2E **21**
 (Lord's Cricket Club)
Marylebone Flyover. (Junct.)
 . . . . **2F 39**
Marylebone Fly-Over. *W2* . . . 2E **39**
Marylebone High St. *W1.* . . . 1E **41**
Marylebone La. *W1* 2E **41**
Marylebone M. *W1.* 2F **41**
Marylebone Pas. *W1* 3C **42**
Marylebone Rd. *NW1.* 1A **40**
Marylebone St. *W1.* 2E **41**
Marylee Way. *SE11* 4C **100**
Mary MacArthur Ho. *E2* 2D **33**
Mary Macarthur Ho. *W6.* . . . 2A **114**
Mary Pl. *W11* 1F **63**
Mary Rose Mall. *E6* 2C **60**
Mary Seacole Clo. *E8.* 4B **16**
Mary Smith Ct. *SW5.* 4E **93**
Marysmith Ho. *SW1.* 5E **99**
Mary St. *E16* 2B **56**
Mary St. *N1.* 4C **14**
Mary Ter. *NW1.* 4A **10**
Mary Wharrie Ho. *NW3* 1B **8**
Masbro' Rd. *W14.* 2E **91**
Masefield Ho. *NW6* 2D **19**
Maskelyne Clo. *SW11.* 5A **118**
Mason Clo. *E16.* 5D **57**
Mason Clo. *SE16.* 5E **105**
Mason's Arms M. *W1.* 4A **42**
Mason's Av. *EC2* 3D **47**
Mason's Pl. *EC1.* 2A **28**
Mason St. *SE17.* 4E **103**
Mason's Yd. *SW1.* 2C **70**
Massinger St. *SE17.* 4F **103**
Massingham St. *E1.* 4D **33**
Mast Ct. *SE16* 3A **108**
Masterman Ho. *SE5.* 4D **125**

Masters Dri. *SE16*. 1F **127**
Masters Lodge. *E1* 4C **50**
Masters St. *E1* 1E **51**
Mast Ho. Ter. *E14*. 4E **109**
　　　　　(in two parts)
Mastmaker Ct. *E14*. 5E **81**
Mastmaker Rd. *E14* 5E **81**
Matheson Lang Ho. *SE1*. . . . 5D **73**
Matheson Rd. *W14* 4B **92**
Mathews Yd. *WC2* 4F **43**
Mathieson Ct. *SE1* 5A **74**
Matilda Ho. *E1*. 2D **77**
Matilda St. *N1* 4C **12**
Matlock St. *E14* 3F **51**
Maton Ho. *SW6* 4B **114**
Matson Ho. *SE16* 2A **106**
Matthew Clo. *W10* 1D **35**
Matthew Parker St. *SW1*. . . . 5E **71**
Matthews Ho. *E14* 2D **53**
Mattingley Way. *SE15*. 4B **126**
Maude Ho. *E2* 1D **31**
Maudlins Grn. *E1*. 2D **77**
Maud St. *E16*. 2B **56**
Maunsel St. *SW1* 3D **99**
Mauretania Building. *E1* 5E **51**
Maurice Drummond Ho.
　　SE10 . . . . 5F **131**
Maurice St. *W12* 4A **34**
Mauritius Rd. *SE10* 4A **112**
Mavis Wlk. *E6* 2F **59**
Mavor Ho. *N1* 4C **12**
Mawbey Ho. *SE1* 1C **126**
Mawbey Pl. *SE1* 1C **126**
Mawbey Rd. *SE1* 1C **126**
Mawbey St. *SW8* 5F **121**
Mawdley Ho. *SE1*. 5E **73**
Mawson Ho. *EC1* 1D **45**
Maxilla Wlk. *W10* 4E **35**
Maxwell Rd. *SW6* 5F **115**
Maybury Ct. *W1*. 2E **41**
Maydew Ho. *SE16* 3B **106**
Maydwell Ho. *E14* 2D **53**
Mayfair. 1F **69**
Mayfair M. *NW1*. 2C **8**
Mayfair Pl. *W1*. 2A **70**
Mayfield Clo. *E8*. 1B **16**
Mayfield Ho. *E2* 1A **32**
Mayfield Rd. *E8* 2B **16**
Mayfield Rd. *E13* 1C **56**
Mayflower Clo. *SE16* 3E **107**
Mayflower St. *SE16* 5B **78**
Mayford. *NW1* 5C **10**
　　　　　(in three parts)
Maygood St. *N1*. 5D **13**
Maylands Ho. *SW3*. 4A **96**
Maynard Clo. *SW6*. 5A **116**
Maynards Quay. *E1* 1B **78**
Mayo Ho. *E1* 2B **50**
May's Bldgs. M. *SE10* 5D **133**
May's Ct. *SE10*. 5D **133**
Mays Ct. *WC2* 1F **71**
May St. *W14* 1C **114**
May Wynne Ho. *E16*. 5F **57**
Maze Hill *SE10 & SE3* 2F **133**
Maze Hill Lodge. *SE10* 2E **133**
Mazenod Av. *NW6* 2E **5**
M.C.C. Cricket Mus. & Tours.
　　. . . . . 3D **21**
Mead Clo. *NW1* 1E **9**

Meadcroft Rd. *SE11* 3F **123**
　　　　　(in two parts)
Meader Ct. *SE14*. 4E **129**
Mead Ho. *W11*. 2B **64**
Meadowbank. *NW3* 2B **8**
Meadow Ct. *N1*. 5F **15**
Meadow M. *SW8* 3B **122**
Meadow Pl. *SW8* 4A **122**
Meadow Rd. *SW8* 4B **122**
Meadow Row. *SE1* 2B **102**
Meadowsweet Clo. *E16* 2D **59**
Mead Row. *SE1* 1D **101**
Meakin Est. *SE1* 1F **103**
Meard St. *W1* 4D **43**
　　　　　(in two parts)
Mechanic's Path. *SE8*. 4D **131**
Mecklenburgh Pl. *WC1*. 4B **26**
Mecklenburgh Sq. *WC1* 4B **26**
Mecklenburgh St. *WC1*. 4B **26**
Medburn St. *NW1* 5D **11**
Medhurst Clo. *E3* 1F **33**
　　　　　(in two parts)
Medland Ho. *E14* 5F **51**
Medlar St. *SE5*. 5C **124**
Medway Bldgs. *E3* 1F **33**
Medway Ct. *WC1* 3F **25**
Medway Ho. *NW8*. 5F **21**
Medway Ho. *SE1* 5E **75**
Medway M. *E3* 1F **33**
Medway Rd. *E3* 1F **33**
Medway St. *SW1* 2D **99**
Meeting Ho. All. *E1*. 2A **78**
Meeting Ho. La. *SE15*. 5F **127**
Melbourne Ct. *W9* 4C **20**
Melbourne Ho. *W8*. 3D **65**
Melbourne Mans. *W14*. 2A **114**
Melbourne Pl. *WC2* 5C **44**
Melbourne Ter. *SW6* 5F **115**
Melbury Ct. *W8* 1C **92**
Melbury Dri. *SE5* 5F **125**
Melbury Ho. *SW8*. 4B **122**
Melbury Rd. *W14*. 1B **92**
Melbury Ter. *NW1* 5A **22**
Melchester. *W11* 3C **36**
Melcombe Ct. *NW1* 1B **40**
Melcombe Ho. *SW8*. 5B **122**
Melcombe Pl. *NW1* 1B **40**
Melcombe Regis Ct. W1. . . . . *2E* **41**
　　　　　(off Weymouth St.)
Melcombe St. *NW1* 5C **22**
Melford Ct. *SE1* 1A **104**
Melina Pl. *NW8* 3D **21**
Melior Pl. *SE1* 4F **75**
Melior St. *SE1* 4F **75**
Mellish Ho. *E1* 3F **49**
Mellish St. *E14*. 1D **109**
Mell St. *SE10* 1F **133**
Melon Pl. *W8*. 4E **65**
Melrose Gdns. *W6* 1C **90**
Melrose Ho. *E14*. 1A **110**
Melrose Ho. *NW6*. 2E **19**
Melrose Ter. *W6*. 5C **62**
Melton Ct. *SW7* 4E **95**
　　　　　(in two parts)
Melton St. *NW1* 3C **24**
Melville Ct. *SE8* 4F **107**
Melville Ct. *W12*. 1A **90**
Melville Pl. *N1*. 2B **14**
Melwood Ho. *E1*. 4A **50**

Memel Ct. *EC1*. 5B **28**
Memel St. *EC1*. 5B **28**
Mendham Ho. *SE1* 1F **103**
Mendip Ct. *SE14* 3C **128**
Mendip Houses. *E2* 2C **32**
Mendora Rd. *SW6* 4A **114**
Menotti St. *E2* 4E **31**
Menteath Ho. *E14* 3D **53**
Mentmore Ter. *E8* 2F **17**
Mepham St. *SE1* 3D **73**
Mercator Pl. *E14*. 5E **109**
Mercer Ho. *SW1*. 5F **97**
Merceron Houses. *E2*. 2B **32**
Merceron St. *E1* 5F **31**
Mercers Clo. *SE10* 4B **112**
Mercer's Cotts. *E1* 3F **51**
Mercers Pl. *W6* 3C **90**
Mercer St. *WC2* 4F **43**
Merchant Ct. *E1* 2C **78**
Mercury Ct. *E14*. 3D **109**
Mercury Way. *SE14*. 2D **129**
Meredith St. *EC1* 3F **27**
Mereworth Ho. *SE15* 2C **128**
Merganser Ct. *SE8* 3C **130**
Meriden Ct. *SW3* 1F **117**
Meridian Ga. *E14*. 4B **82**
Meridian Ho. *SE10*. 4A **112**
Meridian Ho. *SE10*. 4B **132**
Meridian Pl. *E14*. 4B **82**
Meridian Trad. Est. *SE7*. 3F **113**
Merlins Ct. *WC1*. 3D **27**
Merlin St. *WC1* 3D **27**
Mermaid Ct. *E8* 2B **16**
Mermaid Ct. *SE1* 4D **75**
Mermaid Ct. *SE16* 3B **80**
Mermaid Ho. *E14*. 5B **54**
Mermaid Tower. *SE8*. 3B **130**
Merrick Sq. *SE1*. 1D **103**
Merrington Rd. *SW6*. 2E **115**
Merritt's Bldgs. *EC2* 5F **29**
Merrivale. *NW1* 4C **10**
Merrow St. *SE17* 2C **124**
Merrow Wlk. *SE17* 5E **103**
Merton Ri. *NW3* 1F **7**
　　　　　(in two parts)
Mertoun Ter. *W1* 2B **40**
Messina Av. *NW6*. 2D **5**
Messiter Ho. *N1*. 4C **12**
Methley St. *SE11* 1E **123**
Methwold Rd. *W10* 1D **35**
Metro Central Heights.
　　SE1 . . . . 2B **102**
Metro Cinema. 5D **43**
Metropolis. *SE11* 2A **102**
Metropolitan Bus. Cen. *N1* . . . 2A **16**
Metropolitan Clo. *E14*. 2E **53**
Metropolitan Wharf. *E1* 2B **78**
Mews St. *E1* 2D **77**
Mews, The. *N1*. 3C **14**
Mexborough. *NW1*. 4B **10**
Meymott St. *SE1* 3F **73**
Meyrick Ho. *E14* 2D **53**
Miah Ter. *E1*. 3E **77**
Micawber Ct. *N1* 2C **28**
Micawber Ho. *SE16* 5E **77**
Micawber St. *N1* 2C **28**
Michael Cliffe Ho. *EC1* 3E **27**
Michael Faraday Ho. *SE17*. . . 1F **125**
Michael Rd. *SW6* 5A **116**

Michael Stewart Ho. *SW6*. . . 3C **114**
Michelangelo Ct. *SE16* 5F **105**
Michelson Ho. *SE11*. 4C **100**
Michigan Ho. *E14*. 2D **109**
Mickledore. *NW1* 1C **24**
Micklethwaite Rd. *SW6*. . . . 3E **115**
Mid Beckton. 3C **60**
Middlefield. *NW8* 3D **7**
Middle Row. *W10*. 5A **18**
Middlesex County Cricket Club.
. . . . 2E **21**
(Lord's Cricket Club)
Middlesex Pas. *EC1* 2A **46**
Middlesex St. *E1* 2A **48**
Middle St. *EC1*. 1B **46**
Middle Temple Hall. **5D 45**
Middle Temple La. *EC4*. 4D **45**
Middleton Bldgs. *W1* 2B **42**
Middleton Dri. *SE16*. 4E **79**
Middleton Ho. *E8*. 2C **16**
Middleton Ho. *SE1*. 2D **103**
Middleton Ho. *SW1* 4E **99**
Middleton Rd. *E8*. 2B **16**
Middleton St. *E2*. 2F **31**
Middle Yd. *SE1*. 2F **75**
Midford Pl. *W1*. 5C **24**
Midhope Ho. *WC1* 3A **26**
Midhope St. *WC1*. 3A **26**
Midhurst Ho. *E14*. 3B **52**
Midland Pl. *E14*. 5B **110**
Midland Rd. *NW1*. 1E **25**
Midship Clo. *SE16*. 3E **79**
Midship Point. *E14*. 5D **81**
Midway Ho. *EC1*. 2A **28**
Milborne Gro. *SW10*. 1C **116**
Milcote St. *SE1*. 5F **73**
Mile End. **3F 33**
Mile End Pk. **3F 33**
Mile End Pl. *E1* 4D **33**
Mile End Rd. *E1 & E3*. 1B **50**
Miles Bldgs. *NW1*. 1F **39**
Miles Ct. *E1* 4F **49**
Miles Ho. *SE10*. 1F **133**
Miles Pl. *NW1* 1E **39**
Miles St. *SW8*. 3F **121**
(in two parts)
Miles St. Bus. Est. *SW8* . . . 3F **121**
Milford La. *WC2*. 5C **44**
Milk St. *E16*. 3F **89**
Milk St. *EC2*. 4C **46**
Milk Yd. *E1* 1B **78**
Millais Ho. *SW1*. 4F **99**
Millard Ho. *SE8* 5B **108**
Millbank. *SW1* 2F **99**
Millbank Ct. *SW1* 3F **99**
Millbank Tower. *SW1* 4F **99**
Millbrook Ho. *SE15* 3E **127**
Millbrook Pl. NW1 . . . . . . *5B 10*
(off Hampstead Rd.)
Millender Wlk. *SE16*. 4C **106**
Millennium Bridge. **1A 74**
Millennium Clo. *E16* 3F **57**
Millennium Dome. **3F 83**
Millennium Dri. *E14*. 3D **111**
Millennium Pl. *E2*. 1A **32**
Millennium Sq. *SE1* 4C **76**
Millennium Way. *SE10* 4F **83**
Miller St. *NW1* 5B **10**
(in two parts)

Millers Way. *W6*. 5C **62**
Millers Wharf Ho. *E1* 3D **77**
Miller Wlk. *SE1*. 3E **73**
Millharbour. *E14*. 1F **109**
Milligan St. *E14* 1C **80**
Millman M. *WC1* 5B **26**
Millman Pl. *WC1*. 5B **26**
Millman St. *WC1* 5B **26**
Mill Pl. *E14* 4A **52**
Mill Pond Clo. *SW8* 5E **121**
Millpond Est. *SE16*. 5F **77**
Mill Rd. *E16*. 3A **86**
Mill Row. *N1* 4A **16**
Mills Ct. *EC2*. 4F **29**
Mills Gro. *E14* 2B **54**
Mills Ho. *SW8* 5C **120**
Millstream Ho. *SE16* 5A **78**
Millstream Rd. *SE1* 5B **76**
Mill St. *SE1* 5C **76**
Mill St. *W1*. 5B **42**
Millwall. **4E 109**
Millwall Dock Rd. *E14* 1D **109**
Millwall F.C. (New Den, The)
. . . . 1C **128**
Millwood St. *W10*. 2F **35**
Mill Yd. *E1*. 5D **49**
Milman Rd. *NW6*. 1A **18**
Milman's St. *SW10* 3D **117**
Milner Pl. *N1* 3E **13**
Milner Sq. *N1* 2E **13**
Milner St. *SW3*. 3B **96**
Milrood Ho. *E1*. 1D **51**
Milroy Wlk. *SE1* 2F **73**
Milson Rd. *W14*. 1E **91**
Milton Clo. *SE1* 4B **104**
Milton Ct. *EC2* 1D **47**
Milton Ct. *SE14*. 3A **130**
Milton Ct. Rd. *SE14* 3A **130**
Milton Ct. Wlk. *EC2* 1D **47**
Milton Ho. *E2*. 2B **32**
Milton Ho. *SE5*. 5D **125**
Milton Mans. *W14* 2A **114**
Milton St. *EC2*. 1D **47**
Milverton St. *SE11* 1E **123**
Milward Wlk. *E1*. 2A **50**
Mina Rd. *SE17*. 1A **126**
Minchin Ho. *E14* 3D **53**
Mincing La. *EC3*. 5F **47**
Minera M. *SW1*. 3E **97**
Minerva Clo. *SW9*. 5E **123**
(in two parts)
Minerva St. *E2*. 1F **31**
Minerva Wlk. *EC1*. 3A **46**
Minford Gdns. *W14* 5D **63**
Minford Ho. *W14*. 5D **63**
Ming St. *E14* 5E **53**
Miniver Pl. *EC4* 5C **46**
Minnow St. *SE17*. 4A **104**
Minnow Wlk. *SE17*. 4A **104**
Minories. *EC3* 4B **48**
Minster Ct. *EC3* 5A **48**
Minster Pavement. *EC3* . . 5A **48**
Mint Bus. Pk. *E16*. 2E **57**
Mintern St. *N1*. 5E **15**
Minton Ho. *SE11* 3D **101**
Mint St. *SE1*. 4B **74**
Mirabel Rd. *SW6*. 4C **114**
Miranda Clo. *E1*. 2B **50**
Missenden. *SE17* 1E **125**

Missenden Ho. *NW8*. 4F **21**
Mission, The. *E14* 4B **52**
Mitali Pas. *E1*. 4D **49**
(in two parts)
Mitchell Ho. *W12*. 1A **62**
Mitchell St. *EC1* 4B **28**
(in two parts)
Mitchell Wlk. *E6*. 2E **59**
Mitre Bri. Ind. Pk. *W10*. . . 1A **34**
Mitre Ct. *EC2*. 4C **46**
Mitre Rd. *SE1*. 4E **73**
Mitre Sq. *EC3*. 4A **48**
Mitre St. *EC3* 4A **48**
Mitre, The. *E14* 5B **52**
Mitre Way. *NW10 & W10*. . . 1A **34**
Mitre Yd. *SW3*. 3A **96**
Moatlands Ho. *WC1* 3A **26**
Mobil Ct. *WC2* 4C **44**
Mocatta Ho. *E1*. 5F **31**
Model Bldgs. *WC1* 3C **26**
Modern Ct. *EC4* 3F **45**
Modling Ho. *E2* 1D **33**
Moffat Ho. *SE5*. 5B **124**
Mohawk Ho. *E3* 1F **33**
Moland Mead. *SE16*. 5D **107**
(in two parts)
Molesworth Ho. *SE17*. . . . 3F **123**
Mollis Ho. *E3*. 1E **53**
Molton Ho. *N1* 4C **12**
Molyneux St. *W1* 2A **40**
Monarch Dri. *E16*. 2D **59**
Mona St. *E16*. 2C **56**
Monck St. *SW1* 2E **99**
Moncorvo Clo. *SW7*. 5F **67**
Moncrieff Clo. *E6* 3F **59**
Monet Ct. *SE16* 5F **105**
Moneyer Ho. *N1*. 2D **29**
Monica Shaw Ct. *NW1* . . . 1E **25**
(in two parts)
Monk Dri. *E16* 4D **57**
Monk Pas. *E16*. 5D **57**
Monkton Ho. SE16. . . . . . . *5E 79*
(off Wolfe Cres.)
Monkton St. *SE11* 3E **101**
Monkwell Sq. *EC2*. 2C **46**
Monmouth Pl. *W2* 4F **37**
Monmouth Rd. *W2*. 4E **37**
Monmouth St. *WC2*. 4F **43**
Monnow Rd. *SE1*. 5D **105**
Monson Rd. *SE14* 4D **129**
Montague Clo. *SE1* 2D **75**
Montague Ho. E16 . . . . *2F 85*
(off Wesley Av.)
Montague Pl. *WC1* 1E **43**
Montague Sq. *SE15* 5C **128**
Montague St. *EC1* 2B **46**
Montague St. *WC1*. 1F **43**
Montagu Mans. *W1* 1C **40**
Montagu M. N. *W1*. 2C **40**
Montagu M. S. *W1* 3C **40**
Montagu M. W. *W1* 3C **40**
Montagu Pl. *W1*. 2B **40**
Montagu Row. *W1*. 2C **40**
Montagu Sq. *W1* 2C **40**
Montagu St. *W1*. 3C **40**
Montcalm Ho. *E14* 3D **109**
Montclare St. *E2* 4B **30**
Monteagle Ct. *N1* 5A **16**
Montesquieu Ter. *E16*. 3B **56**

Montevetro. *SW11* 5E **117**
Montford Pl. *SE11* 1D **123**
Montfort Ho. *E2* 2B **32**
Montfort Ho. *E14* 1B **110**
Montgomery Lodge. *E1* 5B **32**
Monthope Rd. *E1* 2C **48**
Montpelier M. *SW7* 1A **96**
Montpelier Pl. *E1* 4B **50**
Montpelier Pl. *SW7* 1A **96**
Montpelier Rd. *SE15* 5A **128**
Montpelier Sq. *SW7* 5A **68**
Montpelier St. *SW7* 1A **96**
Montpelier Ter. *SW7* 5A **68**
Montpelier Wlk. *SW7* 1A **96**
Montreal Pl. *WC2* 5B **44**
Montrose Av. *NW6* 5A **4**
Montrose Ct. *SW7* 5E **67**
Montrose Ho. *E14* 2D **109**
Montrose Pl. *SW1* 5E **69**
Monument St. *EC3* 5E **47**
Monument, The. 5E 47
Monza St. *E1* 1B **78**
Moodkee St. *SE16* 1B **106**
Moody Rd. *SE15* 5B **126**
Moody St. *E1* 3E **33**
Moon St. *N1* 3F **13**
Moore Ct. *N1* 4F **13**
Moore Ho. *E1* 5C **50**
Moore Ho. *E2* 3B **32**
Moore Ho. *SE10* 5B **112**
Moore Pk. Ct. *SW6* 4A **116**
Moore Pk. Rd. *SW6* 5E **115**
Moore St. *SW3* 3B **96**
Moorfields. *EC2* 2D **47**
Moorfields Highwalk. *EC2* . . . 2D **47**
(in two parts)
Moorgate. *EC2* 3D **47**
Moorgate Pl. *EC2* 3D **47**
Moorgreen Ho. *EC1* 2F **27**
Moorhouse Rd. *W2* 3D **37**
Moorings, The. *E16* 2B **58**
Moorland M. *N1* 2E **13**
Moor La. *EC2* 2D **47**
(in two parts)
Moor Pl. *EC2* 2D **47**
Moor St. *W1* 4E **43**
Moran Ho. *E1* 3A **78**
Morant St. *E14* 5E **53**
Mora St. *EC1* 3C **28**
Morat St. *SW9* 5C **122**
Moravian Clo. *SW10* 3D **117**
Moravian Pl. *SW10* 3E **117**
Moravian St. *E2* 2B **32**
Moray Ho. *E1* 5F **33**
Morden Wharf. *SE10* 2F **111**
Morden Wharf Rd. *SE10* 2F **111**
Mordern Ho. *NW1* 5A **22**
Morecambe Clo. *E1* 1D **51**
Morecambe St. *SE17* 4C **102**
More Clo. *E16* 3C **56**
More Clo. *W14* 4E **91**
Moreland St. *EC1* 2A **28**
More's Garden. *SW3* 3E **117**
Moreton Clo. *SW1* 5C **98**
Moreton Ho. *SE16* 1A **106**
Moreton Pl. *SW1* 5C **98**
Moreton St. *SW1* 5C **98**
Moreton Ter. *SW1* 5C **98**
Moreton Ter. M. N. *SW1* 5C **98**
Moreton Ter. M. S. *SW1* 5C **98**
Morgan Ho. *SW1* 4C **98**
Morgan Ho. *SW8* 5C **120**
Morgan Rd. *W10* 1B **36**
Morgan's La. *SE1* 3F **75**
Morgan St. *E3* 3F **33**
Morgan St. *E16* 1C **56**
Morland Ct. *W12* 5A **62**
Morland Est. *E8* 1E **17**
Morland Ho. *NW1* 1C **24**
Morland Ho. *NW6* 4D **5**
Morland Ho. *SW1* 3F **99**
Morland Ho. *W11* 4F **35**
Morley St. *SE1* 1E **101**
Mornington Av. *W14* 4B **92**
Mornington Ct. *NW1* 5B **10**
Mornington Cres. *NW1* 5B **10**
Mornington Pl. *NW1* 5B **10**
Mornington Pl. *SE8* 5C **130**
Mornington Rd. *SE8* 5C **130**
Mornington St. *NW1* 5A **10**
Mornington Ter. *NW1* 4A **10**
Morocco St. *SE1* 5F **75**
Morpeth Mans. *SW1* 3B **98**
Morpeth St. *E2* 2D **33**
Morpeth Ter. *SW1* 2B **98**
Morrel Ct. *E2* 5E **17**
Morris Ho. *E2* 3B **32**
Morris Ho. *NW8* 5F **21**
Morrison Bldgs. N. *E1* 3D **49**
Morrison Bldgs. S. *E1* 3D **49**
Morris Rd. *E14* 1F **53**
Morriss Ho. *SE16* 5F **77**
Morris St. *E1* 4A **50**
Morshead Mans. *W9* 3E **19**
Morshead Rd. *W9* 3E **19**
Mortain Ho. *SE16* 4F **105**
Mortimer Ct. *NW8* 1C **20**
Mortimer Cres. *NW6* 4F **5**
Mortimer Est. *NW6* 4F **5**
Mortimer Ho. *W11* 2E **63**
Mortimer Ho. *W14* 4A **92**
Mortimer Mkt. *WC1* 5C **24**
*Mortimer Mkt. Cen. WC1 . . . . 5C **24***
(off Mortimer Mkt.)
Mortimer Pl. *NW6* 4F **5**
Mortimer Rd. *N1* 2A **16**
(in two parts)
Mortimer Sq. *W11* 1E **63**
Mortimer St. *W1* 3A **42**
Mortlake Rd. *E16* 3F **57**
Morton M. *SW5* 4F **93**
Morton Pl. *SE1* 2D **101**
Morton Rd. *N1* 2C **14**
Morwell St. *WC1* 2D **43**
Moscow Pl. *W2* 5F **37**
Moscow Rd. *W2* 5E **37**
Mosedale. *NW1* 3B **24**
Moss Clo. *E1* 2E **49**
Mossington Gdns. *SE16* 4B **106**
Mossop St. *SW3* 4A **96**
Motcomb St. *SW1* 1D **97**
Motley Av. *EC2* 4F **29**
Moules Ct. *SE5* 5B **124**
Mounsey Ho. *W10* 2A **18**
Mountague Pl. *E14* 5B **54**
Mountain Ho. *SE11* 4C **100**
Mountbatten Ct. *SE16* 3C **78**
Mt. Carmel Chambers. *W8* . . . 4E **65**
Mountford St. *E1* 3D **49**
Mountfort Cres. *N1* 1D **13**
Mountfort Ter. *N1* 2D **13**
*Mountjoy Clo. EC2 . . . . 2C **46***
(off Thomas More Highwalk)
Mountjoy Ho. *EC2* 2C **46**
Mount Mills. *EC1* 3A **28**
Mount Pleasant. *WC1* 5D **27**
Mount Row. *W1* 1F **69**
Mount St. *W1* 1D **69**
Mount St. M. *W1* 1F **69**
Mount Ter. *E1* 2F **49**
Mowbray Rd. *NW6* 1A **4**
Mowll St. *SW9* 5D **123**
Moxon St. *W1* 2D **41**
Moye Clo. *E2* 5E **17**
Moylan Rd. *W6* 3A **114**
Moyle Ho. *SW1* 1C **120**
Mozart St. *W10* 3B **18**
Mozart Ter. *SW1* 4E **97**
Mudlarks Way.
SE10 & SE7 . . . . 1C **112**
(in two parts)
Muirfield Clo. *SE16* 1A **128**
Muirfield Cres. *E14* 1F **109**
Muir St. *E16* 3A **88**
(in two parts)
Mulberry Bus. Cen. *SE16* 5E **79**
Mulberry Clo. *SW3* 3E **117**
Mulberry Ct. *EC1* 3A **28**
Mulberry Ho. *E2* 2B **32**
Mulberry Ho. *SE8* 2B **130**
Mulberry Housing Co-operative.
SE1 . . . . 2E **73**
Mulberry Pl. *E14* 5C **54**
Mulberry Rd. *E8* 2B **16**
Mulberry St. *E1* 3D **49**
Mulberry Wlk. *SW3* 2E **117**
Mulgrave Rd. *SW6* 2B **114**
Mullen Tower. *EC1* 5D **27**
Mullet Gdns. *E2* 2E **31**
Mulletsfield. *WC1* 3A **26**
Mulready Ho. *SW1* 4F **99**
Mulready St. *NW8* 5F **21**
Mulvaney Way. *SE1* 5E **75**
(in two parts)
Mumford Ct. *EC2* 3C **46**
Munday Ho. *SE1* 2D **103**
Munday Rd. *E16* 4D **57**
Munden St. *W14* 3F **91**
Mund St. *W14* 1C **114**
Mundy Ho. *W10* 2A **18**
Mundy St. *N1* 2F **29**
*Munnings Ho. E16 . . . . 2A **86***
(off Portsmouth M.)
Munro Ho. *SE1* 5D **73**
Munro M. *W10* 2A **36**
(in two parts)
Munro Ter. *SW10* 4D **117**
Munster M. *SW6* 4A **114**
Munster Rd. *SW6* 4A **114**
Munster Sq. *NW1* 3A **24**
Munton Rd. *SE17* 3C **102**
Murdoch Ho. *SE16* 1C **106**
Murdock Clo. *E16* 3C **56**
Murdock St. *SE15* 3F **127**
Muriel St. *N1* 5C **12**
(in two parts)
Murphy Ho. *SE1* 1A **102**

Murphy St. *SE1* 5D **73**
Murray Gro. *N1* 1C **28**
Murray M. *NW1* 1D **11**
Murray Sq. *E16* 4E **57**
Murray St. *NW1* 1C **10**
Mursell Est. *SW8* 5B **122**
Musard Rd. *W6* 2A **114**
Musbury St. *E1* 3B **50**
Muscal. *W6* 2A **114**
Muscatel Pl. *SE5* 5A **126**
Muscovy St. *EC3* 1A **76**
Museum Chambers. *WC1* 2F **43**
Mus. in Docklands. **1D 81**
Museum La. *SW7* 2E **95**
Mus. of Classical Art. ***4D 25***
(off Gower Pl.)
Mus. of Garden History. **2B 100**
Mus. of London. **2B 46**
Mus. of the Order of St John, The.
. . . . **5F 27**
Museum Pas. *E2* 2B **32**
Museum St. *WC1* 2F **43**
Musgrave Ct. *SW11* 5F **117**
Musgrave Cres. *SW6* 5E **115**
Mutrix Rd. *NW6* 3E **5**
Myatt Rd. *SW9* 5F **123**
Myddelton Pas. *EC1* 2E **27**
Myddelton Sq. *EC1* 2E **27**
Myddelton St. *EC1* 3E **27**
Myddleton Ho. *N1* 1D **27**
Myers La. *SE14* 2D **129**
Mylius Clo. *SE14* 5C **128**
Mylne St. *EC1* 2D **27**
Myrdle St. *E1* 2E **49**
Myrtle Wlk. *N1* 1F **29**
Mytton Ho. *SW8* 5B **122**

N

Nags Head Ct. *EC1* 5C **28**
Nailsworth Ct. *SE15* 3F **125**
Nainby Ho. *SE11* 4D **101**
Nairn St. *E14* 2C **54**
Naish Ct. *N1* 3A **12**
(in three parts)
Nankin St. *E14* 4E **53**
Nantes Pas. *E1* 1B **48**
Nant St. *E2* 2A **32**
Naoroji St. *WC1* 3D **27**
Napier Av. *E14* 5E **109**
Napier Clo. *SE8* 4C **130**
Napier Clo. *W14* 1B **92**
Napier Ct. *N1* 5D **15**
Napier Gro. *N1* 5C **14**
Napier Pl. *W14* 2B **92**
Napier Rd. *W14* 2A **92**
Napier St. *SE8* 4C **130**
Napier Ter. *N1* 2F **13**
Narrow St. *E14* 5E **51**
Nascot St. *W12* 3B **34**
Naseby Clo. *NW6* 1C **6**
Nash Ct. *E14* 3F **81**
Nashe Ho. *SE1* 2D **103**
Nash Ho. *SW1* 1A **120**
Nash Pl. *E14* 3F **81**
Nash St. *NW1* 2A **24**
Nasmyth St. *W6* 2A **90**
Nassau St. *W1* 2B **42**
Nathan Ho. *SE11* 4E **101**
Nathaniel Clo. *E1* 2C **48**
National Army Mus. **2C 118**
National Film Theatre. **2C 72**
National Gallery. **1E 71**
National Gallery (Sainsbury Wing)
. . . . **1E 71**
National Maritime Mus. **3D 133**
National Portrait Gallery. **1F 71**
Natural History Mus. **2D 95**
Nautilus Building, The.
EC1 . . . . 2D **27**
Naval Ho. *E14* 5D **55**
Naval Row. *E14* 5C **54**
Navarino Rd. *E8* 1F **17**
Navarre St. *E2* 4B **30**
Naylor Ho. *W10* 2A **18**
Naylor Rd. *SE15* 4F **127**
Nazrul St. *E2* 2A **30**
Neal St. *WC2* 4F **43**
Neal's Yd. *WC2* 4F **43**
Neate St. *SE5* 3F **125**
(in two parts)
Neathouse Pl. *SW1* 3B **98**
Neatscourt Rd. *E6* 2E **59**
Nebraska St. *SE1* 5D **75**
Neckinger. *SE16* 1C **104**
Neckinger Est. *SE16* 1C **104**
Neckinger St. *SE1* 5C **76**
Needham Ho. *SE11* 4D **101**
Needham Rd. *W11* 4D **37**
Needleman St. *SE16* 5D **79**
Nelldale Rd. *SE16* 3A **106**
Nelson Clo. *NW6* 2D **19**
Nelson Ct. *SE1* 4A **74**
Nelson Ct. *SE16* 3C **78**
Nelson Gdns. *E2* 2E **31**
Nelson Ho. *SW1* 2C **120**
Nelson Pas. *EC1* 3C **28**
Nelson Pl. *N1* 1A **28**
Nelson Rd. *SE10* 3C **132**
Nelson's Column. **2E 71**
Nelson Sq. *SE1* 4F **73**
Nelson St. *E1* 3F **49**
Nelson St. *E16* 5B **56**
(in two parts)
Nelsons Yd. *NW1* 5B **10**
Nelson Ter. *N1* 1A **28**
Nelson Wlk. *SE16* 3F **79**
Neptune Ct. *E14* 3D **109**
Neptune Ho. *SE16* 1B **106**
Neptune St. *SE16* 1B **106**
Nesham St. *E1* 2D **77**
Ness St. *SE16* 1D **105**
Nestor Ho. *E2* 1F **31**
Netherton Gro. *SW10* 3C **116**
Netherwood Pl. *W14* 1D **91**
Netherwood Rd. *W14* 1D **91**
Netherwood St. *NW6* 1C **4**
Netley. *SE5* 5A **126**
Netley St. *NW1* 3B **24**
Nettlecombe. *NW1* 1D **11**
Nettleden Ho. *SW3* 4A **96**
Nettleton Ct. *EC2* 2B **46**
Nettleton Rd. *SE14* 5E **129**
Nevada St. *SE10* 3C **132**
Nevern Mans. *SW5* 5D **93**
Nevern Pl. *SW5* 4E **93**
Nevern Rd. *SW5* 4D **93**
Nevern Sq. *SW5* 4D **93**
Nevill Ct. *EC4* 3E **45**
Neville Clo. *NW1* 1E **25**
Neville Clo. *NW6* 1C **18**
Neville Clo. *SE15* 5D **127**
Neville Ct. *NW8* 1D **21**
Neville Rd. *NW6* 1C **18**
Neville St. *SW7* 5D **95**
Neville Ter. *SW7* 5D **95**
Nevitt Ho. *N1* 1E **29**
Newall Ho. *SE1* 1C **102**
Newark Knok. *E6* 3D **61**
Newark St. *E1* 2F **49**
(in two parts)
New Atlas Wharf. *E14* 1D **109**
New Baltic Wharf. *SE8* 5A **108**
New Barn St. *E13* 1E **57**
New Bentham Ct. *N1* 2C **14**
Newbery Ho. *N1* 1B **14**
Newbold Cotts. *E1* 3B **50**
Newbolt Ho. *SE17* 5D **103**
New Bond St. *W1* 4F **41**
New Bri. St. *EC4* 4F **45**
New Broad St. *EC2* 2E **47**
Newburgh St. *W1* 4B **42**
New Burlington M. *W1* 5B **42**
New Burlington Pl. *W1* 5B **42**
New Burlington St. *W1* 5B **42**
Newburn Ho. *SE11* 5C **100**
Newburn St. *SE11* 1C **122**
Newbury Ho. *W2* 4A **38**
Newbury St. *EC1* 1B **46**
New Butt La. *SE8* 5E **131**
New Butt La. N. *SE8* 5D **131**
Newby. *NW1* 3B **24**
Newby Ho. *E14* 5B **54**
Newby Pl. *E14* 5B **54**
New Caledonian Wharf.
SE16 . . . . 1B **108**
Newcastle Clo. *EC4* 3F **45**
Newcastle Ct. *EC4* 5C **46**
Newcastle Ho. *W1* 1D **41**
Newcastle Pl. *W2* 1E **39**
Newcastle Row. *EC1* 5E **27**
New Cavendish St. *W1* 2E **41**
New Change. *EC4* 4B **46**
New Charles St. *EC1* 2A **28**
New Chu. Rd. *SE5* 4C **124**
(in three parts)
New College M. *N1* 1E **13**
New College Pde. *NW3* 1C **6**
Newcombe St. *W8* 2E **65**
Newcomen St. *SE1* 4D **75**
New Compton St. *WC2* 4E **43**
New Concordia Wharf. *SE1* . . . 4C **76**
New Ct. *EC4* 5D **45**
Newcourt Ho. *E2* 3A **32**
Newcourt St. *NW8* 1F **21**
New Covent Garden Market.
. . . . **5D 121**
New Coventry St. *W1* 1E **71**
New Crane Pl. *E1* 2B **78**
New Crane Wharf. *E1* 2B **78**
New Cross. (Junct.) **5B 130**
New Cross Rd. *SE15 & SE14*
. . . . 4B **128** & 5F **129**
New Den, The (Millwall F.C.)
. . . . **1C 128**
Newdigate Ho. *E14* 3B **52**

Newell St. *E14* 4B **52**
Newent Clo. *SE15* 4F **125**
New Era Est. *N1* 4F **15**
New Fetter La. *EC4* 3E **45**
Newgate St. *EC1* 3A **46**
New Globe Wlk. *SE1* 2B **74**
New Goulston St. *E1* 3B **48**
Newham's Row. *SE1* 5A **76**
Newham Way. *E16 & E6* 3F **55**
Newhaven La. *E16* 1C **56**
Newington. **1B 102**
Newington Butts.
   SE11 & SE1 . . . . 4A **102**
Newington Causeway.
   SE1 . . . . 2A **102**
Newington Ct. Bus. Cen.
   SE1 . . . . 1B **102**
Newington Ind. Est. *SE17* . . . 4B **102**
New Inn B'way. *EC2* 4A **30**
New Inn Pas. *WC2* 4C **44**
New Inn Sq. *EC2* 4A **30**
New Inn St. *EC2* 4A **30**
New Inn Yd. *EC2* 4A **30**
New Jubilee Wharf. *E1* 2B **78**
New Kent Rd. *SE1* 2B **102**
New King St. *SE8* 2D **131**
Newland Ct. *EC1* 4D **29**
Newland Ho. *SE14* 3D **129**
Newlands. *NW1* 2B **24**
Newlands Quay. *E1* 1B **78**
Newland St. *E16* 3A **88**
Newling Clo. *E6* 3C **60**
New London St. *EC3* 5A **48**
New London Theatre. **3A 44**
Newlyn. *NW1* 4C **10**
Newman Pas. *W1* 2C **42**
Newman's Ct. *EC3* 4E **47**
Newman's Row. *WC2* 2C **44**
Newman St. *W1* 2C **42**
Newman Yd. *W1* 3D **43**
Newnham Ter. *SE1* 1D **101**
New N. Pl. *EC2* 4F **29**
New N. Rd. *N1* 2B **14**
New N. St. *WC1* 1B **44**
New Oxford St. *WC1* 3E **43**
New Pl. Sq. *SE16* 1F **105**
Newport Av. *E14* 5D **55**
Newport Ct. *WC2* 5E **43**
Newport Ho. *E3* 2F **33**
Newport Pl. *WC2* 5E **43**
Newport St. *SE11* 4B **100**
New Priory Ct. *NW6* 2E **5**
Newquay Ho. *SE11* 5D **101**
New Quebec St. *W1* 4C **40**
New Ride. *SW7 & SW1* 5E **67**
New River Head. *EC1* 2E **27**
New River Wlk. *N1* 1B **14**
New Rd. *E1* 2F **49**
New Row. *WC2* 5F **43**
New Spring Gdns. Wlk.
   SE1 & SE11 . . . . 1A **122**
New Sq. *WC2* 3D **45**
New Sq. Pas. *WC2* 3D **45**
New St. *EC2* 2A **48**
New St. Sq. *EC4* 3E **45**
Newton Ho. *E1* 5F **49**
Newton Ho. *NW8* 3A **6**
Newton Mans. *W14* 2A **114**
Newton Pl. *E14* 3D **109**

Newton Point. *E16* 3B **56**
Newton Rd. *W2* 4E **37**
Newton St. *WC2* 3A **44**
New Tower Bldgs. *E1* 3A **78**
New Turnstile. *WC1* 2B **44**
New Union Clo. *E14* 1C **110**
New Union St. *EC2* 2D **47**
New Wharf Rd. *N1* 5A **12**
New Zealand Way.
   W12 . . . . 1A **62**
Niagra Clo. *N1* 5C **14**
Niagra Ct. *SE16* 1C **106**
Nicholas La. *EC4* 5E **47**
                (in two parts)
Nicholas Pas. *EC4* 5E **47**
Nicholas Rd. *E1* 4C **32**
Nicholas Stacey Ho. *SE7* . . . 5F **113**
Nicholl St. *E2* 4D **17**
Nicholson Ho. *SE17* 5D **103**
Nicholson St. *SE1* 3F **73**
Nickleby Ho. *SE16* 5D **77**
Nigel Ho. *EC1* 1D **45**
Nigel Playfair Av. *W6* 5A **90**
Nightingale Ct. *E14* 5C **82**
Nightingale Ho. *E1* 2D **77**
Nightingale Ho. *N1* 4A **16**
Nightingale Ho. *W12* 3B **34**
Nightingale Lodge. W9 . . . . . *1E 37*
             (off Admiral Wlk.)
Nightingale M. *SE11* 3F **101**
Nightingale Pl. *SW10* 3C **116**
Nightingale Way. *E6* 1A **60**
Nile St. *N1* 2D **29**
Nile Ter. *SE15* 1B **126**
Nimrod Ho. *E16* 2F **57**
Nine Elms. **4C 120**
Nine Elms La. *SW8* 4C **120**
Noble Ct. *E1* 5E **49**
Noble St. *EC2* 3B **46**
Noel Coward Ho. *SW1* 4C **98**
Noel Ho. *NW3* 1D **7**
Noel Rd. *N1* 5F **13**
Noel St. *W1* 4C **42**
Norbiton Rd. *E14* 3B **52**
Norburn St. *W10* 2F **35**
Norden Ho. *E2* 3A **32**
Norfolk Cres. *W2* 3F **39**
Norfolk Ho. *SW1* 3E **99**
Norfolk M. *W10* 2A **36**
Norfolk Pl. *W2* 3E **39**
                (in two parts)
Norfolk Rd. *NW8* 4E **7**
Norfolk Row. *SE1* 3B **100**
                (in two parts)
Norfolk Sq. *W2* 4E **39**
Norfolk Sq. M. *W2* 4E **39**
Norfolk Ter. *W6* 1A **114**
Norland Ho. *W11* 3E **63**
Norland Pl. *W11* 3A **64**
Norland Rd. *W11* 4E **63**
Norland Sq. *W11* 3A **64**
Norland Sq. Mans. *W11* 3F **63**
Normand Gdns. *W14* 2A **114**
Normand M. *W14* 2A **114**
Normand Rd. *W14* 2B **114**
Normandy Ho. *E14* 5B **82**
Normandy Ter. *E16* 4F **57**
Norman Ho. *SW8* 4F **121**
Norman Rd. *SE10* 4A **132**

Norman St. *EC1* 3B **28**
Norris Ho. *N1* 4F **15**
Norris Ho. *SE8* 1B **130**
Norris St. *SW1* 1D **71**
Northampton Hall City
   University (Halls) 5D **29**
Northampton Rd. *EC1* 4E **27**
Northampton Row. *EC1* 4E **27**
Northampton Sq. *EC1* 3F **27**
Northampton St. *N1* 1B **14**
N. Audley St. *W1* 4D **41**
North Bank. *NW8* 3F **21**
North Beckton. **1A 60**
North Block. *SE1* 4C **72**
Northburgh St. *EC1* 5A **28**
N. Carriage Dri. *W2* 5F **39**
Northchurch. *SE17* 5E **103**
             (in three parts)
Northchurch Rd. *N1* 1D **15**
              (in two parts)
Northchurch Ter. *N1* 2F **15**
              (in two parts)
N. Colonnade, The. *E14* 2E **81**
North Ct. *SW1* 2F **99**
North Ct. *W1* 1C **42**
North Cres. *WC1* 1D **43**
Northdown St. *N1* 5A **12**
N. End Cres. *W14* 4B **92**
N. End Ho. *W14* 4A **92**
N. End Pde. *W14* 4A **92**
N. End Rd. *W14 & SW6* 3A **92**
Northesk Ho. *E1* 5F **31**
Northey St. *E14* 5A **52**
Northfield Ho. *SE15* 3E **127**
Northfleet Ho. *SE1* 4D **75**
N. Flock St. *SE16* 4D **77**
N. Flower Wlk. *W2* 1C **66**
North Garden. *E14* 2C **80**
North Ga. *NW8* 1F **21**
Northgate Ho. *E14* 5E **53**
N. Gower St. *NW1* 3C **24**
North Ho. *SE8* 1B **130**
Northiam. *WC1* 3A **26**
Northiam St. *E9* 4F **17**
Northington St. *WC1* 5C **26**
North Kensington. **2D 35**
Northleach Ct. *SE15* 3F **125**
North Lodge. E16 . . . . *2F 85*
             (off Wesley Av.)
North M. *WC1* 5C **26**
N. Pole Rd. *W10* 2B **34**
Northport St. *N1* 4E **15**
North Ride. *W2* 1F **67**
North Ri. *W2* 4A **40**
North Row. *W1* 5C **40**
N. Row Bldgs. *W1* 5D **41**
N. Tenter St. *E1* 4C **48**
North Ter. *SW3* 2F **95**
Northumberland All. *EC3* 4A **48**
              (in two parts)
Northumberland Av. *WC2* . . . 2F **71**
Northumberland Ho. *WC2* . . . 2F **71**
Northumberland Pl. *W2* 3D **37**
Northumberland Rd. *E6* 3A **60**
Northumberland St. *WC2* . . . 2F **71**
Northumbria St. *E14* 3E **53**
North Wlk. *W8 & W2* 1A **66**
Northways Pde. *NW3* 1D **7**
              (in two parts)

N. Western Commercial Cen.
  NW1 . . . . 2F **11**
Northwest Pl. *N1* 5E **13**
North Wharf. *E14* 3C **82**
N. Wharf Rd. *W2* 2D **39**
Northwick Clo. *NW8* 4D **21**
Northwick Ho. *NW8* 4C **20**
Northwick Ter. *NW8* 4D **21**
North Woolwich. 3E **89**
North Woolwich Old Station Mus.
  . . . . 4D **89**
N. Woolwich Rd. *E16* 2C **84**
Norton Folgate. *E1* 1A **48**
Norton Folgate Houses. *E1*. . 1B **48**
Norton Ho. *E1* 4F **49**
Norton Ho. *E2* 1D **33**
Norton Ho. *SW1*. 2E **99**
Norway Ga. *SE16*. 1A **108**
Norway Pl. *E14* 4B **52**
Norway St. *SE10* 3A **132**
Norway Wharf. *E14* 4B **52**
Norwich Ho. *E14* 3F **53**
Norwich St. *EC4*. 3D **45**
Norwood Ho. *E14*. 1A **82**
Notley St. *SE5* 4D **125**
Notting Barn Rd. *W10* 1D **35**
Nottingdale Sq. *W11*. 1F **63**
Nottingham Av. *E16* 2B **58**
Nottingham Ct. *WC2*. 4F **43**
Nottingham Ho. *WC2* 4F **43**
Nottingham Pl. *W1*. 1D **41**
Nottingham St. *W1* 1D **41**
Nottingham Ter. *NW1*. . . . 5D **23**
Notting Hill. 5B **36**
Notting Hill Ga. *W11*. 2C **64**
Nottingwood Ho. *W11* 5F **35**
Nuffield Lodge. *W9*. 1E **37**
Nugent Ter. *NW8* 1C **20**
Nun Ct. *EC2*. 3D **47**
Nursery La. *E2*. 4B **16**
Nursery La. *W10* 2B **34**
Nutbourne St. *W10* 2A **18**
Nutcroft Rd. *SE15*. 4F **127**
Nutford Pl. *W1*. 3A **40**
Nutmeg La. *E14*. 4D **55**
Nuttall St. *N1*. 5A **16**
Nutt St. *SE15*. 4C **126**
Nye Bevan Ho. *SW6*. 4B **114**
Nynehead St. *SE14*. 4F **129**

O

Oak Ct. *SE15* 4C **126**
Oak Cres. *E16* 2A **56**
Oakdene. *SE15*. 5F **127**
Oakden St. *SE11*. 3E **101**
Oakeford Ho. *W14* 2A **92**
Oakes Clo. *E6*. 4C **60**
Oakey La. *SE1* 1D **101**
Oakfield Ho. *E3*. 1E **53**
Oakfield St. *SW10* 2B **116**
Oakington Rd. *W9* 4E **19**
Oak La. *E14*. 5B **52**
Oakley Clo. *E6* 3A **60**
Oakley Cres. *EC1* 1A **28**
Oakley Gdns. *SW3*. 2A **118**
Oakley Ho. *SW1*. 3C **96**
Oakley Pl. *SE1* 1B **126**

Oakley Rd. *N1* 1D **15**
Oakley Sq. *NW1*. 5C **10**
Oakley St. *SW3*. 2F **117**
Oakley Yd. *E2*. 4C **30**
Oak Lodge. *W8*. 2F **93**
Oakshott Ct. *NW1* 1D **25**
  (in two parts)
Oak St. *E14* 5C **82**
Oak Tree Ho. *W9* 4E **19**
Oak Tree Rd. *NW8* 3E **21**
Oakwood Ct. *W14*. 1B **92**
Oakwood La. *W14* 1B **92**
Oakworth Rd. *W10*. 1C **34**
Oast Ct. *E14*. 5B **52**
Oat La. *EC2* 3C **46**
Oatwell Ho. *SW3* 5A **96**
Oban Ho. *E14*. 3E **55**
Oban St. *E14* 3E **55**
Oberon Ho. *N1*. 5F **15**
O'Brien Ho. *E2* 2E **33**
Observatory Gdns. *W8*. . . . 4D **65**
Observatory M. *E14*. 3D **111**
Occupation Rd. *SE17* 5B **102**
Ocean Est. *E1*. 1F **51**
  (Ben Jonson Rd.)
Ocean Est. *E1*. 1E **35**
  (Ernest St.)
Ocean St. *E1* 1E **51**
Ocean Wharf. *E14* 5D **81**
Ockbrook. *E1*. 1C **50**
Ockendon Rd. *N1*. 1D **15**
Octagon Arc. *EC2*. 2F **47**
Octagon Ct. *SE16*. 3D **79**
Octavia Ho. *SW1* 2D **99**
Octavius St. *SE8* 4D **131**
Odeon Cinema. 3A **10**
  (Camden Town)
Odeon Cinema. 4C **40**
  (Edgware Rd.)
Odeon Cinema. 1E **71**
  (Irving St.)
Odeon Cinema. 1E **71**
  (Leicester St.)
Odeon Cinema. 4E **43**
  (Shaftesbury Av.)
Odeon Cinema. 2D **43**
  (Tottenham Ct. Rd.)
Odeon Ct. *E16*. 1D **57**
Odeon Leicester Square Cinema.
  . . . . 1E **71**
Odeon Swiss Cen. Cinema.
  . . . . 5E **43**
Odeon West End Cinema. . . 1E **71**
Odessa St. *SE16* 5B **80**
Odette Duval Ho. *E1*. 2C **50**
Odhams Wlk. *WC2* 4F **43**
O'Donnell Ct. *WC1* 4A **26**
Odontological Mus., The.
  . . . . *3C **44***
  (in Royal College of Surgeons)
O'Driscoll Ho. *W12*. 4A **34**
Offenbach Ho. *E2*. 1D **33**
Offham Ho. *SE17* 4F **103**
Offley Rd. *SW9* 4D **123**
Offord Rd. *N1* 1B **12**
Offord St. *N1*. 1C **12**
Ogilvie Ho. *E1* 4E **51**
Ogle St. *W1*. 1B **42**
O'Gorman Ho. *SW10* 4C **116**

Ohio Rd. *E13* 1B **56**
Olaf St. *W11*. 1E **63**
Old Bailey. *EC4*. 4A **46**
Old Bailey (Central Criminal Court)
  . . . . 3A **46**
Old Barge Ho. All. *SE1* 1E **73**
Old Barrack Yd. *SW1* 5D **69**
  (in two parts)
Old Bellgate Wharf. *E14* . . . 2D **109**
Old Bethnal Grn. Rd. *E2* . . . 2E **31**
Old Billingsgate Mkt. *EC3* . . 1F **75**
Old Billingsgate Wlk. *EC3* . . 1F **75**
Old Bond St. *W1* 1B **70**
Old Brewer's Yd. *WC2*. . . . 4F **43**
Old Broad St. *EC2*. 4E **47**
Old Brompton Rd.
  SW5 & SW7. . . . . 1E **115**
Old Bldgs. *WC2* 3D **45**
Old Burlington St. *W1* 5B **42**
Oldbury Pl. *W1*. 5E **23**
Old Canal M. *SE15*. 1C **126**
Old Castle St. *E1* 3B **48**
Old Cavendish St. *W1*. 3F **41**
Old Change Ct. *EC4* 4B **46**
Old Chelsea M. *SW3*. 3F **117**
Old Church Rd. *E1*. 3D **51**
Old Church St. *SW3* 5E **95**
Old Compton St. *W1* 5D **43**
Old Ct. Ho. *W8* 5F **65**
Old Ct. Pl. *W8*. 4F **65**
Old Curiosity Shop. 3C **44**
Oldfield Gro. *SE16* 4D **107**
Old Fish St. Hill. *EC4* 5B **46**
Old Fleet La. *EC4* 3F **45**
Old Ford Rd. *E2 & E3*. 2B **32**
Old Gloucester St. *WC1* . . . 1A **44**
Old Jamaica Rd. *SE16* 1D **105**
Old Jewry. *EC2* 4D **47**
Old Kent Rd. *SE1 & SE15*. . . 3F **103**
Old Mnr. Ct. *NW8*. 5C **6**
Old Mnr. Yd. *SW5*. 5F **93**
Old Mkt. Sq. *E2* 2B **30**
Old Marylebone Rd. *NW1*. . . 2A **40**
Old Mitre Ct. *EC4* 4E **45**
Old Montague St. *E1* 2D **49**
Old Nichol St. *E2* 4B **30**
Old N. St. *WC1*. 1B **44**
Old Pal. Yd. *SW1* 1F **99**
Old Paradise St. *SE11* 3B **100**
Old Pk. La. *W1*. 3E **69**
Old Pye St. *SW1* 1D **99**
Old Pye St. Est. *SW1* 2D **99**
Old Quebec St. *W1*. 4C **40**
Old Queen St. *SW1*. 5E **71**
Old Red Lion Theatre. 1F **27**
Old Royal Free Pl. *N1*. 4E **13**
Old Royal Free Sq. *N1* 4E **13**
Old Royal Naval College.
  . . . . 2C **132**
Old School Clo. *SE10*. 2A **112**
Old School Sq. *E14*. 4D **53**
Old Seacoal La. *EC4* 4F **45**
Old S. Lambeth Rd. *SW8*. . . 4A **122**
Old Spitalfields Market. . . . 1B **48**
Old Sq. *WC2* 3D **45**
Old Street. (Junct.). 3D **29**
Old St. *EC1* 5B **28**
Old Sun Wharf. *E14* 5F **51**
Old Theatre Ct. *SE1* 2C **74**
Old Vic Theatre, The. 4E **73**

Old Woolwich Rd. *SE10* 2D **133**
O'Leary Sq. *E1*. 1B **50**
Olga St. *E3*. 1F **33**
Oliphant St. *W10* 2A **18**
Oliver Gdns. *E6* 2A **60**
Oliver Ho. *SE16* 5D **77**
Oliver Ho. *SW8*. 4F **121**
Olivers Wharf. *E1* 3F **77**
Olivers Yd. *EC1* 4E **29**
Olive Tree Ho. *SE15* 3C **128**
Olive Waite Ho. *NW6* 1F **5**
Olivier Theatre. *2D* **73**
   (in Royal National Theatre)
Olliffe St. *E14*. 2C **110**
Olmar St. *SE1* 2D **127**
Olney Ho. *NW8* 4A **22**
Olney Rd. *SE17* 3A **124**
   (in two parts)
Olympia. **2A** **92**
Olympia M. *W2* 1A **66**
Olympian Ct. *E14*. 3D **109**
Olympia Way. *W14*. 2A **92**
O'Meara St. *SE1*. 3C **74**
Omega Clo. *E14*. 1F **109**
Omega Pl. *N1*. 1A **26**
Onega Ga. *E16* 1F **107**
O'Neill Ho. *NW8* 1F **21**
One Owen St. *EC1* 1F **27**
Ongar Rd. *SW6* 2D **115**
Onslow Gdns. *SW7* 4D **95**
Onslow M. E. *SW7*. 4D **95**
Onslow M. W. *SW7* 4D **95**
Onslow Sq. *SW7* 3E **95**
Onslow St. *EC1* 5E **27**
Ontario St. *SE1* 1A **102**
Ontario Way. *E14*. 1D **81**
   (in two parts)
Opal Clo. *E16*. 4E **59**
Opal M. *NW6*. 3C **4**
Opal St. *SE11*. 4F **101**
Operating Theatre Mus. 3E **75**
Ophelia Ho. *W6* 5D **91**
Opie Ho. *NW8* 5F **7**
Oppidans Rd. *NW3*. 2B **8**
Orange Pl. *SE16*. 2C **106**
Orangery, The. **3A 66**
Orange St. *WC2* 1E **71**
Orange Tree Ct. *SE5* 5F **125**
Orange Yd. *W1*. 4E **43**
Oratory La. SW3. . . . . *5E* **95**
Oratory, The. **2F 95**
Orbain Rd. *SW6*. 5A **114**
Orb St. *SE17* 4D **103**
Orchard Clo. *N1*. 2C **14**
Orchard Clo. *W10*. 1A **36**
Orchard Ho. *SE5* 5B **124**
Orchard Ho. *SE16* 1C **106**
Orchard Ho. *SW6*. 5A **114**
Orchard Ho. *W1*. 3D **41**
Orchard M. *N1*. 2E **15**
Orchard Pl. *E14* 5F **55**
   (in two parts)
Orchardson Ho. *NW8*. 4D **21**
Orchardson St. *NW8* 5D **21**
Orchard Sq. *W14*. 1B **114**
Orchard St. *W1*. 4D **41**
Orchard Studios. *W6*. 3D **91**
Orchard Wharf. *E14* 5F **55**
Orchid Clo. *E6* 1F **59**

Orde Hall St. *WC1* 5B **26**
Ordnance Cres. *SE10* 4F **83**
Ordnance Hill. *NW8* 4E **7**
Ordnance M. *NW8* 5E **7**
Ordnance Rd. *E16* 1B **56**
Oregano Dri. *E14* 4E **55**
Oriana Ho. *E14*. 5B **52**
Oriental Rd. *E16*. 3E **87**
Oriental St. *E14* 5E **53**
Orient St. *SE11*. 3F **101**
Orient Wharf. *E1*. 3F **77**
Orion Bus. Cen. *SE14*. 1D **129**
Orion Ho. *E1* 5A **32**
Orkney Ho. *N1* 3B **12**
Orlop St. *SE10* 1F **133**
Orme Ct. *W2* 1A **66**
Orme Ct. M. *W2*. 1A **66**
Orme Ho. *E8* 3C **16**
Orme La. *W2*. 1F **65**
Orme Sq. *W2* 1F **65**
Ormond Clo. *WC1* 1A **44**
Ormonde Ga. *SW3* 1C **118**
Ormonde Pl. *SW1*. 4E **97**
Ormonde Ter. *NW8*. 4B **8**
Ormond M. *WC1* 5A **26**
Ormond Yd. *SW1*. 2C **70**
Ormsby St. *E2* 5B **16**
Ormside St. *SE15*. 3B **128**
Orsett M. *W2* 3A **38**
   (in two parts)
Orsett St. *SE11* 5C **100**
Orsett Ter. *W2* 3A **38**
Orsman Rd. *N1*. 4F **15**
Orton St. *E1*. 3D **77**
Orwell Ct. *E8* 4E **17**
Osbert St. *SW1*. 4D **99**
Osborn Clo. *E8*. 3D **17**
Osborne Ho. *E16* 2E **85**
Osborn St. *E1* 2C **48**
Oscar Faber Pl. *N1*. 2A **16**
Osier Ct. *E1* 5D **33**
Osier St. *E1* 5C **32**
Oslo Ct. *NW8* 1F **21**
Oslo Sq. *SE16* 1A **108**
Osman Rd. *W6*. 1C **90**
Osmington Ho. *SW8*. 5B **122**
Osnaburgh St. *NW1*. 5A **24**
   (Longford St.)
Osnaburgh St. *NW1*. 3A **24**
   (Robert St.)
Osnaburgh Ter. *NW1* 4A **24**
Osprey Clo. *E6* 2F **59**
Osprey Ho. *E14* 5A **52**
Ospringe Ho. *SE1*. 4E **73**
Osram Ct. *W6* 2C **90**
Osric Path. *N1* 1F **29**
Ossington Bldgs. *W1* 1D **41**
Ossington Clo. *W2* 1E **65**
Ossington St. *W2* 1F **65**
Ossory Rd. *SE1* 1D **127**
Ossulston St. *NW1*. 1D **25**
Ostend Pl. *SE1*. 3B **102**
Osten M. *SW7* 2A **94**
Osterley Ho. *E14*. 3F **53**
Oswell St. *E1* 2A **78**
Oswin St. *SE11* 3A **102**
Otford Ho. *SE1*. 5E **75**
Otford Ho. *SE15*. 2C **128**
Othello Clo. *SE11* 5F **101**

Otley Rd. *E16*. 3B **58**
Otterburn Ho. *SE5* 4B **124**
Otto St. *SE17*. 3F **123**
Outer Circ. *NW1*. 5B **8**
Outram Pl. *N1* 3A **12**
Outwich St. *EC3*. 3A **48**
Oval Cricket Ground
   (Surrey County Cricket Club)
   . . . . 2C **122**
Oval House Theatre. 3D **123**
Oval Mans. *SE11* 2C **122**
Oval Pl. *SW8* 4B **122**
Oval Rd. *NW1*. 2F **9**
Oval, The. *E2* 5F **17**
Oval Way. *SE11* 1C **122**
Oversley Ho. *W2* 1E **37**
Overstone Ho. *E14*. 4E **53**
Overstone Rd. *W6* 2B **90**
Overy Ho. *SE1* 5F **73**
Ovex Clo. *E14* 5C **82**
Ovington Gdns. *SW3* 2A **96**
Ovington Ga. *SW3*. 2A **96**
Ovington Sq. *SW3* 2A **96**
Ovington St. *SW3*. 2A **96**
Owen Mans. *W14*. 2A **114**
Owen's Ct. *EC1*. 2F **27**
Owen's Row. *EC1* 2F **27**
Owen St. *EC1* 1F **27**
   (in two parts)
Owgan Clo. *SE5* 5E **125**
Oxendon St. *SW1*. 1D **71**
Oxenham Ho. *SE8* 2E **131**
Oxenholme. *NW1* 1C **24**
Oxestall's Rd. *SE8* 5A **108**
Oxford & Cambridge Mans.
   NW1 . . . . 2A **40**
Oxford Cir. *W1*. 4B **42**
Oxford Cir. Av. *W1* 4B **42**
Oxford Ct. *EC4*. 5D **47**
Oxford Ct. *W9* 1D **37**
Oxford Dri. *SE1* 3F **75**
Oxford Gdns. *W10* 4C **34**
Oxford Ga. *W6* 3E **91**
Oxford Rd. *NW6*. 1E **19**
Oxford Sq. *W2* 4A **40**
Oxford St. *W1* 4C **40**
Oxleas. *E6* 3F **61**
Oxley Clo. *SE1*. 5C **104**
Oxo Tower Wharf. 1E **73**
Oystercatchers Clo. *E16* . . . 3F **57**
Oystergate Wlk. *EC4*. 1D **75**
Oyster Row. *E1* 4B **55**
Ozolins Way. *E16*. 3D **57**

P

Pace Pl. *E1* 4A **50**
Pacific Ho. *E1*. 5E **33**
Pacific Rd. *E16* 3D **57**
Pacific Wharf. *SE16*. 2D **79**
Packenham Ho. *E2*. 2C **30**
Packington Sq. *N1* 4B **14**
   (in three parts)
Packington St. *N1* 3A **14**
Padbury. *SE17* 1A **126**
Padbury Ct. *E2*. 3C **30**
Padbury Ho. *NW8* 4A **22**
Paddenswick Rd. *W6* 3A **90**

Paddington. **4D 39**
Paddington Grn. *W2*. 1E **39**
Paddington St. *W1*. 1D **41**
Padstow Ho. *E14* 5C **52**
Pagden St. *SW8*. 5A **120**
Pageant Cres. *SE16* 2A **80**
Pageantmaster Ct. *EC4* 4F **45**
Page Ho. *SE10*. 2B **132**
Page St. *SW1*. 3E **99**
Page's Wlk. *SE1* 3F **103**
Paget St. *EC1* 2F **27**
Pagham Ho. *W10*. 1B **34**
Pagnell St. *SE14*. 4B **130**
Painswick Ct. *SE15* 4B **126**
Pakeman Ho. *SE1*. 4A **74**
Pakenham St. *WC1* 3C **26**
Palace Av. *W8* 4A **66**
Palace Ct. *W2*. 5F **37**
(in two parts)
Palace Gdns. M. *W8*. 2E **65**
Palace Gdns. Ter. *W8* 2E **65**
Palace Ga. *W8* 5B **66**
Palace Grn. *W8*. 3F **65**
Palace Mans. *W14* 3A **92**
Palace M. *SW1*. 4E **97**
Palace M. *SW6*. 4C **114**
Palace Pl. *SW1*. 1B **98**
Palace Pl. Mans. *W8* 5A **66**
Palace St. *SW1* 1B **98**
Palace Theatre. **4E 43**
Palamon Ct. *SE1* 5C **104**
Palfrey Pl. *SW8* 5C **122**
Palgrave Gdns. *NW1* 4A **22**
Palgrave Ho. *SE5* 4B **124**
Palissy St. *E2*. 3B **30**
(in two parts)
Pallant Ho. *SE1* 2E **103**
Palliser Ct. *W14* 5F **91**
Palliser Ho. *E1* 5E **33**
Palliser Ho. *SE10* 2E **133**
Palliser Rd. *W14*. 5F **91**
Pall Mall. *SW1* 3C **70**
Pall Mall E. *SW1*. 2E **71**
Pall Mall Pl. *SW1* 3C **70**
Palm Ct. *SE15* 4C **126**
Palmer Rd. *E13* 1F **57**
Palmer's Rd. *E2* 1E **33**
Palmerston Ct. *E3*. 1E **33**
Palmerston Ho. *SE1*. 5D **73**
Palmerston Ho. *W8* 3D **65**
Palmerston Mans. *W14* 3A **114**
Palmerston Rd. *NW6* 1C **4**
(in two parts)
Palmerston Way. *SW8* 5A **120**
Palmer St. *SW1* 1D **99**
(in two parts)
Palm Tree Ho. *SE14* 4D **129**
Pamela Ho. *E8* 3C **16**
Panama Ho. *E1* 1D **51**
Pancras La. *EC4*. 4C **46**
Pancras Rd. *NW1*. 5D **11**
Pangbourne. *NW1* 3B **24**
Pangbourne Av. *W10* 1C **34**
Pankhurst Av. *E16* 2A **86**
Pankhurst Clo. *SE14* 5D **129**
Panton St. *SW1*. 1D **71**
Paper Bldgs. *EC4* 5E **45**
Paper Mill Wharf. *E14* 1A **80**
Parade, The. *SW11*. 4C **118**
Paradise Row. *E2*. 2A **32**
Paradise St. *SE16*. 5F **77**
Paradise Wlk. *SW3*. 2B **118**
Paragon Clo. *E16*. 3D **57**
Paragon M. *SE1* 3E **103**
Paramount Building. *EC1* 4F **27**
Paramount Ct. *WC1* 5C **24**
Pardoner Ho. *SE1*. 1E **103**
Pardoner St. *SE1* 1E **103**
(in two parts)
Pardon St. *EC1*. 4A **28**
Parfett St. *E1* 2E **49**
(in two parts)
Paris Garden. *SE1*. 2F **73**
Paris Ho. *E2*. 1F **31**
Park App. *SE16* 2A **106**
Park Bus. Cen. *NW6*. 3E **19**
Park Clo. *SW1* 5B **68**
Park Clo. *W14* 1C **92**
Park Cres. *W1* 5F **23**
Park Cres. M. E. *W1*. 5A **24**
Park Cres. M. W. *W1* 5F **23**
Parker Clo. *E16*. 3F **87**
Parker Ho. *E14*. 4E **81**
Parker M. *WC2*. 3A **44**
Parkers Row. *SE1* 5C **76**
Parker St. *E16* 3F **87**
Parker St. *WC2* 3A **44**
Parkfield Rd. *SE14*. 5B **130**
Parkfield St. *N1* 5E **13**
Parkgate Rd. *SW11* 5F **117**
Park Hall. *SE10* 5D **133**
Parkholme Rd. *E8* 1D **17**
Parkhouse St. *SE5* 4E **125**
Parkinson Ho. *SW1* 4C **98**
Park La. *W1*. 5C **40**
Park Lodge. *NW8*. 2E **7**
Park Lorne. *NW8* 3A **22**
Park Mans. *NW8* 1F **21**
Park Mans. *SW1* 5B **68**
Park Mans. *SW8* 2A **122**
Park M. *W10* 1A **18**
Park Pl. *E14*. 2D **81**
Park Pl. *SW1* 3B **70**
Park Pl. Vs. *W2* 1C **38**
Park Rd. *NW8 & NW1* 2F **21**
Park Row. *SE10*. 1D **133**
Parkside. *SW1*. 4C **68**
Parkside Bus. Est. *SE8* 2F **129**
(Blackhorse Rd.)
Parkside Bus. Est. *SE8*. 2A **130**
(Rolt St.)
Park Sq. E. *NW1*. 4F **23**
Park Sq. M. *NW1* 5F **23**
Park Sq. W. *NW1* 4F **23**
Park Steps. *W2* 5A **40**
Park St. *SE1*. 2B **74**
Park St. *W1*. 5D **41**
Park Towers. *W1* 3F **69**
Pk. View Est. *E2*. 1D **33**
Pk. Village E. *NW1* 4F **9**
Pk. Village W. *NW1*. 5F **9**
Parkville Rd. *SW6* 5B **114**
Park Vista. *SE10*. 3E **133**
Park Wlk. *SE10* 5D **133**
Park Wlk. *SW10*. 2C **116**
Parkway. *NW1* 4F **9**
Park West. *W2*. 3A **40**
Park W. Pl. *W2*. 3A **40**
Park Wharf. *SE8*. 5A **108**
Parkwood. *NW8*. 4B **8**
Parliament Ct. *E1* 2A **48**
Parliament Sq. *SW1* 5F **71**
Parliament St. *SW1* 4F **71**
Parliament Vw. *SE1* 3B **100**
Parmiter Ind. Est. *E2* 1A **32**
Parmiter St. *E2*. 1A **32**
Parmoor Ct. *EC1* 4B **28**
Parnell Ho. *WC1*. 2E **43**
Parnham St. *E14* 3A **52**
(in two parts)
Parr Ct. *N1* 5D **15**
Parr Ho. *E16*. 2F **85**
Parr St. *N1* 5D **15**
Parry Av. *E6*. 4B **60**
Parry Ho. *E1* 3A **78**
Parry Rd. *W10*. 2A **18**
(in two parts)
Parry St. *SW8* 2A **122**
Parsonage St. *E14* 4C **110**
Parsons Ho. *W2*. 5D **21**
Parsons Lodge. *NW6* 2F **5**
Partridge Clo. *E16* 2D **59**
Partridge Ct. *EC1* 4F **27**
Partridge Sq. *E6*. 1A **60**
Pascall Ho. *SE17* 2B **124**
Pascal St. *SW8*. 4E **121**
Pasley Clo. *SE17* 1B **124**
Passfield Dri. *E14*. 1A **54**
Passfields. *W14* 1B **114**
Passing All. *EC1*. 5A **28**
Passmore St. *SW1*. 4D **97**
Pastor St. *SE11* 3A **102**
(in two parts)
Patchway Ct. *SE15* 3F **125**
Patent Ho. *E14*. 2A **54**
Paternoster La. *EC4* 4A **46**
Paternoster Row. *EC4*. 4B **46**
Paternoster Sq. *EC4* 4A **46**
Paterson Ct. *EC1* 3D **29**
Pater St. *W8* 2D **93**
Patmos Lodge. *SW9*. 5F **123**
Patmos Rd. *SW9* 5F **123**
Paton St. *EC1*. 3B **28**
Patrick Coman Ho. *EC1*. 3F **27**
Patriot Sq. *E2*. 1A **32**
Pat Shaw Ho. *E1* 4D **33**
Patterdale. *NW1*. 3A **24**
Patterdale Rd. *SE15* 4B **128**
Pattern Ho. *EC1* 4F **27**
Pattina Wlk. *SE16*. 3A **80**
Pattinson Point. *E16*. 2E **57**
Pattison Ho. *E1* 3D **51**
Pattison Ho. *SE1* 4C **74**
Pauline Ho. *E1* 1E **49**
Paul Julius Clo. *E14*. 1D **83**
Pauls Ho. *E3* 1B **52**
Paul St. *EC2*. 5E **29**
Paul's Wlk. *EC4* 5A **46**
Paultons Sq. *SW3* 2E **117**
Paultons St. *SW3*. 3E **117**
Pavan Ct. *E2* 3C **32**
Paveley Dri. *SW11* 5F **117**
Paveley Ho. *N1*. 1B **26**
Paveley St. *NW8*. 3F **21**
Pavilion. *NW8* 3E **21**
Pavilion Ct. *NW6* 2D **19**
Pavilion Rd. *SW1*. 5C **68**

Pavilion St. *SW1* 2C **96**
Pavilion Ter. *W12* 3B **34**
Pavilion, The. *SW8* 4E **121**
Paxton Ter. *SW1* 2A **120**
Paymal Ho. *E1* 2C **50**
Payne Ho. *N1* 4C **12**
Payne St. *SE8* 3C **130**
Peabody Av. *SW1* 5F **97**
Peabody Bldgs. *E1* 5D **49**
Peabody Bldgs. *EC1* 5C **28**
Peabody Bldgs. *SW3* 3F **117**
Peabody Clo. *SE10* 5A **132**
Peabody Clo. *SW1* 2A **120**
Peabody Ct. *EC1* 5C **28**
Peabody Est. *E1* 5C **50**
Peabody Est. *E2* 1F **31**
Peabody Est. *EC1* 5E **27**
(Farringdon La.)
Peabody Est. *EC1* 5C **28**
(Whitecross St., in two parts)
Peabody Est. *N1* 3B **14**
Peabody Est. *SE1* 3E **73**
(Hatfield St.)
Peabody Est. *SE1* 4C **74**
(Mint St.)
Peabody Est. *SE1* 3B **74**
(Southwark St.)
Peabody Est. *SW1* 3B **98**
Peabody Est. *SW3* 2A **118**
Peabody Est. *SW6* 2C **114**
Peabody Est. *W6* 5C **90**
Peabody Est. *W10* 1C **34**
Peabody Sq. *SE1* 5F **73**
(in two parts)
Peabody Tower. *EC1* 5C **28**
Peabody Trust. *SE17* 4D **103**
Peabody Yd. *N1* 3B **14**
Peace Pagoda **4C 118**
Peachey Edwards Ho. *E2* 2F **31**
Peacock St. *SE17* 4A **102**
Peacock Theatre **4B 44**
Peacock Wlk. *E16* 3F **57**
Peacock Yd. *SE17* 4A **102**
Pear Clo. *SE14* 5A **130**
Pear Ct. *SE15* 4B **126**
Pearl Clo. *E6* 3D **61**
Pearl St. *E1* 2A **78**
Pearman St. *SE1* 1E **101**
Pear Pl. *SE1* 4D **73**
Pearse St. *SE15* 3A **126**
Pearson St. *E2* 5A **16**
Pear Tree Clo. *E2* 4B **16**
Pear Tree Ct. *EC1* 5E **27**
Peartree La. *E1* 1C **78**
Pear Tree St. *EC1* 4A **28**
Pear Tree Way. *SE10* 5D **113**
Peary Pl. *E2* 2C **32**
Peckham Gro. *SE15* 4A **126**
Peckham Hill St. *SE15* 4D **127**
Peckham Pk. Rd. *SE15* 4D **127**
Pecks Yd. *E1* 1B **48**
Pedley St. *E1* 5C **30**
Pedworth Gdns. *SE16* 4B **106**
Peel Gro. *E2* 1B **32**
(in two parts)
Peel Pas. *W8* 3D **65**
Peel Precinct. *NW6* 1D **19**
Peel St. *W8* 3D **65**
Peerless St. *EC1* 3D **29**
Pegasus Ho. *E1* 5D **33**
Pegasus Pl. *SE11* 2D **123**
Pekin Clo. *E14* 4E **53**
Pekin St. *E14* 4E **53**
Peldon Wlk. *N1* 3A **14**
Pelham Ct. *SW3* 4F **95**
Pelham Cres. *SW7* 4F **95**
Pelham Ho. *W14* 4B **92**
Pelham Pl. *SW7* 3F **95**
Pelham St. *SW7* 3E **95**
Pelican Ho. *SE8* 4B **108**
Pelican Pas. *E1* 4B **32**
Pelican Wharf. *E1* 2C **78**
Pelier St. *SE17* 2C **124**
Pella Ho. *SE11* 5C **100**
Pellant Rd. *SW6* 3A **114**
Pellew Ho. *E1* 5A **32**
Pelling St. *E14* 3D **53**
Pelter St. *E2* 2B **30**
(in two parts)
Pelton Rd. *SE10* 5F **111**
Pemberton Ct. *E1* 3D **33**
Pemberton Row. *EC4* 3E **45**
Pembridge Cres. *W11* 5D **37**
Pembridge Gdns. *W2* 1D **65**
Pembridge M. *W11* 5D **37**
Pembridge Pl. *W2* 5E **37**
Pembridge Rd. *W11* 1D **65**
Pembridge Sq. *W2* 1E **65**
Pembridge Vs. *W11 & W2* . . . 1D **65**
Pembroke Clo. *SW1* 5E **69**
Pembroke Cotts. *W8* 2D **93**
Pembroke Gdns. *W8* 3C **92**
Pembroke Gdns. Clo. *W8* 2C **92**
Pembroke Ho. *W2* 4A **38**
Pembroke M. *W8* 2D **93**
Pembroke Pl. *W8* 2D **93**
Pembroke Rd. *E6* 1B **60**
Pembroke Rd. *W8* 3C **92**
Pembroke Sq. *W8* 2D **93**
Pembroke St. *N1* 2A **12**
(in two parts)
Pembroke Vs. *W8* 3D **93**
Pembroke Wlk. *W8* 3D **93**
Pemell Clo. *E1* 4C **32**
Pemell Ho. *E1* 4C **32**
Penally Pl. *N1* 3E **15**
Penang Ho. *E1* 2A **78**
Penang St. *E1* 2A **78**
Penarth Cen. *SE15* 2B **128**
Penarth St. *SE15* 2B **128**
Pencombe M. *W11* 5C **36**
Pencraig Way. *SE15* 3F **127**
Pendennis Ho. *SE8* 4A **108**
Pendrell Ho. *WC2* 4E **43**
Penfield Lodge. *W9* 1E **37**
Penfold Pl. *NW1* 1F **39**
Penfold St. *NW8 & NW1* 5E **21**
Penhurst Pl. *SE1* 2C **100**
Peninsula Ct. *E14* 1A **110**
Peninsula Heights. *SE1* 5A **100**
Peninsula Pk. *SE7* 4E **113**
(in two parts)
Peninsula Pk. Rd. *SE7* 4E **113**
Penley Ct. *WC2* 5C **44**
Penmayne Ho. *SE11* 5E **101**
Pennack Rd. *SE15* 3C **126**
Penn Almshouses. *SE10* 5B **132**
Pennant M. *W8* 3F **93**
Pennard Mans. *W12* 5B **62**
Pennard Rd. *W12* 4B **62**
Pennethorne Rd. *SE15* 5F **127**
Penn Ho. *NW8* 5F **21**
Pennington Ct. *SE16* 2A **80**
Pennington St. *E1* 1E **77**
Penn St. *N1* 4E **15**
Pennyfields. *E14* 5D **53**
(in two parts)
Pennyford Ct. *NW8* 4D **21**
Pennymoor Wlk. *W9* 4C **18**
Pennyroyal Av. *E6* 4D **61**
Penrose Gro. *SE17* 1B **124**
Penrose Ho. *SE17* 1B **124**
(in two parts)
Penrose St. *SE17* 1B **124**
Penryn Ho. *SE11* 5F **101**
Penryn St. *NW1* 5D **11**
Penry St. *SE1* 4A **104**
Penshurst Ho. *SE15* 2C **128**
Penton Gro. *N1* 1D **27**
Penton Ho. *N1* 1D **27**
Penton Pl. *SE17* 4A **102**
Penton Ri. *WC1* 2C **26**
Penton St. *N1* 5D **13**
Pentonville **1B 26**
Pentonville Rd. *N1* 2A **26**
Pentridge St. *SE15* 5B **126**
Penywern Rd. *SW5* 5E **93**
Penzance Ho. *SE11* 5E **101**
Penzance Pl. *W11* 2F **63**
Penzance St. *W11* 2F **63**
Peperfield. *WC1* 3B **26**
Pepler Ho. *W10* . . . . 5A **18** & 1F **35**
Pepler M. *SE5* 1B **126**
Pepper Clo. *E6* 1C **60**
Pepper St. *E14* 1F **109**
Pepper St. *SE1* 4B **74**
Pepys Cres. *E16* 2E **85**
Pepys Ho. *E2* 2C **32**
Pepys St. *EC3* 5A **48**
Percival David Foundation of Chinese Art **5E 25**
Percival St. *EC1* 4F **27**
Percy Cir. *WC1* 2C **26**
Percy M. *W1* 2D **43**
Percy Pas. *W1* 2D **43**
Percy Rd. *E16* 1A **56**
Percy St. *W1* 2D **43**
Percy Yd. *WC1* 2C **26**
Peregrine Ct. *SE8* 3D **131**
Peregrine Ho. *EC1* 2A **28**
Perham Rd. *W14* 1A **114**
Peridot St. *E6* 1A **60**
Perkins Ho. *E14* 2C **52**
Perkin's Rents. *SW1* 2D **99**
Perkins Sq. *SE1* 2C **74**
Perley Ho. *E3* 1C **52**
Perrers Rd. *W6* 3A **90**
Perring Est. *E3* 1E **53**
Perrin Ho. *NW6* 2D **19**
Perronet Ho. *SE1* 2A **102**
Perry Ct. *E14* 5E **109**
Perryn Rd. *SE16* 1F **105**
Perry's Pl. *W1* 3D **43**
Perseverance Pl. *SW9* 5E **123**
Perseverance Works. *E2* 2A **30**
Perth Ho. *N1* 2B **12**
Peter Best Ho. *E1* 3F **49**

Peterboat Clo. SE10 . . . . 3A 112
Peterborough Ct. EC4 . . . . . . 4E 45
Peter Butler Ho. SE1 . . . . 4D 77
Peterchurch Ho. SE15 . . . . . . 3F 127
Peter Ho. SW8 . . . . 4F 121
Peterley Bus. Cen.
　　E2 . . . . 5F 17 & 1A 32
Peter Pan Statue. 2D 67
Peters Ct. W2 . . . . 3A 38
Petersham Ho. SW7 . . . . 3D 95
Petersham La. SW7 . . . . 1B 94
Petersham M. SW7 . . . . 2B 94
Petersham Pl. SW7 . . . . 2B 94
Peter's Hill. EC4 . . . . 5B 46
Peter Shore Ct. E1 . . . . 1D 51
Peter's La. EC1 . . . . 1A 46
Peter St. W1 . . . . 5D 43
Peto Pl. NW1 . . . . 4A 24
Peto St. N. E16 . . . . 4B 56
Petrie Mus. of Egyptian
　　Archaeology. 5D 25
Petticoat La. E1 . . . . 2A 48
Petticoat Lane Market. 3B 48
　　　　　　(in Middlesex St.)
Petticoat Sq. E1 . . . . 3B 48
Petticoat Tower. E1 . . . . 3B 48
Petty France. SW1 . . . . 1C 98
Petyt Pl. SW3 . . . . 3F 117
Petyward. SW3 . . . . 4A 96
Pevensey Ho. E1 . . . . 2E 51
Peverel. E6 . . . . 3D 61
Peveril Ho. SE1 . . . . 2E 103
Peyton Pl. SE10 . . . . 4B 132
Pheasant Clo. E16 . . . . 3F 57
Phelp St. SE17 . . . . 2D 125
Phene St. SW3 . . . . 2A 118
Philadelphia Ct. SW10 . . . . . 5C 116
Philbeach Gdns. SW5 . . . . . 5D 93
Philchurch Pl. E1 . . . . 4E 49
Philip Ct. W2 . . . . 1D 39
Philip Ho. NW6 . . . . 4F 5
Phillimore Gdns. W8 . . . . . . 5D 65
Phillimore Gdns. Clo. W8 . . . 1D 93
Phillimore Pl. W8 . . . . 5D 65
Phillimore Ter. W8 . . . . 1E 93
Phillimore Wlk. W8 . . . . 1D 93
Phillipp St. N1 . . . . 4F 15
　　　　　　　(in two parts)
Philosophy Programme. . . . 1E 43
　　(in University of London,
　　　　　　Senate House)
Philpot La. EC3 . . . . 5F 47
Philpot St. E1 . . . . 2F 49
Phipps Ho. SE7 . . . . 5F 113
Phipps Ho. W12 . . . . 5A 34
Phipp St. EC2 . . . . 4F 29
Phoenix Bus. Cen. E3 . . . . . 2E 53
Phoenix Clo. E8 . . . . 3B 16
Phoenix Ct. E14 . . . . 4E 109
Phoenix Ct. NW1 . . . . 1E 25
Phoenix Ct. SE14 . . . . 3F 129
Phoenix Lodge Mans. W6 . . . 3C 90
Phoenix Pl. WC1 . . . . 4C 26
Phoenix Rd. NW1 . . . . 2D 25
Phoenix St. WC2 . . . . 4E 43
Phoenix Theatre. 4E 43
Phoenix Wharf. E1 . . . . 3A 78
Phoenix Wharf Rd. SE1 . . . . 5C 76
Phoenix Yd. WC1 . . . . 3C 26

Photographers' Gallery 5F 43
　　　　　(off Gt. Newport St.)
Physic Pl. SW3 . . . . 2B 118
Piazza, The. WC2 . . . . 5A 44
　　　　　　　(in two parts)
Piccadilly. W1 . . . . 3F 69
Piccadilly Arc. SW1 . . . . 2B 70
Piccadilly Circus. 1D 71
Piccadilly Cir. W1 . . . . 1D 71
Piccadilly Pl. W1 . . . . 1C 70
Piccadilly Theatre. 5C 42
Pickard St. EC1 . . . . 2A 28
Pickering Ho. W2 . . . . 4B 38
Pickering M. W2 . . . . 3A 38
Pickering Pl. SW1 . . . . 3C 70
Pickering St. N1 . . . . 3A 14
Pickfords Wharf. N1 . . . . 1B 28
Pickfords Wharf. SE1 . . . . . . 2D 75
Pickwick Ho. SE16 . . . . 5D 77
Pickwick Ho. W11 . . . . 2E 63
Pickwick St. SE1 . . . . 5B 74
Pickworth Clo. SW8 . . . . 5A 122
Picton Pl. W1 . . . . 4E 41
Picton St. SE5 . . . . 5D 125
Pied Bull Yd. WC1 . . . . 2F 43
Pier Head. E1 . . . . 3F 77
　　　　　　　(in two parts)
Pierhead Wharf. E1 . . . . 3F 77
Pier Ho. SW3 . . . . 3A 118
Pier Pde. E16 . . . . 3E 89
Pierpoint Building.
　　E14 . . . . 4C 80
Pierrepont Arc. N1 . . . . 5F 13
Pierrepont Row. N1 . . . . 5F 13
Pier Rd. E16 . . . . 5C 88
Pier St. E14 . . . . 3C 110
　　　　　　　(in two parts)
Pigott St. E14 . . . . 4D 53
Pikemans Ct. SW5 . . . . 4D 93
Pilgrimage St. SE1 . . . . 5D 75
Pilgrim Ho. SE1 . . . . 2E 103
Pilgrims Cloisters. SE5 . . . . . 5F 125
Pilgrims M. E1 . . . . 5E 55
Pilgrim St. EC4 . . . . 4F 45
Pilot Clo. SE8 . . . . 2B 130
Pilton Pl. SE17 . . . . 5C 102
Pilton Pl. Est. SE17 . . . . 5C 102
Pimlico. 1B 120
Pimlico Ho. SW1 . . . . 5F 97
Pimlico Rd. SW1 . . . . 5D 97
Pimlico Wlk. N1 . . . . 2F 29
Pinchin St. E1 . . . . 5E 49
Pincombe Ho. SE17 . . . . 5D 103
Pindar St. EC2 . . . . 1F 47
Pindock M. W9 . . . . 5A 20
Pineapple Ct. SW1 . . . . 1B 98
Pinefield Clo. E14 . . . . 5D 53
Pine Ho. SE16 . . . . 4C 78
Pinehurst Ct. W11 . . . . 4C 36
Pine St. EC1 . . . . 4D 27
Pine Tree Ho. SE14 . . . . 3C 129
Pinnace Ho. E14 . . . . 1C 110
Pinner Ct. NW8 . . . . 4D 21
Pintail Clo. E6 . . . . 2F 59
Pintail Ct. SE8 . . . . 2B 130
Pioneer Way. W12 . . . . 4A 34
Pirie St. E16 . . . . 3A 86
Pitfield Est. N1 . . . . 2F 29
Pitfield St. N1 . . . . 4F 15

Pitman St. SE5 . . . . 4B 124
　　　　　　　(in two parts)
Pitsea Pl. E1 . . . . 4E 51
Pitsea St. E1 . . . . 4E 51
Pitt's Head M. W1 . . . . 3E 69
Pitt St. W8 . . . . 4E 65
Pixley St. E14 . . . . 3C 52
Place Theatre, The. 3E 25
　　　　　　(off Flaxman Ter.)
Plaisterers Highwalk. EC2 . . . 2B 46
Plaistow Wharf. E16 . . . . 3D 85
Planetree Ct. W6 . . . . 3E 91
Plane Tree Ho. SE8 . . . . 2A 130
Plantain Pl. SE1 . . . . 4D 75
Plate Ho. E14 . . . . 5F 109
Platina St. EC2 . . . . 4E 29
Platt St. NW1 . . . . 5D 11
Players Theatre. 2A 72
Playfair Ho. E14 . . . . 4E 53
Playfair Mans. W14 . . . . 3A 114
Playhouse Theatre. 2A 72
Playhouse Yd. EC4 . . . . 4F 45
Plaza Cinema. 1D 71
Plaza Pde. NW6 . . . . 5F 5
Plaza Shop. Cen., The.
　　W1 . . . . 3C 42
Pleasant Pl. N1 . . . . 2A 14
Pleasant Row. NW1 . . . . 4A 10
Plender Pl. NW1 . . . . 4C 10
Plender St. NW1 . . . . 4B 10
Plevna St. E14 . . . . 1B 110
Pleydell Ct. EC4 . . . . 4E 45
Pleydell Est. EC1 . . . . 3C 28
Pleydell St. EC4 . . . . 4E 45
Plimsoll Clo. E14 . . . . 4F 53
Plough Ct. EC3 . . . . 5E 47
Ploughmans Clo. NW1 . . . . . 3D 11
Plough Pl. EC4 . . . . 3E 45
Plough St. E1 . . . . 3C 48
Plough Way. SE16 . . . . 3E 107
Plough Yd. EC2 . . . . 5A 30
Plover Ho. SW9 . . . . 5D 123
Plover Way. SE16 . . . . 1F 107
Plowden Bldgs. EC4 . . . . . . 5D 45
　　　　　(off Middle Temple La.)
Plumber's Row. E1 . . . . 2D 49
Plume Ho. SE10 . . . . 3A 132
Plumtree Ct. EC4 . . . . 3F 45
Plymouth Ho. SE10 . . . . 5A 132
Plymouth Rd. E16 . . . . 2D 57
Plymouth Wharf. E14 . . . . . . 3D 111
Plympton Av. NW6 . . . . 2B 4
Plympton Pl. NW8 . . . . 5F 21
Plympton Rd. NW6 . . . . 2B 4
Plympton St. NW8 . . . . 5F 21
Pocock St. SE1 . . . . 4F 73
Pointers Clo. E14 . . . . 5F 109
Point Hill. SE10 . . . . 5C 132
Point West. SW7 . . . . 3A 94
Poland St. W1 . . . . 3C 42
Polesworth Ho. W2 . . . . 1E 37
Pollard Clo. E16 . . . . 5D 57
Pollard Ho. N1 . . . . 1B 26
Pollard Row. E2 . . . . 2E 31
Pollard St. E2 . . . . 2E 31
Pollen St. W1 . . . . 4B 42
Pollitt Dri. NW8 . . . . 4D 21
Pollock's Toy Mus. 1C 42
Polperro M. SE11 . . . . 3F 101

Polygon Rd. *NW1* 1D **25**
Polygon, The. *NW8* 3E **7**
Pomell Way. *E1* 3C **48**
Pomeroy Ho. *E2*. 1D **33**
Pomeroy Ho. *W11* 4F **35**
Pomeroy St. *SE14* 5C **128**
Pomona Ho. *SE8* 4F **107**
Ponder St. *N7* 1B **12**
(in two parts)
Pond Ho. *SW3* 4F **95**
Pond Pl. *SW3*. 4F **95**
Ponler St. *E1* 4F **49**
Ponsonby Pl. *SW1*. 5E **99**
Ponsonby Ter. *SW1* 5E **99**
Ponton Rd. *SW8*. 3E **121**
Pont St. *SW1*. 2B **96**
Pont St. M. *SW1* 2B **96**
Pontypool Pl. *SE1*. 4F **73**
Poole Ct. *N1*. 2A **16**
Poole Ho. *SE11* 3C **100**
Pooles Bldgs. *WC1* 5D **27**
Pooles La. *SW10* 5B **116**
Poole St. *N1* 4D **15**
Pool Ho. *NW8* 1E **39**
Poolmans St. *SE16*. 4D **79**
Poonah St. *E1* 4C **50**
Pope Ho. *SE5*. 5D **125**
Pope Ho. *SE16*. 4F **105**
Pope's Head All. *EC3* 4E **47**
Pope St. *SE1* 5A **76**
Popham Rd. *N1* 3B **14**
Popham St. *N1*. 3A **14**
(in two parts)
Poplar. 5F **53**
Poplar Bath St. *E14* 5A **54**
Poplar Bus. Pk. *E14*. 1B **82**
Poplar Gro. *W6* 5C **62**
Poplar High St. *E14* 5E **53**
Poplar Ho. *SE16* 5D **79**
Poplar M. *W12*. 3B **62**
Poplar Pl. *W2*. 5F **37**
Poppins Ct. *EC4* 4F **45**
Porchester Ct. *W2* 5A **38**
Porchester Gdns. *W2*. 5A **38**
Porchester Gdns. M. *W2* . . . 4A **38**
Porchester Ga. *W2*. 1A **66**
(in two parts)
Porchester Ho. *E1*. 3F **49**
Porchester M. *W2* 3A **38**
Porchester Pl. *W2* 4A **40**
Porchester Rd. *W2*. 3A **38**
Porchester Sq. *W2*. 3A **38**
Porchester Ter. *W2*. 4B **38**
Porchester Ter. N. *W2*. 3A **38**
Porlock Rd. *W10* 1E **35**
Porlock St. *SE1* 4E **75**
Portcullis Ho. *SW1*. 5F **71**
Portelet Ct. *N1* 3F **15**
Portelet Rd. *E1*. 3D **33**
Porten Houses. *W14*. 2F **91**
Porten Rd. *W14*. 2F **91**
Porter Rd. *E6*. 3C **60**
Porter St. *SE1* 2C **74**
Porter St. *W1*. 1C **40**
Porters Wlk. *E1* 1A **78**
Porteus Rd. *W2* 1C **38**
Portgate Clo. *W9* 4C **18**
Port Ho. *E14*. 5F **109**
Portia Ct. *SE11* 5F **101**

Portia Way. *E3* 1B **52**
Porticos, The. *SW3* 3D **117**
Portland Ct. *N1* 2A **16**
Portland Ct. *SE1*. 1D **103**
Portland Ct. *SE14* 3F **129**
Portland Ho. *SW1* 2B **98**
Portland M. *W1* 4C **42**
Portland Pl. *W1* 5F **23**
Portland Rd. *W11*. 5F **35**
Portland Sq. *E1* 2F **77**
Portland St. *SE17*. 5D **103**
Portland Wlk. *SE17* 2E **125**
Portman Clo. *W1* 3C **40**
Portman Ga. *NW1* 5A **22**
Portman Mans. *W1* 1C **40**
Portman M. S. *W1*. 4D **41**
Portman M. *E2*. 3C **32**
Portman Sq. *W1* 3D **41**
Portman St. *W1*. 4D **41**
Portman Towers. *W1* 3C **40**
Portnall Rd. *W9* 1B **18**
Portobello Ct. Est. *W11* 4C **36**
Portobello M. *W11*. 1D **65**
Portobello Rd. *W10* 1F **35**
Portobello Rd. *W11* 3B **36**
Portobello Road Market. . . 1F **35**
Portpool La. *EC1* 1D **45**
Portree St. *E14*. 3E **55**
Portsea Hall. *W2* 4B **40**
Portsea M. *W2*. 4A **40**
Portsea Pl. *W2*. 4A **40**
Portsmouth M. *E16* 2A **86**
Portsmouth St. *WC2* 4B **44**
Portsoken St. *E1* 5B **48**
Portugal St. *WC2* 4B **44**
Pory Ho. *SE11* 4C **100**
Poseidon Ct. *E14* 3D **109**
Postern, The. *EC2* 2C **46**
Post Office Ct. *EC4*. 4E **47**
Post Office Way. *SW8* 4D **121**
Potier St. *SE1*. 2E **103**
Potters Fields. *SE1*. 3A **76**
Potters Lodge. *E14*. 5B **110**
Pottery La. *W11*. 2A **64**
Pottery St. *SE16*. 5F **77**
Pott St. *E2*. 3A **32**
Poultry. *EC2*. 4D **47**
Povey Ho. *SE17*. 4F **103**
Powis Ct. *W11*. 3C **36**
Powis Gdns. *W11*. 3C **36**
Powis M. *W11* 3C **36**
Powis Pl. *WC1* 5A **26**
Powis Sq. *W11* 3C **36**
(in two parts)
Powis Ter. *W11* 3C **36**
Powlett Ho. *NW1* 1F **9**
Powlett Pl. *NW1*. 1F **9**
(in two parts)
Pownall Rd. *E8*. 4C **16**
Poynter Ho. *NW8*. 4D **21**
Poynter Ho. *W11* 2E **63**
Poyser St. *E2*. 1A **32**
Praed M. *W2* 3E **39**
Praed St. *W2*. 4D **39**
Pratt M. *NW1*. 4B **10**
Pratt St. *NW1*. 4B **10**
Pratt Wlk. *SE11* 3C **100**
Preachers Ct. *EC1* 5A **28**
Prebend St. *N1*. 4B **14**

Precinct, The. *N1* 4B **14**
(in two parts)
Premier Corner. *W9* 1B **18**
Premiere Pl. *E14* 1D **81**
Premier Ho. *N1*. 2F **13**
Prescot St. *E1* 5C **48**
Prescott Ho. *SE17* 3A **124**
President Dri. *E1* 2F **77**
President Ho. *EC1* 3A **28**
President Quay. *E1*. 2C **76**
President St. *EC1*. 2B **28**
Prestage Way. *E14* 5C **54**
Preston Clo. *SE1*. 3F **103**
Preston Ho. *SE1*. 3F **103**
Preston Ho. *SE1*. 1B **104**
Preston's Rd. *E14*. 1C **82**
Preston St. *E2* 1E **33**
Prestwood Ho. *SE16*. 1F **105**
Prestwood St. *N1*. 1C **28**
Priam Ho. *E2* 1A **32**
Price Ho. *N1* 4B **14**
Price's St. *SE1* 3A **74**
Price's Yd. *N1* 4C **12**
Prideaux Pl. *WC1* 2C **26**
Priestley Ho. *EC1* 4C **28**
Priest's Ct. *EC2* 3B **46**
Prima Rd. *SW9* 4D **123**
Prime Meridian Line, The.
. . . . 4E **133**
(Greenwich Royal Observatory)
Primrose Hill. 2C **8**
Primrose Hill. *EC4* 4E **45**
Primrose Hill St. *NW3* 2B **8**
Primrose Hill Rd. *NW3*. 1A **8**
Primrose Hill Studios.
NW1 . . . . 3D **9**
Primrose M. *NW1* 2C **8**
Primrose St. *EC2* 1F **47**
Primrose Wlk. *SE14*. 4A **130**
Prince Albert Ct. *NW8* 4B **8**
Prince Albert Rd.
NW1 & NW8 . . . . 2F **21**
Prince Charles Cinema. . . . 5E **43**
Prince Consort Rd. *SW7*. . . . 1C **94**
Princedale Rd. *W11* 2F **63**
Prince Edward Mans. *W2* . . . 5E **37**
Prince Edward Theatre. . . . 4E **43**
Princelet St. *E1* 1C **48**
Prince of Wales Dri.
SW11 & SW8. . . . . 5E **119**
Prince of Wales Mans.
SW11. . . . . 5E **119**
Prince of Wales Pas. *NW1* . . 3B **24**
Prince of Wales Rd. *E16*. . . . 4C **58**
Prince of Wales Ter. *W8*. . . . 5A **66**
Prince of Wales Theatre. . . 1D **71**
Prince Regent Ct. *NW8*. 5A **8**
Prince Regent Ct. *SE16* 1A **80**
Prince Regent La.
E13 & E16. . . . . 1B **58**
Prince Regent M. *NW1*. 3B **24**
Prince Regents Ga. *NW8* . . . 4A **22**
Princes Arc. *SW1*. 2C **70**
Princes Cir. *WC2* 3F **43**
Prince's Ct. *SE16* 2B **108**
Prince's Ct. *SW3* 1B **96**
Princes Ct. Bus. Cen.
E1 . . . . 1A **78**
Prince's Gdns. *SW7* 1E **95**

Prince's Ga. SW7 . . . . 5E **67**
(in six parts)
Prince's Ga. Ct. SW7 . . . . 5E **67**
Prince's Ga. M. SW7. . . . . . . 1E **95**
Prince's M. W2. . . . . 5E **37**
Princes M. W6. . . . . 5A **90**
Princes Pl. SW1 . . . . 2C **70**
Princes Pl. W11 . . . . 2F **63**
Princes Riverside Rd.
   SE16 . . . . 2D **79**
Princess Ct. W1 . . . . 2B **40**
Princess Ct. W2 . . . . 5A **38**
Princess Louise Clo. W2. . . . 1E **39**
Princess Mary Ho. SW1 . . . . . 4E **99**
Prince's Sq. W2 . . . . 5E **37**
(in two parts)
Princess Rd. NW1 . . . . 3D **9**
Princess Rd. NW6 . . . . 1D **19**
Princess St. SE1. . . . . 2A **102**
Princes St. EC2. . . . . 4D **47**
Princes St. W1 . . . . 4A **42**
Prince's Tower. SE16 . . . . . . 4B **78**
Prince St. SE8 . . . . 2C **130**
Prince's Yd. W11 . . . . 3A **64**
Princethorpe Ho. W2 . . . . . . 1F **37**
Princeton St. WC1 . . . . 2B **44**
Printers Inn Ct. EC4 . . . . . . 3D **45**
Printer St. EC4 . . . . 3E **45**
Printing Ho. Yd. E2. . . . . . . 3A **30**
Printon Ho. E14 . . . . 2C **52**
Printwork Apartments.
   SE1 . . . . 1F **103**
Prioress St. SE1 . . . . 2E **103**
Prior St. SE10 . . . . 5B **132**
Priory Ct. EC4 . . . . 4A **46**
Priory Grn. Est. N1 . . . . 5C **12**
Priory Ho. E1 . . . . 1B **48**
Priory Ho. EC1 . . . . 4F **27**
Priory Ho. SW1 . . . . 5D **99**
Priory Pk. Rd. NW6 . . . . 3C **4**
(in two parts)
Priory Rd. NW6 . . . . 3F **5**
Priory Ter. NW6 . . . . 3F **5**
Priory Wlk. SW10. . . . . . . 1C **116**
Pritchard Ho. E2. . . . . 5F **17**
Pritchard's Rd. E2. . . . . . . 4E **17**
Priter Rd. SE16 . . . . 2E **105**
Priter Way. SE16 . . . . 2E **105**
Probyn Ho. SW1 . . . . 3E **99**
Procter Ho. SE1 . . . . 5D **105**
Procter Ho. SE5 . . . . 5E **125**
Procter St. WC1 . . . . 2B **44**
Prospect Ho. N1 . . . . 1D **27**
Prospect Ho. SE1 . . . . 2F **101**
Prospect Ho. W10 . . . . 4E **35**
Prospect Pl. E1 . . . . 2B **78**
(in two parts)
Prospect Pl. SE8 . . . . 2B **130**
Prospect St. SE16 . . . . . . 1A **106**
Prospect Wharf. E1 . . . . . . 1C **78**
Prothero Rd. SW6 . . . . . . 4A **114**
Provence St. N1 . . . . 5B **14**
Providence Ct. W1 . . . . 5E **41**
Providence Pl. N1. . . . . . . 4F **13**
Providence Row. N1. . . . . . 1B **26**
Providence Row Clo. E2. . . . 3A **32**
Providence Sq. SE1 . . . . . . 4D **77**
Providence Tower. SE16. . . . 4D **77**
Providence Yd. E2 . . . . 2D **31**

Provost Ct. NW3 . . . . 1B **8**
Provost Est. N1 . . . . 2D **29**
Provost Rd. NW3. . . . . 1C **8**
Provost St. N1. . . . . 1D **29**
Prowse Pl. NW1. . . . . 1B **10**
Prudent Pas. EC2 . . . . 4C **46**
Prusom's Island. E1 . . . . . . 2B **78**
Prusom St. E1 . . . . 2A **78**
Pudding La. EC3. . . . . 1E **75**
Puddle Dock. EC4. . . . . . . 5A **46**
(in two parts)
Pugin Ct. N1. . . . . 2E **13**
Pulham Ho. SW8 . . . . 5B **122**
Pullen's Bldgs. SE17. . . . . 5A **102**
Pulteney Ter. N1. . . . . 4C **12**
(in two parts)
Pulton Pl. SW6 . . . . 5D **115**
Puma Ct. E1. . . . . 1B **48**
Pump Ct. EC4 . . . . 4D **45**
Pump Ho. Clo. SE16. . . . . . 5C **78**
Pump La. SE14 . . . . 4C **128**
Punderson's Gdns. E2 . . . . 2A **32**
Purbeck Ho. SW8. . . . . . . 5B **122**
Purbrook Est. SE1 . . . . . . 5A **76**
Purbrook St. SE1. . . . . . . 1A **104**
Purcell Ho. SW10. . . . . . . 3D **117**
Purcell Mans. W14. . . . . . 3A **114**
Purcell Room. 2C **72**
Purcell St. N1. . . . . 5F **15**
Purchese St. NW1 . . . . 5D **11**
Purley Pl. N1 . . . . 1F **13**
Pusey Ho. E14. . . . . 4E **53**
Puteaux Ho. E2 . . . . 1D **33**
Pylon Trad. Est. E16. . . . . . 1F **55**
Pynfolds. SE16. . . . . 5A **78**

Q

Quadrangle Clo. SE1. . . . . . 3F **103**
Quadrangle, The. W2 . . . . . . 3F **39**
Quadrangle, The. W12 . . . . . 4A **34**
Quadrant Arc. W1. . . . . 1C **70**
Quadrant Ho. SE1. . . . . 3F **73**
Quain Mans. W14. . . . . 3A **114**
Quaker Ct. E1. . . . . 5B **30**
Quaker Ct. EC1. . . . . 4C **28**
Quaker St. E1. . . . . 5B **30**
Quality Ct. WC2 . . . . 3D **45**
Quarley Way. SE15. . . . . . 4B **126**
Quarterdeck, The. E14 . . . . 5D **81**
Quastel Ho. SE1. . . . . 5D **75**
Quay Ho. E14. . . . . 4E **81**
Quayside Cotts. E1. . . . . . . 2D **77**
Quayside Ct. SE16 . . . . . . 2D **79**
Quayside Ho. E14. . . . . 3D **81**
Quay Vw. Apartments.
   E14 . . . . 2E **109**
Quebec M. W1. . . . . 4C **40**
Quebec Way. SE16. . . . . . . 5E **79**
Quebec Way Ind. Est.
   SE16 . . . . 1F **107**
Quedgeley Ct. SE15 . . . . . 3B **126**
Queen Alexandra Mans.
   WC1. . . . . 2F **25**
Queen Anne Ho. E16. . . . . . 2E **85**
Queen Anne M. W1 . . . . 2A **42**
Queen Anne's Ct. SE10. . . . 1D **133**
Queen Anne's Ga. SW1 . . . . 5D **71**

Queen Anne St. W1 . . . . 3F **41**
Queen Anne's Wlk. WC1. . . . . 5A **26**
Queen Anne Ter. E1 . . . . 1A **78**
Queen Caroline St. W6. . . . . . 4C **90**
(in two parts)
Queen Catherine Ho.
   SW6 . . . . 4A **116**
Queen Elizabeth Bldgs.
   EC4. . . . . 5D **45**
Queen Elizabeth Hall. . . . 2B **72**
Queen Elizabeth II
   Conference Cen. 5E **71**
Queen Elizabeth's College.
   SE10 . . . . 4B **132**
Queen Elizabeth St. SE1. . . . 4A **76**
Queenhithe. EC4. . . . . 5C **46**
Queen Isabella Way. EC1 . . . 3A **46**
Queen Margaret Flats. E2 . . . 2A **32**
Queen Mary Ho. E16. . . . . . . 2F **85**
(off Wesley Av.)
Queen Marys Bldgs. SW1. . . . 3C **98**
Queen Mary's Ct. SE10. . . . . 2D **133**
Queen of Denmark Ct.
   SE16 . . . . 1B **108**
Queensberry M. W. SW7 . . . . 3D **95**
Queensberry Pl. SW7. . . . . . 3D **95**
Queensberry Way. SW7. . . . . 3D **95**
Queensborough M. W2 . . . . . 5B **38**
Queensborough Pas. W2 . . . . 5B **38**
Queensborough Studios.
   W2 . . . . 5B **38**
Queensborough Ter. W2. . . . . 5A **38**
Queensbridge Ct. E2. . . . . . 5C **16**
Queensbridge Rd. E8 & E2. . . 3C **16**
Queensbury St. N1. . . . . . . 2C **14**
Queen's Cir. SW8 . . . . 5F **119**
Queen's Club Gdns. W14 . . . 2A **114**
Queen's Club (Tennis). . . . 1A **114**
Queen's Ct. NW8 . . . . 5D **7**
Queens Ct. W2. . . . . 1A **66**
Queensdale Cres. W11 . . . . . 2E **63**
Queensdale Pl. W11 . . . . 3F **63**
Queensdale Rd. W11 . . . . . . 3E **63**
Queensdale Wlk. W11. . . . . . 3F **63**
Queen's Elm Pde. SW3. . . . . 5E **95**
(off Old Church St.)
Queen's Elm Sq. SW3. . . . . . 1E **117**
Queens Gallery. 5A **70**
Queen's Gdns. W2 . . . . 5B **38**
Queen's Ga. SW7. . . . . 5C **66**
Queen's Ga. Gdns. SW7. . . . 2B **94**
Queen's Ga. M. SW7. . . . . . 5C **66**
Queensgate Pl. NW6 . . . . . . 2D **5**
Queen's Ga. Pl. SW7 . . . . . . 2C **94**
Queen's Ga. Pl. M. SW7. . . . 2C **94**
Queen's Ga. Ter. SW7. . . . . . 1B **94**
Queen's Gro. NW8 . . . . 4D **7**
Queen's Gro. Studios.
   NW8 . . . . 4D **7**
Queen's Head Pas. EC4 . . . . 3B **46**
Queen's Head St. N1. . . . . . 4A **14**
Queen's Head Yd. SE1 . . . . . 3D **75**
Queens Ho. SW8 . . . . 4A **122**
Queen's House, The. 3D **133**
Queen's Ice Club. 1A **66**
(off Queensway)
Queensland Ho. E16. . . . . . . 3D **89**
Queen's Mans. W6. . . . . 3D **91**
Queensmead. NW8. . . . . . . 3E **7**

Queen's M. *W2* 5F **37**
(in two parts)
Queen's Pk. Rangers F.C.
(Loftus Rd.) 2A **62**
Queen Sq. *WC1* 5A **26**
Queen Sq. Pl. *WC1* 5A **26**
Queen's Quay. *EC4* 5B **46**
Queen's Row. *SE17* 2D **125**
Queens Ter. *E1* 5B **32**
Queen's Ter. *NW8* 4D **7**
Queen's Theatre. 5D **43**
Queenstown Rd. *SW8* 3F **119**
Queen St. *EC4* 5C **46**
(in two parts)
Queen St. *W1* 2F **69**
Queen St. Pl. *EC4* 1C **74**
Queen's Wlk. *SW1* 2B **70**
Queen's Wlk., The. *SE1* 1E **73**
(Barge Ho. St.)
Queen's Wlk., The. *SE1* 2E **75**
(Morgan's La.)
Queen's Wlk., The. *SE1* 2C **72**
(Waterloo Rd.)
Queensway. *W2* 3A **38**
Queen's Yd. *W1* 5C **24**
Queen Victoria Memorial.
. . . . 5B **70**
Queen Victoria Seaman's Rest.
E14 . . . . 4F **53**
Queen Victoria St. *EC4* 5F **45**
Queen Victoria Ter. *E1* 1A **78**
Quendon Ho. *W10* 1B **34**
Quenington Ct. *SE15* 3B **126**
Quentin Ho. *SE1* 5E **73**
(in two parts)
Quex M. *NW6* 3E **5**
Quex Rd. *NW6* 3E **5**
Quick St. *N1* 1A **28**
Quick St. M. *N1* 1F **27**
Quickswood. *NW3* 1A **8**
Quilp St. *SE1* 4B **74**
(in two parts)
Quilter Ho. *W10* 2B **18**
Quilter St. *E2* 2D **31**
Quilting Ct. *SE16* 4D **79**
Quinton Ho. *SW8* 4F **121**
Quixley St. *E14* 5D **55**

R

Rabbit Row. *W8* 2E **65**
Raby St. *E14* 3F **51**
Rackstraw Ho. *NW3* 1B **8**
Racton Rd. *SW6* 3D **115**
R.A.D.A 1D **43**
(Chenies St.)
R.A.D.A 1E **43**
(Gower St.)
Radcliffe Ho. *SE16* 4F **105**
Radcliffe Rd. *SE1* 1A **104**
Radcot St. *SE11* 1E **123**
Raddington Rd. *W10* 2A **36**
Radford Ho. *E14* 2A **54**
Radipole Rd. *SW6* 5B **114**
Radland Rd. *E16* 4C **56**
Radlett Pl. *NW8* 4F **7**
Radley Ct. *SE16* 4E **79**
Radley Ho. *NW1* 4B **22**

Radley M. *W8* 2E **93**
Radley Ter. *E16* 1B **56**
Radnor M. *W2* 4E **39**
Radnor Pl. *W2* 4F **39**
Radnor Rd. *NW6* 4A **4**
Radnor Rd. *SE15* 4D **127**
Radnor St. *EC1* 3C **28**
Radnor Ter. *W14* 3B **92**
Radnor Wlk. *E14* 3E **109**
Radnor Wlk. *SW3* 1A **118**
Radstock St. *SW11* 5F **117**
(in two parts)
Ragged School Mus. 1A **52**
Railway App. *SE1* 3E **75**
Railway Arches. *W12* 4B **62**
Railway Av. *SE16* 4C **78**
(in two parts)
Railway Cotts. *W6* 5C **62**
Railway Gro. *SE14* 4B **130**
Railway M. *W11* 3A **36**
Railway Mus. 4E **89**
Railway St. *N1* 1A **26**
Rainbow Av. *E14* 5F **109**
Rainbow Ct. *SE14* 3F **129**
Rainbow Quay. *SE16* 2B **108**
(in two parts)
Rainbow St. *SE5* 5F **125**
Raine St. *E1* 2A **78**
Rainham Ho. *NW1* 4C **10**
Rainsborough Av. *SE8* 4F **107**
Rainsford St. *W2* 3F **39**
Rainton Rd. *SE7* 5E **113**
Raleana Rd. *E14* 2C **82**
Raleigh Ct. *SE16* 3D **79**
Raleigh Ct. *W12* 5B **62**
Raleigh Ho. *E14* 4F **81**
Raleigh Ho. *SW1* 2D **121**
Raleigh M. *N1* 4A **14**
Raleigh St. *N1* 4A **14**
Ralph Brook Ct. *N1* 2E **29**
Ralph Ct. *W2* 3A **38**
Ralston St. *SW3* 1B **118**
Ramac Ind. Est. *SE7* 5F **113**
Ramac Way. *SE7* 4F **113**
Ramar Ho. *E1* 1D **49**
Ramillies Pl. *W1* 4B **42**
Ramillies St. *W1* 4B **42**
Rampart St. *E1* 4F **49**
Rampayne St. *SW1* 5D **99**
Ramsay Ho. *NW8* 5F **7**
Ramsay M. *SW3* 2F **117**
Ramsey Ho. *SW9* 5E **123**
Ramsey St. *E2* 4E **31**
Ramsfort Ho. *SE16* 4F **105**
Ramsgate Clo. *E16* 3F **85**
Randall Pl. *SE10* 4B **132**
Randall Rd. *SE11* 5B **100**
Randall Row. *SE11* 4B **100**
Randalls Rents. *SE16* 1B **108**
Randell's Rd. *N1* 3A **12**
(in two parts)
Randolph App. *E16* 4C **58**
Randolph Av. *W9* 1F **19**
Randolph Cres. *W9* 5B **20**
Randolph Gdns. *NW6* 1F **19**
Randolph M. *W9* 5C **20**
Randolph Rd. *W9* 5B **20**
Randolph St. *NW1* 2C **10**
Ranelagh Bri. *W2* 2A **38**

Ranelagh Gro. *SW1* 5E **97**
Ranelagh Ho. *SW3* 5B **96**
Ranelagh Rd. *SW1* 1C **120**
Rangoon St. *EC3* 4B **48**
Rankine Ho. *SE1* 2B **102**
Ransome's Dock Bus. Cen.
SW11 . . . . 5A **118**
Ranston St. *NW1* 1F **39**
Raphael Ct. *SE16* 5A **106**
Raphael St. *SW7* 5B **68**
Rapley Ho. *E2* 3D **31**
Rashleigh Ho. *WC1* 3F **25**
Ratcliff. 4E **51**
Ratcliffe Cross St. *E1* 4E **51**
Ratcliffe Ho. *E14*. 3F **51**
Ratcliffe La. *E14* 4F **51**
Ratcliffe Orchard. *E1*. 5E **51**
Rathbone Ho. *E16* 3B **56**
Rathbone Ho. *NW6* 4D **5**
Rathbone Mkt. *E16*. 2B **56**
Rathbone Pl. *W1* 2D **43**
Rathbone St. *E16*. 2B **56**
Rathbone St. *W1* 2C **42**
Rathmore Rd. *SE7* 5F **113**
Raven Ho. *SE16*. 3D **107**
Raven Row. *E1*. 1A **50**
(in two parts)
Ravensbourne Ho. *NW8* 1F **39**
Ravensbourne Mans. *SE8*. . . 3E **131**
Ravenscar. *NW1*. 4B **10**
Ravenscourt Pk. Mans.
W6 . . . . 2A **90**
Ravenscroft Clo. *E16* 1D **57**
Ravenscroft Rd. *E16*. 1E **57**
Ravenscroft St. *E2* 1C **30**
Ravensdon St. *SE11* 1E **123**
Ravenstone. *SE17* 1A **126**
Ravensworth Ct. *SW6* 5C **114**
Ravent Rd. *SE11* 4C **100**
Ravey St. *EC2*. 4F **29**
Rawalpindi Ho. *E16* 1B **56**
Rawlings St. *SW3* 3B **96**
Rawlinson Point. *E16*. 2B **56**
Rawreth Wlk. *N1* 3C **14**
Rawsthorne Clo. *E16* 3B **88**
Rawstorne Pl. *EC1* 2F **27**
Rawstorne St. *EC1* 2F **27**
Rayburne Ct. *W14* 1F **91**
Ray Gunter Ho. *SE17*. 1A **124**
Ray Ho. *N1* 4E **15**
Rayleigh Rd. *E16* 2A **86**
Raymede Towers. *W10*. 1E **35**
Raymond Bldgs. *WC1* 1C **44**
Raymond Revuebar. 5D **43**
Raymouth Rd. *SE16*. 3A **106**
Rayne Ho. *W9* 4F **19**
Rayner Ct. *W12* 5C **62**
Raynham. *W2*. 3F **39**
Raynham Ho. *E1* 4D **33**
Raynham Rd. *W6*. 3A **90**
Raynor Pl. *N1* 3C **14**
Ray St. *EC1* 5E **27**
Ray St. Bri. *EC1* 5E **27**
Reachview Clo. *NW1* 2C **10**
Reade Ho. *SE10*. 2E **133**
Read Ho. *SE11*. 2D **123**
Reading Ho. *SE15* 3E **127**
Reading Ho. *W2*. 3A **38**
Reapers Clo. *NW1* 3D **11**

Reardon Ho. *E1* 2A **78**
Reardon Path. *E1* 3A **78**
(in two parts)
Reardon St. *E1* 2F **77**
Reaston St. *SE14* 4C **128**
Record St. *SE15* 2B **128**
Rector St. *N1* 4B **14**
Rectory Sq. *E1* 1E **51**
Reculver Ho. *SE15* 2C **128**
Reculver Rd. *SE16* 5D **107**
Red Anchor Clo. *SW3* 3E **117**
Redan Pl. *W2* 4F **37**
Redan St. *W14* 1D **91**
Redbourne Ho. *E14* 3B **52**
Redbourn Ho. *W10* 1B **34**
Redbridge Gdns. *SE5* 5A **126**
Redburn St. *SW3* 2B **118**
Redcar St. *SE5* 5B **124**
Redcastle Clo. *E1* 5B **50**
Redchurch St. *E2* 4B **30**
Redcliffe Clo. *SW5* 1F **115**
Redcliffe Gdns.
SW5 & SW10 . . . . 1A **116**
Redcliffe M. *SW10* 1A **116**
Redcliffe Pl. *SW10* 3B **116**
Redcliffe Rd. *SW10* 1B **116**
Redcliffe Sq. *SW10* 1A **116**
Redcliffe St. *SW10* 2A **116**
Redclyf Ho. *E1* 4C **32**
Redcross Way. *SE1* 4C **74**
Reddins Rd. *SE15* 3D **127**
Rede Pl. *W2* 4E **37**
Redesdale St. *SW3* 2A **118**
Redfield La. *SW5* 3E **93**
Redfield M. *SW5* 3E **93**
Redford Ho. *W10* 2B **18**
Redford Wlk. *N1* 3A **14**
Redgrave Ter. *E2* 3E **31**
Redhill St. *NW1* 1A **24**
Red Ho. Sq. *N1* 1C **14**
Redington Ho. *N1* 5C **12**
Red Lion Clo. *SE17* 2D **125**
Red Lion Ct. *EC4* 4E **45**
Red Lion Ct. *SE1* 2C **74**
Red Lion Row. *SE17* 2C **124**
Red Lion Sq. *WC1* 2B **44**
Red Lion St. *WC1* 1B **44**
Red Lion Yd. *W1* 2F **69**
Redman Ho. *EC1* 1D **45**
Redman Ho. *SE1* 5C **74**
Redman's Rd. *E1* 1B **50**
Redmead La. *E1* 3D **77**
Redmill Ho. *E1* 5A **32**
Redmond Ho. *N1* 4C **12**
Redmore Rd. *W6* 3A **90**
Red Pl. *W1* 5D **41**
Redriff Est. *SE16* 1A **108**
Redriff Rd. *SE16* 3D **107**
Redrup Ho. *SE14* 3D **129**
Redstart Clo. *E6* 1F **59**
Redstart Clo. *SE14* 4F **129**
Redvers St. *N1* 2A **30**
Redwood Clo. *SE16* 3A **80**
Redwood Ct. *NW6* 2A **4**
Redwood Mans. *W8* 2F **93**
Reece M. *SW7* 3D **95**
Reed Clo. *E16* 2D **57**
Reed's Pl. *NW1* 1B **10**
Reedworth St. *SE11* 4E **101**
Reef Ho. *E14* 1C **110**
Rees St. *N1* 4C **14**
Reeves Ho. *SE1* 5D **73**
Reeves M. *W1* 1D **69**
Reflection, The. *E16* 4F **89**
Regal Clo. *E1* 1E **49**
Regal La. *NW1* 4E **9**
Regal Pl. *SW6* 5A **116**
Regan Way. *N1* 5F **15**
Regency Ho. *E16* 2E **85**
Regency Ho. *NW1* 4A **24**
Regency Lodge. *NW3* 2D **7**
Regency M. *SW9* 5A **124**
Regency Pl. *SW1* 3E **99**
Regency St. *SW1* 3E **99**
Regency Ter. *SW7* 5D **95**
Regent Ct. *NW8* 3F **21**
Regent Ho. *W14* 3F **91**
Regent Pl. *W1* 5C **42**
Regent's Bri. Gdns. *SW8* 4A **122**
Regents Canal Ho. *E14* 4A **52**
Regent's College. **4D 23**
Regents Ct. *E8* 4C **16**
Regents Ga. Ho. *E14* 5F **51**
Regents M. *NW8* 5C **6**
Regent's Park. **3A 24**
Regent's Pk. **1C 22**
Regents Pk. Est. *NW1* 2B **24**
Regent's Pk. Gdns. M.
NW1 . . . . 3C **8**
Regent's Pk. Ho. *NW8* 3A **22**
Regent's Pk. Open Air Theatre.
. . . . **3D 23**
Regent's Pk. Rd. *NW1* 2C **8**
(in two parts)
Regent's Pk. Ter. *NW1* 3F **9**
Regents Plaza. *NW6* 5F **5**
Regent Sq. *WC1* 3A **26**
Regent's Row. *E8* 4D **17**
Regent St. *SW1* 1D **71**
Regent St. *W1* 3A **42**
Regents Wharf. *E8* 4F **17**
Regents Wharf. *N1* 5B **12**
Reginald Pl. *SE8* 5D **131**
Reginald Rd. *SE8* 5D **131**
Reginald Sq. *SE8* 5D **131**
Regina Point. *SE16* 1C **106**
Regis Ct. *NW1* 1B **40**
Regis Ho. *W1* 1E **41**
Regnart Bldgs. *NW1* 4C **24**
Relay Rd. *W12* 1C **62**
Reliance Sq. *EC2* 4A 30
Relton M. *SW7* 1A **96**
Rembold Ho. *SE10* 5B **132**
Rembrandt Clo. *E14* 2D **111**
Rembrandt Clo. *SW1* 5D **97**
Rembrandt Ct. *SE16* 5A **106**
Remington Rd. *E6* 3F **59**
Remington St. *N1* 1A **28**
Remnant St. *WC2* 3B **44**
Remsted Ho. *NW6* 4F **5**
Remus Building, The.
EC1 . . . . 3E **27**
Renforth St. *SE16* 5C **78**
Renfrew Clo. *E6* 5D **61**
Renfrew Rd. *SE11* 3F **101**
Rennie Cotts. *E1* 4C **32**
Rennie Ct. *SE1* 2F **73**
Rennie Est. *SE16* 4A **106**
Rennie Ho. *SE1* 2B **102**
Rennie St. *SE1* 2F **73**
(in two parts)
Renoir Cinema. **5A 26**
Renoir Ct. *SE16* 5A **106**
Renovation, The. *E16* 4F **89**
Rephidim St. *SE1* 2E **103**
Reporton Rd. *SW6* 5A **114**
Repton Ho. *E14* 3F **51**
Repton Ho. *SW1* 4C **98**
Repton St. *E14* 3A **52**
Reservoir Studios. *E1* 4E **51**
Restell Clo. *SE3* 2F **133**
Reston Pl. *SW7* 5B **66**
Restormel Ho. *SE11* 4E **101**
Retford St. *N1* 1A **30**
Reunion Row. *E1* 1A **78**
Reveley Sq. *SE16* 5A **80**
Reverdy Rd. *SE1* 4D **105**
Rewell St. *SW6* 5B **116**
Rex Pl. *W1* 1E **69**
Reynard Pl. *SE14* 3A **130**
Reynolds Ho. *NW8* 1E **21**
Reynolds Ho. *SW1* 4E **99**
Rheidol M. *N1* 5B **14**
Rheidol Ter. *N1* 5A **14**
Rhoda St. *E2* 4C **30**
Rhodes Ho. *N1* 2D **29**
Rhodes Ho. *W12* 2A **62**
Rhodeswell Rd. *E14* 1A **52**
Ribblesdale Ho. *NW6* 3E **5**
Ricardo St. *E14* 4F **53**
Riceyman Ho. *WC1* 3D **27**
Richard Anderson Ct.
SE14 . . . . 4D **129**
Richard Ho. *SE16* 4C **106**
Richard Ho. Dri. *E16* 4E **59**
Richard Neale Ho. *E1* 5A **50**
Richardson Clo. *E8* 3B **16**
Richardson's M. *W1* 5B **24**
Richard's Pl. *SW3* 3A **96**
Richard St. *E1* 3F **49**
Richbell Pl. *WC1* 1B **44**
Richborne Ter. *SW8* 4B **122**
Richborough Ho. *SE15* 3C **128**
Richford Ga. *W6* 1B **90**
Richford St. *W6* 5B **62**
Rich Ind. Est. *SE15* 3A **128**
Rich La. *SW5* 1F **115**
Richman Ho. *SE8* 1B **130**
Richmond Av. *N1* 3C **12**
Richmond Bldgs. *W1* 4D **43**
Richmond Cotts. *W14* 3A **92**
Richmond Ct. *SW1* 5C **68**
Richmond Cres. *N1* 3C **12**
Richmond Gro. *N1* 2F **13**
(in two parts)
Richmond Ho. *NW1* 1A **24**
Richmond Ho. *SE17* 5D **103**
Richmond M. *W1* 4D **43**
Richmond Rd. *E8* 1B **16**
Richmond Ter. *SW1* 4F **71**
Richmond Way.
W12 & W14 . . . . 4E **63**
Rich St. *E14* 5C **52**
Rickett St. *SW6* 2E **115**
Rickman Ho. *E1* 3C **32**
Rickman St. *E1* 3C **32**
Riddell Ct. *SE5* 5B **104**

Ridgewell Clo. *N1* 3C **14**
Ridgmount Gdns. *WC1* 5D **25**
Ridgmount Pl. *WC1* 1D **43**
Ridgmount St. *WC1* 1D **43**
Ridgwell Rd. *E16* 1C **58**
Riding Ho. St. *W1* 2A **42**
Rifle Ct. *SE11* 2E **123**
Rifle St. *E14* 2A **54**
Riga Ho. *E1* 1E **51**
Rigden St. *E14* 4F **53**
Riley Ho. *SW10* 4D **117**
Riley Rd. *SE1* 1A **104**
Riley St. *SW10* 3D **117**
Rill Ho. *SE5* 5E **125**
Ring Ho. *E1* 5B **50**
Ringlet Clo. *E16* 2F **57**
Ring Rd. *W12* 1B **62**
Ringsfield Ho. *SE17* 1C **124**
Ring, The. *W2* 1E **67**
(in three parts)
Ringwood Gdns. *E14* 3E **109**
Ripley Ho. *SW1* 2B **120**
Ripley Rd. *E16* 3B **58**
Ripplevale Gro. *N1* 2C **12**
Risborough. *SE17* 3B **102**
Risborough Ho. *NW8* 4A **22**
Risborough St. *SE1* 4A **74**
Risdon Ho. *SE16* 5C **78**
Risdon St. *SE16* 5B **78**
Risinghill St. *N1* 5D **13**
Rising Sun Ct. *EC1* 2A **46**
Rita Rd. *SW8* 3A **122**
Ritchie Ho. *E14* 4D **55**
Ritchie Ho. *SE16* 1B **106**
Ritchie St. *N1* 5E **13**
Ritson Ho. *N1* 4B **12**
Riven Ct. *W2* 4A **38**
River Barge Clo. *E14* 5C **82**
River Ct. *SE1* 1F **73**
Riverfleet. *WC1* 2A **26**
River Pl. *N1* 2B **14**
Riverside. *SE7* 2F **113**
(in two parts)
Riverside. *WC1* 2A **26**
Riverside Ct. *SW8* 2E **121**
Riverside Gdns. *W6* 5A **90**
Riverside Ho. *N1* 1B **14**
Riverside Mans. *E1* 2B **78**
Riverside Wlk. *SE10* 2F **111**
(Morden Wharf Rd.)
Riverside Wlk. *SE10* 5E **83**
(Tunnel Av.)
Riverside Workshops.
SE1 . . . . 2C **74**
River St. *EC1* 2D **27**
River Ter. *WC2* 1B **72**
Riverton Clo. *W9* 3C **18**
Riverview Heights. *SE16* . . . 4D **77**
River Way. *SE10* 1B **112**
Rivet Ho. *SE1* 5C **104**
Rivington Bldgs. *EC2* 3F **29**
Rivington Pl. *EC2* 3A **30**
Rivington St. *EC2* 3F **29**
Rivington Wlk. *E8* 3E **17**
Roan St. *SE10* 3B **132**
Robert Adam St. *W1* 3D **41**
Roberta St. *E2* 2D **31**
Robert Bell Ho. *SE16* 3D **105**
Robert Clo. *W9* 5C **20**

Robert Dashwood Way.
SE17 . . . . 4B **102**
Robert Gentry Ho. *W14* 1A **114**
Robert Jones Ho. *SE16* 3D **105**
Robert Lowe Clo. *SE14* 4E **129**
Roberts Clo. *SE16* 5E **79**
Roberts Ct. *N1* 4A **14**
Roberts M. *SW1* 2D **97**
Roberts Pl. *EC1* 4E **27**
Robert St. *E16* 3F **89**
Robert St. *NW1* 3A **24**
Robert St. *WC2* 1A **72**
Robert Sutton Ho. *E1* 4B **50**
Robeson St. *E3* 1C **52**
Robin Ct. *E14* 1C **110**
Robin Ct. *SE16* 3D **105**
Robin Cres. *E6* 1E **59**
Robin Hood Gdns. *E14* 5B **54**
(in two parts)
Robin Hood La. *E14* 5C **54**
Robin Ho. *NW8* 1F **21**
Robinson Ct. *N1* 3A **14**
Robinson Ho. *E14* 2D **53**
Robinson Ho. *W10* 4D **35**
Robinson Rd. *E2* 1B **32**
Robinson St. *SW3* 2B **118**
Robson Clo. *E6* 3F **59**
Roby Ho. *EC1* 4B **28**
Rochdale Way. *SE8* 4D **131**
Roche Ho. *E14* 5C **52**
Rochelle St. *E2* 3B **30**
(in two parts)
Rochemont Wlk. *E8* 4D **17**
Rochester Ct. *E2* 4F **31**
Rochester Ct. *NW1* 1C **10**
Rochester Ho. *SE1* 5D **75**
Rochester Ho. *SE15* 3C **128**
Rochester M. *NW1* 1C **10**
Rochester Pl. *NW1* 1B **10**
Rochester Rd. *NW1* 1B **10**
Rochester Row. *SW1* 3C **98**
Rochester Sq. *NW1* 1C **10**
Rochester St. *SW1* 2D **99**
Rochester Ter. *NW1* 1B **10**
Rochester Wlk. *SE1* 3D **75**
Rochford Wlk. *E8* 1E **17**
Rochfort Ho. *SE8* 1B **130**
Rockfield Ho. *SE10* 2B **132**
Rock Gro. Way. *SE16* 3E **105**
(in two parts)
Rockingham St. *SE1* 2B **102**
Rockley Ct. *W14* 5D **63**
Rockley Rd. *W14* 4D **63**
Rockwood Pl. *W12* 4C **62**
Rocliffe St. *N1* 1A **28**
Rocque Ho. *SW6* 4B **114**
Rodborough Ct. *W9* 5D **19**
Roderick Ho. *SE16* 3B **106**
Rodin Ct. *N1* 4F **13**
Roding Ho. *N1* 4D **13**
Roding M. *E1* 2E **77**
Roding Rd. *E6* 1F **61**
Rodmarton St. *W1* 2C **40**
Rodmell. *WC1* 3A **26**
Rodmere St. *SE10* 5A **112**
Rodney Ct. *W9* 4C **20**
Rodney Ho. *E14* 4F **109**
Rodney Ho. *N1* 1C **26**
Rodney Ho. *SW1* 1C **120**

Rodney Ho. *W11* 5D **37**
Rodney Pl. *SE17* 3C **102**
Rodney Rd. *SE17* 3C **102**
(in two parts)
Rodney St. *N1* 5C **12**
Roebourne Way. *E16* 3D **89**
Roebuck Ho. *SW1* 1B **98**
Roffey St. *E14* 5B **82**
Roger Dowley Ct. *E2* 1B **32**
Rogers Ct. *E14* 1D **81**
Rogers Est. *E2* 3C **32**
Rogers Ho. *SW1* 3E **99**
Rogers Rd. *E16* 3C **56**
Roger St. *WC1* 5C **26**
Rohere Ho. *EC1* 2B **28**
Roland Gdns. *SW7* 5C **94**
Roland Ho. *SW7* 5C **94**
Roland M. *E1* 1D **51**
Roland Way. *SE17* 1E **125**
Roland Way. *SW7* 5C **94**
Rollins St. *SE15* 2C **128**
Rolls Bldgs. *EC4* 3D **45**
Rolls Pas. *EC4* 3D **45**
Rolls Rd. *SE1* 5C **104**
Rolt St. *SE8* 2F **129**
(in two parts)
Roman Ho. *EC2* 2C **46**
Roman Rd. *E2 & E3* 3B **32**
Roman Way. *N7* 1C **12**
Roman Way. *SE15* 5B **128**
Roman Way Ind. Est. *N7* . . . 1C **12**
Romer Ho. *W10* 2B **18**
Romford St. *E1* 2E **49**
Romilly St. *W1* 5E **43**
Romney Clo. *SE14* 5C **128**
Romney Ct. *W12* 4C **62**
Romney M. *W1* 1D **41**
Romney Rd. *SE10* 3C **132**
Romney St. *SW1* 2E **99**
Ronald Buckingham Ct.
SE16 . . . . 4C **78**
Ronald St. *E1* 4C **50**
Rood La. *EC3* 5F **47**
Rooke Way. *SE10* 5B **112**
Rook Wlk. *E6* 3F **59**
Roosevelt Memorial. 5E **41**
Rootes Dri. *W10* 1D **35**
Ropemaker Rd. *SE16* 1F **107**
Ropemaker's Fields. *E14*. . . . 1B **80**
Ropemaker St. *EC2* 1D **47**
Roper La. *SE1* 5A **76**
Ropers Orchard. *SW3* 3F **117**
Rope St. *SE16* 3F **107**
Rope Wlk. Gdns. *E1* 3E **49**
Ropewalk M. *E8*. 2D **17**
Ropley St. *E2* 1D **31**
Rosalind Ho. *N1* 1A **30**
Rosaline Rd. *SW6* 5A **114**
Rosaline Ter. *SW6* 5A **114**
Rosary Gdns. *SW7* 4B **94**
Rosaville Rd. *SW6* 5B **114**
Roscoe St. *EC1* 5C **28**
(in two parts)
Roscoe St. Est. *EC1* 5C **28**
Rose All. *EC2* 2A **48**
Rose All. *SE1* 2C **74**
Rose & Crown Ct. *EC2* 3B **46**
Rose & Crown Yd. *SW1* 3C **70**
Rosebank Wlk. *NW1* 1E **11**

Roseberry St. *SE1* 4F **105**
Rosebery Av. *EC1*. 5D **27**
Rosebery Ct. *EC1*. 4D **27**
Rosebery Ho. *E2* 1D **33**
Rosebery Sq. *EC1* 5D **27**
Rose Ct. *E1* 2B **48**
Rose Ct. *E8* 1C **16**
Rose Ct. *SE16* 3E **107**
Rosedale Ter. *W6* 2A **90**
Rosefield Gdns. *E14*. 5D **53**
Roseford Ct. *W12* 5D **63**
Rosehart M. *W11*. 4D **37**
Rosemary Ct. *SE8* 2B **130**
Rosemary Dri. *E14*. 4D **55**
Rosemary Ho. *N1*. 4E **15**
Rosemary Rd. *SE15*. 4C **126**
Rosemary St. *N1* 3D **15**
Rosemoor St. *SW3* 4B **96**
Roserton St. *E14* 5B **82**
Rose Sq. *SW3* 4E **95**
Rose St. *EC4* 3A **46**
Rose St. *WC2*. 5F **43**
(in two parts)
Rosetta Clo. *SW8*. 5A **122**
Rosewood Ho. *SW8*. 2B **122**
Roslin Ho. *E1*. 5D **51**
Rosmead Rd. *W11*. 5A **36**
Rosoman Pl. *EC1* 4E **27**
Rosoman St. *EC1*. 3E **27**
Rosscourt Mans. *SW1*. . . . 1A **98**
Rossendale Way. *NW1*. . . . 2C **10**
Rossetti Ct. *WC1* 1D **43**
Rossetti Ho. *SW1*. 4E **99**
Rossetti M. *NW8* 4E **7**
Rossetti Rd. *SE16*. 5F **105**
Ross Ho. *E1*. 3A **78**
Rosslyn Mans. *NW6*. 1C **6**
Rossmore Clo. *NW1*. 5A **22**
Rossmore Ct. *NW1* 4B **22**
Rossmore Rd. *NW1* 5A **22**
Rotary St. *SE1* 1F **101**
Rothay. *NW1* 2A **24**
Rothbury Hall. *SE10*. 4A **112**
Rotherfield Ct. *N1* 2D **15**
(in two parts)
Rotherfield St. *N1* 2B **14**
Rotherham Wlk. *SE1* 3F **73**
Rotherhithe. **5B 78**
Rotherhithe New Rd.
    SE16 . . . . 1E **127**
Rotherhithe Old Rd. *SE16*. . . 3D **107**
Rotherhithe St. *SE16* 4B **78**
Rotherhithe Tunnel.
    SE16 & E1. . . . . 3D **79**
Rotherwick Ho. *E1*. 1D **77**
Rothery St. *N1*. 3A **14**
Rothesay Ct. *SE11*. 3D **123**
Rothley Ct. *NW8* 4D **21**
Rothsay St. *SE1* 1F **103**
Rothsay Wlk. *E14*. 3E **109**
Rothwell St. *NW1*. 3C **8**
Rotten Row. *SW7 & SW1*. . . . 4E **67**
Rotterdam Dri. *E14* 2C **110**
Rouel Rd. *SE16* 1D **105**
(Old Jamaica Rd.)
Rouel Rd. *SE16* 3D **105**
(Yalding Rd.)
Roundhouse Theatre, The.
    . . . . 1D **9**

Roupell St. *SE1* 3E **73**
Rousden St. *NW1*. 2B **10**
Routh St. *E6* 2C **60**
Rover Ho. *N1*. 4A **16**
Rowallan Rd. *SW6*. 5A **114**
Rowan Ct. *SE15*. 4B **126**
Rowan Ho. SE16 . . . . 5D **79**
(off Woodland Cres.)
Rowan Lodge. *W8* 2F **93**
Rowan Rd. *W6*. 4D **91**
Rowan Ter. *W6* 3D **91**
Rowcross St. *SE1* 5B **104**
Rowington Clo. *W2*. 1F **37**
Rowland Hill Ho. *SE1* 4F **73**
Rowley Ho. *SE8* 1D **131**
Rowley Way. *NW8* 3A **6**
Roxby Pl. *SW6*. 2E **115**
Roxwell. *NW1*. 1F **9**
Royal Academy of Arts.
    (Burlington House) 1B **70**
Royal Academy of Music.
    . . . . 5E **23**
Royal Academy of Music Mus.
    . . . . 5E **23**
Royal Air Force Memorial.
    . . . . 3A **72**
Royal Albert Hall. 5D **67**
Royal Albert Roundabout. (Junct.)
    . . . . **5F 59**
Royal Albert Way. *E16* 5E **59**
Royal Arc. *W1* 1B **70**
Royal Av. *SW3*. 5B **96**
Royal Av. Ho. *SW3*. 5B **96**
Royal Belgrave Ho. *SW1*. . . . 4A **98**
Royal Ceremonial Dress
    Collection, The.
    (Kensington Palace)
    . . . . 3A **66**
Royal Clo. *SE8*. 2B **130**
Royal College of Art. 5F **117**
(Howie St.)
Royal College of Art. 5C **66**
(Jay M.)
Royal College of Music. . . . 1D **95**
Royal College of Obstetricians &
    Gynaecologists. 4B **22**
Royal College of Physicians.
    . . . . 4A **24**
Royal College of Surgeons.
    . . . . 3C **44**
Royal College St. *NW1*. . . . 1B **10**
Royal Connaught Apartments.
    E16 . . . . 2E **87**
Royal Ct. *EC3*. 4E **47**
Royal Ct. *SE16*. 1B **108**
Royal Courts of Justice. . . . 4C **44**
Royal Court Theatre. 4D **97**
Royal Cres. *W11* 4E **63**
Royal Cres. M. *W11*. 3E **63**
Royal Docks Rd. *E6* 2F **61**
Royal Exchange. 4E **47**
Royal Exchange Av. *EC3*. . . . 4E **47**
Royal Exchange Bldgs.
    EC3 . . . . 4E **47**
Royal Festival Hall. 3C **72**
Royal Fusiliers Mus. 1B **76**
(in Tower of London, The)
Royal Hill. *SE10* 4C **132**
Royal Hill Ct. *SE10*. 4B **132**

Royal Hospital Chelsea Mus.
    . . . . 1D **119**
Royal Hospital Rd. *SW3*. . . . 3B **118**
Royal M. *SW1* 1A **98**
Royal Mews, The. 1A **98**
Royal Mint Ct. *EC3 & E1*. . . . 1C **76**
Royal Mint Pl. *E1*. 5C **48**
Royal Mint St. *E1*. 5C **48**
Royal National Theatre. . . . 2D **73**
Royal Naval Pl. *SE14* 4B **130**
Royal Oak Ct. *N1* 2F **29**
Royal Oak Yd. *SE1* 5F **75**
Royal Observatory Greenwich.
    . . . . 4E **133**
Royal Opera Arc. *SW1* 2D **71**
Royal Opera House. 4A **44**
Royal Pde. *SW6*. 4A **114**
Royal Pl. *SE10* 5C **132**
Royal Rd. *E16* 4D **59**
Royal Rd. *SE17* 2F **123**
Royal St. *SE1* 1C **100**
Royal Tower Lodge. *E1*. 1D **77**
Royalty M. *W1* 4D **43**
Royalty Studios. *W11*. 4A **36**
Royal Victoria Pl. *E16*. 2F **85**
Royal Victor Pl. *E3* 1E **33**
Royal Westminster Lodge.
    SW1 . . . . 3D **99**
Royle Building. *N1* 1B **28**
Roy Sq. *E14*. 5A **52**
Royston Ho. *SE15* 3F **127**
Royston St. *E2*. 1C **32**
Rozel Ct. *N1* 3F **15**
Ruby St. *SE15* 2F **127**
Ruby Triangle. *SE15* 2F **127**
Rudbeck Ho. *SE15*. 4D **127**
Rudge Ho. *SE16*. 1E **105**
Rudgwick Ter. *NW8* 4A **8**
Rudolf Pl. *SW8* 3A **122**
Rudolph Rd. *NW6* 1E **19**
Rufford St. *N1* 3A **12**
Rufus Ho. *SE1* 1B **104**
Rufus St. *N1*. 3F **29**
Rugby Mans. *W14* 3A **92**
Rugby St. *WC1* 5B **26**
Rugg St. *E14* 5D **53**
Rugless Ho. *E14* 5B **82**
Rugmere. *NW1* 1E **9**
Rumball Ho. *SE5* 5F **125**
Rumbold Rd. *SW6* 5A **116**
Rum Clo. *E1*. 1B **78**
Rumford Ho. *SE1*. 2B **102**
Runacres Ct. *SE17*. 1B **124**
Runcorn Pl. *W11* 1F **35**
Rupack St. *SE16* 5B **78**
Rupert Ct. *W1* 5D **43**
Rupert Ho. *SE11*. 4E **101**
Rupert Rd. *NW6*. 1C **18**
Rupert St. *W1* 5D **43**
Ruscoe Rd. *E16*. 3B **56**
Rushcutters Ct. *SE16*. 3A **108**
Rushmead. *E2* 3F **31**
Rushmore Ho. *W14*. 2A **92**
Rushton St. *N1*. 5E **15**
Rushworth St. *SE1*. 4A **74**
Ruskin Ho. *SW1*. 4E **99**
Ruskin Mans. *W14*. 3A **114**
Russell Ct. *SW1*. 3C **70**
Russell Ct. *WC1* 5F **25**

Russell Flint Ho. *E16* 2A **86**
(off Pankhurst Av.)
Russell Gdns. *W14* 1F **91**
Russell Gdns. M. *W14* 5F **63**
Russell Gro. *SW9* 5E **123**
Russell Ho. *E14* 4E **53**
Russell Ho. *SW1* 5B **98**
Russell Lodge. *SE1* 1D **103**
Russell Pl. *SE16* 2F **107**
Russell Rd. *E16* 3E **57**
Russell Rd. *W14* 1A **92**
Russell Sq. *WC1* 5F **25**
Russell St. *WC2* 5A **44**
Russia Ct. *EC2* 4C **46**
Russia Dock Rd. *SE16* 3A **80**
Russia La. *E2* 1B **32**
Russia Row. *EC2* 4C **46**
Russia Wlk. *SE16* 5E **79**
Rustic Wlk. *E16* 3F **57**
Ruston M. *W11* 4F **35**
Rust Sq. *SE5* 4D **125**
Ruth Ct. *E3* 1F **33**
Rutherford Ho. *E1* 5F **31**
Rutherford St. *SW1* 3D **99**
Rutland Ct. *SW7* 5A **68**
Rutland Gdns. *SW7* 5A **68**
Rutland Gdns. M. *SW7* 5A **68**
Rutland Ga. *SW7* 5A **68**
Rutland Ga. M. *SW7* 5F **67**
Rutland Gro. *W6* 5A **90**
Rutland Ho. *W8* 2F **93**
Rutland M. *NW8* 4A **6**
Rutland M. E. *SW7* 1A **96**
Rutland M. S. *SW7* 1F **95**
Rutland M. W. *SW7* 1F **95**
Rutland Pl. *EC1* 1A **46**
Rutland St. *SW7* 1A **96**
Rutley Clo. *SE17* 2F **123**
Rydal Water. *NW1* 3B **24**
Ryder Ct. *SW1* 2C **70**
Ryder Dri. *SE16* 1F **127**
Ryder Ho. *E1* 4C **32**
Ryder's Ter. *NW8* 5B **6**
Ryder St. *SW1* 2C **70**
Ryder Yd. *SW1* 2C **70**
Rydon St. *N1* 3C **14**
Rydston Clo. *N7* 1B **12**
Rye Ho. *SE16* 4C **78**
Rye Ho. *SW1* 5F **97**
Rylston Rd. *SW6* 3B **114**
Rymill St. *E16* 3D **89**
Rysbrack St. *SW3* 1B **96**

S

Sabbarton St. *E16* 4B **56**
Sable St. *N1* 1A **14**
Sackville St. *W1* 1C **70**
Saddlers M. *SW8* 5A **122**
Saddle Yd. *W1* 2F **69**
Sadler Ho. *EC1* 2F **27**
Sadler's Wells Theatre. 2E **27**
Saffron Av. *E14* 5D **55**
Saffron Hill. *EC1* 1E **45**
Saffron St. *EC1* 1E **45**
Saffron Wharf. *SE1* 4C **76**
Sage Clo. *E6* 2B **60**
Sage St. *E1* 5B **50**

Sage Way. *WC1* 3B **26**
Saigasso Clo. *E16* 4D **59**
Sail St. *SE11* 3C **100**
St Agnes Pl. *SE11* 3E **123**
St Agnes Well. EC1. . . . . . . 4E **29**
(off City Rd.)
St Albans Ct. *EC2* 3C **46**
St Alban's Gro. *W8* 1A **94**
St Albans Mans. *W8* 1A **94**
St Alban's Pl. *N1* 4F **13**
St Alban's St. *SW1* 1D **71**
(in two parts)
St Alfege Pas. *SE10* 3B **132**
St Alphage Garden. *EC2* . . 2C **46**
(in two parts)
St Alphage Highwalk. *EC2* . . 2C **46**
St Alphage Ho. *EC2* 2D **47**
St Andrews Chambers. *W1* . 2C **42**
St Andrews Clo. *SE16* . . . 1A **128**
St Andrew's Hill. *EC4* 5A **46**
(in two parts)
St Andrews Mans. *W1* 2D **41**
St Andrews Mans. *W14* . . . 2A **114**
St Andrew's Pl. *NW1* 4A **24**
St Andrew's Rd. *W14* 2A **114**
St Andrews Sq. *W11* 4F **35**
St Andrew St. *EC1 & EC4* . . . 2E **45**
St Andrews Way. *E3* 1A **54**
St Andrew's Wharf. *SE1* . . . 4C **76**
St Anne's Ct. *NW6* 4A **4**
St Anne's Ct. *W1* 4D **43**
St Anne's Flats. *NW1* 2D **25**
St Anne's Pas. *E14* 4B **52**
St Anne's Row. *E14* 4C **52**
St Anne's Trad. Est. *E14* . . . 4C **52**
St Anne St. *E14* 4C **52**
St Ann's Ho. *WC1* 3D **27**
St Ann's La. *SW1* 2E **99**
St Ann's Rd. *W11* 1E **63**
St Ann's St. *SW1* 1E **99**
St Ann's Ter. *NW8* 5E **7**
St Ann's Vs. *W11* 3E **63**
St Anselm's Pl. *W1* 5F **41**
St Anthony's Clo. *E1* 2D **77**
St Anthony's Flats. *NW1* . . . 1D **25**
St Aubins Ct. *N1* 3E **15**
St Augustine's Ho. *NW1* . . . 2D **25**
St Augustine's Mans. *SW1* . 4C **98**
St Augustine's Rd. *NW1* . . . 1D **11**
St Barnabas St. *SW1* 5E **97**
St Bartholomew's Hospital Mus.
. . . . 2A **46**
St Benet's Pl. *EC3.* 5E **47**
St Bernards Ho. *E14.* 1B **110**
St Botolph Row. *EC3* 4B **48**
St Botolph St. *EC3* 4B **48**
St Brelades Ct. *N1* 3E **15**
St Bride's Av. *EC4* 4F **45**
St Bride's Church. 4F **45**
St Bride's Crypt Mus. 4F **45**
(in St Bride's Church)
St Bride's Pas. *EC4* 4F **45**
St Bride St. *EC4* 3F **45**
St Catherines M. *SW3* 3B **96**
St Chad's Pl. *WC1* 2A **26**
St Chad's St. *WC1* 2A **26**
(in two parts)
St Charles Pl. *W10* 2F **35**
St Charles Sq. *W10* 1E **35**

St Christopher's Ho. *NW1* . . 1C **24**
St Christopher's Pl. *W1* . . . 3E **41**
St Clare St. *EC3* 4B **48**
St Clement's Ct. *EC4.* 5E **47**
St Clements Ct. *SE14* . . . 2D **129**
St Clements Ct. *W11* 1E **63**
St Clement's La. *WC2.* 4C **44**
St Clements St. *N7* 1D **13**
St Cross St. *EC1* 1E **45**
St Davids Clo. *SE16* 1A **128**
St Davids M. E3 . . . . *3F 33*
(off Morgan St.)
St Davids Sq. *E14* 5A **110**
St Dunstan's All. *EC3* 1F **75**
St Dunstan's Ct. *EC4* 4E **45**
St Dunstans Hill. *EC3* 1F **75**
St Dunstan's La. *EC3* 1F **75**
St Dunstan's Rd. *W6* 5E **91**
St Edmund's Clo. *NW8.* 4B **8**
St Edmund's Ct. *NW8.* 4B **8**
St Edmund's Ter. *NW8* 4A **8**
St Elmos Rd. *SE16* 5F **79**
St Ermin's Hill. *SW1* 1D **99**
St Ervan's Rd. *W10* 1A **36**
St Eugene Ct. *NW6.* 4A **4**
St Francis' Ho. *NW1* 1D **25**
St Frideswides M. *E14* 4B **54**
St George's Bldgs. *SE1* . . . 2F **101**
St George's Cir. *SE1* 1F **101**
St Georges Ct. *EC4.* 3F **45**
St George's Dri. *SW1* 4A **98**
St George's Fields. *W2* . . . 4A **40**
St George's Ho. *NW1* 1D **25**
St George's La. *EC3* 5E **47**
St George's Mans. *SW1* . . 5E **99**
St George's M. *NW1* 2C **8**
St George's M. *SE1* 1E **101**
St George's Rd. *SE1* 1E **101**
St Georges Sq. *E14* 5F **51**
St George's Sq. *SE8* 3B **108**
St George's Sq. *SW1* 5D **99**
St George's Sq. M. *SW1* . . 1D **121**
St George's Ter. *NW1* 3C **8**
St George St. *W1* 4A **42**
St George's Way. *SE15* . . . 3F **125**
St George's Wharf. *SE1* . . . 4C **76**
St George Wharf. *SW8* . . . 2F **121**
St Giles Cir. *W1* 3E **43**
St Giles Ct. *WC2.* 3F **43**
St Giles High St. *WC2.* . . . 3E **43**
St Giles Pas. *WC2* 4E **43**
St Giles Rd. *SE5* 5F **125**
St Giles Ter. *EC2.* 2C **46**
St Giles Tower. *SE5.* 5F **125**
St Gilles Ho. *E2* 1D **33**
St Helena Ho. *WC1* 3D **27**
St Helena Rd. *SE16* 4D **107**
St Helena St. *WC1* 3D **27**
St Helen's Gdns. *W10* 2D **35**
St Helen's Pl. *EC3.* 3F **47**
St Helier Ct. *N1.* 3F **15**
St Helier Ct. *SE16* 4D **79**
St Hilda's Wharf. *E1* 2B **78**
St Hubert's Ho. *E14.* 1D **109**
St James Ct. *E2* 3E **31**
St James' Ct. *SW1* 1C **98**
St James' Mans. *NW6* 1E **5**
St James M. *E14* 2C **110**
St James Residences. *W1* . 5D **43**

St James's. 3C 70
St James's. SE14 . . . . 5A 130
St James's. SW1 . . . . 2C 70
St James's App. EC2. . . . . . . 5F 29
St James's Av. E2. . . . . 1C 32
St James's Chambers.
   SW1 . . . . 2C 70
St James's Clo. NW8 . . . . . . 4B 8
St James's Gdns. W11 . . . . . 2F 63
   (in two parts)
St James's Mkt. SW1 . . . . . . 1D 71
St James's Palace. 4C 70
St James's Pk. 4D 71
St James's Pas. EC3. . . . . . . 4A 48
St James's Pl. SW1 . . . . 3B 70
St James's Rd.
   SE1 & SE16 . . . . 2E 127
St James's Rd. SE16 . . . . . . 1E 105
St James's Sq. SW1 . . . . 2C 70
St James's St. SW1 . . . . 2B 70
St James's Ter. NW8 . . . . . . 5B 8
St James's Ter. M. NW8 . . . . 4B 8
St James's Wlk. EC1 . . . . 4F 27
St John's Clo. SW6 . . . . 4D 115
St John's Ct. E1 . . . . 3F 77
St John's Ct. W6 . . . . 3A 90
St John's Est. N1 . . . . 1E 29
St John's Est. SE1 . . . . 4B 76
St John's Gdns. W11 . . . . . . 1A 64
St John's Gate. 5F 27
St John's Ho. E14. . . . . 3C 110
St Johns Ho. SE17. . . . . . . 2D 125
St John's La. EC1 . . . . 5F 27
St John's M. W11 . . . . 4D 37
St John's Path. EC1 . . . . 5F 27
St John's Pl. EC1 . . . . 5F 27
St John's Rd. E16 . . . . 3D 57
St John's Sq. EC1 . . . . 5F 27
St John St. EC1 . . . . 1E 27
St John's Vs. W8 . . . . 2A 94
St John's Wood. 1E 21
St John's Wood Ct. NW8 . . . . 3E 21
St John's Wood High St.
   NW8 . . . . 5E 7
St John's Wood Pk. NW8. . . . 4D 7
St John's Wood Rd. NW8. . . . 4D 21
St John's Wood Ter. NW8. . . . 5E 7
St Joseph's Clo. W10 . . . . . . 2A 36
St Joseph's Flats. NW1 . . . . 2D 25
St Joseph's Ho. W6 . . . . 3E 91
St Joseph's St. SW8. . . . . . 5A 120
St Jude's Rd. E2. . . . . 1A 32
St Julian's Rd. NW6. . . . . . . 2C 4
St Katharine Docks. 1C 76
St Katharine's Pier. E1 . . . . . 2B 76
St Katharine's Precinct. NW1. . 5F 9
St Katharine's Way. E1 . . . . . 2C 76
   (in two parts)
St Katherine's Row. EC3. . . . 5A 48
St Katherines Wlk. W11 . . . . 2E 63
St Lawrence Cotts. E14 . . . . 2C 82
St Lawrence Ct. N1. . . . . 3E 15
St Lawrence Ho. SE1 . . . . . 1A 104
St Lawrence St. E14. . . . . . . 2C 82
St Lawrence Ter. W10. . . . . . 1F 35
St Leonard M. N1. . . . . 5F 15
St Leonard's Ct. N1 . . . . 2E 29
St Leonard's Rd. E14. . . . . . 2A 54
   (in two parts)

St Leonard's Ter. SW3 . . . . . 1B 118
St Loo Av. SW3 . . . . 2A 118
St Luke's. 4C 28
St Luke's Clo. EC1 . . . . 4C 28
St Luke's Est. EC1 . . . . 3D 29
St Luke's M. W11 . . . . 3B 36
St Luke's Rd. W11 . . . . 2C 36
St Luke's Sq. E16. . . . . 4C 56
St Luke's St. SW3. . . . . 5F 95
St Luke's Yd. W9 . . . . 1B 18
   (in two parts)
St Margarets Clo. EC2 . . . . . 3D 47
St Margarets Ct. SE1 . . . . . . 3D 75
St Margaret's La. W8 . . . . . . 2F 93
St Margaret St. SW1. . . . . . . 1D 71
St Mark's Clo. SE10 . . . . . . 5B 132
St Marks Ct. NW8 . . . . 1C 20
St Mark's Cres. NW1 . . . . . . 3E 9
St Mark's Gro. SW10 . . . . . . 4A 116
St Marks Ho. SE17. . . . . . . 2D 125
St Marks Ind. Est. E16 . . . . . 3D 87
St Mark's Pl. W11 . . . . 4A 36
St Mark's Rd. W10 & W11 . . . 1D 35
St Mark's Sq. NW1 . . . . 4D 9
St Mark St. E1 . . . . 4C 48
St Martin-in-the-Fields Church.
   . . . . 1F 71
St Martin's Almshouses.
   NW1 . . . . 3B 10
St Martin's Clo. NW1 . . . . . . 3B 10
St Martins Ct. N1 . . . . 3A 16
St Martin's Ct. WC2 . . . . 5F 43
St Martin's La. WC2 . . . . 5F 43
St Martin's le-Grand. EC1 . . . 3B 46
St Martin's Pl. WC2 . . . . 1F 71
St Martin's St. WC2 . . . . 1E 71
   (in two parts)
St Martin's Theatre. 5F 43
St Mary Abbot's Ct. W14 . . . . 2B 92
St Mary Abbot's Pl. W8 . . . . . 2C 92
St Mary Abbot's Ter. W14. . . . 2B 92
St Mary at Hill. EC3 . . . . 1F 75
St Mary Axe. EC3. . . . . 4F 47
St Marychurch St. SE16. . . . . 4B 78
St Mary Graces Ct. E1 . . . . . 5C 48
St Mary le-Park Ct. SW11. . . . 5A 118
St Mary Newington Clo.
   SE17. . . . . 5A 104
St Mary's Est. SE16 . . . . 5B 78
St Mary's Flats. NW1 . . . . . . 2D 25
St Mary's Gdns. SE11. . . . . . 3E 101
St Mary's Ga. W8 . . . . 2F 93
St Mary's Ho. N1 . . . . 3A 14
St Mary's Mans. W2. . . . . . . 1D 39
St Mary's M. NW6 . . . . 2F 5
   (in two parts)
St Mary's Path. N1 . . . . 3F 13
St Mary's Pl. W8. . . . . 2F 93
St Mary's Sq. W2. . . . . 1D 39
St Mary's Ter. W2. . . . . 1C 38
St Mary's Tower. EC1 . . . . . . 5C 28
St Mary's Wlk. SE11. . . . . . . 3E 101
St Matthews Ct. SE1. . . . . . . 2B 102
St Matthews Ho. SE17. . . . . 2D 125
St Matthew's Lodge. NW1 . . . 5C 10
St Matthew's Row. E2 . . . . . 3D 31
St Matthew St. SW1. . . . . . . 2D 99
St Michael's All. EC3. . . . . . . 4E 47
St Michaels Clo. E16 . . . . . . 2D 59

St Michaels Ct. E14. . . . . . . 2B 54
St Michael's Ct. SE1. . . . . . . 5C 74
St Michael's Flats. NW1 . . . . 1D 25
St Michael's Gdns. W10 . . . . 2F 35
St Michael's St. W2 . . . . 3E 39
St Mildred's Ct. EC2. . . . . . . 4D 47
St Nicholas' Flats. NW1 . . . . 1D 25
St Nicholas Ho. SE8 . . . . . . 2E 131
St Olaf Ho. SE1 . . . . 2E 75
St Olaf's Rd. SW6. . . . . 5A 114
St Olaf Stairs. SE1 . . . . 2E 75
St Olave's Ct. EC2 . . . . 4D 47
St Olave's Est. SE1 . . . . 4A 76
St Olave's Gdns. SE11 . . . . . 3D 101
St Olave's Mans. SE11. . . . . 3D 101
St Olave's Ter. SE1 . . . . 4A 76
St Olav's Sq. SE16 . . . . 5B 78
St Oswald's Pl. SE11 . . . . . . 5B 100
St Oswulf St. SW1 . . . . 4E 99
St Owen Ho. SE1 . . . . 1A 104
St Pancras. 2F 25
St Pancras Commercial Cen.
   NW1 . . . . 3C 10
St Pancras Way. NW1 . . . . . 1B 10
St Paul's Av. SE16 . . . . 2E 79
St Paul's Cathedral. 4B 46
St Paul's Chyd. EC4 . . . . 4A 46
   (in two parts)
St Pauls Courtyard. SE8 . . . . 4D 131
St Paul's Cres. NW1 . . . . . . 1E 11
   (in two parts)
St Paul's M. NW1 . . . . 1E 11
St Paul's Studios. W6. . . . . . 5F 91
St Pauls Ter. SE17 . . . . 2A 124
St Paul St. N1 . . . . 4B 14
   (in two parts)
St Pauls Vw. Apartments.
   EC1. . . . . 3D 27
St Pauls Way. E3 . . . . 2B 52
St Peter's All. EC3. . . . . 4E 47
St Peter's Av. E2. . . . . 1E 31
St Petersburgh M. W2 . . . . . 5F 37
St Petersburgh Pl. W2 . . . . . 5F 37
St Peter's Cen. E1. . . . . 2A 78
   (off Reardon St.)
St Peter's Chu. Ct. N1. . . . . . 5A 14
St Peter's Clo. E2 . . . . 1E 31
St Peters Ho. SE17 . . . . 2D 125
St Peter's Ho. WC1. . . . . 3A 26
St Peters Pl. W9. . . . . 5F 19
St Peter's Sq. E2 . . . . 1E 31
St Peter's St. N1. . . . . 4A 14
St Peter's St. M. N1 . . . . 5A 14
St Peter's Ter. SW6. . . . . . . 5B 114
St Peter's Way. N1 . . . . 2A 16
St Philip Ho. WC1 . . . . 3D 27
St Philip's Rd. E8. . . . . 1D 17
St Philip's Way. N1. . . . . 3C 14
St Quintin Av. W10. . . . . 2C 34
St Quintin Gdns. W10. . . . . . 2B 34
St Richard's Ho. NW1 . . . . . 2D 25
St Saviour's Est. SE1 . . . . . . 1B 104
St Saviour's Wharf. SE1 . . . . 4C 76
   (Mill St.)
St Saviour's Wharf. SE1 . . . . 4C 76
   (off Shad Thames)
St Stephen's Av. W12. . . . . . 3A 62
   (in two parts)
St Stephen's Clo. NW8. . . . . 4A 8

St Stephen's Cres. *W2* 3E **37**
St Stephen's Gdns. *W2* 3D **37**
    (in two parts)
St Stephens Ho. *SE17* 2D **125**
St Stephens M. *W2* 2E **37**
St Stephen's Row. *EC4* 4D **47**
St Stephen's Ter. *SW8* 5B **122**
St Stephen's Wlk. *SW7* 3B **94**
St Swithins La. *EC4* 5D **47**
St Thomas Ho. *E1* 3D **51**
St Thomas Rd. *E16* 3D **57**
St Thomas St. *SE1* 3D **75**
St Thomas's Way. *SW6* 4B **114**
St Vincent De Paul Ho.
  E1 . . . . 2B **50**
St Vincent Ho. *SE1* 1B **104**
St Vincent St. *W1* 2E **41**
Salamanca Pl. *SE1* 4B **100**
Salamanca St.
  SE1 & SE11 . . . . 4A **100**
Salem Rd. *W2* 5A **38**
Sale Pl. *W2* 2F **39**
Sale St. *E2* 4E **31**
Salford Ho. *E14* 3C **110**
Salisbury Clo. *SE17* 4D **103**
Salisbury Ct. *EC4* 4F **45**
Salisbury Ho. *E14* 3F **53**
Salisbury Ho. *EC2* 2E **47**
Salisbury Ho. *N1* 3F **13**
Salisbury Ho. *SW1* 5E **99**
Salisbury Ho. *SW9* 4E **123**
Salisbury M. *SW6* 5B **114**
Salisbury Pas. *SW6* 4B **114**
Salisbury Pavement.
  SW6 . . . . 4B **114**
Salisbury Pl. *SW9* 5A **124**
Salisbury Pl. *W1* 1C **40**
Salisbury Sq. *EC4* 4E **45**
Salisbury St. *NW8* 5E **21**
Salmon La. *E14* 3F **51**
Salmon St. *E14* 3B **52**
Salomons Rd. *E13* 1B **58**
Salter Rd. *SE16* 3D **79**
Salters Ct. *EC4* 4C **46**
Salter's Hall Ct. *EC4* 5D **47**
Salter St. *E14* 5D **53**
Saltley Clo. *E6* 3A **60**
Saltram Cres. *W9* 2C **18**
Saltwell St. *E14* 5E **53**
Saltwood Gro. *SE17* 1D **125**
Saltwood Ho. *SE15* 3C **128**
Salusbury Rd. *NW6* 3A **4**
Salutation Rd. *SE10* 3A **112**
Sambrook Ho. *E1* 2B **50**
Sambrook Ho. *SE11* 4D **101**
Samford Ho. *N1* 4D **13**
Samford St. *NW8* 5F **21**
Sam Manners Ho.
  SE10 . . . . 1F **133**
Sam March Ho. *E14* 4D **55**
Sampson Ho. *SE1* 2F **73**
Sampson St. *E1* 3E **77**
Samuda Est. *E14* 1C **110**
Samuel Clo. *E8* 3C **16**
Samuel Clo. *SE14* 3D **129**
Samuel Ho. *E8* 4B **16**
Samuel Jones Ind. Est.
  SE15 . . . . 5A **126**
Samuel Lewis Bldgs. *N1* 1E **13**

Samuel Lewis Trust Dwellings.
  SW3 . . . . 4F **95**
    (in two parts)
Samuel Lewis Trust Dwellings.
  SW6 . . . . 4E **115**
Samuel Lewis Trust Dwellings.
  W14 . . . . 3B **92**
Samuel Richardson Ho.
  W14 . . . . 4B **92**
Samuel's Clo. *W6* 3C **90**
Samuel St. *SE15* 4B **126**
Sancroft Ho. *SE11* 5C **100**
Sancroft St. *SE11* 5C **100**
Sanctuary St. *SE1* 5C **74**
Sanctuary, The. *SW1* 1E **99**
Sandalwood Clo. *E1* 5F **33**
Sandalwood Mans. *W8* 2F **93**
Sandbourne. *NW8* 4F **5**
Sandbourne. *W11* 3D **37**
Sandby Ho. *NW6* 4D **5**
Sandell St. *SE1* 4D **73**
Sanderling Ct. *SE8* 3B **130**
Sanders Ho. *WC1* 2D **27**
Sanderson Ho. *SE8* 1B **130**
Sandfield. *WC1* 3A **26**
Sandford Row. *SE17* 5D **103**
Sandford St. *SW6* 5A **116**
Sandgate St. *SE15* 2F **127**
Sandgate Trad. Est. *SE15* . . 2F **127**
Sandhills, The. *SW10* 2C **116**
Sandhurst Ho. *E1* 2B **50**
Sandland St. *WC1* 2C **44**
Sandpiper Clo. *SE16* 4B **80**
Sandpiper Ct. *E14* 1C **110**
Sandpiper Ct. *SE8* 3D **131**
Sandringham Ct. *SE16* 2E **79**
Sandringham Ct. *W1* 4C **42**
Sandringham Ct. *W9* 3C **20**
Sandringham Flats. *WC2* . . . 5E **43**
Sandringham Ho. *W14* 3F **91**
Sandwich Ho. *SE16* 4C **78**
Sandwich Ho. *WC1* 3F **25**
Sandwich St. *WC1* 3F **25**
Sandys Row. *E1* 2A **48**
Sanford St. *SE14* 2F **129**
Sanford Wlk. *SE14* 2F **129**
Sankey Ho. *E2* 1C **32**
Sansom St. *SE5* 5E **125**
Sans Wlk. *EC1* 4E **27**
Santley Ho. *SE1* 5E **73**
Saperton Wlk. *SE11* 3C **100**
Sapperton Ct. *EC1* 4B **28**
Sapphire Clo. *E6* 3C **60**
Sapphire Ct. *E1* 5D **49**
Sapphire Rd. *SE8* 4F **107**
Saracens Head Yd. *EC3* 4B **48**
Saracen St. *E14* 4E **53**
Sarah Ho. *E1* 3F **49**
Sarah St. *N1* 2A **30**
Sarah Swift Ho. *SE1* 4E **75**
Sara La. Ct. *N1* 5A **16**
Sardinia St. *WC2* 4B **44**
Sark Wlk. *E16* 3F **57**
Sarnesfield Ho. *SE15* 3F **127**
Sarratt Ho. *W10* 1B **34**
Satanita Clo. *E16* 3D **59**
Satchwell Rd. *E2* 3D **31**
Satchwell St. *E2* 3D **31**
Saul Ct. *SE15* 3B **126**

Saunders Clo. *E14* 1C **80**
Saunders Ho. *SE16* 5E **79**
Saunders Ho. *W11* 2E **63**
Saunders Ness Rd. *E14* . . . 3D **111**
Saunders St. *SE11* 3D **101**
Savage Gdns. *E6* 4C **60**
Savage Gdns. *EC3* 5A **48**
    (in two parts)
Savile Row. *W1* 5B **42**
Saville Rd. *E16* 3A **88**
Savill Ho. *E16* 3F **89**
Savona Ho. *SW8* 5B **120**
Savona St. *SW8* 5B **120**
Savoy Bldgs. *WC2* 1B **72**
Savoy Ct. *WC2* 1B **72**
Savoy Hill. *WC2* 1B **72**
Savoy Pl. *WC2* 1A **72**
Savoy Row. *WC2* 5B **44**
Savoy Steps. *WC2* 1B **72**
Savoy St. *WC2* 5B **44**
Savoy Theatre. 1A 72
Savoy Way. *WC2* 1B **72**
Sawyer St. *SE1* 4B **74**
Sayes Ct. *SE8* 2C **130**
Sayes Ct. St. *SE8* 2C **130**
Scafell. *NW1* 2B **24**
Scala St. *W1* 1C **42**
Scampston M. *W10* 3E **35**
Scandrett St. *E1* 3F **77**
Scarborough St. *E1* 4C **48**
Scarsdale Pl. *W8* 1F **93**
Scarsdale Vs. *W8* 2E **93**
Scawen Rd. *SE8* 5F **107**
Scawfell St. *E2* 1C **30**
Sceptre Ct. *EC3* 1B **76**
Sceptre Ho. *E1* 4B **32**
Sceptre Rd. *E2* 3B **32**
Schafer Ho. *NW1* 4B **24**
Schiller International University.
  . . . . 3D **73**
Schomberg Ho. *SW1* 3E **99**
School App. *E2* 2A **30**
Schoolbank Rd. *SE10* 3B **112**
Schoolbell M. *E3* 1F **33**
School Ho. *SE1* 3F **103**
School Ho. La. *E1* 5D **51**
School of Advanced Study.
  . . . . 1E 43
  (in University of London,
     Senate House)
School of Hygiene &
  Tropical Medicine. 1E 43
School of Oriental &
  African Studies. 5E 25
School of Pharmacy, The.
  . . . . 4A 26
School of Slavonic &
  East European Studies.
  . . . . 1E 43
  (in University of London,
     Senate House)
Schooner Clo. *E14* 2D **111**
Schooner Clo. *SE16* 4C **78**
Science Mus. 2D **95**
Sclater St. *E1* 4B **30**
Scoresby St. *SE1* 3F **73**
Scorton Ho. *N1* 5A **16**
Scotch House. (Junct.) 5B **68**
Scoter Ct. *SE8* 3B **130**

Scotia Building. *E1* 5E **51**
Scotia Ct. *SE16* 5C **78**
Scotland Pl. *SW1* 3F **71**
Scotson Ho. *SE11* 4D **101**
Scotswood St. *EC1* 4E **27**
Scott Ellis Gdns. *NW8* 3D **21**
Scott Ho. *E14* 4E **81**
Scott Ho. *N1* 3D **15**
Scott Ho. *NW8* 5F **21**
Scott Lidgett Cres. *SE16* . . . 5D **77**
Scott Russell Pl. *E14* 5F **109**
Scotts Ct. *W12* 5B **62**
Scott's Rd. *W12* 5A **62**
Scott's Sufferance Wharf.
    SE1 . . . . 5C **76**
Scott St. *E1* 5F **31**
Scott's Yd. *EC4* 5D **47**
Scoulding Ho. *E14* 1D **109**
Scoulding Rd. *E16* 3C **56**
Scouler St. *E14* 5D **55**
Scovell Cres. *SE1* 5B **74**
Scovell Rd. *SE1* 5B **74**
Screen on Baker St. (Cinema)
    . . . . 1C **40**
Screen on the Green (Cinema)
    . . . . 4F **13**
Scriven Ct. *E8* 3C **16**
Scriven St. *E8* 3C **16**
Scrope Ho. *EC1* 1D **45**
Scrubs La. *NW10 & W10* . . . 1A **34**
Scrutton St. *EC2* 5F **29**
Seabright St. *E2* 3F **31**
Seaford Ho. *SE16* 4C **78**
Seaford Ho. *WC1* 3A **26**
Seaforth Pl. *SW1* 1C **98**
Seagar Pl. *E3* 1B **52**
Seagrave Clo. *E1* 2D **51**
Seagrave Lodge. *SW6* 2E **115**
Seagrave Rd. *SW6* 2E **115**
Seal Ho. *SE1* 1E **103**
Searles Clo. *SW11* 5A **118**
Searles Dri. *E6* 2F **61**
Searles Rd. *SE1* 3E **103**
Searson Ho. *SE17* 4A **102**
Sears St. *SE5* 4D **125**
Seaton Clo. *SE11* 5E **101**
Sebastian Ho. *N1* 1F **29**
Sebastian St. *EC1* 3A **28**
Sebbon St. *N1* 2A **14**
Sebright Ho. *E2* 5E **17**
Sebright Pas. *E2* 1E **31**
Secker St. *SE1* 3D **73**
Second Av. *W10* 4A **18**
Sedan Way. *SE17* 5F **103**
Sedding St. *SW1* 3D **97**
Sedding Studios. *SW1* 3D **97**
Seddon Highwalk. EC2 . . . . 1B **46**
    (off Seddon Ho.)
Seddon Ho. *EC2* 1B **46**
Seddon St. *WC1* 3C **26**
Sedgmoor Pl. *SE5* 5A **126**
Sedgwick Ho. *E3* 1E **53**
Sedlescombe Rd. *SW6* 3C **114**
Sedley Ho. *SE11* 5C **100**
Sedley Pl. *W1* 4F **41**
Seething La. *EC3* 5A **48**
Sekforde St. *EC1* 5F **27**
Selbourne Ho. *SE1* 1D **103**
Selby Clo. *E6* 2F **59**

Selby Ho. *W10* 2A **18**
Selby Rd. *E13* 1A **58**
Selby St. *E1* 5E **31**
Selcroft Ho. *SE10* 5B **112**
Seldon Ho. *SW1* 1B **120**
Seldon Ho. *SW8* 5B **120**
Selfridges. 4E **41**
Selina Ho. *NW8* 4E **21**
Selma Ho. *W12* 4A **34**
Selsdon Way. *E14* 2A **110**
Selsey St. *E14* 1D **53**
Selway Ho. *SW8* 5A **122**
Selwood Pl. *SW7* 5D **95**
Selwood Ter. *SW7* 5D **95**
Semley Ho. *SW1* 4F **97**
Semley Pl. *SW1* 4E **97**
Senators Lodge. *E3* 1F **33**
Senior St. *W2* 1F **37**
Senrab St. *E1* 3D **51**
Seraph Ct. *EC1* 2B **28**
Serica Ct. *SE10* 4C **132**
Serjeants Inn. *EC4* 4E **45**
Serle St. *WC2* 3C **44**
Sermon La. *EC4* 4B **46**
Serpentine Gallery. 4D **67**
Serpentine Rd. *W2* 3F **67**
Setchell Rd. *SE1* 3B **104**
Setchell Way. *SE1* 3B **104**
Seth St. *SE16* 5C **78**
Settles St. *E1* 2E **49**
Seven Dials. *WC2* 4F **43**
Seven Dials Ct. *WC2* 4F **43**
Severnake Clo. *E14* 3E **109**
Seville M. *N1* 2F **15**
Seville St. *SW1* 5C **68**
Sevington St. *W9* 5F **19**
Sewardstone Rd. *E2* 1D **33**
Seward St. *EC1* 4A **28**
Sextant Av. *E14* 3D **111**
Sextons Ho. *SE10* 3B **132**
Seymour Ho. *E16* 2E **85**
Seymour Ho. *NW1* 2E **25**
Seymour Ho. *WC1* 4F **25**
Seymour M. *W1* 3D **41**
Seymour Pl. *W1* 2B **40**
Seymour St. *W2 & W1* 4B **40**
Seymour Wlk. *SW10* 2B **116**
Seyssel St. *E14* 3C **110**
Shackleton Ct. *E14* 5E **109**
Shackleton Ct. *W12* 5A **62**
Shackleton Ho. *E1* 2B **78**
Shacklewell St. *E2* 4C **30**
Shad Thames. *SE1* 3B **76**
Shadwell. 5A **50**
Shadwell Gdns. *E1* 5B **50**
Shadwell Pierhead. *E1* 1C **78**
Shadwell Pl. *E1* 5B **50**
Shaftesbury Av.
    W1 & WC2 . . . . 3F **43**
Shaftesbury Cen. *W10* 1D **35**
Shaftesbury Ct. *E6* 3D **61**
Shaftesbury Ct. *N1* 1D **29**
Shaftesbury Lodge.
    E14 . . . . 4F **53**
Shaftesbury M. *SE1* 1D **103**
Shaftesbury M. *W8* 2E **93**
Shaftesbury Pl. EC2 . . . . . . 2B **46**
    (off London Wall)
Shaftesbury Pl. *W14* 4C **92**

Shaftesbury St. *N1* 1C **28**
    (in two parts)
Shaftesbury Theatre. 3F **43**
Shafto M. *SW1* 2C **96**
Shafts Ct. *EC3* 4F **47**
Shahjalal Ho. *E2* 5E **17**
Shakespeare's Globe Theatre &
    Exhibition. 1B **74**
Shakespeare Tower. *EC2.* . . . 1B **46**
Shalcomb St. *SW10* 3C **116**
Shalfleet Dri. *W10* 5D **35**
Shalford Ct. *N1.* 4F **13**
Shalford Ho. *SE1* 1E **103**
Shand St. *SE1* 4F **75**
Shandy St. *E1* 1E **51**
Shannon Pl. *NW8.* 5A **8**
Shap St. *E2* 5B **16**
Shard's Sq. *SE15* 3E **127**
Sharnbrook Ho. *W14* 2D **115**
Sharpleshall St. *NW1* 2C **8**
Sharpness Ct. *SE15* 3B **126**
Sharratt St. *SE15* 2C **128**
Sharsted St. *SE17.* 1F **123**
Sharwood. *WC1* 1C **26**
Shaver's Pl. *SW1* 1D **71**
Shawfield St. *SW3* 1A **118**
Shaw Ho. *E16* 4E **89**
Shearwater Ct. *SE8* 2C **130**
Sheen Gro. *N1.* 3D **13**
Sheep La. *E8* 4F **17**
Sheerness M. *E16.* 4F **89**
Sheerwater Rd. *E16* 1D **59**
Sheffield St. *WC2.* 4B **44**
Sheffield Ter. *W8* 4D **65**
Sheldon Ct. *SW8* 5F **121**
Sheldrake Clo. *E16.* 3B **88**
Sheldrake Ho. *SE16* 3E **107**
Sheldrake Pl. *W8* 4C **64**
Shelduck Ct. *SE8* 2B **130**
Shelley Ct. *SW3* 2C **118**
Shelley Ho. *E2* 3B **32**
Shelley Ho. *SE17* 5C **102**
Shelley Ho. *SW1* 2B **120**
Shelmerdine Clo. *E3.* 1D **53**
Shelton St. *WC2* 4F **43**
    (in two parts)
Shene Ho. *EC1.* 1D **45**
Shenfield St. *N1.* 1A **30**
    (in two parts)
Shepherd Clo. *W1* 5D **41**
Shepherdess Pl. *N1* 2C **28**
Shepherdess Wlk. *N1.* 5C **14**
Shepherd Ho. *E14.* 4F **53**
Shepherd Mkt. *W1* 3F **69**
Shepherd's Bush. 4C **62**
Shepherd's Bush Empire Theatre.
    . . . . 4C **62**
Shepherd's Bush Grn.
    W12 . . . . 4C **62**
Shepherd's Bush Mkt.
    W12 . . . . 4B **62**
    (in two parts)
Shepherd's Bush Pl. *W12.* . . 4D **63**
Shepherd's Bush Rd. *W6* . . . 5C **62**
Shepherds Ct. *W12* 4D **63**
Shepherds Pl. *W1* 5D **41**
Shepherd St. *W1* 3F **69**
Sheppard Dri. *SE16* 5F **105**
Sheppard Ho. *E2* 1E **31**

Shepperton Rd. *N1* 3C **14**
Sheppey Wlk. *N1* 1C **14**
Shepton Houses. *E2* 2C **32**
Sheraton Ho. *SW1* 2A **120**
Sheraton St. *W1* 4D **43**
Sherborne Ho. *SW1* 5A **98**
Sherborne Ho. *SW8* 4B **122**
Sherborne La. *EC4* 5D **47**
Sherborne St. *N1* 3D **15**
Sherbrooke Ho. *E2* 1B **32**
Sherbrooke Rd. *SW6* 5A **114**
Shere Ho. *SE1* 1D **103**
Sheridan Bldgs. *WC2* 4A **44**
Sheridan Ct. *NW6* 2C **6**
Sheridan Ho. *E1* 4B **50**
Sheridan Ho. *SE11* 4E **101**
Sheridan St. *E1* 4A **50**
Sheringham. *NW8* 3E **7**
Sheringham Ho. *NW1* 1A **40**
Sherlock Ct. *NW8* 3D **7**
Sherlock Holmes Mus. 5C **22**
Sherlock M. *W1* 1D **41**
Sherren Ho. *E1* 5C **32**
Sherriff Rd. *NW6* 1D **5**
Sherston Ct. *SE1* 3A **102**
Sherston Ct. *WC1* 3D **27**
Sherwin Ho. *SE11* 2D **123**
Sherwood. *NW6* 1A **4**
Sherwood Ct. *W1* 2B **40**
Sherwood Gdns. *E14* 3E **109**
Sherwood Gdns. *SE16* 1E **127**
Sherwood St. *W1* 5C **42**
Shillibeer Pl. *W1* 2A **40**
Shillingford St. *N1* 3A **14**
Shillingstone Ho. *W14* 2A **92**
Shinfield St. *W12* 4B **34**
Ship & Mermaid Row. *SE1* . . 4E **75**
Shiplake Ho. *E2* 3B **30**
Shipman Rd. *E16* 4A **58**
Ship Tavern Pas. *EC3* 5F **47**
Shipton Ho. *E2* 1C **30**
Shipton St. *E2* 2C **30**
Shipwright Rd. *SE16* 5A **80**
Shipwright Yd. *SE1* 3F **75**
Ship Yd. *E14* 5F **109**
Shirland M. *W9* 3C **18**
Shirland Rd. *W9* 3B **18**
Shirlbutt St. *E14* 5F **53**
Shirley Ho. *SE5* 5E **125**
Shirley St. *E16* 3B **56**
Shoe La. *EC4* 3E **45**
Shoreditch. 3A **30**
Shoreditch Ct. *E8* 2C **16**
Shoreditch High St. *E1* 3A **30**
Shorncliffe Rd. *SE1* 5B **104**
Shorrold's Rd. *SW6* 4C **114**
Shorter St. *EC3 & E1* 5B **48**
Shortlands. *W6* 4D **91**
Shorts Gdns. *WC2* 4F **43**
Short St. *SE1* 4E **73**
Shottendane Rd. *SW6* 5D **115**
Shottsford. *W2* 3D **37**
Shoulder of Mutton All.
    E14 . . . . 5A **52**
Shouldham St. *W1* 2A **40**
Shrewsbury Ct. *EC1* 5C **28**
Shrewsbury Ho. *SW8* 2C **122**
Shrewsbury M. *W2* 2D **37**
Shrewsbury Rd. *W2* 3D **37**

Shrewsbury St. *W10* 1C **34**
Shropshire Pl. *WC1* 5C **24**
Shroton St. *NW1* 1F **39**
Shrubbery Clo. *N1* 4C **14**
Shrubland Rd. *E8* 3C **16**
Shurland Gdns. *SE15* 4C **126**
Shuters Sq. *W14* 1B **114**
Shuttle St. *E1* 5D **31**
Sicilian Av. *WC1* 2A **44**
Siddons Ho. *W2* 2E **39**
Siddons La. *NW1* 5C **22**
Sidford Ho. *SE1* 2D **101**
Sidford Pl. *SE1* 2C **100**
Sidmouth Ho. *SE15* 4E **127**
Sidmouth Ho. *W1* 3A **40**
Sidmouth St. *WC1* 3A **26**
Sidney Boyd Ct. *NW6* 2E **5**
Sidney Est. *E1* 3B **50**
    (Bromhead St.)
Sidney Est. *E1* 2B **50**
    (Jubilee St.)
Sidney Godley (VC) Ho. *E2* . . 2C **32**
Sidney Gro. *EC1* 2F **27**
Sidney Ho. *E2* 1D **33**
Sidney Sq. *E1* 2B **50**
Sidney St. *E1* 1A **50**
Sidworth St. *E8* 2F **17**
Siege Ho. *E1* 3A **50**
Signmakers Yd. *NW1* 4A **10**
Silbury St. *N1* 2D **29**
Silchester Rd. *W10* 4E **35**
Silex St. *SE1* 5A **74**
Silk Ct. *E2* 2E **31**
Silk St. *EC2* 1C **46**
Sillitoe Ho. *N1* 4E **15**
Silsoe Ho. *NW1* 1A **24**
Silver Clo. *SE14* 4F **129**
Silverdale. *NW1* 2B **24**
Silverdale Ct. *EC1* 4A **28**
Silverland St. *E16* 3C **88**
Silver Pl. *W1* 5C **42**
Silver Rd. *W12* 1D **63**
Silverthorn. *NW8* 4A **6**
Silvertown. 3D **87**
Silvertown Way. *E16* 3A **56**
Silver Wlk. *SE16* 3B **80**
Silvester Ho. *E1* 3A **50**
Silvester Ho. *E2* 3B **32**
Silvester Ho. *W11* 3B **36**
Silvester St. *SE1* 5D **75**
Silvocea Way. *E14* 4E **55**
Silwood Est. *SE16* 4C **106**
Silwood St. *SE16* 4C **106**
Simla Ho. *SE1* 5E **75**
Simms Rd. *SE1* 4D **105**
Simon Clo. *W11* 5C **36**
Simon Ct. *W9* 3D **19**
Simpson Ho. *NW8* 3A **22**
Simpson Ho. *SE11* 1C **122**
Simpson's Rd. *E14* 1A **82**
Sinclair Gdns. *W14* 5E **63**
Sinclair Ho. *WC1* 3F **25**
Sinclair Mans. *W12* 5E **63**
Sinclair Rd. *W14* 5E **63**
Singer St. *EC2* 3E **29**
Sirdar Rd. *W11* 1E **63**
Sirinham Point. *SW8* 3C **122**
Sirius Building. *E1* 5E **51**
Sir John Soane's Mus. . . . 3B **44**

Sir Nicholas Garrow Ho. *W10*
    . . . . 4A **18**
Sir Oswald Stoll Foundation, The.
    SW6 . . . . 4F **115**
Sir Oswald Stoll Mans.
    SW6 . . . . 4F **115**
Sise La. *EC4* 4D **47**
Siskin Ho. *SE16* 3E **107**
Sissinghurst Ho. *SE15* 3C **128**
Sister Mabel's Way. *SE15* . . . 4D **127**
Sivill Ho. *E2* 2C **30**
Six Bridges Ind. Est. *SE1* . . 1E **127**
Skeggs Ho. *E14* 1B **110**
Skegness Ho. *N7* 1B **12**
Skenfrith Ho. *SE15* 3F **127**
Sketchley Gdns. *SE16* 5D **107**
Skinner Pl. *SW1* 4D **97**
Skinners La. *EC4* 5C **46**
Skinner St. *EC1* 3E **27**
Skipwith Ho. *EC1* 1D **45**
Skua Ct. *SE8* 2B **130**
Skyline Plaza Building. *E1* . . 3E **49**
Skylines. *E14* 5B **82**
Slade Wlk. *SE17* 3A **124**
Slaidburn St. *SW10* 3C **116**
Sleaford Ind. Est. *SW8* . . . 5C **120**
Sleaford St. *SW8* 4B **120**
Sleigh Ho. *E2* 2C **32**
Sligo Ho. *E1* 5D **33**
Slingsby Pl. *WC2* 5F **43**
Slippers Pl. *SE16* 1A **106**
Slipway Ho. *E14* 5F **109**
Sloane Av. *SW3* 4F **95**
Sloane Ct. E. *SW3* 5D **97**
Sloane Ct. W. *SW3* 5D **97**
Sloane Gdns. *SW1* 4D **97**
Sloane Sq. *SW1* 4C **96**
Sloane St. *SW1* 5C **68**
Sloane Ter. *SW1* 3C **96**
Sloane Ter. Mans. *SW1* . . . 3D **97**
Sloman Ho. *W10* 2A **18**
Sly St. *E1* 4F **49**
Smallbrook M. *W2* 4D **39**
Smart's Pl. *WC2*. 3A **44**
Smart St. *E2* 2D **33**
Smeaton Ct. *SE1* 2B **102**
Smeaton St. *E1*. 2F **77**
Smith Clo. *SE16*. 3D **79**
Smithfield St. *EC1*. 2F **45**
Smith's Ct. *W1*. 5D **43**
Smith Sq. *SW1*. 2F **99**
Smith St. *SW3*. 5B **96**
Smith Ter. *SW3*. 1B **118**
Smithy St. *E1*. 1B **50**
Smokehouse Yd. *EC1*. 1A **46**
Smyrk's Rd. *SE17*. 1A **126**
Smyrna Rd. *NW6*. 2E **5**
Smythe St. *E14*. 5A **54**
Snarsgate St. *W10*. 2B **34**
Snowden St. *EC2*. 1F **47**
Snow Dome (Proposed) 1D **61**
Snow Hill. *EC1*. 2F **45**
Snow Hill Ct. *EC1*. 3A **46**
    (in two parts)
Snowman Ho. *NW6* 3A **6**
Snowsfields. *SE1*. 4E **75**
Soane Ct. *NW1*. 1C **10**
Soho. 4E **43**
Soho Sq. *W1*. 3D **43**

Soho St. *W1* 3D **43**
Soho Theatre & Writers Cen.
. . . . 4D **43**
Sojourner Truth Clo.
E8 . . . . 1F **17**
Solander Gdns. *E1* 5B **50**
Solar Ho. *E6.* 1E **61**
Solarium Ct. *SE1* 3C **104**
Solebay St. *E1* 5F **33**
Solent Ho. *E1.* 2F **51**
Soley M. *WC1* 2D **27**
Solway Ho. *E1* 1E **33**
Somer Ct. *SW6* 3D **115**
Somerfield Ho. *SE16* 5D **107**
Somerford St. *E1* 5F **31**
Somerford Way. *SE16.* 5F **79**
Somers Clo. *NW1* 5D **11**
Somers Cres. *W2* 4F **39**
Somerset House. **5B 44**
Somerset Sq. *W14.* 1A **92**
Somers Town. **2D 25**
Somerville Point. *SE16.* 4B **80**
Sondes St. *SE17* 2D **125**
Sonning Ho. *E2* 3B **30**
Sophia Ho. *W6.* 5B **90**
Sophia Rd. *E16.* 3F **57**
Sophia Sq. *SE16.* 1F **79**
Sopwith Way. *SW8.* 4F **119**
Sorrel Gdns. *E6* 1F **59**
Sorrel La. *E14* 4E **55**
Sorrell Clo. *SE14* 4F **129**
Sotheran Clo. *E8* 3E **17**
Sotheron Rd. *SW6* 5A **116**
Souldern Rd. *W14* 2E **91**
Southacre. *W2* 4F **39**
S. Africa Rd. *W12* 2A **62**
Southall Pl. *SE1* 5D **75**
Southampton Bldgs. *WC2* . . 2D **45**
Southampton Pl. *WC1* 2A **44**
Southampton Row. *WC1* . . . 1A **44**
Southampton St. *WC2* 5A **44**
Southampton Way. *SE5* 4E **125**
Southam St. *W10.* 5A **18**
S. Audley St. *W1* 1E **69**
S. Bank Bus. Cen. *SW8.* 3E **121**
South Bank Cen. **2C 72**
South Bank University. . . . 1A **102**
(Borough Rd.)
South Bank University.
(New Kent Rd. Hall)
. . . . 2C **102**
South Block. *SE1* 5B **72**
S. Bolton Gdns. *SW5* 5A **94**
Southborough Ho. *SE17* . . . 5F **103**
South Bromley. **4D 55**
Southbury. *NW8* 3C **6**
S. Carriage Dri.
SW7 & SW1 . . . . 5E **67**
S. Colonnade, The. *E14* 2E **81**
Southcombe St. *W14* 3F **91**
South Cres. *E16* 1D **55**
South Cres. *WC1* 2D **43**
S. Eaton Pl. *SW1* 3E **97**
S. Edwardes Sq. *W8.* 2C **92**
South End. *W8.* 1A **94**
S. End Row. *W8.* 1A **94**
Southerngate Way. *SE14.* . . 4F **129**
Southern Row. *W10.* 5A **18**
Southern St. *N1.* 5B **12**

Southernwood Retail Pk.
SE1. . . . . 5B **104**
Southerton Rd. *W6* 2B **90**
Southey Ho. *SE17* 5C **102**
Southey M. *E16* 2E **85**
Southey Rd. *SW9.* 5D **123**
Southgate Gro. *N1* 2E **15**
Southgate Rd. *N1.* 3E **15**
South Hampstead. **2C 6**
Southill St. *E14* 3A **54**
S. Island Pl. *SW9.* 5C **122**
South Kensington. **3E 95**
S. Kensington Sta. Arc.
SW7 . . . . 3E **95**
South Lambeth. **5A 122**
S. Lambeth Pl. *SW8.* 2A **122**
S. Lambeth Rd. *SW8* 3A **122**
South Lodge. E16. . . . . 2F **85**
(off Audley Dri.)
South Lodge. *NW8.* 2D **21**
South Lodge. *SW7.* 5A **68**
S. Molton La. *W1* 4F **41**
S. Molton Rd. *E16* 3E **57**
S. Molton St. *W1* 4F **41**
South Pde. *SW3.* 5E **95**
South Pl. *EC2.* 2E **47**
South Pl. M. *EC2* 2E **47**
S. Quay Plaza. *E14* 4F **81**
South Ri. *W2* 5A **40**
S. Sea St. *SE16* 1B **108**
Southside Ind. Est. *SW8.* . . . 5B **120**
South Sq. *WC1* 2D **45**
South St. *W1* 2E **69**
S. Tenter St. *E1* 5C **48**
South Ter. *SW7* 3F **95**
Southwark. **2C 74**
Southwark Bri. *SE1 & EC4* . . 1C **74**
Southwark Bri. Bus. Cen.
SE1. . . . . 3C **74**
(off Southwark Bri. Rd.)
Southwark Bri. Office Village.
SE1. . . . . 2C **74**
Southwark Bri. Rd. *SE1* 1A **102**
Southwark Cathedral. **2D 75**
Southwark Pk. Est. *SE16* . . . 3A **106**
Southwark Pk. Rd. *SE16.* . . . 3C **104**
Southwark St. *SE1* 2F **73**
Southwater Clo. *E14.* 3B **52**
Southway Clo. *W12* 5A **62**
Southwell Gdns. *SW7.* 3B **94**
Southwell Ho. *SE16* 4F **105**
S. W. India Dock Entrance.
E14. . . . . 4C **82**
S. Wharf Rd. *W2* 3D **39**
Southwick M. *W2.* 3E **39**
Southwick Pl. *W2.* 4F **39**
Southwick St. *W2.* 3F **39**
Southwick Yd. *W2.* 4F **39**
Southwold Mans. *W9.* 3E **19**
Southwood Ct. *EC1.* 2F **27**
Southwood Ho. *W11* 5F **35**
Southwood Smith Ho. *E2* . . . 2F **31**
Southwood Smith St. *N1* . . . 4E **13**
Sovereign Clo. *E1.* 1A **78**
Sovereign Cres. *SE16* 1F **79**
Sovereign Ho. *E1* 5A **32**
Sovereign M. *E2.* 5B **16**
Spafield St. *EC1.* 4D **27**
Spa Grn. Est. *EC1.* 2F **27**

Spanish Pl. *W1.* 3E **41**
Sparke Ter. *E16* 3B **56**
Spa Rd. *SE16.* 2B **104**
Sparrick's Row. *SE1.* 4E **75**
Sparrow Ho. *E1* 5C **32**
Speakers Corner. **5C 40**
Spearman Ho. *E14.* 4E **53**
Spear M. *SW5* 4E **93**
Speed Highwalk. *EC2* 1C **46**
Speed Ho. *EC2.* 1C **46**
Speedwell St. *SE8* 5D **131**
Speedy Pl. *WC1* 3F **25**
Speke's Monument. **2C 66**
Spellbrook Wlk. *N1* 3C **14**
Spelman Ho. *E1.* 2D **49**
Spelman St. *E1* 1D **49**
(in two parts)
Spence Clo. *SE16.* 5B **80**
Spencer House. **3B 70**
Spencer Mans. *W14.* 2A **114**
Spencer M. *W6* 2A **114**
Spencer Pl. *N1* 1F **13**
Spencer St. *EC1* 3F **27**
Spenlow Ho. *SE16* 5E **77**
Spenser St. *SW1* 1C **98**
Spert St. *E14* 5F **51**
Spey St. *E14* 2B **54**
Spice Ct. *E1.* 2E **77**
Spice Quay Heights. *SE1* . . . 3C **76**
Spindrift Av. *E14.* 4E **109**
Spinnaker Ho. *E14.* 4D **81**
Spire Ho. *W2* 5C **38**
Spirit Quay. *E1* 2E **77**
Spitalfields. **1B 48**
Spital Sq. *E1* 1A **48**
Spital St. *E1.* 1D **49**
Spital Yd. *E1* 1A **48**
Splendour Wlk. *SE16* 1B **128**
Spode Ho. *SE11.* 2D **101**
Spriggs Ho. *N1* 1A **14**
Sprimont Pl. *SW3* 5B **96**
Springall St. *SE15* 5A **128**
Springalls Wharf. *SE16* 4D **77**
Springbank Wlk. *NW1* 1E **11**
Springfield Ct. *NW3* 1F **7**
Springfield La. *NW6* 4F **5**
Springfield Rd. *NW8* 4B **6**
Springfield Wlk. *NW6* 4F **5**
Spring Gdns. *SW1* 2E **71**
(in two parts)
Spring Ho. *WC1.* 3D **27**
Spring M. *W1* 1C **40**
Spring St. *W2* 4D **39**
Spring Va. Ter. *W14* 2E **91**
Spring Wlk. *E1* 1E **49**
Springwater. *WC1* 1B **44**
Spruce Ho. *SE16* 5D **79**
Spurgeon St. *SE1.* 2D **103**
Spur Rd. *SE1.* 4D **73**
Spur Rd. *SW1* 5B **70**
Square, The. *W6* 5C **90**
Squire Gdns. *NW8.* 3D **21**
Squirries St. *E2* 2E **31**
Stables Market, The. **2F 9**
Stables St. *SE11* 5D **101**
Stable Way. *W10* 4C **34**
Stable Yd. *SW1* 4B **70**
Stable Yd. Rd. *SW1* 3B **70**
(in two parts)

Stacey St. *WC2* 4E **43**
Stack Ho. *SW1* 4E **97**
Stackhouse St. *SW3* 1B **96**
Stacy Path. *SE5* 5F **125**
Stadium St. *SW10* 5C **116**
Stafford Clo. *NW6* 3D **19**
(in two parts)
Stafford Ct. *SW8* 5F **121**
Stafford Cripps Ho. *E2* 3C **32**
Stafford Cripps Ho. *SW6* . . 3C **114**
Stafford Mans. *SW1* 1B **98**
Stafford Mans. *SW11* 5B **118**
Stafford Mans. *W14* 2D **91**
Stafford Pl. *SW1* 1B **98**
Stafford Rd. *NW6* 2D **19**
Stafford St. *W1* 2B **70**
Stafford Ter. *W8* 1D **93**
Staff St. *EC1* 3E **29**
Stag Pl. *SW1* 1B **98**
Stainer St. *SE1* 3E **75**
Staining La. *EC2* 3C **46**
Stainsbury St. *E2* 1C **32**
Stainsby Pl. *E14* 3D **53**
Stainsby Rd. *E14* 4D **53**
Stalbridge Flats. *W1* 4E **41**
Stalbridge St. *NW1* 1A **40**
Stalham St. *SE16* 2A **106**
Stamford Bridge (Chelsea F.C.)
. . . . 4F **115**
Stamford Ga. *SW6* 4A **116**
Stamford Rd. *N1* 1A **16**
Stamford St. *SE1* 3D **73**
Stamp Pl. *E2* 2B **30**
Standard Ind. Est. *E16* 4C **88**
Standard Pl. *EC2* 3A **30**
Stanesgate Ho. *SE15* 4E **127**
Stanfield Ho. *NW8* 4E **21**
Stanford Pl. *SE17* 4F **103**
Stanford Rd. *W8* 1A **94**
Stanford St. *SW1* 4D **99**
Stangate. *SE1* 1C **100**
Stanhope Clo. *SE16* 4E **79**
Stanhope Gdns. *SW7* 3C **94**
Stanhope Ga. *W1* 3E **69**
Stanhope Ho. *SE8* 4C **130**
Stanhope M. E. *SW7* 3C **94**
Stanhope M. S. *SW7* 4C **94**
Stanhope M. W. *SW7* 3C **94**
Stanhope Pde. *NW1* 2B **24**
Stanhope Pl. *W2* 4B **40**
Stanhope Row. *W1* 3F **69**
Stanhope Ter. *W2* 5E **39**
Stanier Clo. *W14* 1C **114**
Stanlake M. *W12* 3B **62**
Stanlake Rd. *W12* 2B **62**
Stanlake Vs. *W12* 3B **62**
Stanley Bldgs. *NW1* 1F **25**
Stanley Clo. *SW8* 3B **122**
Stanley Cohen Ho. *EC1* 5C **28**
Stanley Cres. *W11* 5B **36**
Stanley Gdns. *W11* 5B **36**
Stanley Gdns. M. *W11* 5C **36**
Stanley Holloway Ct. *E16* . . . 4E **57**
Stanley Ho. *E14* 4E **53**
Stanley Pas. *NW1* 1F **25**
Stanley St. *SE8* 5C **130**
Stanmore Pl. *NW1* 3A **10**
Stanmore St. *N1* 3B **12**
Stannard Cotts. *E1* 4C **32**

Stannary Pl. *SE11* 1E **123**
Stannary St. *SE11* 2E **123**
Stansbury Ho. *W10* 2A **18**
Stansfeld Rd. *E6 & E16* . . . 2E **59**
Stansfield Ho. *SE1* 4C **104**
Stanswood Gdns. *SE5* 5A **126**
Stanton Ho. *SE10* 2B **132**
Stanton Ho. *SE16* 4B **80**
Stanway Ct. *N1* 1A **30**
Stanway St. *N1* 5A **16**
Stanwick Rd. *W14* 4B **92**
Stanworth St. *SE1* 5B **76**
Staple Inn. *WC1* 2D **45**
Staple Inn Bldgs. *WC1* 2D **45**
Staples Clo. *SE16* 2F **79**
Staples Ho. *E6* 3D **61**
Staple St. *SE1* 5E **75**
Stapleton Ho. *E2* 2F **31**
Star All. *EC3* 5A **48**
Starboard Way. *E14* 1E **109**
Starcross St. *NW1* 3C **24**
Star La. *E16* 1A **56**
Starling Ho. *NW8* 5F **7**
Star Pl. *E1* 1C **76**
Star Rd. *W14* 2B **114**
Star St. *W2* 3E **39**
Star Yd. *WC2* 3D **45**
Statham Ho. *SW8* 5B **120**
Station App. Rd. *SE1* 5D **73**
Stationer's Hall Ct. *EC4* 4A **46**
Station Pas. *SE15* 5B **128**
Station St. *E16* 3F **89**
Staunton Ho. *SE17* 4F **103**
Staunton St. *SE8* 2C **130**
Staveley. *NW1* 2B **24**
Staveley Clo. *SE15* 5A **128**
Stave Yd. Rd. *SE16* 3F **79**
Stayner's Rd. *E1* 4D **33**
Steadman Ct. *EC1* 4C **28**
Stead St. *SE17* 4D **103**
Stean St. *E8* 3B **16**
Stebbing Ho. *W11* 2E **63**
Stebondale St. *E14* 5C **110**
Stedham Pl. *WC1* 3F **43**
Steedman St. *SE17* 4B **102**
Steele's Rd. *NW3* 1B **8**
Steel's La. *E1* 4C **50**
Steelyard Pas. *EC4* 1D **75**
Steeple Ct. *E1* 4A **32**
Steeple Wlk. *N1* 3C **14**
Steers Way. *SE16* 5A **80**
Stelfox Ho. *WC1* 2C **26**
Stephan Clo. *E8* 3E **17**
Stephen M. *W1* 2D **43**
Stephenson Ho. *SE1* 1B **102**
Stephenson St. *E16* 1F **55**
Stephenson Way. *NW1* 4C **24**
Stephen St. *W1* 2D **43**
Stepney. 2E **51**
Stepney Causeway. *E1* 4D **51**
Stepney Grn. *E1* 1C **50**
Stepney Grn. Ct. *E1* 1D **51**
Stepney High St. *E1* 2E **51**
Stepney Way. *E1* 2D **51**
Sterling Gdns. *SE14* 3F **129**
Sterling St. *SW7* 1A **96**
Sterndale Rd. *W14* 2D **91**
Sterne St. *W12* 4D **63**
Sterry St. *SE1* 5D **75**

Stevedore St. *E1* 2F **77**
Stevenson Cres. *SE16* 5E **105**
Stevenson Ho. *NW8* 3B **6**
Stevens St. *SE1* 1A **104**
Steward St. *E1* 1A **48**
(in two parts)
Stewart's Gro. *SW3* 5E **95**
Stewart's Rd. *SW8* 5B **120**
Stewart St. *E14* 5C **82**
Stew La. *EC4* 5B **46**
Stifford Ho. *E1* 2C **50**
Stileman Ho. *E3* 1C **52**
Stillington St. *SW1* 3C **98**
Stockbeck. *NW1* 1C **24**
Stock Exchange. 4E **47**
Stockholm Ho. *E1* 5E **49**
Stockholm Rd. *SE16* 1C **128**
Stockholm Way. *E1* 2D **77**
Stockleigh Hall. *NW8* 5A **8**
Stocks Pl. *E14* 5C **52**
Stockton Ho. *E2* 2F **31**
Stockwell St. *SE10* 3C **132**
Stoddart Ho. *SW8* 3C **122**
Stone Bldgs. *WC2* 2C **44**
Stonechat Sq. *E6* 1A **60**
Stonecutter St. *EC4* 3F **45**
Stonefield St. *N1* 3E **13**
Stone Hall. *W8* 2F **93**
Stone Hall Gdns. *W8* 2F **93**
Stone Hall Pl. *W8* 2F **93**
Stonehouse. *NW1* 4C **10**
Stone Ho. Ct. *EC3* 3A **48**
Stoneleigh Pl. *W11* 1E **63**
Stoneleigh St. *W11* 1E **63**
Stones End St. *SE1* 5B **74**
Stonewall. *E6* 2D **61**
Stoneyard La. *E14* 1F **81**
Stoney La. *E1* 3A **48**
Stoney St. *SE1* 2D **75**
Stonor Rd. *W14* 4B **92**
Stopes St. *SE15* 5C **126**
Stopford Rd. *SE17* 1A **124**
Stopher Ho. *SE1* 5A **74**
Store Rd. *E16* 4D **89**
Storers Quay. *E14* 4D **111**
Store St. *WC1* 2D **43**
Storey Ct. *NW8* 3D **21**
Storey Ho. *E14* 5A **54**
Storey's Ga. *SW1* 5E **71**
Storey St. *E16* 3E **89**
Stork's Rd. *SE16* 2E **105**
Storrington. *WC1* 3A **26**
Story St. *N1* 2B **12**
Stothard Ho. *E1* 4C **32**
Stothard St. *E1* 4B **32**
Stoughton Clo. *SE11* 4C **100**
Stourcliffe Clo. *W1* 3B **40**
Stourcliffe St. *W1* 4B **40**
Stourhead Ho. *SW1* 5D **99**
Stowage. *SE8* 3E **131**
Stowe Rd. *W12* 4A **62**
Strafford Ho. *SE8* 1B **130**
Strafford St. *E14* 4D **81**
Strahan Rd. *E3* 2F **33**
Straightsmouth. *SE10* 4A **132**
Strait Rd. *E6* 5F **59**
Strale Ho. *N1* 4F **15**
Strand. *WC2* 2F **71**
Strand La. *WC2* 5C **44**

Strand Theatre. 5B 44
Strang Ho. N1 . . . . 4B 14
Strang Print Room. 4D 25
Strangways Ter. W14 . . . . . . 1B 92
Stranraer Way. N1 . . . . 2A 12
Stratford Pl. W1 . . . . 4F 41
Stratford Rd. W8 . . . . 3E 93
Stratford Studios. W8. . . . . . 2E 93
Stratford Vs. NW1 . . . . 1C 10
Strathearn Pl. W2 . . . . 5F 39
Strathmore Ct. NW8 . . . . . . 2F 21
Strathmore Gdns. W8. . . . . . 2E 65
Strathnairn St. SE1. . . . . . . 4E 105
Strathray Gdns. NW3 . . . . 1F 7
Stratton Ct. N1 . . . . 1A 16
Strattondale St. E14 . . . . . . 1B 110
Stratton St. W1 . . . . 2A 70
Streatham St. WC1. . . . . 3F 43
Streatley Rd. NW6 . . . . 2B 4
Stretton Mans. SE8 . . . . 2E 131
Strickland Ho. E2 . . . . 3C 30
Stringer Ho. N1 . . . . 4A 16
Strode Rd. SW6 . . . . 4A 114
Strome Ho. NW6 . . . . 1F 19
Strood Ho. SE1 . . . . 5E 75
Strouts Pl. E2. . . . . 2B 30
Strutton Ground. SW1 . . . . . . 1D 99
Strype St. E1. . . . . 2B 48
Stuart Ho. E16 . . . . 2F 85
Stuart Ho. W14. . . . . 3F 91
Stuart Mill Ho. N1 . . . . 1B 26
Stuart Rd. NW6 . . . . 3D 19
(in two parts)
Stuart Tower. W9 . . . . 3C 20
Stubbs Dri. SE16 . . . . 5F 105
Stubbs Ho. E2 . . . . 2D 33
Stubbs Ho. SW1. . . . . 4E 99
Stucley Pl. NW1. . . . . 2A 10
Studd St. N1. . . . . 3F 13
Studholme St. SE15 . . . . . . 5F 127
Studio Pl. SW1. . . . . 5C 68
Studland. SE17 . . . . 5D 103
Studland Ho. E14 . . . . 3F 51
Studland St. W6. . . . . 4A 90
Studley Ct. E14. . . . . 1E 83
Stukeley St. WC2 . . . . 3A 44
Stunell Ho. SE14 . . . . 3D 129
Sturdee Ho. E2. . . . . 1D 31
Sturdy Ho. E3. . . . . 1F 33
Sturgeon Rd. SE17. . . . . . . 1B 124
Sturge St. SE1 . . . . 4B 74
Sturminster Ho. SW8 . . . . . 5B 122
Sturry St. E14. . . . . 4F 53
Sturt St. N1 . . . . 1C 28
Stutfield St. E1. . . . . 4E 49
Styles Ho. SE1 . . . . 3F 73
Sudbury. E6 . . . . 3E 61
Sudeley St. N1. . . . . 1A 28
Sudrey St. SE1. . . . . 5B 74
Suffield Ho. SE17. . . . . 5A 102
Suffolk La. EC4 . . . . 5D 47
Suffolk Pl. SW1 . . . . 2E 71
Suffolk St. SW1 . . . . 1E 71
Sugar Bakers Ct. SE1 . . . . . 4A 48
Sugar Loaf Wlk. E2 . . . . 2B 32
Sugar Quay. EC3 . . . . 1A 76
Sugar Quay Wlk. EC3. . . . . . 1A 76
Sugden St. SE5 . . . . 3D 125
Sulgrave Gdns. W6 . . . . 5C 62

Sulgrave Rd. W6 . . . . 1B 90
Sulkin Ho. E2. . . . . 2D 33
Sullivan Av. E16. . . . . 1D 59
Sullivan Ho. SE11. . . . . 4C 100
Sullivan Ho. SW1. . . . . 2A 120
Sullivan Rd. SE11. . . . . 3E 101
Sultan St. SE5 . . . . 4B 124
Summercourt Rd. E1 . . . . . . 3C 50
Summerfield Av. NW6 . . . . . . 5A 4
Summers St. EC1. . . . . 5D 27
Sumner Bldgs. SE1 . . . . 2B 74
Sumner Ct. SW8. . . . . 5F 121
Sumner Est. SE15 . . . . 5C 126
Sumner Ho. E3. . . . . 1F 53
Sumner Pl. SW7 . . . . 4D 95
Sumner Pl. M. SW7 . . . . 4E 95
Sumner Rd. SE15. . . . . 3C 126
(in two parts)
Sumner St. SE1 . . . . 2A 74
Sunbury Ho. E2. . . . . 3B 30
Sunbury Ho. SE14 . . . . 2D 129
Sunbury Workshops. E2. . . . . 3B 30
Sun Ct. EC3 . . . . 4E 47
Sunderland Ter. W2 . . . . 3F 37
Sundra Wlk. E1 . . . . 5D 33
Sunlight Sq. E2 . . . . 3A 32
Sunningdale Clo. SE16 . . . . . 1F 127
Sunningdale Gdns. W8. . . . . 2E 93
Sun Pas. SE16. . . . . 1D 105
Sun Rd. W14. . . . . 1B 114
Sun St. EC2. . . . . 1E 47
(in two parts)
Sun St. Pas. EC2 . . . . 2F 47
Sun Wlk. E1. . . . . 1C 76
Sun Wharf. SE8 . . . . 4F 131
Surma Clo. E1 . . . . 5F 31
Surrendale Pl. W9 . . . . 5E 19
Surrey Canal Rd.
SE15 & SE14. . . . . 2C 128
Surrey County Cricket Club
(Oval Cricket Ground, The)
. . . . 2C 122
Surrey Gro. SE17 . . . . 1F 125
Surrey Ho. SE16 . . . . 3D 79
Surrey Quays Rd. SE16 . . . . 1C 106
Surrey Quays Shop. Cen.
SE16 . . . . 2D 107
Surrey Row. SE1 . . . . 4F 73
Surrey Sq. SE17. . . . . 5F 103
Surrey Steps. WC2. . . . . 5C 44
Surrey St. WC2 . . . . 5C 44
Surrey Ter. SE17 . . . . 5A 104
Surrey Water Rd. SE16. . . . . 3E 79
Susan Constant Ct. E14 . . . . 5E 55
Susannah St. E14. . . . . 4A 54
Sussex Ct. SE10. . . . . 3B 132
Sussex Gdns. W2. . . . . 5D 39
Sussex Lodge. W2. . . . . 4E 39
Sussex Mans. SW7 . . . . 4D 95
Sussex Mans. WC2 . . . . 5A 44
Sussex M. E. W2 . . . . 4E 39
Sussex M. W. W2. . . . . 5E 39
Sussex Pl. NW1 . . . . 4B 22
Sussex Pl. W2 . . . . 4E 39
Sussex Pl. W6. . . . . 5C 90
Sussex Sq. W2. . . . . 5E 39
Sussex St. SW1 . . . . 1A 120
Sutherland Av. W9 . . . . 5E 19
Sutherland Ct. W9 . . . . 5E 19

Sutherland Ho. W8. . . . . 2F 93
Sutherland Pl. W2 . . . . 3D 37
Sutherland Row. SW1 . . . . . 5A 98
Sutherland Sq. SE17 . . . . . . 1B 124
Sutherland St. SW1 . . . . . . 5F 97
Sutherland Wlk. SE17. . . . . . 1C 124
Sutterton St. N7 . . . . 1B 12
Sutton Est. EC1 . . . . 3E 29
Sutton Est. W10. . . . . 1B 34
Sutton Est., The. N1 . . . . . . 1F 13
Sutton Est., The. SW3 . . . . . 5A 96
Sutton Row. W1. . . . . 3E 43
Sutton St. E1 . . . . 5B 50
Sutton's Way. EC1 . . . . 5C 28
Sutton Wlk. SE1. . . . . 3C 72
Sutton Way. W10. . . . . 1B 34
Swain St. NW8. . . . . 4F 21
Swallow Ct. W9 . . . . 1E 37
Swallow Ho. NW8. . . . . 5F 7
Swallow Pas. W1. . . . . 4A 42
Swallow Pl. W1 . . . . 4A 42
Swallow St. E6. . . . . 2A 60
Swallow St. W1 . . . . 1C 70
Swanage Ct. N1. . . . . 1A 16
Swanage Ho. SW8 . . . . 5B 122
Swan App. E6. . . . . 2F 59
Swanbourne. SE17. . . . . . . 4B 102
Swanbourne Ho. NW8 . . . . . 4F 21
Swan Ct. E14. . . . . 3C 52
Swan Ct. SW3 . . . . 1A 118
Swan Ct. SW6 . . . . 5D 115
Swanfield St. E2. . . . . 3B 30
Swan Ho. N1 . . . . 1D 15
Swan La. EC4 . . . . 1D 75
Swanley Ho. SE17 . . . . 5A 104
Swan Mead. SE1 . . . . 2F 103
Swanne Ho. SE10. . . . . 4C 132
Swan Pas. E1. . . . . 5D 49
Swan Rd. SE16 . . . . 4C 78
Swanscombe Ho. W11 . . . . . 2E 63
Swanscombe Point. E16. . . . . 2B 56
Swanscombe Rd. W11. . . . . . 2E 63
Swansea Ct. E16. . . . . 3F 89
Swan St. SE1. . . . . 1C 102
Swan Wlk. SW3 . . . . 2B 118
Swedeland Ct. E1. . . . . 2A 48
Swedenborg Gdns. E1 . . . . . 5E 49
Sweden Ga. SE16. . . . . 2A 108
Swedish Quays. SE16. . . . . . 2A 108
(in two parts)
Sweeney Cres. SE1 . . . . 5C 76
Swift Lodge. W9. . . . . 5E 19
Swinbrook Rd. W10. . . . . . . 1A 36
Swinburne Ho. E2 . . . . 3B 32
Swindon St. W12. . . . . 2A 62
Swinley Ho. NW1. . . . . 2A 24
Swinton Pl. WC1 . . . . 2B 26
Swinton St. WC1 . . . . 2B 26
Swiss Cen. W1. . . . . 1E 71
Swiss Ter. NW6 . . . . 1D 7
Sybil Phoenix Clo. SE8 . . . . . 5E 107
Sybil Thorndike Casson Ho.
SW5 . . . . 1E 115
Sycamore Clo. E16. . . . . 1F 55
Sycamore Ct. NW6. . . . . 3E 5
Sycamore Gdns. W6 . . . . . . 5A 62
Sycamore Ho. SE16. . . . . . . 5D 79
Sycamore Ho. W6 . . . . 5B 62

Sycamore Lodge. W8 . . . . . . 2F **93**
    (off Stone Hall Pl.)
Sycamore St. *EC1* 5B **28**
Sydney Clo. *SW3* 4E **95**
Sydney M. *SW3* 4E **95**
Sydney Pl. *SW7* 4E **95**
Sydney St. *SW3* 4F **95**
Sylvan Gro. *SE15* 3A **128**
Sylvia Ct. *N1* 1E **29**
Symes M. *NW1* 5B **10**
Symington Ho. *SE1* 2D **103**
Symister M. *N1* 3F **29**
Symons St. *SW3* 4C **96**
Symphony M. *W10* 2A **18**

T

Tabard Ct. *E14* 4B **54**
Tabard Garden Est. *SE1* . . 1D **103**
Tabard Ho. *SE1* 1E **103**
Tabard St. *SE1* 4C **74**
Tabernacle St. *EC2* 5E **29**
Tabor Rd. *W6* 2A **90**
Tachbrook Est. *SW1* 1D **121**
Tachbrook M. *SW1* 3B **98**
Tachbrook St. *SW1* 4C **98**
    (in two parts)
Tadema Ho. *NW8* 5E **21**
Tadema Rd. *SW10* 4C **116**
Tadmor St. *W12* 3D **63**
Tadworth Ho. *SE1* 5E **73**
Taeping St. *E14* 3F **109**
Taffrail Ho. *E14* 5F **109**
Tailor Ho. *WC1* 5A **26**
Tailworth St. *E1* 2D **49**
Tait Ct. *SW8* 5E **121**
Tait Ho. *SE1* 3E **73**
Talbot Ct. *EC3* 5E **47**
Talbot Gro. Ho. *W11* 4F **35**
Talbot Ho. *E14* 3F **53**
Talbot Rd. *W11 & W2* 4B **36**
    (in two parts)
Talbot Sq. *W2* 4E **39**
Talbot Wlk. *W11* 4F **35**
Talbot Yd. *SE1* 3D **75**
Talgarth Mans. *W14* 5F **91**
Talgarth Rd. *W6 & W14* . . 5D **91**
Talia Ho. *E14* 1C **110**
Tallis Clo. *E16* 4F **57**
Tallis St. *EC4* 5E **45**
Tamar Ho. *E14* 5B **82**
Tamar Ho. *SE11* 5E **101**
Tamarind Ct. *W8* 2F **93**
Tamarind Yd. *E1* 2E **77**
Tamplin Ho. *W10* 2B **18**
Tamworth St. *SW6* 2D **115**
Tangmere. *WC1* 3B **26**
Tankerton Houses. WC1 . . . *3A 26*
    (off Tankerton St.)
Tankerton St. *WC1* 3A **26**
Tanner Ho. *SE1* 5A **76**
Tanneries, The. *E1* 5C **32**
Tanner St. *SE1* 5A **76**
    (in two parts)
Tanswell St. *SE1* 5D **73**
Tansy Clo. *E6* 4E **61**
Tant Av. *E16* 3B **56**
Tapley Ho. *SE1* 5D **77**

Taplow. *SE17* 5E **103**
Taplow Ho. *E2* 3B **30**
Taplow St. *N1* 1C **28**
Tapp St. *E1* 4F **31**
Taranto Ho. *E1* 1E **51**
Tarbert Wlk. *E1* 5B **50**
Tariff Cres. *SE8* 3B **108**
Tarling Ho. *E1* 4A **50**
Tarling Rd. *E16* 4C **56**
Tarling St. *E1* 4A **50**
Tarling St. Est. *E1* 4B **50**
Tarns, The. *NW1* 2B **24**
Tarn St. *SE1* 2B **102**
Tarplett Ho. *SE14* 3C **128**
Tarragon Clo. *SE14* 4F **129**
Tarranbrae. *NW6* 1A **4**
Tarrant Ho. *E2* 2B **32**
Tarrant Pl. *W1* 2B **40**
Tartan Ho. *E14* 3C **54**
Tarver Rd. *SE17* 1A **124**
Tarves Way. *SE10* 4A **132**
Tasker Ho. *E14* 2C **52**
Tasman Ct. *E14* 4F **109**
Tasman Ho. *E1* 2A **78**
Tasman Wlk. *E16* 4D **59**
Tasso Rd. *W6* 2A **114**
Tasso Yd. *W6* 3A **114**
Tate Britain. 4F **99**
Tate Ho. *E2* 1D **33**
Tate Modern. 2A **74**
Tate Rd. *E16* 3B **88**
    (in two parts)
Tatsfield Ho. *SE1* 1E **103**
Tatum St. *SE17* 4E **103**
Taunton Ho. *W2* 4B **38**
Taunton M. *NW1* 5B **22**
Taunton Pl. *NW1* 4B **22**
Taverners Clo. *W11* 3F **63**
Taverners Ct. E3 . . . . . . *3F 33*
    (off Grove Rd.)
Tavern Quay. *SE16* 3F **107**
Tavistock Ct. *WC1* 4E **25**
Tavistock Cres. *W11* 2B **36**
    (in three parts)
Tavistock Ho. *WC1* 4E **25**
Tavistock M. *W11* 3B **36**
Tavistock Pl. *WC1* 4F **25**
Tavistock Rd. *W11* 3B **36**
    (in two parts)
Tavistock Sq. *WC1* 4E **25**
Tavistock St. *WC2* 5A **44**
    (in two parts)
Tavistock Tower. *SE16* 2F **107**
Taviton St. *WC1* 4D **25**
Tavy Clo. *SE11* 5E **101**
    (in two parts)
Tawny Way. *SE16* 3D **107**
Tay Bldgs. *SE1* 1F **85**
Tayburn Clo. *E14* 3B **54**
Tayler Ct. *NW8* 3D **7**
Taylor Clo. *SE8* 2B **130**
Tayport Clo. *N1* 2A **12**
Teak Clo. *SE16* 3A **80**
Teal Clo. *E16* 2D **59**
Teal Ct. *SE8* 2B **130**
Teale St. *E2* 5E **17**
Tea Trade Wharf. *SE1* 4C **76**
Ted Roberts Ho. *E2* 1A **32**
Tedworth Gdns. *SW3* 1B **118**

Tedworth Sq. *SW3* 1B **118**
Teesdale Clo. *E2* 1E **31**
Teesdale St. *E2* 1F **31**
Teesdale Yd. *E2* 1F **31**
Telecom Tower, The. **1B 42**
Telegraph Pl. *E14* 3F **109**
Telegraph Quarters. *SE10* . . . 1D **133**
Telegraph St. *EC2* 3D **47**
Telephone Pl. *SW6* 2C **114**
Telfer Ho. *EC1* 3B **28**
Telford Ho. *SE1* 1B **102**
Telford Rd. *W10* 1F **35**
Telfords Yd. *E1* 1E **77**
Telford Ter. *SW1* 2B **120**
Temair Ho. *SE10* 4A **132**
Temeraire St. *SE16* 4C **78**
Templar Ct. *NW8* 3D **21**
Temple. *EC4* 5D **45**
    (off Middle Temple La.)
Temple Av. *EC4* 5E **45**
Temple Bar. **4D 45**
Temple Chambers. *EC4* 5E **45**
Temple Ct. *E1* 1E **51**
Temple Ct. *SW8* 5F **121**
Temple Dwellings. *E2* 1F **31**
Temple Gdns. *EC4* 5D **45**
Temple La. *EC4* 4E **45**
Temple of Mithras (Remains)
    . . . . **4D 47**
Temple Pl. *WC2* 5C **44**
Temple St. *E2* 1F **31**
Templeton Pl. *SW5* 3E **93**
Temple W. M. *SE11* 2F **101**
Tenby Ho. *W2* 4B **38**
Tenby Mans. *W1* 1E **41**
Tench St. *E1* 3F **77**
Tenda Rd. *SE16* 4F **105**
Tenison Ct. *W1* 5B **42**
Tenison Way. *SE1* 3C **72**
Tenniel Clo. *W2* 5A **38**
Tennis St. *SE1* 4D **75**
Tennyson Ho. *SE17* 5C **102**
Tennyson Mans. *W14* 2A **114**
Tennyson Rd. *NW6* 3B **4**
    (in two parts)
Tenterden Ho. *SE17* 1F **125**
Tenterden St. *W1* 4A **42**
Tenter Ground. *E1* 2B **48**
Tenter Pas. *E1* 4C **48**
Tent St. *E1* 4F **31**
Teredo St. *SE16* 2E **107**
Terling Ho. *W10* 1B **34**
Terling Wlk. *N1* 3B **14**
Terminus Pl. *SW1* 2A **98**
Terraces, The. *NW8* 5D **7**
Terrace, The. *E2* 2B **32**
Terrace, The. *EC4* 5D **45**
Terrace, The. *NW6* 3D **5**
Terrace, The. *SE8* 4B **108**
Terrace Wlk. *SW11* 4B **118**
Terretts Pl. *N1* 2F **13**
Terrick St. *W12* 4A **34**
Territorial Ho. *SE11* 4E **101**
Testerton Rd. *W11* 5E **35**
Testerton Wlk. *W11* 5E **35**
Tetbury Pl. *N1* 4F **13**
Tetcott Rd. *SW10* 4B **116**
    (in two parts)
Teviot Est. *E14* 1A **54**

Teviot St. *E14*. 1B **54**
Thackeray Ct. *SW3*. 5B **96**
Thackeray Ct. *W14*. 2F **91**
Thackeray Ho. *WC1*. 4F **25**
Thackeray St. *W8*. 1A **94**
Thalia Clo. *SE10*. 2E **133**
Thame Rd. *SE16* 4E **79**
Thamesbrook. *SW3* 1F **117**
Thames Circ. *E14*. 3E **109**
Thames Ct. *SE15* 4B **126**
Thames Exchange Building.
. . . . *EC4*. 5C **46**
Thames Flood Barrier, The.
. . . . 5D **87**
Thames Ho. *EC4* 5C **46**
Thames Ho. *SW1*. 3F **99**
Thameside Ind. Est. *E16*. . . . 3E **87**
Thames Quay. *E14*. 4A **82**
Thames Rd. *E16* 3D **87**
Thames Rd. Ind. Est. *E16*. . . 3D **87**
Thames St. *SE10*. 2A **132**
Thames Wlk. *SW11* 4F **117**
Thanet Ho. *WC1*. 3F **25**
Thanet Lodge. *NW2*. 1A **4**
Thanet St. *WC1* 3F **25**
Thanet Wharf. *SE8* 3F **131**
Thavie's Inn. *EC1* 3E **45**
Thaxted Ct. *N1*. 1D **29**
Thaxted Ho. *SE16*. 3B **106**
Thaxton Rd. *W14*. 2C **114**
Thayer St. *W1* 2E **41**
Theatre Mus. 5A **44**
Theatro Technis. 4C **10**
Theberton St. *N1* 3E **13**
Theed St. *SE1* 3D **73**
Theobald's Rd. *WC1*. 2A **44**
Theobald St. *SE1*. 2D **103**
Thermopylae Ga. *E14*. 4A **110**
Theseus Wlk. *N1*. 1A **28**
Thessaly Ho. *SW8* 5B **120**
Thessaly Rd. *SW8* 5B **120**
. . . . (in two parts)
Thesus Ho. *E14* 4C **54**
Thetford Ho. *SE1* 1B **104**
Third Av. *W10* 2A **18**
Thirleby Rd. *SW1*. 2C **98**
Thirlmere. *NW1* 2A **24**
Thistle Gro. *SW10* 5C **94**
Thistle Ho. *E14*. 3C **54**
Thistley Ct. *SE8* 2F **131**
Thomas Burt Ho. *E2*. 2F **31**
Thomas Cribb M. *E6* 3C **60**
Thomas Darby Ct. *W11*. 4F **35**
Thomas Doyle St. *SE1* 1A **102**
Thomas Hollywood Ho.
. . . . . . *E2*. 1B **32**
Thomas More Highwalk.
. . . . . . *EC2*. 2B **46**
Thomas More Ho. *EC2*. 2B **46**
Thomas More Sq. *E1*. 1D **77**
Thomas More St. *E1* 1D **77**
Thomas Neal's Shop. Mall.
. . . . . . *WC2*. 4F **43**
Thomas N. Ter. *E16* 2B **56**
Thomas Pl. *W8*. 2F **93**
Thomas Rd. *E14* 3C **52**
Thomas Rd. Ind. Est.
. . . . . . *E14*. 2D **53**
Thompson Ho. *SE14* 3C **128**

Thompson's Av. *SE5*. 4B **124**
Thomson Ho. *E14*. 4E **53**
Thomson Ho. *SE17*. 4F **103**
Thomson Ho. *SW1*. 1E **121**
Thorburn Sq. *SE1* 4D **105**
Thoresby St. *N1*. 2C **28**
Thornaby Ho. *E2*. 2F **31**
Thornbury Ct. *W11* 5D **37**
Thorncroft St. *SW8*. 5F **121**
Thorndike Clo. *SW10* 4B **116**
Thorndike Ho. *SW1* 5D **99**
Thorndike St. *SW1*. 4D **99**
Thorne Clo. *E16*. 3C **56**
Thorne Ho. *E2* 2C **32**
Thorne Ho. *E14* 1B **110**
Thorne Rd. *SW8*. 5F **121**
Thornewill Ho. *E1*. 5C **50**
Thorney Ct. *W8* 5B **66**
Thorney Cres. *SW11*. 5E **117**
Thorney St. *SW1* 3F **99**
Thornfield Ho. *E14*. 5D **53**
Thornfield Rd. *W12* 5A **12**
. . . . (in four parts)
Thorngate Rd. *W9* 4E **19**
Thornham St. *SE10* 3A **132**
Thornhaugh M. *WC1* 5E **25**
Thornhaugh St. *WC1*. 5E **25**
Thornhill Bri. Wharf. *N1* 4B **12**
Thornhill Cres. *N1* 2C **12**
Thornhill Gro. *N1*. 2C **12**
Thornhill Houses. *N1*. 1D **13**
Thornhill Rd. *N1* 1D **13**
Thornhill Sq. *N1*. 2C **12**
Thornley Pl. *SE10*. 1F **133**
Thornton Ho. *SE17*. 4F **103**
Thornton Pl. *W1*. 1C **40**
Thorold Ho. *SE1*. 4B **74**
Thorparch Rd. *SW8* 5E **121**
Thorpe Clo. *W10* 3A **36**
Thorpe Ho. *N1*. 4C **12**
Thoydon Rd. *E3*. 1F **33**
Thrale St. *SE1* 3C **74**
Thrasher Clo. *E8* 3B **16**
Thrawl St. *E1*. 2C **48**
Threadneedle St. *EC2*. 4D **47**
Three Barrels Wlk. *EC4*. . . . 1C **74**
Three Colt Corner. *E2 & E1*. . 5D **31**
Three Colts La. *E2* 4F **31**
Three Colt St. *E14* 5C **52**
Three Cranes Wlk. *EC4*. 1C **74**
Three Cups Yd. *WC1* 2C **44**
Three Kings Yd. *W1* 5F **41**
Three Oak La. *SE1* 4B **76**
Three Quays. *EC3*. 1A **76**
Three Quays Wlk. *EC3* 1A **76**
Threshers Pl. *W11*. 5F **35**
Throckmorten Rd. *E16*. 4A **58**
Throgmorton Av. *EC2*. 3E **47**
. . . . (in two parts)
Throgmorton St. *EC2*. 3E **47**
Thrush St. *SE17*. 5A **102**
Thurland Ho. *SE16*. 4F **105**
Thurland Rd. *SE16*. 1D **105**
Thurloe Clo. *SW7*. 3F **95**
Thurloe Ct. *SW3*. 4F **95**
Thurloe Pl. *SW7*. 3E **95**
Thurloe Pl. M. *SW7* 3E **95**
Thurloe Sq. *SW7* 3E **95**
Thurloe St. *SW7* 3E **95**

Thurlow St. *SE17*. 5E **103**
. . . . (in two parts)
Thurlow Wlk. *SE17*. 5F **103**
. . . . (in two parts)
Thurnscoe. *NW1* 4B **10**
Thurso Ho. *NW6*. 1F **19**
Thurstan Dwellings.
. . . . . . *WC2* 3A **44**
Thurtle Rd. *E2* 4C **16**
Tibberton Sq. *N1* 2B **14**
Tiber Gdns. *N1*. 4A **12**
Tickford Ho. *NW8*. 3F **21**
Tidal Basin Rd. *E16*. 5C **56**
Tidbury Ct. *SW8*. 5B **120**
Tideslea Ct. *SE16* 2E **79**
Tideway Ho. *E14* 4E **81**
Tideway Ind. Est. *SW8* 3C **120**
Tideway Wlk. *SW8*. 3C **120**
Tidey St. *E3* 1E **53**
Tilbury Clo. *SE15*. 4C **126**
Tilbury Ho. *SE14* 2D **129**
Tile Yd. *E14* 4C **52**
Tileyard Rd. *N7*. 1F **11**
Tilleard Ho. *W10* 2A **18**
Tiller Rd. *E14*. 1D **109**
Tillett Sq. *SE16* 5A **80**
Tillet Way. *E2*. 2D **31**
Tillman St. *E1* 4A **50**
Tilloch St. *N1* 2B **12**
Tillotson Ct. *SW8*. 5E **121**
Tilney Ct. *EC1* 4C **28**
Tilney St. *W1*. 2E **69**
Tilson Clo. *SE5*. 4F **125**
Tilton St. *SW6* 3A **114**
Timberland Clo. *SE15*. 5D **127**
Timberland Rd. *E1* 5A **50**
Timber Pond Rd. *SE16* 3E **79**
Timber St. *EC1*. 4B **28**
Timber Wharves Est. *E14* . . 3E **109**
Timbrell Pl. *SE16*. 3B **80**
Timor Ho. *E1* 5F **33**
Timothy Rd. *E3* 2B **52**
Tindal St. *SW9* 5F **123**
Tinsley Rd. *E1* 1C **50**
Tintern Ho. *NW1* 1A **24**
Tintern Ho. *SW1*. 4F **97**
Tinto Rd. *E16*. 1E **57**
Tinworth St. *SE11* 5A **100**
Tiptree. *NW1* 1F **9**
Tisbury Ct. *W1*. 5D **43**
Tisdall Pl. *SE17* 4E **103**
Tissington Ct. *SE16* 4D **107**
Titan Bus. Est. *SE8*. 4D **131**
Titchborne Row. *W2*. 4F **39**
Titchfield Rd. *NW8*. 4B **8**
Tite St. *SW3*. 1B **118**
Titmuss St. *W12* 5A **62**
Tiverton St. *SE1*. 2B **102**
Tivoli Ct. *SE16* 3B **80**
Tobacco Quay. *E1*. 1F **77**
Tobago St. *E14* 4D **81**
Tobin Clo. *NW3* 1A **8**
Toby La. *E1* 5F **33**
Tokenhouse Yd. *EC2*. 3D **47**
Tolchurch. *W11* 3C **36**
Tollbridge Clo. *W10* 4A **18**
Tollet St. *E1* 4D **33**
Tollgate Gdns. *NW6* 5F **5**
Tollgate Ho. *NW6* 5F **5**

Tollgate Rd. E16 & E6 . . . . . . 2C 58
Tollgate Sq. E6. . . . . 1B 60
Tolmers Sq. NW1. . . . . 4C 24
(in two parts)
Tolpaide Ho. SE11 . . . . 4D 101
Tolpuddle St. N1 . . . . 5D 13
Tom Jenkinson Rd. E16 . . . . . 2E 85
Tomkyns Ho. SE11. . . . . 4D 101
Tomlinson Clo. E2 . . . . 3C 30
Tomlins Ter. E14. . . . . 3A 52
Tompion Ho. EC1 . . . . 4A 28
Tompion St. EC1 . . . . 3A 28
(in two parts)
Tom Smith Clo. SE10 . . . . . . 2F 133
Tomson Ho. SE1 . . . . 1B 104
Tom Williams Ho. SW6. . . . . 3B 114
Tonbridge Houses. WC1 . . . . . 3F 25
Tonbridge St. WC1. . . . . 2F 25
Tonbridge Wlk. WC1. . . . . . . 2F 25
Toneborough. NW8 . . . . 4A 6
Took's Ct. EC4 . . . . 3D 45
Tooley St. SE1 . . . . 2E 75
Toomy Cen. E16. . . . . 2A 86
Topham Ho. SE10 . . . . 5B 132
Topham St. EC1. . . . . 4D 27
Topmast Point. E14 . . . . 5D 81
Torbay Ct. NW1 . . . . 1A 10
Torbay Mans. NW6. . . . . 2B 4
Torbay St. NW1 . . . . 2A 10
Tor Ct. W8 . . . . 4E 65
Tor Gdns. W8. . . . . 4D 65
Tornay Ho. N1 . . . . 5B 12
Torquay St. W2. . . . . 2F 37
Torrens St. EC1 . . . . 1F 27
Torres Sq. E14 . . . . 5E 109
Torridon Ho. NW6. . . . . 1F 19
Torrington Pl. E1 . . . . 2E 77
Torrington Pl. WC1 . . . . 1D 43
Torrington Sq. WC1 . . . . 5E 25
Tortington Ho. SE15. . . . . . . 4E 127
Tothill Ho. SW1 . . . . 3E 99
Tothill St. SW1. . . . . 5D 71
Tottan Ter. E1 . . . . 3E 51
Tottenhall. NW1 . . . . 1E 9
Tottenham Ct. Rd. W1 . . . . . 5C 24
Tottenham M. W1. . . . . 1C 42
Tottenham St. W1 . . . . 2C 42
Toulmin St. SE1. . . . . 5B 74
Toulon St. SE5 . . . . 4B 124
Toulouse Ct. SE16 . . . . 5A 106
Tourist Info. Cen. 4B 46
(City of London)
Tourist Info. Cen. 2C 132
(Greenwich)
Tourist Info. Cen. 2E 75
(Southwark)
Tourist Info. Cen. 4C 72
(Waterloo International Terminal)
Tournay Rd. SW6. . . . . 4C 114
Toussaint Wlk. SE16. . . . . . . 1E 105
Tovy Ho. SE1. . . . . 1D 127
Tower Bri. SE1 & E1. . . . . . . 3B 76
Tower Bri. App. E1. . . . . 2B 76
Tower Bri. Bus. Complex.
SE16 . . . . 2F 105
Tower Bri. Bus. Sq. SE16 . . . 3F 105
Tower Bridge Experience.
. . . . 2B 76

Tower Bri. Plaza. SE1 . . . . . . 3B 76
Tower Bri. Rd. SE1 . . . . 2F 103
Tower Bri. Sq. SE1. . . . . 4B 76
Tower Bri. Wharf. E1 . . . . . . 3D 77
Tower Bldgs. E1. . . . . 3A 78
Tower Ct. N1 . . . . 2B 14
Tower Ct. NW8. . . . . 5A 8
Tower Ct. WC2. . . . . 4F 43
Tower 42. . . . . 3F 47
Tower Hill. (Junct.). 1B 76
Tower Hill. EC3. . . . . 1A 76
Tower Hill Ter. EC3. . . . . 1A 76
Tower Ho. E1 . . . . 2E 49
Tower of London, The.
. . . . 1B 76
Tower Pl. EC3 . . . . 1A 76
Tower Royal. EC4. . . . . 5D 47
Tower St. WC2. . . . . 4E 43
Townley St. SE17. . . . . 5D 103
(in two parts)
Townsend Ho. SE1. . . . . 4E 105
Townsend St. SE17. . . . . 4E 103
Townshend Ct. NW8. . . . . . . 5A 8
Townshend Est. NW8 . . . . . . 5F 7
Townshend Rd. NW8 . . . . . . 4F 7
(in two parts)
Toynbee St. E1. . . . . 2B 48
Toynbee Studios
(College & Theatre). . . . 3C 48
Trader Rd. E6 . . . . 4F 61
Tradescant Rd. SW8. . . . . . . 5A 122
Tradewinds Ct. E1. . . . . 2E 77
Trafalgar Av. SE15 . . . . 1C 126
Trafalgar Clo. SE16. . . . . 3F 107
Trafalgar Ct. E1 . . . . 2C 78
Trafalgar Gdns. E1 . . . . 1E 51
Trafalgar Gdns. W8 . . . . 1A 94
Trafalgar Gro. SE10 . . . . 2E 133
Trafalgar Ho. SE17. . . . . 5C 102
Trafalgar Rd. SE10 . . . . 2E 133
Trafalgar Square. 2E 71
Trafalgar Sq. WC2 . . . . 2E 71
Trafalgar St. SE17 . . . . 5D 103
Trafalgar Way. E14 . . . . 2B 82
Trafford Ho. N1 . . . . 1E 29
Traitors' Gate. 2B 76
Tralee Ct. SE16. . . . . 5F 105
Transept St. NW1. . . . . 2A 40
Transom Clo. SE16. . . . . 3A 108
Transom Sq. E14 . . . . 5F 109
Tranton Rd. SE16. . . . . 1E 105
Trappes Ho. SE16. . . . . 4F 105
Travers Ho. SE10 . . . . 2E 133
Treadgold Ho. W11. . . . . 5E 35
Treadgold St. W11 . . . . 5E 35
Treadway St. E2. . . . . 1F 31
Treasury Pas. SW1. . . . . 4F 71
Treaty St. N1 . . . . 4B 12
Trebeck St. W1. . . . . 2F 69
Trebovir Rd. SW5. . . . . 5E 93
Trederwen Rd. E8. . . . . 3E 17
Tree Rd. E16 . . . . 3B 58
Tregunter Rd. SW10. . . . . . . 2A 116
Trelawney Ho. SE1. . . . . 4B 74
Trellick Tower. W10 . . . . 5B 18
Trematon Ho. SE11. . . . . 5E 101
Trenchard St. SE10. . . . . 1E 133
Trenchold St. SW8. . . . . 3F 121
Trendell Ho. E14 . . . . 3D 53

Tresco Ho. SE11 . . . . 5D 101
Tresham Cres. NW8 . . . . 4F 21
Tressell Clo. N1 . . . . 2A 14
Tress Pl. SE1 . . . . 2F 73
Trevanion Rd. W14. . . . . 5A 92
Trevelyan Ho. E2 . . . . 3D 33
Trevelyan Ho. SE5 . . . . 4A 124
Treveris St. SE1 . . . . 3A 74
Treverton St. W10 . . . . 1E 35
Treverton Towers.
W10. . . . . 1E 35
Treves Ho. E1. . . . . 5E 31
Trevithick Ho. SE16 . . . . 4A 106
Trevithick St. SE8. . . . . 2D 131
Trevor Pl. SW7. . . . . 5A 68
Trevor Sq. SW7 . . . . 1A 96
Trevor St. SW7. . . . . 5A 68
Trevor Wlk. SW7 . . . . 5A 68
Trevose Ho. SE11. . . . . 5C 100
Triangle Ct. E16 . . . . 1C 58
Triangle Rd. E8. . . . . 3F 17
Triangle, The. E8. . . . . 3F 17
Tricycle Cinema. 2C 4
Tricycle Theatre. 2C 4
Trident Ho. E14 . . . . 4C 54
Trident St. SE16 . . . . 3E 107
Trig La. EC4. . . . . 5B 46
Trigon Rd. SW8 . . . . 4C 122
Trimdon. NW1 . . . . 4B 10
Trim St. SE14. . . . . 3B 130
Trinidad Ho. E14 . . . . 5C 52
Trinidad St. E14. . . . . 5C 52
Trinity Buoy Wharf.
E14. . . . . 1A 84
Trinity Chu. Sq. SE1. . . . . . . 5C 74
Trinity Ct. N1 . . . . 3F 15
Trinity Ct. SE1 . . . . 1C 102
Trinity Ct. W2. . . . . 3B 38
Trinity Ct. WC1. . . . . 4C 26
Trinity Gdns. E16 . . . . 1C 56
Trinity Grn. E1 . . . . 1B 50
Trinity Hospital (Almshouses)
SE10 . . . . 1E 133
Trinity Ho. SE1. . . . . 1C 102
Trinity M. E1 . . . . 1B 50
Trinity M. W10 . . . . 3E 35
Trinity Pl. EC3 . . . . 1B 76
Trinity Sq. EC3. . . . . 1A 76
Trinity St. E16 . . . . 2D 57
Trinity St. SE1 . . . . 5C 74
(in two parts)
Trinity Tower. E1 . . . . 1D 77
Trio Pl. SE1 . . . . 5C 74
Tristan Ct. SE8 . . . . 2B 130
Triton Ho. E14 . . . . 4F 109
Triton Sq. NW1 . . . . 4B 24
Triumph Rd. E6 . . . . 3C 60
Trocadero Cen. 1D 71
Trocette Mans. SE1. . . . . 1F 103
Trojan Ct. NW6. . . . . 2A 4
Troon Clo. SE16. . . . . 5A 106
Troon Ho. E1 . . . . 3F 51
Troon St. E1. . . . . 3F 51
Trothy Rd. SE1. . . . . 3E 105
Troughton Rd. SE7. . . . . 5F 113
Troutbeck. NW1 . . . . 3A 24
Troy Ct. W8 . . . . 1D 93
Truesdale Rd. E6 . . . . 4C 60
Trump St. EC2 . . . . 4C 46

Trundle St. *SE1* 4B **74**
Trundleys Rd. *SE8* 4E **107**
Trundley's Ter. *SE8* 4E **107**
Trussley Rd. *W6.* 2B **90**
Tryon St. *SW3* 5B **96**
Tudor Ct. *SE16.* 2D **79**
Tudor Ho. *E16* 2F **85**
Tudor Ho. *W14.* 3E **91**
Tudor Rd. *E9* 3F **17**
Tudor St. *EC4.* 5E **45**
Tufton Ct. *SW1.* 2F **99**
Tufton St. *SW1.* 1E **99**
Tulip Clo. *E6.* 2B **60**
Tunbridge Ho. *EC1* 2F **27**
Tunis Rd. *W12.* 2B **62**
Tunley Grn. *E14.* 2C **52**
Tunnanleys. *E6.* 3E **61**
Tunnel App. *E14.* 5F **51**
Tunnel App. *SE10.* 5F **83**
Tunnel App. *SE16.* 5B **78**
Tunnel Av. *SE10.* 4E **83**
(in three parts)
Tunnel Av. Trad. Est. *SE10* . . 5E **83**
Tunnel Rd. *SE16.* 4B **78**
Tupman Ho. *SE16.* 5D **77**
Turin St. *E2.* 3D **31**
Turk's Head Yd. *EC1.* 1F **45**
Turk's Row. *SW3.* 5C **96**
Turnagain La. *EC4.* 3F **45**
Turnberry Clo. *SE16.* 1A **128**
Turnberry Quay. *E14.* 1A **110**
Turnbull Ho. *N1* 4A **14**
Turner Clo. *SW9.* 5A **124**
Turner Ct. *SE16.* 5C **78**
Turner Ho. *NW8* 5F **7**
Turner Ho. *SW1* 4E **99**
Turner's All. *EC3.* 5F **47**
Turners Rd. *E14 & E3.* 2B **52**
Turner St. *E1* 2F **49**
Turner St. *E16* 4C **56**
Turneville Rd. *W14.* 2B **114**
Turnmill St. *EC1* 5F **27**
Turnour Ho. *E1.* 4F **49**
Turnpike Clo. *SE8.* 4C **130**
Turnpike Ho. *EC1.* 3A **28**
Turnpin La. *SE10.* 3C **132**
Turpentine La. *SW1.* 5A **98**
Turquand St. *SE17.* 4C **102**
Turville Ho. *NW8* 4F **21**
Turville St. *E2.* 4B **30**
Tuscan Ho. *E2.* 2C **32**
Tuskar St. *SE10.* 1F **133**
Tustin Est. *SE15.* 4B **128**
Tuttle Ho. *SW1.* 1D **121**
Tweed Ho. *E14.* 1B **54**
Tweezer's All. *WC2.* 5D **45**
Twig Folly Clo. *E2.* 1E **33**
Twine St. *E1.* 5B **50**
Twycross M. *SE10.* 4A **112**
Twyford Pl. *WC2.* 3B **44**
Twyford St. *N1.* 3B **12**
Tyas Rd. *E16.* 1B **56**
Tyburn Way. *W1.* 5C **40**
Tyers Est. *SE1.* 4F **75**
Tyers Ga. *SE1.* 5F **75**
Tyers St. *SE11.* 1B **122**
Tyers Ter. *SE11.* 1B **122**
Tyler Clo. *E2.* 5B **16**
Tyler's Ct. *W1.* 4D **43**

Tyler St. *SE10.* 1F **133**
(in two parts)
Tylney Ho. *E1.* 3A **50**
Tyndale Ct. *E14.* 5F **109**
Tyndale La. *N1.* 1F **13**
Tyndale Mans. *N1.* 1F **13**
Tyndale Ter. *N1.* 1F **13**
Tynemouth Clo. *E6.* 4F **61**
Tyne St. *E1* 3C **48**
Type St. *E2.* 1D **33**
Tyrawley Rd. *SW6.* 5F **115**
Tyrrell Ho. *SW1.* 2C **120**
Tysoe St. *EC1.* 3D **27**
Tyssen St. *N1.* 5A **16**
Tytherton. *E2.* 1B **32**

U

Uamvar St. *E14.* 1A **54**
UCI Cinema. 4A **38**
(Queensway)
UCI Cinema. 1E **107**
(Teredo St.)
UCI Empire Cinema. 5E **43**
UCI Filmworks. 3C **112**
Udall St. *SW1.* 4C **98**
Udimore Ho. *W10.* 1B **34**
Ufford St. *SE1.* 4E **73**
Ufton Gro. *N1.* 1E **15**
Ufton Rd. *N1.* 2E **15**
(in two parts)
UGC Cinema. 1C **116**
(Fulham Rd.)
UGC Cinema. 1D **71**
(Haymarket)
UGC Cinema. 1D **71**
(Windmill St.)
UGC Haymarket Cinema. . . . 1D **71**
(Haymarket)
UGC Trocadero Cinema. . . . 1D **71**
(Windmill St.)
Ullin St. *E14.* 2B **54**
Ullswater Ho. *SE15.* 3B **128**
Ulster Pl. *NW1.* 5F **23**
Ulster Ter. *NW1.* 5F **23**
Umberston St. *E1.* 3F **49**
Underhill Ho. *E14.* 2D **53**
Underhill Pas. *NW1.* 3A **10**
Underhill St. *NW1.* 4A **10**
Undershaft. *EC3.* 4F **47**
Underwood Ho. *W6.* 1A **90**
Underwood Rd. *E1.* 5D **31**
Underwood Row. *N1.* 2C **28**
Underwood St. *N1.* 2C **28**
Undine Rd. *E14.* 3A **110**
Unicorn Building. *E1.* 5E **51**
Union Ct. *EC2.* 3F **47**
Union Ct. *W9.* 1D **37**
Union Dri. *E1.* 4F **33**
Union Sq. *N1.* 4B **14**
Union St. *SE1.* 4F **73**
Union Theatre. 3A **74**
Union Wlk. *E2.* 2A **30**
Union Wharf. *N1.* 4C **14**
Union Yd. *W1.* 4A **42**
Unit Workshops. *E1.* 3D **49**
Unity M. *NW1.* 5D **11**
Unity Wharf. *SE1.* 4C **76**

University College. 5D **25**
University of Central London.
(Campbell Ho.)
. . . . 4D **25**
University of Central London.
(Chemistry Building)
. . . . 4D **25**
University of Greenwich.
. . . . 2D **133**
University of London.
(Senate House)
. . . . 1E **43**
University of London Union.
. . . . 5E **25**
University of Westminster.
(Cavendish Campus)
. . . . 1A **42**
(Bolsover St.)
University of Westminster.
(Cavendish Campus)
. . . . 1B **42**
(Hanson St.)
University of Westminster.
(Euston Cen.)
. . . . 4B **24**
University of Westminster Library.
. . . . 2B **42**
University of Westminster.
(Marylebone Campus)
. . . . 1D **41**
(Marylebone Rd.)
University of Westminster.
(Regent Campus)
. . . . 2B **42**
(Lit. Titchfield St.)
University of Westminster.
(Regent Campus)
. . . . 3A **42**
(Regent St.)
University of Westminster.
(Regent Campus)
. . . . 2B **42**
(Wells St.)
University St. *WC1.* 5C **24**
University Way. *E16.* 1E **89**
Unwin Clo. *SE15.* 3D **127**
Unwin Mans. *W14.* 2B **114**
Unwin Rd. *SW7.* 1D **95**
Upbrook M. *W2.* 4C **38**
Upcerne Rd. *SW10.* 5B **116**
Upnall Ho. *SE15.* 3C **128**
Upnor Way. *SE17.* 5A **104**
Up. Addison Gdns. *W14.* . . . 4E **63**
Up. Belgrave St. *SW1.* 1E **97**
Up. Berenger Wlk. *SW10* . . 4D **117**
(off Berenger Wlk.)
Up. Berkeley St. *W1.* 4B **40**
Up. Blantyre Wlk. *SW10.* . . . 4D **117**
Up. Brook St. *W1.* 1D **69**
Up. Camelford Wlk. *W11* . . . 4F **35**
Up. Cheyne Row. *SW3* . . . 3F **117**
Up. Clarendon Wlk. *W11.* . . . 4F **35**
Up. Dartrey Wlk. *SW10* . . . 4C **116**
Up. Dengie Wlk. *N1* 3B **14**
(off Baddow Wlk.)
Upper Feilde. *W1.* 5D **41**
Up. Grosvenor St. *W1* 1D **69**
Upper Ground. *SE1* 2D **73**
Up. Gulland Wlk. *N1.* 1C **14**

Up. Hawkwell Wlk. N1 . . . . . . 3C ***14***
(off Baddow Wlk.)
Up. James St. *W1* 5C **42**
Up. John St. *W1*. 5C **42**
Upper Marsh. *SE1* 1C **100**
Up. Montagu St. *W1*. 1B **40**
Up. North St. *E14*. 2E **53**
Up. Phillimore Gdns. *W8* 5D **65**
Up. Rawreth Wlk. N1 . . . . 3C ***14***
(off Basire St.)
Up. St Martin's La. *WC2* 5F **43**
Upper St. *N1* 1F **13**
Up. Tachbrook St. *SW1* 3B **98**
Up. Talbot Wlk. *W11*. 4F **35**
Up. Thames St. *EC4*. 5A **46**
Up. Whistler Wlk. *SW10*. . . . 4C **116**
Up. Wimpole St. *W1*. 1E **41**
Up. Woburn Pl. *WC1* 3E **25**
Upwey Ho. *N1* 4F **15**
Urlwin St. *SE5* 3B **124**
Urmston Ho. *E14* 3C **110**
Usborne M. *SW8* 4C **122**
Usk St. *E2* 2D **33**
Utopia Village. *NW1*. 3D **9**
Uverdale Rd. *SW10* 5C **116**
Uxbridge Rd. *W12* 3A **62**
Uxbridge St. *W8* 2D **65**

V

Vale Clo. *W9* 3B **20**
Vale Ct. *W9* 3C **20**
Valentine Pl. *SE1* 5F **73**
Valentine Row. *SE1*. 5F **73**
Vale Royal. *N7* 2F **11**
Vale Royal Ho. *WC2*. 5E **43**
Vale, The. *SW3* 2D **117**
Valiant Ho. *E14* 5B **82**
Valiant Way. *E6* 2B **60**
Vallance Rd. *E2 & E1* 3E **31**
Valois Ho. *SE1*. 1B **104**
Vanbrugh Castle. *SE3* 3F **133**
Vanbrugh Clo. *E16*. 2D **59**
Vanbrugh Ct. *SE11*. 4E **101**
Vanbrugh Hill.
SE10 & SE3. . . . . 5B **112**
Vanburgh Ho. *E1* 1B **48**
Vancouver Ho. *E1*. 3A **78**
Vandome Clo. *E16* 4F **57**
Vandon Ct. *SW1*. 1C **98**
Vandon Pas. *SW1* 1C **98**
Vandon St. *SW1*. 1C **98**
Vandy St. *EC2* 5F **29**
Vane St. *SW1*. 3C **98**
Vange Ho. *W10* 1B **34**
Van Gogh Ct. *E14*. 2D **111**
Vanguard Building. *E14* 4D **81**
Vanguard Clo. *E16* 2E **57**
Vansittart St. *SE14*. 4A **130**
Vanston Pl. *SW6* 4D **115**
Vantage M. *E14* 3C **82**
Vantage Pl. *W8*. 2E **93**
Vantrey Ho. *SE11*. 4D **101**
Varcoe Rd. *SE16* 1A **128**
Varden St. *E1* 3F **49**
Varley Ho. *NW6*. 4D **5**
Varley Rd. *E16* 3F **57**
Varna Rd. *SW6* 4A **114**
Varndell St. *NW1* 2B **24**
Vassall Ho. *E3* 2F **33**
Vassall Rd. *SW9* 5D **123**
Vat Ho. *SW8* 4A **122**
Vauban Est. *SE16*. 2C **104**
Vauban St. *SE16* 2C **104**
Vaudeville Theatre. **1A** 72
Vaughan Est. *E2*. 2B **30**
Vaughan Ho. *SE1* 4F **73**
Vaughan St. *SE16* 5B **80**
Vaughan Way. *E1*. 1D **77**
Vaughan Williams Clo.
SE8. . . . . 5D **131**
Vauxhall. **1A** 122
Vauxhall Bri. *SW1 & SE1* 5E **99**
Vauxhall Bri. Rd. *SW1* 2B **98**
Vauxhall Cross. (Junct.) . . . 1A 122
Vauxhall Cross. *SE1*. 1A **122**
Vauxhall Distribution Pk.
SW8 . . . . 3D **121**
Vauxhall Gro. *SW8*. 2A **122**
Vauxhall St. *SE11*. 5C **100**
Vauxhall Wlk. *SE11* 5B **100**
Vawdrey Clo. *E1*. 5B **32**
Velletri Ho. *E2* 1D **33**
Venables St. *NW8*. 5E **21**
Venice Ct. *SE5* 4C **124**
Venn Ho. *N1* 4C **12**
Ventnor Rd. *SE14*. 5E **129**
Venture Ho. W10 . . . . 4E ***35***
(off Bridge Clo.)
Venue St. *E14* 1B **54**
Verdi Ho. *W10*. 1A **18**
Vereker Rd. *W14* 1A **114**
Vere St. *W1* 4F **41**
Verity Clo. *W11* 4F **35**
Vermeer Ct. *E14*. 2D **111**
Verney Ho. *NW8*. 4F **21**
Verney Rd. *SE16* 2E **127**
Verney Way. *SE16*. 1F **127**
Vernon Ho. *SE11* 1C **122**
Vernon Ho. *WC1* 2A **44**
Vernon M. *W14* 4A **92**
Vernon Pl. *WC1* 2A **44**
Vernon Ri. *WC1* 2C **26**
Vernon Sq. *WC1* 2C **26**
Vernon St. *W14* 4F **91**
Vernon Yd. *W11*. 5B **36**
Verona Ct. *SE14*. 2D **129**
Verulam Bldgs. *WC1* 1C **44**
Verulam Ho. *W6*. 5A **62**
Verulam St. *WC1* 1D **45**
Verwood Ho. *SW8* 5C **122**
Verwood Lodge. *E14* 2D **111**
Vesage Ct. *EC1*. 2E **45**
Vesey Path. *E14*. 4A **54**
Vestry Ct. *SW1*. 2E **99**
Vestry St. *N1* 2D **29**
Viaduct Bldgs. *EC1*. 2E **45**
Viaduct Pl. *E2*. 3F **31**
Viaduct St. *E2*. 3F **31**
Vibart Wlk. *N1* 3A **12**
Vicarage Ct. *W8* 4F **65**
Vicarage Gdns. *W8*. 3E **65**
Vicarage Ga. *W8*. 3F **65**
Viceroy Ct. *NW8*. 5A **8**
Vickery Ct. *EC1* 4C **28**
Victor Cazalet Ho. *N1* 3F **13**
Victoria & Albert Mus. **2E** 95
Victoria Arc. *SW1*. 2A **98**
Victoria Av. *EC2* 2A **48**
Victoria Bldgs. *E8*. 4F **17**
Victoria Colonnade. *WC1* 2A **44**
Victoria Cotts. *E1* 1D **49**
Victoria Dock Rd. *E16* 4B **56**
Victoria Embkmt.
SW1 & WC2 . . . . 5A **72**
Victoria Gdns. *W11* 2D **65**
Victoria Gro. *W8* 1B **94**
Victoria Gro. M. *W2* 1E **65**
Victoria Hall. *E16* 2E **85**
(in two parts)
Victoria Ho. *E6*. 3D **61**
Victoria Ho. *SW1* 5F **97**
(Ebury Bri. Rd.)
Victoria Ho. *SW1* 3C **98**
(Francis St.)
Victoria Ho. *SW8* 4A **122**
Victoria Mans. *SW8* 4A **122**
Victoria M. *NW6* 3D **5**
Victoria Palace Theatre. . . . **2B** 98
Victoria Pk. Rd. *E9* 4F **17**
Victoria Pk. Sq. *E2* 2B **32**
Victoria Pas. *NW8* 4D **21**
Victoria Pl. Shop. Cen.
SW1 . . . . 3A **98**
Victoria Rd. *NW6*. 5B **4**
Victoria Rd. *W8* 5B **66**
Victoria Sq. *SW1* 1A **98**
Victoria St. *SW1*. 2A **98**
Victoria Way. *SE7*. 5F **113**
Victoria Wharf. *E2* 1E **33**
Victoria Wharf. *E14* 5A **52**
Victoria Wharf. *SE8* 5B **108**
Victoria Yd. *E1* 4E **49**
Victory Ct. *W9*. 5D **19**
Victory Pl. *E14*. 5A **52**
Victory Pl. *SE17*. 3C **102**
Victory Way. *SE16* 5A **80**
Vigo St. *W1* 1B **70**
Viking Ct. *SW6*. 3E **115**
Viking Gdns. *E6* 1F **59**
Villa St. *SE17*. 1E **125**
Villa Wlk. *SE17*. 1E **125**
Villiers St. *WC2* 1F **71**
Vincent Clo. *SE16*. 5F **79**
Vincent Ct. *W1*. 3B **40**
Vincent Ho. *SW1* 4D **99**
Vincent Sq. *SW1* 3D **99**
Vincent Sq. Mans. SW1 . . . . . 3C ***98***
(off Walcott St.)
Vincent St. *E16* 3C **56**
Vincent St. *SW1*. 3D **99**
Vincent Ter. *N1*. 5F **13**
Vince St. *EC1* 3E **29**
Vine Cotts. *E1* 3B **50**
Vine Ct. *E1*. 2E **49**
Vinegar St. *E1* 2F **77**
Vinegar Yd. *SE1* 4F **75**
Vine Hill. *EC1*. 5D **27**
Vine La. *SE1* 3A **76**
Vinery Way. *W6* 1A **90**
Vine Sq. *W14*. 1C **114**
Vine St. *EC3*. 4B **48**
Vine St. *W1* 1C **70**
Vine St. Bri. *EC1*. 5E **27**
Vine Yd. *SE1* 4C **74**
Vineyard M. *EC1* 4D **27**

Vineyard Wlk. *EC1* 4D **27**
Vinopolis, City of Wine. . . . 2D 75
Vintners Ct. *EC4*. 5C **46**
Vintner's Pl. *EC4* 5C **46**
Violet Clo. *SE8*. 2B **130**
Violet Hill. *NW8* 1B **20**
Violet Hill Ho. *NW8* 1B **20**
(in two parts)
Violet Rd. *E3* 1F **53**
Violet St. *E2*. 4A **32**
Virgil Pl. *W1*. 2B **40**
Virgil St. *SE1* 1C **100**
Virginia Ct. *SE16* 4D **79**
Virginia Ct. *WC1*. 4E **25**
Virginia Ho. *E14*. 5B **54**
Virginia Rd. *E2*. 3B **30**
Virginia St. *E1* 1E **77**
Viscount Ct. *W2*. 4E **37**
Viscount Dri. *E6*. 1B **60**
Viscount St. *EC1* 5B **28**
Vittoria Ho. *N1*. 4C **12**
Vivian Rd. *E3* 1F **33**
Vixen M. *E8*. 2B **16**
Vogans Mill. *SE1* 4C **76**
Vogler Ho. *E1*. 5B **50**
Vollasky Ho. *E1* 1D **49**
Voss St. *E2* 3E **31**
Voyager Bus. Est. *SE16* 1D **105**
Vulcan Clo. *E6* 4E **61**
Vulcan Sq. *E14*. 4E **109**
Vyner St. *E2*. 5F **17**

W

W12 Shop. Cen. *W12*. 4D **63**
Wadding St. *SE17* 4D **103**
Wade Ho. *SE1* 5D **77**
Wadeson St. *E2* 5F **17**
Wade's Pl. *E14* 5F **53**
Wadham Gdns. *NW3* 3F **7**
Wadhurst Rd. *SW8*. 5B **120**
Wager St. *E3* 1B **52**
Wagner St. *SE15* 4B **128**
Wainwright Ho. *E1* 2B **78**
Waite St. *SE15*. 2B **126**
Waithman St. *EC4*. 4F **45**
Wakefield M. *WC1* 3A **26**
Wakefield St. *WC1* 3A **26**
Wakeling St. *E14* 4F **51**
Wakelin Ho. *N1*. 2F **13**
Wakerley Clo. *E6* 4B **60**
Wakley St. *EC1*. 2F **27**
Walberswick St. *SW8*. 5A **122**
Walbrook. *EC4*. 5D **47**
(in three parts)
Walbrook Wharf. *EC4*. 1C **74**
Walburgh St. *E1*. 4F **49**
Walcorde Av. *SE17*. 4C **102**
Walcot Gdns. *SE11* 3D **101**
Walcot Sq. *SE11*. 3E **101**
Walcott St. *SW1*. 3C **98**
Waldair Ct. *E16*. 4F **89**
Walden Ho. *SW1* 4E **97**
Walden St. *E1*. 3F **49**
Waldron M. *SW3* 2E **117**
Waleran Flats. *SE1* 3F **103**
Wales Clo. *SE15*. 4A **128**
Waley St. *E1*. 1E **51**
Walford Ho. *E1*. 4F **49**
Walham Grn. Ct. *SW6*. 5F **115**
Walham Gro. *SW6* 4D **115**
Walham Yd. *SW6*. 4D **115**
Walker Ho. *NW1* 1D **25**
Walker's Ct. *W1* 5D **43**
Walkinshaw Ct. *N1* 2C **14**
Wallace Collection. 3D 41
Wallace Ct. *NW1* 2A **40**
Waller Way. *SE10*. 4A **132**
Wallgrave Rd. *SW5*. 3F **93**
Wallingford Av. *W10* 2D **35**
Wallis All. *SE1* 4C **74**
Wallside. *EC2*. 2C **46**
Wallwood St. *E14*. 2C **52**
Walmer Ho. *W10* 4E **35**
Walmer Pl. *W1*. 1B **40**
Walmer Rd. *W10* 4C **34**
Walmer Rd. *W11* 5F **35**
Walmer St. *W1*. 1B **40**
Walnut Clo. *SE8*. 3C **130**
*Walnut Ct. W8 . . . . 2F **93***
(off St Mary's Ga.)
Walnut Tree Ho. *SW10* 2A **116**
Walnut Tree Wlk. *SE11*. 3D **101**
Walpole Ct. *W14* 2E **91**
Walpole Ho. *SE1* 5D **73**
Walpole M. *NW8* 4D **7**
Walpole St. *SW3* 5B **96**
Walsham Ho. *SE17* 5D **103**
Walsingham. *NW8* 3E **7**
Walsingham Mans. *SW6*. . . . 4A **116**
Walston Ho. *SW1*. 5D **99**
Walter Besant Ho. *E1* 3D **33**
*Walter Langley Ct. SE16. . . . . 4C **78***
(off Brunel Rd.)
Walters Clo. *SE17* 4C **102**
Walters Ho. *SE17* 3F **123**
Walter St. *E2* 3D **33**
Walter Ter. *E1*. 3E **51**
Walterton Rd. *W9*. 5C **18**
Waltham Ho. *NW8* 3B **6**
Walton Clo. *SW8* 4A **122**
Walton Ho. *E2* 4B **30**
Walton Pl. *SW3* 1B **96**
Walton St. *SW3* 3A **96**
Walworth. 5C 102
Walworth Pl. *SE17*. 1C **124**
Walworth Rd.
SE1 & SE17. . . . . 3B **102**
Wandle Ho. *NW8* 1F **39**
Wandon Rd. *SW6*. 5A **116**
(in two parts)
Wandsworth Rd. *SW8* 5E **121**
Wansey St. *SE17* 4B **102**
Wapping. 3A 78
Wapping Dock St. *E1* 3A **78**
Wapping High St. *E1* 3D **77**
Wapping La. *E1* 1A **78**
Wapping Wall. *E1*. 2B **78**
Warbreck Rd. *W12*. 3A **62**
Warburg Institute. 5E 25
Warburton Ho. *E8*. 3F **17**
Warburton Rd. *E8*. 3F **17**
Warburton St. *E8* 3F **17**
Wardalls Gro. *SE14* 4C **128**
Wardalls Ho. *SE8*. 2C **130**
Wardell Ho. *SE10*. 2B **132**
Wardens Gro. *SE1* 3B **74**
Wardour M. *W1* 4C **42**
Wardour St. *W1* 3C **42**
Ward Point. *SE11*. 4D **101**
Wardrobe Pl. *EC4*. 4A **46**
Wardrobe Ter. *EC4* 5A **46**
Wareham Ct. *N1*. 1A **16**
Wareham Ho. *SW8*. 4B **122**
Wargrave Ho. *E2* 3B **30**
Warham St. *SE5*. 4A **124**
Warley St. *E2*. 2D **33**
Warlock Rd. *W9*. 4C **18**
Warmley Ct. *SE15* 3A **126**
Warmsworth. *NW1*. 3B **10**
Warndon St. *SE16* 4C **106**
Warner Ho. *NW8* 2B **20**
Warner Pl. *E2*. 1E **31**
Warner St. *EC1* 5D **27**
Warner Ter. *E14* 2E **53**
Warner Village West End Cinema.
. . . . 5E 43
Warner Yd. *EC1* 5D **27**
Warnham. *WC1* 3B **26**
Warren Ct. *NW1*. 4B **24**
Warren Ho. *W14* 3C **92**
Warren M. *W1* 5B **24**
Warren Pl. *E1*. 4E **51**
Warren St. *W1*. 5B **24**
Warrington Cres. *W9* 5B **20**
Warrington Gdns. *W9*. 5B **20**
Warrington Pl. *E14*. 2C **82**
Warspite Ho. *E14* 4F **109**
Warwall. *E6* 3F **61**
Warwick. *W14* 4C **92**
Warwick Av. *W9 & W2*. 5A **20**
Warwick Chambers. *W8*. 1D **93**
Warwick Ct. *WC1*. 2C **44**
Warwick Cres. *W2* 1B **38**
Warwick Est. *W2* 2A **38**
Warwick Gdns. *W14*. 2C **92**
*Warwick Ho. E16 . . . . 2E **85***
(off Wesley Av.)
Warwick Ho. St. *SW1*. 2E **71**
Warwick La. *EC4* 3A **46**
Warwick Pas. *EC4* 4A **46**
Warwick Pl. *W9*. 1B **38**
Warwick Pl. N. *SW1*. 4B **98**
Warwick Rd. *W14 & SW5* . . . 2B **92**
Warwick Row. *SW1* 2A **98**
Warwickshire Path. *SE8* 4C **130**
Warwick Sq. *EC4* 3A **46**
Warwick Sq. *SW1* 5B **98**
Warwick Sq. M. *SW1* 4B **98**
Warwick St. *W1* 5C **42**
Warwick Way. *SW1* 5F **97**
Warwick Yd. *EC1* 5C **28**
Wasps R.U.F.C.
(Queen's Pk. Rangers F.C.)
. . . . 2A 62
Watercress Pl. *N1* 2A **16**
Waterford Ho. *W11* 5B **36**
Waterford Rd. *SW6* 5F **115**
(in two parts)
Water Gdns., The. *W2* 3A **40**
Watergate. *EC4*. 5F **45**
Watergate St. *SE8* 3D **131**
Watergate Wlk. *WC2* 2A **72**
Waterhead. *NW1* 2B **24**
Waterhouse Clo. *E16* 1D **59**
Waterhouse Clo. *W6*. 5E **91**

Waterhouse Sq. EC1 . . . . 2D 45
Wateridge Clo. E14. . . . . 2D 109
Water La. EC3 . . . . 1A 76
Water La. NW1. . . . . 2A 10
Water La. SE14 . . . . 4C 128
Waterloo Bri. WC2 & SE1. . . 1B 72
Waterloo Pas. NW6 . . . . 2C 4
Waterloo Pl. SW1. . . . . 2D 71
Waterloo Rd. SE1. . . . . 2C 72
Waterloo Ter. N1. . . . . 2F 13
Waterman Building. E14. . . . 4D 81
Waterman's Wlk. EC4. . . . . 1D 75
Watermans Wlk. SE16 . . . . . 3F 79
Waterman Way. E1 . . . . 2F 77
Waterside Clo. SE16 . . . . . . 5E 77
Waterside Ho. E14 . . . . 4F 81
Waterside Pl. NW1 . . . . 3E 9
Waterside Point. SW11. . . . 4A 118
Waterson St. E2 . . . . 2A 30
Water St. WC2 . . . . 5D 45
Water Tower Pl. N1 . . . . 4F 13
Waterview Ho. E14. . . . . 2A 52
Watford Rd. E16 . . . . 2E 57
Watkins Ho. E14 . . . . 5B 82
Watling Ct. EC4 . . . . 4C 46
Watling St. EC4 . . . . 4B 46
Watling St. SE15 . . . . 3A 126
Watney Mkt. E1 . . . . 4A 50
Watney St. E1 . . . . 4A 50
Watson's M. W1. . . . . 2A 40
Watsons St. SE8 . . . . 5D 131
Watts Gro. E3. . . . . 1E 53
Watts St. E1. . . . . 2A 78
Watts St. SE15. . . . . 5C 126
Wavel Ct. E1 . . . . 2B 78
Wavel M. NW6 . . . . 2F 5
Waveney Clo. E1 . . . . 2E 77
Waverley Ct. NW3 . . . . 1B 8
Waverley Ct. NW6 . . . . 2A 4
Waverley Gdns. E6 . . . . 2A 60
Waverley Pl. NW8 . . . . 5D 7
Waverton St. W1 . . . . 2E 69
Waylett Ho. SE11 . . . . 1D 123
Wayman Ct. E8 . . . . 1F 17
Waynflete Sq. W10 . . . . 4D 35
Weald Clo. SE16 . . . . 5F 105
Wearmouth Ho. E3 . . . . 1B 52
Wear Pl. E2 . . . . 3F 31
(in two parts)
Weatherbury. W2 . . . . 3D 37
Weatherley Clo. E3 . . . . 1C 52
Weaver Clo. E6 . . . . 5F 61
Weavers La. SE1 . . . . 3A 76
Weavers Ter. SW6 . . . . 3E 115
Weaver St. E1 . . . . 5D 31
Weavers Way. NW1 . . . . 3D 11
Webber Row. SE1. . . . . 1E 101
(in two parts)
Webber St. SE1 . . . . 4E 73
Webb Ho. SW8. . . . . 5E 121
Webb St. SE1 . . . . 2F 103
Webheath. NW6. . . . . 1C 4
Webster Rd. SE16 . . . . 2E 105
Weddell Ho. E1. . . . . 5E 33
Wedgewood Ho. SW1. . . . . 1A 120
Wedgewood M. W1 . . . . 4E 43
Wedgwood Ho. E2. . . . . 3D 33
Wedgwood Ho. SE11. . . . . . 2D 101
Wedlake St. W10 . . . . 4A 18

Weighhouse St. W1 . . . . 5E 41
Weir's Pas. NW1 . . . . 2E 25
Welbeck Ct. W14 . . . . 3B 92
Welbeck Ho. W1. . . . . 3F 41
Welbeck St. W1 . . . . 2E 41
Welbeck Way. W1. . . . . 3F 41
Welford Ct. NW1 . . . . 1A 10
Welford Ct. W9 . . . . 1D 37
Welland M. E1 . . . . 2E 77
Welland St. SE10 . . . . 3B 132
Wellclose Sq. E1 . . . . 5E 49
Wellclose St. E1 . . . . 1E 77
Wellcome Cen. for
    Medical Science. 4D 25
Well Ct. EC4. . . . . 4C 46
(in two parts)
Weller Ho. SE16. . . . . 5D 77
Wellers Ct. NW1 . . . . 1F 25
Weller St. SE1 . . . . 4B 74
Welles Ct. E14 . . . . 1D 81
Wellesley Av. W6 . . . . 2A 90
Wellesley Ct. W9 . . . . 2B 20
Wellesley Ho. NW1 . . . . 3D 25
Wellesley Ho. SW1 . . . . 5F 97
Wellesley Mans. W14 . . . . . 5B 92
Wellesley Pl. NW1 . . . . 3D 25
Wellesley St. E1 . . . . 2D 51
Wellesley Ter. N1 . . . . 2C 28
Wellington Arch. 4E 69
Wellington Bldgs. SW1. . . . 1E 119
Wellington Clo. W11 . . . . . . 4D 37
Wellington Ct. NW8 . . . . 5D 7
Wellington Ct. SW1 . . . . . . 5B 68
Wellington Gro. SE10. . . . . 5D 133
Wellington Ho. E16. . . . . . . 2E 85
Wellington Monument. . . . 4E 69
Wellington Mus. 4E 69
Wellington Pl. NW8 . . . . 2E 21
Wellington Rd. NW8. . . . . . . 5E 7
Wellington Row. E2 . . . . . . 2C 30
Wellington Sq. SW3 . . . . . . 5B 96
Wellington St. WC2 . . . . . . 5A 44
Wellington Ter. E1 . . . . 2F 77
Wellington Ter. W2 . . . . 1F 65
Wells Ct. NW6 . . . . 5E 5
Wells Ho. EC1 . . . . 2E 27
Wells Ho. SE16 . . . . 1C 106
Wells M. W1 . . . . 2C 42
Wells Ri. NW8 . . . . 4B 8
Wells Rd. W12 . . . . 5B 62
Wells Sq. WC1 . . . . 3B 26
Wells St. W1 . . . . 2B 42
Wells Way. SE5 . . . . 2E 125
Wells Way. SW7. . . . . 1D 95
Welsford St. SE1 . . . . 5D 105
(in two parts)
Welsh Ho. E1. . . . . 2A 78
Welshpool Ho. E8. . . . . 3E 17
Welshpool St. E8 . . . . 3E 17
(in two parts)
Welstead Ho. E1. . . . . 4F 49
Welton Ho. E1 . . . . 2D 51
Welwyn St. E2 . . . . 2C 32
Wendle Ct. SW8 . . . . 3F 121
Wendover. SE17 . . . . 5F 103
(in two parts)
Wendover Ct. W1. . . . . 2D 41
Wendover Ho. W1 . . . . 2D 41
Wenham Ho. SW8 . . . . 5B 120

Wenlake Ho. EC1 . . . . 4B 28
Wenlock Barn Est. N1 . . . . . . 1D 29
Wenlock Ct. N1 . . . . 1E 29
Wenlock Rd. N1. . . . . 5B 14
Wenlock St. N1 . . . . 1C 28
Wennington Rd. E3 . . . . 1E 33
Wentworth Cres. SE15 . . . . . 5E 127
Wentworth Dwellings. E1 . . . 3B 48
Wentworth St. E1. . . . . 3B 48
Werrington St. NW1. . . . . . . 1C 24
Wesley Av. E16. . . . . 2E 85
Wesley Clo. SE17. . . . . 4A 102
Wesley Ct. SE16 . . . . 2F 105
Wesley's House, Chapel &
    Mus. of Methodism. . . . 5E 29
Wesley Sq. W11 . . . . 4F 35
Wesley St. W1 . . . . 2E 41
Wessex Ho. SE1 . . . . 5C 104
Wessex St. E2 . . . . 3C 32
W. Arbour St. E1 . . . . 3C 50
West Beckton. 4E 59
West Block. SE1. . . . . 5B 72
Westbourne Bri. W2. . . . . . . 2B 38
Westbourne Cres. W2 . . . . . 5D 39
Westbourne Cres. M. W2. . . 5D 39
Westbourne Gdns. W2 . . . . . 3F 37
Westbourne Green. 3C 36
Westbourne Gro.
    W11 & W2 . . . . 5B 36
Westbourne Gro. M. W11. . . 4D 37
Westbourne Gro. Ter. W2 . . 3F 37
Westbourne Ho. SW1 . . . . . . 5F 97
Westbourne Pk. Pas. W2 . . . 1E 37
(in two parts)
Westbourne Pk. Rd.
    W11 & W2. . . . . 4A 36
Westbourne Pk. Vs. W2. . . . 2E 37
Westbourne Rd. N7 . . . . 1D 13
Westbourne St. W2 . . . . 5D 39
Westbourne Ter. W2 . . . . . . 3B 38
Westbourne Ter. M. W2 . . . . 3B 38
Westbourne Ter. Rd. W2. . . . 2B 38
Westbourne Ter. Rd. Bri.
    W2 . . . . 1B 38
Westbridge Rd. SW11. . . . . . 5F 117
West Brompton. 1F 115
Westbrook Ho. E2 . . . . 2B 32
W. Carriage Dri. W2 . . . . . . 1F 67
(in two parts)
W. Central St. WC1 . . . . 3F 43
Westcombe Hill. SE3 . . . . . . 5D 113
Westcombe Pk. Rd.
    SE3 . . . . 3F 133
Westcott Ho. E14 . . . . 5E 53
Westcott Rd. SE17 . . . . 2F 123
W. Cromwell Rd.
    W14 & SW5 . . . . 5B 92
W. Cross Route.
    W10 & W12 . . . . 5D 35
W. Eaton Pl. SW1. . . . . 3D 97
W. Eaton Pl. M. SW1 . . . . . . 3D 97
W. End Ct. NW6 . . . . 1F 5
W. End La. NW6. . . . . 2E 5
(in two parts)
Westerham. NW1 . . . . 4B 10
Westerham Ho. SE1 . . . . 1E 103
Western Beach Apartments.
    E16 . . . . 2D 85
Western Ct. NW6 . . . . 1C 18

Western M. *W9* 5C **18**
Western Pl. *SE16* 4C **78**
Westferry Cir. *E14* 2D **81**
Westferry Rd. *E14* 2D **81**
Westfield Clo. *SW10* 5B **116**
Westfield Ho. *SE16* 3E **107**
Westfield Way. *E1* 3F **33**
W. Garden Pl. *W2* 4A **40**
West Gdns. *E1* 1A **78**
Westgate Cen., The. *E8* 3F **17**
Westgate St. *E8* 3F **17**
Westgate Ter. *SW10* 1A **116**
W. Halkin St. *SW1* 1D **97**
W. Hampstead M. *NW6* 1F **5**
W. Harding St. *EC4* 3E **45**
Westhope Ho. *E2* 4E **31**
W. India Av. *E14* 2D **81**
W. India Dock Rd. *E14* 4C **52**
(in two parts)
W. India Ho. *E14* 5D **53**
West Kensington. 4B 92
W. Kensington Ct. *W14* 5B **92**
W. Kensington Mans.
W14 . . . . 1B **114**
West Kilburn. 3B 18
Westlake. *SE16* 4C **106**
Westland Ho. *E16* 3D **89**
Westland Pl. *N1* 2D **29**
West La. *SE16* 5F **77**
West Lodge. E16 . . . . 2E ***85***
(off Britannia Ga.)
Westmacott Ho. *NW8* 5E **21**
West Mall. *W8* 2E **65**
W. Mersea Clo. *E16* 3F **85**
West M. *SW1* 4B **98**
Westminster. 5F 71
Westminster Abbey. 1F 99
Westminster Abbey
Chapter House. 1E 99
Westminster Abbey Mus. . . . 1F 99
Westminster Abbey
Pyx Chamber. 1E 99
Westminster Bri.
SW1 & SE1 . . . . 5A **72**
Westminster Bri. Rd. *SE1* 5B **72**
Westminster Bus. Sq.
SE11 . . . . 1B **122**
Westminster Ct. *SE16* 2E **79**
Westminster Gdns. *SW1* 3F **99**
Westminster Hall. 5F 71
Westminster Mans. *SW1* 2E **99**
Westminster Pal. Gdns.
SW1 . . . . 2D **99**
Westminster RC Cathedral.
. . . . 2B 98
Westminster Theatre. 1B 98
Westmoreland Ho. E16 . . . . . . 2E ***85***
(off Gatcombe Rd.)
Westmoreland Pl. *SW1* 1A **120**
Westmoreland Rd. *SE17* 2C **124**
(in two parts)
Westmoreland St. *W1* 2E **41**
Westmoreland Ter. *SW1* 5A **98**
Westmoreland Wlk. *SE17*
. . . . 2D **125**
(in three parts)
Westonbirt Ct. *SE15* 3B **126**
West One Ho. *W1* 2B **42**
Weston Ho. *NW6* 2A **4**
Weston Ri. *WC1* 1C **26**
Weston St. *SE1* 3E **75**
(in three parts)
West Parkside. *SE10* 5A **84**
West Point. *E14* 5C **52**
West Point. *SE1* 5D **105**
Westport Rd. *E13* 1F **57**
Westport St. *E1* 3E **51**
W. Poultry Av. *EC1* 2F **45**
West Ri. *W2* 5A **40**
West Rd. *SE1* 4C **72**
West Rd. *SW3* 1C **118**
Westside Ct. *W9* 4E **19**
West Smithfield. *EC1* 2F **45**
West Sq. *SE11* 2F **101**
West St. *E2* 1A **32**
West St. *WC2* 4E **43**
W. Tenter St. *E1* 4C **48**
Westview Clo. *W10* 3C **34**
W. Warwick Pl. *SW1* 4B **98**
Westway. *W10, W9 & W2*
. . . . 1D **37**
Westway. *W12 & W10* 4A **34**
Westwick Gdns. *W14* 5D **63**
Westwood Ho. *W12* 3C **62**
Westwood Rd. *E16* 3F **85**
Wetherby Gdns. *SW5* 4B **94**
Wetherby Mans. *SW5* 5F **93**
Wetherby M. *SW5* 5F **93**
Wetherby Pl. *SW7* 4B **94**
Wevco Wharf. *SE16* 2F **127**
Wexford Ho. *E1* 2B **50**
Weybridge Ct. *SE16* 1F **127**
Weyhill Rd. *E1* 3E **49**
Weymouth Clo. *E6* 4F **61**
Weymouth Ct. *E2* 5C **16**
Weymouth Ho. *SW8* 4B **122**
Weymouth M. *W1* 1F **41**
Weymouth St. *W1* 2E **41**
Weymouth Ter. *E2* 5C **16**
Whalebone Ct. *EC2* 3D **47**
Wharfdale Rd. *N1* 5A **12**
Wharfedale Ho. *NW6* 3F **5**
Wharfedale St. *SW10* 1F **115**
Wharf Pl. *E2* 4E **17**
Wharf Rd. *N1* 1B **28**
Wharf Rd. *NW1* 4E **11**
Wharfside Rd. *E16* 2F **55**
Wharf St. *E16* 2F **55**
Wharf, The. *EC3* 2A **76**
Wharton Cotts. *WC1* 3D **27**
Wharton Ho. *SE1* 1B **104**
Wharton St. *WC1* 3C **26**
Whatman Ho. *E14* 3C **52**
Wheatfields. *E6* 3F **61**
Wheatley St. *W1* 2E **41**
Wheat Sheaf Clo.
E14 . . . . 3F **109**
Wheatsheaf La. *SW8* 4F **121**
(in two parts)
Wheatsheaf Ter. *SW6* 5C **114**
Wheatstone Rd. *W10* 1A **36**
Wheeler Gdns. *N1* 3A **12**
Wheel Ho. *E14* 5F **109**
Wheelwright St. *N7* 1B **12**
Wheler Ho. *E1* 5B **30**
Wheler St. *E1* 5B **30**
Whetstone Pk. *WC2* 3B **44**
Whidborne Bldgs. *WC1* 3A **26**
Whidborne St. *WC1* 3A **26**
(in two parts)
Whiskin St. *EC1* 3F **27**
Whistler M. *SE15* 5C **126**
Whistlers Av. *SW11* 5E **117**
Whistler Tower. *SW10* 4D **117**
Whistler Wlk. *SW10* 4C **116**
Whiston Ho. *N1* 1A **14**
Whiston Rd. *E2* 5B **16**
(in two parts)
Whitby Ho. *NW8* 4B **6**
Whitby St. *E1* 4B **30**
(in two parts)
Whitcher Clo. *SE14* 3F **129**
Whitcher Pl. *NW1* 1C **10**
Whitchurch Ho. *W10* 4E **35**
Whitchurch Rd. *W11* 5E **35**
Whitcomb Ct. *WC2* 1E **71**
Whitcomb St. *WC2* 1E **71**
Whiteadder Way. *E14* 3A **110**
Whitebeam Clo. *SW9* 5C **122**
White Bear Yd. *EC1* 5D **27**
Whitechapel. 2D 49
Whitechapel Art Gallery. . . . 3C 48
Whitechapel High St. *E1* 3C **48**
Whitechapel Rd. *E1* 3D **49**
White Chu. La. *E1* 3D **49**
White Chu. Pas. *E1* 3D **49**
White City. 1A 62
White City Clo. *W12* 1B **62**
White City Est. *W12* 5A **34**
White City Rd. *W12* 5B **34**
White Conduit St. *N1* 5E **13**
Whitecross Pl. *EC2* 1E **47**
Whitecross St. *EC1* 4C **28**
Whitefriars St. *EC4* 4E **45**
Whitehall. *SW1* 2F **71**
Whitehall Ct. *SW1* 3F **71**
(in two parts)
Whitehall Gdns. *SW1* 3F **71**
Whitehall Pl. *SW1* 3F **71**
Whitehall Theatre. 2F 71
White Hart Ct. *EC2* 2F **47**
White Hart St. *EC4* 3A **46**
White Hart St. *SE11* 5E **101**
White Hart Yd. *SE1* 3D **75**
Whitehaven St. *NW8* 5F **21**
Whiteheads Gro. *SW3* 5A **96**
White Heather Ho. WC1 . . . . . 3A ***26***
(off Cromer St.)
White Horse All. *EC1* 1F **45**
White Horse La. *E1* 5D **33**
Whitehorse M. *SE1* 1E **101**
White Horse Rd. *E1* 4F **51**
(in two parts)
White Horse St. *W1* 3A **70**
White Horse Yd. *EC2* 3D **47**
White Ho., The. *NW1* 4A **24**
White Kennett St. *E1* 3A **48**
Whitelands Ho. *SW3* 5B **96**
Whiteleys Cen. *W2* 4A **38**
Whiteley's Cotts. *W14* 4C **92**
White Lion Ct. *EC3* 4F **47**
White Lion Ct. *SE15* 3C **128**
White Lion Hill. *EC4* 5A **46**
White Lion St. *N1* 1D **27**
White Lyon Ct. *EC2* 1B **46**
White Post St. *SE15* 4C **128**
White's Grounds. *SE1* 5A **76**

White's Grounds Est. *SE1*. . . . 4A **76**
White's Row. *E1*. 2B **48**
Whitethorn Ho. *E1*. 2B **78**
Whitethorn Pas. *E3*. 1E **53**
Whitethorn St. *E3*. 1D **53**
White Tower, The. *1B 76*
(in Tower of London, The)
Whitfield Ho. *NW8*. 5F **21**
Whitfield Pl. *W1*. 5B **24**
Whitfield St. *W1*. 5B **24**
Whitgift Ho. *SE11*. 3B **100**
Whitgift St. *SE11*. 3B **100**
Whitings Way. *E6*. 1D **61**
Whitley Ho. *SW1* 2C **120**
Whitman Ho. *E2*. 3B **32**
Whitman Rd. *E3*. 4F **33**
Whitmore Est. *N1*. 4A **16**
Whitmore Ho. *E2*. 4A **16**
Whitmore Rd. *N1*. 4F **15**
Whitstable Ho. *W10*. 4E **35**
Whittaker St. *SW1*. 4D **97**
Whittaker Way. *SE1*. 4E **105**
Whittington Av. *EC3*. 4F **47**
Whittlesey St. *SE1*. 3E **73**
Whitworth Ho. *SE1*. 2C **102**
Whitworth St. *SE10*. 5A **102**
Whytlaw Ho. *E3*. 1C **52**
Wicker St. *E1*. 4F **49**
Wickfield Ho. *SE16*. 5E **77**
Wickford Ho. *E1*. 4B **32**
Wickford St. *E1*. 4B **32**
Wickham Clo. *E1*. 2C **50**
Wickham St. *SE11*. 5B **100**
Wicklow St. *WC1*. 2B **26**
Wicksteed Ho. *SE1*. 2C **102**
Wickway Ct. *SE15*. 3B **126**
Widegate St. *E1*. 2A **48**
Widford. *NW1*. 1F **9**
Widford Ho. *N1*. 1F **27**
Widgeon Clo. *E16*. 3F **57**
Widley Rd. *W9*. 3E **19**
Wigmore Hall. 3F **41**
Wigmore Pl. *W1*. 3F **41**
Wigmore St. *W1*. 4D **41**
Wigram Ho. *E14*. 5F **53**
Wigton Pl. *SE11*. 1E **123**
Wilbraham Ho. *SW8*. 5F **121**
Wilbraham Pl. *SW1*. 3C **96**
Wilby M. *W11*. 2C **64**
Wilcox Clo. *SW8* 4A **122**
(in two parts)
Wilcox Ho. *E3*. 1C **52**
Wilcox Pl. *SW1*. 2C **98**
Wilcox Rd. *SW8*. 4F **121**
Wild Ct. *WC2*. 4B **44**
(in two parts)
Wilde Clo. *E8*. 3D **17**
Wild's Rents. *SE1*. 1F **103**
Wild St. *WC2*. 4A **44**
Wilfred St. *SW1*. 1B **98**
Wilkes St. *E1*. 1C **48**
Wilkie Ho. *SW1* 5E **99**
Wilkins Ho. *SW1* 2A **120**
Wilkinson Ho. *N1*. 1E **29**
Wilkinson Rd. *E16*. 3C **58**
Wilkinson St. *SW8*. 5B **122**
Wilks Pl. *N1*. 1A **30**
Willan Wall. *E16*. 5B **56**
Willesden La. *NW2 & NW6*. . . 1A **4**

William Caslon Ho. *E2*. 1A **32**
William Channing Ho. *E2* 2F **31**
William Cobbett Ho. *W8*. 1F **93**
William Dromey Ct. *NW6* 1B **4**
William Dunbar Ho. *NW6*. . . . 1C **18**
William Ellis Way. *SE16*. . . . 2E **105**
William Evans Ho. *SE8*. 4E **107**
William Fenn Ho. *E2*. 2D **31**
William IV St. *WC2*. 1F **71**
William Gibbs Ct. *SW1*. 2D **99**
William Henry Wlk. *SW8* . . . 3D **121**
William M. *SW1*. 5C **68**
William Paton Ho. *E16* 4F **57**
William Rathbone Ho. *E2* 2F **31**
William Rd. *NW1* 3B **24**
William Rushbrooke Ho.
  SE16 . . . . 3D **105**
William Saville Ho. *NW6*. 1C **18**
William's Bldgs. *E2*. 4B **32**
Williams Clo. *SW6* 4A **114**
Williamson Clo. *SE10*. 5B **112**
Williamson Ct. *SE17*. 1B **124**
William Sq. *SE16*. 2A **80**
William St. *SW1*. 5C **68**
Willis Ho. *E14*. 5F **53**
Willis St. *E14*. 4A **54**
Willoughby Highwalk.
  EC2. . . . . 2D **47**
Willoughby Ho. *E1*. 3F **77**
Willoughby Ho. *EC2*. 2D **47**
Willoughby Pas. *E14* 2D **81**
Willoughby St. *WC1* 2F **43**
Willoughby Way. *SE7* 3F **113**
Willow Bri. Rd. *N1*. 1B **14**
(in two parts)
Willowbrook Est. *SE15*. 5D **127**
Willow Brook Rd. *SE15* 3C **126**
Willow Ct. *EC2*. 4F **29**
Willow Ct. *NW6* 2A **4**
Willow Ct. *W9* 1E **37**
Willowdene. *SE15*. 5F **127**
Willow Pl. *SW1*. 3C **98**
Willow St. *EC2*. 4F **29**
Willow Wlk. *SE1*. 3A **104**
Willow Way. *W11* 1E **63**
Willsbridge Ct. *SE15*. 3B **126**
Wilman Gro. *E8* 1E **17**
Wilmcote Ho. *W2*. 1F **37**
Wilmer Gdns. *N1* 4F **15**
(in two parts)
Wilmington Sq. *WC1* 3D **27**
(in two parts)
Wilmington St. *WC1* 3D **27**
Wilmot Clo. *SE15*. 5D **127**
Wilmot St. *E2*. 4F **31**
Wilmot St. *NW1*. 1B **10**
Wilsham St. *W11*. 2E **63**
Wilshaw Ho. *SE8* 5E **131**
Wilshaw St. *SE14*. 5D **131**
Wilson Gro. *SE16*. 5F **77**
Wilson's Pl. *E14*. 4B **52**
Wilson's Rd. *W6*. 5E **91**
Wilson St. *EC2*. 1E **47**
Wilton Ct. *E1*. 3A **50**
Wilton Cres. *SW1*. 5D **69**
Wilton M. *SW1*. 1E **97**
Wilton Pl. *SW1*. 5D **69**
Wilton Rd. *SW1*. 2A **98**
Wilton Row. *SW1*. 5D **69**

Wilton Sq. *N1*. 3D **15**
Wilton St. *SW1*. 1F **97**
Wilton Ter. *SW1*. 1D **97**
Wilton Vs. *N1*. 4D **15**
Wiltshire Clo. *SW3*. 4B **96**
Wiltshire Row. *N1*. 4D **15**
Wimbolt St. *E2*. 2D **31**
Wimborne Ho. *E16*. 5C **56**
Wimborne Ho. *NW1*. 5A **22**
Wimborne Ho. *SW8* 5C **122**
Wimbourne Ct. *N1*. 5D **15**
Wimbourne St. *N1*. 5D **15**
Wimpole M. *W1*. 1F **41**
Wimpole St. *W1*. 1F **41**
Winant Ho. *E14*. 1A **82**
Winchcombe Bus. Cen.
  SE15. . . . . 3A **126**
Winchcombe Ct. *SE15*. 3A **126**
Winchelsea Ho. *SE16*. 4C **78**
Winchendon Rd. *SW6*. 5B **114**
Winchester Av. *NW6* 3A **4**
Winchester Clo. *E6*. 4A **60**
Winchester Clo. *SE17*. 4A **102**
Winchester Ct. *W8*. 4E **65**
Winchester Ho. *SW3* 3E **117**
Winchester Ho. *SW9* 4E **123**
Winchester Ho. *W2* 4B **38**
Winchester Rd. *NW3* 1E **7**
Winchester Sq. *SE1* 2D **75**
Winchester St. *SW1*. 5A **98**
Winchester Wlk. *SE1* 2D **75**
Winch Ho. *E14*. 1F **109**
Winch Ho. *SW10* 4C **116**
Winchilsea Ho. *NW8*. 3E **21**
Wincott St. *SE11* 3E **101**
Windermere. *NW1* 3A **24**
Windermere Av. *NW6*. 4A **4**
Windermere Point. *SE15* . . . 4B **128**
Windlass Pl. *SE8* 4A **108**
Windmill. *WC1*. 1B **44**
Windmill Clo. *SE1*. 3E **105**
Windmill Row. *SE11*. 1D **123**
Windmill St. *W1*. 2D **43**
(in two parts)
Windmill Wlk. *SE1* 3E **73**
Windrose Clo. *SE16*. 4D **79**
Windsock Clo. *SE16*. 3B **108**
Windsor Cen., The. *N1*. 3A **14**
Windsor Cotts. *SE14* 4B **130**
Windsor Ct. *NW2*. 1A **4**
Windsor Ct. *SE16*. 1E **79**
Windsor Ct. *SW3*. 5A **96**
Windsor Ct. *W2*. 5F **37**
Windsor Gdns. *W9*. 5D **19**
Windsor Hall. *E16*. 2F **85**
(in two parts)
Windsor Ho. *E2*. 2D **33**
Windsor Ho. *N1*. 5C **14**
Windsor Ho. *NW1*. 2A **24**
Windsor Pl. *SW1*. 3C **98**
Windsor St. *N1* 3A **14**
Windsor Ter. *N1*. 2C **28**
Windsor Way. *W14*. 3E **91**
Windspoint Dri. *SE15* 3F **127**
Wine Clo. *E1* 1B **78**
(in two parts)
Wine Office Ct. *EC4* 3E **45**
Winforton St. *SE10* 5B **132**
Wingfield Ho. *E2* 3B **30**

Wingfield Ho. NW6 . . . . 5F 5
Wingrad Ho. E1 . . . . 2B 50
Wingrave. SE17 . . . . 3D 103
(in three parts)
Wingreen. NW8 . . . . 3A 6
Winicotte Ho. W2 . . . . 1E 39
Winifred St. E16 . . . . 3C 88
Winkley St. E2 . . . . 1F 31
Winkworth Cotts. E1 . . . . . . 4C 32
Winnett St. W1 . . . . 5D 43
Winnington Ho. SE5 . . . . 4B 124
Winsham Ho. NW1 . . . . 2E 25
Winsland M. W2 . . . . 3D 39
Winsland St. W2 . . . . 3D 39
Winsley St. W1 . . . . 3B 42
Winslow. SE17 . . . . 1F 125
Winsor Park. 3F 61
Winsor Ter. E6 . . . . 2D 61
Winston Churchill's Britain at
War Experience. 3F 75
Winston Ho. N1 . . . . 1E 29
Winston Ho. WC1. . . . . 4E 25
Winterbourne Ho. W11 . . . . . . 1F 63
Wintergreen Clo. E6 . . . . 2F 59
Winterleys. NW6 . . . . 1C 18
Winter Lodge. SE16 . . . . 1E 127
Winterton Ho. E1 . . . . 4B 50
Winterton Pl. SW10 . . . . 2C 116
Winthrop Ho. W12 . . . . 5A 34
Winthrop St. E1 . . . . 1F 49
Wisden Ho. SW8 . . . . 3C 122
Wisley Ho. SW1 . . . . 5D 99
Witan St. E2. . . . . 3A 32
Withers Pl. EC1 . . . . 4C 28
Withy Ho. E1 . . . . 5D 33
Witley Ct. WC1 . . . . 5F 25
Woburn Ct. SE16 . . . . 5A 106
Woburn M. WC1 . . . . 4E 25
Woburn Pl. WC1 . . . . 4E 25
Woburn Sq. WC1 . . . . 5E 25
Woburn Wlk. WC1 . . . . 3E 25
Wodehouse Av. SE5 . . . . 5B 126
Wolcot Ho. NW1 . . . . 1C 24
Wolfe Cres. SE16 . . . . 5D 79
Wolfe Ho. W12. . . . . 5A 34
Wollaston Clo. SE1 . . . . 3B 102
Wollett Ct. NW1 . . . . 1C 10
Wolseley St. SE1 . . . . 5C 76
Wolsey Ct. NW6 . . . . 1C 6
Wolsey St. SW11 . . . . 5F 117
Wolsey St. E1 . . . . 2B 50
Wolverley St. E2 . . . . 3F 31
Wolverton. SE17 . . . . 5E 103
(in two parts)
Wolverton Gdns. W6 . . . . . . 3D 91
Wontner Clo. N1 . . . . 2B 14
Woodall Clo. E14 . . . . 5A 54
Woodbridge St. EC1 . . . . 4F 27
(in two parts)
Woodchester Sq. W2 . . . . . . 1F 37
Woodchurch Rd. NW6 . . . . . . 2E 5
Wood Clo. E2. . . . . 4D 31
Woodcock Ho. E14 . . . . 2D 53
Woodcocks. E16 . . . . 2C 58
Woodcote Ho. SE8 . . . . 2C 130
Woodcroft M. SE8 . . . . 4F 107
Woodfall St. SW3. . . . . 1B 118
Woodfield Pl. W9 . . . . 5C 18
Woodfield Ho. W9 . . . . 1C 36

Woodford Ct. W14 . . . . 4D 63
Woodger Rd. W12 . . . . 5C 62
Woodget Clo. E6. . . . . 3F 59
Woodhall. NW1 . . . . 3B 24
Woodhatch Clo. E6. . . . . 2F 59
Woodland Cres. SE10 . . . . . . 2F 133
Woodland Cres. SE16 . . . . . . 5D 79
Woodlands Gro. SE10 . . . . . . 1F 133
Woodlands Ho. NW6 . . . . 2A 4
Woodlands Pk. Rd. SE10 . . . 2F 133
(in two parts)
Wood La. W12. . . . . 3B 34
Woodman Pde. E16 . . . . 3E 89
Woodman's M. W12. . . . . . . 2A 34
Woodman St. E16 . . . . 3E 89
(in two parts)
Woodpecker Rd. SE14 . . . . . 3F 129
Wood Point. E16 . . . . 2E 57
Woodrush Clo. SE14. . . . . . . 4F 129
Wood's Bldgs. E1. . . . . 1F 49
Woodseer St. E1 . . . . 1C 48
Woodsford. SE17 . . . . 5D 103
Woodsford Sq. W14. . . . . . . 4A 64
Woods M. W1 . . . . 5C 40
Woods Pl. SE1. . . . . 2A 104
Woodstock Ct. SE11 . . . . 5C 100
Woodstock Gro. W12 . . . . . . 4E 63
Woodstock M. W1 . . . . 2E 41
Woodstock St. W1 . . . . 4F 41
Woodstock Ter. E14 . . . . 5A 54
Wood St. E16 . . . . 5A 58
Wood St. EC2 . . . . 4C 46
Woodville Ho. SE1 . . . . 1B 104
Woodville Rd. NW6 . . . . 5C 4
Wood Wharf. SE10. . . . . 2A 132
Wood Wharf Bus. Pk.
E14 . . . . 3A 82
Woolcombes Ct. SE16 . . . . . . 2D 79
Wooler St. SE17. . . . . 1D 125
Woolf M. WC1 . . . . 4E 25
Woollon Ho. E1 . . . . 3B 50
Woolmore St. E14 . . . . 5B 54
Woolstaplers Way.
SE16 . . . . 2D 105
Woolwich Mnr. Way. E6 & E16
. . . . 1D 61
Woolwich Rd. SE10 & SE7
. . . . 5B 112
Wooster Gdns. E14 . . . . 3D 55
Wooster Pl. SE1 . . . . 3E 103
Wootton St. SE1. . . . . 4E 73
Worcester Ct. W9. . . . . 1D 37
Worcester Ho. SE11. . . . . . . 2D 101
Worcester Ho. SW9 . . . . . . 4E 123
Worcester Ho. W2 . . . . 4B 38
Wordsworth Ho. NW6 . . . . . . 2D 19
Wordsworth Rd. SE1 . . . . . . 4C 104
Worfield St. SW11 . . . . 5A 118
Worgan St. SE11 . . . . 5B 100
Worgan St. SE16 . . . . 2E 107
Worlds End Est. SW10. . . . . . 4D 117
World's End Pas. SW10 . . . . . 4D 117
World's End Pl. SW10 . . . . . 4C 116
Worlidge St. W6. . . . . 5B 90
Wormwood St. EC2 . . . . 3F 47
(in two parts)
Wornington Rd. W10
. . . . 5A 18 & 1F 35
(in two parts)

Wornum Ho. W10 . . . . 1A 18
Woronzow Rd. NW8. . . . . . . 4E 7
Worship St. EC2. . . . . 5E 29
Worth Gro. SE17 . . . . 1D 125
Worthington Ho. EC1 . . . . . . 2E 27
Wotton Ct. E14. . . . . 1E 83
Wotton Rd. SE8 . . . . 3C 130
Wouldham Rd. E16 . . . . 3B 56
Wrayburn Ho. SE16 . . . . 5E 77
Wren Clo. E16 . . . . 3C 56
Wren Ho. E3. . . . . 1F 33
Wren Ho. SW1. . . . . 1D 121
Wren Landing. E14. . . . . 2E 81
Wren St. WC1 . . . . 4C 26
Wrestlers Ct. EC3 . . . . 3F 47
Wrigglesworth St.
SE14 . . . . 4D 129
Wright's La. W8 . . . . 5E 65
Wrotham Ho. SE1. . . . . 1E 103
Wrotham Rd. NW1. . . . . 2C 10
Wyatt Clo. SE16. . . . . 5B 80
Wyatt Ho. NW8 . . . . 5D 21
Wybert St. NW1 . . . . 4B 24
Wyclif Ct. EC1 . . . . 3F 27
Wyclif St. EC1 . . . . 3F 27
Wycombe Ho. NW8 . . . . 4F 21
Wycombe Sq. W8 . . . . 3D 65
Wyfold Rd. SW6. . . . . 5A 114
Wyllen Clo. E1 . . . . 5B 32
Wymering Mans. W9 . . . . . . 3E 19
(in two parts)
Wymering Rd. W9 . . . . 3E 19
Wynan Rd. E14. . . . . 5F 109
Wyndham Deedes Ho. E2
. . . . 1E 31
Wyndham Est. SE5. . . . . . . 4C 124
Wyndham Ho. E14. . . . . 4A 82
Wyndham M. W1 . . . . 2B 40
Wyndham Pl. W1. . . . . 2B 40
Wyndham Rd. SE5 . . . . 5A 124
Wyndhams Ct. E8. . . . . 2B 16
Wyndhams Theatre. 5F 43
Wyndham St. W1. . . . . 1B 40
Wyndham Yd. W1 . . . . 2B 40
Wynford Ho. N1. . . . . 5C 12
Wynford Rd. N1. . . . . 5B 12
Wynne Ho. SE14 . . . . 5D 129
Wynnstay Gdns. W8. . . . . . . 1E 93
Wynyard Ho. SE11. . . . . 5C 100
Wynyard Ter. SE11. . . . . . . 5C 100
Wynyatt St. EC1 . . . . 3F 27
Wythburn Ct. W1 . . . . 3B 40
Wythburn Pl. W1 . . . . 4B 40
Wythes Rd. E16 . . . . 3F 87
Wyvil Rd. SW8. . . . . 4F 121
Wyvis St. E14 . . . . 1A 54

Y

Yabsley St. E14 . . . . 2C 82
Yalding Rd. SE16. . . . . 2D 105
Yardley St. WC1. . . . . 3D 27
(in two parts)
Yarmouth Pl. W1 . . . . 3F 69
Yarrow Cres. E6 . . . . 1F 59
Yarrow Ho. E14. . . . . 1C 110
Yarrow Ho. W10. . . . . 1C 34
Yates Ho. E2. . . . . 2E 31

Yatton Ho. *W10* 1C **34**
Yeadon Ho. *W10* 1C **34**
Yearby Ho. *W10* 1B **34**
Yeate St. *N1* 2D **15**
Yeldham Ho. *W6* 5D **91**
Yeldham Rd. *W6* 5D **91**
Yeoman Clo. *E6* 5F **61**
Yeoman Ct. *SE1* 1C **126**
Yeoman's Row. *SW3* 2A **96**
Yeoman St. *SE8* 3F **107**
Yeoman's Yd. *E1* 5C **48**
Yeo St. *E3* 1F **53**
Yeovil Ho. *W10* 1B **34**
Yew Ho. *SE16* 5D **79**
(off Woodland Cres.)
York Av. *SE17* 5C **102**
York Bri. *NW1* 4D **23**
York Bldgs. *WC2* 1A **72**
York Clo. *E6* 4B **60**

York Ga. *NW1* 5D **23**
York Ho. *E16* 2E **85**
York Ho. *SE1* 2C **100**
York Ho. *W1* 1B **40**
York Ho. Pl. *W8* 4F **65**
York Mans. *SW5* 5F **93**
York Mans. *W1* 1D **41**
York Pl. *WC2* 1A **72**
York Pl. Mans. *W1* 1C **40**
York Rd. *SE1* 4C **72**
Yorkshire Grey Yd. *WC1* 2B **44**
Yorkshire Rd. *E14* 4F **51**
Yorkshire St. *E14* 4F **51**
York Sq. *E14* 4F **51**
York St. *W1* 2B **40**
York St. Chambers. *W1* 1B **40**
York Ter. E. *NW1* 5E **23**
York Ter. W. *NW1* 5D **23**
Yorkton St. *E2* 5D **17**

York Way. *N7 & N1* 1F **11**
York Way Ct. *N1* 4A **12**
Young Rd. *E16* 2B **58**
Youngs Bldgs. *EC1* 4C **28**
Young St. *W8* 5F **65**
Young Vic Theatre, The. 4E **73**

Z

Zampa Rd. *SE16* 1B **128**
Zander Ct. *E2* 2E **31**
Zealand Rd. *E3* 1F **33**
Zetland Ho. *W8* 1F **93**
Zetland St. *E14* 2A **54**
Zion Ho. *E1* 3B **50**
Zoar St. *SE1* 2B **74**

HOSPITALS and HOSPICES
covered by this atlas
with their map square reference

N.B. Where Hospitals and Hospices are not named on the map, the reference given is for the road in which they are situated.

CAMDEN MEWS DAY HOSPITAL
.... 1C **10**
1-5 Camden M.
LONDON
NW1 9DB
Tel: 020 75304780

CHELSEA & WESTMINSTER
HOSPITAL 3C **116**
369 Fulham Rd.
LONDON
SW10 9NH
Tel: 020 87468000

CROMWELL HOSPITAL, THE
.... 3F **93**
162-174 Cromwell Rd.
LONDON
SW5 0TU
Tel: 020 74602000

DEVONSHIRE HOSPITAL, THE
.... 1E **41**
29-31 Devonshire St.
LONDON
W1G 6PU
Tel: 020 74867131

EASTMAN DENTAL HOSPITAL &
DENTAL INSTITUTE, THE
.... 4B **26**
256 Gray's Inn Rd.
LONDON
WC1X 8LD
Tel: 020 79151000

FLORENCE NIGHTINGALE DAY
HOSPITAL 1A **40**
1B Harewood Row
LONDON
NW1 6SE
Tel: 020 7259940

FLORENCE NIGHTINGALE
HOSPITAL 1A **40**
11-19 Lisson Gro.
LONDON
NW1 6SH
Tel: 020 72583828

GAINSBOROUGH CLINIC, THE
.... 1E **101**
22 Barkham Ter.
LONDON
SE1 7PW
Tel: 020 79285633

GORDON HOSPITAL........ 4D **99**
Bloomburg St.
LONDON
SW1V 2RH
Tel: 020 87468733

GREAT ORMOND STREET
HOSPITAL FOR CHILDREN
.... 5A **26**
Gt. Ormond St.
LONDON
WC1N 3JH
Tel: 020 74059200

GUY'S HOSPITAL.......... 3D **75**
St Thomas St.
LONDON
SE1 9RT
Tel: 020 79555000

GUY'S NUFFIELD HOUSE
.... 4D **75**
Newcomen St.
LONDON
SE1 1YR
Tel: 020 79554257

HARLEY STREET CLINIC, THE
.... 1F **41**
35 Weymouth St.
LONDON
W1G 8BJ
Tel: 020 79357700

HEART HOSPITAL, THE 2E **41**
16-18 Westmoreland St.
LONDON
W1G 8PH
Tel: 020 75738888

HOSPITAL FOR TROPICAL
DISEASES 5C **24**
Mortimer Mkt.
Capper St.
LONDON
WC1E 6AU
Tel: 020 73879300

HOSPITAL OF ST JOHN &
ST ELIZABETH 1D **21**
60 Gro. End Rd.
LONDON
NW8 9NH
Tel: 020 72865126

KING EDWARD VII'S HOSPITAL
SISTER AGNES 1E **41**
5-10 Beaumont St.
LONDON
W1G 6AA
Tel: 020 74864411

LATIMER DAY HOSPITAL
.... 1B **42**
40 Hanson St.
LONDON
W1W 6UL
Tel: 020 73809187

LISTER HOSPITAL, THE
.... 1F **119**
Chelsea Bri. Rd.
LONDON
SW1W 8RH
Tel: 020 77303417

LONDON BRIDGE HOSPITAL
.... 2E **75**
27 Tooley St.
LONDON
SE1 2PR
Tel: 020 74073100

LONDON CHEST HOSPITAL
.... 1C **32**
Bonner Rd.
LONDON
E2 9JX
Tel: 020 73777000

LONDON CLINIC, THE
.... 5E **23**
20 Devonshire Pl.
LONDON
W1G 6BW
Tel: 020 79354444

LONDON FOOT HOSPITAL
.... 5B **24**
33 & 40 Fitzroy Sq.
LONDON
W1P 6AY
Tel: 020 75304500

LONDON INDEPENDENT HOSPITAL
.... 1D **51**
1 Beaumont Sq.
LONDON
E1 4NL
Tel: 020 77900990

LONDON LIGHTHOUSE
.... 4F **35**
111-117 Lancaster Rd.
LONDON
W11 1QT
Tel: 020 77921200

LONDON WELBECK HOSPITAL
.... 2E **41**
27 Welbeck St.
LONDON
W1G 8EN
Tel: 020 72242242

MIDDLESEX HOSPITAL, THE
.... 2C **42**
Mortimer St.
LONDON
W1N 8AA
Tel: 020 76368333

MILDMAY MISSION HOSPITAL
. . . . 3B **30**
Hackney Rd.
LONDON
E2 7NA
Tel: 020 76136300

MOORFIELDS EYE HOSPITAL
. . . . 3D **29**
162 City Rd.
LONDON
EC1V 2PD
Tel: 020 72533411

NATIONAL HOSPITAL FOR
NEUROLOGY &
NEUROSURGERY, THE
. . . . 5A **26**
Queen Sq.
LONDON
WC1N 3BG
Tel: 020 78373611

OBSTETRIC HOSPITAL, THE
. . . . 5C **24**
Huntley St.
LONDON
WC1E 6DH
Tel: 020 73879300

PORTLAND HOSPITAL FOR
WOMEN & CHILDREN, THE
. . . . 5A **24**
209 Gt. Portland St.
LONDON
W1N 6AH
Tel: 020 75804400

PRINCESS GRACE HOSPITAL
. . . . 5D **23**
42-52 Nottingham Pl.
LONDON
W1U 5NY
Tel: 020 74861234

PRINCESS LOUISE HOSPITAL
. . . . 2D **35**
St Quintin Av.
LONDON
W10 6DL
Tel: 020 89690133

RICHARD HOUSE CHILDREN'S
HOSPICE 5E **59**
Richard Ho. Dri.
LONDON
E16 3RG
Tel: 020 75110222

ROYAL BROMPTON HOSPITAL
. . . . 5F **95**
Sydney St., LONDON
SW3 6NP
Tel: 020 73528121

ROYAL BROMPTON HOSPITAL
(ANNEXE) 5E **95**
Fulham Rd.
LONDON
SW3 6HP
Tel: 020 73528121

ROYAL LONDON HOMOEOPATHIC
HOSPITAL, THE 1A **44**
Gt. Ormond St.
LONDON
WC1N 3HR
Tel: 020 78378833

ROYAL LONDON HOSPITAL
(MILE END) 4E **33**
Bancroft Rd.
LONDON
E1 4DG
Tel: 020 73777920

ROYAL LONDON HOSPITAL
(WHITECHAPEL) 2F **49**
Whitechapel Rd.
LONDON
E1 1BB
Tel: 020 73777000

ROYAL MARSDEN HOSPITAL
(FULHAM), THE 5E **95**
Fulham Rd.
LONDON
SW3 6JJ
Tel: 020 73528171

ROYAL NATIONAL ORTHOPAEDIC
HOSPITAL (OUTPATIENTS)
. . . . 5A **24**
45-51 Bolsover St.
LONDON
W1W 5AQ
Tel: 020 89542300

ROYAL NATIONAL THROAT,
NOSE & EAR HOSPITAL
. . . . 2B **26**
330 Gray's Inn Rd.
LONDON
WC1X 8DA
Tel: 020 79151300

ST BARTHOLOMEW'S HOSPITAL
. . . . 2A **46**
West Smithfield
LONDON
EC1A 7BE
Tel: 020 73777000

ST CHARLES HOSPITAL
. . . . 1D **35**
Exmoor St.
LONDON
W10 6DZ
Tel: 020 89692488

ST JOHN'S HOSPICE
. . . . 1D **21**
Hospital of St John & St Elizabeth,
60 Gro. End Rd.
LONDON
NW8 9NH
Tel: 020 72865126

ST LUKE'S HOSPITAL FOR THE
CLERGY 5B **24**
14 Fitzroy Sq.
LONDON
W1T 6AH
Tel: 020 73884954

ST MARY'S HOSPITAL 3E **39**
Praed St.
LONDON
W2 1NY
Tel: 020 77256666

ST PANCRAS HOSPITAL
. . . . 4D **11**
4 St Pancras Way
LONDON
NW1 0PE
Tel: 020 75303500

ST THOMAS' HOSPITAL
. . . . 1B **100**
Lambeth Pal. Rd.
LONDON
SE1 7EH
Tel: 020 79289292

UNITED ELIZABETH GARRETT
ANDERSON & SOHO
HOSPITALS FOR WOMEN
. . . . 3E **25**
144 Euston Rd.
LONDON
NW1 2AP
Tel: 020 73872501

UNIVERSITY COLLEGE HOSPITAL
. . . . 5C **24**
Gower St.
LONDON
WC1E 6AU
Tel: 020 73879300

WELLINGTON HOSPITAL, THE
. . . . 2E **21**
8a Wellington Pl.
LONDON
NW8 9LE
Tel: 0207 5865959

WESTERN OPHTHALMIC HOSPITAL
. . . . 1B **40**
153 Marylebone Rd.
LONDON
NW1 5QH
Tel: 020 78866666

RAIL, DOCKLANDS LIGHT RAILWAY AND LONDON UNDERGROUND STATIONS

with their map square reference

A

Aldgate East Station. Tube 3C **48**
Aldgate Station. Tube 4B **48**
All Saints Station. DLR .5A **54**
Angel Station. Tube 5E **13**

B

Baker Street Station. Tube 5C **22**
Bank Station. Tube & DLR 4D **47**
Barbican Station. Rail & Tube 1B **46**
Barons Court Station. Tube 5F **91**
Battersea Park Station. Rail 5F **119**
Bayswater Station. Tube 5A **38**
Beckton Station. DLR 3D **61**
Beckton Park Station. DLR 5B **60**
Bermondsey Station. Tube 1F **105**
Bethnal Green Station. Rail 4F **31**
Bethnal Green Station. Tube 3B **32**
Blackfriars Station. Rail & Tube 5F **45**
Blackwall Station. DLR .1C **82**
Bond Street Station. Tube 4F **41**
Borough Station. Tube .5C **74**
Brondesbury Station. Rail 1B **4**
Brondesbury Park Station. Rail 3A **4**

C

Caledonian Road & Barnsbury Station. Rail 1C **12**
Cambridge Heath Station. Rail 1A **32**
Camden Road Station. Rail 2B **10**
Camden Town Station. Tube 3A **10**
Canada Water Station. Tube 1C **106**
Canary Wharf Station. DLR 2E **81**
Canary Wharf Station. Tube 3F **81**
Canning Town Station. Rail, DLR & Tube 3A **56**
Cannon Street Station. Rail & Tube 5D **47**
Chalk Farm Station. Tube 1D **9**
Chancery Lane Station. Tube 2D **45**
Charing Cross Station. Rail & Tube 2F **71**
City Thameslink Station. Rail 4F **45**
Covent Garden Station. Tube 4F **43**
Crossharbour & London Arena Station.
    DLR 1A **110**
Custom House for ExCeL Station.
    Rail & DLR 5F **57**
Cutty Sark Station. DLR 2B **132**
Cyprus Station. DLR 5E **61**

D

Deptford Station. Rail 4D **131**

E

Earl's Court Station. Tube 5E **93**
East India Station. DLR .5D **55**
Edgware Road Station. Tube 1F **39**

Edgware Road Station. Tube 2F **39**
Elephant & Castle Station. Rail & Tube 3B **102**
Embankment Station. Tube 2A **72**
Essex Road Station. Rail 2B **14**
Euston Station. Rail & Tube 3D **25**
Euston Square Station. Tube 4C **24**

F

Farringdon Station. Rail & Tube 1F **45**
Fenchurch Street Station. Rail 5A **48**
Fulham Broadway Station. Tube 4E **115**

G

Gallions Reach Station. DLR 5F **61**
Gloucester Road Station. Tube 3B **94**
Goldhawk Road Station. Tube 5B **62**
Goodge Street Station. Tube 1C **42**
Great Portland Street Station. Tube 5A **24**
Green Park Station. Tube 3A **70**
Greenwich Station. Rail & DLR 4A **132**

H

Hammersmith Station. Tube 4C **90**
Heron Quays Station. DLR 3E **81**
High Street Kensington Station. Tube 5F **65**
Holborn Station. Tube 2B **44**
Holland Park Station. Tube 3B **64**
Hyde Park Corner Station. Tube 4E **69**

I

Island Gardens Station. DLR 5B **110**

K

Kennington Station. Tube 5F **101**
Kensington Olympia Station.
    Rail & Tube 2A **92**
Kilburn High Road Station. Rail 4E **5**
Kilburn Park Station. Tube 5E **5**
King's Cross Station. Rail 1F **25**
King's Cross St Pancras Station. Tube 2F **25**
King's Cross Thameslink Station. Rail 2B **26**
Knightsbridge Station. Tube 5C **68**

L

Ladbroke Grove Station. Tube 3A **36**
Lambeth North Station. Tube 1D **101**
Lancaster Gate Station. Tube 5D **39**
Latimer Road Station. Tube 5E **35**
Leicester Square Station. Tube 5F **43**
Limehouse Station. Rail & DLR 4F **51**
Liverpool Street Station. Rail & Tube 2F **47**
London Arena Station. DLR 1A **110**

London Bridge Station. Rail & Tube 3E **75**
London Fields Station. Rail 1F **17**

M

Maida Vale Station. Tube 2A **20**
Mansion House Station. Tube 5C **46**
Marble Arch Station. Tube 4C **40**
Marylebone Station. Rail & Tube 5B **22**
Maze Hill Station. Rail 2F **133**
Monument Station. Tube 5E **47**
Moorgate Station. Rail & Tube 2D **47**
Mornington Crescent Station. Tube 5B **10**
Mudchute Station. DLR 3A **110**

N

New Cross Station. Rail & Tube 5B **130**
New Cross Gate Station. Rail & Tube 5F **129**
North Greenwich Station. Tube 4F **83**
North Woolwich Station. Rail 4E **89**
Notting Hill Gate Station. Tube 2D **65**

O

Old Street Station. Rail & Tube 4E **29**
Oval Station. Tube 3D **123**
Oxford Circus Station. Tube 3B **42**

P

Paddington Station. Rail & Tube 4D **39**
Piccadilly Circus Station. Tube 1D **71**
Pimlico Station. Tube 5D **99**
Poplar Station. DLR 1F **81**
Prince Regent Station. DLR 5B **58**

Q

Queen's Park Station. Rail & Tube 1B **18**
Queensway Station. Tube 1A **66**

R

Regent's Park Station. Tube 5F **23**
Rotherhithe Station. Tube 4C **78**
Royal Albert Station. DLR 5F **59**
Royal Oak Station. Tube 2A **38**
Royal Victoria Station. DLR 5D **57**
Russell Square Station. Tube 5F **25**

S

St James's Park Station. Tube 1D **99**
St John's Wood Station. Tube 5D **7**
St Pancras Station. Rail 2F **25**
St Paul's Station. Tube 3B **46**
Shadwell Station. DLR & Tube 5A **50**
Shepherd's Bush Station. Tube 4D **63**
Shepherd's Bush Station. Tube 3B **62**
Shoreditch Station. Tube 5C **30**
Silvertown & City Airport Station.
    Rail 3F **87**
Sloane Square Station. Tube 4D **97**
South Bermondsey Station. Rail 5B **106**
South Hampstead Station. Rail 2C **6**
South Kensington Station. Tube 3E **95**
South Quay Station. DLR 4F **81**
Southwark Station. Tube 3F **73**
Stepney Green Station. Tube 5D **33**
Surrey Quays Station. Tube 3D **107**
Swiss Cottage Station. Tube 1D **7**

T

Temple Station. Tube 5C **44**
Tottenham Court Road Station. Tube 3D **43**
Tower Gateway Station. DLR 5B **48**
Tower Hill Station. Tube 5B **48**

V

Vauxhall Station. Rail & Tube 1A **122**
Victoria Coach Station. Bus 4A **98**
Victoria Station. Rail & Tube 3A **98**

W

Wapping Station. Tube 3B **78**
Warren Street Station. Tube 4B **24**
Warwick Avenue Station. Tube 5B **20**
Waterloo East Station. Rail 3E **73**
Waterloo International Station. Rail 4C **72**
Waterloo Station. Rail & Tube 4D **73**
Westbourne Park Station. Tube 1C **36**
West Brompton Station. Rail & Tube 2E **115**
Westferry Station. DLR 5D **53**
West India Quay Station. DLR 1F **81**
West Kensington Station. Tube 5B **92**
Westminster Station. Tube 5A **72**
Whitechapel Station. Tube 1F **49**
White City Station. Tube 1C **62**

Every possible care has been taken to ensure that the information given in this publication is accurate and whilst the publishers would be grateful to learn of any errors, they regret they cannot accept any responsibility for loss thereby caused.

The representation on the maps of a road, track or footpath is no evidence of the existence of a right of way.

The Grid on this map is the National Grid taken from Ordnance Survey mapping with the permission of the Controller of Her Majesty's Stationery Office.

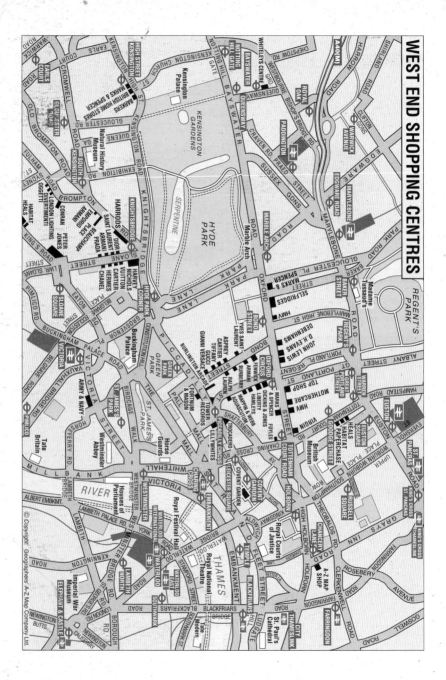

WEST END SHOPPING CENTRES
REGENT'S PARK
Madame Tussaud's
BAKER STREET
MARYLEBONE
EDGWARE ROAD
WARWICK AVENUE
ROYAL OAK
PADDINGTON
BAYSWATER
QUEENSWAY
NOTTING HILL GATE
WHITELEYS CENTRE
HIGH STREET KENSINGTON
EARLS COURT
GLOUCESTER ROAD
SOUTH KENSINGTON
KNIGHTSBRIDGE
HYDE PARK CORNER
MARBLE ARCH
BOND STREET
OXFORD CIRCUS
REGENT'S PARK
GREAT PORTLAND STREET
WARREN STREET
EUSTON
EUSTON SQUARE
ST. PANCRAS
KING'S CROSS ST. PANCRAS
KING'S CROSS THAMESLINK
GOODGE STREET
TOTTENHAM COURT ROAD
RUSSELL SQUARE
HOLBORN
CHANCERY LANE
FARRINGDON
CITY THAMESLINK
BLACKFRIARS
TEMPLE
COVENT GARDEN
LEICESTER SQUARE
PICCADILLY CIRCUS
GREEN PARK
CHARING CROSS
EMBANKMENT
WESTMINSTER
ST. JAMES'S PARK
VICTORIA
SLOANE SQUARE
PIMLICO
LAMBETH NORTH
WATERLOO
WATERLOO INTERNATIONAL
WATERLOO EAST
SOUTHWARK
ELEPHANT & CASTLE
Kensington Palace
KENSINGTON GARDENS
HYDE PARK
SERPENTINE
Marble Arch
Natural History Museum
Buckingham Palace
GREEN PARK
ST. JAMES'S PARK
Horse Guards
Westminster Abbey
Houses of Parliament
Tate Britain
Imperial War Museum
Royal Festival Hall
Royal National Theatre
Tate Modern
St. Paul's Cathedral
Royal Courts of Justice
British Museum
RIVER THAMES
A40(M)
MARKS & SPENCER
BRITISH HOME STORES
BARKERS
HARRODS
DIOR
SAINT LAURENT
ARMANI
PRADA
EMPORIO ARMANI
BEAUCHAMP PLACE
HARVEY NICHOLS
VUITTON
CARTIER
HERMES
CHANEL
PETER JONES
CONRAN
LONDON LIGHTING
DIVERTIMENTI
OGGETTI
HABITAT
HEALS
SELFRIDGES
HMV
DEBENHAMS
D.H. EVANS
JOHN LEWIS
YVES SAINT LAURENT
ASPREY
TIFFANY
GUCCI
GIANNI VERSACE
BURLINGTON ARCADE
FENWICK
BURBERRY
RALPH LAUREN
FORTNUM & MASON
TOWER RECORDS
LILLYWHITES
TROCADERO
AQUASCUTUM
MAPPIN & WEBB
HAMLEYS
LIBERTY
DICKINS & JONES
TOP SHOP
MOTHERCARE
VIRGIN
FOYLES
PAPERCHASE
ARMY & NAVY
A-Z MAP SHOP
SHIRLAND ROAD
HARROW ROAD
CLIFTON GDNS
EDGWARE ROAD
PARK ROAD
GLOUCESTER PL.
MARYLEBONE ROAD
MARYLEBONE HIGH ST.
ALBANY STREET
HAMPSTEAD ROAD
EVERSHOLT ST.
EUSTON ROAD
UPPER WOBURN PLACE
GRAY'S INN ROAD
ROSEBERY AVENUE
FARRINGDON ROAD
CLERKENWELL ROAD
GOSWELL ROAD
THEOBALDS RD.
SOUTHAMPTON ROW
HIGH HOLBORN
HOLBORN
FLEET STREET
LUDGATE HILL
KINGSWAY
ALDWYCH
STRAND
CHARING CROSS RD.
SHAFTESBURY AV.
TOTTENHAM COURT RD.
PORTLAND PL.
REGENT STREET
OXFORD STREET
BOND STREET
PICCADILLY
PALL MALL
THE MALL
BIRDCAGE WALK
WHITEHALL
VICTORIA STREET
VICTORIA EMBANKMENT
MILLBANK
HORSEFERRY RD.
VAUXHALL BRIDGE RD.
BELGRAVE ROAD
BUCKINGHAM PALACE ROAD
GROSVENOR PL.
CONSTITUTION HILL
PARK LANE
BAYSWATER ROAD
SUSSEX GDNS.
PRAED STREET
CRAVEN RD.
QUEENSWAY
WESTBOURNE GRO.
BISHOP'S BRIDGE RD.
CHEPSTOW RD.
KENSINGTON CHURCH ST.
KENSINGTON HIGH ST.
KENSINGTON ROAD
KNIGHTSBRIDGE
BROMPTON ROAD
OLD BROMPTON ROAD
CROMWELL ROAD
GLOUCESTER RD.
QUEENS GA.
EXHIBITION RD.
EARLS COURT ROAD
WARWICK ROAD
FULHAM ROAD
SYDNEY ST.
KING'S ROAD
SLOANE STREET
LWR. SLOANE STREET
PIMLICO RD.
EATON PLACE
BELGRAVE SQ.
ECCLESTON STREET
LAMBETH BRIDGE
WESTMINSTER BRIDGE
ALBERT EMBKMT.
LAMBETH PALACE RD.
LAMBETH ROAD
KENNINGTON ROAD
WESTMINSTER BRIDGE RD.
YORK ROAD
WATERLOO BRIDGE
WATERLOO ROAD
STAMFORD STREET
BLACKFRIARS BRIDGE
BLACKFRIARS ROAD
SOUTHWARK ST.
BOROUGH RD.
LONDON RD.
ST. GEORGE'S RD.
NEWINGTON BUTTS
NEWINGTON CAUSEWAY
FETTER LA.
CHANCERY LANE
LONG ACRE
BERNARD ST.
© Copyright: Geographers' A-Z Map Company Ltd.

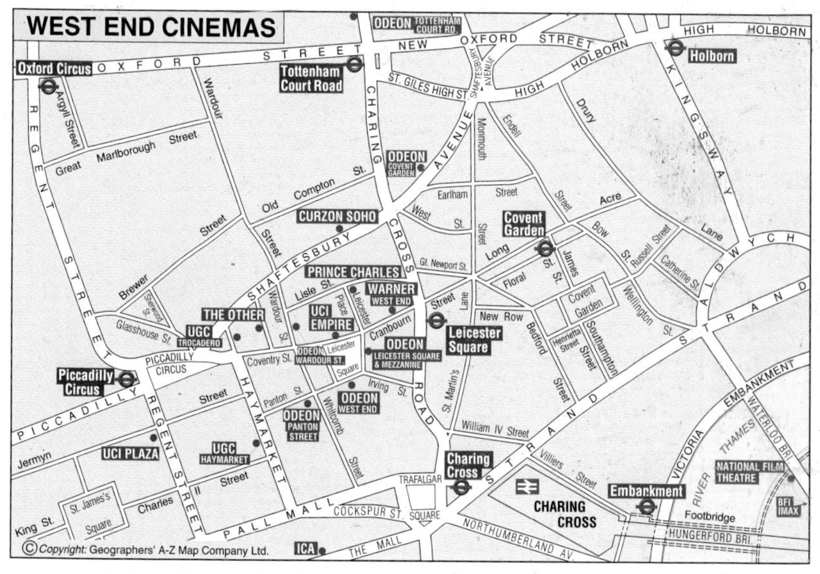

WEST END CINEMAS

Oxford Circus · OXFORD · STREET · ODEON Tottenham Court Rd · NEW · OXFORD · STREET · HOLBORN · HIGH · HOLBORN · Holborn
Tottenham Court Road · ST. GILES HIGH ST. · HIGH
Argyll Street · Wardour · Charing · Monmouth · Endell · Drury · Street · Kingsway
Great Marlborough Street · ODEON COVENT GARDEN · Earlham · Street · Acre · Lane
Old Compton · St. · West · St. · Covent Garden · Bow · Russell Street · Catherine St.
CURZON SOHO · Gt. Newport St. · Long · James · St. · Covent Garden · ALDWYCH
Brewer · PRINCE CHARLES · Lisle · Floral · St. · Wellington · STRAND
THE OTHER · UCI EMPIRE · WARNER WEST END · Street · New Row · Covent Garden · Bedford · Henrietta Street · Southampton Street
Glasshouse St. · UGC TROCADERO · Cranbourn · ODEON LEICESTER SQUARE & MEZZANINE · Leicester Square
PICCADILLY · Coventry St. · ODEON WARDOUR ST. · St. Martin's · Street · EMBANKMENT
Piccadilly Circus · PICCADILLY CIRCUS · Street · Panton · Irving · William IV Street · THAMES · WATERLOO BR.
ODEON PANTON STREET · ODEON WEST END · Villiers · Street · RIVER · NATIONAL FILM THEATRE
UCI PLAZA · UGC HAYMARKET · Charing Cross · Embankment · Footbridge · BFI IMAX
Jermyn · Street · TRAFALGAR · CHARING CROSS · HUNGERFORD BRI.
King St. · St. James's Square · Charles · II · Street · PALL MALL · COCKSPUR ST. · SQUARE · NORTHUMBERLAND AV.
© Copyright: Geographers' A-Z Map Company Ltd. · ICA · THE MALL

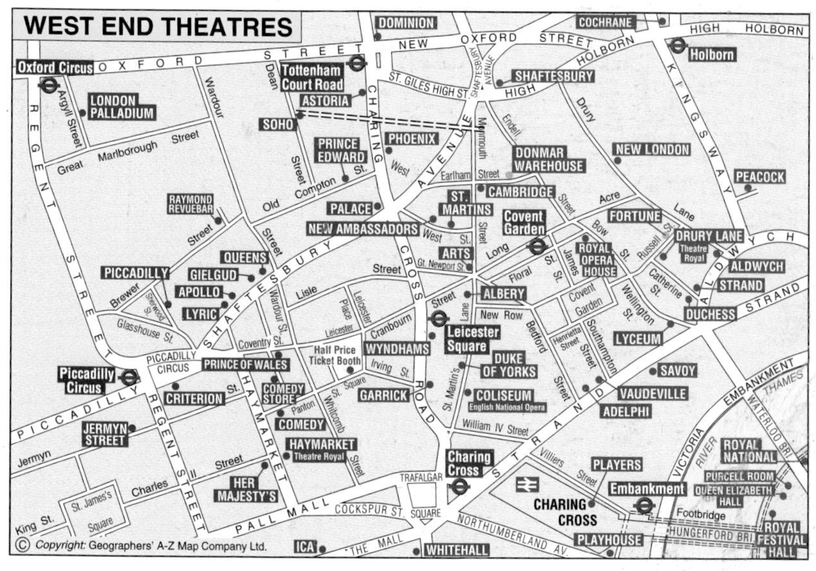

WEST END THEATRES

Oxford Circus · OXFORD · STREET · DOMINION · NEW · OXFORD · STREET · COCHRANE · HOLBORN · HIGH · HOLBORN · Holborn
LONDON PALLADIUM · Dean · Tottenham Court Road · ST. GILES HIGH ST. · SHAFTESBURY · HIGH
Argyll Street · Wardour · ASTORIA · Charing · Monmouth · Endell · Drury · Kingsway
Great Marlborough Street · SOHO · PRINCE EDWARD · PHOENIX · West · Earlham · St. · DONMAR WAREHOUSE · NEW LONDON · PEACOCK
RAYMOND REVUEBAR · Old · Compton · Street · CAMBRIDGE · Covent Garden · Acre · Lane · DRURY LANE Theatre Royal
PICCADILLY · PALACE · ST. MARTINS · West · St. · Long · James · St. · FORTUNE · Russell · ALDWYCH
QUEENS · NEW AMBASSADORS · Gt. Newport St. · Floral · St. · ROYAL OPERA HOUSE · Catherine · STRAND
GIELGUD · Street · Lisle · ARTS · ALBERY · New Row · Covent Garden · Wellington · DUCHESS
APOLLO · Brewer · Place · Leicester · Cranbourn · Bedford · Henrietta Street · Southampton Street · LYCEUM
LYRIC · Glasshouse St. · Leicester · Hall Price Ticket Booth · Leicester Square · St. Martin's · SAVOY
PICCADILLY CIRCUS · Coventry St. · WYNDHAMS · Irving · St. · DUKE OF YORKS · VAUDEVILLE · EMBANKMENT
Piccadilly Circus · PRINCE OF WALES · COMEDY STORE · Panton · GARRICK · COLISEUM English National Opera · ADELPHI · THAMES
CRITERION · St. · Whitcomb · William IV Street · PLAYERS · RIVER · ROYAL NATIONAL · WATERLOO BRI
PICCADILLY · COMEDY · Charing Cross · Embankment · PURCELL ROOM · QUEEN ELIZABETH HALL
JERMYN STREET · HAYMARKET Theatre Royal · TRAFALGAR · Footbridge · ROYAL FESTIVAL HALL
Jermyn · Charles · HER MAJESTY'S · Street · CHARING CROSS · HUNGERFORD BRI.
King St. · St. James's Square · II · PALL MALL · COCKSPUR ST. · SQUARE · NORTHUMBERLAND AV.
© Copyright: Geographers' A-Z Map Company Ltd. · ICA · THE MALL · WHITEHALL · PLAYHOUSE

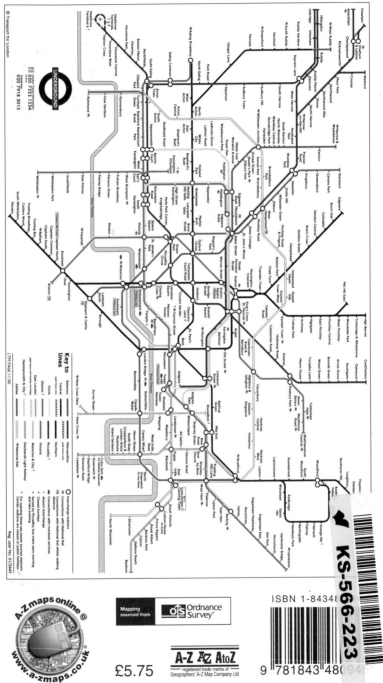

UNDERGROUND

020 7222 1234
020 7918 3015

Key to
lines

A-Z maps online
www.a-zmaps.co.uk

Mapping
sourced from

Ordnance
Survey

ISBN 1-84348

£5.75

A-Z A-Z A to Z
registered trade marks of
Geographers' A-Z Map Company Ltd

9 781843 480945

KS-566-223